ПОЛНАЯ ЭНЦИКЛОПЕДИЯ ЗДОРОВЬЯ

Луизы Хей

МОСКВА
ОЛМА-ПРЕСС Образование
2005

УДК 613
ББК 88.6
П 49

П 49 **Полная энциклопедия здоровья Луизы Хей** / Пер. с англ. —
М.: ОЛМА-ПРЕСС Образование, 2005. — 784 с.
ISBN 5-94849-171-4

В энциклопедию вошли все труды Луизы Хей. С помощью уникальных целительных методик вы сможете избавиться от болезней, изменить отношение
к себе и реализовать свои скрытые возможности. В книге собраны все аффирмации Луизы Хей, предложен дневник для записи собственных мыслей и
наблюдений.
Издание адресовано широкому кругу читателей.

УДК 613
ББК 88.6

СОДЕРЖАНИЕ

Отсутствие любви к собственному телу способно разрушить его и стать причиной многих болезней. Наши мысли, как утверждает Луиза Хей, оказывают огромное влияние на здоровье нашего организма... Научившись любить, вы сможете избавиться почти от всех проблем, окружающих нас, вернуть своему телу здоровье, а душе — покой и счастье.

«Обратитесь внутрь себя и свяжитесь с той частью своего существа, которая знает путь к исцелению. Это возможно. Знайте, что процесс излечения идет.
Пришла пора поверить в свои целительные способности — яркие и сильные. Вы — дух, и, будучи духом, способны спасти себя... и мир».

Луиза Хей

ИСЦЕЛИ
СВОЕ ТЕЛО

HEAL
YOUR BODY

ВВЕДЕНИЕ

В новом издании я хочу рассказать вам, почему мне доподлинно известно, что болезни может быть дан обратный ход после того, как меняется стереотип мышления.

Пару лет назад у меня обнаружили злокачественную опухоль во влагалище. Ничего удивительного, если вспомнить, что в пять лет меня изнасиловали и все детство нещадно били. Ко времени своей болезни я уже несколько лет занималась исцелением людей. Я поняла, что настал мой час испытать на себе то, чему я учила других.

Моя реакция на известие о раке была такая же, как у других: я впала в панику, хотя прекрасно понимала, что ментальное исцеление уже работает. Мне было известно, что образование злокачественной опухоли связано со стереотипом глубокой обиды, который, укоренившись в человеке, буквально сжирает его тело, поэтому меня ждала нелегкая умственная работа. Я понимала, что если сделаю операцию, но не избавлюсь от старого стереотипа мышления, который стал причиной возникновения рака, врачи буду кромсать меня до бесконечности. Но если я прооперируюсь и изменю свой стереотип мышления, тогда рак будет побежден. Если рак и другие болезни повторно атакуют исцелившегося больного, я больше чем уверена, что это происходит не потому, что врач «что-то там оставил», а потому что пациент не изменил своего мышления и заново спровоцировал развитие той же болезни. Я также была абсолютно уверена, что, если мне удастся избавиться от старого стереотипа обиды, который привел к моему теперешнему состоянию, никакой врач мне не понадобится.

Я попросила дать мне немного времени. Доктор очень неохотно согласился на три месяца, предупредив меня, что я страшно рискую.

Я тотчас приступила к работе вместе с моим учителем: нужно было избавляться от старого стереотипа обиды. До сих пор я не признавалась в том, что затаила старую обиду. Мы так часто бываем слепы по отношению к собственным стереотипам. Впереди меня ждала тяжелая работа: предстояло научиться прощать. Кроме того, я обратилась к хорошему диетологу, чтобы полностью очистить свой организм. В течение шести месяцев я была занята очищением своего тела и мышления, после чего медицина была вынуждена признать то, в чем я уже была уверена: рака у меня больше нет. Я до сих пор храню оригинал лабораторного заключения как напоминание о том, какой деструктивной личностью я была.

Когда люди приходят ко мне, я прошу их не отчаиваться, хоть их беды могут казаться очень страшными. Я знаю: если они захотят изменить свое мышление, почти любой недуг может быть побежден. Слово «неизлечимая», которое приводит в ужас стольких людей, в действительности означает только то, что на определенной стадии болезнь нельзя вылечить «наружными» методами и нам придется заглянуть глубоко внутрь для достижения положительного результата. Болезнь как пришла, так и уйдет.

С ЧЕГО НАЧАТЬ?

Перво-наперво с наших собственных мыслей. Независимо от того, сколь долго вы мыслили отрицательными стереотипами или болели, как давно испортились ваши отношения в семье или вас донимает отсутствие денег и отвращение к самому себе, новую жизнь можно начинать прямо сегодня. Причина наших недугов в мыслях, которые мы хранили, в словах, которые мы постоянно употребляли, создавая нашу жизнь, и переживаниях. То, о чем мы думали в прошлом, дало сегодня такие результаты. Значит, мысли и слова, в которые мы облекаем нашу мысль сегодня, создают завтрашний день, определяют нашу жизнь на следующей неделе и в следующем месяце, году и так далее. Поэтому точка приложения силы всегда в настоящем. Она там, с чего мы начинаем изменять нашу жизнь. Прекрасная идея! Мы можем позволить всему старому кануть в Лету. Прямо сейчас. Самый маленький шаг позволит вам почувствовать разницу между прошлым и настоящим.

Как часто мы говорим: «Я такая, какая есть, ничего не поделаешь». Повторяя многократно эти утверждения, мы начинаем верить, что так оно есть в действительности. Как правило, наши мысли — это всего лишь чье-то мнение, которое мы приняли и внедрили в свою собственную систему верований. Если в детстве нам внушили, что окружающий мир опасен, то впоследствии все, что укладывается в этот стереотип, мы считали правдой. «Не доверяй незнакомым людям», «Не выходи по вечерам из дома», «Все вокруг обманщики» и т.д. С другой стороны, если с рождения нам говорят, что жить безопасно и весело, мы будем верить совсем другим истинам. «Нас окружает любовь», «Люди очень доброжелательны», «Заработать деньги для меня не представляет труда» и т.д. Жизненный опыт отражается в наших мыслях.

Мы редко ставим под сомнение наши стереотипы. Например, а что если спросить себя: «Почему я так уверен, что мне трудно учиться? А так ли это в действительности? В настоящий момент? Откуда взялись подобные мысли? Неужели я до сих пор верю тому, что говорила моя учительница в первом классе? А вдруг я почувствую себя гораздо увереннее, если выброшу из головы эту мысль?»

Остановитесь! О чем вы думаете в данную минуту? Если мысли формируют нашу жизнь, хотите ли вы, чтобы ваши мысли стали правдой для вас? Если у вас тревожные или гневные мысли, полные боли и желания мести, чем они обернутся для вас? Если вы хотите жить радостно, у вас должны быть светлые мысли. Что бы мы ни посылали в мир в ментальной или словесной форме, оно возвращается к нам в той же форме.

Прислушайтесь к тому, что говорите. Если вы поймаете себя на том, что уже трижды произнесли одно и то же, запишите все, что сказали. Это ваш стереотип. В конце недели просмотрите ваши записи и убедитесь, насколько точно ваши слова передают ваши переживания и чувства. Если у вас возникнет желание изменить свои мысли и слова, в которые вы их облекаете, вы непременно заметите перемены в своей жизни. Быть хозяином своей жизни — это значит выбирать мысли и слова. Никто, кроме вас, сделать это не в силах.

МЕНТАЛЬНЫЕ ЭКВИВАЛЕНТЫ:

стереотипы мышления,
возникшие на базе нашего опыта

Все хорошее и плохое, что случается в жизни, я считаю результатом стереотипного мышления, которое формирует наш опыт. У каждого из нас есть множество стереотипов, которые вызывают положительные ощущения, и мы купаемся в них. Негативные стереотипы вызывают наше беспокойство, отрицательные эмоции. Не удивительно, что мы хотим покончить с неприятностями и стать духовно и физически абсолютно здоровыми.

Как мы уже выяснили, любому нашему действию предшествуют стереотипы мышления. Наши стереотипы определяют наш жизненный опыт. Поэтому, если мы изменим наши стереотипы мыслей, может измениться и наш жизненный опыт.

Как я обрадовалась, услышав впервые о метафизической причинной связи. Она раскрывает силу слов и мыслей, формирующих жизненный опыт. Благодаря этому я поняла, какая существует связь между мыслями и отдельными частями человеческого тела, между духовным и физическим. Мне открылось, что я, сама того не ведая, вызвала болезнь в своем теле. И это открытие во многом изменило мою жизнь. Теперь я перестала винить жизнь и окружающих за все плохое, что произошло в моем теле и моей жизни. Отныне я полностью отвечаю за свое здоровье. Вместо того чтобы упрекать себя или чувствовать свою вину, я поняла, как избежать создания стереотипов, которые могут привести в будущем к болезни.

Например, я долго не могла понять, почему мне бывает трудно повернуть шею. Но после того, как я обнаружила, что шея — это орган, который предполагает гибкое отношение ко всем проблемам, рассмотрение с разных сторон одного вопроса, все изменилось. Какой же негибкой я бывала, как часто отказывалась выслушать другую точку зрения из-за страха. Стоило мне начать более гибко мыслить, с пониманием относиться к точке зрения других людей, как шея перестала беспокоить меня. Теперь как только шея плохо поворачивается, я начинаю думать, а не стало ли мое мышление закостенелым?

ЗАМЕНА СТАРЫХ СТЕРЕОТИПОВ

Решив покончить с какой-либо болезнью, следует прежде всего выявить ментальную причину ее возникновения. Очень часто, не зная, в чем истинная причина, мы не представляли, с чего начать. Для тех, кто столько раз восклицал: «Если б знать истинную причину боли!», — эта книга поможет выявить ее и станет незаменимой для создания нового здорового мышления и здорового тела.

Я поняла, что любое наше состояние не является случайностью. Иначе мы бы не пребывали в нем. Симптомы — это всего лишь отражение внутренних глубинных процессов. Нам придется углубиться в себя, чтобы обнаружить и уничтожить духовную причину недуга. Именно поэтому сила воли и дисциплина здесь не помогут. С их помощью можно сразиться только с внешними проявлениями. Это — как вырвать сорняк без корня. Поэтому прежде чем внедрять новые стереотипы мышления, освободитесь от никотиновой зависимости, головной боли или избыточного веса. Когда зависимость будет уничтожена, внешние проявления исчезнут. Ни одно растение не будет жить, если у него вырваны корни.

Наибольшее количество болезней тела вызывают следующие ментальные причины: критицизм, гнев, обида и вина. Например, критицизм, исповедуемый довольно долгое время, приводит у людей к такому заболеванию, как артрит. Гнев в конечном итоге вызывает ожоги на теле и оставляет рубцы. Старые обиды пожирают человека и оборачиваются опухолями и раком. Вина всегда ищет наказание и ведет к боли. Насколько легче освободиться от негативных стереотипов мышления в нашем мозгу, пока мы здоровы, чем пытаться отделаться от них, будучи в панике от угрозы операции.

Приведенный ниже перечень ментальных эквивалентов был составлен в результате многолетних исследований, на основе моего собственного опыта работы с пациентами, по моим лекциям и семинарам. Данный перечень можно рассматривать в качестве экспресс-руководства по выбору необходимого стереотипа мышления. Я предлагаю его с любовью, желая поделиться столь простым методом, дабы помочь вам *Исцелить Свое Тело*.

АФФИРМАЦИИ, НЕСУЩИЕ ИСЦЕЛЕНИЕ

БОЛЕЗНИ	ВОЗМОЖНЫЕ ПРИЧИНЫ ИХ ВОЗНИКНОВЕНИЯ	НОВЫЙ СТЕРЕОТИП МЫШЛЕНИЯ
Абсцесс	Концентрация на прежних обидах, мстительных чувствах.	Я освобождаю свои мысли от прошлого. Я в мире и согласии с самим собой.
Аддисона болезнь (см. также: Заболевания надпочечников)	Серьезная эмоциональная недостаточность. Злость на себя.	Я с любовью забочусь о своем теле, мыслях и эмоциях.
Аденоиды	Неурядицы в семье. Ощущение ребенка, что он никому не нужен.	Это желанный, любимый ребенок.
Алкоголизм	Все бессмысленно. Ощущение бренности существования, чувство вины, неадекватности и самоотрицания.	Я живу настоящим. Я делаю правильный выбор. Я люблю и ценю себя.
Аллергические реакции (см. также: Сенная лихорадка)	На кого у вас аллергия? Отрицание собственной силы.	Мир безопасен и дружелюбен. Мне ничего не угрожает, я в ладу с жизнью.
Аменорея (см. также: Гинекологические заболевания, Нарушение менструального цикла)	Нежелание быть женщиной. Ненависть к себе.	Мне нравится быть тем, кем являюсь. Я — прекрасное выражение плавно текущей жизни.
Амнезия	Страх. Бегство от жизни. Неумение постоять за себя.	Ум, смелость, умение правильно оценить себя — мои неотъемлемые качества. Я не боюсь жизни.
Анемия	Неуверенность в себе. Безрадостная жизнь. Боязнь жизни. Считаете себя недостаточно хорошей.	Я не боюсь получать радость от жизни. Я люблю жизнь.
Анорексия (см. также: Потеря аппетита)	Отрицание жизни. Преувеличенные страхи, ненависть к себе и отрицание себя как личности.	Я не боюсь быть собой. Я прекрасна такая, какая есть. Мой выбор — жизнь. Мой выбор — радость и принятие себя.
Аноректальное кровотечение (гематохезия)	Гнев и раздражительность.	Я доверяю жизни. В моей жизни есть место только для благих, правильных действий.
Анус (см. также: Геморрой):	Канал освобождения от всего ненужного. Крайняя засоренность.	Я с легкостью освобождаюсь от того, в чем больше не нуждаюсь в жизни.

БОЛЕЗНИ	ВОЗМОЖНЫЕ ПРИЧИНЫ ИХ ВОЗНИКНОВЕНИЯ	НОВЫЙ СТЕРЕОТИП МЫШЛЕНИЯ
— абсцессы	Раздражение и гнев на то, от чего вы не хотите освободиться.	Я не боюсь, когда что-то убывает. Уходит то, в чем я больше не нуждаюсь.
— свищ	Неполное очищение от мусора прошлого.	Я охотно освобождаюсь от прошлого. Я свободна. Я сама любовь.
— зуд	Вина в прошлом. Раскаяние.	Я прощаю себя. Я свободна.
— боли	Вина. Желание наказать себя. Чувство собственного несовершенства.	Прошлое кануло в Лету. Мой выбор — любить и с одобрением относиться к себе в настоящем.
Апатия	Нежелание чувствовать. Погребение себя заживо. Страх.	Я чувствую себя в безопасности. Я открыта для жизни. Я хочу чувствовать жизнь.
Аппендицит	Страх. Боязнь жизни. Нежелание воспринимать добро.	Я чувствую себя в безопасности. Я расслаблена и радостно плыву по волнам жизни.
Артерии	Неумение радоваться жизни.	Я полна радости. Она растекается по мне.
Артрит пальцев рук	Желание наказать себя. Осуждение. Ощущение себя жертвой.	Я смотрю на мир с любовью и пониманием. Все, что происходит в жизни, я воспринимаю через призму любви.
Артрит (см. также: Суставы)	Понимание, что никогда не любила. Критицизм, презрение.	Я сама любовь. Я теперь решила любить себя и относиться к себе с любовью. Я смотрю на окружающих с любовью.
Астма	Задавленная любовь. Неспособность жить для себя. Подавление чувств.	Я не боюсь стать хозяином жизни. Я решила быть свободной.
Астма у детей	Боязнь жизни. Нежелание находиться в данном месте.	Ребенку ничего не угрожает, он купается в любви. Это желанное дитя, и его все балуют.
Атеросклероз	Внутреннее сопротивление, напряжение. Прогрессирующая узость мышления. Нежелание видеть добро.	Я открыта для жизни и радости. Мой выбор — взгляд на мир с любовью.

БОЛЕЗНИ	ВОЗМОЖНЫЕ ПРИЧИНЫ ИХ ВОЗНИКНОВЕНИЯ	НОВЫЙ СТЕРЕОТИП МЫШЛЕНИЯ
Бедра	Спрессованный детский гнев. Часто злость на отца.	Я представляю своего отца ребенком, лишенным родительской любви, и легко прощаю его. Мы оба свободны.
Бедро(а)	Поддерживают равновесие. На них основная нагрузка при движении вперед.	Да здравствует каждый новый день. Я уравновешена и свободна.
Бесплодие	Страх и сопротивление жизни. Или нежелание воспользоваться опытом жизни родителей.	Я доверяю процессу жизни. Я всегда делаю то, что нужно, там, где нужно и когда нужно. Я люблю и ценю себя.
Беспокойство, тревога	Недоверие к жизни.	Я люблю себя и с одобрением отношусь к себе. Я доверяю процессу жизни. Я не испытываю страха.
Бессонница	Страх. Недоверчивое отношение к жизни. Чувство вины.	Я радостно прощаюсь с прожитым днем и погружаюсь в мирный сон, зная, что завтра позаботится обо мне.
Бешенство	Гнев. Уверенность, что насилие — это ответ.	Вокруг меня покой, и на душе у меня спокойно.
Близорукость (см.: Глазные болезни, Миопия)		
Боковой амитрофический склероз (болезнь Лу Герига)	Нежелание признавать собственную значимость, добиваться успеха.	Я знаю себе цену. Я не боюсь преуспеть. Жизнь благосклонна ко мне.
Болезни бедер	Боязнь продвинуться вперед в решении основных проблем. Отсутствие цели движения.	Я достигла абсолютного равновесия. Я иду вперед по жизни с легкостью и радостью в любом возрасте.
Болезни горла (см. также: Острое воспаление миндалин, Тонзиллит)	Сдерживаемый гнев. Неумение выразить себя.	Я освобождаюсь от всех запретов. Я свободна и могу быть сама собой.
Болезни горла (см. также: Тонзиллит)	Неумение высказаться. Сдерживаемый гнев. Заторможенная творческая активность. Нежелание изменить себя.	Как здорово произносить звуки. Я свободно и радостно выражаю себя. Я с легкостью говорю от своего имени. Я выражаю свое творческое «я». Я хочу постоянно изменяться.

БОЛЕЗНИ	ВОЗМОЖНЫЕ ПРИЧИНЫ ИХ ВОЗНИКНОВЕНИЯ	НОВЫЙ СТЕРЕОТИП МЫШЛЕНИЯ
Болезни желез	Неправильное распределение идей. Нежелание расстаться с прошлым.	Все Божественные идеи и сферы деятельности, в которых я нуждаюсь, известны мне. Сейчас я двигаюсь вперед.
Болезни зуба, зубной канал	Не в состоянии вцепиться зубами ни во что. Никаких убеждений. Все разрушено. Зубы символизируют способность принимать решения. Нерешительность. Неспособность проанализировать идеи, принять решение.	Я заложила солидный фундамент своей жизни. Мои убеждения поддерживают меня. Я принимаю правильные решения и чувствую себя уверенно, зная, что всегда поступаю правильно.
Болезни колен	Упрямое «я» и гордость. Неумение уступать. Отсутствие гибкости.	Прощение. Понимание. Сочувствие. Моя гибкость позволяет мне легко идти по жизни. Все хорошо.
Болезни костей:		
— переломы	Бунт против авторитетов.	В своем мире я сама себе авторитет, так как я думающее существо.
— деформация (см. также: Остеомиелит, Остеопороз)	Ментальный прессинг и скованность. Мускулы сжаты. Потеря ментальной мобильности.	Я дышу полной грудью. Я расслаблена и доверяю процессу жизни.
Болезни крови: (см. также: Лейкемия)	Нехватка радости. Недостаточный обмен идеями.	Новые радостные идеи свободно циркулируют во мне.
— нарушение свертываемости крови (см.: Анемия)		
— закупорка	Перекрыт поток радости.	Я пробудила в себе новую жизнь.
Болезни лобных пазух (синуситы)	Раздражение, испытываемое по отношению к близкому человеку.	Я провозглашаю мир, и гармония живет во мне и окружает меня постоянно. Все хорошо.
Болезни молочных желез:	Нежелание баловать себя. Проблемы других людей всегда на первом месте.	Меня ценят, со мной считаются. Я теперь забочусь о себе с любовью и радостью.

БОЛЕЗНИ	ВОЗМОЖНЫЕ ПРИЧИНЫ ИХ ВОЗНИКНОВЕНИЯ	НОВЫЙ СТЕРЕОТИП МЫШЛЕНИЯ
— киста, опухоль, мастит	Чрезмерная материнская забота, желание защитить. Взваливание на себя чрезмерной ответственности.	Я позволяю другим быть такими, какие они есть. Мы все свободны и нам ничего не угрожает.
Болезни мочевого пузыря (циститы)	Чувство тревоги. Приверженность старым идеям. Страх высвобождения. Чувство унижения.	Я спокойно расстаюсь с прошлым и приветствую все новое в своей жизни. Я ничего не боюсь.
Болезни ног (нижней части)	Боязнь будущего. Нежелание двигаться.	Я радостно и уверенно иду вперед, зная, что в будущем все будет хорошо.
Болезни органов дыхания (см. также: Приступы удушья, Гипервентиляция)	Боязнь или нежелание вбирать жизнь полной грудью. Ощущение, что не вправе занимать место под солнцем и даже существовать.	Я по праву рождения живу полной и свободной жизнью. Я заслуживаю любви. Мой выбор — полнокровная жизнь.
Болезни печени (см. также: Гепатит, Желтуха)	Постоянные жалобы. Поиск недостатков, чтобы обмануть себя. Ощущение, что недостаточно хороший.	Я хочу жить с открытым сердцем. Я ищу любовь и нахожу ее повсюду.
Болезни почек	Критицизм, разочарование, неудачи. Стыд. Реакция как у маленького ребенка.	Направляемая Провидением, я поступаю правильно в жизни. И в ответ получаю только хорошее. Я не боюсь развиваться.
Болезни спины:		
— нижний отдел	Боязнь иметь деньги. Отсутствие финансовой поддержки.	Я доверяю процессу жизни. Мне будет дано все, в чем я нуждаюсь. Я в безопасности.
— средний отдел	Чувство вины. Невозможность расстаться с прошлым. Желание быть в одиночестве.	Я расстаюсь с прошлым. Я свободна, я могу идти дальше, излучая любовь.
— верхний отдел	Нехватка эмоциональной поддержки. Уверенность в том, что нелюбима. Сдерживание чувств.	Я люблю себя и с одобрением отношусь к себе. Жизнь поддерживает и любит меня.
Болезни шеи	Нежелание рассматривать проблему с разных сторон. Упрямство. Жесткость.	Я легко соглашаюсь рассмотреть проблему с разных сторон. Я человек гибкий. Нам

15

БОЛЕЗНИ	ВОЗМОЖНЫЕ ПРИЧИНЫ ИХ ВОЗНИКНОВЕНИЯ	НОВЫЙ СТЕРЕОТИП МЫШЛЕНИЯ
		дано многообразие решений и надо пользоваться им. Я ничего не боюсь.
Болезнь Альцгеймера (см. также: Слабоумие, Старость)	Нежелание воспринимать мир таким, каким он есть. Безнадежность и беспомощность. Гнев.	Всегда найдется новая возможность полнее ощутить жизнь. Я прощаюсь со своим прошлым. Я начинаю жить радостно.
Болезнь Брайта (см. также: Нефриты)	Ощущает себя ребенком, который все делает кое-как, считает себя неудачником.	Я люблю себя и отношусь к себе с одобрением. Я забочусь о себе. Я всегда адекватна.
Болезнь Иценко — Кушинга (см. также: Заболевание надпочечников)	Дисбаланс идей. Крен в сторону разрушительных. Ощущение раздавленности.	Я с любовью уравновешиваю свои мысли и тело. Я концентрируюсь на мыслях, которые позволяют чувствовать себя хорошо.
Болезнь Крона (воспаление тонкой кишки)	Страх. Беспокойство. Кажется, что недостаточно хороша.	Я люблю и ценю себя. Я делаю все, что в моих силах. Я прекрасна. Я в ладу с собой.
Болезнь лимфатической системы	Предупреждение, что ваш мозг должен сосредоточиться на самом главном в жизни.	Отныне я полностью концентрируюсь на жизни в любви и радости. Я живу спокойно. В моих мыслях покой, любовь и радость.
Болезнь Паркинсона (см. также: Паралич)	Страх и сильное желание контролировать всех и все.	Я пребываю в расслабленном состоянии, так как знаю, что мне ничто не угрожает. Жизнь повернулась ко мне лицом, и я доверяю ей.
Болезнь Пэджета	Ощущение, что земля уходит из-под ног. Не на кого опереться.	Я знаю, что жизнь поддерживает меня. Жизнь любит меня и заботится обо мне.
Болезнь Хантингтона (прогрессирующая наследственная хорея)	Презрение к себе от неспособности повлиять на других. Безнадежность.	Я отдаю все дела в руки Провидения. Я в ладу с собой и жизнью.
Болезнь Ходкинса	Боязнь не соответствовать стандарту. Борьба за то, чтобы доказать, что ты чего-то стоишь. Борьба до победного конца. Радость жизни, забытая в гонке за признанием.	Я счастлива, что могу быть такой, какая я есть. Я достаточно хороша. Я люблю и ценю себя. Я излучаю и вбираю в себя радость.

БОЛЕЗНИ	ВОЗМОЖНЫЕ ПРИЧИНЫ ИХ ВОЗНИКНОВЕНИЯ	НОВЫЙ СТЕРЕОТИП МЫШЛЕНИЯ
Боль (ноющая)	Жажда любви и желание ощутить рядом поддержку.	Я люблю и ценю себя. Я достойна любви.
Боль (острая)	Вина. Вина всегда ищет наказание.	Я не держу зла на прошлое и отказываюсь от него. Все вокруг меня свободны, и я тоже свободна. В моем сердце осталась одна доброта.
Боль в ушах (отиты: воспаление внешнего, среднего и внутреннего уха)	Ярость. Нежелание слушать. Слишком много проблем. Конфликты между родителями.	Вокруг меня сплошная гармония. Я радостно вслушиваюсь во все приятное и хорошее. Я — сосредоточие любви.
Болячки	Гнев, загнанный внутрь.	Я радостно выражаю свои эмоции.
Бронхит	Бурная семейная жизнь. Споры и крики. Иногда замыкание в себе.	Я провозгласила мир и гармонию в себе и вокруг себя. Все хорошо.
Булимия	Чувство безнадежности и ужаса. Вспышки ненависти к себе.	Я любима, меня лелеет и поддерживает сама жизнь. Я не боюсь жить.
Бурситы	Подавленный гнев. Желание ударить кого-либо.	Только любовь снимает напряжение, а все, что не пропитано любовью, отступает на второй план.
Вагиниты (см. также: Гинекологические заболевания, Лейкорея)	Злость на полового партнера. Сексуальная вина. Самобичевание.	Мои любовь и уважение, которые я питаю к себе, отражаются в отношении окружающих ко мне. Я в восторге от своей сексуальности.
Вилочковая железа	Главная железа иммунной системы. Ощущение, что жизнь агрессивна.	Мои полные любви мысли поддерживают мою иммунную систему. Мне ничего не угрожает ни изнутри, ни снаружи. Я прислушиваюсь к себе с любовью.
Вирус Эпштейна — Барра (Миалгический энцефалит)	Пребывание на грани срыва. Страх, что недостаточно хороша. Исчерпаны все внутренние ресурсы. Постоянные стрессы.	Я расслабилась и осознала свою ценность. Я вполне хороша. Жизнь легка и радостна.

БОЛЕЗНИ	ВОЗМОЖНЫЕ ПРИЧИНЫ ИХ ВОЗНИКНОВЕНИЯ	НОВЫЙ СТЕРЕОТИП МЫШЛЕНИЯ
Волдыри	Сопротивление всему. Нехватка эмоциональной защиты.	Я легко шагаю по жизни и воспринимаю все, что в ней происходит. У меня все хорошо.
Волчанка (системная красная волчанка)	Пораженчество. Лучше умереть, чем постоять за себя. Гнев и наказание.	Я легко и свободно могу постоять за себя. Я заявляю о своей силе. Я люблю и ценю себя. Я свободна и никого не боюсь.
Воспаление желез (см.: Инфекционный мононуклеоз)		
Воспаление кистевого канала (см. также: Запястье)	Гнев и растерянность, так как жизнь кажется несправедливой.	Я решила создать для себя радостную и богатую жизнь. Мне легко.
Воспаление уха	Страх, красные круги перед глазами. Воспаленное воображение.	У меня мирные, спокойные мысли.
Врастание ногтя на пальцах ног	Ощущение беспокойства и вины в связи с вашим правом идти вперед.	Господь дал мне право выбрать свой путь в жизни. Я в безопасности. Я свободна.
Врожденные кисты	Твердая уверенность, что жизнь повернулась к вам спиной. Жалость к себе.	Жизнь любит меня, и я люблю жизнь. Я решаю жить полной и свободной жизнью.
Выкидыш (аборт, самопроизвольный аборт)	Страх. Боязнь будущего. Откладывание дел на потом. Делаете все невпопад, не вовремя.	Направляемая Провидением, я совершаю правильные поступки в жизни. Я люблю и ценю себя. Все хорошо.
Высыпания (см.: Простудные заболевания, Простой герпес)		
Галитоз (см. также: Неприятный запах изо рта)	Деструктивная позиция, грязные сплетни, грязные мысли.	Я говорю мягко и с любовью. Я выдыхаю добро.
Гангрена	Болезненная ментальность. Горькие мысли не позволяют ощутить радость.	Я концентрируюсь на приятных мыслях и позволяю радости струиться потоком сквозь мое тело.

18

БОЛЕЗНИ	ВОЗМОЖНЫЕ ПРИЧИНЫ ИХ ВОЗНИКНОВЕНИЯ	НОВЫЙ СТЕРЕОТИП МЫШЛЕНИЯ
Гастрит (см. также: Заболевания желудка)	Длительное пребывание в подвешенном состоянии. Чувство обреченности.	Я люблю и ценю себя. Я ничего не боюсь.
Геморрой (см. также: Анус)	Страх последней черты. Злость на прошлое. Боязнь дать волю чувствам. Угнетенность.	Я отказалась от всего, что не несет любовь. Места и времени для всего, что я хочу сделать, хватит.
Гениталии:	Олицетворяют мужские и женские принципы.	Я не боюсь быть такой, какая я есть.
— болезни	Беспокойство по поводу того, что недостаточно хороша.	Моя жизнь доставляет мне радость. Я прекрасна такая, какая есть. Я люблю и ценю себя.
Гепатит (см. также: Болезни печени)	Нежелание что-либо менять. Страх, гнев, ненависть. Печень как сосредоточение гнева и ярости.	У меня хорошие, незасоренные мозги. Я покончила с прошлым и двигаюсь вперед. Все хорошо.
Герпес (герпетические высыпания на гениталиях)	Абсолютная уверенность в сексуальной вине и необходимости наказания. Стыд как реакция на огласку. Вера в карающего Бога. Желание забыть о гениталиях.	Мое понимание Бога поддерживает меня. Я абсолютно нормальная и веду себя естественно. Мне доставляют радость моя сексуальность и мое тело. Я прекрасна.
Герпетические высыпания (см. также: Простой герпес)	Сдерживание гневных слов и боязнь их произнести.	Я создаю исключительно положительный настрой, так как люблю себя. Все хорошо.
Гинекологические заболевания (см. также: Аменорея, Дисменорея, Фиброма, Лейкорея, Нарушения менструального цикла, Вагиниты)	Отрицание себя как личности. Отрицание женственности. Отказ от женских принципов.	Я в восторге от своей женственности. Мне нравится быть женщиной Я люблю свое тело.
Гиперактивность	Страх. Ощущение на себе давления. Раздражение.	Мне ничто не угрожает, никто не давит на меня. Я неплохой человек.
Гипервентиляция (см. также: Приступы удушья, Заболевания органов дыхания)	Страх, недоверчивое отношение к жизни.	Я чувствую себя в безопасности в этом мире. Я люблю себя и доверяю жизни.

БОЛЕЗНИ	ВОЗМОЖНЫЕ ПРИЧИНЫ ИХ ВОЗНИКНОВЕНИЯ	НОВЫЙ СТЕРЕОТИП МЫШЛЕНИЯ
Гипергликемия (см.: Диабет)		
Гипертиреоз (см. также: Щитовидная железа)	Ярость из-за того, что чувствуете себя никому не нужной.	Я в центре жизни. Я ценю себя и все, что вижу вокруг.
Гипогликемия	Слишком много в жизни забот. Все напрасно.	Я решила сделать свою жизнь светлой, легкой и радостной.
Гипотиреоз (см. также: Щитовидная железа)	Желание сдаться. Чувство безнадежности, подавленности.	Я строю новую жизнь по новым законам, которые поддерживают меня во всем.
Гипофиз	Олицетворяет центр управления всеми процессами.	Мое тело и мысли в абсолютном равновесии. Я контролирую свои мысли.
Глаз(а)	Олицетворяют возможность ясно видеть прошлое, настоящее и будущее	Я смотрю на жизнь с радостью и любовью.
Глазные болезни (см. также: Ячмень):	Неприятие того, что происходит в жизни.	Отныне я создаю жизнь, на которую будет приятно смотреть.
— астигматизм	Я — источник неприятностей. Боязнь увидеть себя в истинном свете.	Отныне я хочу видеть свою красоту и великолепие.
— катаракта	Неспособность смотреть вперед с радостью. Мрачное будущее.	Жизнь вечна и полна радости.
— детские глазные болезни	Нежелание видеть то, что происходит в семье.	Отныне ребенок живет в гармонии, радости, красоте и безопасности.
— косоглазие (см. также: Кератит)	Нежелание смотреть на жизнь. Противоречивые стремления.	Я не боюсь смотреть. Я в ладу сам с собой.
— дальнозоркость (гиперметропия)	Боязнь настоящего.	Я точно знаю: здесь и сейчас мне ничто не угрожает.
— глаукома	Абсолютное неумение прощать. Груз старых обид. Вы переполнены ими.	Я смотрю на мир с нежностью и любовью.

БОЛЕЗНИ	ВОЗМОЖНЫЕ ПРИЧИНЫ ИХ ВОЗНИКНОВЕНИЯ	НОВЫЙ СТЕРЕОТИП МЫШЛЕНИЯ
— близорукость (см. также: Миопия)	Боязнь будущего.	Мною руководит Создатель, поэтому я всегда чувствую себя в безопасности.
— расходящееся косоглазие	Боязнь настоящего.	Я люблю и ценю себя прямо сейчас.
Глобус истерикус (см.: Чувство инородного тела в горле)		
Глухота	Отвергание всего и всех, упрямство, изоляция. Чего вы не хотите слышать? «Не беспокойте меня».	Я прислушиваюсь к голосу Создателя и наслаждаюсь тем, что слышу. У меня есть все.
Гнойники (фурункулы) (см. также: Карбункулы)	Бурное проявление злости и гнева.	Я сама любовь и радость. Я живу в мире и согласии.
Голень	Разбитые, разрушенные идеи. Голень олицетворяет нормы жизни.	Я достигла высших стандартов в любви и радости.
Головная боль (см. также: Мигрень)	Неприятие себя. Критическое отношение к своей персоне. Страх.	Я люблю и ценю себя. Я смотрю на себя глазами, полными любви. Я ничего не боюсь.
Головокружение	Мысли порхают, как бабочки, разброс мыслей. Нежелание иметь собственный взгляд.	Я сосредоточена и спокойна. Я не боюсь жить и радоваться.
Гонорея (см. также: Венерические болезни)	Я должна быть наказана, потому что я плохая.	Я люблю свое тело. Мне нравится, что я сексуальна. Я люблю себя.
Горло	Путь самовыражения. Канал творчества.	Я открываю свое сердце и воспеваю радости любви.
Грибковое заболевание стопы	Боязнь быть непонятым. Неумение легко идти вперед.	Я люблю себя и с одобрением отношусь к себе. Я разрешаю себе идти вперед. Я не боюсь двигаться вперед.
Грибковые заболевания (см. также: Кандидоз)	Боязнь принять неправильное решение.	Я с любовью принимаю решения, так как знаю, что могу измениться. Я в безопасности.

БОЛЕЗНИ	ВОЗМОЖНЫЕ ПРИЧИНЫ ИХ ВОЗНИКНОВЕНИЯ	НОВЫЙ СТЕРЕОТИП МЫШЛЕНИЯ
Грибок	Устаревшие стереотипы. Нежелание распрощаться с прошлым. Позволение прошлому властвовать над настоящим.	Я радостно и свободно живу в настоящем.
Грипп (см. также: Заболевания дыхательных путей)	Реакция на негативное окружение и убеждения. Страх. Доверяете цифрам.	Я выше групповых убеждений и не доверяю цифрам. Я освободилась от всех запретов и влияний.
Грыжа	Разорванные отношения. Напряженность, угнетенность, неумение выразить себя в творчестве.	У меня неагрессивные и гармоничные мысли. Я люблю и ценю себя. Я могу быть сама собой.
Грызете ногти	Растерянность. Самоедство. Презрительное отношение к родителям.	Я не боюсь взрослеть. Отныне я легко и радостно руковожу своей жизнью.
Депрессия	Ваши приступы ярости безосновательны. Полная безнадежность.	Страхи других людей, их запреты не волнуют меня. Я сама создаю свою жизнь.
Детские болезни	Доверие гаданиям, социальным концепциям и ложным законам. Поведение, как у ребенка во взрослом окружении.	Этого ребенка оберегает Провидение. Он окружен любовью. У него выработался духовный иммунитет.
Диабет (гипергликемия, сахарный диабет)	Огорчение из-за упущенных возможностей. Жажда все держать под контролем. Глубокая печаль.	Любое мгновение жизни наполнено радостью. Я с радостью встречаю сегодняшний день.
Дисменорея (см. также: Гинекологические заболевания, Нарушение менструального цикла)	Злость на себя. Ненависть к собственному телу или женщинам.	Я люблю свое тело. Я люблю себя. Я люблю все мои циклы. Все хорошо.
Дыхание	Олицетворяет способность вдыхать жизнь.	Я люблю жизнь. Жить — безопасно.
Железы	Олицетворяют определенную позицию: «Главное — положение в обществе».	Я обладаю творческой силой.
Желтуха (см.: Болезни печени)	Внутренние и внешние причины предрассудков. Дисбаланс причин.	Я отношусь ко всем людям, включая себя, терпимо, с сочувствием и любовью.

БОЛЕЗНИ	ВОЗМОЖНЫЕ ПРИЧИНЫ ИХ ВОЗНИКНОВЕНИЯ	НОВЫЙ СТЕРЕОТИП МЫШЛЕНИЯ
Желудок	Задерживает пищу. Переваривает идеи.	Я легко «перевариваю» жизнь.
Желчно-каменная болезнь	Горечь. Тяжкие мысли. Проклятие. Гордость.	Я с радостью освобождаюсь от прошлого. Я, как жизнь, такая же приятная.
Заболевания десен	Неспособность выполнять решения. Неустойчивая позиция в жизни.	Я решительная. Я наполнила себя и свои мысли любовью.
Заболевания дыхательных путей (см. также: Бронхит, Простудные заболевания, Грипп)	Боязнь «вдыхать» жизнь полной грудью.	Я в безопасности, я люблю свою жизнь.
Заболевания желудка: гастрит, отрыжка, язва желудка	Ужас. Боязнь нового. Неспособность усвоить новое.	У меня нет конфликтов с жизнью. Я постоянно, ежеминутно усваиваю новое. Все хорошо.
Заболевания надпочечников (см. также: Болезнь Иценко — Кушинга)	Отказ от борьбы. Нежелание заботиться о себе. Постоянная тревога.	Я люблю себя. Я могу заботиться о себе.
Заболевание предстательной железы	Страх ослабляет мужественность. Руки опускаются. Ощущение сексуального прессинга и растущее чувство вины. Убеждение, что стареете.	Я люблю и ценю себя. Я одобряю свою силу. Я сохраняю молодость души.
Задержка жидкости в организме (см. также: Отек)	Что вы боитесь потерять?	Я с радостью расстаюсь с балластом.
Заикание	Неуверенность. Неполное самовыражение. Слезы как облегчение — не для вас.	Мне никто не мешает говорить от своего имени. Теперь я уверена, что могу выразить себя. В основе моего общения с людьми лежит только любовь.
Запор	Нежелание расстаться со старыми идеями. Стремление остаться в прошлом. Скопление яда.	Расставшись с прошлым, я освобождаю место для нового и живого. Я пропускаю жизнь через себя.

БОЛЕЗНИ	ВОЗМОЖНЫЕ ПРИЧИНЫ ИХ ВОЗНИКНОВЕНИЯ	НОВЫЙ СТЕРЕОТИП МЫШЛЕНИЯ
Звон в ушах	Нежелание слушать других, прислушиваться к внутреннему голосу. Упрямство.	Я доверяю своему «я». Я с любовью прислушиваюсь к своему внутреннему голосу. Я участвую только в тех мероприятиях, которые несут любовь.
Зоб (см. также: Щитовидная железа)	Раздражение оттого, что навязывают чужую волю. Ощущение, что вы — жертва, обделенная жизнью. Неудовлетворенность.	У меня есть сила и авторитет в жизни. Мне никто не мешает быть самой собой.
Зуд	Желания, которые идут вразрез с характером. Неудовлетворенность. Угрызения совести. Страстное желание уйти или сбежать.	Мне покойно там, где я нахожусь. Я принимаю все, что мне положено, зная, что мои потребности и желания будут удовлетворены.
Идиопатический паралич мышц лица (см. также: Паралич)	Контролируемый гнев. Нежелание выражать чувства.	Я не боюсь выражать свои чувства. Я прощаю себя.
Избыточный вес (см. также: Ожирение)	Страх, потребность защиты. Боязнь чувств. Неуверенность и самоотрицание. Поиск полноты жизни.	Я в ладу со своими чувствами. Я в безопасности. И эту безопасность я создаю сама. Я люблю и ценю себя.
Избыточный рост волос у женщин по мужскому типу (гирсуитизм)	Скрытый гнев, часто прикрываемый страхом. Виноваты все вокруг. Нет желания следить за собой.	Я отношусь к себе с родительской заботой. Мой щит — любовь и одобрение. Я не боюсь продемонстрировать, кто я на самом деле.
Изжога (см. также: Язва желудка, Заболевания желудка, Язвы)	Страх и еще раз страх. Леденящий душу страх.	Я дышу свободно и полной грудью. Я в безопасности. Я с доверием отношусь к жизни.
Импотенция	Сексуальное давление, напряжение, чувство вины. Социальные предрассудки. Презрительное отношение к бывшему партнеру. Боязнь матери.	Я позволяю вырваться наружу своей сексуальности и жить легко и радостно.
Инсульт (нарушение мозгового кровообращения)	Опускаются руки. Нежелание меняться: «Скорее умру, чем изменюсь». Отрицание жизни.	Жизнь — это постоянные перемены. Я легко привыкаю к новому. Я принимаю в жизни все: прошлое, настоящее и будущее.

БОЛЕЗНИ	ВОЗМОЖНЫЕ ПРИЧИНЫ ИХ ВОЗНИКНОВЕНИЯ	НОВЫЙ СТЕРЕОТИП МЫШЛЕНИЯ
Инфаркт миокарда	Радость изгнана из сердца, в котором царствуют деньги и карьера.	Я возвращаю радость в сердце. Я выражаю любовь ко всему, что делаю.
Инфекции мочевыводящих путей (циститы, пиелонефриты)	Ощущение унижения и оскорбления, как правило, со стороны партнера в любви. Обвинение других.	Я освободилась от стереотипов мышления, которые довели меня до такого состояния. Я хочу измениться. Я люблю и ценю себя.
Инфекционные колиты:	Страх и безудержный гнев.	Мир в моих мыслях, созданный мною, отражается в моем теле.
— амебиаз	Страх уничтожения.	У меня в жизни есть сила и авторитет. Я живу в мире и согласии с собой.
— дизентерия	Угнетенность и безнадежность.	Я полна жизни, энергии и радости существования.
Инфекционный мононуклеоз (болезнь Филатова)	Вспышки гнева, вызванные нехваткой любви и похвал. Махнули на себя рукой.	Я люблю и ценю себя. Я забочусь о себе. Я самодостаточна.
Инфекция	Раздражение, гнев, беспокойство.	Я спокойна и живу в гармонии с собой.
Искривление позвоночника (см. также: Сутулые плечи)	Неумение пользоваться благами жизни. Страх и желание уцепиться за старые идеи. Недоверчивое отношение к жизни. Убеждениям не хватает смелости.	Я освобождаюсь от всех страхов. Отныне я доверяю жизни. Я знаю, что жизнь повернулась ко мне лицом. Я распрямляю плечи, я стройная и высокая, я наполнена любовью.
Кандидоз (см. также: Грибковые заболевания)	Ощущение несобранности. Переполненность раздражением и гневом. Требовательность и недоверие в личных отношениях. Непомерное желание на все «наложить лапу».	Я разрешаю себе быть кем хочу. Я заслуживаю в жизни самого лучшего. Я люблю себя и с одобрением отношусь к себе и другим.
Карбункулы	Разъедающая душу злость из-за несправедливого отношения.	Я освобождаюсь от прошлого и надеюсь, что время залечит все мои раны.

БОЛЕЗНИ	ВОЗМОЖНЫЕ ПРИЧИНЫ ИХ ВОЗНИКНОВЕНИЯ	НОВЫЙ СТЕРЕОТИП МЫШЛЕНИЯ
Катаракта	Неспособность смотреть в будущее с радостью. Мрачные перспективы.	Жизнь вечна, она полна радости. Я с надеждой ловлю каждый ее миг.
Кашель (см. также: Респираторные заболевания)	Желание повелевать миром. «Смотрите на меня! Слушайте меня!»	Меня заметили и оценили. Я любима.
Кератит (см. также: Глазные болезни)	Безудержный гнев. Желание держать всех и все в поле зрения.	С помощью любви я исцеляю все, что вижу. Я выбираю покой. В моем мире все хорошо.
Киста	Постоянный возврат к болезненному прошлому. Культивирование обид. Ложный путь развития.	Мои мысли прекрасны, потому что я делаю их таковыми. Я люблю себя.
Кишечник:	Путь освобождения от всего ненужного.	Я легко расстаюсь с тем, в чем уже не нуждаюсь.
— болезни	Боязнь расстаться с тем, что уже ненужно.	Я легко и свободно расстаюсь со старым и радостно приветствую новое.
Кишечные колики	Страх. Нежелание развиваться.	Я доверяю процессу жизни. Мне никто не угрожает.
Кишки (см. также: Толстая кишка)	Усвоение. Абсорбция. Освобождение. Облегчение.	Я легко усваиваю и впитываю все, что должна знать. Я с радостью освобождаюсь от прошлого.
Клеточная анемия	Нелюбовь к себе. Неудовлетворенность жизнью.	Я живу и дышу радостью жизни, а питаюсь любовью. Бог творит чудеса каждый день.
Кожные болезни (см. также: Крапивница, Псориаз, Сыпь)	Тревога, страх. Старое, забытое отвращение. Угрозы в ваш адрес.	Мой щит — мысли о счастье и покое. Прошлое прощено и забыто. Отныне я свободна.
Колено (см. также: Суставы)	Олицетворяет гордость и ваше «я».	Я гибкая и пластичная.
Колики	Раздражительность, нетерпение, недовольство окружающими.	Мир отвечает любовью только на любовь и исполненные любовью мысли. В мире все спокойно.

БОЛЕЗНИ	ВОЗМОЖНЫЕ ПРИЧИНЫ ИХ ВОЗНИКНОВЕНИЯ	НОВЫЙ СТЕРЕОТИП МЫШЛЕНИЯ
Колиты (см. также: Толстая кишка, Кишечник, Слизь в толстой кишке, Спастический колит)	Ненадежность. Олицетворяет безболезненное расставание с тем, что уже не нужно.	Я — частица жизненного процесса. Бог все делает правильно.
Кома	Страх. Желание скрыться от чего-нибудь или кого-нибудь.	Меня окружают любовью. Я в безопасности. Для меня создают мир, в котором я исцелюсь. Меня любят.
Конъюнктивит	Гнев и растерянность как реакция на то, что видите в жизни.	Я смотрю на мир глазами, полными любви. Отныне мне доступно гармоническое решение проблемы, и я принимаю мир.
Коронарный тромбоз (см. также: Инфаркт миокарда)	Чувство одиночества и страха. Неверие в собственные силы и успех.	У меня в жизни есть все. Мир поддерживает меня. Все хорошо.
Костный мозг	Символизирует самые сокровенные мысли о себе.	Мою жизнь направляет Божественный Разум. Я чувствую себя в полной безопасности. Меня любят и поддерживают.
Кость(и) (см. также: Скелет)	Олицетворяет строение Вселенной.	Я хорошо сложена, все во мне сбалансировано.
Крапивница (см. также: Сыпь)	Тайные страхи, делаете из мухи слона.	Я привношу мир в каждый уголок моей жизни.
Кровообращение	Способность чувствовать и выражать эмоции.	Я могу наполнить любовью и радостью все в моем мире. Я люблю жизнь.
Кровоподтеки (см.: Ссадины)		
Кровотечение	Куда делась радость? Гнев.	Я — радость жизни, я готова ощущать ее постоянно.
Кровотечение десен	Мало радости от принимаемых в жизни решений.	Я верю, что совершаю в жизни правильные поступки. Я спокойна.
Кровь	Олицетворяет радость, которая свободно растекается по телу.	Я сама — радость жизни во всех ее проявлениях.

БОЛЕЗНИ	ВОЗМОЖНЫЕ ПРИЧИНЫ ИХ ВОЗНИКНОВЕНИЯ	НОВЫЙ СТЕРЕОТИП МЫШЛЕНИЯ
Кровяное давление:		
— высокое	Старые эмоциональные проблемы.	Я с радостью освобождаюсь от прошлого. Я живу в мире и согласии.
— низкое	Нехватка любви в детстве. Пораженчество. Ощущение бессмысленности каких-либо действий.	Я решила жить и наслаждаться настоящим. Моя жизнь — сплошная радость.
Круп (см.: Бронхит)		
Ладони	Они удерживают и управляют, сжимают и держат, хватают и отпускают. Это разнообразие обусловлено жизненными обстоятельствами.	Я буду решать все проблемы в моей жизни легко, радостно и с любовью.
Ларингиты	Сильное раздражение. Боязнь высказаться. Презрение к авторитетам.	Мне никто не мешает просить то, что мне нужно. Я не боюсь выразить себя. Я в согласии с собой.
Левая сторона тела	Олицетворяет восприимчивость, женскую энергию, женщину, мать.	Моя женская энергия прекрасно уравновешена.
Легкие:	Способность вдыхать жизнь.	Я беру от жизни ровно столько, сколько отдаю.
— болезни легких (см. также: Пневмония)	Депрессия. Печаль. Боязнь вдохнуть жизнь. Не понимаете, что должны жить полной жизнью.	Я вдыхаю жизнь полной грудью. Я с радостью живу полной жизнью.
Лейкемия (см. также: Болезнь крови)	Растоптанные мечты, вдохновение. Все напрасно.	Я двигаюсь от запретов прошлого в нынешнюю свободу. Я не боюсь быть сама собой.
Лейкорея (см. также: Гинекологические заболевания, Вагиниты)	Уверенность, что женщина бессильна перед мужчиной. Гнев, обращенный на друга.	Я сама создаю свою жизнь. Я сильная. Я восхищаюсь своей женственностью. Я свободна.
Лихорадка	Злость. Вспышка гнева.	Я холодное, спокойное выражение мира и любви.
Лицо	Это то, что мы являем миру.	Я не боюсь быть самой собой. Я такая, какая есть на самом деле.

БОЛЕЗНИ	ВОЗМОЖНЫЕ ПРИЧИНЫ ИХ ВОЗНИКНОВЕНИЯ	НОВЫЙ СТЕРЕОТИП МЫШЛЕНИЯ
Лобковая кость	Защищает гениталии.	Моей сексуальности ничто не угрожает.
Лодыжки	Неумение подлаживаться, чувство вины. Лодыжка олицетворяет способность получать удовольствие.	Я заслуживаю радостной жизни. Я принимаю все удовольствия, которые мне дарит жизнь.
Локоть (см. также: Суставы)	Олицетворяет смену направления и примирение с новыми обстоятельствами.	Я легко ориентируюсь в новых обстоятельствах, направлениях, переменах.
Малярия	Дисбаланс с природой и жизнью.	Я достигла в жизни полного равновесия. Я в безопасности.
Мастит (см.: Болезни молочных желез, Молочные железы)		
Мастоидит (воспаление сосцевидного отростка височной кости)	Гнев и растерянность. Нежелание слышать, что происходит, как правило, с детьми. Страх мешает правильному пониманию.	Божественный мир и гармония окружают меня и живут во мне. Я — оазис мира, любви и радости. В моем мире все хорошо.
Матка	Дом, где созревает жизнь.	Мое тело — это мой уютный дом.
Менингит позвоночника	Воспаленное воображение и злость на жизнь.	Я освобождаюсь от чувства вины и начинаю воспринимать покой и радость жизни.
Миалгический энцефалит (см.: Вирус Эпштейна — Барра)		
Мигрень (см. также: Головная боль)	Нежелание, чтобы вами руководили. Жизнь встречаете в штыки. Сексуальные страхи.	Я расслабляюсь в потоке жизни и позволяю ей дать мне все, в чем я нуждаюсь. Жизнь — моя стихия.
Миопия (см. также: Глазные болезни)	Боязнь будущего. Недоверчивое отношение к тому, что ждет впереди.	Я доверяю процессу жизни. Я в безопасности.
Множественный склероз	Жесткость мыслей, жестокосердие, железная воля, жесткость, страх.	Я концентрируюсь на приятных, радостных мыслях и создаю мир любви и счастья. Я ничего не боюсь, я счастлива.

БОЛЕЗНИ	ВОЗМОЖНЫЕ ПРИЧИНЫ ИХ ВОЗНИКНОВЕНИЯ	НОВЫЙ СТЕРЕОТИП МЫШЛЕНИЯ
Мозоли	Окостеневшие концепции и идеи. Страхи укореняются. Устаревшие стереотипы, упрямое желание цепляться за прошлое.	Я не боюсь внедрять новые идеи. Я открыта для добра. Я иду вперед, освободившись от прошлого. Я в безопасности, я свободна.
Молочные железы	Олицетворяют материнскую заботу, кормление и питание.	Я отдаю столько же, сколько и получаю.
Морская болезнь	Страх. Внутренние оковы. Ощущение как в ловушке. Боязнь, что не сможете держать все под контролем. Страх смерти. Недостаточный контроль.	Я легко перемещаюсь во времени и пространстве. Меня окружает только любовь. Я всегда контролирую свои мысли. Я в безопасности. Я люблю и ценю себя. Я живу в безопасном мире. Я повсюду чувствую дружелюбие. Я доверяю жизни.
Морщины	Морщины на лице — результат плохих мыслей. Презрение к жизни.	Я радуюсь жизни и наслаждаюсь каждым мгновением прожитого дня. Я снова стала молодой.
Мышечная дистрофия	«Незачем становиться взрослым».	Я освобождаюсь от всех запретов моих родителей. Я могу быть таким, какой я есть.
Мышцы	Нежелание воспринимать новые впечатления. Они обеспечивают наше движение в жизни.	Я воспринимаю жизнь как танец радости.
Нарколепсия	Неумение справиться с проблемами. Безудержный страх. Желание спастись от всего бегством.	Я полагаюсь на Божественную Мудрость, которая всегда защищает меня. Я в безопасности.
Наркомания	Бегство от самого себя. Страхи. Неумение любить себя.	Я поняла, что прекрасна. Я люблю себя и восхищаюсь собой.
Нарушение менструального цикла (см. также: Аменорея, Дисменорея, Гинекологические заболевания)	Отрицание своей женственности. Вина. Страх. Уверенность, что гениталии — это грех и грязь.	Я сильная женщина и считаю все процессы, происходящие в моем теле, нормальными и естественными. Я люблю и ценю себя.

БОЛЕЗНИ	ВОЗМОЖНЫЕ ПРИЧИНЫ ИХ ВОЗНИКНОВЕНИЯ	НОВЫЙ СТЕРЕОТИП МЫШЛЕНИЯ
Нарушение психики (психические болезни)	Бегство от семьи. Уход в мир иллюзий, отчуждение. Насильственная изоляция от жизни.	Мой мозг используется по назначению и является творческим выражением Божественной Воли.
Нарушение равновесия	Разброс мыслей. Неумение сосредоточиться.	Я нахожусь в полной безопасности и считаю свою жизнь совершенной. Все хорошо.
Насморк	Сдерживаемые рыдания. Детские слезы. Жертва.	Я понимаю, что сама творю свою жизнь. Я решила наслаждаться жизнью.
Невралгия	Наказание за вину. Болезненное, мучительное общение.	Я прощаю себя. Я люблю и ценю себя. Я общаюсь с любовью.
Невралгия седалищного нерва	Лицемерие. Боязнь денег и будущего.	Я начала понимать, в чем мое настоящее благо. Оно повсюду. Я в безопасности, и мне ничто не угрожает.
Недержание мочи	Избыток эмоций. Годы подавляемых чувств.	Я хочу чувствовать. Я не боюсь выражать свои эмоции. Я люблю себя.
Неизлечимая болезнь	Ее нельзя излечить на данной стадии, ликвидировав внешние признаки. Придется проникнуть вглубь, чтобы воздействовать на процесс и добиться выздоровления. Болезнь как пришла, так и уйдет.	Чудеса происходят каждый день. Я иду внутрь, чтобы уничтожить стереотип, вызвавший недуг. Я радостно наблюдаю за Божественым Исцелением. Так тому и быть!
Неподвижность шеи (см. также: Болезнь шеи)	Железная тупость.	Я не боюсь рассматривать другие точки зрения.
Неприятный запах изо рта	Гневное и мстительное дыхание мысли. Раздражение вызывает все, что происходит в жизни.	Я расстаюсь с прошлым с любовью. Отныне я буду ко всему относиться с любовью.
Неприятный запах (тела)	Страх. Неудовлетворенность собой. Боязнь людей.	Я люблю себя и с одобрением отношусь к себе. Я чувствую себя в безопасности.
Нервозность	Страх, тревога, борьба, спешка. Недоверие к жизни.	Я совершаю бесконечное путешествие в Вечность. Впереди у меня еще много времени.

БОЛЕЗНИ	ВОЗМОЖНЫЕ ПРИЧИНЫ ИХ ВОЗНИКНОВЕНИЯ	НОВЫЙ СТЕРЕОТИП МЫШЛЕНИЯ
Нервные припадки (срывы)	Сконцентрированы на себе. Каналы общения забиты.	Я распахиваю свое сердце и строю общение с другими на основе любви. Я в безопасности. Мне хорошо.
Нервы	Это — средство общения, восприятия информации.	Я общаюсь легко и радостно.
Несчастные случаи	Неспособность защитить себя. Отрицание авторитетов. Склонность решать проблемы силовыми методами.	Я освободилась от подобных мыслей. Я спокойна. Я хороший человек.
Нефриты (см. также: Болезнь Брайта)	Преувеличенная реакция на неудачу или разочарование.	Я поступаю в своей жизни всегда правильно. Я отказываюсь от старого и приветствую новое. Все хорошо.
Нога(и)	Несут нас по жизни.	Я выбираю жизнь.
Ногти	Олицетворяют защиту.	Я без страха тянусь ко всему.
Нос:	Олицетворяет самопознание.	У меня богатая интуиция.
— кровотечение	Жажда признания. Обида на то, что осталась незамеченной. Жажда любви.	Я люблю и осознаю свою значимость. Я прекрасна.
— насморк	Просьба о помощи. Сдерживаемый плач.	Я люблю и успокаиваю себя. Я делаю это в форме, которая доставляет мне удовольствие.
— заложенность носа	Не осознаете свою значимость.	Я люблю и ценю себя.
Облысение (плешивость)	Страх. Напряжение. Попытка все контролировать. Недоверчивое отношение к жизни.	Я в полной безопасности. Я люблю себя и с одобрением отношусь к себе. Я с доверием отношусь к жизни.
Обморок	Страх, который невозможно побороть. Затемнение сознания.	У меня хватит душевных, физических сил и знаний, чтобы справиться со всем, что меня ждет в жизни.

БОЛЕЗНИ	ВОЗМОЖНЫЕ ПРИЧИНЫ ИХ ВОЗНИКНОВЕНИЯ	НОВЫЙ СТЕРЕОТИП МЫШЛЕНИЯ
Ожирение (см. также: Избыточный вес):	Очень чувствительная натура. Часто нуждаетесь в защите. Можете прикрываться страхом, чтобы не проявлять злость и нежелание прощать.	Мой щит — любовь Бога, поэтому я всегда в безопасности. Я хочу совершенствоваться и сама нести ответственность за свою жизнь. Я прощаю всех и строю жизнь так, как хочу. Мне ничто не угрожает.
— плечи	Злость из-за того, что обделены любовью.	Я не боюсь послать в мир столько любви, сколько это необходимо.
— живот	Злость из-за того, что лишены пищи.	Я питаюсь духовной пищей. Я удовлетворена и свободна.
— таз	Сгустки злости на родителей.	Я хочу распрощаться с прошлым. Я не боюсь нарушить родительские запреты.
Ожог	Гнев. Вспышки ярости.	Я создаю мир и гармонию внутри себя и в своем окружении.
Окостенение	Жесткое, негибкое мышление.	Я не боюсь мыслить гибко.
Опоясывающий лишай	Боитесь, что будет совсем плохо. Страх и напряжение. Слишком чувствительны.	Я расслаблена и спокойна, потому что доверяю жизни. В моем мире все хорошо.
Опухоли	Смакование старых обид и ударов, культивирование ненависти. Угрызения совести становятся все сильнее. Ошибочные компьютеризованные стереотипы мышления. Упрямство. Нежелание изменить устаревшие шаблоны.	Я легко прощаю. Я люблю себя и доставляю радость прекрасными мыслями. Я с любовью освобождаюсь от прошлого и думаю только о том, что ждет меня впереди. Все хорошо. Мне не составляет труда изменить программу компьютера — своего мозга. В жизни все меняется, и мой мозг постоянно обновляется.
ОРЗ (см. Грипп)		
Остеомиелит (см. также: Болезни костей)	Озлобленность, растерянность по отношению к жизни. Не ощущает никакой поддержки.	Я в ладу с жизнью и доверяю ей. Я в безопасности, и мне никто не угрожает.

БОЛЕЗНИ	ВОЗМОЖНЫЕ ПРИЧИНЫ ИХ ВОЗНИКНОВЕНИЯ	НОВЫЙ СТЕРЕОТИП МЫШЛЕНИЯ
Остеопороз (см. также: Болезни костей)	Кажется, что в жизни не осталось поддержки.	Я умею постоять за себя, и жизнь оказывает мне поддержку, это бывает всегда неожиданно, но в основе лежит любовь.
Острое воспаление миндалин (см. также: Тонзиллит)	Уверенность, что не сможете попросить для себя то, в чем нуждаетесь.	Раз я появилась на свет, значит, должна получить все, что мне нужно. Я теперь могу легко попросить все, в чем нуждаюсь. Главное, — делать это с любовью.
Острый инфекционный конъюнктивит (см. также: Конъюнктивит)	Гнев и растерянность. Нежелание видеть.	Я больше не стремлюсь быть первой. Я в гармонии сама с собой. Я люблю и ценю себя.
Отек (эдема)	Нежелание расстаться с прошлым. Кто или что удерживает вас?	Я с радостью прощаюсь с прошлым. Я не боюсь расстаться с ним. Отныне я свободна.
Отрыжка	Страх. Торопитесь жить.	Хватит времени и пространства для всего, что я собираюсь совершить. Я спокойна.
Пальцы ног	Олицетворяют мелкие детали вашего будущего.	Все мелочи сбудутся без моего участия.
Пальцы рук:	Олицетворяют мелочи жизни.	Я живу в гармонии со всеми мелочами жизни.
— большой	Олицетворяет ум и беспокойство.	Мои мысли пребывают в гармонии.
— указательный	Олицетворяет мое «я» и страх.	Я в безопасности.
— средний	Олицетворяет гнев и сексуальность.	Моя сексуальность меня удовлетворяет.
— безымянный	Олицетворяет союзы и печаль.	В любви я миролюбива.
— мизинец	Олицетворяет семью и притворство.	В Большой Семье, какой является жизнь, я сама естественность.

БОЛЕЗНИ	ВОЗМОЖНЫЕ ПРИЧИНЫ ИХ ВОЗНИКНОВЕНИЯ	НОВЫЙ СТЕРЕОТИП МЫШЛЕНИЯ
Панкреатит	Отвержение. Гнев и растерянность, так как жизнь, по-видимому, потеряла свою притягательность.	Я люблю и ценю себя. Я сама делаю свою жизнь притягательной и радостной.
Паразитарные заболевания	Отдает власть в руки других. Позволяет им взять верх.	С помощью любви я возвращаю свою власть и пресекаю любое вмешательство.
Паралич (см. также: Болезнь Паркинсона)	Парализующие ум мысли. Ощущение прикованности к чему-то. Желание спастись от кого-то или чего-то. Сопротивление.	Я мыслю свободно, и жизнь протекает легко и приятно. У меня в жизни есть все. Мое поведение адекватно в любой ситуации.
Парез (парастезия)	Не желаете ни любви, ни внимания. На пути к духовной смерти.	Я делюсь своими чувствами и любовью. Я откликаюсь на каждое проявление любви.
Печень	Место сосредоточения злости и примитивных эмоций.	Я хочу знать только любовь, мир и радость.
Пиорея (см. также: Периодонтит)	Злость на себя за неспособность принимать решение. Слабый, жалкий человек.	Я высоко ценю себя, и решения, которые я принимаю, всегда превосходны.
Пищевое отравление	Разрешаете другим взять все под контроль. Чувствуете себя беззащитной.	У меня достаточно силы, власти и умения, чтобы справиться со всем.
Плач	Слезы — река жизни, которая пополняется как в радости, так и в печали и страхе.	Я в мире со своими эмоциями. Я люблю себя и с одобрением отношусь к себе.
Плечи	Олицетворяют нашу способность с радостью переносить жизненные обстоятельства. Жизнь становится для нас бременем в результате нашего к ней отношения.	Я решила, что отныне все мои переживания будут радостными и полными любви.
Плохое пищеварение	Инстинктивный страх, ужас, тревога. Берете больше, чем можете переварить.	Я мирно и радостно перевариваю и усваиваю все новое.
Пневмония (см. также: Воспаление легких)	Отчаяние. Усталость от жизни. Эмоциональные, незаживающие раны.	Я легко «вдыхаю» Божественные Идеи, наполненные воздухом и смыслом жизни. Это новое для меня переживание.

БОЛЕЗНИ	ВОЗМОЖНЫЕ ПРИЧИНЫ ИХ ВОЗНИКНОВЕНИЯ	НОВЫЙ СТЕРЕОТИП МЫШЛЕНИЯ
Поверхностная трихофития	Позволяете другим влезать в свою шкуру. Кажется, что недостаточно хороши и чисты.	Я люблю и ценю себя. Никто и ничто не имеют власти надо мной. Я свободна.
Повышенное кровяное давление (см.: Давление)		
Повышенное содержание холестерина (атеросклероз)	Закупорка каналов радости. Боязнь почувствовать радость.	Мой выбор — любовь к жизни. Мои каналы любви открыты. Я не боюсь принять любовь.
Повышенный аппетит	Страх, потребность в защите. Осуждение этих чувств.	Я чувствую себя в безопасности. Я не боюсь чувствовать. У меня нормальные чувства.
Подагра	Потребность властвовать. Нетерпение, гнев.	Я ничего не боюсь. Я живу в мире с собой и окружающими.
Поджелудочная железа	Олицетворяет прелесть жизни.	У меня чудесная жизнь.
Подошвенная бородавка	Раздражение, вызванное собственным подходом к жизни. Растерянность по поводу будущего.	Я уверенно и легко смотрю в будущее. Я доверяю жизни.
Позвонок (см. также: Позвоночный столб)	Гибкая поддержка жизни.	Меня поддерживает жизнь.
Полиомиелит	Парализующая ревность. Желание остановить кого-то.	Благ жизни хватит всем. Я обретаю собственное благо и свободу с помощью мыслей, полных любви.
Пониженный аппетит (см. также: Анорексия)	Страх. Самозащита. Недоверие к жизни.	Я люблю себя и одобрительно отношусь к себе. Я не испытываю страха. Жизнь не опасна и радостна.
Понос	Страх. Отрицание. Бегство от жизни.	У меня прекрасно налажен процесс поглощения, усвоения и высвобождения. Я живу в мире и согласии.

БОЛЕЗНИ	ВОЗМОЖНЫЕ ПРИЧИНЫ ИХ ВОЗНИКНОВЕНИЯ	НОВЫЙ СТЕРЕОТИП МЫШЛЕНИЯ
Порезы (см. также: Травмы)	Наказание за несоблюдение собственных принципов.	Я строю жизнь, которая сторицей награждает меня за добрые дела.
Почесывание	Ощущение, что вы отрезаны от жизни.	Я благодарна жизни за то, что она так щедра ко мне. Я благословенна.
Почечно-каменная болезнь	Отвердевшие сгустки злости.	Я с легкостью освобождаюсь от старых проблем.
Правая сторона тела	Распределяет, дает выход мужской энергии. Мужчина, отец.	Я легко и без усилий уравновешиваю свою мужскую энергию.
Предменструальный синдром (ПМС)	Растерянность, в результате которой вы попадаете под чужое влияние. Непонимание процессов, происходящих в организме женщины.	Я управляю своими мыслями и своей жизнью. Я сильная, динамичная женщина! Каждый мой орган прекрасно функционирует. Я люблю себя.
Предстательная железа	Олицетворение мужского начала.	Я ценю и наслаждаюсь своей мужественностью.
Припадок	Бегство от семьи, от себя, от жизни.	Я дома во всей Вселенной. Я в безопасности и меня понимают.
Припухлости (см. также: Отек, Задержка жидкости в организме)	Узкое, ограниченное мышление. Болезненные идеи.	Мои мысли текут легко и свободно. Мои идеи не тормозят мое движение.
Приступы удушья (см. также: Гипервентиляция)	Страх. Недоверчивое отношение к жизни. Невозможность расстаться с детством.	Взрослеть не страшно. Мир безопасен. Я в полной безопасности.
Проблемы менопаузы	Боязнь, что больше нежеланна. Боязнь старения. Самоотрицание. Чувствуете, что недостаточно хороша.	Я уравновешена и спокойна в период изменения цикла. Я благословляю свое тело с любовью.
Проблемы питания	Боязнь будущего, боязнь не продвинуться на жизненном пути.	Я иду по жизни легко и радостно.
Проказа	Полная неспособность противостоять жизни. Застарелое убеждение, что недостаточно хороша или чиста.	Я выше всех запретов. Бог руководит мною и направляет меня. Любовь исцеляет жизнь.

БОЛЕЗНИ	ВОЗМОЖНЫЕ ПРИЧИНЫ ИХ ВОЗНИКНОВЕНИЯ	НОВЫЙ СТЕРЕОТИП МЫШЛЕНИЯ
Простой герпес (герпетические высыпания на губах) (см. также: Простудные заболевания)	«Бог шельму метит». Горькие слова так и не сорвались с губ.	Я произношу только слова любви, мои мысли всегда полны любовью. Я в ладу и согласии с жизнью.
Простуда	Узость мышления временами. Желание отступить, чтобы никто не беспокоил.	Мне никто не угрожает. Любовь защищает и окружает меня. Все хорошо.
Простудные заболевания (ОРЗ)	Чувство напряженности; кажется, что не успеете. Волнения, психические расстройства. Обижаетесь по мелочам. Например: «У меня всегда хуже, чем у других».	Я расслабляюсь и позволяю своему разуму не бунтовать. Вокруг меня сплошная гармония. Все хорошо.
Прыщи (воспаление)	Неприятие себя, отвращение к себе.	Я Божественное выражение жизни. Я люблю и принимаю себя такой, какая я есть.
Прыщи (см. также: Угри, Гнойники)	Небольшие вспышки гнева.	Я спокойна. Мои мысли безмятежны и светлы.
Психические болезни (см.: Нарушение психики)		
Псориаз (см.: Кожные болезни)	Боязнь обид. Не думаете о себе. Отказ нести ответственность за свои чувства.	Я наслаждаюсь радостями, которые дарит жизнь. Я заслуживаю в жизни самого лучшего. Я люблю и ценю себя.
Рак	Глубокие раны, обиды. Укоренившееся презрение. Тайны и глубокая печаль пожирают душу. Гложет ненависть. Все бессмысленно.	Я с любовью прощаюсь с прошлым. Я решила наполнить жизнь радостью. Я люблю себя и отношусь к себе с одобрением.
Растяжение	Гнев и сопротивление. Нежелание двигаться в жизни в определенном направлении.	Я верю, что жизнь ведет меня к высшему благу. Я в гармонии с собой.
Расходящееся косоглазие (см.: Глазные болезни)		

БОЛЕЗНИ	ВОЗМОЖНЫЕ ПРИЧИНЫ ИХ ВОЗНИКНОВЕНИЯ	НОВЫЙ СТЕРЕОТИП МЫШЛЕНИЯ
Рахит	Нехватка эмоций, любви и уверенности.	Я в безопасности. Меня вскормила любовь самой Вселенной.
Ревматизм	Чувствует себя жертвой. Нехватка любви. Хроническая горечь презрения.	Я сама создаю свою жизнь. Эта жизнь становится все лучше и лучше, так как я люблю и ценю себя и других.
Ревматический артрит	Полное ниспровержение авторитетов. Ощущаете их давление.	Я сама себе авторитет. Я люблю и ценю себя. Жизнь прекрасна.
Роды:	Олицетворяют начало жизни.	Начинается новая радостная и чудесная жизнь. Все будет хорошо.
— родовые травмы	Кармика (теософическое понятие). Вы предпочли прийти в жизнь таким путем. Мы выбираем наших родителей и наших детей. Незаконченные дела.	Все, что происходит в жизни, необходимо для нашего роста. Я живу в мире с теми, кто меня окружает.
Рот:	Место, куда поступают новые идеи и пища.	Я с любовью принимаю все, что подпитывает меня.
— болезни	Сформировавшиеся взгляды, закостенелое мышление. Неспособность воспринимать новые идеи.	Я радостно встречаю новые идеи и концепции и делаю все для их понимания и усвоения.
Самоубийство	Видите жизнь только в черном и белом цвете. Отказ найти другой выход.	В жизни есть масса возможностей. Всегда можно выбрать другой путь. Мне ничто не угрожает.
Свищи	Страх. Процесс освобождения организма блокирован.	Я чувствую себя в безопасности. Я полностью доверяю жизни. Жизнь создана для меня.
Седые волосы	Стресс. Вера в то, что состояние постоянного напряжения является нормальным.	Я живу тихо и спокойно. Я сильная и способная.
Селезенка	Одержимость. Вещизм.	Я люблю и ценю себя. Я верю, что жизнь повернулась ко мне лицом. Я в безопасности. Все хорошо.

БОЛЕЗНИ	ВОЗМОЖНЫЕ ПРИЧИНЫ ИХ ВОЗНИКНОВЕНИЯ	НОВЫЙ СТЕРЕОТИП МЫШЛЕНИЯ
Сенная лихорадка (см. также: Аллергические реакции)	Эмоциональный тупик. Боязнь, что время уходит впустую. Мания преследования. Чувство вины.	У меня в жизни есть все. Мне ничего не угрожает.
Сердце: (см. также: Кровь)	Сосредоточие любви и безопасности.	Мое сердце бьется в ритме любви.
— болезни	Затяжные эмоциональные проблемы. Камень на сердце. Всему виной стрессы и напряжение.	Радость и только радость. Радостью пропитаны мой мозг, тело и жизнь.
Синовит большого пальца стопы.	Неумение спокойно и радостно относиться к жизни.	Я с радостью иду вперед навстречу удивительной жизни.
Сифилис	Растрачиваете впустую силы.	Я решила быть собой. Я ценю себя такой, какая я есть.
Скелет (см. также: Кости)	Разрушение основы. Кости олицетворяют структуру вашей жизни.	Я сильная и здоровая. У меня прекрасная основа.
Склеродермия	Отгораживаетесь от жизни. Не можете заботиться о себе и находиться там, где находитесь.	Я расслабилась, потому что уверена, что мне ничто не угрожает. Я доверяю жизни и себе.
Сколиоз (см.: Искривление позвоночника)		
Скопление газов (метеоризм)	Гребете под себя. Страх. Идеи, которые не в силах понять.	Я расслабляюсь, и жизнь кажется мне легкой и приятной.
Слабоумие (см. также: Болезнь Альцгеймера, Старость)	Нежелание воспринимать мир таким, какой он есть. Безнадежность и гнев.	У меня лучшее место под солнцем, оно самое безопасное.
Слизь в толстой кишке (см. также: Колиты, Толстая кишка, Кишки, Спастический колит)	Напластование старых стереотипов, которыми забиты все каналы, приводит к сумятице мыслей. Трясина прошлого засасывает.	Я расстаюсь со своим прошлым. Я ясно мыслю. Я живу сегодняшним днем в любви и мире.
Смерть	Конец калейдоскопа жизни.	Я с радостью познаю новые грани жизни. Все хорошо.
Смещение диска	Отсутствие какой-либо поддержки со стороны жизни. Нерешительный человек.	Жизнь поддерживает все мои мысли, следовательно, я люблю и ценю себя. Все хорошо.

БОЛЕЗНИ	ВОЗМОЖНЫЕ ПРИЧИНЫ ИХ ВОЗНИКНОВЕНИЯ	НОВЫЙ СТЕРЕОТИП МЫШЛЕНИЯ
Солитер	Сильное убеждение, что являетесь жертвой. Не знаете, как реагировать на отношение к себе других людей.	Добрые чувства, которые я испытываю к себе, я испытываю и к другим людям. Я люблю и принимаю всевозможные проявления своего «я».
Солнечное сплетение	Внутренние реакции. Точка сосредоточения силы нашей интуиции.	Я доверяю своему внутреннему голосу. Я сильна физически и морально. Я мудрая.
Спазмы, судороги	Напряжение. Страх. Желание схватить и удержать. Паралич мыслей, обусловленный страхом.	Я расслабляюсь и позволяю своему разуму не бунтовать. Я расслабляюсь и высвобождаюсь. В жизни мне ничего не угрожает.
Спастический колит (см. также: Колиты, Толстая кишка, Кишки, Слизь в толстой кишке)	Боязнь расстаться с тем, что должно уйти. Неуверенность.	Я не боюсь жить. Жизнь всегда даст мне то, что нужно. Все хорошо.
СПИД	Чувство беззащитности и безнадежности. Острое ощущение собственной ненужности. Убежденность в том, что недостаточно хороша. Отрицание себя как личности. Чувство вины за случившееся.	Я часть мироздания. Я любима самой жизнью. Я сильна и способна. Я люблю и ценю в себе все.
Спина	Олицетворяет поддержку жизни.	Я знаю, что жизнь всегда поддерживает меня.
Ссадины, кровоподтеки	Небольшие жизненные конфликты. Самонаказание.	Я люблю и холю себя. Я отношусь к себе нежно и по-доброму. Все хорошо.
Старческие болезни	Социальные предрассудки. Старое мышление. Боязнь быть естественной. Отрицание всего современного.	Я люблю и принимаю себя в любом возрасте. Каждое мгновение жизни совершенно.
Старческое слабоумие (см. также: Болезнь Альцгеймера)	Возврат в безопасное детство. Требуете заботы и внимания. Разновидность контроля над окружением. Бегство от действительности.	Я под защитой Бога. Безопасность. Мир. Мировой Разум бдит на каждом этапе жизни.

БОЛЕЗНИ	ВОЗМОЖНЫЕ ПРИЧИНЫ ИХ ВОЗНИКНОВЕНИЯ	НОВЫЙ СТЕРЕОТИП МЫШЛЕНИЯ
Столбняк (см. также:Тризм челюсти)	Потребность выплеснуть гнев, освободиться от мучительных мыслей.	Я позволяю любви растекаться по моему телу. Она очищает и исцеляет каждую клеточку моего организма и мои эмоции.
Ступни	Олицетворяют наше понимание себя, жизни и других.	У меня правильное понимание всего, и я хочу, чтобы оно менялось со временем. Я ничего не боюсь.
Суставы (см. также: Артрит, Локоть, Колено, Плечи)	Символизируют смену направления в жизни и легкость этих перемен.	Я легко меняю многое в жизни. Меня направляют, поэтому я всегда двигаюсь в правильном направлении.
Сутулые плечи (см. также: Плечи, Искривление позвоночника)	Несут на себе тяжесть жизни. Безнадежность и беспомощность.	Я стою прямо и чувствую себя свободной. Я люблю и ценю себя. Моя жизнь с каждым днем становится все лучше.
Сухость глаз	Разгневанный взгляд. Смотрите на мир с любовью. Прощению предпочитаете смерть. Ненавидите и презираете.	Я охотно прощаю. Отныне жизнь в поле моего зрения. Я смотрю на мир с сочувствием и пониманием.
Сыпь (см. также: Крапивница)	Раздражение в связи с опозданиями. Так делают дети, желая привлечь к себе внимание.	Я люблю и ценю себя. Я в гармонии с жизнью.
Тики, судороги	Страх. Боязнь, что кто-то наблюдает за вами.	Я принимаю все, что происходит в жизни. Мне ничто не угрожает. Все хорошо.
Толстая кишка	Привязанность к прошлому. Боязнь расстаться с ним.	Я легко расстаюсь с тем, в чем больше не нуждаюсь. Прошлое осталось в прошлом, я свободна.
Тонзиллит	Страх. Подавленные эмоции. Отсутствие свободы творчества.	Я свободно наслаждаюсь благом, которое мне дарит жизнь. Я — проводник Божественных Идей. Я в гармонии с собой и окружением.
Тошнота	Страх. Неприятие идей или обстоятельств.	Я ничего не боюсь. Я верю, что жизнь принесет мне только добро.

БОЛЕЗНИ	ВОЗМОЖНЫЕ ПРИЧИНЫ ИХ ВОЗНИКНОВЕНИЯ	НОВЫЙ СТЕРЕОТИП МЫШЛЕНИЯ
Туберкулез	Причина истощения — эгоизм. Собственник. Вульгарные мысли. Мстительность.	Я люблю и ценю себя, поэтому я создаю полный радости и покоя мир, в котором собираюсь жить.
Травмы (см. также: Порезы)	Злость на себя. Чувство вины.	Я освобождаюсь от гнева неагрессивным путем. Я люблю и ценю себя.
Тризм челюсти (см. также: Столбняк)	Гнев. Желание все держать под контролем. Отказ от выражения чувств.	Я доверяю жизни. Я легко могу попросить то, что хочу. Жизнь откликается на мои просьбы.
Угри (черные)	Небольшие вспышки гнева.	Я привела в порядок свои мысли. Я спокойна.
Узелковое утолщение	Презрение к себе, растерянность, ущемленное самолюбие в связи с неудачной карьерой.	Я освобождаюсь от ментальных стереотипов, которые тормозят мой рост. Теперь успех мне обеспечен.
Укусы:	Страх. Незащищенность от любого осуждения.	Я прощаю себя и люблю с каждым днем все больше.
— животного	Гнев, обращенный на себя. Потребность наказать себя.	Я свободна.
— насекомого	Чувство вины, возникающее по пустякам.	Я освободилась от раздражения. Все хорошо.
Уретра	Гневные эмоции. Ощущение унижения. Обвинения.	В моей жизни есть место только ощущениям.
Усталость	Все новое встречаете в штыки, скучаете. Равнодушное отношение к тому, что делаете.	Я с энтузиазмом отношусь к жизни. Я полна энергии.
Ухо	Олицетворяет способность слышать.	Я слушаю с любовью.
Фиброма и киста (см. также: Гинекологические заболевания)	Смакуете обиды, нанесенные партнером. Удар по женскому «я».	Я освобождаюсь от стереотипа, образованного этими переживаниями. В моей жизни, которую я создаю, есть место только для хорошего.

БОЛЕЗНИ	ВОЗМОЖНЫЕ ПРИЧИНЫ ИХ ВОЗНИКНОВЕНИЯ	НОВЫЙ СТЕРЕОТИП МЫШЛЕНИЯ
Флебит	Гнев и растерянность. Обвинения в адрес других за запреты и недостаток радости в жизни.	Радость разливается по моему телу, и я в ладу с жизнью.
Фригидность	Страх. Отказ от удовольствий. Уверенность, что секс — это что-то плохое. Невнимательные партнеры. Боязнь отца.	Я не боюсь доставить наслаждение своему телу. Я счастлива, что я женщина.
Холецистит (см.: Желчно-каменная болезнь)		
Храп	Нежелание расставаться со старыми стереотипами.	Я освобождаюсь от всех мыслей, которые не несут любви и радости. Я двигаюсь из прошлого в новое, кипящее жизнью настоящее.
Хронические заболевания	Нежелание изменить себя. Боязнь будущего. Ощущение опасности.	Я хочу изменяться и развиваться. Я создаю надежное новое будущее.
Целлюлит	Затаенный гнев. Самобичевание.	Я прощаю других. Я прощаю себя. Я свободна в любви и наслаждаюсь жизнью.
Церебральный паралич (см. также: Паралич)	Стремление объединить семью любовью.	Я делаю все, чтобы создать дружную, любящую семью. Все хорошо.
Челюстно-лицевые травмы (височно-нижнечелюстной сустав)	Гнев. Презрение. Желание мести.	Я хочу изменить стереотип, который привел меня в такое состояние. Я люблю и ценю себя. Я в безопасности.
Чесотка	Неумение самостоятельно мыслить. Ощущение, что вам лезут в душу.	Я — олицетворение жизни, полной любви и радости. Я самостоятельна.
Чувство инородного тела в горле (глобус истерикус)	Страх. Недоверие к жизни.	Я в безопасности. Я верю, что жизнь благосклонна ко мне. Я выражаю себя свободно и радостно.
Шея (шейный отдел позвоночника)	Олицетворение гибкости. Позволяет видеть все.	Я в ладу с жизнью.

БОЛЕЗНИ	ВОЗМОЖНЫЕ ПРИЧИНЫ ИХ ВОЗНИКНОВЕНИЯ	НОВЫЙ СТЕРЕОТИП МЫШЛЕНИЯ
Щитовидная железа (см. также: Зоб)	Унижения. «Мне никогда не удавалось заниматься любимым делом. Когда же настанет мой черед?»	Я не обращаю внимания на запреты и выражаю себя свободно и творчески.
Экзема	Выраженный антагонизм. Бурный поток мыслей.	Гармония и мир, любовь и радость окружают меня и живут во мне. Я в безопасности и под Его охраной.
Эмфизема	Страх жизни. Кажется, что недостойны жить.	Раз я появилась на свет, я имею право жить полной и свободной жизнью. Я люблю жизнь. Я люблю себя.
Эндометриоз	Неуверенность, разочарование и растерянность. Вместо того чтобы любить себя, любите сладкое. Во всем вините себя.	Я сильная и желанная. Как прекрасно быть женщиной! Я люблю себя. Я удовлетворена.
Энурез	Боязнь родителей, обычно отца.	Я смотрю на ребенка с любовью, сочувствием и пониманием. Все хорошо.
Эпилепсия	Ощущение, что тебя преследуют. Нежелание жить. Постоянная внутренняя борьба. Любое действие — насилие над собой.	Я вижу жизнь бесконечной и радостной. Я буду жить вечно, радостно и в ладу с собой.
Ягодицы	Олицетворяют власть. Дряблые ягодицы — потеря силы.	Я мудро использую свою силу. Я сильная. Я ничего не боюсь. Все хорошо.
Язва желудка (см. также: Изжога, Заболевания желудка, Язвы)	Страх. Уверенность, что недостаточно хороша. Беспокойство, тревога, что можете не понравиться.	Я люблю и ценю себя. Я в гармонии с собой. Я прекрасна.
Язвенная болезнь	Постоянно сдерживаете себя, не позволяете себе выговориться. Вините во всем себя.	Я вижу только радостные события в моем любящем мире.

БОЛЕЗНИ	ВОЗМОЖНЫЕ ПРИЧИНЫ ИХ ВОЗНИКНОВЕНИЯ	НОВЫЙ СТЕРЕОТИП МЫШЛЕНИЯ
Язвы (см. также: Изжога, Язва желудка, Заболевания желудка	Страх. Вы убеждены, что недостаточно хороши собой. Что гложет вас?	Я люблю и ценю себя. Я в гармонии с миром. Все хорошо.
Язык	С его помощью вы вкушаете радости жизни.	Я наслаждаюсь богатством жизни.
Яички	Основа мужского достоинства, мужественности.	Я счастлив быть мужчиной.
Яичники	Место зарождения жизни.	С самого рождения моя жизнь сбалансирована.
Ячмень (см. также: Глазные болезни)	Смотрите на мир сердитым взглядом. Злитесь на кого-то.	Я решила смотреть на всех с любовью и радостью.

СПЕЦИАЛЬНЫЙ РАЗДЕЛ

Нарушения,
вызванные искривлением позвоночника

Стольких людей мучают болезни позвоночника, их заболевания настолько разнообразны, что я решила посвятить позвоночнику отдельную главу. Я предлагаю вам изучить предложенную таблицу и содержащуюся в ней информацию. Затем соотнести таблицу с ментальными эквивалентами, приведенными ниже. Как всегда, полагайтесь на собственное чутье при выборе наиболее полезных для вас эквивалентов.

ПОСЛЕДСТВИЯ ИСКРИВЛЕНИЯ ПОЗВОНОЧНИКА

Позвонки	Области воздействия	Симптомы
1 шейный позвонок	Поступление крови к голове, гипофизарной железе, коже головы, лицевым костям, мозгу, внутреннему и среднему уху, симпатической нервной системе.	Головные боли, нервозность, ОРЗ, высокое кровяное давление, мигрени, нервные припадки, амнезия, хроническая усталость, головокружение.
2 ш.п.	Глаза, оптические нервы, слуховые нервы, пазухи, сосцевидный отросток височной кости, язык, лоб.	Воспаление лобных пазух, аллергии, косоглазие, глухота, глазные болезни, ушная боль, хроническая усталость, ослабление речи, некоторые случаи слепоты.
3 ш.п.	Щеки, наружное ухо, лицевые кости, зубы, тройничный нерв.	Невралгия, нефриты, прыщи и угри, аденоиды.
4 ш.п.	Нос, губы, рот, евстахиева труба.	Сенная лихорадка, катар, потеря слуха, аденоиды.
5 ш.п.	Голосовые связки, гланды (железы), глотка.	Ларингиты, хрипота, боль в горле и гнойный тонзиллит.
6 ш.п.	Шейные мышцы, плечи, миндалевидная железа.	Неподвижность шеи, боль в предплечье, тонзиллиты, коклюшный круп.
7 ш.п.	Щитовидная железа, околосуставные слизистые сумки.	Бурситы, простуды, заболевания щитовидной железы.
1 грудной позвонок	Рука от локтя до кончиков пальцев, пищевод, трахея.	Астма, кашель, затрудненное дыхание, короткое дыхание, боли в нижней части руки, ладонях.
2 г.п.	Сердце, включая клапаны и оболочку, коронарные артерии.	Нарушение функционального состояния сердца, боль в грудной клетке.
3 г.п.	Легкие, бронхи, плевра, грудная клетка, грудь.	Бронхиты, плевриты, пневмония, грипп.
4 г.п.	Желчный пузырь, желчный проток.	Болезни желчного пузыря, гепатит, опоясывающий лишай.
5 г.п.	Печень, солнечное сплетение, кровь.	Болезни печени, лихорадки, низкое кровяное давление, анемия, плохое кровообращение, артрит.
6 г.п.	Желудок.	Желудочные болезни, включая невроз желудка, изжога, диспепсия.

Позвонок	Органы	Заболевания
7 г.п.	Поджелудочная железа, двенадцати-перстная кишка.	Язвы, гастриты.
8 г.п.	Селезенка.	Низкая сопротивляемость.
9 г.п.	Надпочечники.	Аллергии, крапивница.
10 г.п.	Почки.	Болезни почек, непроходимость артерий, хроническая усталость, нефриты, пиелиты.
11 г.п.	Почки, мочеточник.	Плохое состояние кожных покровов, прыщи и угри, экзема и фурункулы.
12 г.п.	Тонкая кишка, циркуляция лимфы.	Ревматизм, газы, тенезмы, некоторые виды бесплодия.
1 поясничный позвонок	Толстая кишка, паховые кольца.	Запоры, колиты, дизентерия, поносы, грыжи.
2 п.п.	Аппендикс, брюшная полость, верхняя часть ноги.	Колики, затрудненное дыхание, кислотность, варикозные вены.
3 п.п.	Половые органы, матка, мочевой пузырь, колени.	Болезни мочевого пузыря, болезненные и нерегулярные менструации, выкидыши, недержание мочи, импотенция, изменение жизненных показателей, боли в коленях.
4 п.п.	Предстательная железа (простата), мышцы поясницы, седалищный нерв.	Ишиас, люмбаго, затрудненное, болезненное и слишком частое мочеиспускание, боли в спине.
5 п.п.	Нижняя часть ноги, лодыжки, ступни.	Плохое кровообращение в ногах, опухшие лодыжки, слабые лодыжки и боли, холодные ноги, слабость в ногах, судороги в ногах.
Крестец	Кости бедра, ягодицы.	Заболевания крестцово-подвздошных сочленений и искривление столба.
Копчик	Прямая кишка, анус.	Геморроидальные узлы, зуд, боль в области копчика.

Неправильное положение позвонков и дисков столба может привести к раздражению нервной системы и повлиять на работу органов, а также вызвать следующее состояние человека:

РАЗНОВИДНОСТИ ИСКРИВЛЕНИЯ ПОЗВОНОЧНИКА

Болезни	Возможные причины	Новый стереотип мышления
Шейный отдел		
1 ш. п.	Страх. Растерянность, бегство от жизни. Плохое самочувствие, «Что скажут соседи?» Бесконечные разговоры с самим собой.	Я сосредоточена, спокойна и уравновешена. Мое поведение гармонирует со Вселенной и моим «я». Все хорошо.
2 ш. п.	Отрицание мудрости. Нежелание знать и понимать. Нерешительность. Презрение и обвинения. Конфликт с жизнью. Отрицание духовности у других.	Я представляю собой единое целое со Вселенной и жизнью. Я не боюсь узнавать новое и развиваться.
3 ш. п.	Небезразличное отношение к замечаниям других людей. Чувство вины. Жертвенность. Мучительная борьба со своим «я». Жадность желаний при отсутствии возможностей.	Я отвечаю только за себя и радуюсь, что я такая, какая есть. Я управляюсь со всем, за что берусь.
4 ш. п.	Чувство вины. Постоянно подавляемый гнев. Горечь. Сдерживаемые чувства. Глотаете слезы.	Я хорошо вписываюсь в действительность. Я могу наслаждаться жизнью прямо сейчас.
5 ш. п.	Боязнь показаться смешным, испытать унижение. Неумение выразить себя. Неприятие благожелательного отношения окружающих. Привычка взваливать все на свои плечи.	Я общаюсь с людьми без проблем — это мое благо. Я рассталась. Я знаю, с чем — с несбыточной мечтой. Я любима, и мне не страшно.
6 ш. п.	Слишком большая ответственность. Желание решить проблемы других людей. Стойкость. Упрямство. Отсутствие гибкости.	Пусть каждый живет как умеет. Я забочусь о себе. Я легко иду по жизни.
7 ш. п.	Растерянность. Гнев. Ощущение беспомощности. Не можете протягивать руки другим людям.	Я имею право быть сама собой. Я прощаю все обиды прошлого. Я знаю себе цену. Я общаюсь с другими с любовью.

Болезни	Возможные причины	Новый стереотип мышления
1 грудной позвонок.	Боязнь в жизни большого количества проблем. Неуверенность в своих силах. Желание спрятаться.	Я принимаю жизнь и легко воспринимаю ее. У меня все хорошо.
2 г. п.	Страх, боль и обида. Нежелание чувствовать. Сердце, одетое в броню.	Мое сердце умеет прощать. Я освободилась от своих страхов и не боюсь любить себя. Моя цель — внутренняя гармония.
3 г. п.	Хаос в мыслях. Глубокие старые обиды. Неумение общаться.	Я прощаю всех. Я прощаю себя. Я лелею себя.
4 г. п.	Горечь. Предвзятое отношение к окружающим: «Они всегда не правы». Порицание.	Я открыла в себе дар прощения и ни на кого не держу обиду.
5 г. п.	Нежелание дать выход эмоциям. Подавленные чувства. Ярость, гнев.	Я пропускаю через себя все события. Я хочу жить. Все хорошо.
6 г. п.	Озлобленное отношение к жизни. Избыток отрицательных эмоций. Боязнь будущего. Постоянное чувство тревоги.	Я верю, что жизнь повернется ко мне лицом. Я не боюсь любить себя.
7 ш. п.	Постоянная боль. Отказ от радостей жизни.	Я заставляю себя расслабиться. Я впускаю радость в свою жизнь.
8 г. п.	Невезение как навязчивая идея. Внутреннее сопротивление добру.	Я открыта для добра. Меня весь мир любит и поддерживает.
9 г. п.	Постоянное ощущение предательства жизни. «Виноваты все вокруг». Ментальность жертвы.	Я обладаю силой. Я с любовью сообщаю всему миру, что создаю свой собственный мир.
10 г. п.	Нежелание брать на себя ответственность. Потребность ощущать себя жертвой. Винить всех, кроме себя.	Я открыта для радости и любви, которую легко дарю другим и легко принимаю.
11 г. п.	Низкая самооценка. Боязнь вступить в отношения с людьми.	Я прекрасна, меня можно любить и ценить. Я горжусь собой.

51

Болезни	Возможные причины	Новый стереотип мышления
1 поясничный позвонок	Мечта о любви и потребность в одиночестве. Неуверенность.	Мне ничего не угрожает, все любят и поддерживают меня.
2 п. п.	Погруженность в обиды детства. Безысходность.	Я переросла родительские запреты и живу для себя. Настало мое время.
3 п. п.	Преступления на сексуальной почве. Чувство вины. Ненависть к себе.	Я прощаюсь со своим прошлым и избавляюсь от него. Я свободна. Мне доставляют радость моя сексуальность и мое тело. Я живу в полной безопасности и любви.
4 п. п.	Отказ от плотских радостей. Финансовая нестабильность. Боязнь продвижения по службе. Ощущение собственной беспомощности.	Я люблю себя такой, какая я на самом деле. Я опираюсь на собственные силы. Я надежна всегда и во всем.
5 п. п.	Неуверенность в себе. Трудности в общении. Гнев. Неспособность получать удовольствие.	Хорошая жизнь — моя заслуга. Я готова просить и получить то, что мне нужно с радостью и удовольствием.
Крестец	Бессилие. Беспричинный гнев.	Я для себя сила и авторитет. Я освобождаюсь от прошлого. Начинаю прямо сейчас наслаждаться жизнью.
Копчик	Не в ладу с собой. Во всем вините себя. Смакование старых обид.	Я добьюсь в жизни равновесия, если стану больше любить себя. Я живу сегодняшним днем и люблю себя такой, какая я есть.

ДОПОЛНИТЕЛЬНЫЙ КОММЕНТАРИЙ

Я установила, что дети и животные, вероятно вследствие их открытости, подвергаются сильному воздействию взрослых, в обществе которых они пребывают. Следовательно, когда вы хотите помочь детям или своим питомцам, используйте аффирмации как для них, так и для очищения сознания родителей, учителей, родственников и т. п., которые их окружают и воздействуют на них.

Помните, слово «метафизика» означает, что мы идем дальше физики, к ментальной причине, вызвавшей физическое явление. Пример: если вы обратитесь ко мне с жалобами на запоры, я тотчас скажу вам, что у вас в организме ощущается нехватка серы, а на ментальном уровне вы напуганы и боитесь расстаться с чем-либо из страха, что не сумеете возместить потерю. Это означает также, что вы судорожно цепляетесь за старые, болезненные воспоминания. Оказывается, вы не в силах прервать отношения, которые стали бесполезными, уйти с работы, которая вас не удовлетворяет, выбросить ненужные вещи. Вероятнее всего вы человек скупой. Ваша физическая болезнь даст мне много нитей для понимания вашего ментального состояния.

Я попытаюсь объяснить вам, что ваша скованность и зажатость не позволяют вам воспринимать новое. Я помогу вам обрести веру в свои силы, чтобы жить в одном ритме со всеми. С моей помощью вы освободитесь от страхов прошлого и создадите новые положительные стереотипы. Не удивляйтесь, если я попрошу вас очистить ваши шкафы от хлама, чтобы освободить место для новых вещей. Когда вы будете выбрасывать старье, произнесите вслух: «Я избавляюсь от старого и освобождаю место для нового». Как просто и как эффективно! И когда вы поймете, в чем суть принципа избавления и освобождения, запор как одна из форм сдерживания исчезнет сам по себе. Организм сам освободится от того, что ему уже не нужно.

Вероятно, вы заметили, как часто я употребляю такие понятия, как Любовь, Мир, Радость и Самоодобрение. Когда мы сможем жить сердцем, ценя себя и других и доверяя Божественной Силе нашу защиту, тогда мир и радость заполнят нашу жизнь, вытеснив из нее болезни и мучительные переживания. Наша цель — жить счастливой, здоровой жизнью, наслаждаясь собой. Любовь уничтожает гнев, презрение, рассеивает страхи, создает безопасность. Когда вы полюбите себя, все в вашей жизни станет легко и гармонично, благополучно и радостно.

Рекомендации по пользованию данной книгой (для тех, у кого есть проблемы со здоровьем):

1. Найдите ментальную причину. Посмотрите, подходит ли она вам. Если нет, сядьте и спокойно спросите себя: «Какие мысли могли спровоцировать мое недомогание?»

2. По возможности повторите несколько раз вслух: «Я хочу освободиться от стереотипов в моем сознании, вызвавших эту болезнь».

3. Несколько раз повторите новый стереотип.

4. Внедрите в сознание мысль, что вы встали на путь выздоровления.

Чтобы не думать о своем состоянии, повторите действия, содержащиеся в четырех пунктах.

Данную медитацию стоит повторять ежедневно, так как она создает здоровое сознание и, как следствие, здоровое тело.

ИСЦЕЛЕНИЕ ЛЮБОВЬЮ

Где-то в глубинах моего «я» существует неиссякаемый источник любви. Отныне я позволяю этой любви выйти наружу. Она наполняет мое сердце, мои мысли, мое сознание, все мое существо. Я излучаю ее, и она возвращается ко мне гораздо более мощным потоком. Чем больше любви я отдаю, тем больше ее пребывает, чтоб я могла снова поделиться ею с другими, и так все время. Этот круговорот любви улучшает мое самочувствие — индикатор моей внутренней радости. Я люблю себя и, как следствие, забочусь о своем теле. Я питаю его здоровой пищей. Я с любовью ухаживаю за ним и одеваю его, и мое тело платит мне за заботу отменным здоровьем и энергией. Я люблю себя, а значит, я создаю дом, в котором удобно жить, дом, который отвечает моим потребностям, находиться в котором одно удовольствие. Вся атмосфера в доме пропитана любовью. Каждый, кто заходит ко мне, ощущает ее и подпитывается ею.

Я люблю себя, и, как следствие, я выполняю работу, которая приносит мне настоящую радость. Я полностью выкладываюсь на работе, работаю с людьми и для людей, используя весь свой творческий потенциал, и окружающие отвечают мне любовью. Я хорошо зарабатываю. Я люблю себя и, как следствие, думаю и отношусь ко всем людям с любовью, так как знаю: все, что я отдам, вернется ко мне сторицей. Я допускаю в свой мир только любящих людей, так как знаю, что они как две капли воды похожи на меня. Я люблю себя и, как следствие, я прощаюсь со своим прошлым и избавляюсь от него. Я свободна. Я люблю себя и, как следствие, я живу исключительно настоящим, принимая каждое мгновение как благо. Я знаю, что впереди меня ждет светлое и радостное будущее, оно не подведет меня, так как я — частица мироздания, которое любовно заботится обо мне сегодня и будет заботиться завтра. И это правда.

Я ЛЮБЛЮ ВАС

ЦЕЛИТЕЛЬНЫЕ СИЛЫ ВНУТРИ НАС

THE POWER
IS WITHIN YOU

ВСТУПЛЕНИЕ

Я не целительница. Я никого не исцеляю. В моем представлении я — опора на пути человека к открытию самого себя. Обучая людей любить себя, я создаю мир, в котором они могут открыть, как потрясающе они прекрасны. Вот и все. Я просто поддерживаю людей. Я помогаю им взять на себя ответственность за свою жизнь, обнаружить в себе силу и внутреннюю мудрость. Я помогаю им преодолеть преграды и барьеры, чтобы они смогли полюбить себя независимо от жизненных обстоятельств. Это не означает, что у них не остается никаких проблем, но отношение к ним разительно меняется.

За многие годы я провела множество индивидуальных консультаций для своих клиентов, сотни семинаров и программ интенсивного обучения по всей стране и за ее пределами, и я сделала открытие: есть только одно средство решения любой проблемы — любовь к себе. Поразительно, насколько улучшается жизнь людей, когда они начинают с каждым днем все больше любить себя. Они лучше чувствуют себя. Получают желанную работу. У них появляется столько денег, сколько им нужно. Их взаимоотношения с другими людьми либо улучшаются, либо они разрывают плохие отношения и завязывают новые. Это такое простое правило — любить себя. Меня не раз критиковали за упрощенчество, но я открыла для себя, что обычно в основе всего лежат простые вещи.

Один человек сказал мне недавно: «Вы сделали мне самый прекрасный подарок — вы подарили мне меня самого». Многие из нас прячутся от самих себя и даже не знают, кто они такие. Мы не понимаем своих чувств и желаний. А жизнь — это путешествие, в котором мы открываем себя. Для меня просвещение означает погружение в себя и осознание того, каковы мы на самом деле и что мы можем меняться к лучшему, любя себя и заботясь о себе. Любовь к себе не означает себялюбия. Она очищает нас, и мы обретаем способность любить себя настолько, чтобы любить других. Когда мы переходим на индивидуальный уровень из пространства, наполненного великой любовью и радостью, мы действительно можем помочь всей нашей планете.

Силу, создавшую эту удивительную Вселенную, часто называют *любовью*. *Бог есть любовь*. Нередко мы слышим утверждение «Любовь движет миром». Все это верно. Любовь — связующее звено, обеспечивающее единство Вселенной.

Для меня любовь — это чувство глубокой признательности. Когда я говорю о любви к себе, я имею в виду глубокую признательность за то, какие мы есть. Мы принимаем все в себе: наши маленькие странности, колебания, все то, что не вполне нам удается, вместе со всеми нашими прекрасными качествами. Мы с любовью принимаем все это в комплексе. И без всяких условий.

К несчастью, многие из нас не могут полюбить себя без соблюдения определенных условий: потери лишнего веса, получения работы, прибавки к зарплате, завоевания поклонника или чего-нибудь еще. Мы часто ставим любви условия. Но мы *можем* измениться. Мы можем полюбить себя, не откладывая, такими, какие мы есть!

На всей нашей планете также недостает любви. Я считаю, что планета больна СПИДом, от которого ежедневно умирает все больше людей. Этот вызов физическому существованию человечества помог нам преодолеть барьеры, перешагнуть через наши нормы морали, различия в религиозных и политических убеждениях и открыть друг другу наши сердца. Чем больше людей смогут сделать это, тем быстрее мы отыщем ответы на вызовы человечеству.

Мы находимся сейчас в эпицентре громадных перемен на глобальном и индивидуальном уровнях. Я верю, что все мы, живущие в это время, сознательно оказались здесь, чтобы стать частью этих перемен, направлять их, преобразуя мир и утверждая вместо прежнего образа жизни новый, наполненный миром и любовью. В Эпоху Рыб мы искали спасителя вовне, взывая: «Спаси меня! Спаси меня! Пожалуйста, позаботься обо мне». Теперь, переходя в Эпоху Водолея, мы учимся искать спасителя внутри себя. Сила, которую мы искали, — в нас самих. И мы в ответе за свою жизнь.

Если вы не хотите полюбить себя сегодня, вы не сделаете этого и завтра, поскольку все, что мешает вам сегодня, сохранится и завтра. Возможно, и через 20 лет у вас будут те же причины не любить себя, и вы будете цепляться за них до конца жизни. Именно сегодня — тот день, когда вы можете полюбить себя во всей целостности и без всяких условий!

Я хочу помочь создать такой мир, в котором можно любить друг друга без опаски, в котором можно выразить себя, где окружающие принимают нас и любят нас, не осуждая, не критикуя, свободные от предрассудков. Любовь начинается у домашнего очага. В Библии сказано: «Возлюби ближнего своего как самого себя». В действительности же мы не можем полюбить кого-то вне нас, если любовь не зародилась внутри нас. Любовь к самим себе — самый ценный подарок, который мы можем себе сделать, ибо если мы любим себя такими, какие мы есть, мы не причиним боли ни себе, ни другим. Когда в нас воцарится мир, не станет ни войн, ни преступных группировок, ни террористов, ни бездомных. Не будет болезней, СПИДа, рака, нищеты, голода. Вот мой рецепт мира во всем мире: *пусть мир воцарится в нас.* Мир, взаимопонимание, сочувствие, способность прощать и самое главное — любовь. Внутри нас есть сила, способная осуществить эти изменения.

Мы можем выбрать любовь так же, как мы выбираем гнев, ненависть или печаль. Мы можем выбрать любовь. Выбор всегда за нами. Так давайте же прямо сейчас, не откладывая, выберем любовь. Она — самая могущественная исцеляющая сила.

Эта книга частично отражает содержание моих лекций, прочитанных за последние пять лет. Она — еще одна опора на вашем пути к открытию самих себя, возможность узнать о себе немного больше и осознать потенциал, данный вам от рождения. Вам предоставляется возможность сильнее полюбить себя и стать частью удивительного мира любви. Любовь зарождается в наших сердцах, она начинается с нас. И пусть ваша любовь поможет исцелению нашей планеты.

Часть I

ОБРЕТАЯ СОЗНАНИЕ

Когда мы расширяем сферу своих мыслей и убеждений, любовь свободно изливается из нас. Когда мы сужаем ее, то отрезаем себя от мира.

Глава 1

СИЛА ВНУТРИ НАС

Кто вы? Зачем вы здесь? Во что верите в жизни? Тысячелетиями поиск ответов на эти вопросы означал *погружение в себя*. Но что это значит?

Я верю в то, что внутри каждого из нас живет Сила, способная с любовью указать нам путь к прекрасному здоровью, идеальным взаимоотношениям, блестящей карьере и процветанию в любой сфере жизни. Для того, чтобы достичь этого, нужно прежде всего поверить, что такое возможно. Затем необходимо по-настоящему захотеть избавиться от привычных моделей поведения, создающих те условия, в которых, как мы утверждаем, мы не желаем жить. Достигается это погружением в себя и обращением к Внутренней Силе, знающей, что нам нужно. Если мы полны решимости перевернуть свою жизнь, обратившись к великой Силе внутри нас, любящей и поддерживающей нас, значит, мы сможем сделать свою жизнь благополучной, наполненной любовью и жизненными успехами.

Я верю в то, что разум отдельного человека всегда связан с Единым Беспредельным Разумом, а значит, все знания и вся мудрость человечества доступны каждому из нас в любое время. Мы связаны с этим Беспредельным Разумом, с этой Вселенской Силой, создавшей нас, посредством внутренней искры света, нашего Высшего Я, или Силы внутри нас. Вселенская Сила любит все свои создания. Это Сила добра, она направляет все в нашей жизни. Ей неведомы ложь, ненависть, кара. Она — олицетворение любви, свободы, понимания и сочувствия. Важно обратить наши жизни к нашему Высшему Я, ибо через него мы приобщаемся к добру.

Мы должны понять, что выбор, каким образом использовать эту силу, — за нами. Если мы выбираем жизнь, обращенную в прошлое, воспроизводя все неблагоприятные ситуации и условия, имевшие место раньше, значит, мы остаемся на месте. Если же мы принимаем осознанное решение не становиться жертвами прошлого, а сотворить для себя новую жизнь, то нас поддерживает эта внутренняя Сила и начинаются новые счастливые времена. Я не верю в существование двух сил. Думаю, есть только Единый Беспредельный Дух. Слишком просто сказать: «В этом виноват дьявол» или «они». В действительности существуем только мы, и либо мы правильно используем силу внутри нас, либо не умеем пользоваться ею. Разве дьявол живет в наших сердцах? Осуждаем ли мы других за то, что они не такие, как мы? Каков наш выбор?

Ответственность против вины

И еще я верю, что мы воздействуем на любые обстоятельства своей жизни, хорошие и плохие, своим образом мыслей и чувств. Наши мысли определяют наши чувства, и мы начинаем жить согласно этим чувствам и убеждениям. Но это не означает, что следует винить себя за все плохое в жизни. Существует разница между чувством ответственности за что-то и обвинением себя или других.

Говоря об ответственности, я подразумеваю обладание силой. Вина лишает нас силы. Ответственность дает силы изменить свою жизнь. Если мы играем роль жертвы, значит, мы отказываемся от внутренней силы и становимся беспомощными. Если же мы решаем принять на себя ответственность, то уже не теряем времени на обвинения кого-либо или чего-либо *вне нас.*

Некоторые люди чувствуют вину за болезнь, бедность, другие проблемы и трудности. Их выбор — заменить ответственность виной (некоторые журналисты называют это Комплексом Вины Нового Времени). Такие люди ощущают вину, потому что думают, будто сделали что-то не так. Обычно они во всем находят повод для чувства вины. Я говорю не об этом комплексе.

Если мы способны использовать наши проблемы и болезни как повод для раздумий о том, как изменить свою жизнь, значит, мы обладаем силой. Немало людей, переживших тяжелую болезнь, утверждают, что это самое замечательное, что они испытали в жизни, потому что болезнь дала им шанс совсем по-иному взглянуть на свою жизнь. С другой стороны, многие то и дело повторяют: «Горе мне, я жертва обстоятельств! Вылечите меня, пожалуйста, доктор». Уверена, этим людям очень трудно дается выздоровление и решение любых проблем.

Ответственность — это наша способность реагировать на ситуацию. У нас всегда есть выбор. Это не означает, что мы не признаем, кто мы такие и чего достигли в жизни. Это означает всего лишь нашу способность признать, что свое нынешнее положение во многом определили мы сами. Приняв на себя ответственность, мы обретаем силу и способность меняться. Мы можем задать вопрос: «Что я могу сделать, чтобы изменить ситуацию?» Необходимо понимать, что в нас все время живет индивидуальная сила. Все зависит от того, как мы ею пользуемся.

Многие из нас осознают сейчас, что выросли в неблагополучных семьях. Мы несем груз негативных чувств по поводу себя и своего места в жизни. Мое собственное детство прошло под знаком насилия, в том числе и сексуального. Я изголодалась по любви и привязанности. У меня не было чувства собственного достоинства. И после того, как я ушла из дома в 15 лет, я продолжала испытывать жестокое обращение в различных проявлениях. Тогда я не понимала, что образ мыслей и чувств, усвоенный мной в раннем детстве, провоцировал жестокость по отношению ко мне.

Дети часто подстраиваются под ментальную атмосферу окружающих их взрослых. Так и я, рано узнав страх и насилие, взрослея, продолжала воссоздавать их вокруг себя. Я совсем не понимала, что во мне есть сила, способная изменить ситуацию. Я была безжалостна к себе и считала, что я, должно быть, очень плохая, раз меня никто не любит.

Все происшедшее в вашей жизни до сих пор было обусловлено вашими мыслями и убеждениями. Давайте оглянемся на свою жизнь без стыда. Взгляните на свое прошлое как на частицу богатства и полноты жизни. Без этого богатства и полноты вы не были бы сегодня тем, кто вы есть. Бессмысленно казнить себя за то, что не добились большего. Вы делали все возможное в рамках своих представлений о жизни. Расстаньтесь с прошлым с любовью и будьте благодарны ему: оно подвело вас к новому взгляду на жизнь.

Прошлое существует только в наших мыслях и выглядит оно так, как мы интерпретируем его. Но живем мы *сегодня*. И чувствуем — *сегодня*. И действуем — *сегодня*. *То, что мы делаем сегодня, закладывает основы завтрашнего бытия. Значит, решение нужно принимать сегодня. Ничего нельзя сделать завтра и ничего — вчера. Можно сделать что-то только сегодня. Важно, какие мысли, убеждения и слова мы выбираем прямо сейчас.*

Как только мы начинаем сознательно отвечать за свои мысли и слова, мы обретаем инструменты, которыми можно пользоваться. Знаю, это звучит слишком просто, но запомните: «Суть силы всегда в настоящем моменте».

Важно понять, что ваш разум вас не контролирует. *Вы* контролируете его. Высшее Я отвечает за это. Вы можете избавиться от прежних мыслей. Когда они попытаются вернуться, как бы говоря: «Так трудно измениться!», отдайте мысленную команду, скажите своему сознанию: «Сейчас я выбираю веру в то, что мне становится легко измениться». Возможно, вы проведете не одну такую «беседу» со своим сознанием, пока оно не признает, что вы — главный и выбор действительно сделан.

Представьте, будто ваши мысли похожи на капли воды. Одна мысль или одна капля почти ничего не значат. Но когда капли падают вновь и вновь, вы сначала замечаете мокрое пятно на ковре, затем образуется маленькая лужица, затем — пруд. Так и из мыслей может получиться озеро и, наконец, океан. Какой же океан вы сотворите? Загрязненный токсичными веществами, в котором нельзя плавать, или кристально чистый, голубой, приглашающий насладиться освежающим купанием?

Люди часто говорят мне: «Я не могу не думать об этом». Я всегда отвечаю: «Нет, можете». Вспомните, как часто вы отвергали позитивную мысль. Вам просто нужно сказать своему разуму, что именно вы собираетесь сделать. Вам необходимо заставить свой рассудок отказаться от негативных мыслей. Это не означает, что если вы решили что-то изменить, вам нужно сражаться со своими мыслями. Когда появятся негативные мысли, просто скажите: «Спасибо, вы выполнили свою миссию». Таким образом, вы не отвергаете того, что есть, и в то же время не уступаете свою силу негативным мыслям. Скажите себе, что не намерены больше «покупаться» на негативное. Вы хотите создать другой образ мыслей. И снова вам не нужно бороться со своими мыслями. Признайте их и перешагните через них. Не потоните в море своего негативизма, когда можно свободно плавать в океане жизни.

Ваше предназначение — стать прекрасным воплощением жизни, исполненным любви. Жизнь хочет, чтобы вы открылись навстречу ей и чувствовали себя достойными добра, которое она предлагает вам. К вашим услугам — весь ум и вся мудрость Вселенной. Жизнь всегда готова поддержать вас. Доверьтесь силе внутри вас, она всегда с вами.

Если вы испытываете страх, полезно прислушаться к своему дыханию, к тому, как воздух наполняет ваши легкие и выходит из них. Воздух, ценнейшая субстанция жизни, дан вам свободно, без всяких условий. Его достанет на всю вашу жизнь. Вы принимаете это драгоценное вещество как само собой разумеющееся и при этом еще сомневаетесь, что жизнь может дать вам все необходимое. Сейчас настало время открыть в себе внутреннюю силу, узнать, на что вы способны. Погрузитесь в себя, откройте себя.

Сколько людей, столько и мнений. Вы имеете право на свое, я — на свое. Что бы ни происходило в мире, вы можете трудиться только над тем, что нужно вам, что отвечает вашим убеждениям. Вам необходимо научиться слышать свой внутренний голос, потому что он — частичка мудрости, знающей ответы на все ваши вопросы. Не так-то просто прислушаться к себе, когда члены семьи и друзья дают вам советы. И все же все ответы на вопросы, которые вы собираетесь задать себе, уже есть внутри вас.

Каждый раз, произнося фразу «Я не знаю», вы захлопываете дверь перед собственной мудростью, живущей внутри вас. Сигналы, которые посылает вам ваше Высшее Я, всегда позитивны и направлены на то, чтобы поддержать вас. Если вы начинаете получать негативные сигналы, значит, они идут с уровня человеческого разума, «эго», возможно, от вашего воображения, хотя и позитивные сигналы часто приходят к нам через воображение и сны.

Поддержите себя, выбирая то, что вам нужно. Если у вас есть сомнения, спросите себя: «Заложена ли в этом решении любовь ко мне? Хорошо ли оно для меня сейчас?» Спустя день, неделю или месяц вы можете принять другое решение. Но каждый раз задавайте себе этот вопрос.

Научившись любить себя и доверять Высшей Силе в нас, мы начинаем делать общее дело с Беспредельным Духом мира, наполненным любовью. Любовь к себе превращает нас из жертв в победителей. Любовь к себе дает удивительный жизненный опыт. Замечали ли вы, что люди благополучные, довольные собой наделены неотразимой привлекательностью? Обычно они обладают прекрасными качествами. Они счастливы и довольны своей жизнью. Все приходит к ним легко, без усилий.

Много лет назад я открыла, что я — частица Бога и его Божественной Силы. Это означает, что во мне живет мудрость и способность к пониманию Духа, и во всех делах меня направляет божественная сила, как и всех людей на нашей планете. Подобно звездам и планетам, движущимся по своим идеальным орбитам, я живу в рамках своего божественного порядка. Я не могу охватить всего своим ограниченным человеческим разумом. И все же я знаю, что на космическом уровне я нахожусь в нужном месте, в нужное время и делаю то, что мне предопределено. И это ощущение — опора для меня в новых открытиях и новых возможностях.

Кто вы? Что вы пришли узнать? Чему научиться? У каждого из нас — своя цель. Мы — нечто большее, чем совокупность характера, проблем, страхов и болезней. Мы гораздо больше того, что заключено в наших телах. Каждый из нас связан с любым другим человеком на планете и со всей жизнью в ее целостности. Каждый из нас — это душа, свет, энергия, трепет и любовь. И в каждом из нас есть сила, чтобы прожить жизнь осмысленно, с высокой целью.

Глава 2

СЛЕДУЯ ВНУТРЕННЕМУ ГОЛОСУ

Мысли, которые мы выбираем, подобны краскам, которыми мы пишем на холсте своей жизни.

Я хорошо помню, когда впервые услышала о том, что могу изменить свою жизнь, если захочу думать по-новому. Эта идея перевернула мою жизнь. Я жила в Нью-Йорке и открыла для себя Церковь Религиозной Науки. (Часто путают Церковь Религиозной Науки, или Науки Разума, основанную Эрнестом Холмсом, с Церковью Христианской Науки, основанной Мэри Бэйкер Эдди. Обе они используют новые идеи, но философские основы у них разные.)

Наука Разума распространяется его служителями и последователями, проповедующими идеи Религиозной Науки. Именно они первыми объяснили мне, что мои мысли определяют мое будущее. И хотя я не поняла, что они имеют в виду, эта мысль задела во мне то, что я называю *внутренним колокольчиком,* интуицию, или *внутренний голос.* За прошедшие годы я научилась прислушиваться к нему, и когда он звенит «Да», я знаю, что мой выбор — правильный для меня, даже если другим он кажется безумным.

Итак, эти идеи затронули какие-то струны в моей душе. Что-то во мне отозвалось: «Да, они правы». И я встала на полный приключений путь открытия способов изменения образа мыслей. Приняв саму идею, сказав ей «да», я стала искать средства ее воплощения. Я прочла множество книг. Мой дом стал похож на дома многих из вас, наполнившись грудами книг о духовной жизни и о том, как помочь себе. Много лет я посещала занятия, познавая на них все, что связано с этими темами. Я буквально погрузилась в философию *нового учения*. Впервые в жизни я по-настоящему училась. До этого я ни во что не верила. Моя мать когда-то была католичкой, но отошла от религии, отчим был атеистом. Я имела самые смутные представления о христианстве: христиане носили власяницы, их бросали на съедение львам. Ни то, ни другое меня не привлекало.

Я полностью углубилась в Науку Разума: это был путь, открывшийся мне в то время и оказавшийся полным чудес. Сначала было довольно легко. Я усвоила несколько понятий, начала думать и говорить немного иначе, чем прежде. В те времена я постоянно на что-то жаловалась и жалела себя. Я просто обожала «сидеть в луже». Я не понимала, что постоянно воспроизвожу ситуации, в которых приходится жалеть себя. Да я и не могла вести себя иначе в те дни. Но постепенно я обнаружила, что уже не так часто жалуюсь.

Я начала прислушиваться к тому, что говорю. Осознав, насколько я самокритична, попыталась покончить с этим. Начала проговаривать аффирмации, не понимая толком их смысла. Разумеется, я начала с самых легких, и какие-то небольшие изменения стали происходить. Я проезжала на загоравшийся мне навстречу зеленый свет, всегда находила место для парковки и была необыкновенно довольна собой. О, как я была горда! Решив, что все уже знаю, я быстро стала самоуверенной, высокомерной и догматичной. Думала, у меня на все есть ответы. Теперь я понимаю, что это помогало чувствовать себя увереннее в новой для меня сфере.

Когда мы начинаем отходить от прежних устоявшихся убеждений, в особенности если были у них в плену, это может сильно пугать. Меня это страшило так, что я «ухватилась за соломинку», чтобы почувствовать себя в безопасности. Для меня это было началом долгого пути, по которому я иду до сих пор.

Как для большинства из нас, путь для меня не был неизменно легким и гладким. Проговаривание аффирмаций не всегда помогало. Не понимая причины, я спрашивала себя: «Что же я делаю не так?» и тут же обвиняла себя. Возможно, мои неудачи подтверждают мою никчемность? Это был мой излюбленный вопрос.

В тот период мой учитель, Эрик Пэйс, наблюдая за мной, часто упоминал идею *обиды*. Я совершенно не понимала, о чем он говорит. Обида? Да нет у меня никаких обид! Я встала на путь истины, я достигла духовного совершенства. Как же мало знала я о себе тогда!

Я старалась изо всех сил. Я изучала метафизику и спиритуализм и узнала о себе все, что могла. Я осознала свои возможности и иногда применяла их на практике. Часто мы многое слышим и понимаем, но не всегда можем воплотить в жизнь. Время неслось стремительно. Я занималась Учением о Разуме уже около трех лет и стала проповедовать его от имени Церкви. Я начала преподавать философию, но никак не могла понять, почему мои ученики так плохо усваивают Учение, почему они так увязли в своих проблемах. Я даю им столько полезных советов! Почему они не пользуются ими, чтобы улучшить свою жизнь? До моего сознания не доходило, что я говорю правильные слова, но не строю на них свою собственную жизнь. Я походила на родителей, которые объясняют ребенку, как нужно вести себя, а сами поступают по-другому.

И вдруг совершенно неожиданно врачи обнаружили у меня рак матки. Первой моей реакцией был панический страх. Потом я засомневалась в ценности всего, что изучала. Это была нормальная, естественная реакция. Я думала про себя: «Если бы я была внутренне чиста и сосредоточенна, мне не пришлось бы сотворить в себе болезнь». Оглядываясь назад, я думаю, что к моменту объявления диагноза я чувствовала себя достаточно уверенно для того, чтобы позволить болезни проявиться. Только тогда я смогла бороться с ней, а не загонять внутрь, ничего не зная до самой смерти.

К тому времени я знала уже достаточно, чтобы больше не прятаться от себя. Я понимала, что рак — это болезнь, вызванная обидой, которую долго прячут внутри, пока она не начнет разъедать тело. Когда мы подавляем свои эмоции, не давая им проявиться, им не остается ничего другого, как наброситься на какой-либо внутренний орган.

Я ясно осознала, что таившаяся во мне обида (о которой не раз упоминал мой учитель) была вызвана физическим, эмоциональным и сексуальным насилием, пережитым в детстве. Конечно, обида жила во мне. Я испытывала горечь при мысли о прошлом и не прощала ничего в нем. Я ничего не сделала, чтобы посмотреть на прошлое иначе, избавиться от его горечи и расстаться с ним. Все, что я смогла сделать, чтобы забыть случившееся со мной в детстве, — это уйти из дома. Я думала, что оставила прошлое позади, тогда как в действительности просто похоронила его глубоко в себе.

Вступив на путь метафизики, я как бы укрыла свои чувства покровом духовности и спрятала внутри немало дурного. Я воздвигла стену, не позволявшую мне слышать собственные чувства. Я не знала, кто я и где я. Настоящая внутренняя работа самопознания началась после объявления диагноза. Слава Богу, я знала, как ее выполнить, знала, что необходимо погрузиться в себя, если я собираюсь добиться необратимых изменений. Да, доктор мог прооперировать меня и избавить от болезни на тот момент, но, не изменив своих мыслей и слов, в которые я их облекала, я, скорее всего, заболела бы снова.

Меня всегда интересует, в каких частях нашего тела зарождается раковая опухоль, в какой половине тела, правой или левой. Правая сторона олицетворяет мужское начало, «отдающее вовне». Левая сторона — женская, «принимающая» часть. Почти всегда мои болезни локализовались в правой части тела, где я хранила смертельную обиду на отчима.

Меня больше не устраивали зеленые огни светофоров и наличие мест для парковки. Я знала, что должна идти глубже, гораздо глубже. Я поняла: моя жизнь не улучшается так, как мне хотелось бы, потому что я не избавилась от страшных воспоминаний детства и не живу так, как учу жить других. Мне необходимо было понять ребенка внутри себя и помочь ему, потому что этому ребенку до сих пор было нестерпимо больно.

Я немедленно стала выполнять серьезную программу самоисцеления. Полностью сосредоточившись на *себе,* я не занималась практически ничем другим. Я думала только о выздоровлении. Некоторые методы могли показаться странными, но я все равно ими пользовалась. Ведь на карту была поставлена моя жизнь. В течение полугода я трудилась над своим исцелением почти 24 часа в сутки. Я стала изучать всю доступную мне литературу по альтернативным методам лечения рака, потому что непоколебимо верила, что излечение возможно. Стала выполнять очистительные процедуры с использованием нутрицевтиков, чтобы очистить организм от накопившихся шлаков. Месяцами питалась брюссельской капустой и шпинатом. Наверное, я ела еще что-то, но эти овощи запомнились больше всего.

Вместе со своим наставником Эриком Пэйсом, владевшим практическими методами Учения о Разуме, я работала над очищением своего образа мыслей, чтобы устранить причины возникновения рака. Я произносила аффирмации, визуализировала их, трудилась над совершенствованием своего духовного разума. Ежедневно я упражнялась перед зеркалом. Самым трудным было произнести: «Я люблю тебя, я по-настоящему люблю тебя, Луиза». Мне пришлось немало повздыхать и поплакать, прежде чем это начало получаться. Когда же это случилось, я словно сделала гигантский скачок. Я обратилась к хорошему психотерапевту, умеющему помочь людям выразить свой гнев и избавиться от него. Мне страшно понравилось колотить подушки и орать на них. Это казалось прекрасным еще и потому, что в моей жизни всегда существовал запрет на подобные проявления.

Я точно не знаю, какой из этих методов сработал, возможно, каждый внес свой вклад. Самым важным было то, что я проявила упорство и была последовательна во всем, что делала. По утрам я выполняла упражнения. Перед сном я благодарила себя за то, что сделала за день. Я произносила такую аффирмацию: «Мое тело исцеляется во время сна. Утром я проснусь отдохнувшей, бодрой и буду прекрасно себя чувствовать». Просыпаясь по утрам, я благодарила себя и свое тело за целительную работу, проделанную ночью. Я провозглашала, что полна желания духовно развиваться каждый день, чтобы меняться и не считать себя больше плохим человеком.

И еще я работала над своей способностью понимать и прощать. Чтобы прийти к этому, нужно было прежде всего узнать все о детстве моих родителей. Узнав, как с ними обращались в детстве, я начала понимать, что вряд ли они могли растить своих детей иначе, чем растили их самих. С моим отчимом дома обращались жестоко, и он перенес это обращение на своих детей. Мою мать воспитывали в сознании, что мужчина всегда прав и в его действия нельзя вмешиваться. Их не учили ничему другому. Таков был их образ жизни. Постепенно я лучше стала понимать их и начала прощать.

Чем дальше я продвигалась в понимании и прощении родителей, тем больше готова была простить и себя. Прощение самих себя — необычайно важно. Многие из нас продолжают наносить такой же вред ребенку внутри себя, какой их родители наносили им в детстве. Мы упорно угнетаем этого ребенка, и это очень печально. Когда в детстве другие люди плохо обращались с нами, это не зависело от нас, но когда мы, повзрослев, поступаем *так же* с ребенком внутри нас, это ужасно.

Простив себя, я начала доверять себе. Я поняла, что, не доверяя жизни или другим людям, мы на самом деле не доверяем себе. Мы не верим в способность нашего Высшего Я позаботиться о нас в любой ситуации и говорим: «Я никогда больше не полюблю, потому что не хочу страдать» или «Я никогда больше не допущу такого». На самом деле это означает: «Я не могу поверить, что мое Высшее Я позаботится обо мне, поэтому буду держаться от всех подальше».

В конце концов я стала верить в свою способность позаботиться о себе и обнаружила, что мне становится легче любить себя. Исцелялось мое тело, исцелялась и душа.

Вот таким странным образом произошел мой духовный рост.

В результате положительных перемен я неожиданно стала моложе выглядеть. Клиенты, которые выбирали меня, почти всегда действительно хотели работать над собой. И они стремительно прогрессировали, казалось, без всяких усилий с моей стороны. Они чувствовали, насколько я сама воплощаю в жизнь идеи, которые преподаю им, и легко усваивали их. И конечно, они получали положительные результаты, качественно улучшая свою жизнь. Начиная жить в мире с самими собой на духовном уровне, мы делаем свою жизнь гораздо лучше.

Итак, чему же научил меня этот опыт? Я поняла, что обладаю силой, способной изменить мою жизнь, если я захочу изменить свой образ мыслей и избавиться от тех моделей, которые тянут меня в прошлое. Мой опыт дал мне внутреннее знание: если мы действительно хотим что-то сделать, то можем решительно изменить свой разум, свое тело и свою жизнь.

Независимо от того, каково ваше положение в жизни, каков ваш вклад в эту жизнь и какие в ней происходят события, вы всегда делаете все от вас зависящее в рамках своего понимания жизни, осознания себя в ней и собственных знаний.

Когда вы будете больше знать, вы будете жить по-другому, как это сделала я. Не кляните себя за то, что не достигли большего в жизни. Не обвиняйте себя в том, что двигались медленно и без усердия. Скажите себе:

«Я делаю все возможное. И хотя мое нынешнее положение незавидно, я найду выход и сделаю это наилучшим способом». Если вы то и дело говорите себе о своей глупости и никчемности, вы таким и останетесь. Если вы хотите измениться, вам понадобится собственная поддержка и любовь к себе.

Методы, которыми я пользуюсь, изобретены не мной. Большинство из них я взяла из Науки Разума, основы которого преподаю. Но они стары, как мир. Знакомясь с любым из древних духовных учений, вы находите там те же постулаты. Я получила подготовку, чтобы стать служителем Религиозной Науки, но прихода у меня нет. Я — сама по себе. Я излагаю учение простым языком, чтобы оно дошло до многих людей. Освоение учения — прекрасный способ упорядочить свои знания и представления и понять смысл жизни и то, как можно пользоваться разумом, чтобы взять на себя ответственность за свою жизнь. Когда 20 лет назад я встала на этот путь, я и представить себе не могла, скольким людям смогу дать надежду и помощь.

Глава 3

СИЛА СКАЗАННОГО СЛОВА

Каждый день повторяйте для себя, чего вы хотите в жизни. Говорите так, будто все это у вас уже есть!

Закон разума

Существует закон всемирного тяготения и много других законов природы, таких как законы физики и электричества, большинство которых мне непонятно. Существуют также законы духовной сферы, такие как причинно-следственный закон: *к вам возвращается то, что вы отдаете.* Существует и закон разума. Я так же не понимаю, как он действует, как не понимаю природы электричества. Знаю только, что когда щелкаю выключателем, загорается свет.

Я верю: когда у нас возникает мысль или когда мы произносим слово или предложение, они каким-то образом отделяются от нас, переходя в сферу действия закона разума, и возвращаются к нам в форме опыта.

Сейчас мы начинаем изучать взаимозависимости между духовным и физическим миром. Мы начинаем понимать, как работает разум и какова созидательная сила наших мыслей. Мысли проносятся в мозгу очень быстро, и сначала трудно выразить их. А наш речевой аппарат, напротив, работает гораздо медленнее. И если мы сможем начать «редактировать» свою речь, прислушиваясь к тому, что собираемся сказать, и не позволяя себе произносить ничего негативного, тогда мы овладеем искусством управления своими мыслями.

Произносимые нами слова обладают громадной силой, хотя многие из нас не понимают всей их важности. Давайте договоримся: слова — основа всего, что мы регулярно воспроизводим в своей жизни. Мы постоянно что-то говорим, но делаем это небрежно, редко задумываясь о содержании и форме наших высказываний. Мы не обращаем внимания на то, какие слова выбираем. И оказывается, большинство из нас использует отрицательные формы.

В детстве нас учили грамматике. Учили подбирать слова по правилам. Но я всегда осознавала изменчивость грамматических правил: то, что запрещалось раньше, становится допустимым сейчас, и наоборот. То, что раньше считалось слэнгом, вошло в литературный язык. К тому же грамматика не учитывает значений слов и того, как они влияют на нашу жизнь.

С другой стороны, в школе меня не учили, что слова, которые я выбираю, каким-то образом воздействуют на течение моей жизни. Никто не объяснял мне, что мои мысли созидательны и могут буквально формировать мою жизнь. Никто не научил меня тому, что мысли, отправленные мной во внешний мир в форме слов, вернутся ко мне в форме опыта. Мы знаем золотое правило, открывающее нам основной закон жизни: *«Поступай с другими так, как ты хотел бы, чтобы поступали с тобой»*. Другими словами, то, что ты отдаешь, возвращается к тебе. Никогда при этом не учитывалась возможность возникновения чувства вины. Никто никогда не учил меня тому, что я достойна любви и заслуживаю хорошей жизни. И никто не объяснил, что жизнь всегда готова помочь мне.

Помню, в детстве мы часто грубо и обидно обзывали друг друга, стремились унизить. Почему? Где мы научились этому? Давайте посмотрим, чему же нас учили. Многим из нас родители постоянно внушали, что мы глупы, ленивы и нерасторопны. Мы раздражали их своим несовершенством. Случалось, они проклинали день, когда мы появились на свет. Наверное, мы сжимались от страха при этих словах, но смутно представляли, как глубоко в нас будет жить эта боль.

Измените свою внутреннюю речь

Очень часто в детстве мы воспринимаем слова родителей как некие сигналы. Мы слышим: «Ешь шпинат», «Прибери в своей комнате» или «Заправь постель» и понимаем эти фразы как условия, на которых нас согласны любить. Мы привыкаем к мысли, что нас принимают и любят, только если мы делаем определенные вещи, что признание и любовь — условны, их можно получить, как хорошие оценки в школе. Но система ценностей при этом — чужая, она не имеет ничего общего с нашим глубинным представлением о самоценности. В сознании укореняется идея, что само право на существование зависит от выполнения каких-то действий, высоко оцениваемых другими людьми.

Эти усвоенные нами сигналы имеют отношение к тому, что я называю *«внутренней речью»,* манерой говорить с самими собой. Эта манера необычайно важна, поскольку на основе внутренней речи рождаются произносимые нами слова. Она определяет ментальную атмосферу, в которой мы живем, и которая обусловливает наш жизненный опыт. Если мы принижаем себя, жизнь для нас будет значить совсем мало. Если же мы любим себя, жизнь может стать драгоценным радостным даром.

Если мы несчастливы в жизни, если не реализовали себя, то самое простое — обвинить своих родителей или кого-нибудь из окружающих и сказать, что во всем виноваты *другие*. Но если мы поступим так, то увязнем в своих обстоятельствах и проблемах, в своей неудовлетворенности жизнью. Слова обвинений не принесут нам свободы. Помните: в наших словах — сила. Повторю вновь: наша сила — в принятии ответственности за свою жизнь. Знаю, это звучит пугающе: мы в ответе за свою жизнь. Но это так, признаем мы это или нет. И если мы осознанно хотим отвечать за свою жизнь, нам необходимо отвечать за свои слова. Сказанные слова и фразы есть выражения наших мыслей.

Начните прислушиваться к тому, что говорите. Если вы замечаете в своей речи слова, выражающие отрицание или ограничение, замените их другими. Когда мне рассказывают печальную историю, я никому ее не пересказываю. Она и так уже услышана многими, и я даю ей заглохнуть. Если же я слышу хорошую, радостную историю, я пересказываю ее всем подряд.

Встречаясь с другими людьми, прислушайтесь к тому, что и как они говорят. Подумайте, нет ли связи между их словами и тем, как они живут. Очень многие люди существуют в рамках, очерченных словом «следует». Мой слух очень чутко реагирует на него: всякий раз, как я его слышу, будто колокольчик звенит во мне. Часто в одном пассаже приходится слышать добрую дюжину «следует». И эти люди удивляются, почему их жизнь как будто стиснута строгими рамками и им так трудно решать жизненные проблемы. А ведь они хотят контролировать даже то, что не поддается контролю. Постоянно обвиняя себя или других, они еще поражаются, почему их жизнь лишена свободы.

Из своего словаря и мыслей мы можем исключить и слово *«должен»*. Сделав это, мы уменьшим груз обязательств, добровольно принятых на себя. Мы оказываем на себя страшное давление, когда говорим: «Я должен идти на работу», «Я должен делать это, я должен делать то... Должен... Должен...» Вместо этого давайте говорить *«предпочитаю»,* например, «Я предпочитаю ходить на работу, потому что это позволяет платить за квартиру». Слово «предпочитаю» преобразит вашу жизнь. Ведь все, что мы делаем, есть результат нашего выбора, хотя не всегда это очевидно.

Многие из нас любят употреблять слово *«но»*. Мы делаем утверждение, затем говорим «но», разворачивая утверждение в обратном направлении. Мы посылаем самим себе противоречивые сообщения. Прислушайтесь к тому, как вы употребляете слово «но».

И еще на одно выражение нужно обратить внимание: *«не забудь»*. Мы так привыкли говорить: «Не забудь то или это...» И что же? Мы забываем. В действительности мы хотим помнить, а вместо этого забываем, так что начните употреблять слова *запомни, пожалуйста»* вместо «не забудь».

Просыпаясь по утрам, думаете ли вы с отвращением о том, что нужно идти на работу? Жалуетесь ли на погоду? Ворчите ли по поводу боли в спине или головной боли? О чем вы думаете прежде всего после пробуждения? Не орете ли на детей, чтобы те быстрей вставали? Большинство людей каждое утро говорят примерно одно и то же. С каких слов вы начинаете день? Они веселы, положительны, прекрасны? Или в них звучат жалобы и проклятия? Если с утра вы ворчите, жалуетесь, зеваете, значит, вы обречены на соответствующий день.

А о чем вы думаете перед сном? Ваши мысли наполнены мощной исцеляющей силой или жалобами на нищету? Говоря о нищете, я имею в виду не только недостаток денег. Это может быть негативная манера думать о любом факте вашей жизни, о любой сфере жизни, где дела обстоят неблагополучно. Беспокоит ли вас завтрашний день? Обычно перед сном я читаю что-нибудь жизнеутверждающее. Я понимаю, что во сне во мне происходит очищение, подготавливающее меня к следующему дню.

Я считаю весьма полезным переадресовывать свои вопросы и проблемы снам. Я знаю: сны помогут мне разрешить их.

Я — единственная хозяйка своих мыслей, а вы — своих. Никто не может принудить нас думать по-другому. Мы выбираем наши мысли, их выбор — основа нашей внутренней речи. Получая все новые свидетельства того, как этот процесс протекает в моей жизни, я начала еще больше воплощать в ней то, чему учила других. Я действительно постоянно следила за своими словами и мыслями и прощала себе свое несовершенство. Я позволила себе быть собой, не стремясь стать сверхчеловеком, которого только и могут признать *все* окружающие.

Когда я стала доверять жизни и воспринимать ее как дружественную среду, я просветлела. Мои шутки из едких превратились в просто смешные. Я работала над тем, чтобы изгнать из своей жизни критическое отношение к себе и другим. Я перестала рассказывать страшные истории. Просто поразительно, как быстро мы распространяем плохие новости! Я перестала читать газеты и отказалась от просмотра вечернего выпуска новостей, потому что все репортажи рассказывали о катастрофах и насилии, а хороших новостей было мало. Я поняла: большинство людей не хочет слушать хорошие новости. Они обожают плохие новости, чтобы было на что жаловаться. Слишком многие упорно повторяют ужасные истории, пока не поверят, что в мире царит зло. Какое-то время существовала одна радиостанция, которая передавала только хорошие новости. И что же? Она разорилась!

Когда у меня обнаружили рак, я решила перестать сплетничать и, к своему удивлению, поняла, что мне не о чем говорить с людьми. Я осознала: при встречах с приятельницами я сразу же начинала перемывать косточки знакомым. В конце концов я открыла для себя другие способы ведения беседы, хотя старую привычку было нелегко разрушить. Ведь если я сплетничала о других, то и они, скорее всего, отвечали мне тем же: *что отдаем, то и получаем.*

Чем больше я работала с людьми, тем внимательнее вслушивалась в их речь. Я действительно стала слышать каждое слово, не ограничиваясь общим впечатлением. Обычно уже после десятиминутной беседы с новым клиентом я точно знала, в чем его проблема, потому что внимательно следила за словами, которые он выбирал. Я научилась понимать своих клиентов по их манере говорить. Я знала, что их слова — составная часть их проблем. Если они говорят негативно, то какова же их внутренняя речь? Должно быть, она еще больше «программирует» человека на негативное. Я называю такой образ мыслей «мыслями нищеты».

Я советую вам провести небольшой эксперимент: поставьте у своего телефона магнитофон и включайте его каждый раз во время телефонного разговора. Когда кассета будет записана полностью, послушайте, что вы говорили и как. Возможно, вы будете поражены. Вы прислушаетесь к своим словам и интонациям. Вы начнете анализировать их. Обнаружив, что произнесли какую-то фразу более трех раз, запомните ее: это модель. Некоторые модели могут оказаться позитивными, поддерживающими вас. Но могут встретиться и негативные модели, которые вы воспроизводите вновь и вновь.

Сила подсознательного

Я хочу обсудить силу подсознания в свете того, о чем говорила раньше. Наше подсознание не судит нас. Оно принимает все, что мы говорим, и действует согласно нашим убеждениям. Оно всегда говорит «да». Наше подсознание любит нас и может дать то, что мы формулируем как свои желания. Но у нас есть выбор. Если мы выбираем «мысли нищеты», то подсознание считает их выражением наших желаний. И пока мы не захотим изменить к лучшему наши мысли, слова и убеждения, все останется по-прежнему. Нельзя стоять на месте, сделать выбор никогда не поздно. А выбирать можно из миллиардов и миллиардов мыслей.

Наше подсознание не отличает правду от лжи, правильное от неправильного. Мы не должны никоим образом осуждать себя. Мы не должны говорить что-нибудь типа «Какой же ты глупый, старина», потому что подсознание уловит эту *внутреннюю речь* и вскоре вы действительно будете считать себя глупцом. Если вы будете повторять подобные слова достаточно часто, они превратятся в вашем подсознании в убеждение.

Важно знать и понимать, что *у подсознания нет чувства юмора*. Нельзя подшутить над собой, считая шутку ничего не значащей. И когда шутка унижает вас, даже если вы старались сделать ее остроумной и смешной, подсознание воспримет ее как правду. Я не позволяю участникам моих семинаров шутить, унижая чье-то человеческое достоинство. Шутки могут быть грубоватыми, но они ни в коем случае не должны унижать человека из-за его национальности, пола или чего бы то ни было. Итак, воздержитесь от шуток и пренебрежительных замечаний в свой адрес: они не принесут вам ничего хорошего. И не принижайте других. Подсознание не делает различия между вами и другими людьми. Оно слышит произнесенные слова и полагает, что они сказаны вами о себе. Когда вам захочется кого-то за что-то покритиковать, спросите себя, почему вы считаете, что сами грешите этим. Ведь в других мы видим только то, что замечаем в себе. Восхваляйте других, а не критикуйте, и через какой-нибудь месяц вы обнаружите в себе значительные перемены к лучшему.

Наши слова выражают наше отношение к жизни, ее восприятие. Обратите внимание на то, как говорят одинокие, несчастные, бедные и больные люди. Какими словами они пользуются? Что они признают истиной для себя? Как говорят о себе, своей работе, отношениях с людьми? Чего ожидают в будущем? Прочувствуйте их слова, но, ради Бога, не накидывайтесь на незнакомых людей, пытаясь объяснить, что они губят себя своей манерой говорить. Не внушайте этого и своим друзьям или членам семьи: они не готовы к восприятию этой мысли. Не отвлекайтесь, используйте свои знания для того, чтобы изменить свою речь с учетом ее связи с происходящим в вашей жизни. Упорно упражняйтесь в этом, если хотите изменить свою жизнь, ибо даже немного поменяв свою манеру речи, вы измените и свой образ жизни.

Представьте, что вы больны и считаете свою болезнь смертельной. Вы думаете, что скоро умрете и жизнь для вас лишена смысла, потому что ничего уже не поможет. Что же делать?

Вы можете сделать выбор и решительно избавиться от негативного восприятия жизни. Начните внушать себе, что вы — человек, достойный любви и исцеления, и что вы используете все возможное на физическом уровне, чтобы выздороветь. Живите с сознанием своей решимости исцелиться и ценности исцеления для вас.

Многие чувствуют себя комфортно, только когда болеют. Обычно они относятся к категории людей, которым трудно сказать *«нет»*. Единственный способ сказать «нет» для них — это фраза типа «Я болен и не могу сделать этого». Это прекрасное оправдание. Помню, мои семинары посещала женщина, которой сделали три операции по поводу рака. Она никому не могла сказать «нет». Ее отец был врачом, а она — славной папенькиной дочкой: она делала все, что говорил ей отец. Сказать «нет» стало невозможным для нее. Она могла отвечать только «да», о чем бы ее ни попросили. Мне пришлось работать с ней четыре дня, чтобы она изо всех сил завопила: «Нет!» Я добилась от нее этого, тряся за руку. Она повторяла снова и снова: «Нет! Нет! Нет!» Войдя во вкус, она полюбила говорить это слово.

Я обнаружила, что многие женщины, страдающие раком груди, не могут сказать «нет». Они подпитывают энергией всех, кроме себя. Одной женщине с раком груди я рекомендовала, в частности, научиться говорить: «Нет. Я не хочу делать этого. Нет!» После двух-трех месяцев повторения этой фразы по любому поводу ситуация начала меняться к лучшему. Этой женщине необходимо было поддержать себя, заявляя: «Вот то, чего хочу *я*, а не то, чего *вы* ждете от меня».

Когда я работала с клиентами индивидуально, они часто доказывали, что их возможности ограничены, и всегда стремились изложить мне причины своей неспособности справиться с проблемами. Но если мы верим, что увязли в них, и миримся с этим, то мы из них и не выберемся. Мы топчемся на месте, потому что реализуются наши негативные убеждения. Давайте вместо этого сосредоточимся на своих сильных сторонах.

Многие говорили мне, что мои кассеты спасли им жизнь. Хочу, чтобы вы осознали: никакая книга и никакая кассета не спасут вас. Небольшой кусок пленки в пластиковой коробочке не может спасти вашу жизнь. Имеет значение только то, как вы используете полученную информацию. Я могу снабдить вас кучей идей, но будет иметь значение только применение, которое вы им найдете. Предлагаю вам прослушивать кассету месяц-другой, чтобы идеи курса сложились в новую устойчивую модель. Я — не целительница ваша и не спасительница. *Вы* — тот единственный человек, который может изменить что-то в вашей жизни.

Итак, что вы хотите услышать от меня? Знаю, что бесконечно повторяю эти слова, но не боюсь надоесть: *«Любовь к самому себе — самое важное, что вы можете сделать, ибо если вы любите себя, вы не причините зла ни себе, ни другому»*. Это — рецепт мира во всем мире. Если я не могу причинить зла ни себе, ни другим, как может начаться война? Чем больше людей придут к этой мысли, тем лучше станет жить на нашей планете. Давайте начнем осознавать происходящее, вслушиваясь в слова своих разговоров с другими и с самими собой. Тогда мы сможем измениться, и это послужит нашему исцелению и исцелению всей планеты.

Глава 4

МЕНЯЯ СТАРЫЕ ПРОГРАММЫ

Решитесь сделать первый шаг, хотя бы самый маленький. Сосредоточьтесь на своей решимости учиться. Вы увидите: произойдет настоящее чудо.

Аффирмации действительно помогают

Теперь, когда мы стали немного лучше понимать могущество наших мыслей и слов, мы должны приучить себя думать и говорить, используя позитивные модели, коль скоро хотим достичь положительных результатов. Вы твердо решили использовать в своем внутреннем монологе только положительные аффирмации? Помните: каждая ваша мысль, каждое слово — это аффирмация.

Аффирмация — это отправная точка на пути к изменению себя. По существу, вы заявляете своему подсознанию: «Я принимаю на себя ответственность. Я осознаю, что могу измениться». Говоря об использовании аффирмаций, я подразумеваю сознательный выбор слов и предложений, которые либо помогут избавиться от чего-то в вашей жизни, либо сотворить в ней что-нибудь новое, причем достигаете вы этого с помощью положительных высказываний. Если вы говорите: «Я не хочу больше болеть», ваше подсознание воспринимает «больше болеть». Вы должны четко сформулировать, чего же вы действительно хотите, то есть сказать: «Я прекрасно себя чувствую. Я излучаю здоровье».

Подсознание весьма прямолинейно. Ему неведомы стратегия и сложные схемы. Оно выполняет то, что слышит. Если вы говорите: «Терпеть не могу эту машину», оно не даст вам прекрасную новую машину, потому что не понимает, чего вы хотите. Даже если у вас появится новая машина, вы можете вскоре возненавидеть ее, потому что вы говорили именно о ненависти к ней. Подсознание слышит только «Терпеть не могу эту машину». Вам нужно ясно выразить свое желание в положительном высказывании типа «У меня прекрасный новый автомобиль, и он меня полностью устраивает».

Если в вашей жизни есть нечто ненавистное вам, то вот вам открытый мною самый быстрый способ избавиться от этого: *благословите с любовью*. Скажите: «Благословляю тебя с любовью, освобождаю и отпускаю от себя». Это срабатывает в отношении людей, ситуаций и различных объектов. Вы можете даже попробовать избавиться таким образом от дурной привычки. Один мой клиент, выкурив сигарету, говорил: «Благословляю тебя с любовью и отпускаю из моей жизни». Всего через несколько дней желание курить стало слабеть, а через месяц-другой он расстался с этой привычкой.

Вы заслуживаете лучшей жизни

Задумайтесь на минуту, чего вы действительно хотите прямо сейчас? Что вам нужно от жизни сегодня? Подумайте об этом, а потом скажите: «Я принимаю для себя _____» (вставьте, что вам нужно). Я знаю, что многие застревают на этом.

Дело здесь в убеждении, что мы не заслуживаем того, чего хотим. Наша личностная сила зависит от того, насколько мы ощущаем себя достойными жизненных благ. Чувство «недостойности» вынесено нами из детства и обусловлено теми сигналами, которые мы получали в детстве (и которые обсуждали выше). Часто клиенты приходят ко мне со словами: «Луиза, аффирмации не помогают». Но дело не в аффирмациях, дело в неверии в то, что мы достойны лучшей участи.

Как узнать, верите ли вы, что чего-то заслуживаете? Произнесите аффирмацию и зафиксируйте, какие мысли появились у вас. Запишите их: увидев на бумаге, вы проясните их для себя. Единственная причина, мешающая вам стать заслуживающим всех благ и полюбить себя, — это то, что вы приняли на веру чье-то плохое мнение о себе.

Когда мы начинаем верить, что не заслуживаем ничего хорошего, мы просто рубим сук, на котором сидим. Проявляется это по-разному: мы можем начать беспорядочную жизнь, терять свои вещи, причинять себе боль, падать, попадать в катастрофы. Нам необходимо поверить, что мы заслуживаем всех благ, которые может предложить жизнь.

Какова же должна быть первая мысль, с которой вы начнете творить новую реальность вашей жизни, отказавшись от ложных или негативных убеждений? Какой краеугольный камень вы положите в фундамент? Что вам необходимо знать о себе? Во что поверить? Что принять?

Вот несколько прекрасных мыслей, с которых можно начать:

Я — стоящий человек.

Я заслуживаю всего хорошего в жизни.

Я люблю самого себя.

Я позволяю себе самореализоваться.

Эти мысли формируют основу убеждений, на которых можно строить жизнь. Формулируйте свои аффирмации, исходя из этих базисных, и вы сотворите все, чего пожелаете.

Когда я выступаю с лекцией, в конце ее обычно кто-нибудь подходит ко мне или присылает записку, утверждая, что исцелился во время лекции. Иногда речь идет о легких недомоганиях, иногда — о серьезных недугах. Недавно ко мне подошла женщина и сказала, что уплотнение в ее груди рассосалось, пока она слушала лекцию. Она услышала нечто, помогшее ей избавиться от уплотнения, «отпустить» его. Это прекрасная иллюстрация нашего могущества. Когда мы не готовы с чем-то расстаться, в действительности желая сохранить это (потому что оно каким-то образом служит нам), то нам ничто не поможет, что бы мы ни предпринимали. А вот когда мы действительно решимся расстаться с этим, как та женщина, нам может помочь любая мелочь, и результат будет потрясающим.

Если вы никак не можете избавиться от какой-либо привычки, спросите себя, каким образом она служит вам. Что вы извлекаете из нее? Если не найдете ответа, измените вопрос: «А что случится, если я расстанусь с этой привычкой?» Наиболее распространенный ответ: «Моя жизнь станет лучше». Мы снова уперлись в свое неверие в то, что заслуживаем лучшей жизни.

Заказ из космической кухни

Когда вы впервые произносите аффирмацию, она может показаться не соответствующей действительности. Но помните: аффирмации подобны семенам, брошенным в землю. Бросая в землю семя, вы не ожидаете, что назавтра появится пышное растение. Нужно подождать, пока пройдет период роста и созревания. Упорно повторяя аффирмации, вы либо реализуете свое желание избавиться от чего-либо, и тогда аффирмация станет соответствовать действительности, либо откроете с ее помощью новый путь. К вам может прийти озарение или вам позвонит друг и спросит: «А это ты пробовал?» Жизнь поможет вам сделать следующий шаг.

Произносите аффирмации в настоящем времени. Можно петь их или использовать стихотворную форму, чтобы они вновь и вновь повторялись в вашем мозгу. Помните: аффирмациями нельзя повлиять на действия другого человека. Повторение фразы «Джон теперь любит меня» есть форма манипулирования, попытка контролировать чужую жизнь. Обычно такие аффирмации имеют эффект бумеранга. Вы будете очень несчастны, если не получите желаемого. Вместо этого можно сказать: «Сейчас меня любит прекрасный человек, который...» и перечислить те качества, которые вы хотите видеть в своем избраннике. Таким способом вы позволите Силе внутри вас привлечь к вам идеального человека с нужными качествами. Возможно, это будет Джон.

Вам неведом духовный мир другого человека, и у вас нет права вмешиваться в его жизнь. Вы ни за что не захотели бы, чтобы кто-то сделал такое с вами. И если некто болен, благословите его, пошлите ему пожелание любви и мира, но не требуйте его исцеления.

Мне нравится сравнение аффирмаций с передачей нашего заказа на *космическую кухню*. Когда вы приходите в ресторан и официант принимает ваш заказ, вы не идете за ним на кухню проверить, исполняет ли заказ шеф-повар и как он будет готовить еду. Вы сидите, пьете воду, кофе или чай, возможно, с булочкой, и болтаете с друзьями. Вы знаете: еда для вас готовится и ее скоро принесут. То же самое происходит, когда вы начинаете произносить аффирмации.

Когда мы передаем свой заказ на космическую кухню, над ним начинает работать великий шеф-повар, наша Высшая Сила. Вы продолжаете жить, зная, что о заказе позаботятся. Он выполняется. Если вы получили в ресторане еду, которую не заказывали, и у вас есть чувство собственного достоинства, вы откажетесь от нее. Если нет, съедите. Так же и с заказом на космической кухне. Если вы получили не совсем то, что заказывали, можно сказать: «Нет, это не то. Я хочу другого». Возможно, вы неточно выразились, делая заказ.

Основная идея здесь та же — отпустить на попечение Высшей Силы. Заканчивая свои процедуры и медитации, я всегда говорю: «И да будет так». Это означает: «Высшая Сила, теперь все в твоих руках, я адресую это тебе». Процедуры совершенствования своего духовного начала, выработанные в рамках Науки Разума, очень эффективны. Вы можете узнать о них больше, обратившись в «Религиозную Науку» или из книг Эрнеста Холмса.

Изменяющее воздействие на подсознание

Наши мысли аккумулируются, и старые мысли выходят на поверхность, когда мы этого не ждем. Разумеется, работая над изменением своего образа мыслей, мы продвигаемся рывками: чуть-чуть вперед, немного назад, еще на несколько шагов вперед. Так всегда происходит на практике. Не думаю, что можно на сто процентов усвоить какой-то новый метод за 20 минут.

Помните, как вы осваивали компьютер, сколько разочарований испытали? Это потребовало времени. Пришлось изучить принципы его работы, законы и составные части целого. Я называла свой первый компьютер «Моя Волшебница», потому что, когда я усвоила правила, он начал выдавать поистине волшебные результаты. Но пока я училась, из-за моих ошибок он уничтожал целые страницы моей работы, и мне приходилось вводить их заново. Я овладела этой системой после целой серии ошибок.

Чтобы овладеть системой Жизни, нужно осознать, что ваше подсознание подобно компьютеру: введя чепуху, чепуху и получите на выходе. Если вы допускаете в себя негативные мысли, то получаете отрицательный жизненный опыт. Поистине, для овладения новым образом мышления нужны время и тренировка. Будьте терпеливы. Когда вы осваиваете что-то новое, а старая модель упорно возвращается, не говорите: «Ох, я ничему не научился». Скажите себе: «Что ж, хорошо, я попробую еще раз немного иначе».

Бывает и по-другому. Допустим, вы справились с какой-то проблемой и думаете, что она больше никогда не возникнет. Как узнать, действительно ли это так, не проверив себя? Вы воспроизводите прежнюю ситуацию и наблюдаете за своей реакцией на нее. Если она будет такой, как раньше, значит, вы не усвоили этого урока и вам необходимо еще поработать над ним. И не более того. Вы должны осознать, что это всего лишь тест, демонстрирующий, насколько вы преуспели. Если вы снова станете повторять аффирмации, новые констатации правды о себе, вы дадите себе шанс изменить свою реакцию. Будь это проблемы со здоровьем, финансовые затруднения или сложности во взаимоотношениях с людьми, если вы по-новому воспринимаете ситуацию, значит, вы готовы к решению новых проблем и можете заниматься ими.

Помните также, что приходится иметь дело с целыми пластами проблем. Вы можете достичь вершины возвышенности и подумать: «Я сделал это!» А потом вновь возникает старая проблема, и вы травмируете себя или заболеваете и некоторое время не можете с этим справиться. Это может означать, что вы вышли на глубинный пласт проблем и вам придется еще потрудиться над их решением.

Только не уверуйте в свою неполноценность из-за того, что проблемы, от которых вы с таким трудом избавлялись, возникают снова. Когда я поняла, что столкнулась со старой проблемой не из-за своей ущербности, мне стало гораздо легче двигаться дальше. Я научилась говорить себе: «Луиза, у тебя все идет хорошо. Посмотри, как ты продвинулась. Тебе просто не хватает практики. Я люблю тебя».

Я верю: каждый сам решает, когда и где он воплотится на этой планете. Мы решаем прийти сюда, чтобы научиться тому, что позволит нам продвинуться дальше по пути духовной эволюции.

Один из способов позволить жизни повернуться к вам позитивной, здоровой стороной — провозгласить ваши личные символы веры. Сознательно откажитесь от верований, которые отрицают желанные для вас блага. Объявите об изгнании из вашего разума негативных моделей мышления. Избавьтесь от страхов и комплексов. Я уже давно исповедую несколько идей, и они мне помогают:

Все, что мне нужно знать, открыто мне.
Все необходимое приходит ко мне в нужное время и в нужном месте.
Жизнь радостна и полна любви.
Я достойна любви, я люблю и любима.
Я здорова и полна энергии.
Я во всем добиваюсь наилучших результатов.

Я готова меняться и расти над собой.

В моем мире все хорошо.

Я усвоила, что мы не можем всегда оставаться абсолютно позитивными, и приняла это на свой счет. Но насколько возможно, я воспринимаю жизнь как прекрасное и радостное явление. Верю: мне ничто не угрожает. Я сделала это для себя законом.

Я верю: все, что мне нужно знать, открыто мне, нужно только уметь смотреть и слушать. Помню, когда у меня обнаружили рак, я подумала, что мне мог бы помочь специалист по рефлексотерапии. Однажды вечером я отправилась на какую-то лекцию. Обычно я сажусь в первом ряду: мне нравится быть поблизости от лектора. Однако в тот вечер мне пришлось устроиться в заднем ряду. Как только я села, рядом со мной сел человек, оказавшийся специалистом по рефлексотерапии. Мы разговорились. Оказалось, он даже выезжает на дом. Мне не пришлось искать его, он объявился сам.

Я верю также, что все *необходимое* приходит ко мне в то время и в том месте, где нужно. Когда в моей жизни случаются неприятности, я сразу начинаю думать: «Все хорошо, хорошо, я знаю: все в порядке. Это просто урок, дополнительный опыт, и я усвою его. В нем скрыто нечто полезное для меня в конечном счете. Все хорошо. Просто дыши. Все в порядке». Я делаю все, что могу, чтобы успокоить себя и начать рассуждать логически о происходящем и, конечно, я со всем справляюсь. Разумеется, это требует времени. Но иногда события, казавшиеся катастрофическими, в конце концов оборачиваются хорошей стороной или по крайней мере не кажутся столь ужасными, как в начале. Каждое событие — повод для обретения нового знания.

Я много говорю сама с собой утром, днем и вечером. От всего сердца я выражаю любовь к себе и другим, как только могу. Моя любовь становится сильнее с каждым днем. Сегодня я делаю гораздо больше, чем полгода или год назад. И я знаю: спустя год мое сознание и моя душа расширят свои рамки и я смогу делать больше. Я знаю, что мои представления о душе становятся правдой, поэтому предпочитаю верить во все самое прекрасное в себе. Так было не всегда, так что я ощущаю свое развитие и продолжаю работать над собой.

Еще я верю в медитацию. Для меня медитация начинается, когда я сажусь и «отключаю» свой внутренний диалог на время, достаточное для того, чтобы прислушаться к своей внутренней мудрости. Погружаясь в медитацию, я обычно закрываю глаза, делаю глубокий вдох и спрашиваю себя: «Что именно я хочу узнать?» Потом сижу, вслушиваясь в себя. Можно также спросить: «Чему я хочу научиться?» или «Какой урок я должна извлечь?» Случается, мы думаем, что нам нужно решить какие-то жизненные проблемы, тогда как, возможно, на самом деле они возникли у нас для того, чтобы преподать некий урок.

Когда я начала заниматься медитациями, то в первые три недели меня мучили ужасные головные боли. Медитации были чем-то непривычным и не вписывались в знакомую мне практику управления своим внутренним миром. Тем не менее я упорно продолжала медитации, и наконец головные боли прекратились.

Если во время медитаций в вас постоянно поднимается волна негативного отношения к жизни, это может означать, что ей необходимо выплеснуться. Когда вы находитесь в состоянии покоя, она прорывается на поверхность. Просто наблюдайте, как негативизм изливается из вас. Старайтесь не сопротивляться. Позвольте этому продолжаться столько, сколько нужно.

Не тревожьтесь, если заснете во время медитации. Дайте телу волю делать то, что ему требуется: оно выйдет из состояния сна в свое время.

Мощное средство изменения себя — избавление от негативных убеждений. Очень эффективной оказывается запись на кассету аффирмаций, произнесенных вами. Прослушивайте их перед сном. Они окажутся очень полезны, потому что вы будете слушать *свой собственный голос*. Еще лучше записать голос вашей матери, говорящей, как вы замечательны и как она любит вас. Перед прослушиванием записи хорошо бы полностью расслабиться физически. Некоторым людям нравится начинать расслабление с пальцев ног и постепенно продвигаться к макушке, поочередно напрягая и расслабляя мышцы. Вы можете делать это как угодно, главное — снять напряжение. Забудьте об эмоциях. Придите в состояние открытости и готовности к восприятию. Чем лучше вы расслабитесь, тем легче будет усвоить новую информацию. Помните: вы всегда отвечаете за себя и всегда в безопасности.

Слушать кассеты, читать книги, помогающие обрести уверенность, произносить аффирмации — все это чудесно. Но поймите: в действительности имеет значение то, что вы делаете остальные двадцать три с половиной часа в сутки. Если после медитации вы сломя голову несетесь на работу, а там кричите на коллегу, это тоже принимается во внимание. Медитации и аффирмации прекрасны, но не менее важно, как вы проводите остальное время.

Воспринимайте сомнение как дружеское напоминание

Люди часто спрашивают меня, правильно ли они произносят аффирмации и помогают ли они вообще. Мне бы хотелось, чтобы вы взглянули на *сомнение* несколько по-другому. Я считаю, что наше подсознание располагается в области солнечного сплетения, где живут «утробные чувства». Когда происходит что-то неожиданное, не ощущаете ли вы немедленно «ёканья» где-то под желудком? Именно там, куда вы все вбираете и храните?

С раннего детства все, что мы слышим, говорим, делаем и переживаем, накапливается в «архиве», там, в области солнечного сплетения. Мне нравится представлять, будто внутри нас живут маленькие курьеры. Когда мы о чем-то думаем или с нами что-то происходит, мы получаем сигналы-сообщения, а курьеры распределяют их по соответствующим «папкам». У многих из нас эти папки озаглавлены: «Я несовершенен», «У меня никогда ничего не получится», «Я неправильно живу». Мы хороним себя под этими папками. И вдруг мы произносим аффирмацию типа «Я прекрасен и люблю себя». Курьеры берут это сообщение и недоумевают: «Что это?! В какую папку положить? Такого никогда не было!»

И тут курьеры призывают на помощь Сомнение: «Сомнение! Займись этим и разберись, что происходит». Сомнение берет полученное сообщение и обращается к нашему сознанию: «Что это? Ты всегда говорило по-другому». На сознательном уровне мы можем реагировать двояко. Можем сказать: «Да, твоя правда. Я ужасен, я ни на что не гожусь. Извини, это сообщение неверное». И после этого все у нас пойдет по-старому. Но мы можем сказать Сомнению: «Прежние сообщения устарели. Они не нужны больше. Вот тебе новое сообщение». Тогда Сомнение заводит новую папку, потому что теперь пойдет множество сообщений, полных любви. Научитесь воспринимать сомнение как друга, а не врага, и поблагодарите за его вопросы.

То, чем вы занимаетесь в жизни, не имеет значения. Неважно, банкир вы или мойщик посуды, домохозяйка или моряк. У вас внутри — мудрость, органический элемент Вселенской Истины. Если вы действительно хотите заглянуть внутрь себя, задать простой вопрос: «Чему хочет научить меня то, что происходит сейчас в моей жизни?» и внимательно прислушаться — вы получите ответ. Но большинство из нас так суетятся, создавая мыльные оперы, которые мы почему-то называем своей жизнью, что не слышат ничего.

Не уступайте никому свою силу, не поддавайтесь чужим представлениям о добре и зле. Другие люди приобретают власть над вами, только если вы отдаете им свою силу. Во многих культурах это случается с целыми группами людей. В нашей культуре женщины уступают свою силу мужчинам. Произнося нечто вроде «Мой муж никогда не позволит мне сделать это», они тем самым отдают свою силу. Если вы поверите в такую фразу, вы как бы окажетесь в тюрьме, где ничего нельзя делать без разрешения. Напротив, чем более вы открыты миру, чем больше познаете, тем больше можете развиваться, непрерывно меняясь.

Одна женщина как-то рассказывала мне, что была очень застенчива в браке — так уж ее воспитали. Потребовались годы для осознания безысходности своей жизни. Она обвиняла в своих проблемах всех: мужа, родственников. Даже разойдясь с мужем, она продолжала обвинять его во всем, что портило ей жизнь. Ей пришлось десять лет вырабатывать новые модели поведения и возвращать свою утраченную силу. Оглядываясь назад, она осознала, что не муж или родственники, а она сама повинна в том, что со всем молчаливо соглашалась. Они только отражали ее внутреннее состояние бессилия.

И еще одно предупреждение: не лишайтесь своей силы, поверив письменному слову. Помню, несколько лет назад я прочла в известном журнале несколько статей на темы, в которых хорошо разбираюсь. По моему мнению, эти статьи излагали ошибочные взгляды на эти проблемы. Я перестала доверять журналу и на долгие годы прекратила его читать. Единственный авторитет в вашей жизни — вы сами, так что не считайте истиной все, что напечатано.

Прекрасный оратор Терри Коул-Уитейкер написал чудесную книгу. Она называется «Мне нет дела до того, что вы обо мне думаете». И действительно это так. То, что вы думаете обо мне, — это ваше дело, а не мое. В конце концов, ваши мысли обо мне исходят от вас в виде вибраций и возвращаются к вам.

Просветившись, начиная действительно осознавать, что делаем, мы сможем изменить свою жизнь. Жизнь готова дать вам все, стоит только попросить. Скажите жизни, чего вы хотите от нее, — и случится все самое лучшее.

Часть II

ПРЕОДОЛЕВАЯ БАРЬЕРЫ

Мы хотим понимать свой внутренний мир, чтобы знать, с чем нужно расстаться. Не загоняя внутрь свою боль, мы сможем избавиться от нее.

Глава 5

КАК ПОНЯТЬ, ЧТО МЕШАЕТ ВАМ В ЖИЗНИ

Постоянная ненависть к себе, чувство вины, самокритичность вызывают стрессы и ослабление иммунной системы.

Теперь, когда мы немного лучше стали понимать природу силы внутри нас, попытаемся разобраться, что же мешает нам использовать ее. Думаю, почти все мы соорудили вокруг себя разного рода барьеры. Даже когда мы много работаем над собой и часть из них ликвидируем, обнажаются все новые уровни старых нагромождений.

Многие из нас остро ощущают свои недостатки и считают, что никогда не смогут исправить их. Обнаруживая недостатки у себя, мы ищем их и у других. Если мы упорно повторяем: «Я не могу сделать это, потому что мама сказала... (папа сказал)...» — значит, мы еще не повзрослели.

Итак, теперь вы хотите разрушить барьеры и, возможно, узнать что-то новое, прежде неизвестное. Может быть, какое-то предложение в этой книге породит новую для вас мысль. Только представьте себе, как было бы чудесно, если каждый день вы усваивали бы новую идею, помогающую вам расстаться с прошлым и сделать свою жизнь гармоничной. Когда вы будете чувствовать и понимать течение жизни, вас не затруднит выбор пути. Если вы употребите всю свою энергию на самопознание, вы обязательно увидите все свои проблемы, требующие решения. Каждому из нас жизнь бросает свои вызовы, абсолютно каждому. Ничья жизнь не бывает совершенно гладкой, иначе зачем мы появились на Земле, чему должны научиться в школе жизни? Вызовы бывают разные: у одних — проблемы со здоровьем, у других — сложности в отношениях с людьми, карьерные или финансовые проблемы. У некоторых людей бывает всех проблем понемногу, а у некоторых — целый ворох.

Думаю, одна из самых серьезных наших проблем — то, что большинство из нас совершенно не понимает, от чего хочет избавиться. Мы знаем, что именно у нас не сложилось, и чего мы хотим в жизни, но не понимаем, что же мешает нам достичь этого. Значит, настало время рассмотреть сковывающие нас пути.

Если вы задумаетесь над моделями своего поведения, своими проблемами и тем, что мешает вам развиваться, то окажется, что все это подпадает под четыре категории: критика, страх, вина и обида. Я называю их Большой Четверкой. Какую из них полюбили вы? У меня было сочетание критики и обиды. Возможно, и вы, подобно мне, обладаете двумя-тремя одновременно. Ощущаете ли вы постоянно вину или страх? А может, вы очень самокритичны или обидчивы? Позвольте заметить: обида — это подавленный гнев. Так что если вы считаете, будто вам нельзя выражать свой гнев, значит, вы будете копить обиды.

Мы не можем противиться своим чувствам, игнорировать их ради собственного удобства. Когда у меня обнаружили рак, мне пришлось пристально вглядеться в себя. Пришлось признать то, чего мне признавать совсем не хотелось: моя голова забита всякой ерундой. К примеру, я была страшно обидчива, и во мне накопилось немало горечи, которую пришлось испытать в прошлом. Я сказала себе: «Луиза, ты не можешь больше позволить себе этого, у тебя просто нет времени. Ты должна измениться». Как говорит Питер Мак-Вильямс: «Вы не можете больше позволить себе роскошь мыслить негативно».

В вашей жизни всегда отражаются ваши внутренние убеждения. Вы можете всмотреться в свою жизнь и определить, каковы же ваши убеждения. Возможно, анализировать их не очень приятно, но взгляните на окружающих вас людей: все они отражают какое-то ваше мнение о себе самом. Если вас всегда критикуют на работе, может быть, это оттого, что вы самокритичны и уподобились взрослому, критиковавшему вас, когда вы были ребенком. Все в нашей жизни зеркально отражает нашу природу. Когда случается неприятность, у нас появляется возможность заглянуть в себя и спросить: «Что я сделал для возникновения этой ситуации? Наверное, частица моего «я» верит в то, что я заслужил такое?»

В каждой семье свой образ жизни, и нам очень легко обвинить во всех своих бедах родителей, трудное детство или окружение. Но это ничего не даст для изменения ситуации. Мы не станем свободны. Мы останемся жертвами, снова и снова порождающими одни и те же проблемы.

Поэтому на самом деле не имеет значения, что́ кто-то сделал вам в прошлом, чему научил. Сегодня — новый день. И теперь вы в ответе за все. Сейчас — момент, когда вы творите свою будущую жизнь и мир, в котором будете жить. И то, что говорю я, в действительности не имеет значения, потому что только *вы* можете что-то сделать. Только вы способны изменить свой образ мыслей, чувств и действий. Я только говорю вам, что вы *можете* это сделать. Наверняка можете, потому что на вашей стороне — Высшая Сила внутри вас. Она может помочь вам освободиться от старых моделей, если вы позволите Ей.

Вспомните, как вы любили себя в раннем детстве, принимая такими, какие есть. Ни один ребенок не относится критически к своему телу, не думает: «Ах, у меня слишком широкие бедра». Дети в восторге от самого факта существования у них тела. И они открыто выражают свои чувства. Когда ребенку хорошо, вы видите это, а когда он сердится, это слышит вся округа. Дети никогда не боятся дать знать о своих чувствах. Они живут настоящим. И вы когда-то были такими. Подрастая, вы стали слушать окружающих и узнали от них о страхе, вине и критике.

Если вы выросли в семье, где критиковать друг друга было нормой, то, повзрослев, вы станете критически настроенной личностью. Если в семье вам не позволяли выражать гнев, то, скорее всего, вы будете страшиться гнева и конфронтации, станете подавлять его, и он поселится в вашем теле.

Воспитание в семье, где каждый был поглощен чувством вины, вероятно, заставит ребенка в зрелости испытывать то же чувство. Он будет по любому поводу говорить «Прошу прощения» и никогда не сможет в открытую попросить о чем-либо. Такой человек будет считать, что для получения желаемого нужно пойти на какие-то ухищрения.

Взрослея, мы набираемся ложных представлений и утрачиваем связь со своей Внутренней Мудростью. Поэтому нам необходимо избавиться от этих представлений и вернуться к душевной чистоте того периода, когда мы искренне любили себя. Нам нужно вернуться к прекрасной непорочности жизни и радости от каждого мига бытия, которую испытывает ребенок в своем блаженном состоянии восторга перед жизнью.

Подумайте о том, чего бы вы хотели для себя. Сформулируйте свои желания как утвердительные, а не отрицательные аффирмации. А теперь — отправляйтесь к зеркалу и повторяйте перед ним свои аффирмации. Отметьте, какие при этом возникают препятствия. Обратите особое внимание на свои отрицательные мысли, произнося аффирмации типа: «Я люблю и одобряю себя». Если вы уловите их, они станут бесценными ключами, отпирающими двери на пути к вашей свободе. Обычно они относятся к одной из четырех категорий, о которых я уже говорила: критика, страх, вина или обида. Скорее всего, вы когда-то усвоили их от окружающих.

Некоторые из вас выбрали для себя в жизни трудные задачи. Я верю: мы действительно пришли в этот мир, чтобы любить себя, невзирая на то, что говорят и делают *другие*. Мы всегда можем выйти за рамки, очерченные нашими родителями или друзьями. Если вы были примерным ребенком, вы усвоили ограниченный взгляд на жизнь, свойственный вашим родителям. И произошло это не из-за вашей «испорченности», напротив, вы были идеальным ребенком и усвоили только то, чему учили вас родители. И теперь, повзрослев, вы продолжаете делать то же самое. Сколько людей повторяют речи своих родителей! Мои поздравления! Ваши родители были прекрасными учителями, а вы — прекрасными учениками, но теперь настало время начать думать своей головой.

Многие из нас почувствуют внутреннее сопротивление, встав перед зеркалом, чтобы твердить аффирмации. Это первое, от чего нужно избавиться. Ведь немало людей хотят изменить свою жизнь, но когда нам говорят, что для этого нужно сделать что-то необычное, мы отвечаем: «Что, я должен делать *это*? Да я не хочу!»

Найдутся люди, которые испытают настоящее отчаяние. Часто случается: человек, глядя в зеркало, говорит: «Я люблю тебя», а ребенок, живущий в нем, отвечает: «Где же ты был раньше? Я так долго ждал, когда ты заметишь меня». И тогда в человеке поднимается горечь от осознания того, как долго он отказывал во внимании этому малышу.

Когда на одном из своих семинаров я демонстрировала это упражнение, одна женщина сказала, что страшно испугалась. Я спросила почему, и она поделилась с нами, что в детстве стала жертвой инцеста. Многие из нас пережили инцест и пытаются справиться с последствиями. Поразительно, но инцест — частое явление в нашем мире. О нем сейчас много пишут, но я не думаю, что раньше он был распространен меньше. Просто мы пришли к осознанию прав ребенка и признали наличие этого уродливого явления. Чтобы решить проблему, мы должны прежде всего признать ее существование и только затем работать над ее устранением.

Для жертв инцеста необычайно важно лечение. Они нуждаются в особой атмосфере безопасности, в которой могли бы попытаться справиться со своими чувствами. Когда они смогут избавиться от гнева, ярости и стыда, они как бы переходят в новое измерение, в котором могут любить себя. Независимо от того, над чем им приходится работать, нужно помнить, что подступающие чувства — это только чувства, а сам инцест давно позади. Им необходимо, чтобы ребенок внутри них почувствовал себя в безопасности. И они должны поблагодарить себя за то, что были достаточно мужественны, чтобы пережить случившееся. Когда сталкиваешься с явлением, подобным инцесту, бывает очень трудно признать, что другой человек делал только то, что соответствовало его знаниям и представлениям о жизни. Насилие всегда исходит от людей, которые сами стали жертвами насилия. И все мы нуждаемся в исцелении. Когда мы научимся любить себя, восхищаться собой, мы никогда больше не причиним зла другим.

Довольно критики!

Обычно мы критикуем себя, обвиняя в одном и том же. Когда же мы, наконец, очнемся и поймем, что критика бессильна? Давайте попробуем действовать по-другому: одобрять себя такими, каковы мы сейчас. Люди, склонные критиковать, часто сами становятся объектами критики, потому что они существуют в рамках «критической модели». Что отдаем, то и получаем. Такие люди нередко хотят быть совершенными во всем. Но кто из нас совершенен? Вам доводилось когда-нибудь встречать совершенных людей? Мне — нет. Если мы жалуемся на кого-то, на самом деле мы жалуемся на что-то в себе.

Люди вокруг нас — отражение нас самих. То, что мы видим в других, мы замечаем и в себе. Как часто мы не желаем признать в себе каких-то черт! Мы убегаем от себя с помощью алкоголя, наркотиков, курения, переедания или чего-либо еще. Все это — способы наказать себя за несовершенство. Но кто сказал, что мы несовершенны? Чьи ожидания и требования, предъявленные нам в детстве, мы все еще пытаемся удовлетворить? Решитесь, наконец, покончить с этим! Просто решитесь, и вы увидите, что вы прекрасны такие, какие есть, сейчас, сию минуту.

Если вы всегда были критической личностью, смотрящей на мир сквозь черные очки, вам понадобится время, чтобы стать более терпимым и любящим человеком. Научитесь терпению в своих упражнениях, помогающих избавиться от критицизма: это всего лишь привычка, а не объективная реальность.

Попробуйте представить, как чудесно было бы прожить жизнь, ни разу не подвергнувшись критике. Мы чувствовали бы себя абсолютно свободно и комфортно. Каждое утро было бы началом нового прекрасного дня, в котором мы ощущали бы любовь и признание окружающих, а критика и унижение были бы немыслимы. Вы можете наслаждаться этим счастьем, относясь терпимее к тому, что отличает вас от других.

Существование в мире с самим собой может стать самым прекрасным периодом вашей жизни, какой только можно вообразить. Вы будете просыпаться утром и ощущать радость в предвкушении дня, который проведете с самим собой.

Когда вы полюбите себя, в вас пробудится все лучшее. Я не говорю, что вы станете лучше, поскольку это подразумевало бы ваше нынешнее несовершенство. Просто вы обнаружите много новых позитивных способов проявить себя и достичь более полного самовыражения.

Чувство вины рождает комплекс неполноценности

Нередко люди говорят вам неприятные вещи, чтобы им легче было манипулировать вами. Если кто-то вынуждает вас чувствовать себя виноватым, спросите себя: «Чего они хотят от меня? Почему они делают это?» Задайте эти вопросы, вместо того чтобы внутренне соглашаться: «Да, я виноват, я должен сделать то, что они требуют».

Многие родители управляют своими детьми с помощью чувства вины, потому что так растили их самих. Они обманывают своих детей, внушая им чувство приниженности, формируя низкую самооценку. Некоторые люди, и повзрослев, позволяют манипулировать собой своим родственникам и друзьям. Прежде всего это происходит потому, что они не уважают самих себя, иначе они не допустили бы такого. Кроме того, такие люди сами охотно прибегают ко всяческим ухищрениям.

Многие из нас живут, окутанные чувством вины, как облаком. Они всегда считают, что в чем-то не правы, делают все не так, как нужно, и вечно перед всеми извиняются. Такие люди никогда не прощают себе ошибок прошлого и обвиняют себя во всем плохом в своей жизни. Дайте же рассеяться облаку вины! Вам нельзя больше так жить!

Люди с чувством вины должны научиться говорить «нет» и заявлять другим о бессмысленности попыток манипулировать ими. Я не призываю сердиться на них, но не нужно больше участвовать в их играх. Если вы не привыкли говорить «нет», скажите по-другому: «Нет. Нет, я не могу сделать этого». Не объясняйтесь, не оправдывайтесь: этим вы дадите в руки манипулятора оружие, которым он воспользуется, чтобы уговорить вас изменить свое решение. Когда окружающие убедятся, что вы не позволяете управлять собой, они прекратят свои попытки. Другие контролируют вас только тогда, когда *вы* позволяете им делать это. Сказав «нет» в первый раз, вы, наверное, снова почувствуете себя виноватым, но потом говорить «нет» станет проще.

На одной из своих лекций я познакомилась с женщиной, у ребенка которой был врожденный порок сердца. Она чувствовала себя виноватой, считая, что это она как-то навредила ребенку. К сожалению, вина не решает никаких проблем. В ее случае никто не сделал ничего неправильно. Я сказала ей, что, на мой взгляд, происшедшее было результатом духовного выбора ребенка и уроком им обоим. Я посоветовала ей любить ребенка, любить себя и избавиться от ощущения, что она сделала что-то не так. Такое чувство вины никого не исцелит.

Если вы делаете что-то, о чем потом сожалеете, перестаньте делать это. Если в вашем прошлом есть нечто, из-за чего вы до сих пор ощущаете вину, — простите себя. Если можно загладить вину, сделайте это и не поступайте так впредь. Всякий раз, когда возникает ощущение вины, спросите себя: «В какие представления о себе я все еще верю? Кого пытаюсь ублажить?» Проследите, какие воспоминания детства возникнут при этом.

Когда ко мне приходит человек, переживший автомобильную катастрофу, обычно я вижу: в нем на глубинном уровне живет чувство вины и жажда наказания. Иногда к этому добавляется подавленная враждебность из-за невозможности высказаться и выразить себя. Человек с чувством вины стремится к наказанию; такой человек может стать собственным судьей и палачом, обрекая себя на добровольное «тюремное заключение». Мы сами наказываем себя, и при этом никто не в силах защитить нас. Настало время простить себя и стать свободными.

* * * *

Один из моих семинаров посещала пожилая дама, ощущавшая громадную вину из-за своего взрослого сына. Он был единственным ребенком и вырос очень замкнутым. Она считала, что это ее вина, потому что была очень строга с ним в детстве и юности. Я объяснила ей, что она делала это в соответствии со своими тогдашними представлениями о благе для сына. Я верю: он выбрал ее для своего очередного воплощения на Земле и действовал сознательно на духовном уровне. Я сказала, что она напрасно растрачивает себя на чувство вины из-за того, чего не в силах изменить. Она со вздохом ответила: «Мне стыдно, что он стал таким, и мне жаль, что я плохо воспитывала его».

Поймите: это чувство бесплодно, оно ничего не дает ни ее сыну, ни ей. Вина ложится на человека тяжким грузом и рождает у него комплекс неполноценности.

Я посоветовала ей поступать по-другому: каждый раз, когда подступает чувство вины, говорить нечто вроде: «Нет, я не хочу больше поддаваться этому чувству. Я решила научиться любить себя. Я принимаю своего сына таким, каков он есть». Если она будет последовательна в этом, модель ее поведения станет меняться.

Даже если мы еще не умеем любить себя, сам факт *желания* сделать это изменит нашу жизнь. Не стоит цепляться за старые модели. Урок всегда один и тот же: *любите себя*. И для этой женщины урок заключался в том, что ей нужно было не исправлять сына, а полюбить себя. Он пришел в этот мир, чтобы любить себя. Она не может сделать этого за него, а он — за нее.

Традиционные религии часто преуспевают в навязывании людям чувства вины. Многие из них пускаются на разные ухищрения, чтобы удержать людей в своих рядах, особенно молодых. Но мы вышли из детского возраста, и нас не нужно сгонять в стадо. Мы — взрослые люди и можем сами решать, во что хотим верить. Ребенок внутри нас ощущает вину, но внутри есть и взрослый, способный разъяснить ребенку его заблуждения.

Сдерживая свои эмоции, не давая чувствам вырваться наружу, мы разрушаем себя. Полюбите себя настолько, чтобы позволить себе полноценные эмоции. Дайте вашим чувствам проявиться. Возможно, окажется, что вы будете целыми днями плакать или сильно сердиться. Вероятно, вам не удастся сразу избавиться от старых моделей поведения. Я советую вам произносить аффирмации, которые сделают этот путь более легким и гладким:

Сейчас я с легкостью освобождаюсь от всех прежних негативных убеждений.

Мне не составляет труда меняться.

Мой путь сейчас гладок и ровен.

Я свободен от прошлого.

Еще одно предупреждение: не судите свои чувства. От этого они только уйдут глубоко внутрь. Если вы сталкиваетесь с трагическими дилеммами или кризисными ситуациями, произнесите аффирмацию, утверждающую, что вам ничего не угрожает и вы хотите дать волю чувствам. Утверждая положительные эмоции, вы получите положительные изменения.

Глава 6

ДАТЬ ЧУВСТВАМ ВЫРВАТЬСЯ НАРУЖУ

Трагедия может обернуться величайшим благом, если извлечь из нее урок для духовного роста.

Проявляйте гнев с пользой для себя

В жизни каждый из нас то и дело испытывает гнев. Это — искреннее, спонтанное чувство. Когда ему не дают выхода, он обращается внутрь, в тело, нередко вызывая болезнь или какую-либо дисфункцию.

Обычно, как и в случае с критикой, наш гнев вызывается одними и теми же поводами. Когда мы считаем себя не вправе выразить свой гнев, мы загоняем его внутрь. Это становится причиной обиды, горечи и депрессии. Значит, мы должны как-то справляться с подступающим гневом, чтобы не причинить себе вреда.

Есть несколько способов совладать с гневом с пользой для себя. Один из лучших — открыто заявить о нем вызвавшему его человеку и таким образом дать выход сдерживаемым эмоциям. Можно сказать: «Я рассержен на тебя, потому что...» Если хочется наорать на кого-то, значит, ярость давно копилась в вас. Такое часто случается, если мы не в силах заставить себя объясниться с тем, кто вызвал гнев. Тогда можно прибегнуть ко второму способу: обратиться к этому человеку, глядя в зеркало.

Уединитесь там, где вас никто не побеспокоит. Посмотрите в глаза своему отражению в зеркале. Если у вас это не получается, сосредоточьте взгляд на носу или губах. Можете также представить в зеркале человека, который, по вашему мнению, сделал вам что-то дурное. Вспомните момент зарождения гнева и позвольте ему вновь овладеть вами. Выскажите тому человеку все, из-за чего вы так сердиты. Открыто продемонстрируйте всю силу своей ярости. Можете сказать что-нибудь типа:

Я злюсь на тебя, потому что...

Мне больно из-за того, что ты...

Мне так страшно, потому что...

Позвольте чувствам вырваться наружу. Если вам хочется выразить их физическим действием, возьмите пару подушек и лупите их. Не бойтесь дать гневу выразить себя естественным образом. Вы и так долго держали его взаперти. И не нужно чувствовать себя виноватым, стыдиться своих проявлений. Помните: наши чувства — это мысли в действии. Они служат какой-то цели; когда вы изгоняете их из разума и тела, то освобождаете место для других чувств, позитивных.

Выразив свой гнев целиком и полностью, постарайтесь простить тех, кто его вызвал. Прощение есть акт самоосвобождения, ибо именно вам оно принесет пользу. Если вы не можете простить, тогда все, что вы делали, становится просто негативной аффирмацией и не принесет вам исцеления. Между избавлением от гнева и новым его выражением — громадная разница. Возможно, вам захочется произнести несколько фраз типа приведенных ниже:

«Что ж, этот эпизод позади, он уже в прошлом. Мне не нравится то, что ты сделал, и все же я понимаю: ты действовал в рамках своих знаний и представлений. Для меня с этим покончено. Я отпускаю тебя: иди с миром. Ты свободен, и я свободен».

Возможно, вам понадобится проделать эти упражнения неоднократно, прежде чем вы почувствуете избавление от гнева. Возможно также, во время упражнения вы будете пытаться освободиться от одного повода для гнева или сразу от нескольких. Поступайте так, как подскажет ваше внутреннее чутье.

Есть и другие способы дать выход гневу. Можно кричать в подушку, колотить подушки, постель или боксерскую грушу. Можно написать «письмо с выражением ненависти» и сжечь его. Можно вопить в своей наглухо закрытой машине. Можно поиграть в теннис или гольф, беспрерывно ударяя по мячам. Можно прибегнуть к физическим упражнениям, плавать, пробежаться несколько раз вокруг дома. Можно описать свои чувства или выразить их в рисунке, пользуясь другой рукой, чем обычно, — творческий процесс дает естественный выход эмоциям.

Мужчина, посещавший мои семинары, рассказывал, что, начиная кричать в подушку, он замечает время на таймере. Он отводил себе десять минут, чтобы выплеснуть свое разочарование и гнев на отца. Спустя минут пять он полностью исчерпывал себя; каждые полминуты он поглядывал на таймер и видел, что у него еще несколько минут в запасе.

Я сама раньше колотила постель и страшно орала. Сейчас я не могу так делать, потому что мои собаки пугаются, думая, что я злюсь на них. Теперь я считаю самым лучшим для себя покричать в машине или вырыть яму в саду.

Как видите, избавляясь от гнева, вы можете что-то создать. Я рекомендую физические действия для выражения переполняющих вас эмоций, разумеется, не наносящие никому вреда. В таком состоянии человек может забыться настолько, что становится опасным для себя и окружающих. И помните: нужно обратиться к Высшей Силе внутри вас. Вглядитесь в себя, зная, что объяснение вашего гнева — там, и вы найдете его. Очень способствует выздоровлению медитация, во время которой вы зрительно представляете сгустки ярости, исходящие из вашего тела и покидающие вас. Благословите с любовью человека, вызвавшего ваш гнев, и вы увидите, как уходит дисгармония из ваших отношений. Исполнитесь желания стать гармоничным. Возможно, ваш гнев — это напоминание о неладах в отношениях с окружающими. Осознав это, вы сможете изменить ситуацию.

Просто поразительно, сколько людей рассказывали мне, насколько счастливее они стали, освободившись от гнева. Как будто громадная тяжесть спала с души. Одной из моих клиенток очень трудно давалось избавление от гнева. Умом она понимала природу своих чувств, но не могла открыто проявить их. Наконец, ей удалось это сделать: она колотила все вокруг, кричала и обзывала, как могла, свою мать и дочь-алкоголичку. Она почувствовала невыразимое облегчение. Позже, когда дочь навестила ее, эта женщина беспрерывно обнимала и гладила ее. Изгнав подавленный гнев, она освободила внутри себя пространство для любви.

А не испытываете ли вы раздражение и гнев постоянно? Если так, значит, у вас то, что я называю «привычным гневом». Вы сердитесь по любому поводу. Вы снова и снова впадаете в ярость и не можете ничего поделать с собой, не можете перешагнуть через это. Привычный гнев — это так по-детски: вы хотите, чтобы все было по-вашему. Вам было бы полезно спросить себя:

Почему я предпочитаю все время сердиться?

Что я делаю для того, чтобы вновь и вновь провоцировать раздражающие меня ситуации?

Неужели я могу воспринимать жизнь только так?

Неужели я хочу именно этого?

Кого я продолжаю наказывать? Или любить?

Почему мне хочется оставаться таким?

Какие из моих убеждений вызывают во мне безысходность?

Не исходит ли от меня нечто, вызывающее в других желание досаждать мне?

Другими словами, почему вы считаете, что для того, чтобы добиться своего, вам нужно разозлиться? Конечно, несправедливость существует, и в каких-то случаях у вас есть все основания для гнева. Но помните: привычный гнев вреден вашему здоровью, потому что он пожирает ваше тело.

Обратите внимание на то, что больше всего занимает вас. Сядьте перед зеркалом на десять минут, вглядитесь в себя. Спросите свое отражение: «Кто ты? Чего ты хочешь? Что делает тебя счастливым? Что я могу сделать для твоего счастья?» Настало время измениться. Создайте в себе атмосферу, в которой будут жить новые модели: любви, радости и оптимизма.

Люди часто сердятся за рулем. Они нередко раздражаются из-за водителей-лихачей. Я лично давно преодолела в себе готовность расстраиваться из-за чьей-то неспособности соблюдать правила дорожного движения. Поэтому, садясь за руль, я делаю следующее: прежде всего, я с любовью благословляю машину; затем я произношу аффирмацию, утверждая, что на дороге сегодня — только умелые, прекрасные, счастливые водители. Каждый, кто встретится мне, — опытный водитель. И моя уверенность и аффирмация помогают: когда я на дороге, мне почти не попадаются плохие водители. Они все где-то там, где другие орут на них, сжимая кулаки.

Ваша машина — ваше продолжение, как и все вокруг вас. Поэтому вложите в нее любовь; пошлите ее также каждому человеку на улицах и шоссе. Я думаю, что узлы и механизмы вашей машины подобны частям вашего тела.

Вот пример из жизни одной из моих клиенток: ее мучило чувство «отсутствия видимости». Она не понимала, что происходит в ее жизни, каков смысл происходящего в ней и чего она сама хочет от жизни. И вот однажды утром она обнаружила, что ветровое стекло ее машины разбито и все покрылось трещинами. Другой человек, мой знакомый, чувствовал, что «пробуксовывает» в жизни. Он не двигался ни вперед, ни назад, оставаясь на одном месте. У него «спустила шина», и он не мог двигаться. Знаю, что могу показаться смешной, но мне было забавно, что при описании состояния своей души эти люди пользовались терминами, относящимися к автомобильным неисправностям. «Отсутствие видимости» означает, что вы не видите ничего перед собой. Разбитое ветровое стекло — прекрасная метафора, так же как «пробуксовывание» четко ассоциируется со спущенной шиной. В следующий раз, когда что-то случится с вашей машиной, попробуйте определить, с чем ассоциируется у вас повреждение и не ощущаете ли вы в этом связи с вашими чувствами на данный момент. Результаты такого анализа могут вас поразить. Когда-нибудь я напишу об этом небольшую книгу и назову ее «Исцелите свой автомобиль».

Были времена, когда люди не понимали связи между телесным и духовным. А сейчас настало время расширить границы наших знаний и осмыслить связь между сознанием и миром техники. Все происходящее в вашей жизни — это опыт, из которого можно извлечь уроки и обратить их на пользу себе.

Нет ничего нового или необычного в том, что вам приходится испытывать гнев. Это случается со всеми. Важно понять его природу и направить его энергию в здоровое русло. Если вы заболели, не сердитесь из-за этого. Наполните себя любовью, простите себя, а не вгоняйте гнев в тело. А тем из вас, кто ухаживает за больными, нужно не забывать позаботиться и о себе, иначе вы причините вред не только себе, но и своим родным и друзьям. Вы опустошите себя. И непременно делайте что-нибудь для проявления своих чувств. Научившись справляться с гневом с пользой для себя, вы обнаружите немало чудесных качественных изменений в вашей жизни.

Обида порождает множество болезней

Обида — это долго сдерживаемый гнев. Самое опасное в ней — то, что она внедряется в тело, обычно в одно и то же место, и в свое время, закипая, начинает разъедать его и оборачивается опухолями, в том числе раковыми. Значит, подавляя гнев, позволяя ему поселиться в теле, мы наносим вред своему здоровью. Следовательно, нужно вовремя давать выход своим чувствам.

Многие из нас выросли в семьях, где нам не позволяли проявлять гнев. Особенно это относится к женщинам: их учили, что сердиться в открытую — неприлично. Гнев был недопустим, разве что глава семьи имел на него право. И мы научились «проглатывать обиды», не показывая виду. Но сейчас только от нас зависит, отказаться ли от этой привычки или продолжать цепляться за нее. Никто не сделает этого за нас.

Моллюск заглатывает песчинку, а затем наращивает вокруг нее перламутр слой за слоем, пока не образуется прекрасная жемчужина. Так и мы вновь и вновь бередим свои эмоциональные раны. Я называю это «бесконечным прокручиванием в мозгу старой киноленты». Но если мы хотим освободиться от старых обид, если полны желания забыть о них, тогда настала пора подняться над ними.

Одна из причин возникновения опухолей и кисты в матке — то, что я называю синдромом «он навредил мне». Гениталии — это части тела, олицетворяющие мужское и женское начала. Когда люди испытывают сильные переживания, обычно в сфере человеческих отношений, они локализуют их именно в половых органах. Женщины могут загнать свою боль в органы, олицетворяющие женственность, и она внедряется в них, вызывая кисту или опухоль.

Поскольку обида гнездится глубоко внутри нас, возможно, нам придется много потрудиться, чтобы избавиться от нее. Как-то я получила письмо от женщины, которая боролась с раковой опухолью, возникшей уже в третий раз. Она никак не могла преодолеть в себе «модели порождения обид», что и вызывало зарождение новых опухолей. Я бы сказала, она лицемерно преувеличивала горечь своей жизни. Ей было легче дать прооперировать последнюю опухоль, чем потрудиться духовно над прощением обид. Было бы хорошо, если бы она сделала и то, и другое. Докторам удаются операции по удалению опухолей, а вот предотвратить их возникновение можем только мы.

Иногда люди готовы скорее умереть, чем изменить модели своего поведения. И умирают. Я заметила, что многие ни за что не изменят своим привычкам в еде, даже если им грозит смерть. И смерть настигает их. Страшно, когда это случается с тем, кто дорог нам, хотя мы понимаем, что у него был шанс выбрать иной путь.

На самом деле наш выбор не имеет значения: он всегда правилен для нас, даже если мы покидаем эту планету. Все мы уйдем из жизни в свое время, и каждый найдет способ сделать это в нужное для него время.

Повторю снова: мы не должны обвинять себя, когда нам что-то не удается. Мы не должны ощущать вину. Никто не делал ничего *неправильно*. Каждый человек делает все, что в его силах, в рамках своих знаний и представлений. Помните: у каждого внутри есть Сила, и все мы пришли в этот мир, чтобы усвоить некие уроки. Наше Высшее Я знает о нашем предназначении в этом жизненном воплощении и о том, чему мы должны научиться, чтобы двигаться вперед в эволюционном процессе. Нет неправильных путей. Мы все совершаем бесконечное путешествие в вечности, и у нас целая вереница жизненных воплощений. То, чего мы не выполнили в этой жизни, выполним в другой.

Подавленные чувства — путь к депрессии

Депрессия — это гнев, обращенный вовнутрь. И еще это такой гнев, на который, как нам кажется, у нас нет права. Например, вы можете считать предосудительным гнев на родителей, супруга, лучшего друга или начальника. И все же вы сердитесь на них и не можете ничего поделать с собой. Такой гнев переходит в депрессию. В наши дни слишком много людей страдают от депрессий, причем зачастую хронических. К тому моменту, когда мы начинаем ощущать депрессивное состояние, с ним уже очень трудно справиться. Ситуация кажется настолько безнадежной, что любая попытка изменить ее расценивается как героическое усилие.

Даже если в вашей жизни доминирует духовное начало, вам все равно приходится время от времени мыть посуду. Нельзя же допустить, чтобы в раковине росла гора грязной посуды, а вы только твердили бы: «О, для меня важна лишь метафизика!» То же и с вашими чувствами: если хотите, чтобы ваш разум был свободен, то перемывайте время от времени «грязную посуду» в своем сознании.

Один из лучших способов сделать это — позволить себе хотя бы частично выплеснуть свой гнев, чтобы не увязнуть в глубокой депрессии. Некоторые терапевты в наши дни специализируются в избавлении своих пациентов от гнева. Было бы полезно пройти курс лечения у такого терапевта.

На мой взгляд, любому из нас необходимо раз в неделю поколотить постель, даже если мы ни на кого не сердимся. Некоторые методики лечения рекомендуют специально вызывать гнев, но я считаю, что при этом вы слишком долго пребываете в этом состоянии. Как всякая поверхностная эмоция, гнев длится всего несколько минут. Посмотрите, как часто сменяются эмоции у детей. Наша реакция на эмоцию — вот что приводит к ее пролонгации и подавлению.

Элизабет Кюблер-Росс во время своих семинаров предлагает делать замечательное упражнение, которое она называет экстернализацией. Она дает слушателям по куску резинового шланга, и они хлещут ими по старым телефонным справочникам, давая выход эмоциям. Выражая свой гнев, не бойтесь возникающей неловкости: она естественна, особенно если в вашей семье сердиться было запрещено. Вы будете испытывать неловкость в первый раз, но когда привыкнете, вам это покажется забавным и будет приносить громадную пользу. Господь не осудит вас за то, что вы сердитесь. Излив хотя бы часть своей ярости, вы сможете по-новому взглянуть на свою проблему и найти новые способы ее решения.

Еще один мой совет впавшим в депрессию — обратиться к хорошему диетологу и составить с ним диету, способствующую очищению организма. Просто поразительно, насколько это может помочь вашему сознанию. В состоянии депрессии люди часто плохо питаются, и это усугубляет проблему. Все мы хотим, чтобы еда, которую мы предпочитаем, шла нам на пользу. Но нередко в организме обнаруживается химический дисбаланс, усугубленный приемом лекарств.

Можно рекомендовать также процедуру излияния чувств, называемую «вторым рождением». Она хороша тем, что происходит на сверхинтеллектуальном уровне. Если вам не приходилось участвовать в этом действе, попробуйте. Оно помогло множеству людей. Дыхательные упражнения способствуют установлению контакта со скрытыми источниками проблем и избавлению от них. Те, кто уже прошел через это, помогают вам повторять ваши аффирмации в течение всей процедуры.

Существуют и физические упражнения, такие как рольфинг, разработанный Идой Рольф. Он воздействует на соединительные ткани. Есть еще комплексы упражнений Хеллера и Трейгера. Все они дают замечательные результаты в трудной работе по изгнанию из организма рестриктивных стереотипов, сковывающих тело. Различные комплексы по-разному воздействуют на разных людей. То, что хорошо одному, может не подойти другому. Единственный способ найти лучшее средство для себя — пробовать разные методики.

В книжных магазинах есть секции «Помоги себе», там много прекрасной литературы по различным методикам. В магазинах, торгующих только продуктами, полезными для здоровья, часто вывешиваются объявления о встречах и занятиях, посвященных здоровому питанию. Когда человек готов учиться, учитель всегда находится.

Страх как порождение неверия

На нашей планете свирепствует страх. Нам каждый день сообщают в выпусках новостей о его проявлениях: войнах, убийствах, алчности и еще множестве подобных явлений.

Страх — это неверие в себя, в свои силы. Из-за него мы не доверяем Жизни. Мы не верим, что о нас заботятся высшие силы, и считаем, что должны все контролировать на физическом уровне. Очевидно, мы обречены испытывать страх, поскольку никто не в состоянии контролировать все в своей жизни.

Вера — вот то, чему мы учимся, преодолевая страх. Это явление называют *всплеском веры.* Поверьте в Силу Внутри Вас, связанную с Вселенским Разумом. Нельзя верить только в физический, материальный мир, поверьте в эту невидимую Силу. Я не хочу сказать, что мы вообще ничего не делаем, но нам будет гораздо легче идти по жизни, если мы вооружимся верой. Вы помните сказанное мной раньше? Я верю: все, что мне нужно знать, открыто мне. Я верю: обо мне заботятся, хотя я не контролирую физически происходящее вокруг.

Страх, проникающий в ваши мысли, в действительности пытается защитить вас от чего-то. Советую вам сказать ему: «Я знаю, ты пытаешься защитить меня. Я ценю твое желание помочь мне. И благодарю тебя». Выскажите признательность боязни: она проявляет заботу о вас. Когда вы пугаетесь физической угрозы, в кровь выбрасывается адреналин, чтобы вы могли противостоять опасности. То же можно сказать о страхе, зарождающемся в мозгу.

Проанализируйте свои страхи и поймите, что вы не тождественны им. Подумайте о страхе как о подобии кадров кинофильма. Этих образов на экране в действительности не существует. Эти движущиеся картинки — просто рамки с целлулоидной пленкой, быстро сменяющие друг друга. И если бы мы не цеплялись за свои страхи, они появлялись и пропадали бы так же быстро, как кадры кинофильма.

Страх сковывает разум. Люди ужасно боятся заболеть, или стать бездомными, или еще чего-нибудь. В ответ на страх возникает гнев, выполняя функцию защитного механизма. Он охраняет вас, но все-таки более действенную защиту дадут вам аффирмации. Благодаря им вы сможете прекратить прокручивание в мозгу страшных сцен и полюбить себя, превозмогая свой страх. И снова ничего не придет извне. В центре всего, что происходит с нами, — мы сами. И все находится внутри нас. Наш жизненный опыт, наши отношения с людьми зеркально отражают те духовные модели, которые есть внутри нас.

Страх — противоположность любви. Чем сильнее в нас желание любить себя такими, какие мы есть, и доверять себе, тем больше мы вызываем подобные чувства у других. Когда же начинается полоса сильного страха, беспокойства, огорчений и недовольства собой, просто поразительно, как все в нашей жизни рушится. Беда никогда не приходит одна. И кажется, черная полоса никогда не кончится.

Все идет по-другому, когда мы по-настоящему любим себя. Начинается полоса везения. Светофоры зажигают перед нами зеленые огни, мы всегда находим место для парковки. С нами происходит только то, что делает жизнь такой прекрасной, — и в большом, и в малом. Мы встаем утром, предвкушая чудесный день.

Любите себя так, чтобы суметь позаботиться о себе. Делайте все возможное, чтобы укрепить душу, тело и разум. Обратитесь к Силе внутри себя. Нащупайте связь с Духовным и старайтесь поддерживать ее.

Когда вами овладевает страх, сосредоточьтесь на своем дыхании. Мы часто задерживаем дыхание от испуга. Сделайте несколько глубоких вдохов. Дыхание увеличивает пространство внутри вас, и в этом ваша сила. Оно выпрямляет спину, наполняет воздухом грудную клетку и дает простор сердцу. Глубоко вдыхая, вы снимаете барьеры и открываетесь вовне. Вы не съеживаетесь от страха, а распрямляетесь, давая излиться любви. Скажите: «Я составляю одно целое с Силой, сотворившей меня. Я в безопасности. Все хорошо в моем мире».

Избавление от вредных привычек

Чтобы не чувствовать страха, мы чаще всего вырабатываем у себя так называемые вредные привычки. Они подавляют эмоции и притупляют чувства. Существует великое множество вредных привычек помимо наркотиков. Например то, что я называю пристрастием к определенным моделям поведения, — таким, которые мы развиваем, чтобы бежать от жизни. Если мы не хотим иметь ничего общего с окружающим миром или не желаем признать свое положение в нем, у нас возникает модель бегства от жизни. Для одних это — болезненное переедание, для других — пристрастие к наркотикам. И хотя у человека может быть генетическая предрасположенность к алкоголизму, он сам делает выбор: поддаться ей или бороться. Часто, когда мы говорим о наследственных привычках, на самом деле речь идет лишь о детском принятии родительских способов борьбы со страхом.

У некоторых людей развиваются вредные привычки в эмоциональной сфере, например потребность искать виноватых. Что бы ни случилось, такие люди всегда находят, кого обвинить, и говорят: «Это *все* они виноваты, *они* навредили мне».

Возможно, ваша вредная привычка — жить не по средствам. Многих затягивает обычай жить в долг: такие люди стремятся к тому, чтобы быть по уши в долгах, каковы бы ни были их доходы.

Есть личности, вызывающие отторжение. Где бы они ни были, они привлекают людей, отвергающих их. Они как будто специально находят таких. Но ведь отторжение человека другими — это только отражение неприятия им самого себя. Если вы принимаете себя таким, какой вы есть, другие будут поступать так же, а если и нет — это не будет вас волновать. Так что задайте себе вопрос: «Что во мне неприемлемо для меня?»

Очень многие люди одержимы своими болезнями. Они постоянно либо больны чем-то, либо беспокоятся, как бы не заболеть. Такое впечатление, что они — члены некоего «Клуба Болезни Месяца».

Но если вы намерены к чему-нибудь пристраститься, то почему бы не к любви к себе? Можно также быть одержимым произнесением позитивных аффирмаций или чем-то еще, что поддержит вас.

Переедание

Я получаю множество писем от людей с избыточным весом. Они садятся на диету на две-три недели, потом бросают. Вместо того чтобы признать, что сделали все, что могли на данный период, они сердятся на себя и чувствуют себя виноватыми. А поскольку вина всегда требует наказания, они наказывают себя, набрасываясь на вредную для здоровья еду. Если бы они могли констатировать, что за две недели диеты принесли исключительную пользу своему здоровью, и перестали бы винить себя, то сломали бы в себе привычную модель переедания. Они могли бы начать произносить аффирмацию: «У меня были проблемы с лишним весом, а сейчас я позволю себе обрести идеальный вес». Модель стала бы меняться. Но не стоит слишком сосредоточиваться на проблеме еды, потому что не в ней корень зла.

Переедание всегда означало потребность в защите. Чувствуя себя испуганным, ощущая опасность, человек как бы наращивает защитный слой. Избыточный вес вовсе не связан с количеством поглощаемой пищи. Многие тратят свою жизнь на недовольство собой из-за тучности. Какая бессмысленная потеря энергии! Вместо этого им бы стоило разобраться, что в их жизни вызывает страх и неуверенность. Может быть, что-то не ладится на работе или в семейных отношениях, в сексуальной сфере или в жизни в целом. Если у вас избыточный вес, не зацикливайтесь на проблеме еды и веса, старайтесь изменить модель, в которой зафиксировано: «Мне грозит опасность, поэтому я нуждаюсь в защите».

Поразительно, насколько чутко реагируют клетки нашего тела на изменение моделей, гнездящихся в сознании. Как только исчезает потребность в защите и мы чувствуем себя в безопасности, жировые клетки тают, как снег на солнце. Я заметила, что набираю вес в те периоды, когда ощущаю некую опасность. Когда мне приходится жить в бешеном ритме, разрываясь между множеством дел во множестве мест, я начинаю испытывать потребность в защите, в безопасности. И тогда я говорю себе: «Отлично, Луиза, пора поработать над чувством защищенности. Я хочу, чтобы ты ни на минуту не сомневалась в ней, чтобы ты знала: все в порядке, ты сможешь сделать все и всюду успеешь. Ты в безопасности. Я люблю тебя».

Избыточный вес — всего лишь внешнее выражение сидящего в вас страха. Глядя в зеркало на взирающего на вас толстяка, помните: вы видите результат вашего прежнего образа мыслей. Изменяя его, вы сеете зерно, из которого взойдет лучшее будущее. Выбрав правильные мысли сегодня, вы творите свою завтрашнюю фигуру. Одна из лучших книг по избавлению от лишнего веса — книга Сандры Рей «Есть только одна диета». Она целиком посвящена избавлению от негативных мыслей. В ней показано, как шаг за шагом добиться этого.

Группы самопомощи

Группы самопомощи — новая форма социальной жизни, на мой взгляд, очень позитивная. Они приносят неоценимую пользу людям. У их участников — общие проблемы. Они собираются вместе не для того, чтобы хныкать и жаловаться, а для совместных поисков выхода из создавшейся ситуации и улучшения качества их жизни. Сейчас есть группы, работающие почти над всеми мыслимыми проблемами. Адреса многих из них есть в «Желтых страницах», в разделе «Социальные службы». Уверена, вы сможете найти подходящую для вас группу. В наши дни их встречи часто проходят в церквах.

Вы можете также пойти в ближайший магазин здоровой пищи, которые я очень люблю, и посмотреть их доску объявлений. Если вы понастоящему захотите изменить свою жизнь, вы найдете способы.

Очень распространенная программа избавления от лишнего веса — «Программа двенадцати шагов». Она применяется довольно давно, и в ее рамках разработаны методики, дающие прекрасные результаты. Есть и подпрограмма для людей, которых вырастили родственники, приверженные пагубным привычкам, или которым приходится жить с такими людьми. Эти группы — одни из лучших, они подходят для всех.

Наши чувства — внутренний индикатор
нашего состояния

Люди, выросшие в трудных семьях, привыкают всеми средствами избегать конфликтов и как следствие — подавлять свои чувства. Мы не верим, что нам могут помочь, и даже не просим о помощи. Мы убеждены, что должны быть достаточно сильными, чтобы справляться со всем самостоятельно. Единственная наша проблема — это глухота к своим собственным чувствам. А ведь чувства — это самая бесценная связь с самим собой, другими людьми и окружающим миром. Они показывают, что в нашей жизни идет хорошо, а что — плохо. Подавляя их, отказываясь прислушаться к ним, мы получаем еще более сложные проблемы, а то и болезни. Но излечить можно только то, что ощущаешь. Если вы запрещаете себе чувствовать, что происходит внутри вас, вы никогда не узнаете, с чего нужно начать исцеление.

С другой стороны, многие из нас проходят по жизни с постоянными чувствами вины, ревности, страха или грусти. Мы вырабатываем в себе привычные стереотипы, снова и снова порождающие те ситуации, в которые мы, по нашим словам, вовсе не желаем попадать. Если вы все время ощущаете гнев, подавленность, страх или ревность и не доискиваетесь до причин, порождающих эти чувства, вам от них не избавиться. Когда же вы перестаете считать себя жертвой, вам удается вновь обрести свою силу. Мы всегда должны стремиться усвоить урок, чтобы избавиться от проблемы.

Доверяя жизни, ощущая свою духовную связь со Вселенной, мы можем справиться с гневом и страхом, как только они возникают. Мы можем доверять жизни и знать, что все в ней происходит согласно божественному порядку в идеальной последовательности времени и места.

Глава 7

ПРЕОДОЛЕВАЯ БОЛЬ

Человек не есть совокупность тела и личностных характеристик. Душа в нем всегда прекрасна и полна любви, какова бы ни была телесная оболочка.

Боль утраты

Воспринимать жизнь позитивно — прекрасно. Понимать и принимать свои чувства — тоже прекрасно. Природа даровала вам чувства, чтобы помочь справляться с определенными жизненными ситуациями и не давать им причинить вам слишком сильную боль. Запомните: смерть не означает поражения. Все умирают, это естественный процесс. Когда умирает любимый человек, вы скорбите о нем не меньше года. Так дайте себе это время. Особенно тяжело приходится в праздники: день рождения, Рождество, День Святого Валентина, ваши памятные даты. Будьте снисходительны к себе, дайте волю скорби. Не придумывайте для себя каких-то правил поведения — их не существует.

Когда умирает близкий человек, вы можете впасть в ярость или в истерику. Это естественно. Вы не можете притворяться, что не чувствуете боли. Вы стремитесь дать выход своим чувствам. Не сдерживайте рыданий. Посмотрите в зеркало и закричите: «Это несправедливо!» или что-нибудь в этом роде, выражающее ваши чувства. Повторяю: выплесните свои чувства, иначе вы пожнете болезни. Вам необходимо как можно больше заботиться о себе, хотя, я знаю, это нелегко.

Те, кому приходилось иметь дело с больными СПИДом, знают, что скорбь может длиться бесконечно. Это можно сравнить только с горем военного времени. Слишком много ударов наносится по нашим чувствам и эмоциям. Сколько раз мне казалось, что я больше не выдержу, и тогда я кидалась к близким друзьям и разражалась истерикой. Мне было гораздо легче, когда умерла моя мать: у меня было чувство завершенности ее жизненного пути длиною в девяносто один год. Я горевала, но не было чувства гнева и ярости из-за несправедливости или несвоевременности ее кончины. Смерть во время войны или эпидемии, напротив, вызывает страшное потрясение, потому что представляется вопиющей несправедливостью.

Горе не может пройти быстро, но иногда вы чувствуете, что не справитесь с ним никогда. Если вы по-прежнему скорбите через несколько лет после смерти близкого человека, значит, вы упиваетесь своим горем. Вы должны простить себя и умершего и освободиться от него. Помните: вы не можете лишиться кого-то после его смерти, потому что он никогда не принадлежал вам.

Если вам никак не удается преодолеть скорбь, вы можете сделать следующее. Прежде всего, советую вам провести медитации с умершим. Независимо от того, каковы были его убеждения при жизни, после смерти человек прозревает: у него нет больше земных мыслей и страхов. Если ваша боль невыносима, возможно, умерший скажет, что вам не стоит страдать, потому что ему хорошо. Во время медитации попросите его помочь вам справиться со скорбью и скажите, что любите его.

Не судите себя за то, что уделяли умершему мало внимания при жизни, что недостаточно делали для него. Вы только добавите чувство вины к горечи утраты. Некоторые пользуются своим горем как предлогом для бегства от жизни. Другие предпочли бы тоже уйти из жизни. А у некоторых смерть близкого человека обостряет страх собственной смерти. Используйте период траура, чтобы углубиться в свой внутренний мир и очиститься от всего лишнего, наносного в себе. После смерти любимого человека в вас поднимается волна горечи. Прислушайтесь к тому, что ее вызывает. Вам необходимо окрепнуть духовно настолько, чтобы позволить старым болезненным переживаниям всплыть на поверхность. Если вы позволите себе поплакать два-три дня, чувства горечи и страха сильно ослабнут. Если нужно, обратитесь к психотерапевту или в группу самопомощи: они помогут вам почувствовать себя достаточно свободно, чтобы выразить свои эмоции. Советую также повторять аффирмации типа: «Я люблю тебя и даю тебе свободу. Ты свободен, и я свободен».

В одном из моих семинаров принимала участие женщина, которая никак не могла преодолеть свой гнев на тяжело больную тетю. Ее страшило, что тетя умрет и она никогда не сможет раскрыть ей своих истинных чувств относительно прошлого. Она не могла говорить о нем с тетей, потому что ей как будто что-то сдавливало горло. Я посоветовала ей обратиться к психотерапевту: индивидуальные консультации могут дать хорошие результаты. Когда мы по уши увязли в проблемах, обратиться за помощью означает проявить любовь к себе.

Вокруг много психотерапевтов, имеющих опыт разрешения подобных ситуаций. Не нужно долго посещать врача, достаточно нескольких визитов, чтобы выбраться из своей «черной полосы». Существует также много групп, специализирующихся на поддержке скорбящих. Возможно, участие в одной из них поможет вам преодолеть боль.

Понимая свою боль

Многие живут изо дня в день, нося в себе боль. Одним это может казаться несущественной мелочью, у других боль, разрастаясь, становится невыносимой, отравляя всю жизнь. Но что такое боль? Большинство из нас согласится с таким определением: боль — это то, от чего мы с удовольствием избавились бы. Но давайте взглянем на нее по-другому и спросим себя: «А чему мы можем научиться, испытывая боль? Что она пытается сказать нам?»

В словарях боль определяется как «неприятное или мучительное ощущение, вызванное повреждением или расстройством организма», а также «душевным или эмоциональным страданием». Поскольку боль вызывают как болезни тела, так и души, ясно, что от нее страдают и тело, и душа.

Недавно я наблюдала сцену, блестяще иллюстрирующую эту мысль. Я смотрела на двух девочек, играющих в парке. Первая занесла руку, чтобы в шутку ударить по руке другую. Она еще не коснулась руки другой девочки, когда та вскрикнула: «Ой!» Первая девочка спросила подругу: «Почему ты кричишь? Я ведь еще не дотронулась до тебя». Вторая быстро ответила: «Да, но я *знаю*, что мне было бы больно». Образ боли, представление о ней предшествовали ожидаемой физической боли.

* * *

Боль приходит к нам в разных формах: пореза, ушиба, болезни, расстройства сна, угрозы, колик в животе, онемения руки или ноги. Иногда она слабая, иногда сильная, но мы все время ощущаем ее. В большинстве случаев она пытается что-то сказать нам. Иногда ее сигналы легко понять. Например, если по рабочим дням вас мучит изжога, а в выходные она исчезает, это может означать, что пора менять работу. Многим из нас понятно и значение похмельного синдрома.

Каково бы ни было сообщение, мы должны помнить: человеческое тело — прекрасно сконструированный механизм. Он говорит нам о наличии проблем, но только если мы хотим слушать. К сожалению, у многих из нас не находится на это времени.

Боль — одно из крайних средств, к которым приходится прибегать организму, чтобы сообщить о неполадках в нашей жизни. Это сообщение о том, что мы где-то сбились с пути. Наш организм всегда стремится поддерживать безупречное здоровье, как бы мы с ним ни обращались. Но если мы совсем не заботимся о своем теле, то создаем условия для зарождения болезни.

Что мы обычно делаем, впервые ощутив боль? Бежим к врачу или в аптеку и начинаем глотать таблетки. Тем самым мы как бы говорим своему организму: «Замолчи, я не желаю тебя слушать!» Он на какое-то время замолкает, затем снова начинает заявлять о себе, на этот раз уже громче. Теперь, возможно, мы пойдем к доктору, чтобы он прописал лекарство или уколы, или предпримем еще что-нибудь. В какой-то момент нам придется обратить серьезное внимание на происходящее, потому что у нас, вероятно, уже развилась определенная болезнь. Но даже на этой стадии некоторые люди предпочитают играть роль жертв и не желают вслушаться в себя. Другие же пробуждаются, осознают происходящее и стараются что-то изменить. Это правильно. Все мы по-своему учимся.

Реакции на ранние сигналы организма могут быть очень простыми. Например, вы как следует отоспитесь, перестанете проводить все вечера вне дома или надрываться на работе. Позвольте себе прислушаться к сигналам своего тела, потому что оно действительно хочет поправиться. Ваш организм стремится быть здоровым. Помогите ему в этом.

* * *

Когда я начинаю ощущать боль или дискомфорт, я прежде всего успокаиваю себя. Я верю, что Высшая Сила даст мне знать, что нужно изменить в моей жизни, чтобы избавиться от болезни. В эти минуты я представляю себя в прекраснейшей естественной обстановке: вокруг множество моих любимых цветов. Я явственно ощущаю, как теплый ветерок, наполненный их запахом, мягко касается моего лица. Я сосредоточиваюсь, чтобы расслабить каждый мускул тела.

Почувствовав полное расслабление, я просто спрашиваю свою Внутреннюю Мудрость: «Чем я навлекла на себя это недомогание? Что мне нужно узнать? Что в своей жизни изменить?» Потом позволяю ответам излиться на меня. Они могут и не возникнуть тотчас, но я знаю: скоро они откроются мне. И еще я знаю, что, какие бы изменения в моей жизни ни понадобились, они пойдут мне на пользу и я буду в полной безопасности, что́ бы мне ни предстояло.

Иногда вы теряетесь, не зная, как изменить свою жизнь. «Как же я буду жить? А дети, что станет с ними? Смогу ли я оплачивать счета?» Повторю снова: доверьтесь Высшей Силе в себе. Она откроет вам путь к полной жизни без боли.

Еще один совет: меняйтесь постепенно, шаг за шагом. Лао Цзы сказал: «Путешествие в тысячу миль начинается с одного шага». Шаг, еще шаг — и вы можете добиться существенных улучшений. Начав процесс изменения себя, имейте в виду, что боль не обязательно исчезнет за одну ночь, хотя и такое случается. Боль не сразу проявила себя, значит, и для осознания того, что в ней больше нет необходимости, потребуется время. Не будьте слишком требовательны к себе. Не сравнивайте свои достижения с чужими. Вы — уникальная личность, и вы по-своему организуете свою жизнь. Доверьтесь своему Высшему Я, чтобы освободиться от душевных и физических страданий.

Прощение — путь к свободе

Я часто спрашиваю своих клиентов: «Что вам дороже: правда или счастье?» Все мы судим, кто прав, кто виноват «со своей колокольни», и нам нетрудно оправдать свои чувства. Мы желаем наказать других за причиненное нам зло, но именно мы, а не они, вновь и вновь прокручиваем в мозгу воспоминание об этом зле. Как же глупо наказывать себя в настоящем из-за того, что в прошлом кто-то причинил нам боль!

Пожелав освободиться от прошлого, мы должны решиться простить, даже если не представляем, как это сделать. Прощение — это отказ от мучительных переживаний, прощание с ними. Неспособность простить буквальным образом разрушает в нас что-то.

Независимо от того, какое духовное учение вы исповедуете, вы почти наверняка откроете для себя, что прощение — акт громадной важности, особенно когда вы больны. Во время болезни нам просто необходимо мысленно оглядеться и понять, кого нам нужно простить. Как правило, самое важное — простить человека, которого мы считаем не заслуживающим прощения ни при каких условиях. Если мы не можем кого-то простить, это разрушает нас, нисколько не влияя на этого человека: это наши проблемы, а не его.

Боль и злость должны иметь отношение и к прощению самого себя, не только других. Заявите в аффирмации о своей готовности к всепрощению: «Я твердо намерен освободиться от прошлого. Я хочу простить всех, кто когда-либо причинил мне зло, и я прощаю себя за то, что причинял зло другим». Если вы припомните кого-либо, кто когда-то хоть чем-нибудь обидел вас, благословите его с любовью и выбросьте из головы мысли о нем.

Я не стала бы такой, как сейчас, если бы не простила людей, причинявших мне боль. Я не желаю наказывать себя сегодня за то, что они сделали мне когда-то. Это было очень трудно. Но теперь я могу просто оглянуться назад и сказать: «О да, это было». И при этом я не переживаю снова тех событий. Это не означает, что я забыла об их поступках.

Если вас что-то терзает, помните: никто не может отнять у вас того, что неотъемлемо присуще вам. Если это — ваше, оно вернется к вам в свое время. Если вы не получаете чего-то обратно, значит, так было предопределено. Вам нужно принять это и идти по жизни дальше.

Чтобы обрести свободу, вам необходимо выбраться из ловушки своего праведного гнева и жалости к себе. Так говорят в Обществе анонимных алкоголиков. Мне нравится эта фраза: она образно и точно описывает ситуацию. Когда вы наполнены жалостью к себе, вы совершенно беспомощны и бессильны. Чтобы обрести силу, вы должны встать на ноги и принять на себя ответственность.

Выберите время, когда вас ничто не будет отвлекать. Закройте глаза и представьте прекрасный могучий поток воды. Теперь вообразите: вы выбрасываете в этот поток то, что причиняло вам боль и страдание, вместе с неспособностью простить. Следите, как все это начнет растворяться в потоке, уплывая от вас, пока не исчезнет совсем. Повторяйте это упражнение как можно чаще. Настало время сострадания и исцеления. Углубитесь в себя, услышьте в себе силу, знающую путь к исцелению. Вы даже не подозреваете, сколько в вас скрыто способностей. Будьте готовы углубляться в себя слой за слоем, чтобы обнаружить эти способности. Им под силу не только вылечить болезнь, но и поистине исцелить вас на всех возможных уровнях, сделать вас цельной личностью. Личностью, принимающей каждую частицу себя, каждый миг прошлого и воспринимающей все это как нити, переплетенные в пестрой ткани жизни.

Мне очень нравится книга пророка Эммануила. Приведу отрывок из нее, наполненный глубоким смыслом. Эммануила спрашивают: «Как переносить несчастья, не озлобляясь?»

Эммануил отвечает: «Нужно воспринимать их как уроки, а не как возмездие. Доверьтесь жизни, братья. Куда бы она вас ни забросила, это путешествие необходимо. Вы пришли в этот мир, чтобы многое пережить и понять, где в нем правда, а где ложь. Узнав это, вы можете вернуться к своим истокам, к своему духовному «я», наполненные новой мудростью».

Если бы только мы могли осознать, что все наши так называемые проблемы всего лишь дают нам возможность меняться и совершенствоваться! И что большая часть их — следствие нашего отношения к миру, импульсов, которые мы посылаем в него. И все, что нам нужно сделать, — это изменить образ мыслей, быть готовыми не копить в себе обиды и научиться прощать.

Часть III

ЛЮБИТЬ СЕБЯ

Вы помните свои ощущения, когда были влюблены? Как трепетало сердце? Это было так прекрасно! Любовь к себе — такое же прекрасное чувство, длящееся бесконечно. Полюбив себя, вы сохраните эту любовь до конца жизни, и это будет ваш самый лучший роман.

Глава 8

НАУЧИТЕСЬ ЛЮБИТЬ СЕБЯ

Научившись прощать, вы не только сбросите тяжесть с плеч, но и распахнете двери навстречу любви: любви к себе.

Теперь я хочу описать некоторые приемы, помогающие научиться любить себя. Они подойдут и для тех, кто уже пробует себя в этом, и для начинающих. Я называю их «Мои Десять Ступеней». За прошедшие годы я послала этот перечень тысячам людей.

Любить себя — это прекрасное приключение. Как будто учишься летать. Представьте себе, как замечательно было бы уметь летать! Так давайте же полюбим себя прямо сейчас, не откладывая.

Многие из нас, по-видимому, страдают в той или иной степени отсутствием чувства собственного достоинства. Нам очень трудно полюбить себя такими, какие мы есть, из-за своих так называемых недостатков. Обычно мы выдвигаем условия, на которых можем любить себя. Мы делаем любовь к себе условной, а потом переносим это и на отношения с другими. Мы все слышали: нельзя по-настоящему любить других, не полюбив себя. И теперь, ясно увидев воздвигнутые нами барьеры, надо научиться подниматься на следующие ступеньки.

Десять способов научиться любить себя

1. Наверное, важнейший ключ к достижению любви к себе — **перестать критиковать себя**. Я уже говорила о критике в пятой главе. Если мы говорим себе, что все хорошо, что бы ни случилось, значит, нам легко изменить свою жизнь. Трудности возникают, когда мы считаем себя *плохими*. Все мы меняемся. Каждый день — это новый день, и мы проживаем его иначе, чем вчера. Наша сила — в способности приспосабливаться к течению жизни.

Те, кто вырос в неблагополучных семьях, часто развивают в себе чувство повышенной ответственности и привычку нещадно критиковать себя. Они росли в атмосфере страха и напряженности. Подрастая в такой семье, ребенок невольно усваивает, что с ним что-то не так, он не такой, как другие. Припомните, какими словами вы ругаете себя. Мои слушатели часто называли мне следующие: «тупица», «плохой мальчик», «плохая девочка», «никчемный», «неаккуратный», «косноязычный», «урод», «неряха», «грязнуля» и тому подобные. Быть может, и вы употребляете эти слова, ругая себя?

Нам совершенно необходимо развить в себе высокую самооценку. Ибо, ощущая себя *«недостаточно хорошими»*, мы оправдываем свое униженное состояние и сохраняем его. Мы взращиваем боль и болезни, мы откладываем на будущее то, что могло бы улучшить нашу жизнь, мы отравляем себя едой, алкоголем и наркотиками.

Все мы люди, и это делает нас уязвимыми. Давайте научимся не притворяться совершенными. Стремление к совершенству невыносимо давит на человека и не дает ему сосредоточиться на том, что неблагополучно в его жизни. Отказавшись от него, мы могли бы открыть в себе свою индивидуальность, творческие способности и оценить в себе то, что делает нас не похожими на других людей. Каждому из нас назначено сыграть свою роль в этом мире. Критикуя себя, мы делаем себя не способными выполнить свое предназначение.

2. Следующее, что нам необходимо сделать — **перестать запугивать себя.** Многие просто терроризируют себя мрачными мыслями, представляя любые ситуации намного хуже, чем они есть на самом деле. Такие люди раздувают маленькие проблемы до непомерной величины. И как же это ужасно: жить в ожидании самого худшего.

Сколько людей, ложась спать, представляют себе наихудшее развитие событий в своей жизни? Они напоминают детей, которым чудятся ужасные монстры под кроватью. Немудрено, что такие люди никак не могут заснуть. В детстве вам нужно было, чтобы родители подошли к кроватке и успокоили вас. Теперь, повзрослев, вы можете успокоить себя сами.

Запугивание себя очень характерно для больных людей. Они часто воображают самое худшее, а то и о похоронах начинают думать. Они надеются только на медикаменты. Чувствуя себя статистами в процессе лечения, они отказываются от помощи своей внутренней силы.

Подобное происходит и в отношениях с людьми. Стоит кому-то не позвонить вам, и вы тут же решаете, что никому не интересны и никогда ни с кем не сблизитесь. Вы чувствуете себя забытым и отвергнутым.

То же и на работе. Чье-то невинное замечание заставляет вас думать, что вам грозит увольнение. Вы нагромождаете в мозгу ужасные мысли. Но помните: эти мысли — негативные аффирмации.

Если вы ловите себя на том, что постоянно думаете о чем-то неприятном, постарайтесь найти образ, которым вам хотелось бы вытеснить тяжелые мысли. Это может быть прекрасный пейзаж, закат солнца, цветы, любимый вид спорта и вообще все, что вы любите. Используйте его как переключатель. Каждый раз при мысли о страшном говорите себе: «Нет, я не намерен больше думать об этом. Я буду думать о закате солнца, розах, Париже, яхтах или водопадах» — словом, о том, что вам приятно. Постоянно повторяя это, вы сломаете привычку к устрашающим мыслям.

3. Следующий способ — **быть добрым, мягким и терпеливым с самим собой.** Как шутливо писал Орен Арнольд «Боже, молю тебя, дай мне терпение. И немедленно!» Терпение — могучее средство. Большинство людей страдает от ожидания немедленных результатов. Нам все нужно прямо сейчас, мы не можем терпеть, ожидая чего бы то ни было. Мы раздражаемся, стоя в очередях или попадая в транспортные пробки. Мы хотим иметь все блага и знать все ответы прямо сейчас. И часто мы портим жизнь другим из-за своего нетерпения. Нетерпение — это нежелание учиться. Мы хотим получить знания, не усвоив урока, не сделав шагов, необходимых для достижения знания.

Представьте себе, что ваше сознание подобно саду. Сад — это прежде всего участок земли. Там могут быть заросли ненависти к себе, валуны отчаяния, гнева, озабоченности. А вот — старое дерево страха, которому нужно обрезать ветки. Как только вам удастся от чего-то избавиться и расчистить почву, вы посеете в нее семена радости и процветания. Солнце будет давать им свет, а вы — поливать, заботиться и любить.

Сначала может показаться, что почти ничего не изменилось. Но не останавливайтесь, продолжайте ухаживать за садом. Если вы проявите терпение, ваш сад вырастет и расцветет. Так же и в вашем сознании: если вы внедрите туда хорошие мысли и будете растить их, они укоренятся там и превратятся в сад, который будет вас только радовать.

Все мы совершаем ошибки

Ошибаться в процессе обучения — нормально. Но, как я уже говорила, многих губит стремление к совершенству. Они не могут изучить ничего нового, потому что, не усвоив его в первые три минуты, сразу признают свою неспособность сделать это.

Для обучения всегда требуется время. Когда вы делаете что-либо впервые, это кажется непривычным. Чтобы прочувствовать, что я имею в виду, сделайте сейчас следующее: сцепите руки, сплетя пальцы. Обратите внимание, который из больших пальцев оказался наверху. Теперь расцепите руки и снова сцепите так, чтобы наверху был большой палец другой руки. Наверное, этот способ покажется вам странным, возможно, даже неправильным. Затем сцепляйте руки несколько раз подряд, чередуя большой палец наверху. Остановитесь на втором способе, сделайте паузу. Ну и как он вам теперь? Уже не кажется таким странным? Не так уж плохо. Вы привыкли. Может, вы даже привыкнете сцеплять руки обоими способами.

Так всегда бывает, когда мы делаем что-то по-новому. Новое кажется непривычным, и мы немедленно его осуждаем. Но оно может стать нормальным и естественным, если мы попрактикуемся. Мы не полюбим себя раз и навсегда за один день, но с каждым днем мы сможем любить себя немного больше. Каждый день мы будем дарить себе чуть больше любви и через два-три месяца значительно продвинемся в любви к себе.

Ваши ошибки — это ваши помощники. Они учат вас, и в этом их ценность. Не казните себя за ошибки. Если вы захотите учиться на ошибках, они станут ступеньками, ведущими к полноценной жизни.

Некоторые из нас, долгое время работавшие над собой, недоумевают: почему проблемы возникают вновь? Это означает только, что нужно поддерживать и углублять свои знания, не сдаваться, не говорить: «Все напрасно». Познавая новое, мы должны быть терпеливы и добры к себе. Помните сравнение с садом? Когда прорастают сорняки, выдергивайте их как можно скорее.

4. Мы должны научиться быть добрыми к своему сознанию. Давайте не будем казнить себя за негативные мысли. Можно считать свои мысли созидающими, а не разрушающими. Мы не должны обвинять себя в том плохом, что было в жизни. Мы можем извлечь из него уроки. Быть добрыми к себе означает отказаться от обвинений, чувства вины, наказаний и боли.

Помогает также релаксация. Нам абсолютно необходимо расслабиться, чтобы установить контакт с Силой внутри нас, потому что напряжение и страх лишают нас энергии. Нужно всего на несколько минут в день позволить телу и разуму полностью расслабиться. В любой момент вы можете сделать несколько глубоких вдохов, закрыть глаза и сбросить накопившееся напряжение. Сосредоточьтесь на выдохе и медленно скажите себе: «Я люблю тебя. Все в порядке». Вы заметите, насколько спокойнее стали. Вы сейчас формулируете сообщения, утверждающие, что вам не нужно идти по жизни с непреходящими чувствами напряженности и страха.

Погружайтесь в медитацию каждый день

Кроме того, я рекомендую приглушать голос разума и прислушиваться к вашей внутренней мудрости. В нашем обществе принято считать медитацию чем-то мистическим и трудно достижимым, хотя она известна с давних времен и не так уж сложна. Нужно только расслабиться и повторять про себя слова «любовь», «покой» или любые другие, которым вы придаете особое значение. Хорошо подойдет и известный издревле звук «Ом», который я применяю на своих семинарах. Можно повторять и целые фразы: «Я люблю себя», «Я прощаю себя», «Я прощен». В паузах вслушивайтесь в себя.

Некоторые считают, что во время медитации необходимо останавливать мыслительный процесс. На самом деле мы не в состоянии этого сделать, но мы можем замедлить ход мыслей и позволить им течь свободно. Во время медитации некоторые сидят с блокнотом и карандашом и записывают свои отрицательные мысли: так они быстрее сходят на нет. Если мы сумеем достичь состояния, при котором будем отстраненно и бесстрастно наблюдать за проплывающими мыслями, равнодушно говоря про себя: «Ага, вот мысли, наполненные страхом и гневом, а вот — любовью; теперь — мысли о несчастьях и одиночестве, а вот и радостная мысль» — значит, мы начинаем правильно пользоваться своей невероятной силой.

Вы можете начать медитации в любой момент и превратить их в привычку. Воспринимайте медитацию как концентрацию на своей Высшей Силе, когда вы вступаете в контакт с самими собой и своей внутренней мудростью. Сделать это можно в любой приятной вам форме. Некоторые совершают своего рода медитации, бегая трусцой или во время прогулок. Напоминаю: не считайте, что совершаете медитацию неправильно, если входите в нее иначе, чем описано здесь. Лично я во время медитации обожаю копаться в саду. Получается отлично.

Визуализируйте оптимистические мысли

Очень важна также *визуализация*. Можно использовать различные приемы визуализации. Множество их рекомендовано в книге Карла Симонтона «Выздоровление». Они часто давали блестящие результаты в лечении раковых больных.

Занимаясь визуализацией, вы создаете ясный, позитивный образ, подкрепляющий аффирмацию. Многие из вас писали мне о том, какими визуализациями они сопровождают свои аффирмации. Но при этом важно помнить: визуализации не должны вступать в противоречие с вашими личностными качествами, иначе они не принесут пользы.

Приведу пример. Одна раковая больная представляла себе, как замечательные клетки-убийцы нападают на раковые клетки в ее теле и убивают их. Закончив визуализацию, она засомневалась в том, что все было сделано правильно: она не чувствовала, что сеанс пошел ей на пользу. Я спросила ее: «А вы могли бы убить кого-нибудь?» Лично я чувствовала бы себя неуютно при мысли о войне в собственном теле. Я предложила ей изменить визуализацию, сделав ее менее агрессивной. Думаю, лучше использовать образы типа солнечных лучей, расплавляющих раковые клетки, или волшебника, превращающего их в здоровые. Когда я сама болела раком, я представляла себе, как чистая прохладная вода вымывает из моего тела больные клетки. Нужно использовать визуализации, не оскорбляющие нас на подсознательном уровне.

Если у вас болен кто-то из друзей или близких, не навредите им, постоянно думая о них как о больных. Представляйте их себе здоровыми. Посылайте им положительные сигналы. Но помните при этом: выздоровление — только их дело. Сейчас есть много хороших аудиокассет, которые помогают войти в состояние медитации и визуализации. Можете подарить их больному человеку: они помогут его излечению, если он готов воспринять их. Если же нет, просто благословите его с любовью.

Визуализация доступна всем. Описание своего дома, сексуальная фантазия, кровожадные мысли о расправе над своим врагом — все это визуализации. Поразительно, как много может наш разум.

5. Следующая ступень на пути к любви к себе — **научиться хвалить себя.** Критика сжигает душу, похвала возрождает ее из пепла. Признайте свою Силу, свою божественную сущность. Все мы — порождение Безграничного Разума. Ругая себя, вы унижаете Силу, создавшую вас. Начните с малого. Скажите себе, что вы прекрасны. Но одного раза недостаточно, похвала не сработает. Повторяйте ее хотя бы время от времени. Поверьте, это будет легче с каждым разом. В следующий раз, когда вам придется делать нечто новое, непривычное или еще не освоенное в процессе обучения, поддержите себя похвалой.

Я прекрасно помню тот волнующий день, когда впервые выступала в Церкви Религиозной Науки в Нью-Йорке. Собрание проходило в пятницу днем. Прихожане клали в корзину листки с вопросами ко мне. Я взяла корзину на возвышение, на котором выступала, стала отвечать на вопросы и после каждого из них демонстрировала приемы оздоровления души и тела. Закончив, я спустилась вниз и сказала себе: «Луиза, для первого раза ты была великолепна. После шестого ты станешь профессионалкой». Я не ругала себя, не корила за то, что упустила что-то в своей речи. Я не хотела вселить в себя страх перед следующим выступлением.

Если бы я раскритиковала себя в тот первый раз, то же случилось бы и во второй, и в конце концов я стала бы смертельно бояться выступать на публике. Спустя пару часов я спокойно обдумала, каким образом могла бы улучшить выступление. Я никогда не ругала себя. Я никогда не забывала похвалить себя и поздравить с успехом. После шести выступлений я действительно превратилась в профессионалку. Думаю, этот метод можно применить ко всем сферам нашей жизни. Я довольно долго продолжала свои выступления в церкви. Это была прекрасная тренировка развития способности думать, находясь в центре внимания.

Позвольте себе принимать *добро* независимо от того, заслуживаете вы его, по вашему мнению, или нет. Я уже говорила, что в основе нашего нежелания принять *добро* лежит уверенность в том, что мы его не заслуживаем. И это не позволяет нам получить желаемое. Как же мы можем сказать о себе что-нибудь хорошее, если считаем, что ничего хорошего не заслуживаем?

Задумайтесь: что считалось достойным похвалы в вашем доме? Чувствовали ли вы себя достаточно хорошим, умным, высоким, красивым и тому подобное? А какова цель вашей жизни? Вы ведь знаете, что живете ради некой цели, и она не сводится к покупке нового автомобиля раз в несколько лет. Что вы собираетесь делать для самореализации? Вы полны решимости произносить аффирмации, применять визуализацию и другие приемы? А прощать? А заниматься медитацией? Сколько душевных усилий вы готовы затратить на то, чтобы изменить свою жизнь и сделать ее такой, как вы хотите?

6. Любить себя — значит поддерживать себя. Обращайтесь за помощью к друзьям, позволяйте им помогать вам. Просьба о помощи — это проявление силы, а не слабости. Многие из нас привыкли полагаться только на себя и ни за что не попросят о помощи: индивидуализм не позволит. И все-таки попробуйте сделать это, вместо того чтобы пытаться справиться со всеми проблемами своими силами и злиться на себя за то, что ничего не получается.

Сейчас в каждом городе действуют группы поддержки. Существуют программы «12 шагов» для решения практически любой проблемы. В некоторых регионах есть кружки исцеления от болезней и дочерние организации Церкви. Если вам не удается найти то, что нужно именно вам, можно создать свою группу. Это не так страшно, как может показаться. Объединитесь с двумя-тремя друзьями, у которых сходные проблемы, и выработайте для себя «руководство к действию». Если вы сделаете это с любовью в сердце, ваша маленькая группа разрастется, людей будет тянуть к вам как магнитом. Не волнуйтесь, если ваша группа увеличится настолько, что вам станет тесно в помещении для встреч. Во Вселенной всегда найдется место. Если вы не знаете, что делать, напишите мне в офис: мы вышлем вам руководство по ведению группы. Вы сможете реально помочь друг другу.

В 1985 году, в Лос-Анджелесе, я организовала группу «Хэйрайд» из шести человек, больных СПИДом. Мы собирались у меня в гостиной. Мы не представляли, как будем бороться с болезнью. Я сказала только, что мы не будем сидеть и жаловаться друг другу на жестокую судьбу. Что толку говорить о том, что и так очевидно? Мы стали делать все возможное, чтобы поддержать друг друга, утверждая позитивное отношение к жизни. Мы продолжаем наши встречи до сих пор. Каждую среду на них приходит около двухсот человек в парк «Вест Голливуд».

Это необычная группа. Она — для больных СПИДом, и каждому здесь рады. К нам съезжаются люди со всего света, потому что в группе «Хэйрайд» они находят поддержку. Дело не только во мне, каждый член группы вносит свой вклад, чтобы сделать ее работу эффективной. Мы вместе совершаем медитации и визуализации. Мы кооперируемся и делимся со всеми информацией об альтернативных способах лечения и о последних достижениях медицины. У нас есть «энергетические столы», куда человек может лечь, чтобы другие вдохнули в него энергию исцеления, возложив на него руки или молясь за него. В нашей группе есть функционеры Науки Разума, с которыми больные могут побеседовать. В завершение собрания мы поем и обнимаем друг друга. Мы хотим, чтобы люди уходили, чувствуя себя гораздо лучше, чем до собрания. Иногда полученный заряд позитивной энергии поддерживает их в течение нескольких дней.

Группы поддержки — новая форма социальной жизни. Они очень эффективны в наше сложное, напряженное время. Новые религиозные учения, такие как «Единство» и «Религиозная Наука» организуют постоянно действующие еженедельные группы поддержки. О них можно узнать из газет и журналов. Объединение в группы, взаимодействие людей в них —

необычайно важно. Оно вдохновляет их и дает новые импульсы. Я рекомендую людям с общими проблемами регулярно встречаться.

Люди, работающие над решением одной задачи, собираясь вместе, приносят с собой свою боль, гнев, растерянность, но не для того, чтобы скорбеть, а для того, чтобы вместе найти выход, подняться над своими проблемами и вырасти духовно.

Если вы упорны, внутренне дисциплинированны и в вас развито духовное начало, вы можете многого достичь, работая над собой самостоятельно. Но когда вы объединяетесь в группу единомышленников, вы можете сделать качественный скачок, обогащая и обучая друг друга. Каждый член группы — учитель. И поэтому я советую вам: если у вас есть проблемы, требующие решения, постарайтесь найти группу, в которой вы сможете объединить усилия в работе над этими проблемами.

7. Любите свои отрицательные черты. Они — ваши создания, так же как все мы — создания Божьи. Великий Разум, создавший нас, не станет ненавидеть нас за то, что мы совершаем ошибки или сердимся на своих детей. Ему известно: мы стараемся, как можем, и Он поддерживает любовью все свои создания. Мы можем любить себя так же, как он. Нам всем случалось делать неправильный выбор; если мы будем упорно наказывать себя за это, то выработаем стереотип и нам будет очень трудно избавляться от негативизма в пользу позитивных шагов.

Если вы повторяете снова и снова фразы типа: «Я ненавижу свою работу. Я ненавижу свой дом. Я ненавижу свою болезнь. Я ненавижу отношения, сложившиеся у меня с людьми. Я ненавижу все и вся», то ничего хорошего в вашей жизни не будет.

Любая, даже самая тяжелая жизненная ситуация возникает не случайно, для нее всегда есть причина. Доктор Джон Харрисон, автор книги «Любите свою болезнь», пишет, что нельзя осуждать пациентов, перенесших множество болезней или операций. На самом деле они могут поздравить себя, потому что нашли надежный способ удовлетворения своих нужд. Нам необходимо осознать, что какова бы ни была наша проблема, мы способствовали ее созданию, пытаясь разрешить другие сложные ситуации. Поняв это, мы сможем найти позитивные методы удовлетворения своих потребностей.

Нередко людям, больным раком или другими смертельными болезнями, так трудно сказать «нет» человеку, подавляющему их своим авторитетом, что они подсознательно взращивают в себе болезнь, чтобы она сделала это за них. Я была знакома с женщиной, которая решила начать жить самостоятельно, когда поняла, что сотворила в себе болезнь для того, чтобы отвергнуть требования своего отца. И она начала говорить ему «нет». Вначале было трудно, но она упорствовала в своем решении постоять за себя и впоследствии обнаружила, что выздоравливает.

Каковы бы ни были наши негативные модели, мы можем научиться удовлетворять свои нужды позитивно. Вот почему так важно задать себе вопрос: «Какова награда за этот опыт? Что позитивного я извлеку из него?» Нам не нравится отвечать на этот вопрос. Но если мы по-настоящему вглядимся в себя и будем честны с самими собой, то найдем ответ.

Возможно, ваш ответ будет таким: «Только во время болезни мой супруг проявляет заботу обо мне». Осознав действительную причину, вы сможете поискать другие способы удовлетворения своих потребностей, на сей раз позитивные.

Еще одно действенное средство — юмор. Он помогает расслабиться и почувствовать облегчение в стрессовой ситуации. В нашей группе поддержки мы всегда отводим какое-то время шуткам. Иногда мы приглашаем на свои собрания «даму-хохотушку», которая так заразительно смеется, что все вокруг хохочут, не в силах остановиться. Мы не можем всегда принимать себя всерьез, тем более что смех обладает целебной силой. Когда вы находитесь в угнетенном состоянии, я рекомендую смотреть старые комедийные фильмы. Когда я давала индивидуальные консультации, я, бывало, из кожи вон лезла, чтобы заставить пациента посмеяться над своими проблемами. Если человек может посмотреть на свою жизнь как на пьесу с элементами мыльной оперы, драмы и комедии, значит, он не безнадежен и находится на пути к выздоровлению. Юмор помогает нам отстраниться от создавшейся ситуации и увидеть ее в ином масштабе.

8. Ухаживайте за своим телом. Думайте о нем как о прекрасном временном пристанище для вас. Вы ведь заботитесь о своем доме, не так ли? Следите за тем, чем вы питаете свое тело. Два популярнейших средства бегства от действительности — наркотики и алкоголь. Если вы увлеклись наркотиками, это не означает, что вы — дурной человек. Просто вы не нашли позитивного способа удовлетворения своих потребностей.

Наркотики манят нас, как бы говоря: «Иди, поиграй со мной, нам будет очень хорошо». Это правда. Они могут подарить вам прекрасные ощущения. Но при этом они разительно меняют вашу жизнь, и вам придется заплатить за это страшную цену, хотя в начале об этом не думают. Если вы втянулись, ваше здоровье стремительно ухудшается и вы почти все время чувствуете себя ужасно. Наркотики разрушают вашу иммунную систему, а это может привести к различным заболеваниям. Кроме того, у человека, несколько раз попробовавшего наркотики, развивается привыкание, наркозависимость, и вы уже с трудом вспоминаете, что же заставило вас начать принимать эту отраву. Сначала, возможно, вы поддались давлению, но этим нельзя оправдать превращение приема наркотиков в привычку, это уже совсем другое дело.

Я еще не встречала человека, по-настоящему любящего себя, который пристрастился бы к наркотикам. Мы прибегаем к наркотикам и алкоголю, чтобы заглушить комплекс неполноценности, внушенный нам в детстве. А когда они перестают действовать, мы чувствуем себя еще хуже. На нас начинает давить чувство вины. Мы должны усвоить, что чувствовать и принимать свои чувства — безопасно для нас. Чувства проходят, они не вечны.

Объедаться — это еще один способ спрятать свою любовь. Мы не можем обойтись без пищи: она дает нам энергию и помогает творить новые клетки в организме. И хотя мы зачастую знаем основы науки о правильном питании, но продолжаем использовать еду и диеты, чтобы наказать себя и стать толстыми.

Мы стали нацией поклонников консервированной пищи. В последние десятилетия мы сели на «Великую американскую диету», как я ее называю, поглощая огромные количества разнообразных переработанных продуктов. Мы позволили повлиять на свои привычки в еде компаниям, производящим продукты, и их рекламным трюкам. Даже будущим докторам не преподают науку о правильном питании: ее нет в обязательной программе медицинских колледжей. Сейчас традиционная медицина в основном опирается на использование лекарств и хирургическое вмешательство. И если мы действительно хотим научиться правильно питаться, нужно делать это самостоятельно. Отдавать себе отчет в том, что мы едим и как чувствуем себя после этого, — значит проявить любовь к себе.

Если через час после ланча вас начинает клонить в сон, неплохо бы спросить себя: «Что же я ел?» Возможно, вы съели нечто такое, что не идет на пользу вашему организму (по крайней мере, в это время дня). Обратите внимание на то, какая еда придает вам энергии, а какая вызывает расстройство желудка и плохое самочувствие. Можно делать это методом проб и ошибок, а можно посетить хорошего специалиста по правильному питанию, который сможет ответить на некоторые ваши вопросы.

Помните: все мы — разные, и то, что хорошо одному, не обязательно подходит другому. Многим идеально подходит макробиотическая диета. Другим — метод «Питание ради жизни» Харви и Мэрилин Даймонд. Они совершенно различны, но оба метода помогают людям. Каждый человек имеет свои физиологические особенности, так что мы не можем высказаться в пользу лишь одного метода. Вам придется выяснить, какой из них хорош именно для вас.

Подберите для себя комплекс упражнений, который вам нравится, выполнять который — в радость. Выработайте в себе позитивное отношение к этому комплексу. Вы знаете, что нередко человек создает очаги болезней в своем теле в результате негативного опыта взаимоотношений с другими. Повторю снова: нужно простить себя и больше не позволять гневу и обидам внедряться в ваше тело, если вы хотите исправить положение. Сочетание аффирмаций с комплексом упражнений поможет вам изменить негативные представления о своем теле.

В наши дни возникают все новые подходы к оздоровлению. Мы учимся сочетать старинные методы, такие как медицина Аюрвед, с техникой воздействия звуковыми волнами. Я изучала стимулирующее воздействие звука на волны, излучаемые мозгом человека. Оно усиливает способности к обучению и излечению. Последние исследования показали, что человек может излечиться, воздействуя при помощи мозга на структуру ДНК. Думаю, к концу нынешнего столетия будут открыты новые возможности, которые принесут неоценимую пользу большинству людей.

9. Работа с зеркалом. Я часто подчеркиваю важность работы с зеркалом для выявления того, что мешает нам любить себя. Вы можете работать с зеркалом по-разному. Я, например, люблю подходить к зеркалу по утрам, как только проснусь, и говорить: «Я люблю тебя. Что я могу сделать для тебя сегодня, чтобы ты была счастлива?» Прислушайтесь после этих слов к своему внутреннему голосу и следуйте тому, что услышите. Начиная работать с зеркалом, вы можете ничего не услышать в ответ: вы ведь привыкли ругать себя, и внутренний голос не может отозваться мыслью, полной любви.

Если днем с вами случилась какая-то неприятная история, подойдите к зеркалу и скажите: «И все-таки я люблю тебя». События в вашей жизни приходят и уходят, а любовь к себе постоянна, она — самое важное в вашей жизни. Если происходит что-то очень хорошее, подойдите к зеркалу и скажите: «Спасибо». Выразите себе благодарность за то, что сотворили это чудесное событие.

Глядя в зеркало, вы можете совершить акт прощения. Простите себя, простите других. Можете разговаривать с другими людьми, глядя в зеркало, особенно когда боитесь говорить с ними лично. Вы можете выяснять отношения с другими: родителями, детьми, любовниками, докторами, руководителями. Можете говорить все, что побоялись бы произнести в другой ситуации. Помните: в конце нужно попросить у этих людей любви и одобрения, потому что именно этого вы хотите.

Люди, которым очень трудно полюбить себя, обычно не умеют прощать: неспособность простить перекрывает путь любви к себе. Когда мы наконец прощаем и освобождаемся от мрачных мыслей, мы не только сбрасываем с себя тяжелый груз непрощения, но и распахиваем дверь, преграждавшую путь к себе. Люди обычно говорят: «Словно гора свалилась с плеч!» Да, так оно и есть: мы ведь всегда несли на себе эту тяжесть. Доктор Джон Хэррисон утверждает, что прощение человеком себя и своих родителей вместе с освобождением от мучительных воспоминаний прошлого излечивает больше болезней, чем любой антибиотик.

Детям очень трудно, почти невозможно разлюбить своих родителей, но если это происходит, им еще труднее простить их. Не прощая, не отпуская от себя прошлое, мы привязываем себя к нему; погружаясь в прошлое, мы не можем жить в настоящем; если же мы не живем в настоящем, как сможем мы сотворить для себя прекрасное будущее? Все плохое в прошлом множится и переходит в будущее.

Очень полезно произносить аффирмации перед зеркалом, потому что вы узнаете правду о себе. Может случиться, что, произнося аффирмацию, вы тут же услышите негативный ответ типа: «Кого ты хочешь обмануть? Это не может быть правдой. Ты не стоишь этого». Знайте, что получили бесценный подарок. Вы не можете добиться желанных изменений в себе, пока не поймете, что этому препятствует. Только что услышанный вами негативный ответ подобен подарку, потому что в нем — ключ к освобождению. Составьте из него позитивную аффирмацию, например такую: «Теперь я заслуживаю всего самого лучшего. Я позволяю приятным событиям наполнить мою жизнь». Повторяйте новую аффирмацию, пока она не станет органичной частью вашей жизни.

Мне случалось наблюдать, как разительно меняются семьи, если хотя бы один член семьи начинает заниматься аффирмациями. У многих членов моей группы в семьях царит отчужденность. Доходит до того, что родители не разговаривают с детьми. Я предлагаю им повторять такую аффирмацию: «У меня прекрасные, теплые, открытые, полные любви отношения со всеми членами моей семьи, в том числе с матерью». (Выделяется тот член семьи, с которым больше всего проблем.) Я советую им подходить к зеркалу и повторять эту аффирмацию каждый раз, когда возникает мысль о семье или о ком-то из ее членов. Поразительно, но это обычно кончается тем, что через три, шесть или девять месяцев на собраниях группы появляются их родители.

10. И, наконец, **любите себя прямо сейчас,** не ждите, когда станете совершенными. Неудовлетворенность собой — всего лишь привычка. Если вы сможете быть довольны собой сейчас, не откладывая, если сможете любить себя и одобрять себя, то сможете и насладиться добром, когда оно войдет в вашу жизнь. Научившись любить себя, вы сможете полюбить и принять других людей.

Мы не можем изменить других, поэтому лучше оставить их в покое. Мы тратим столько энергии, пытаясь исправить их. Если хотя бы половину ее потратить на себя, мы сможем измениться сами, а когда это произойдет, другие будут по-новому относиться к нам.

Вы не можете научиться жить за другого человека. Каждый должен усвоить свой урок. Все, что можете сделать вы, — это усвоить свой; первый шаг к этому — полюбить себя, чтобы вас не могли отбросить назад люди с деструктивным поведением. Если вам встретился по-настоящему плохой человек, не желающий измениться, вам понадобится вся ваша любовь к себе, чтобы отказаться от общения с ним.

На одной из моих лекций женщина рассказала мне, что ее муж — очень дурной человек и она не хочет, чтобы их двое маленьких детей испытывали его влияние. Я предложила ей произносить аффирмацию, утверждающую, что ее муж — прекрасный человек, на которого можно положиться, который работает над собой, чтобы проявить свои лучшие качества. Я просила говорить в аффирмации то, чего она хотела бы; каждый раз, когда он проявлял свои дурные качества, ей нужно было повторять про себя эту аффирмацию. Но если в их отношениях ничего не изменится, какие бы аффирмации она ни повторяла, это будет говорить само за себя: их отношения нельзя исправить.

В нашей стране растет количество разводов, поэтому, на мой взгляд, многие женщины, прежде чем заводить детей, должны задать себе вопрос: «Готова ли я растить своих детей одна?» Неполные семьи становятся нормой, и обычно именно женщина берет на себя ответственность в одиночку воспитывать детей. Времена меняются, и сейчас браки редко длятся всю жизнь, как раньше, и это следует учитывать.

Как часто мы сохраняем отношения, при которых нас постоянно оскорбляют, позволяем унижать себя. Женщина говорит себе: «Я недостойна любви, так что буду жить, как жила; должно быть, этого я и заслуживаю, да и кому еще я нужна?»

Знаю, что могу показаться примитивной, повторяя вновь и вновь одно и то же, но я действительно верю: скорейший путь к решению любой проблемы — любить себя такими, какие мы есть. Поразительно, как испускаемые нами флюиды любви привлекают к нам любящих людей!

Любовь без всяких условий — вот, на мой взгляд, цель нашего земного существования. Ее достижение начинается с принятия себя и с любви к себе.

Вы пришли в этот мир не для того, чтобы ублажать других и жить так, как хотят они. Свою жизнь можно прожить по-своему, отыскав свой собственный путь. Ваша цель — самовыражение и выражение любви на глубинном уровне. Вы живете, чтобы учиться и развиваться, вбирая и излучая сочувствие и понимание. Когда вы покинете этот мир, вы не возьмете с собой ни автомобиль, ни банковский счет, ни работу, ни отношения с людьми. Единственное, что вы сможете взять, — это способность любить.

Глава 9

ЛЮБИТЕ РЕБЕНКА ВНУТРИ СЕБЯ

Если вы не можете сблизиться с другими людьми, знайте: это происходит оттого, что вы пренебрегаете ребенком внутри себя. Он напуган, ему больно. Помогите ему.

Одна из ключевых проблем, которую нам предстоит исследовать, — исцеление заброшенного ребенка, живущего внутри нас. Слишком долго многие из нас не обращали внимания на это дитя.

Сколько бы вам ни было лет, в вас всегда живет маленький ребенок, нуждающийся в понимании и любви. Если вы женщина, пусть даже очень самостоятельная, внутри вас — маленькая нежная девочка, о которой нужно заботиться; если вы мужчина, пусть даже очень мужественный, внутри вас все равно живет маленький мальчик, жаждущий тепла и любви.

Все пройденные вами возрастные периоды живут в вас, в сознании и памяти. Когда вы были ребенком, вам казалось, что если что-то не ладится, это оттого, что вы — плохой. Дети склонны верить, что если бы они делали все, как нужно, их родители и близкие любили бы их, не наказывали бы и не били.

Поэтому когда реенок хочет чего-то и не получает этого, он говорит себе: «Я плохой. Со мной что-то не так». Потом, подрастая, он отвергает часть себя, некоторые свои черты.

А теперь, на нынешней стадии жизни, нам необходимо приобрести цельность и принять все «части» себя: ту, что делает всякие глупости; ту, что смешно выглядит; ту, что очень пуглива; ту, что так глупа. Словом, каждую частицу себя.

Я думаю, мы нередко отрекаемся от себя в возрасте около пяти лет. Мы принимаем такое решение, потому что считаем себя неполноценными и не хотим больше иметь ничего общего с таким ребенком.

И еще в нас живет родитель. Как правило, он все время ругает ребенка. Если вы вслушаетесь в свой внутренний диалог, вы услышите ворчание, услышите, как один из родителей объясняет вам, что́ вы делаете не так и что́ не так в вас самом.

Как следствие мы начинаем войну с самими собой, мы критикуем себя так же, как критиковали родители: «Ты глупый. Ты делаешь это неправильно. Ты плохой. Опять скривился?!» Это входит в привычку. Повзрослев, большинство людей либо не обращают внимания на живущего внутри ребенка, либо критикуют его так же, как в детстве критиковали их. Эта модель поведения повторяется вновь и вновь.

Однажды я слушала лекцию Джона Брэдшоу, автора ряда прекрасных книг по исцелению ребенка внутри нас. Он сказал, что в каждом из нас как бы прокручиваются записи разговоров родителей с нами продолжительностью в 25000 часов. Сколько часов из них вам говорят, какой вы замечательный, как вы думаете? А сколько часов вам внушают, что вас любят, что вы умный, способный ребенок? Что вы можете добиться всего, что захотите, и станете великим человеком? А сколько часов вы слышите слово «нет» в самых разнообразных вариантах?

Неудивительно, что и мы все время говорим себе «нет» или «должен». Мы повторяем старые записи. Но ведь это только записи, а не

111

объективная реальность и не обязательно правда. Записи можно стереть или переписать.

Каждый раз, говоря, что вам страшно, отдавайте себе отчет в том, что в действительности испуган ребенок внутри вас. Взрослый не боится, но он не поддержал испуганного ребенка. Взрослый и ребенок внутри вас должны научиться общению друг с другом. Говорите обо всем, что делаете. Знаю, это может показаться глупым, но это помогает. Дайте понять ребенку: что бы ни случилось, вы не отвернетесь от него и не убежите; вы всегда будете рядом и будете любить его.

К примеру, если в детстве вас напугала или даже укусила собака, ребенок внутри вас может все еще бояться собак, хотя вы — взрослый, большой, уверенный в себе человек. И вот вы видите на улице маленькую собачонку, а ребенок внутри вас впадает в панику: «Собака! Мне будет больно!» Вот прекрасная возможность для живущего в вас родителя сказать ребенку: «Все в порядке, я уже вырос. Я позабочусь о тебе и не дам собаке укусить тебя. Тебе больше нечего бояться». Начните говорить с ребенком внутри себя как любящий родитель.

Излечитесь от ран прошлого

Я открыла для себя, что, уделяя внимание ребенку внутри себя, вы тем самым помогаете себе залечить раны, нанесенные вам в прошлом. Мы зачастую не осознаем, какие чувства испытывает этот испуганный малыш внутри нас. Если ваше детство прошло под знаком страха и конфликтов, если вы и сейчас продолжаете калечить свою душу, то и с ребенком внутри вас вы обращаетесь так же. А ведь ему негде спрятаться, некуда уйти. Вы должны стать выше своих родителей. Вам необходимо достичь взаимопонимания с этим ребенком. Ему нужно знать, что он дорог вам.

Найдите время прямо сейчас и скажите ребенку внутри себя: «Ты дорог мне. Я люблю тебя. Я действительно тебя люблю». Возможно, вы уже говорили это, обращаясь к взрослому, теперь адресуйте эти слова ребенку. Займитесь визуализацией: представьте, что берете его за руку и несколько дней гуляете с ним в разных местах, где с вами происходит много веселого и радостного.

Вам необходимо установить контакт с этой частицей себя. Что вы хотите услышать от нее? Сядьте, закройте глаза и начните говорить с живущим в вас ребенком. Если вы не общались с ним лет шестьдесят, вам придется попробовать несколько раз, прежде чем ребенок поверит в серьезность ваших намерений. Проявите настойчивость. Повторяйте: «Я хочу говорить с тобой. Я хочу видеть тебя. Я хочу любить тебя». В конце концов вы установите контакт. Вы сможете увидеть ребенка внутри вас, почувствовать его и услышать.

Первая фраза, обращенная к ребенку внутри вас, должна быть просьбой о прощении. Скажите, как вы сожалеете, что все эти годы не говорили с ним, что ругали его. Скажите, что хотите наверстать время, проведенное в отчуждении. Спросите его, как сделать его счастливым. Спросите, что пугает его. Узнайте, чем вы можете помочь и чего он хочет от вас.

Начинайте с простых вопросов — на них вы получите ответы. «Что я могу сделать, чтобы ты был счастлив? Чего бы тебе хотелось сегодня?» Или, например, вы можете сказать ребенку: «Я хочу побегать, а ты?» Он может ответить: «А я хочу на пляж». Общение началось. Будьте последовательны. Если вы сумеете уделять хотя бы несколько минут общению с этим маленьким существом, ваша жизнь станет намного лучше.

Как общаться с ребенком внутри себя

Некоторые из вас, наверное, уже пробовали общаться с ребенком внутри себя. Сейчас издано много книг на эту тему, проводится много лекций и семинаров.

Особенно хороша книга Джона Полларда Третьего. Она изобилует описаниями совместных занятий для вас и ребенка внутри вас. Я рекомендую вам эту книгу, если вы серьезно намерены общаться с вашим малышом. Как я уже говорила, сейчас есть много форм помощи в этой сфере. Вы не будете одиноки и беспомощны, вам нужно только попросить о помощи — и вас поддержат.

Позволю себе дать еще один совет: найдите свою детскую фотографию. Вглядитесь в нее внимательно. Видите ли вы на ней несчастного малыша? Или счастливого ребенка? Каким бы он ни оказался, установите с ним контакт. Увидев испуганного ребенка, спросите, чего он боится, сделайте что-нибудь, чтобы он чувствовал себя лучше. Отыщите несколько своих детских фотографий и поговорите с ребенком на каждой из них.

Полезно также разговаривать с ребенком внутри себя, глядя в зеркало. Если в детстве у вас было прозвище, используйте его при общении. Приготовьте носовые платки: они могут понадобиться. Лучше сесть перед зеркалом, потому что стоя́щему человеку легче убежать, если разговор окажется трудным. Не делайте этого. Садитесь и начинайте беседу.

Вы также можете попробовать общаться письменно. Вы откроете для себя много интересного. Возьмите два карандаша или маркера разного цвета. Один держите в той руке, которой обычно пишете, с ее помощью вы будете писать свои вопросы ребенку. Другой рукой позвольте ребенку писать ответы. Это необычайно интересно. Записывая вопрос, взрослый думает, что ответ ему известен. Но когда вы берете карандаш в другую руку, вы часто пишете совсем не то, чего ожидали.

Еще можно порисовать вместе. В детстве вы, наверное, любили рисовать и раскрашивать картинки, пока вам не сказали, что нужно быть аккуратным и следить за четкостью линий. Начните рисовать снова. Рисуйте той рукой, которой обычно не пишете. Зарисуйте свое впечатление от недавнего события. Следите за своими ощущениями. Попросите ребенка внутри себя порисовать той же рукой и посмотрите, что из этого выйдет.

Если вы участвуете в собраниях небольшой группы поддержки, вы можете порисовать все вместе. Позвольте вашим внутренним детям нарисовать свои картинки, а потом вдумчиво обсудите вместе, что они могут значить. Может статься, это позволит вам заглянуть в глубины своей души.

Играйте с собой-ребенком. Делайте то, что ему нравится. Какие занятия вы больше всего любили в детстве? А когда вам пришлось забросить их? Слишком часто сидящий в нас родитель не позволяет нам дурачиться: это не подобает взрослому. Наверстайте упущенное, играйте и веселитесь. Прыгайте в кучах сухих листьев, обливайтесь из шланга — словом, делайте всякие глупости, которые доставляли вам столько радости в детстве. Понаблюдайте за игрой детей. Они напомнят вам ваши детские игры.

Если вы хотите, чтобы жизнь ваша стала веселее, обратитесь за помощью к своему внутреннему ребенку. Обещаю: ваша жизнь наполнится радостью.

Были ли вы желанным ребенком? Ваши родители искренне радовались вашему появлению на свет? Может быть, они хотели ребенка другого пола? *Чувствовали* ли вы постоянно, что вас любят? Праздновали ли ваше рождение? Каковы бы ни были ответы на эти вопросы, приветствуйте себя-ребенка сейчас. Устройте праздник. Скажите малышу все прекрасные слова, которыми встречают ребенка, пришедшего в этот мир.

Хотелось ли вам в детстве услышать от родителей сокровенные слова, которые они никогда не произносили? Что ж, теперь скажите их ребенку внутри себя. Повторяйте эти слова каждый день, глядя в зеркало. Каждый день в течение месяца — и вы увидите, какие произойдут изменения.

Если ваши родители пьянствовали, жестоко обращались с вами, можете прибегнуть к медитации, визуализируя их трезвыми и добрыми. Дайте себе-ребенку то, что ему нужно, и чего он, возможно, так долго был лишен. Визуализируйте картины жизни, которую желали бы для этого малыша. Когда он почувствует себя счастливым и защищенным, он сможет доверять вам. Спросите его: «Что мне нужно сделать, чтобы ты мог довериться мне?» И вновь вас поразят некоторые ответы.

Если ваши родители совсем не любили вас и вам невыносимо представлять себя с ними, найдите фотографии мужчины и женщины, которые олицетворяют для вас любящих родителей. Поставьте их рядом со своей детской фотографией. Вообразите их рядом с собой, создайте в своем воображении счастливое детство с ними, если иначе не получается.

То, во что вы верили ребенком, до сих пор остается в нем. Если родители растили вас в строгости и вы очень требовательны к себе и необщительны, значит, ребенок внутри вас, вероятно, по-прежнему следует правилам, внушенным родителями. И если вы корите себя за любую ошибку, вам-ребенку бывает страшно просыпаться по утрам. «За что меня будут ругать сегодня?» — думает он.

То, что причинили нам родители, сознательно или неосознанно, — в прошлом. Теперь мы сами родители и можем действовать сознательно. Если вы не желаете проявить любовь к себе-ребенку, значит, вы упорствуете в своих старых обидах. Это всегда означает, что вы не простили кого-то. Постарайтесь понять, кто это (может быть, вы сами?), и избавиться от обиды, какова бы она ни была.

Вы не можете обвинять своих родителей в недостатке внимания к вам, если поступаете сейчас так же с ребенком внутри вас. Они действовали в рамках своих представлений, свойственных тому времени. А мы живем сейчас и знаем, что можем сделать для ребенка, живущего в каждом из нас.

Всем, у кого есть домашние животные, знакома радость встречи с ними, когда вы возвращаетесь домой. Животному безразлично, во что вы одеты, молоды вы или стары и сколько денег заработали сегодня. Для него важно только то, что вы — рядом. Оно любит вас без всяких условий. Относитесь так же к себе. Радуйтесь, что живете на нашей Земле. С собой вам предстоит прожить всю жизнь. И помните: если вы не хотите полюбить ребенка внутри себя, другим людям трудно полюбить вас. Примите все в себе с открытым сердцем и без всяких условий.

* * *

На мой взгляд, часто бывает очень полезно медитировать, чтобы дать себе-ребенку чувство защищенности. Поскольку я была жертвой инцеста, я придумала волшебную историю для девочки внутри себя.

В этой сказке у нее была крестная мать, волшебница, как в фильме «Волшебник страны Оз». Она очень нравилась девочке. Когда меня не было с ней, рядом была волшебница-крестная, и девочке ничто не угрожало. Еще я представляла, что она живет в роскошных апартаментах на верхних этажах небоскреба, где есть швейцар и две огромные собаки, и она знает: никто никогда больше не причинит ей боли. Я, взрослая, могу помочь ей забыть страшное прошлое, только если она будет чувствовать себя в полной безопасности.

Как-то раз, недавно, я совсем расклеилась и проплакала два часа. Я поняла причину: маленькая девочка во мне вдруг почувствовала боль и незащищенность. Мне нужно было сказать ей, что ее никто не винит, она просто вспомнила страшное прошлое. Я быстро сосредоточилась и произнесла несколько аффирмаций, затем перешла к медитации. Я знала: есть великая Сила, которая с любовью поддержит меня. После этого малышка почувствовала себя лучше.

Я верю в чудодейственную силу игрушечных мишек. Они ведь частенько были вашими лучшими друзьями в детстве. Вы доверяли мишке свои секреты, и он всегда хранил их. И всегда был рядом. Достаньте из шкафа своего мишку и позвольте себе-ребенку снова быть с ним.

Мне кажется, было бы чудесно класть мишек в больничные постели. Если ребенок внутри нас проснется среди ночи, одинокий и испуганный, он сможет обнять мишку.

Вы — многогранны

Дружба и брак — это прекрасно, но они не вечны. Непреходяща только связь с самим собой. Полюбите семью внутри себя: ребенка, юношу, взрослого.

Помните: в вас живет и подросток. Приветствуйте его. Обращайтесь с ним подобно тому, как вы обращаетесь с собой-ребенком. Вспомните свои юношеские проблемы. Задайте подростку те же вопросы, что и ребенку. Помогите ему пройти через сложный период полового созревания и последующий. Наполните его время положительными эмоциями. Научитесь любить себя-подростка как себя-ребенка.

Мы не можем по-настоящему любить и принимать друг друга, пока не полюбим и не признаем живущего в нас ребенка. Сколько лет этому потерянному малышу: три, четыре, пять? Обычно не больше пяти, потому что в этом возрасте ребенок, как правило, уходит в себя, становится скрытным, чтобы выжить.

Возьмите этого ребенка за руку, полюбите его. Сотворите прекрасную жизнь для себя и своего малыша. Скажите себе: «Я обязательно полюблю ребенка внутри себя. Обязательно». И вас поддержит Вселенная. Вам откроется, как излечить себя и ребенка. Если мы хотим излечиться, то должны захотеть прислушаться к своим чувствам, увидеть их изнанку. Это необходимо для исцеления. И помните: Высшая Сила в нас всегда поддержит наши усилия.

Каково бы ни было ваше детство, прекрасное или ужасное, теперь за свою жизнь отвечаете вы и только вы. Вы можете сколько угодно обвинять родителей или дурное окружение. Но чего вы этим добьетесь? Только погружения в роль жертвы. А это никогда не поможет вам жить лучшей жизнью, к которой вы стремитесь, как утверждаете.

Любовь — лучшее средство от воспоминаний, известное мне. Любовь стирает даже самые сокровенные и тяжелейшие воспоминания, потому что она — самое глубокое чувство. Если у вас очень яркие воспоминания о прошлом и вы продолжаете твердить «Во всем виноваты они», значит, вы стоите на месте. Скажите, чем вы хотите наполнить свою жизнь: страданием или радостью? Выбор — за вами, и сила — в вас. Посмотрите себе в глаза и полюбите себя и ребенка внутри себя.

Глава 10

ВЗРОСЛЕНИЕ И СТАРЕНИЕ

Старайтесь понять своих родителей — вы ведь ждете того же от них.

Взаимоотношения с родителями

Самым трудным для меня был подростковый период. У меня было столько вопросов, но я не желала слушать людей, полагающих, что они знают ответы на них, особенно взрослых. Мне хотелось узнать все самостоятельно, потому что я не доверяла информации, полученной от взрослых.

Особенно враждебно я относилась к своим родителям, которые плохо обращались со мной. Я не могла понять, как мог мой отчим быть таким жестоким со мной и как могла мать словно не замечать этого. Меня не покидало чувство своей непонятости и никчемности; я была убеждена, что моя семья, да и весь мир враждебны мне.

Занимаясь много лет психологической помощью другим людям, в частности, молодым, я обнаружила, что многие испытывают к своим родителям те же чувства, что и я когда-то. Часто подростки, описывая свои отношения с родителями, говорят: *они держат меня взаперти, осуждают, шпионят за мной и не понимают.*

Конечно, было бы замечательно иметь родителей, проявляющих понимание в любой ситуации, но это почти невероятно. Хотя наши родители — такие же люди, как все, мы нередко обвиняем их в несправедливости, нелогичности и неумении понять наши переживания.

Однажды я консультировала молодого человека, у которого были серьезные проблемы в отношениях с отцом. Ему казалось, что между ними нет ничего общего. Отец обращался к нему только для того, чтобы отпустить какое-нибудь критическое замечание или унизить. Я спросила юношу, знает ли он что-нибудь о взаимоотношениях его отца с дедом. Он не знал: дед умер до его рождения.

Я предложила молодому человеку расспросить отца о его детстве, о том, как оно повлияло на него. Сначала он колебался: он не мог свободно общаться с отцом из страха быть осмеянным и непонятым. Но потом он набрался смелости и решился на разговор.

Во время следующего визита юноша казался более спокойным. Он воскликнул: «Ох, я даже не представлял себе, какое детство было у моего отца!» Оказывается, его дед не разрешал детям обращаться к нему иначе как «сэр» и воспитывал их в соответствии со старым правилом: детей должно быть видно, но не слышно. Если они осмеливались перечить ему, их жестоко секли. Нечего удивляться, что отец юноши стал таким критиканом.

Взрослея, мы решаем для себя, что будем обращаться со своими детьми не так, как обращались с нами. Но нас формирует окружающая обстановка, и рано или поздно мы начинаем вести себя как наши родители.

В случае с этим юношей его отец так же унижал его своими высказываниями, как в детстве его унижал его отец. Возможно, он делал это, не сознавая, что творит: просто он действовал в рамках знакомой модели воспитания.

И все-таки молодой человек стал немного лучше понимать своего отца, и благодаря этому они смогли общаться более свободно. Они по крайней мере начали двигаться в новом направлении, хотя им обоим предстояло еще много потрудиться и проявить терпение, чтобы их отношения стали идеальными.

Я убеждена: для всех нас очень важно найти время и узнать как можно больше о детстве наших родителей. Если они еще живы, можете спросить их: «В какой обстановке вы росли? Любили ли в вашей семье друг друга? Как ваши родители наказывали вас? С какими проблемами вы сталкивались? Нравились ли вашим родителям те, с кем вы встречались? Работали ли вы в юности?»

Узнавая больше о своих родителях, мы начинаем понимать, в рамках каких моделей поведения они развивались и, значит, почему они обращаются с нами так, а не иначе. Научившись сопереживанию, мы увидим своих родителей в новом свете и полюбим их сильнее. Вы сможете вступить в новую фазу отношений, наполненную пониманием, любовью, взаимным уважением и доверием.

Если вы не можете решиться даже на разговор со своими родителями, сначала попробуйте начать его мысленно или перед зеркалом. Представьте, как обращаетесь к ним: «Мне нужно поговорить с вами». Повторяйте это упражнение несколько дней. Это поможет вам обдумать, что и как вы собираетесь обсудить.

И обязательно прибегните к медитации, вступая в беседу с обоими родителями и улаживая старые проблемы. Простите их, простите себя. Скажите, что любите их. Подготовьтесь к тому, чтобы сказать это им в личном общении.

У молодого человека, посещавшего одну из моих групп, было две проблемы: он легко впадал в ярость и не доверял другим людям. В его отношениях с людьми снова и снова возникал лейтмотив недоверия. Когда нам удалось докопаться до корней проблемы, оказалось, что он был необычайно сердит на своего отца за то, что тот был не таким, как ему хотелось бы.

Повторю еще раз: став на путь духовного развития, мы не должны пытаться изменить других людей. Прежде всего нам необходимо избавиться от всех отрицательных чувств по отношению к родителям и простить их за то, что они не такие, как нам хотелось бы. Нам всегда хочется, чтобы другие походили на нас: думали, как мы, одевались, как мы, делали то же, что мы. Но мы ведь все такие разные!

Для того чтобы иметь возможность быть самими собой, мы должны дать ее и другим. Навязывая своим родителям образы, которым они не соответствуют, мы лишаем себя способности любить. Мы судим их, как они судят нас. Если мы хотим достичь взаимопонимания с родителями, нужно прежде всего искоренить свои предвзятые суждения о них.

Подрастая, многие из нас начинают играть с родителями в игру «кто сильнее». У родителей много рычагов воздействия на детей, так что если вы хотите прекратить игру, нужно выйти из нее. Настала пора повзрослеть и определиться в своих желаниях. Можете начать с того, что станете называть родителей по именам. Если вы лет в сорок продолжаете называть их «мамочка» и «папочка», значит, вы задержались в роли маленького ребенка. Откажитесь от модели отношений «родитель — ребенок», перейдите к модели «взрослый — взрослый».

Еще один совет: напишите аффирмации, в которых подробно описываются отношения с матерью или отцом, каких вы хотели бы достичь. Начните проговаривать эти аффирмации. Через какое-то время можете произнести их, адресуя родителям, в их присутствии. Если они по-прежнему пользуются все теми же рычагами воздействия на вас, значит, вы не сумели объяснить им своих настоящих чувств. Но вы имеете право на такую жизнь, которая нужна вам. И вы имеете право быть взрослым. Я знаю, это не просто. Для начала определитесь, что вам нужно, и скажите об этом родителям. Сделайте их своими союзниками. Спросите их: «Как нам добиться этого?»

Помните: с пониманием приходит прощение, а с прощением — любовь. Если в своем духовном развитии мы приходим к любви и прощению родителей, значит, мы вступили на путь достижения гармоничных отношений со всеми окружающими.

Подросткам необходимо чувство собственного достоинства

Меня тревожит увеличение числа самоубийств среди подростков. Кажется, все больше молодых людей не могут взять на себя ответственность за свою жизнь и предпочитают сдаться, вместо того чтобы проявить упорство и испробовать все многообразие возможностей, предлагаемых жизнью. Корни этой проблемы кроются в отношениях со взрослыми, в том, чего они ожидают от подростков в ответ на жизненные вызовы. Не ждем ли мы от них реакции, похожей на нашу? Не забрасываем ли критическими замечаниями?

Возраст с десяти до пятнадцати лет может стать критическим. У детей этого возраста развивается склонность к конформизму, они готовы на все, чтобы окружающие принимали и признавали их. В своей потребности в признании они нередко скрывают свои истинные чувства, потому что боятся, что их не примут и не полюбят такими, каковы они на самом деле.

Давление, которое испытывала я со стороны окружающих и общества в целом, было не так велико, как испытываемое современными молодыми людьми. И все же я не выдержала физического и морального надругательства над собой и в пятнадцать лет бросила школу и ушла из дома, чтобы начать самостоятельную жизнь. Задумайтесь над тем, какому страшному воздействию подвергается современный ребенок: наркотики, физическое насилие, болезни, передающиеся половым путем, давление со стороны подростковых групп и преступных группировок, проблемы в семье. А на глобальном уровне он сталкивается с угрозой ядерной войны, экологическими катастрофами, преступностью и многим другим.

Вы можете обсудить со своими детьми-подростками проблемы влияния на них окружающих, особенно ровесников, его положительные и отрицательные моменты. Давление со стороны окружающих мы испытываем всю жизнь, с рождения до смерти, и нам необходимо научиться справляться с ним, не подчиняясь ему.

Не менее важно для нас разобраться, почему наши дети чересчур стеснительны или почему они вредничают, грустят, не справляются с занятиями в школе, любят все ломать и тому подобное. На детей оказывает сильнейшее воздействие то, как думают и чувствуют у них дома, какие в нем господствуют модели поведения. Ребенок ежедневно делает выбор и принимает решения на основе этих моделей и системы ценностей, выработанной в семье. Если семейная атмосфера лишена любви и доверия, ребенок будет искать их на стороне. Дети нередко чувствуют себя комфортно в различного рода группировках. Отношения в них, как бы уродливы они ни были, заменяют им семейные узы.

Я свято верю, что множества проблем с детьми можно было бы избежать, если бы мы могли приучить их задавать себе один простой вопрос, прежде чем что-то делать. Этот вопрос — «Смогу ли я думать о себе лучше, сделав это?» Мы можем помочь своим детям-подросткам увидеть в любой ситуации возможность выбора. Выбор и ответственность за него делают людей сильными. Они позволяют им действовать по своей воле, не ощущая себя жертвами системы.

Если мы сумеем внушить детям, что они не должны подчиняться обстоятельствам и что, взяв на себя ответственность за свою жизнь, они смогут изменить ее, то скоро станем свидетелями их достижений.

Сохранение доверительных отношений с детьми чрезвычайно важно, особенно когда у них переходный возраст. Как правило, когда ребенок начинает говорить с родителями о том, что ему нравится, а что не нравится, он натыкается на бесконечные «нельзя». «Нельзя так говорить. Нельзя так поступать. Нельзя испытывать такие чувства. Нельзя выражать свои чувства. Нельзя быть таким. Нельзя, нельзя, нельзя...» В конце концов дети перестают делиться со взрослыми своими проблемами, а иногда убегают из дома. Если вы хотите, чтобы ваши дети не забыли вас в старости, побольше общайтесь с ними, пока они не выросли, не отталкивайте их от себя.

Приветствуйте самобытность вашего ребенка. Позвольте подростку выразить себя по-своему, даже если его идеи кажутся вам бредовыми. Не обескураживайте его, не критикуйте его затеи. Видит Бог, у меня в жизни было много причуд, и, конечно, они есть и у вас, и у ваших детей-подростков.

Дети учатся на наших поступках

Дети никогда не поступают так, как мы велим поступать; они поступают, как *поступаем* мы сами. Мы не имеем права говорить «Не кури», «Не пей», «Не принимай наркотики», если сами грешим этим. Мы должны быть примером для своих детей и жить такой жизнью, какой хотели бы для своих детей. Когда родители работают над собой, учась любви к себе, в семье воцаряется поразительная гармония. Дети реагируют на это развитием чувства собственного достоинства, они начинают ценить и уважать себя такими, какие они есть.

Вы можете развивать чувство собственного достоинства у своего ребенка, выполняя с ним вместе следующее задание: напишите список целей, к которым стремитесь. Попросите своих детей написать, какими они представляют себя через десять лет, через год, через три месяца. Какой образ жизни предпочтителен для них? Каких друзей они хотели бы иметь? Попросите их кратко описать их жизненные цели и средства их достижения. Сделайте то же для себя.

Держите написанное под рукой, чтобы не забывать о своих целях. Через три месяца вместе с детьми просмотрите ваши списки. Изменились ли цели? Не позволяйте детям попрекать себя, если они не достигли всего, чего хотели. Всегда можно откорректировать списки. Важно то, что у детей появились позитивные цели, к которым нужно стремиться!

Разъезд и развод

Если родители разъезжаются или разводятся, очень важно, чтобы оба супруга поддержали ребенка. Недопустимо подвергать его стрессу, говоря, что другой родитель — плохой.

Ваш родительский долг — любить себя в любых обстоятельствах, невзирая на страхи и гнев. Дети переймут ваши чувства. Если вы постоянно мучаете себя, мечетесь, то они обязательно воспримут и это. Объясните им, что ваши проблемы и комплексы не имеют отношения к ним, к их значимости в вашей жизни.

Ни в коем случае не позволяйте им думать, что они виноваты в разводе. Почему-то именно так решает большинство детей. Дайте им почувствовать вашу любовь к ним и готовность всегда и во всем поддержать их.

Советую вам каждое утро произносить перед зеркалом аффирмации вместе с детьми. Они помогут вам всем легче пережить тяжелый период. Отпустите от себя болезненные переживания, благословив их с любовью, и пожелайте счастья всем, кто имеет отношение к происшедшему.

В Калифорнии действует замечательная группа, занимающаяся разработкой программы развития чувства собственного достоинства, ответственности личности перед собой и обществом. Она основана в 1987 году, в ее работе принимают участие многие известные общественные деятели. Я участвую в их исследовательской работе и выработке рекомендаций для правительства штата относительно включения в школьные программы дисциплин, развивающих чувство собственного достоинства. Этому примеру следуют и другие штаты.

Я верю: мы стоим на пороге больших перемен в жизни общества, в особенности в области осознания нашей самоценности. Если учителя смогут повысить свою самооценку, они окажут неоценимую помощь нашим детям. Трудности в экономике и общественной жизни, с которыми сталкиваются взрослые, отражаются и на их детях. Любая программа, имеющая отношение к развитию чувства собственного достоинства, должна охватывать учащихся, родителей, учителей, а также различные организации и сферу бизнеса.

Старость может быть благодатной

Большинство людей боятся старости, боятся выглядеть стариками. В нашем восприятии старение — нечто ужасное и отвратительное. А ведь это — естественный жизненный процесс. Но дело в том, что если мы не можем принять ребенка в себе, удовлетвориться своим настоящим и прошлым, то не можем принять и следующий этап своей жизни.

Какова альтернатива старению? Покинуть этот мир раньше срока. В нашей культуре мы создали то, что я называю «культом юности». Любить себя в определенном возрасте — это прекрасно, но почему не любить себя и в более зрелом возрасте? Ведь мы проходим все этапы жизненного пути.

Многие женщины испытывают беспокойство и страх при мысли о старости. В среде гомосексуалистов также уделяется много внимания продлению молодости и красоты, проблеме ее утраты. Стареть — значит покрываться морщинами, седеть, дряхлеть. И все же я хочу стареть. Старость — неотъемлемая часть земного существования, и мы призваны пройти все его этапы.

Я могу понять людей, которые боятся старости из-за сопровождающих ее болезней. Но давайте разграничим эти явления. Давайте откажемся от представления, что болезни — путь к смерти. Лично я не верю в непременность болезни, перед тем как умереть.

Может быть и так: когда приходит наш срок, когда мы выполняем свое земное предназначение, мы задремываем или ложимся спать на ночь и тихо покидаем этот мир. Для этого не нужна смертельная болезнь. И вовсе не обязательно лежать в больнице, опутанным проводами медицинской аппаратуры, и страдать. В нашем распоряжении — огромное количество информации о том, как сохранить здоровье. Не откладывайте в долгий ящик, используйте ее прямо сейчас. Старея, мы хотим сохранять хорошее самочувствие, чтобы продолжать жизнь, наполненную новым волнующим опытом.

Не так давно я прочла одну статью, которая меня заинтриговала. В ней рассказывалось об открытии, сделанном в одной из медицинских школ Сан-Франциско. Суть его в том, что процесс старения человека не запрограммирован в его генах, а определяется некими биологическими часами, локализующимися в мозгу. Этот механизм ведает тем, когда и как мы начинаем стареть. Действие этих часов в значительной степени регулируется одним важнейшим фактором: тем, как мы относимся к процессу старения.

Например, если средний возраст, по вашим представлениям, начинается в тридцать пять лет, то это убеждение «заводит» ваши биологические часы так, что в 35 лет по их сигналу начинаются биологические изменения в организме, ускоряющие процесс старения. Это просто поразительно! В какой-то момент жизни мы непостижимым образом решаем для себя, когда вступим в средний возраст, а когда придет старость. На какое время вы завели свои биологические часы? Я лично вижу себя в возрасте 96 лет человеком, ведущим активный образ жизни. Поэтому для меня очень важно оставаться здоровой.

Помните: то, что мы отдаем, возвращается к нам. Задумайтесь над тем, как вы обращаетесь со старыми людьми: когда постареете вы, с вами будут обращаться так же. Если у вас есть какие-то убеждения, касающиеся жизни пожилых людей, значит, вы формируете представления, на которые ваше подсознание непременно откликнется. Ведь наши убеждения, мысли и представления о жизни и о нас самих всегда оборачиваются правдой для нас.

Хочу напомнить: я верю в то, что дети выбирают себе родителей до своего появления на свет, чтобы усвоить необходимые им уроки. Высшее Я ребенка знает, через что ему необходимо пройти, чтобы развиваться духовно. Поэтому что бы ни происходило между вами и родителями, примите это. Неважно, что они говорят или делают, что говорили или делали когда-то, — вы пришли в этот мир для того, чтобы любить себя.

Став родителями, позвольте и своим детям любить себя. Создайте вокруг них атмосферу безопасности, в которой они могли бы выразить себя позитивно, не причиняя никому вреда. Помните, что они выбрали вас, как и вы — своих родителей. Вам предстоит вместе усвоить важные уроки.

Родителям, любящим себя, гораздо легче научить своих детей любви к себе. Когда мы любим и ценим себя, то можем подать детям пример высокой самооценки. Чем больше мы развиваем любовь к себе, тем скорее наши дети поймут, как это прекрасно — любить себя.

Часть IV

ОБРАЩЕНИЕ К ВНУТРЕННЕЙ МУДРОСТИ

Любые теории бесполезны, если на их основе не строится деятельность, ведущая к позитивным изменениям и, в конечном итоге, к исцелению человека.

Глава 11

ПРИНИМАЯ ПРОЦВЕТАНИЕ

Когда мы напуганы, то хотим все контролировать, тем самым не давая добру излиться на нас. Доверьтесь жизни. Она предлагает все, что нам необходимо.

Сила внутри нас хочет помочь нам в осуществлении наших заветных желаний и дать всего в изобилии. Проблема в том, что мы не открываемся навстречу ее дарам. Когда мы хотим чего-то, она не отвечает: «Я подумаю». Она сразу отзывается и посылает нам то, чего мы хотим. Но нам нужно быть наготове, чтобы принять это. Если мы не готовы, все дары возвращаются на склад неосуществленных желаний.

Немало людей приходят на мои лекции и сидят, скрестив руки на груди. И я думаю: «Как же они могут вобрать в себя что-либо?» Есть прекрасный символический жест — широко раскинуть руки, чтобы дать знать Вселенной: мы готовы принять ее дары. Она заметит это и ответит вам. Многие очень боятся этого жеста. Они думают, что если откроются миру, то он может обойтись с ними жестоко. Возможно, так и будет, пока они не изменят себя изнутри и не перестанут верить, что с ними будет случаться только плохое.

Когда мы произносим слово *«процветание»*, большинство людей сразу начинают думать о деньгах. На самом деле под определение «процветание» подпадает немало других понятий помимо богатства: время, любовь, успех, комфорт, красота, знания, отношения с людьми, здоровье.

Если вы живете в вечной спешке, не успевая переделать все свои дела, значит, вам не хватает времени. Если вы чувствуете, что успех ускользает от вас, значит, вы его не достигнете. Если жизнь кажется вам тяжелой и полной стрессов, значит, вы никогда не будете чувствовать себя комфортно. Если вы думаете, что слишком мало знаете и плоховато соображаете, чтобы понять что к чему, значит, вы никогда не ощутите связи с Вселенской Мудростью. Если в вашей жизни нет любви, если не складываются отношения с людьми, вам будет трудно наполнить любовью свою жизнь.

А красота? Она — повсюду. Проникаетесь ли вы всей красотой нашей планеты или все вам кажется уродливым и грязным? А как у вас со здоровьем? Вы часто болеете? Вы легко простужаетесь? У вас все время что-то болит? И, наконец, о деньгах. Многие говорят мне, что им вечно не хватает денег. А сколько вы позволяете себе иметь? Нет ли у вас ощущения, что ваши доходы кто-то жестко зафиксировал? Кто же?

Все вышеперечисленное не имеет ничего общего с *принятием*. Люди обычно думают: «О, как я хочу получить это, то и многое другое». Однако надо понимать, что, когда речь идет об изобилии и процветании, главное — разрешить себе принять их. Если вы не получаете того, чего хотите, значит, где-то на глубинном уровне вы не разрешаете себе принять это. Если мы проявляем скупость по отношению к жизни, она проявит скупость к нам. Если мы обкрадываем жизнь, она ответит нам тем же.

Быть честным с собой

Честность — слово, которое мы часто используем, не всегда понимая его подлинное значение. На самом деле оно не имеет отношения к морали. И уж тем более быть честным не означает, что вас не хватают и не сажают в тюрьму. Честность — это акт любви к себе.

Главная ценность честности в том, что к нам возвращается то, что мы отдаем. Причинно-следственный закон действует на всех уровнях. Если мы принижаем и осуждаем других, то и нас тоже будут осуждать. Если мы вечно сердимся, то будем натыкаться на сердитый прием везде, куда бы ни пошли. Любовь к себе созвучна любви, которую предлагает нам жизнь.

Представьте, например, что вашу квартиру только что ограбили. Вы, конечно, сразу ощущаете себя жертвой? Вы восклицаете: «Мою квартиру ограбили! Какой негодяй сделал это?!» Когда такое случается, человек чувствует себя прескверно. И тем не менее стоит задуматься, чем вы навлекли на себя это неприятное событие.

Повторю снова: немногие готовы принять мысль о том, что мы в ответе за все, что с нами происходит. Большинство предпочитает думать, что последствия их поступков проявляются в их жизни лишь иногда. Гораздо легче обвинить в своих несчастьях кого-то другого. Но духовный рост невозможен без осознания того, что все, происходящее вне нас, практически ничего не значит — все исходит от нас.

Когда я слышу, что человека ограбили или он что-то потерял, я прежде всего задаю вопрос: «А кого вы обокрали недавно?» И если на лице собеседника появляется смущенное выражение, я понимаю, что попала в точку. Если мы припомним, как взяли что-то чужое, и подумаем, чего лишились вскоре после этого, у нас откроются глаза на связь этих событий.

Если мы берем чужое, мы почти всегда теряем затем нечто гораздо более ценное. Например, мы взяли чьи-то деньги или какую-то вещь, а потеряли друга. Если мы украли у кого-то друга, то можем лишиться работы. Если мы уносим из офиса ручки и марки, то может случиться, что мы опоздаем на поезд или на свидание. И эти потери, как правило, бывают связаны с чем-то важным в нашей жизни.

К сожалению, немало людей крадут всякие мелочи из офисов компаний, магазинов, ресторанов, отелей и подобных мест, оправдывая себя тем, что для крупного бизнеса это небольшая потеря. Это неубедительное оправдание. Причинно-следственный закон действует неизменно для каждого из нас: если мы берем, мы теряем; если мы отдаем, мы приобретаем. Иначе не может быть.

Если в вашей жизни — полоса потерь или все идет не так, как хотелось бы, вам, наверное, нужно проанализировать, что и как вы *берете*. Люди, которым и в голову не приходит воровать, могут спокойно красть у другого человека время или ущемлять его чувство собственного достоинства. Каждый раз, когда мы вынуждаем человека чувствовать себя виноватым, мы обкрадываем его в его самооценке. Для того чтобы быть честным на всех уровнях, требуется тщательный самоанализ и осмысление своих поступков.

Когда мы берем чужое, мы, по существу, даем знать Вселенной, что считаем себя неспособными приобрести необходимое; что мы порочны; что мы хотим, чтобы у нас крали; наконец, что мы ощущаем нехватку нужных вещей. Мы верим: чтобы что-то получить, нужно быть изворотливым и хватать все, что подвернется. И эта вера воздвигает вокруг нас стены, сквозь которые в нашу жизнь не могут проникнуть ни радость, ни изобилие.

Эти негативные убеждения не соответствуют правде бытия. Мы — совершенны и заслуживаем всего самого лучшего. На нашей планете всего в изобилии. Добро всегда приходит к нам по праву сознания. Работая над своим сознанием, мы постоянно совершенствуем свою речь, свои мысли и свои поступки. Как только мы окончательно понимаем, что наши мысли творят нашу жизнь, то начинаем интерпретировать происходящие в ней события как сигналы о том, что еще нам нужно изменить в себе. И мы делаем выбор из любви к себе — быть абсолютно честными (например, никогда не брать чужого, вплоть до последней скрепки). Когда мы честны во всем, нам гораздо легче жить.

Если в магазине в ваш счет не включили стоимость какой-то покупки и вы это обнаружили, сказать об этом работникам магазина — ваш духовный долг. Обратите их внимание на это. Если же вы не знали о случившемся или обнаружили несоответствие, вернувшись домой или спустя пару дней, — это уже другое дело.

Если нечестность привносит в нашу жизнь дисгармонию, то любовь и честность могут дать совершенно другое. И мы сами будем творить в своей жизни добро и прекрасные сюрпризы. Заглядывая внутрь себя с позиций честности и любви без всяких условий, мы узнаем много нового о своей необычайной силе. То, что мы научимся создавать силой своего сознания, имеет гораздо большую ценность, чем все деньги, которые мы могли бы украсть.

Ваш дом — ваше святилище

В вашей жизни есть только то, чего вы, по вашему мнению, заслуживаете. Посмотрите на свою домашнюю обстановку. Вам приятно жить в ней? В вашем доме всегда царят уют и веселье или в нем тесно, грязно и нет порядка? А ваша машина — она нравится вам? Может быть, она — отражение вашей любви к себе?

Как вы относитесь к своей одежде? Не кажется ли вам ужасно нудным вообще уделять внимание одежде? Вас это раздражает? Но ваша одежда отражает то, как вы относитесь к себе. И снова мы приходим все к той же мысли: нужно изменить представления о себе.

Если вы решили подыскать себе новый дом, начните с поисков подходящего места, сказав себе, что оно где-то ждет вас. Я долго искала подходящий дом в Лос-Анджелесе и уже не верила, что найду привлекательное место. Я все время думала: «Это же Лос-Анджелес, в нем должно быть много прекрасных домов и квартир, так где же они?»

Я нашла то, что мне было нужно, только через шесть месяцев, но дом был поистине великолепен! Все это время дом строился, когда же строительство было завершено, я нашла его: он как будто ждал меня. Не означает ли это, что когда чего-то ищешь и не находишь, на это есть веские причины?

Если вы хотите поменять свое нынешнее жилище, потому что оно не нравится вам, поблагодарите его за то, что оно есть, за то, что укрывало вас от непогоды. Если вам трудно высказать ему любовь, начните с той части, которая вам нравится больше всего, например, с уголка вашей спальни. Не говорите: «Ненавижу эту старую берлогу», потому что так вы никогда не найдете жилище, которое полюбите.

Полюбите то, что у вас есть, чтобы подготовить себя к принятию прекрасного нового дома. Если у вас беспорядок, приберитесь как следует, ведь ваш дом — это отражение вас самих.

Отношения, наполненные любовью

Я — большая поклонница доктора Берни Сигала, онколога из штата Коннектикут. Он написал книгу «Любовь, медицина и чудеса». Доктор Сигал многому научился у своих пациентов. Я хочу поделиться с вами его мыслями о любви без всяких условий:

«Немало людей, особенно болеющих раком, вырастают с верой в то, что у них есть какие-то ужасные недостатки, дефекты, которые надо скрывать, чтобы хоть кто-то полюбил их. Им все время кажется, что их никто не любит, что они и не стоят любви и будут обречены на одиночество, если раскроют свою истинную сущность. Такие люди ни за что не поделятся ни с кем своими сокровенными чувствами. Ощущая внутри пустоту, они рассматривают любые личные и деловые отношения как средство заполнения этой смутно осознаваемой пустоты. Они согласны любить, только получая что-то в награду. А это ведет к еще более глубокому чувству опустошенности. Это — порочный круг».

Когда я выступаю с лекцией и даю возможность слушателям задавать вопросы, то один из них я всегда знаю заранее: «Как строить длительные, прочные отношения с людьми?»

Любые отношения с людьми важны для нас, поскольку в них отражается то, что мы думаем о себе. Если вы беспощадны к себе, если постоянно обвиняете себя во всем плохом в своей жизни или всегда считаете себя жертвой обстоятельств, — значит, вы бессознательно будете привлекать к себе людей, отношения с которыми только укрепят эти убеждения.

Как-то одна женщина рассказала мне, что у нее роман с человеком, который проявляет бесконечную любовь и заботу по отношению к ней. И все же ей постоянно хотелось проверить его чувства. Я спросила ее: «Зачем же подвергать сомнению его любовь?» На это она ответила, что чувствует себя недостойной его любви, потому что сама не слишком любит себя. Я посоветовала ей три раза в день становиться перед зеркалом, раскинув руки, и повторять: «Я хочу, чтобы любовь вошла в меня. Это ничем не угрожает мне». Затем ей следовало посмотреть себе в глаза и сказать: «Я заслуживаю любви. И я хочу ее, даже если не стою ее».

Как часто мы отказываемся от чего-то хорошего в жизни, потому что не верим, что это возможно. Например, вы хотите вступить в брак или завязать прочные, длительные отношения. Человек, с которым вы сейчас встречаетесь, обладает четырьмя главными качествами из тех, которые вы желали бы видеть в своем партнере. Вы чувствуете, что близки к цели. И тут вам приходит в голову, что какое-то качество в нем недостаточно развито или что в ваш список требований нужно кое-что добавить. Может статься, вы переберете добрую дюжину кандидатов, прежде чем остановитесь на ком-то, и зависит это только от того, насколько вы сами, по вашему мнению, заслуживаете любви.

Напротив, если вы верите, что Высшая Сила окружает вас истинно любящими людьми, что каждый ваш знакомый приносит в вашу жизнь только добро, то именно такой тип отношений с людьми и будет царить в вашей жизни.

Отношения зависимости

Для многих из нас отношения с людьми — главное в жизни. Возможно, вы из тех, кто всю жизнь ищет любви. Но пока вы не осознаете, почему так хотите любви, гнаться за ней — бесполезно. Мы часто думаем: «О, если бы меня кто-нибудь полюбил, насколько лучше была бы моя жизнь!» Но такие мысли ничего не дадут вам.

Я рекомендую вам написать список своих требований к межличностным отношениям, например: взаимное доверие, юмор, открытость и тому подобное. Внимательно изучите свой список. Может быть, этим требованиям невозможно соответствовать? А какие из них вы сами можете выполнить?

Между *потребностью любить и жаждой любви* — громадная разница. Если в вас живет *жажда любви,* значит, вам не хватает любви и одобрения самого важного для вас человека — вас. И вы вступаете в отношения зависимости, которые ничего не дают ни одному из партнеров.

Когда мы пытаемся реализоваться через другого, мы зависим от него. Когда надеемся, что кто-то другой позаботится о нас, чтобы не делать этого самим, мы снова зависим от него. Многие из тех, кто вырос в неблагополучных семьях, усвоили привычку к зависимости из образа жизни своих домашних. Я сама долгие годы верила, что у меня полно недостатков, и везде искала одобрения и любви.

Если вы всегда пытаетесь диктовать свою волю другому человеку, то, возможно, вы пытаетесь манипулировать своими отношениями с ним. Напротив, если вы стараетесь изменить внутренние модели своего поведения, значит, все у вас будет хорошо.

Встаньте перед зеркалом, постарайтесь припомнить все негативные убеждения, которые в детстве влияли на ваши отношения с людьми. Подумайте, а не воспроизводите ли вы и сейчас эти убеждения? Теперь вспомните позитивные убеждения детства. Они имеют такую же значимость для вас, как и негативные?

Заявите себе, что негативные убеждения вам больше не нужны и замените их новыми позитивными аффирмациями. Можете записать их на листе бумаги и повесить так, чтобы постоянно видеть. И будьте терпеливы к себе. Упорно внедряйте в себя новые убеждения: им нужно время, чтобы преодолеть старые, так долго жившие в вас. Я сама много раз сползала к старым моделям, пока не укоренились новые.

Помните: когда вы сможете сами реализовать себя, вы перестанете так *нуждаться* в других, так *зависеть* от них. Все начинается с любви к себе. Если вы по-настоящему любите себя, вы становитесь спокойным, цельным человеком, на которого можно положиться. И у вас устанавливаются прекрасные отношения в семье и на работе. Вы обнаружите, что по-новому реагируете на различные ситуации и окружающих вас людей. То, что казалось таким важным прежде, теряет свою значимость. Новые знакомые появляются в вашей жизни, а некоторые из прежних уходят. Вначале это может пугать, но в то же время волновать своей прекрасной новизной.

Осознав, чего вы хотите получить от общения, старайтесь больше бывать на людях. Никто ведь не появится внезапно у ваших дверей. Хорошо знакомиться с людьми в группах поддержки или на вечерних курсах. Там вы найдете единомышленников, людей, которым не чужды ваши интересы. Поразительно, как быстро можно приобрести там новых друзей. Сейчас такие группы распространены во всем мире. Вам нужно найти их. Контакты с людьми, которых волнует то же, что и вас, окажут вам неоценимую помощь. Советую вам произносить следующую аффирмацию: «Я открываюсь прекрасным новым явлениям в моей жизни, я готов принять их». Это лучше, чем сказать: «Я ищу нового любовника». Будьте открыты, будьте готовы принимать — и Вселенная отзовется и одарит вас.

Вы откроете для себя новый закон: чем больше вы любите себя, тем выше ваше уважение к себе. Любые изменения, которые вы сочтете необходимыми для себя, пройдут легче, когда вы будете уверены, что они пойдут вам на пользу. Любовь никогда не живет вне вас — она всегда внутри. Чем больше вы любите, тем больше заслуживаете любви.

Что вы думаете о деньгах

Страх лишиться средств к существованию обычно коренится в раннем детстве. Женщина, посещавшая один из моих семинаров, рассказывала, как ее богатый отец вечно боялся разориться. Он передал ей свой страх лишиться денег, и она росла, боясь, что о ней некому будет позаботиться. Ее отец держал в страхе всю семью и манипулировал ее членами с помощью чувства вины. Она никогда не могла легко относиться к деньгам, хотя всю жизнь имела их более чем достаточно. Ее урок в этой ситуации заключался в том, что ей следовало освободиться от неуверенности в себе, от сознания, что она не сможет сама позаботиться о себе, и утвердиться в мысли, что она сможет сделать это, даже не имея состояния.

У многих из нас родители росли в эпоху Великой депрессии, и мы в детстве восприняли их убеждения, выраженные фразами: «Мы можем погибнуть с голоду», «Возможно, мы никогда не найдем работы» или «Мы можем лишиться нашего дома, нашей машины и вообще всего».

Немногие дети скажут: «Да ну, какая чушь!» Большинство детей принимает все это за чистую монету и думает, что так оно и есть.

Напишите на листе бумаги перечень убеждений своих родителей относительно денег. Спросите себя, хотите ли вы сейчас разделять эти убеждения. Без сомнения, вам захочется шагнуть за рамки страхов ваших родителей, потому что у вас другая жизнь. Так перестаньте повторять их мысли. Начните менять свои представления. При первой же возможности начинайте творить новые сообщения для своего подсознания. Можете утверждать, что иметь много денег — хорошо и что вы сможете распорядиться ими с умом.

Совершенно нормально и естественно иметь то много денег, то совсем мало. Если мы доверяем Внутренней Силе, зная, что она всегда и во всем позаботится о нас, мы с легкостью переживем периоды безденежья. Мы ведь знаем: впереди нас ждет изобилие.

Деньги не решают всех жизненных проблем, но тем не менее многие думают, что их жизнь была бы прекрасной, если бы у них было много денег. Это не так, поверьте мне. Немало богатейших людей мира не могут обрести счастье.

Будьте благодарны за то, что имеете

Один мой знакомый рассказывал мне о чувстве вины, которое он испытывал оттого, что не мог как следует отблагодарить своих друзей за доброту и помощь, оказанную ему в трудные времена. Я ответила, что бывают периоды в жизни, когда Вселенная дает нам все, в чем мы нуждаемся, а мы не можем ничего дать в ответ.

Так будьте благодарны Вселенной за то, что она откликается на ваши нужды. Придет время, и вы поможете кому-то другому, не обязательно деньгами, а, возможно, пониманием, сочувствием и готовностью уделить ему свое время. Все это может быть гораздо важнее денег, хотя мы не всегда осознаем это.

Я вспоминаю многих людей, которые оказали мне в молодости неоценимую помощь. Тогда я ничем не могла отблагодарить их. Прошли годы — и вот я обрела счастливую возможность помогать другим. Мы слишком часто думаем, что должны как бы обмениваться ценностями и отвечать буквально на любую услугу — такой же услугой. Если кто-то пригласил нас на ланч, мы немедленно приглашаем его в ответ; получив подарок, мы сразу бежим в магазин купить что-нибудь тому, кто его преподнес.

Научитесь просто принимать все с благодарностью, ибо Вселенная улавливает готовность принять, а не устраивать обмен. Корни многих наших проблем кроются в неспособности принимать. Мы умеем давать, но нам бывает трудно принять.

Принимая подарок, просто улыбнитесь и поблагодарите. Если вы скажете дарящему, что подарок — не того цвета или размера, уверяю вас, ему не захочется больше ничего вам дарить. Примите подарок, сказав несколько любезных слов, а если он вам действительно не подходит, отдайте его тому, кому он может пригодиться.

Мы должны быть искренне благодарны за то, что имеем, чтобы получить больше. Помните: если вы думаете о том, чего вам не хватает, вам будет не хватать еще большего. Если вы обязаны кому-то, нужно простить себя, а не ругать. Сконцентрируйтесь, произнесите аффирмации, утверждающие, что долг заплачен, визуализируйте это.

Если у наших знакомых проблемы с деньгами, то лучшее, что мы можем сделать для них, — это научить их сотворить деньги в своем сознании, потому что тогда оно всегда будет привлекать к ним деньги. Это поможет им больше, чем если бы вы просто дали им взаймы. Я не говорю, что не нужно никому давать деньги, но не делайте этого из чувства вины. Часто люди говорят: «Но я же должен помогать другим людям». Но вы — тоже человек, и вы достойны процветания. Ваше сознание — лучше любого банковского счета. Если вы сделаете вложения в виде правильных мыслей, вы получите баснословную прибыль.

Всеобщий принцип десятины

Один из способов привлечения денег — отдавать часть их церкви. Издавна повелось отдавать десятую часть дохода в виде церковной десятины. Я предпочитаю называть это *возвратом долга Жизни*. Когда мы делаем это, наши доходы растут. Церковь всегда нуждалась в нашей поддержке. Это основной источник ее доходов. В наши дни «принцип церковной десятины» распространился на любые учреждения, где вы получаете духовную пищу.

Подумайте, какие организации или лица помогли вам улучшить качество вашей жизни. Вот куда надо отдавать «церковную десятину». Если это вас не привлекает, вы можете найти какую-нибудь благотворительную организацию, чья деятельность вам по вкусу, и она употребит ваши деньги для помощи нуждающимся.

Нередко люди говорят: «Я буду заниматься благотворительностью, когда у меня будет больше денег». Это значит, что они никогда не станут делать этого. Если вы намерены «платить десятину», начинайте прямо сейчас. Но если цель ваша — только больше получить взамен, значит, вы ничего не поняли. Нужно отдавать без всякой задней мысли. Я чувствую, что жизнь щедра ко мне, и я с радостью отдаю ей, что могу.

В мире царит изобилие, и оно ждет, чтобы вы воспользовались им. Если бы вы понимали, что к вашим услугам гораздо больше денег, чем вы можете истратить, больше людей, чем любое мыслимое количество знакомых, и больше радостных событий, чем вы можете себе вообразить, — у вас было бы все, что вам нужно.

Обращаясь к Силе внутри вас с просьбой о высшем благе для себя, верьте: вы его получите. Будьте честны с собой и другими. Не обманывайте даже в мелочах: это обернется против вас.

Бесконечный Разум, пронизывающий все в этом мире, говорит вам: «Да!» И когда что-то стучится в вашу жизнь, не отвергайте это, скажите тоже: «Да!» Откройте себя навстречу добру. Скажите всему миру: «Да!» Ваши возможности и ваше благополучие возрастут стократ.

Глава 12

ВЫРАЖАЯ ТВОРЧЕСКОЕ НАЧАЛО

Когда открывается внутреннее зрение, наши горизонты расширяются.

Наша работа есть божественное выражение
нашей сущности

Когда мне задают вопрос о цели моей жизни, я отвечаю, что она — в моей работе. Грустно сознавать, что большинство людей ненавидят свою работу и, что еще хуже, не знают, чем хотели бы заниматься. Найти свое предназначение в жизни, любимую работу — значит проявить любовь к себе.

Работа помогает нам выразить свое творческое начало. Нужно отказаться от старых представлений о том, что вы недостаточно образованны или не годитесь для творческой работы. Позвольте творческой энергии Вселенной струиться сквозь вас, чтобы вы ощутили глубокое удовлетворение. Неважно, чем вы занимаетесь, важно, чтобы это удовлетворяло вас и давало возможность самореализации.

Если вы ненавидите свою работу, вы всегда будете относиться к работе с отвращением, если не измените себя изнутри. Даже сменив работу, вы станете со временем относиться к ней так же: ведь прежние убеждения остались с вами.

Проблема отчасти кроется в том, что люди выражают свои желания в отрицательной форме. Одна женщина просто измучилась, пытаясь сформулировать, чего она хочет, в положительных утверждениях. Она повторяла: «Я не хочу, чтобы это входило в мои обязанности», «Я не хочу, чтобы такое случалось», «Я не хочу, чтобы там ощущалась отрицательная энергия». Вы видите: она ни разу не сказала, чего же она действительно хочет! Нужно ясно выражать свои желания!

Иногда бывает очень трудно просить то, чего мы хотим. Гораздо легче сказать, чего мы не хотим. Попытайтесь выразить в положительной форме, какой вы хотели бы видеть свою работу. Например, так: «Моя работа полностью удовлетворяет меня. Я помогаю людям. Я способен чувствовать их нужды. Я работаю с людьми, которые относятся ко мне с любовью. Мне всегда хорошо». Еще один вариант: «Моя работа позволяет мне свободно выражать мое творческое начало. Я зарабатываю много денег, занимаясь любимым делом». Можете сказать и так: «На работе я всегда счастлив. Я продвигаюсь по служебной лестнице радостно и весело и зарабатываю много денег».

Всегда употребляйте настоящее время. Вы получите то, что утверждаете! Если этого не произойдет, знайте: в вас живут убеждения, не дающие добру войти в вашу жизнь. Составьте для себя список под названием «Мои мысли о работе». Возможно, вас поразит обилие негативных мыслей. Пока вы не избавитесь от них, вы не добьетесь процветания.

Когда вы трудитесь на ненавистной работе, вы не даете выразиться Силе внутри вас. Обдумайте, что для вас наиболее привлекательно в работе и как бы вы чувствовали себя на идеальной работе. Очень важно ясно выразить, чего же вы хотите. Ваше Высшее Я позаботится, чтобы у вас была подходящая работа. Если вы не понимаете, что вам нужно, старайтесь понять. Откройтесь навстречу мудрости, живущей внутри вас.

Учение о Разуме давно подсказало мне, что цель моей работы — выразить Жизнь. Сталкиваясь с очередной проблемой, я каждый раз знала, какие возможности для духовного роста скрыты в ней. И еще я знала: Сила, сотворившая меня, даст мне все для решения этой проблемы. Преодолев первую паническую реакцию, я успокаивала свой разум и углублялась в себя. Я с благодарностью принимала возможность продемонстрировать, как во мне проявляется Сила Божественного Разума.

Один из моих семинаров посещала женщина, которая мечтала стать актрисой. Ее родители и все вокруг уговаривали ее учиться на юриста, оказывая на нее сильное давление. Она начала учебу, но через месяц бросила и решила пойти на курсы актерского мастерства, потому что всегда хотела этого.

Вскоре после этого ей стали сниться сны о том, что она ничего не добьется в жизни. Она впала в депрессию. Она никак не могла избавиться от сомнений и боялась, что совершает величайшую ошибку в жизни, которую никогда не сможет исправить.

Я спросила ее: «Чей голос звучал в снах?» Оказалось, это был голос ее отца и слова, которыми он не раз убеждал ее.

У многих из нас в жизни происходило нечто подобное. Эта женщина хотела быть актрисой, а родители принуждали ее стать юристом. Она пришла в замешательство, не зная, что же делать. Ей нужно было понять, что отец таким образом выражал свою любовь к ней. Если бы она стала юристом, у нее была бы спокойная обеспеченная жизнь. Этого он и хотел. Но она хотела другого.

Она должна была поступить так, как хотела сама, даже если ожидания ее отца не оправдались бы, — ведь это была ее жизнь. Я посоветовала ей садиться перед зеркалом и, глядя в глаза своему отражению, говорить: «Я люблю тебя, и я поддержу тебя, чтобы ты получила то, чего действительно хочешь. Я буду помогать тебе, чем только смогу».

Я предложила ей прислушаться к себе. Ей необходимо было услышать свою внутреннюю мудрость и понять: она не обязана угождать никому, кроме себя. Можно любить отца и при этом реализоваться самой. Она имела право чувствовать свою состоятельность, способность добиться желаемого. Она могла бы сказать отцу: «Я люблю тебя, но я не хочу быть юристом, я хочу быть актрисой» или что-нибудь в этом роде. Это один из вызовов, предлагаемых нам жизнью: сделать то, что нужно нам, даже когда любящие нас люди не согласны с нашим выбором. Не для того мы пришли в этот мир, чтобы оправдывать ожидания других.

Мы не можем успешно заниматься тем, чем хотелось бы, если живем с твердой верой, что не заслуживаем ничего хорошего. Если другие люди уверяют вас в вашей неспособности иметь желаемое, а вы соглашаетесь, то ребенок внутри вас больше не верит в то, что заслуживает хорошего в жизни. Значит, мы возвращаемся к необходимости каждый день учиться любви к себе.

Повторю еще раз: обязательно начните с перечня ваших представлений о работе, успехе и неудаче. Внимательно изучите все негативные пункты, потому что именно они не дают вам преуспеть. Возможно, многие из них утверждают, что вы недостойны успеха и ваши провалы закономерны. Превратите каждое негативное утверждение в позитивное. Формируйте в своем сознании образ такой работы, которая удовлетворяла бы вас.

Ваши доходы могут формироваться из многих источников

Сколько людей верят в то, что нужно напряженно работать, чтобы заработать на достойную жизнь? В нашей стране этика работы подразумевает, что нужно упорно трудиться, чтобы считаться хорошим человеком, и что каждая работа тяжела.

Я сделала открытие: если вы любите свою работу, вы почти наверняка будете много зарабатывать. Продолжая повторять: «Ненавижу эту работу», вы ничего не добьетесь. Вкладывайте любовь и положительные эмоции во все, что делаете. Если вы оказались в трудной ситуации, загляните в глубь себя и поймите, какой урок вы должны извлечь из нее.

Одна молодая женщина рассказала мне любопытную историю. Система ее взглядов допускала, чтобы деньги поступали к ней из самых неожиданных источников. Друзья осуждали ее уникальную способность богатеть и настаивали на том, чтобы она напряженно трудилась. Они знали, что она вовсе не напрягалась. В результате она стала бояться, что если не будет трудиться в поте лица, то не будет достойна своих денег.

На самом деле она была на верном пути. И ей нужно было благодарить себя, а не пугаться. Она понимала, как открыть источники доходов, и в этой сфере все давалось ей без труда. Ее друзья, напряженно трудившиеся, но не зарабатывавшие столько денег, сколько она, просто хотели низвести ее до своего уровня.

Я не раз протягивала руку помощи людям. Если они принимают помощь, чтобы научиться чему-то новому и развиваться, это чудесно. Если же они пытаются, ухватившись за мою руку, стащить меня вниз, я без сожаления расстаюсь с ними. Я лучше поработаю с теми, кто действительно хочет подняться из грязи.

Если ваша жизнь полна любви и радости, не слушайте несчастных одиноких людей, когда они учат вас жить. Если вы живете в богатстве и изобилии, не слушайте бедняков, поучающих вас, сидя по уши в долгах. Чаще всего нас учат жизни наши родители. Они жили тяжелой, скудной жизнью, так чему же они могут научить нас?!

Многих людей беспокоит состояние экономики. С ним они связывают возможность потерять деньги или, наоборот, много заработать. Но экономике свойственны спады и подъемы. Так что для нас не имеет значения ни ее нынешнее состояние, ни усилия других людей по ее изменению. Мы не будем стоять на месте из-за капризов экономики. Для нас не важно, что происходит во внешнем мире, важно только то, что вы думаете о себе.

Если вы боитесь стать бездомным, спросите себя: «Почему мне так неуютно внутри себя? В чем причина чувства заброшенности? Что мне нужно сделать, чтобы обрести душевный покой?» Все внешние проявления отражают наши внутренние убеждения.

Я всегда произношу аффирмацию «Мои доходы постоянно растут». Еще мне нравится аффирмация «Мои доходы превышают доходы моих родителей». У вас есть полное право зарабатывать больше родителей. Это даже необходимо — ведь сейчас все стоит дороже. Эта аффирмация часто встречает сопротивление у женщин. Нередко они ощущают дискомфорт при мысли о том, что зарабатывают больше своих отцов. Они должны преодолеть в себе чувство «недостойности» и принять достаток: они имеют право жить в богатстве.

Работа дает вам только один источник доходов из множества возможных. Но цель любимой работы — не деньги. Они могут прийти к вам самыми разными способами. Принимайте их с радостью как дар Вселенной, откуда бы они ни взялись.

Одна молодая женщина жаловалась мне на родственников мужа, которые задарили ее малыша прекрасными вещами, в то время как она сама ничего не могла позволить себе купить. Я напомнила ей, что Вселенная хочет, чтобы у ребенка всего было достаточно, и она обеспечивает его всем с помощью родственников. Значит, она должна благодарить Вселенную и оценить способ, который она нашла для одаривания ребенка.

Взаимоотношения на работе

Наши отношения на работе подобны семейным отношениям. Они могут быть и хорошими, и плохими.

Одна женщина как-то спросила меня: «Как мне вести себя со своими коллегами, мыслящими исключительно в негативном плане, если я сама — позитивная личность?»

Прежде всего я обратила внимание на парадоксальность ситуации: она, считавшая себя позитивной личностью, была окружена на работе людьми, мыслящими негативно. Я задала себе вопрос, не притягивает ли она таких людей, потому что в ней самой живет негативизм, хотя она этого не осознает.

Я посоветовала ей поверить, что на работе у нее всегда царит радостная и спокойная обстановка, а коллеги уважают и ценят друг друга и ценят жизнь во всех ее проявлениях. Вместо того чтобы жаловаться на окружающих, она могла бы утверждать в аффирмациях, что работает в идеальных условиях.

Приняв эту философию, она помогла бы своим коллегам проявить их лучшие качества, потому что они отозвались бы на происшедшие в ней изменения. А возможно, она поменяла бы работу на такую, где условия совпадали бы с провозглашенными в ее аффирмации.

Один мужчина рассказывал мне, как хорошо он чувствовал себя на новой работе: у него развилась поразительная интуиция, все получалось, все шло прекрасно. И вдруг он стал постоянно ошибаться. Я спросила его, чего он боится. Возможно, какой-то детский страх всплыл на поверхность? Может, кто-то на работе раздражает его или он пытается с кем-то свести счеты? Не напоминает ли этот человек кого-то из его родителей? Случалось ли такое на его прежней работе? Мне казалось, что его многочисленные ошибки как-то связаны с прежней системой убеждений. И он понял, что дело было в старой семейной привычке высмеивать его за любую ошибку. Я посоветовала ему простить членов его семьи и утверждать, что на работе у него — прекрасные, гармоничные отношения, все уважают его и высоко ценят его труд.

Не позволяйте себе плохо думать о своих сослуживцах. В каждом есть хорошие черты, откройте их для себя, отзовитесь на них и уважайте стремление коллег жить в мире. Сосредоточьтесь на положительных качествах, и они проявятся полнее. Не обращайте внимания, если коллеги постоянно ворчат. Ваша цель — изменить собственное сознание. И так как ваши сослуживцы отражают что-то негативное в вас самом, значит, как только ваше сознание действительно изменится, вокруг станет гораздо меньше людей, мыслящих негативно. Даже испытывая разочарование, принимайтесь за аффирмации, утверждайте все, чего желали бы на работе. А потом примите это с радостью и благодарностью.

У одной женщины на работе была прекрасная обстановка: она занималась любимым делом и приобретала драгоценный опыт. Но при этом она часто болела и срывала выполнение заданий. Она припомнила, что в детстве все время болела, добиваясь таким образом любви и заботы близких. Повзрослев, она стала воспроизводить эту модель.

Ей необходимо было научиться добиваться любви и привязанности другими способами, позитивными. Если на работе что-то не ладилось, она превращалась в пятилетнюю девочку. Когда же она стала уделять внимание ребенку внутри себя, то сама почувствовала себя в безопасности, осознала и приняла собственную силу.

Соревнование и сравнение — вот что больше всего препятствует развитию творческих способностей. Вы уникальны, и этим отличаетесь от всех прочих людей на земле. Такого человека, как вы, не было с сотворения мира, так с кем же вам сравнивать себя, с кем соревноваться? Сравнение дает вам чувство превосходства или чувство неполноценности, а это — выражение вашего «эго», ограниченного мышления. Когда вы сравниваете себя с кем-то, чтобы оценить себя выше, вы тем самым говорите, что другой хуже вас. Принижая других, вы, должно быть, думаете, что подднялись над ними? На самом деле вы всего лишь сделали себя мишенью для критики. Каждый из нас подвержен этому в той или иной степени, и хорошо, если мы сумеем перешагнуть через это. Обрести истинное знание означает углубиться в себя и направить внутрь свет, чтобы рассеять тьму в самых укромных уголках души.

Хочу еще раз подчеркнуть: все меняется, и то, что когда-то идеально подходило вам, может вовсе не подойти сейчас. Для того чтобы меняться и развиваться, необходимо сконцентрироваться на своем внутреннем мире и стараться понять, что хорошо для вас *здесь* и *сейчас*.

Занимайтесь бизнесом по-новому

Последние несколько лет у меня есть собственное издательство. Я говорила в шутку, что мы просматриваем почту, отвечаем на телефонные звонки, занимаемся текучкой и у нас всегда куча работы. Занимаясь этим изо дня в день, мы развивались, и наш штат увеличился с нескольких человек до более чем двадцати.

Наш бизнес строился на духовных принципах. На наших собраниях мы произносили аффирмации, задавая себе положительные установки. Мы знали, что во многих других компаниях зачастую буквально проклинают конкурентов, но мы не хотели посылать другим отрицательную энергию, зная, что она вернется к нам в двойном размере.

Мы решили: если мы собираемся во всем исповедовать нашу философию, значит, мы откажемся от старых представлений о том, как нужно вести бизнес. Если возникнут проблемы, мы сформулируем в утвердительной форме, какие желательны изменения.

Мы оборудовали у себя «комнату криков», обшитую изнутри звуконепроницаемыми материалами, где сотрудники могли свободно «выпустить пар». Здесь же они могли погружаться в медитации, расслабляться и слушать магнитофонные записи из нашей обширной коллекции. В трудные минуты эта комната становилась «тихой гаванью» для нас.

Помню, одно время у нас постоянно возникали проблемы с компьютерной системой. Каждый день что-нибудь выходило из строя. Поскольку я верю, что машины реагируют на сигналы нашего сознания, я поняла: многие из нас посылают компьютерам отрицательную энергию и мы так и ждем от них различных неполадок. Я ввела в компьютеры такую аффирмацию: «Доброе утро! Как дела? Я хорошо работаю, когда ко мне относятся с любовью. Я люблю вас». Теперь мои сотрудники каждое утро, включив компьютеры, видели этот текст на своих экранах. Поразительно, но мы избавились от проблем с вычислительной техникой.

Иногда мы воспринимаем некоторые события, особенно случившиеся на работе, как «несчастья». На самом деле нужно всегда видеть их в их истинном свете — как уроки, призванные научить нас чему-либо. Я, к примеру, твердо знаю, что у меня всякое «несчастье» оборачивалось хорошим уроком и нередко помогало мне продвинуться в жизни.

Приведу пример. Не так давно моя компания, Хей Хаус, переживала трудные времена. Раньше мы переживали взлеты и падения, как и вся экономика в целом. Когда у нас уменьшился объем продаж, мы сначала не беспокоились и ничего не предпринимали. Но это продолжалось месяц за месяцем, и мы тратили больше, чем зарабатывали. Каждый, кто занимался бизнесом, знает, что такого нельзя допускать. В конце концов стало ясно, что я могу лишиться своего дела, если не приму «решительных мер».

Эти «решительные меры» включали и увольнение большей части моих сотрудников. Можете представить, как трудно мне было сделать это. Я хорошо помню, в каком состоянии я вошла в конференц-зал, чтобы объявить эту новость собравшимся там коллегам. Слезы подступали к горлу, но я знала, что сделать это необходимо. И еще я верила: каким бы трудным ни было это решение, оно пойдет на пользу моим дорогим сотрудникам, и они быстро найдут новую прекрасную работу. И почти все нашли! Некоторые даже открыли собственное дело и добились успеха в бизнесе. В самые тяжелые времена я не переставала верить, что эти обстоятельства обернутся к высшему благу для всех нас.

Разумеется, все вокруг предположили самое худшее. Поползли слухи, что Хей Хаус вот-вот разорится. Слухи распространились не только среди наших знакомых, но и по всей стране! Наши менеджеры по продажам были поражены тем, сколько деловых людей знают не только о существовании нашей компании, но и о ее финансовом положении. Должна признать, что мы несказанно радовались, когда мрачные предсказания не сбылись. Мы потуже затянули пояса и не разорились. Каждый из оставшихся сотрудников был преисполнен решимости исправить положение, и мы сделали это. Но самое главное, мы очень *многому научились*.

Сейчас Хей Хаус процветает. Мои сотрудники обожают свою работу, а я обожаю своих сотрудников. Хотя наша работа усложнилась, у нас нет ощущения, что нам приходится тяжело трудиться. Мы издаем все больше книг и процветаем во всех сферах жизни.

Я верю: все, что с нами случается, в итоге приносит нам пользу, только иногда этот «счастливый финал» трудно разглядеть в тяжелой ситуации. Вспомните о каких-нибудь неприятных событиях в вашей жизни. Может быть, вас уволили с работы или от вас ушел муж (ушла жена)? А теперь попробуйте оценить это событие в масштабе всей жизни. Не случилось ли в результате его много хорошего? Сколько раз мне приходилось слышать: «Да, это поистине было ужасно, но если бы этого не произошло, я бы никогда не встретил такую-то... или не завел бы собственного дела... или не признался бы в своем пристрастии к... или не научился бы любить себя».

Если мы верим, что Божественный Разум организует нашу жизнь с наибольшей пользой для нас, мы получаем возможность наслаждаться всем, что предлагает жизнь: и хорошим, и так называемым плохим. Попробуйте применить этот принцип в своей работе, и вы увидите, как сильно вы изменитесь.

Я советую владельцам и руководителям компаний начать работать в согласии с Божественным Разумом. Очень важно постоянно поддерживать обратную связь со служащими, давать им возможность без опасений выражать свои мысли о работе. Позаботьтесь, чтобы в офисе всегда поддерживались чистота и порядок. Беспорядок на рабочем месте отражает неразбериху в сознании занимающего его человека. Как же можно качественно и своевременно решать сложные задачи, если вокруг царит хаос? Еще я рекомендовала бы сформулировать цель вашей компании, соответствующую философии вашего бизнеса. Мы в Хей Хаус выражаем свою цель так: «Создание мира, в котором радостно любить друг друга». Когда вы позволите Божественному Разуму пронизывать ваш бизнес, то все в нем расцветет согласно божественному плану. Вам откроются потрясающие возможности.

Я вижу, как много изменений происходит сейчас в бизнесе. Придет время, когда компании не смогут выжить, пользуясь старыми методами конкуренции и вытеснения друг друга с рынка. Настанет день, и все мы поймем, что вокруг — изобилие, которого хватит на всех, благословим друг друга и пожелаем процветания. Компании начнут менять приоритеты, становясь прежде всего экспериментальными площадками для выражения творческой энергии своих работников. Их продукция и услуги станут приносить пользу всей планете.

Люди желают получать от своей работы нечто большее, чем заработок. Они хотят приносить пользу миру и реализовать себя. В будущем потребность творить добро на глобальном уровне возобладает над материальными потребностями.

Глава 13

БЕЗГРАНИЧНЫЕ ВОЗМОЖНОСТИ

Каждый из нас связан множеством нитей с Вселенной и всей жизнью в ее целостности. Внутри нас — сила, способная раздвинуть горизонты нашего сознания.

А теперь я хочу пойти вместе с вами еще дальше. Если вы встали на путь духовного совершенствования и уже работаете над собой, означает ли это, что вам больше ничего не нужно делать? Вы действительно собираетесь почить на лаврах? Или вы сознаете, что работа над собой продолжается всю жизнь и, начав однажды, вы никогда не закончите ее? Можно отдохнуть, покорив очередную вершину, но в принципе это работа на всю жизнь. Наверное, вы захотите спросить себя, над чем в своей жизни вам еще нужно поработать, что не устраивает вас в ней. Вы здоровы? Счастливы? Во всем преуспели? Выразили свое творческое начало? Вы чувствуете себя в безопасности?

Ограничения прошлого

Мне очень нравится выражение, которое я впервые услышала от своего нью-йоркского учителя Эрика Пэйса, — «безграничные возможности». Оно всегда служило мне отправной точкой, позволяя моему сознанию выходить далеко за пределы возможного, какими я представляла их в молодости.

В детстве я не понимала, что брошенные мимоходом критические замечания взрослых или друзей часто не соответствовали действительности, а скорее давали выход их раздражению после трудного дня или пережитого разочарования. Я принимала их за чистую монету, и они сковывали меня. Возможно, я и не была неуклюжей, тупой и глупой, но считала себя именно такой.

Большинство людей формируют свои представления о жизни к пяти годам. К ним что-то добавляется в подростковом и юношеском возрасте, но совсем немного. Когда мне приходилось допытываться у моих клиентов, почему они верят в то-то и то-то, большинство из них открывали для себя, обратившись в прошлое, что сформировали свои суждения об этих предметах именно к пяти годам.

Получается, что мы живем в границах сознания пятилетнего ребенка. А оно, в свою очередь, было определено тем, что мы восприняли от родителей. Но даже самые лучшие родители в мире не могут знать всего и живут в рамках ограничений собственного сознания. А мы повторяем их слова и поступки: «Ты этого не можешь сделать», «Это не получится». Но на самом деле ограничения нам не нужны, какими бы важными они ни казались.

Некоторые наши убеждения позитивны и полезны. Они служат нам всю жизнь. Примеры: «Переходя дорогу, посмотри сначала налево, потом направо», «Свежие фрукты и овощи полезны для здоровья». Другие усвоенные нами суждения могут быть полезны в раннем возрасте, но не подходят в более зрелом. К примеру, совет «Не доверяй незнакомым людям» хорош для ребенка, но следование ему в дальнейшем приводит к изоляции и одиночеству. Впрочем, ситуация не безнадежна: всегда можно скорректировать свои убеждения.

Мы втискиваем себя в жесткие рамки, когда говорим: «Я не могу», «Не выйдет», «У меня нет на это денег» или «А что подумают соседи?» Особенно серьезное препятствие выражено в последней фразе. Мы часто думаем: «Что подумают соседи, друзья, сослуживцы или еще кто-нибудь?» Это прекрасное оправдание бездействия: *они* бы так не сделали, *они* этого не одобрят. Но это бессмысленно: общество меняется, и с ним вместе меняется мнение соседей, зачем же оглядываться на него?

Если вам говорят: «Никто никогда так не делал», вы можете ответить: «Ну и что?» Существуют сотни способов что-то сделать, так что выбирайте самый подходящий для вас. Мы сами часто ограничиваем себя абсурдными высказываниями типа «У меня не хватит сил», «Я уже не молод», «Я еще слишком молод», «Я недостаточно высок» или «Это не пристало мужчине (женщине)».

Кстати, часто ли вы произносите последнюю фразу: «Я не могу сделать этого, потому что я мужчина (женщина)»? Но ведь у души нет пола. Я верю: каждый выбирает свой пол до рождения, чтобы усвоить определенный духовный урок. Испытывать комплекс неполноценности из-за своего пола — это не только скверный предлог для оправдания бездеятельности, но и еще один способ отказаться от своей внутренней силы.

Усвоенные нами ограничения часто не позволяют нам выразить себя, используя наши безграничные возможности. Как много людей останавливали себя фразой «У меня нет соответствующего образования». Мы должны понять: образование — это нечто, навязанное группой людей, которые говорят: «Вы не можете делать то-то и то-то, пока не научитесь делать это по-нашему». Мы можем принять это как очередное ограничение, а можем перешагнуть через него. Я много лет принимала это, поскольку не получила высшего образования. Бывало, я говорила себе: «У меня нет образования. Я не умею думать. Я не могу получить хорошую работу. Я ничего не могу делать хорошо».

И вот однажды я поняла: это ограничение гнездится только в моем сознании, оно не имеет ничего общего с реальностью. Откинув искусственные ограничения, позволив себе использовать безграничные возможности, я обнаружила, что умею думать. И еще я обнаружила в себе блестящие способности и талант общения. Я открыла в себе много такого, что казалось немыслимым в рамках ограничений прошлого.

Ограничение внутреннего потенциала

Среди нас есть и такие люди, которые думают, что знают все. Всезнайство опасно тем, что вы не развиваетесь, не растете, не допускаете ничего нового в свою жизнь. Признаете ли вы, что есть Высшая Сила и Высший

Разум, или вы думаете, что они воплотились в вас, в вашем физическом теле? Если вы так думаете, то будете жить в страхе из-за ограниченности своего сознания. Если же вы осознаете, что во Вселенной есть Сила, великая и мудрая, а вы — только частица Ее, тогда вы войдете в царство безграничных возможностей.

Как часто вы действуете в рамках ограничений своего сегодняшнего сознания? Каждый раз, говоря «Я не могу», вы сами зажигаете перед собой красный сигнал светофора. Вы перекрываете путь к собственной внутренней мудрости и блокируете поток энергии духовного знания. Вы хотите выйти за рамки того, во что верите сегодня? Утром вы просыпаетесь с определенным набором понятий и идей. И у вас есть возможность перешагнуть через некоторые из них, чтобы войти в новую реальность с гораздо большими возможностями. Это называется познанием — потому что вы воспринимаете новое. Оно может соответствовать вашим прежним представлениям, а может и превосходить их.

Вы когда-нибудь обращали внимание на то, как вы наводите порядок в своем платяном шкафу? Вы избавляетесь от одежды и лоскутков, которые вам больше не нужны. Вы откладываете в сторону то, что можно отдать кому-то, и выбрасываете вещи, пришедшие в негодность. Потом вы начинаете складывать в шкаф оставшиеся вещи в новом порядке. Теперь легче найти нужную вещь, и в шкафу становится просторнее. Раньше, купив новую вещь, вы были вынуждены втискивать ее между другими. Сейчас, когда наведен порядок, место для новой вещи всегда найдется.

То же самое мы должны делать в своем сознании. Необходимо избавляться от устаревших мыслей и идей, чтобы расчистить место для новых. Там, где правит Бог, все возможно, а ведь он царит в каждом из нас. Если мы упорствуем в сохранении устоявшихся представлений, мы не можем двигаться дальше. Скажите, когда кто-то болен, вы подумаете: «Ох, бедняга, как он страдает!» или, вглядевшись в больного, увидите абсолютную истину бытия и вспомните о здоровье Божественной Силы внутри него? Видите ли вы безграничные возможности и знаете ли, что случаются чудеса?

Один мой знакомый очень настойчиво убеждал меня, что взрослому невозможно измениться. Он жил в пустынной местности, нажил много болезней и хотел продать свое владение. Но он не хотел менять привычный строй мыслей и очень жестко вел себя на переговорах с покупателями. Сделка должна была состояться только на его условиях. Было очевидно, что ему будет крайне трудно продать свое владение, потому что он считал невозможным изменить свой образ мыслей, а именно это ему было необходимо.

Расширяя горизонты

Почему мы не даем себе использовать свои безграничные возможности? Что еще ограничивает нас? Наши страхи — это ограничения. Если вы боитесь чего-то и говорите: «Не могу, у меня ничего не выйдет», чем это обернется? Возвращением страха, повторением пугающей ситуации. Еще один вид ограничения — осуждение. Никто не любит, когда его осуждают, но сами мы нередко делаем это. Осуждая, мы сужаем теснее рамки ограничений. Всякий раз, когда вы ловите себя на осуждении или критическом замечании, каким бы незначительным оно ни было, напомните себе: то, что исходит от нас, возвращается к нам. Возможно, вам захочется перестать ограничивать свои возможности и изменить свой образ мыслей, сделав его поистине прекрасным.

Существует разница между склонностью к суждению и осуждению и высказыванием своего мнения. Многих из нас просят высказать суждение о чем-либо. На самом деле речь идет о мнении. Мнение — это ваше субъективное ощущение по поводу чего-либо, например: «Я предпочел бы не делать этого. Я предпочитаю одеваться в красное, а не в синее». А вот сказать про какую-то женщину, что она напрасно носит синее, — это уже суждение. Нужно различать эти понятия. Помните: критика всегда подразумевает, что кто-то неправ. Если у вас спрашивают ваше мнение, не облекайте его в форму критики или осуждения.

Аналогично, всякий раз, когда вы испытываете чувство вины, вы ограничиваете себя. Если вы причинили боль кому-то, извинитесь и не делайте ему больше зла. Не упорствуйте в своем чувстве вины: оно отрезает вас от всего хорошего в жизни и не имеет никакого отношения к вашей истинной сущности.

Не желая простить кого-то, вы ограничиваете возможности своего духовного развития. Прощение позволяет исправить искажения вашего духовного мира: место гнева занимает понимание, место ненависти — сочувствие.

Посмотрите на свои проблемы как на представившуюся возможность для духовного роста. Когда у вас возникают проблемы, не думайте о них в рамках ограничений, свойственных вашему разуму. Наверное, вы обычно думаете: «Ах, я, бедняга, ну почему это случилось именно со мной?» Вам не всегда дано знать, как обернется та или иная ситуация. Нужно верить своей внутренней Силе: она сильнее и мудрее вас. Нужно произносить аффирмацию, утверждающую, что все хорошо и все происходящее в конечном счете послужит вам на пользу. Решая свои проблемы, необходимо открыться навстречу новым возможностям; если вы сделаете это, то сможете что-то изменить, причем так, как вы даже представить себе не могли.

У каждого в жизни случались ситуации, когда мы говорили: «Я не знаю, как с этим справиться». Казалось, что мы уперлись в каменную стену. Но мы выжили и как-то справились с проблемой. Иногда мы даже не понимаем, как это произошло, но это произошло. Чем больше мы овладеваем искусством действовать в унисон с Единым Разумом, Правдой и Силой внутри нас, тем быстрее мы можем реализовать их чудесные безграничные возможности.

Групповое сознание

Отказ от наших ограниченных представлений и обращение к космическому видению жизни — необычайно важны для нас. Сейчас на нашей планете происходит невиданное ранее ускоренное развитие высшего сознания. Недавно мне попался на глаза любопытный график. На нем были показаны возникновение и развитие различных систем в истории человечества. Промышленный рост затмил этап сельскохозяйственного развития, затем, году в 1950-ом, с развитием коммуникаций и компьютерной техники возобладала информационная фаза.

Рядом с графиком информационного периода — график, отражающий рост уровня сознания, который демонстрирует гораздо более динамичное развитие в сравнении с первым. Вы можете себе представить, что это означает? Я очень много езжу по свету, и куда бы я ни приехала, я вижу людей, стремящихся к знаниям и вовлеченных в учебу. Я была в Австралии, Иерусалиме, Лондоне, Париже, Амстердаме — и везде у меня были встречи с большими группами людей, которые ищут пути к самосовершенствованию и духовному просвещению. Они живо интересуются тем, как работает их сознание, и используют обретенную мудрость, чтобы управлять событиями своей жизни.

Мы стоим на пороге достижения новых вершин духовного развития. Хотя религиозные войны до сих пор происходят, они отступают. Мы приучаемся общаться друг с другом на высших уровнях сознания. Падение Берлинской стены, рождение свободной Европы подтверждает рост сознания людей, потому что свобода — это неотъемлемое право человека, данное ему от рождения. Когда пробуждается сознание каждого человека, это оказывает воздействие и на групповое сознание.

Каждый раз, используя свое сознание в позитивных целях, вы вступаете в контакт с другими людьми, делающими то же самое. И каждый раз, используя его в негативном плане, вы также вступаете в контакт с людьми, поступающими аналогичным образом. Во время любой медитации вы объединяетесь со всеми людьми на Земле, медитирующими в этот миг. Всякий раз, визуализируя для себя нечто положительное, вы делаете это и для других. И всякий раз, визуализируя исцеление своего тела, вы воссоединяетесь с теми, кто занимается тем же.

Наша цель — расширить горизонты нашего мышления и шагнуть за пределы старого опыта в сферу возможного. Наше сознание может буквально творить чудеса в этом мире.

Безграничные возможности позволяют устанавливать связь со всем во Вселенной и за ее пределами. Задумайтесь, с кем связаны вы? Предрассудок — это одна из форм выражения страха. Если вы полны предрассудков, вы объединяетесь в незримое сообщество с такими же людьми. Если же ваше сознание открывается навстречу новому и вы напряженно работаете над развитием в себе любви без всяких условий, значит, вы объединяетесь с теми, чья деятельность отражена активно растущим графиком. Выбирайте: хотите ли вы оставаться на задворках человеческого развития или устремиться ввысь?

В мире часто возникают кризисные ситуации. Как вы думаете, сколько людей направляют свою позитивную энергию в кризисные районы и произносят аффирмации, утверждающие, что все быстро уладится и будет найден выход из ситуации во благо всем ее участникам? Вы должны употребить свое сознание для утверждения гармоничной и полной жизни для всех людей Земли. Какая энергия исходит от вас? Не нужно жалоб и проклятий. Вместо этого произносите аффирмации, утверждающие самый лучший вариант развития событий, какой только можно вообразить. Сделать это вам поможет связь на духовном уровне с Силой внутри вас.

Как далеко вы намерены пойти, расширяя горизонты своего мышления? Собираетесь ли вы пойти дальше своих соседей? Если они — ограниченные люди, заведите себе новых друзей. Есть ли пределы вашему развитию? Вы действительно решились превратить «я не могу» в «я могу»?

Каждый раз, услышав о неизлечимой болезни, знайте: это неправда. Есть Сила, способная излечить все. Для меня слово «неизлечимый» означает только то, что медицина пока просто не нашла способов исцеления этой болезни. Но это не значит, что исцеление невозможно. Это означает: погрузитесь в себя и откройте в себе лекарство.

Мы не обязаны укладываться в статистические данные. Мы — не точки на графике, отражающие чьи-то ограниченные представления. Отказывая себе в дополнительных возможностях, мы лишаем себя надежды. Но, как сказал доктор Пачута из Национальной ассоциации борьбы со спидом, «в мире никогда не было эпидемий со стопроцентной смертностью — никогда».

Любая болезнь на земле, поражавшая множество людей, с кем-то не могла справиться. Погрузившись в мрачные мысли о роке, мы обречены. Для того чтобы найти выход из ситуации, нужно применить позитивный подход. Нужно научиться использовать Силу внутри нас для исцеления.

О других наших способностях

Считается, что мы только на 10 процентов используем возможности своего мозга. Но для чего же нам остальные 90? Думаю, такие психические способности, как телепатия, ясновидение, способность слышать на большом расстоянии — нормальные естественные явления. Мы просто не позволяем себе пользоваться ими. У нас всегда найдутся убедительные объяснения, почему мы не можем этого делать и вообще не верим в это. У маленьких детей часто сильно развиты психические способности. Но, к несчастью, взрослые одергивают их, говоря: «Ты все придумываешь», «Ты веришь во всякую чушь», «Не говори глупостей». Неудивительно, что ребенок утрачивает эти способности.

Я думаю, разум способен на поразительные свершения. Я наверняка знаю, что могла бы переместиться из Нью-Йорка в Лос-Анджелес, не пользуясь самолетом, если бы знала, как дематериализоваться в Нью-Йорке и снова материализоваться в Лос-Анджелесе. Я не знаю пока, как это сделать, но знаю, что это — возможно.

Я думаю, мы способны на поразительные достижения, но нам не дано знать, как раскрыть эти способности, потому что мы можем употребить их во зло, а не во благо. Мы можем причинить вред другим. Нам необходимо подняться на ту ступень развития, где мы действительно будем любить все и вся без всяких условий. Тогда мы сможем начать освоение возможностей остальных 90 процентов своего мозга.

Хождение по раскаленным углям

Многие, наверное, слышали о хождении по углям. Задавая вопрос об этом на своих семинарах, я всегда вижу несколько поднятых рук. Все мы знаем, что ходить по горячим углям невозможно, не так ли? Невозможно, потому что человек сожжет ступни. И тем не менее есть люди, которые делают это. Они — обычные люди, как вы и я. Возможно, они научились этому за один вечер на семинаре по обучению искусству хождения по углям.

Моя подруга Дарби Лонг работает с доктором Карлом Симонтоном, онкологом. Они устраивают недельные семинары для больных раком, во время которых демонстрируют хождение по углям. Дарби много раз ходила по раскаленным углям и даже проводила по ним участников семинара. Подумайте только, как бывают потрясены раковые больные, увидев такое, а иногда и попробовав сделать это сами! Наверное, это переворачивает все их представления о жизни. После этого они по-новому будут представлять себе границы возможного.

Я верю: Энтони Роббинс, молодой человек, первый в нашей стране начавший ходить по углям, пришел в наш мир для великих свершений. Он изучал нейролингвистическое программирование (НЛП): учение, позволяющее воссоздавать в своем мозгу модели поведения других людей на основе наблюдений за ними и благодаря этому воспроизводить то, что могут делать эти люди. НЛП базируется на технике гипноза, предложенной Милтоном Эриксоном, неоднократно зафиксированной и описанной Джоном Гриндером и Ричардом Бэндлером. Узнав о хождении по углям, Тони Роббинс захотел научиться этому искусству и научить других. Один йог сказал ему, что для этого ему потребуются годы учения и медитаций. Но Тони научился за несколько часов с помощью методов НЛП! И он понял, что если он смог сделать это, то и любой другой сможет. Он учил людей ходить по горячим углям не потому, что это может быть занимательным представлением, а для того, чтобы они почувствовали, что могут преодолеть сковывающие их ограничения и страхи.

Все — возможно

Повторяйте за мной: «Я живу в мире безграничных возможностей. У меня все хорошо». Задумайтесь на минуту над этими словами. «Все хорошо». Не что-то одно, не какие-то отдельные моменты, а все. Поверив, что все возможно, вы открываете свой разум навстречу решениям любых жизненных проблем.

Мы обладаем безграничными возможностями. Они всегда доступны нам, каждому в отдельности и группам. Перед нами открывается выбор: либо мы окружаем себя стенами ограничений, либо ломаем их, чувствуя себя при этом в безопасности, и позволяем войти в нашу жизнь добру и благу. Начните непредвзято наблюдать за собой. Обратите внимание на то, что происходит у вас в душе: что вы чувствуете, во что верите, каковы ваши реакции на внешний мир. Просто наблюдайте, не комментируя и не осуждая. Когда вы созреете, вы сможете использовать свои безграничные возможности.

Часть V

РАССТАВАЯСЬ С ПРОШЛЫМ

Наша планета обретает сознание. В ней зарождается само-сознание.

Глава 14

ИЗМЕНЕНИЯ И ПЕРЕХОДЫ В НОВОЕ СОСТОЯНИЕ

Некоторые скорее умрут, чем изменят свой образ жизни.

Когда мы говорим о необходимости изменений, мы обычно подразумеваем других. Другие — это правительство, большой бизнес, шеф или сослуживец, Департамент налогов и сборов, иностранцы, школа, муж, жена, дети и так далее. Словом, все, кроме нас. Мы сами не желаем меняться, но хотим, чтобы все вокруг менялись, чтобы изменялось что-то в нашей жизни. Но на самом деле все изменения в ней должны происходить как следствие изменений нашего внутреннего мира.

Измениться — значит освободиться от чувства одиночества и отторгнутости, от гнева, страха и боли. Меняясь, мы творим для себя жизнь, полную умиротворения и радости, в которой мы можем спокойно наслаждаться тем, что нам дано, и знаем, что все будет хорошо. Мне нравится подход к жизни, выраженный словами: «Жизнь прекрасна, в моем мире все безупречно, и я всегда в пути к еще лучшему будущему». Если я думаю так, то не придаю значения неожиданным поворотам жизни. Я знаю: все будет прекрасно. И это означает, что я могу наслаждаться жизнью в любых обстоятельствах.

Одна женщина, посещавшая мои лекции, много пережила в жизни. Она часто употребляла слово «боль» и спросила меня, нельзя ли заменить его каким-то другим. Я вспомнила, как раздробила себе палец, захлопывая окно. Я знала: мне будет очень скверно, если я поддамся боли. Поэтому я сразу же включила свое сознание: оно подсказало мне, что можно думать о пальце как обретшем гиперчувствительность. Думаю, такой необычный взгляд на случившееся помог мне очень быстро вылечить палец и справиться с ситуацией, которая могла бы обернуться тяжелым переживанием. Иногда можно полностью изменить ситуацию, изменив немного свое представление о ней.

Предлагаю вам подумать об изменении себя как об уборке квартиры. Если вы будете заниматься ею понемногу, в конце концов вы наведете идеальный порядок. Причем какие-то результаты вы видите сразу, еще не закончив уборку полностью. Так и с изменением себя: если вам удастся измениться хоть немного, вы сразу почувствуете себя лучше.

Я была на праздновании Нового года в Церкви Религиозной Науки у преподобного О.К. Смита. Его слова заставили меня задуматься. А сказал он следующее: «Наступил новый год, но все вы должны понять, что он не изменит вас. Он не принесет изменений в вашу жизнь только потому, что он — новый. Они могут наступить лишь тогда, когда вы решитесь углубиться в себя и сознательно менять себя».

И это истинная правда. Люди часто решают начать с нового года новую жизнь, но их решимость быстро испаряется, не подкрепленная внутренней работой над собой. Человек говорит: «Больше я не выкурю ни одной сигареты» или что-нибудь в этом роде. Прежде всего, это решение нужно было выразить не в отрицательном предложении, а в положительном утверждении — установке для подсознания. Следовало сказать: «Я избавился от желания курить, я свободен».

В окружающем нас мире ничего не изменится, пока мы не изменим себя изнутри, поняв необходимость работы над своим сознанием. Но изменить себя изнутри может оказаться совсем легко, потому что единственное, что нужно менять, — это наши мысли.

Выберите время, подумайте и задайте себе несколько вопросов. Что вы можете сделать для себя позитивного, чего не сделали в прошлом году? От чего вам хотелось бы избавиться в новом году из того, за что вы упорно держались в прошлом? Что вам хочется изменить в своей жизни? Вы действительно хотите этого?

Пожелав измениться, вы без труда найдете способы воплощения своего желания — сейчас много информации на эту тему. Поразительно, как Вселенная начинает помогать человеку, решившему изменить себя. Она дает все, в чем вы нуждаетесь. Это может быть книга, кассета, наставник. Даже случайная реплика может наполниться глубоким содержанием для вас.

Иногда перед улучшением ситуация несколько ухудшается. Это нормально: начался процесс изменений. Рвутся старые нити. Плывите по течению, не паникуйте, не думайте, что ничего не получается. Продолжайте повторять аффирмации, внедряя новые убеждения.

Продвигаясь вперед

Разумеется, у вас будет переходный период от момента, когда вы решили измениться, до первых результатов. Вы будете метаться между новым и старым. Вы вновь и вновь будете возвращаться к старым привычкам, а потом устремляться к тому, чего вам хотелось бы достичь. Это нормальный естественный процесс. Люди часто говорят мне: «Ну, ваши идеи мне известны». На это я отвечаю: «А вы применяете их на практике?» Знать, что нужно делать, и делать — это отдельные и очень разные этапы. Вам потребуется немало времени, чтобы бесповоротно изменить свою жизнь, укрепившись в принятии новых идей. Пока этого не произойдет, вам придется проявить недюжинное упорство в своих попытках измениться.

Часто бывает, что человек произносит аффирмации раза три и сдается. Он говорит: «Аффирмации не действуют, и вообще они звучат глупо» или что-нибудь в этом роде. Но для того чтобы почувствовать изменения, нам нужно немало практиковаться: изменения приносит действие. Как я уже говорила, самое важное — то, что вы делаете после того, как произнесете свои аффирмации.

Пока длится переходный период, не забывайте хвалить себя за каждый шажок вперед. Если вы будете корить себя за отклонения, то сделаете процесс изменения мучительным. Используйте все средства, продвигаясь от старого к новому. Дайте понять ребенку внутри вас, что ему ничего не грозит.

* * *

Джералд Ямпольский пишет в своих книгах, что любовь вытесняет страх: в человеке царит либо любовь, либо страх, вместе они не уживаются. Если в сердце нет любви, значит, человек живет в страхе и подвержен тому, что неразрывно связано со страхом: отстраненности от людей, одиночеству, гневу, чувству вины. Нам необходимо заменить страх любовью и сделать любовь своим постоянным союзником.

Меняться можно множеством способов. Что вы делаете каждый день, чтобы у вас было хорошо на душе? Вы ведь не собираетесь достичь этого, обвиняя других и представляя себя жертвой? Так что же вы делаете? Как вы достигаете мира с самим собой и окружающими? Если вы не занимаетесь этим сейчас, готовы ли вы начать? Готовы ли вы работать над обретением внутренней гармонии и мира?

И еще один вопрос вы должны задать себе: «Действительно ли я хочу измениться?» А может, вы предпочтете по-прежнему жаловаться на то, чего у вас нет в жизни? Вам действительно необходимо построить жизнь, несравненно более прекрасную, чем нынешняя? Если вы действительно хотите измениться, проделать для этого всю необходимую работу, — значит, вы сможете изменить жизнь к лучшему. Я не властна над вами и не могу сделать это вместо вас. Сила — внутри вас, помните об этом постоянно.

Помните: поддержание душевного мира в себе объединяет нас с нашими единомышленниками на всей планете, жаждущими мира. Духовность связывает нас, наши души. Чувство духовности в космическом масштабе, которое мы едва начинаем разделять, изменит к лучшему весь мир.

Говоря о духовности, я вовсе не обязательно имею в виду религию. Любая религия диктует нам, кого любить, как выражать эту любовь и кто достоин любви. Я считаю, что все мы достойны любви. Наша духовность напрямую связывает нас с Высшей Силой, и посредники нам не нужны. Учитесь видеть, что духовность может связывать нас по всей планете на глубинном уровне.

Несколько раз в течение дня хорошо бы отвлечься от суеты и задать себе несколько важных вопросов. «С какими людьми я объединяюсь сейчас?» «Что я на самом деле думаю об этой ситуации?» «Что я чувствую? Хочу ли я по-настоящему сделать то, что просят эти люди? Почему я делаю это?» Подумайте над этими вопросами. Привыкайте анализировать свои мысли и чувства. Будьте честны с собой. Откройте для себя свои истинные мысли и убеждения. Не живите на автопилоте, повторяя по привычке: «Я такой и привык поступать именно так». Почему вы так поступаете? Если эти поступки не несут ничего позитивного, постарайтесь понять их причину. Когда вы начали их совершать? Вам известно, что вы должны сделать. Обратитесь к Внутренней мудрости.

Стресс — это тот же страх

Сейчас много говорят о стрессе. Кажется, все испытывают стресс по разным причинам. Слово «стресс» всегда на слуху, и, на мой взгляд, им стали обозначать все что угодно. «У меня стресс», «Это вызывает у меня стресс», «Во всем виноват стресс».

По моему мнению, стресс — это реакция испуга на постоянные перемены в жизни. Это всего лишь предлог для того, чтобы не брать на себя ответственность за свои чувства. Осознав тождественность таких явлений, как стресс и страх, мы сможем приступить к изгнанию из своей жизни потребности в страхе.

Как только вам покажется, что вы испытываете стресс, спросите себя, чего вы боитесь. Спросите: «А не перегрузил ли я себя? Почему я не прибегаю к помощи своей силы?» Постарайтесь понять, какие ваши поступки вызывают этот страх, не дающий воцариться в вас внутренней гармонии и миру. Когда вы спокойны, вы делаете все последовательно, не позволяя обстоятельствам управлять вами. Когда вы впадаете в стрессовое состояние, сделайте что-нибудь, чтобы избавиться от страха и идти по жизни, чувствуя себя в безопасности. И не валите все в кучу, называя словом «стресс». Не наделяйте это словечко громадной силой. Ничто не властно над вами.

Вы всегда в безопасности

Жизнь — это вереница открывающихся и закрывающихся дверей. Мы переходим из комнаты в комнату, приобретая разнообразный жизненный опыт. Многие предпочли бы закрыть двери перед старым негативным опытом, отжившими моделями, ситуациями, из которых нельзя извлечь никакой пользы. Многие начинают открывать двери, ведущие к новому прекрасному опыту.

Я считаю, что мы приходим на нашу планету много-много раз, чтобы усвоить различные уроки. Это похоже на посещение школы. Перед очередной инкарнацией каждый выбирает для себя будущий урок, который поможет его дальнейшему духовному развитию. Выбрав для себя урок, мы выбираем и все обстоятельства и ситуации, которые помогут его усвоить, в том числе родителей, пол, расу, место рождения. Если вы дожили до своего нынешнего возраста и читаете эту книгу, то, поверьте мне, вы сделали правильный выбор.

Идя по жизни, важно повторять себе, что вам нечего бояться. Не нужно бояться перемен. Доверьтесь Высшей Силе внутри вас: она поведет вас и направит на самый верный путь к духовному развитию. Как сказал когда-то Джозеф Кемпбелл, «следуйте к своему блаженству».

Представьте, как вы открываете двери к радости, миру, исцелению, процветанию, любви; двери к пониманию, сочувствию, прощению и свободе; двери к высокой самооценке, чувству собственного достоинства и любви к себе. Вы — бессмертны. Вы будете жить вечно в разных воплощениях. Даже покинув нашу планету, вы не исчезнете. Это будет началом новых приключений.

Вы не можете никого принудить измениться. Вы можете только создать благоприятную психологическую атмосферу, в которой для человека появляется возможность измениться, если он захочет. Но сделать это за другого или преподнести другому в готовом виде — невозможно. Каждый пришел в этот мир, чтобы усвоить свой урок. Если вы начнете вмешиваться в жизнь человека, он не сможет учиться самостоятельно и вынужден будет повторить этот урок, потому что не усвоил тех знаний, в которых нуждался.

Любите своих сестер и братьев. Позвольте им быть самими собой. Помните: в них живет правда, и они всегда могут измениться, если захотят.

Глава 15

МИР, В КОТОРОМ НЕ СТРАШНО ЛЮБИТЬ ДРУГ ДРУГА

Мы можем либо уничтожить нашу планету, либо исцелить ее. Каждый день посылайте ей сгусток своей любящей, исцеляющей энергии. Работа нашего сознания может многое изменить.

Наша планета очень сильно меняется. Мы переходим от старого порядка к новому. Некоторые считают, что это началось в Эпоху Водолея, — по крайней мере, так говорят астрологи. На мой взгляд, астрология, нумерология, хиромантия и другие учения о психических явлениях — всего лишь способы описания жизни. Они описывают жизнь по-разному.

Итак, астрологи говорят, что мы переходим из Эпохи Рыб в Эпоху Водолея. В Эпоху Рыб мы искали спасения в других. В Эпоху Водолея, в которой мы начинаем жить, люди начинают углубляться в себя, понимая, что они способны спасти себя сами.

Разве не прекрасно свободно изменять то, что нам не нравится? В действительности, я не вполне уверена в том, что наша планета меняется и мы становимся все более сознательными и ответственными. Сейчас на поверхность выходит многое из того, что зрело в недрах жизни: серьезные проблемы в семейной жизни, жестокое обращение с детьми, угроза существованию нашей планеты.

Как всегда, мы должны хорошо представлять ситуацию, чтобы изменить ее. Так же, как мы очищаем свое сознание, чтобы измениться, мы должны сделать что-то подобное и для Матери-Земли.

Мы начинаем воспринимать нашу Землю как целое, как живой организм в его единстве. Она дышит. Мы слышим биение ее сердца. Она заботится о своих детях. Она дает нам все, чего только можно пожелать. На ней царит гармония. Проведите день в лесу или еще где-нибудь на природе, понаблюдайте, и вы увидите: все системы на планете действуют безупречно. Она «запрограммирована» на существование в абсолютном равновесии и полной гармонии.

И вот мы, человечество, венец творения, обладающее обширными знаниями, изо всех сил стараемся разрушить планету, нарушая ее равновесие и гармонию. Наша жадность безгранична. Мы считаем себя всезнайками, а на самом деле наше невежество и жадность разрушают живой, дышащий организм, часть которого мы сами. Разрушив Землю, где мы будем жить?

Я хорошо знаю, что, когда начинаешь говорить людям о спасении нашей планеты, они сразу думают о глобальных проблемах современности. Кажется, один человек не в силах ничего изменить в этой ситуации. Но это не так. Если бы каждый делал хоть что-нибудь, это сложилось бы вместе, принеся большую пользу. Возможно, внося свой небольшой вклад, вы не сразу увидите результаты, но, поверьте, их почувствует Мать-Земля.

На собраниях группы поддержки больных спидом мы продаем книги с лотка. Недавно у нас кончились пакеты, в которые мы упаковываем книги, так что я решила сохранять те пакеты, в которых приношу покупки из магазинов. Сначала я подумала: «Ну конечно, мне не удастся собрать столько пакетов к концу недели». Как же я ошиблась! Я насобирала их целую гору! Один из моих сотрудников поступил так же. Потом он сказал, что и представить себе не мог, как много пакетов можно собрать за неделю.

А ведь для Матери-Земли это означает несколько срубленных деревьев. Их срубают, чтобы сделать упаковочные пакеты, попользоваться ими пару часов и выбросить. Если вы не верите мне, попробуйте сами собрать всю упаковку от покупок за неделю.

Теперь я завела себе матерчатую сумку и постоянно пользуюсь ею. Если я забываю взять ее, отправляясь за покупками, я прошу дать мне один большой пакет, в который кладу все, что купила не только в этом магазине, но и в других. Таким образом мне не приходится брать несколько маленьких пакетов, я обхожусь одним. И никто ни разу не покосился на меня при этом. Это кажется разумным.

В Европе долго пользовались матерчатыми сумками. Одному моему приятелю из Англии очень нравилось, приезжая в США, ходить за покупками в супермаркет и приносить оттуда множество бумажных пакетов. Они казались ему очень шикарными и очень американскими. Возможно, эта наша традиция кажется милой, но мы должны мыслить глобально и понимать, во что обходятся такие традиции окружающей среде.

Американцы вообще помешаны на упаковке. Несколько лет назад в Мехико я зашла на рынок, и мне понравились выложенные на прилавки овощи и фрукты без привычного глянца. Они, конечно, выглядели не такими красивыми, как у нас в Штатах, но показались мне абсолютно естественными и полезными для здоровья. А некоторые из моих спутников сочли их ужасно непривлекательными. В другой части рынка мы увидели раскрытые мешки со специями. Они мне тоже понравились: специи в них были таких насыщенных цветов! Мои друзья заявили, что никогда не купили бы специи из открытых мешков, потому что они грязные. Когда я спросила, почему они так считают, мне ответили: «Потому что они не расфасованы в пакетики». Мне оставалось только засмеяться. Неужели они не задумывались над тем, где и как хранятся специи до фасовки? Мы так привыкли к определенному оформлению товаров, что не воспринимаем их без всех этих пакетиков и ленточек.

Давайте будем стремиться разглядеть, чем мы можем способствовать улучшению окружающей среды. Даже если вы всего лишь покупаете матерчатую сумку для покупок или закручиваете кран, когда чистите зубы, — вы вносите свой вклад в это полезное дело.

В моем офисе мы сохраняем все, что можно. Уборщица собирает использованную бумагу и каждую неделю отвозит ее на фабрику по переработке бумаги. Мы используем проштемпелеванные конверты. Мы по возможности используем переработанную бумагу (из вторсырья) для печатания книг, хотя она стоит дороже обычной. Иногда ее трудно найти, но мы всегда просим именно ее, потому что знаем: если мы все время будем просить переработанную бумагу, в конце концов многие типографии станут закупать ее. Это касается всех аспектов сохранения. Создавая спрос на что-то, мы как коллективная сила будем различными способами способствовать исцелению нашей планеты.

Дома у меня есть сад. Я сторонница органических удобрений. У меня есть компостная куча, в которую попадает каждый листок с дерева и каждый ненужный лист салата. Я верю: то, что вышло из земли, должно в нее возвратиться. Некоторые из моих друзей даже собирают для меня ненужную зелень из своих садов и привозят мне для компоста. И этот ненужный хлам обогащает землю и дает ей силы питать растения. Благодаря моему методу мой сад щедро одаривает меня всем необходимым и выглядит прекрасно.

Ешьте питательную пищу

Наша планета может дать нам все необходимое. На ней есть любая нужная еда. Потребляя натуральные продукты, мы гарантируем себе здоровье, потому что так задумано природой. Но мы, большие «умники», изобрели всякую искусственную еду и еще удивляемся, почему здоровье людей ухудшается. Многие лицемерно приветствуют диеты и рассуждают об их пользе, поглощая сладости. Два поколения назад, когда появились первые полуфабрикаты, мы восклицали: «Ах, как это прекрасно!» Но потом они заполонили все, и в следующем поколении в нашей стране появились люди, которым не знаком вкус настоящей еды. Вся еда упаковывается в жестянки, подвергается тепловой и химической обработке, замораживается и, наконец, готовится в микроволновой печи.

Как-то я прочла, что у армейской молодежи в наши дни иммунная система ослаблена по сравнению с их предшественниками 20 лет назад. Если мы не даем своему организму натуральных продуктов, необходимых ему для производства и замены клеток, как можно ожидать от него нормального функционирования в продолжении всей жизни? Прибавьте к этому наркотики, никотин, алкоголь, хорошую дозу ненависти к себе — и вот вам прекрасная среда для развития болезней.

Недавно я стала свидетельницей одной забавной сцены. Я посещала курсы по повышению качества управления автомашинами. Там было много людей в возрасте за 55, которые хотели получить скидки при страховании своих машин. Я развлекалась, потому что все утро мы говорили о болезнях, подстерегающих нас в пожилом возрасте. Мы обсудили расстройства зрения и слуха и сердечно-сосудистые заболевания. А в обеденный перерыв 90 процентов этих людей направилось перекусить в ближайшую закусочную «фаст фуд»!

Я подумала про себя: «Неужели так трудно понять, что происходит?» Каждый день тысяча человек умирает из-за пристрастия к курению. Значит, в год — 365 тысяч. По моим данным 500 тысяч в год умирает от рака, миллион — в результате сердечно-сосудистых заболеваний. Целый миллион! И зная все это, мы продолжаем питаться в закусочных и совсем не заботимся о здоровье своего тела!

Исцелите себя и свою планету

Для нынешнего переходного периода характерно бурное развитие СПИДа. СПИД — один из его катализаторов. Его победное шествие показывает, насколько мы черствы и полны предрассудков. Мы проявляем так мало сочувствия к больным СПИДом! Я очень хочу, чтобы на нашей планете воцарился мир, в котором люди не боялись бы любить друг друга. Я хочу помочь установить его.

Когда мы были маленькими, мы хотели, чтобы нас любили такими, какие мы есть: худенькими, полными, некрасивыми, стеснительными. Мы приходим в этот мир, чтобы научиться любви без всяких условий, для того чтобы дать ее сначала себе, потом другим. Мы должны избавиться от представления, согласно которому мир делится на *нас* и *других*. Этого разделения не существует и нет никаких *других,* есть только мы. И нет групп людей «второго сорта».

У каждого из нас есть перечень *других* людей, существующих *где-то там.* Но мы не можем считать себя духовно развитыми, пока для нас есть хотя бы один человек *где-то там.* Многие из нас выросли в семьях, где предрассудки считались нормой. В них говорили: «Эти люди ниже нас, они недостаточно хороши для нас». Мы унижаем другую группу, чтобы почувствовать себя лучшими представителями человечества. На самом деле, пока мы говорим, что кто-то недостоин нас, мы демонстрируем собственное несовершенство. Помните, мы все отражаемся друг в друге, как в зеркалах.

Однажды меня пригласили на ток-шоу Опры Уинфри. Я пришла вместе с пятью больными СПИДом, которые шли на поправку. Накануне вечером мы вместе обедали. Наша компания за столом излучала невероятную энергию. Я даже заплакала: ведь я столько лет мечтала донести до всей Америки благую весть о том, что у больных СПИДом есть надежда. Эти люди сами исцеляли себя, хотя это было нелегко. Медицина отказалась от них, им сказали, что смерть неизбежна. Но они сами продолжали пробовать разные методы лечения и были полны решимости предпринять любые мыслимые и немыслимые усилия, шагнув за пределы своих возможностей.

На следующий день была запись передачи, и она получилась прекрасной. Я радовалась, что в ней участвовали и женщины, больные СПИДом. Мне хотелось, чтобы средние американцы открыли свои сердца и осознали, что СПИДом болеют не только в группах риска, до которых им дела нет. Он может поразить каждого. Когда камеры были отключены и я собиралась уйти, Опра подошла ко мне и, обняв, повторяла: «Луиза, Луиза, Луиза».

Я верю, что в этот день мы отправили всем весточку надежды. Доктор Берни Сигал говорит, что при любой форме рака находятся люди, которым удается выздороветь. Значит, всегда есть надежда, которая придает нам силы и открывает новые возможности. Нужно работать над собой, вместо того чтобы поднимать руки вверх, говоря, что ничего нельзя сделать.

Вирус СПИДа делает свое дело. Я не могу вынести мысль, что все больше гетеросексуальных людей будут умирать от СПИДа из-за медлительности правительства и медиков. Пока СПИД считается болезнью гомосексуалистов, ему никогда не будут уделять должного внимания. Скольким же «нормальным» людям придется умереть, пока эта болезнь не будет признана наравне с другими?

Я верю: чем быстрее мы отбросим предрассудки и объединим усилия в поисках позитивного решения этой проблемы, тем скорее исцелится вся наша планета. Мы ведь не можем исцелить планету, если позволяем людям страдать. По моему мнению, СПИД во многом обусловлен загрязнением окружающей среды. Знаете ли вы, что дельфины у побережья Калифорнии умирают от болезней иммунной системы? Не думаю, что среди них есть гомосексуалисты. Мы до такой степени отравили почву, что многие растительные продукты больше нельзя употреблять в пищу. Мы убиваем рыбу, отравляя водоемы. Мы загрязнили атмосферу настолько, что сейчас выпадают кислотные дожди и появились озоновые дыры. И мы продолжаем отравлять себя.

СПИД — ужасная, страшная болезнь. Но гораздо больше людей погибают от рака, курения, от сердечно-сосудистых заболеваний. Мы изобретаем все более мощные яды, убивающие сотворенные нами болезни, но не желаем изменить свой образ жизни и питание. Мы не хотим исцелиться. Мы хотим либо задавить болезнь лекарствами, либо прибегнуть к хирургической операции. Подавляя болезнь, мы заставляем ее искать другие проявления. Это кажется невероятным, но медицина, включая хирургию, излечивает всего 10 процентов болезней. Это факт. Мы тратим кучу денег на лекарства, лучевую терапию, операции — а излечивается всего 10 процентов болезней!

В одной статье я прочла, что в следующем столетии причиной болезней станут новые виды бактерий, действующие на нашу ослабленную иммунную систему. Эти бактерии будут активно мутировать, так что современные лекарства окажутся бессильны против них. Ясно, что чем больше мы укрепим иммунную систему, тем быстрее излечим и себя, и свою планету. Говоря это, я имею в виду иммунную систему не только на физическом, телесном уровне, но и на уровне эмоций и сознания.

На мой взгляд, лечение и исцеление дают разные результаты. Я считаю, что исцеление должно быть результатом коллективных усилий. Не ждите спасения от доктора: он может вылечить только симптомы болезни, но не саму болезнь. Исцеление — это достижение целостности. Для того чтобы исцелиться, вы должны стать частью команды, вы и ваш доктор или профессиональный целитель. Сейчас многие практикующие врачи исповедуют философию холизма и подходят к больному как к целостному созданию, не ограничиваясь лечением тела.

Мы живем в системе ошибочных представлений, причем не только на индивидуальном уровне, но и на уровне общества. Некоторые говорят, что в их семье кто-то обязательно страдает болезнями уха. Другие верят, что непременно простудятся, если попадут под дождь, или в то, что каждую зиму их ожидают три простудных заболевания. Или еще существует такое убеждение: если в офисе кто-то простудился, то заболеют все, потому что болезнь заразна. «Заразна» — это идея, и она — заразна.

Многие считают, что болезни передаются по наследству. Я думаю, это не всегда справедливо. Думаю, в действительности мы наследуем от родителей модели поведения. Дети очень восприимчивы. Они начинают подражать родителям во всем, даже в их болезнях. Если у отца в гневе происходит спазм кишечника, то же случается и с ребенком. Неудивительно, что когда через несколько лет у отца развивается колит, им же заболевает и ребенок. Всем известно, что рак не заразен, но почему же им болеют члены одной семьи? Потому что в таких семьях среди моделей поведения господствует обида. Она накапливается и приводит к раковым заболеваниям.

Мы должны иметь возможность понимать любую ситуацию во всех ее деталях, чтобы делать правильный, осознанный выбор. Какие-то детали могут вначале ужасать (это естественно в процессе пробуждения), но потом мы сможем что-то предпринять. Во Вселенной все нуждаются в нашей любви: больные спидом, дети, с которыми жестоко обращаются, бездомные и голодающие и многие другие. Ребенок, которого любят и ценят с младенчества, вырастает в сильного, уверенного в себе взрослого. Наша планета всегда позаботится о нас, если мы не будем губить ее: у нее есть все для человека и всего живого. Так давайте не будем ограничивать себя устаревшими представлениями.

Откроемся навстречу потрясающим возможностям нынешнего десятилетия. Мы можем сделать последнее десятилетие нашего века и тысячелетия периодом исцеления. В нас есть Сила очищения, способная очистить наши тела, наши души и все созданные нами завалы. Мы можем оглядеться вокруг и увидеть проблемы, требующие решения. Жизненный путь, который выберет каждый из нас, окажет громадное воздействие на весь мир и на наше будущее.

Для Всеобщего Высшего Блага

Каждый может использовать это время, чтобы применить свои методы достижения духовного роста ко всей планете. Если вы пытаетесь делать что-то для всей планеты, но не для себя, вы не обретете гармонии. Если вы трудитесь только для себя — тем более.

Так давайте посмотрим, как установить гармонию в себе и с окружающей средой. Мы знаем, что наши мысли определяют события нашей жизни. Мы приняли это основное положение изложенной здесь философии, даже если не усвоили ее всю целиком. Если мы хотим изменить свою сегодняшнюю жизнь, мы должны изменить образ мыслей. А если мы хотим изменить мир вокруг себя, мы должны начать думать о нем по-другому, не разграничивая *«мы»* и *«другие»*.

Если обратить весь пыл ваших жалоб на несовершенство окружающего мира в позитивные аффирмации и визуализации, вы сможете что-то изменить. Помните: ваш разум устанавливает связь с людьми, думающими по-вашему. Если вы склонны к осуждению и критике других людей, если подвержены предрассудкам, — значит, вы незримо связаны с такими же людьми. А если вы занимаетесь медитацией и визуализацией картин мирной жизни, если любите себя и всю нашу планету, то с вами — люди такого же склада. Даже дома, лежа в постели, вы помогаете исцелению планеты тем, как вы пользуетесь своим разумом, тем, что в вас царит мир. Роберт Шуллер из Организации Объединенных Наций сказал однажды: «Человечеству необходимо знать, что оно заслуживает мира». Как это верно!

Мы можем достичь изменений в сознании людей, если наша молодежь проникнется пониманием происходящего в мире и если мы укажем ей способы влияния на события. Нужно с раннего детства учить детей беречь все окружающее и объяснять, что тем самым они участвуют в важнейшем деле. И хотя некоторые взрослые до сих пор не хотят принять на себя ответственность за происходящее вокруг них, мы можем заверить детей в том, что все больше людей в мире осознают глобальные последствия загрязнения окружающей среды и хотят изменить ситуацию. Было бы чудесно, если бы вы всей семьей присоединились к какому-нибудь экологическому движению, например к «Гринпис», потому что нужно как можно раньше внедрить в сознание детей мысль об ответственности за состояние нашей планеты.

Рекомендую вам прочесть книгу Джона Роббинса «Диета для Новой Америки». Примечательно, что Джон Роббинс, наследник бизнеса Баскин-Роббинс, делает все возможное, чтобы помочь создать на нашей планете мир на основе философии холизма. Радостно сознавать, что у людей, сделавших состояние за счет здоровья нации, рождаются дети, которые, напротив, делают что-то для спасения нашей планеты.

Группы волонтеров также могут помочь сделать что-то в тех областях, до которых не доходят руки у правительства. Если правительство не помогает исцелить окружающую среду, мы не можем сидеть сложа руки. Мы должны сплестись, как корни травы, и позаботиться о нашей планете. Каждый может внести свой вклад. Постарайтесь определить, чем вы можете помочь. Присоединяйтесь к группам волонтеров. Уделите этому хотя бы один час в месяц.

Мы находимся в авангарде сил, борющихся за исцеление нашей планеты. Сейчас — решающий момент. Скоро нам всем либо придется искать спасения под землей, либо мы спасем Землю. Никто другой не сделает этого за нас, это — наша задача, всех вместе и каждого в отдельности.

Мне кажется очень перспективным сочетание научных подходов прошлого и будущего с духовными открытиями всех времен. Настало время объединить их элементы. Осознав, что акты насилия совершают люди, травмированные в детстве, мы могли бы объединить наши знания и приемы, чтобы помочь им измениться. Мы не должны бесконечно воспроизводить насилие, ведя войны или сажая людей в тюрьмы, чтобы не вспоминать о них. Давайте вместо этого поощрять уверенность в себе, чувство собственного достоинства и любовь к себе. У нас есть средства достижения этих изменений; нужно только пользоваться ими.

Лазарис предложил замечательное упражнение, которым я хочу поделиться с вами. Выберите на планете место, далеко или совсем рядом, которому вы хотите помочь исцелиться. Представьте себе, что в этом месте царит мир, люди хорошо питаются и хорошо одеты, живут в мире и безопасности. Каждый день выкраивайте минуту-другую и представляйте себе это.

Вложите всю свою любовь в работу по исцелению планеты. Ваше участие — важно. Отдавая частицу своей любви и всех чудесных даров вашей души, вы начнете преобразовывать энергию на этой прекрасной хрупкой планете, голубой и зеленой, которую мы зовем своим домом.

И да будет так!

ПОСЛЕСЛОВИЕ

Помню, раньше я совсем не умела петь. Я и сейчас пою неважно, но я стала смелее. Я запеваю, завершая свои семинары и собрания групп поддержки. Возможно, когда-нибудь я начну брать уроки пения и научусь, но сейчас мне не до этого.

На одном из собраний я только запела, вовлекая остальных, как человек, отвечавший за звуковую аппаратуру, отключил мой микрофон. Мой помощник, Джозеф Ваттимо, зашипел: «Что ты делаешь?» — а тот ответил: «Да она же фальшивит!» Мне было ужасно неловко. А теперь для меня это не так уж важно. Я просто пою от всего сердца, и оно еще больше открывается навстречу участникам собрания.

В моей жизни случалось много необычного, но больше всего мне помогла открыть свое сердце до самых сокровенных глубин работа с людьми, больными СПИДом. Теперь я могу обнимать людей, на которых три года назад не могла даже смотреть. Я преодолела сковывавшие меня ограничения. В награду за это я получила море любви: где бы я ни появилась, люди изливают на меня свою любовь.

В октябре 1987 года мы с Джозефом отправились в Вашингтон, чтобы принять участие в марше с требованием правительственной поддержки программы борьбы со СПИДом. Не знаю, слышал ли кто-нибудь из вас о *лоскутном одеяле СПИДа*. Это нечто поразительное. Тысячи людей со всех концов страны собрались вместе и привезли листки бумаги с именами тех, кто умер от СПИДа. Они были сделаны с громадной любовью и сложены вместе, образовав громадное «лоскутное одеяло».

В Вашингтоне мы протянули это одеяло от памятника Вашингтону к памятнику Линкольну. Ровно в шесть утра мы начали зачитывать имена погибших. Как вы можете себе представить, это был момент высочайшего эмоционального накала. Собравшиеся рыдали.

Я стояла, держа наготове свой список. Вдруг кто-то тронул меня за плечо и сказал: «Простите, могу я спросить...» Я обернулась. Стоявший сзади молодой человек взглянул на значок с моим именем и воскликнул: «Луиза Хей! О боже!» Потом у него началась истерика, и он буквально вцепился в меня. Мы стояли, обнявшись, и он весь сотрясался от рыданий. Наконец ему удалось взять себя в руки, и он рассказал мне, что его любовник много раз читал мою книгу и, умирая, попросил прочесть отрывок из нее. Они вместе медленно прочли несколько строк. Последнее, что произнес его любовник перед смертью, были слова: «Все хорошо».

И вот я стояла прямо перед ним. Он был необычайно взволнован. Когда он немного пришел в себя, я задала ему вопрос: «О чем же вы хотели спросить меня?» Оказалось, он не успел оформить свой кусок «лоскутного одеяла» и хотел попросить меня включить имя его любовника в мой список. Он случайно набрел на меня. Я очень хорошо помню этот эпизод, потому что он продемонстрировал мне, что жизнь — проста, и самое важное в ней — тоже просто.

Я хочу поделиться с вами цитатой из Эммета Фокса. В 40-х, 50-х и начале 60-х годов он был очень популярным проповедником. Пожалуй, он обладал самым ясным языком среди известных мне проповедников. Он

155

написал несколько прекрасных книг. Вот несколько строк, которые я люблю больше всего:

«Нет трудностей, с которыми не справилась бы настоящая любовь. Нет болезни, которую она не излечила бы, и двери, которую она не сумела бы открыть. Нет такой пропасти, через которую не перекинула бы мост настоящая любовь. Нет такой стены, которую она не разрушила бы, и греха, которого она не смогла бы искупить. Не имеет значения, как глубоко укоренилась проблема, как безнадежно выглядит ситуация. Неважно, как велика ошибка, как запутался клубок проблем. Все разрешит любовь. И если вы способны беззаветно любить, вы станете самым счастливым и могущественным человеком на свете».

И это правда. Это звучит прекрасно, и это правда. Что же нужно для того, чтобы попасть в это пространство, где вы могли бы стать самым счастливым и могущественным человеком на свете? Думаю, путешествие по внутреннему миру только начинается. Мы только начинаем узнавать о Силе внутри нас. Мы не откроем ее, если замкнемся в себе. Чем больше мы сможем открыться, тем больше энергии Вселенной придет нам на помощь. Мы способны на поразительные достижения.

Вдохните и выдохните несколько раз. Наполните грудь воздухом, давая простор сердцу. Упражняйтесь, и рано или поздно барьеры падут один за другим. Сегодня вы начинаете свой путь.

Я ЛЮБЛЮ ВАС.

Луиза Л. Хей.

ПРИЛОЖЕНИЕ

МЕДИТАЦИИ ДЛЯ ИНДИВИДУАЛЬНОГО И ПЛАНЕТАРНОГО ИСЦЕЛЕНИЯ

Благодарите себя за цельность, сохраненную в окружающем вас невероятном хаосе. Благодарите себя за храбрость, с которой вы делаете гораздо больше, чем могли себе представить.

В завершение наших занятий на семинарах и в группах поддержки мы концентрируемся на исцелении. Обычно мы разбиваемся на группы по три человека и беремся за руки. Это прекрасный способ получать энергию и делиться ею с теми, кто не решается попросить о помощи. Нередко это действо дает мощный заряд его участникам, воздействуя на глубинном уровне.

Я хочу поделиться с вами некоторыми медитациями, которыми мы занимаемся. Было бы замечательно, если бы все вы регулярно занимались ими, самостоятельно или в группах.

Прикоснитесь к ребенку внутри вас

Постарайтесь всеми доступными вам способами увидеть в себе ребенка, разглядеть, как он выглядит, и понять его чувства. Успокойте его. Извинитесь перед ним, скажите, как вы сожалеете о том, что вы забросили его. Вы надолго отдалились от него, а сейчас хотите наверстать упущенное. Обещайте малышу, что никогда больше не оставите его. Он всегда сможет протянуть руку — и вы окажетесь рядом. Если он испуган, успокойте его. Если он рассержен, помогите ему излить свой гнев. Скажите, что очень любите его.

В вас живет Сила, способная сотворить мир, в котором вам хотелось бы жить вместе с ребенком внутри вас. Вы обладаете силой разума, силой мыслей. Представьте себе, как вы строите новый прекрасный мир. Представьте в нем вашего ребенка, которому ничего не угрожает. Как он спокоен, весел, счастлив, как смеется, играя с друзьями. Бегает. Прикасается к цветку. Обнимает дерево. Срывает яблоко и с удовольствием ест его. Играет со щенком или с котенком. Качается на качелях, взлетая выше деревьев. Радостно бежит вам навстречу и бросается в ваши объятия.

Представьте, что вы живете с ним в безопасном и красивом месте, здоровые и счастливые. У вас прекрасные отношения с родителями, друзьями и сослуживцами. Куда бы вы ни пришли, вас встречают с радостью. Ваша жизнь наполнена особой любовью. Представьте дом, в котором хотели бы жить, и любимую работу. Представьте, что вы абсолютно здоровы, веселы, свободны.

И так оно и есть!

Здоровый мир

Представьте себе мир, в котором хочется жить. Все больные излечились, все бездомные обрели кров. Все болезни остались в прошлом, все больницы переоборудованы в жилые дома. Заключенных научили любить себя, и теперь они живут на свободе как добропорядочные граждане.

Религиозные учения отказались от категорий «вины» и «греха». Правительства всех стран действительно заботятся о своих гражданах.

Вы выходите на улицу и чувствуете на своем лице чистые капли дождя. Вот дождь прекращается, появляется красивая радуга. Вы смотрите на сияющее в вышине солнце, вдыхаете чистый воздух, ощущая его свежесть. Видите, как переливается на солнце вода в реках, ручьях и озерах, какая буйная растительность вокруг. Как прекрасны леса. Какое вокруг изобилие цветов, фруктов, овощей. Вы встречаете здоровых людей, забывших, что такое болезни.

Посетите другие страны, где царят мир и изобилие. Посмотрите, как гармоничны отношения людей, распрощавшихся с оружием. Ушли в прошлое предрассудки, критика, осуждение. Вы видите, как исчезают границы и разобщенность народов. Человечество становится единым целым. И наша Мать-Земля излечивается и обретает целостность.

Вы — творец этого нового мира, вы создаете его сейчас, визуализируя в своем сознании. Вы обладаете силой. То, что вы делаете, — необычайно важно. Прочувствуйте до глубины души свое видение. А теперь идите в мир и делайте все возможное, чтобы оно стало реальностью. Да поможет нам Бог.

И так оно и есть!

Свет исцеляющий

Загляните в глубь своего сердца, разглядите в нем крошечный переливающийся огонек необычайно красивого цвета. В нем — средоточие вашей любви и целительной энергии. Смотрите: он начинает пульсировать и заполняет сердце целиком. Затем свет наполняет все ваше тело от макушки до кончиков пальцев рук и ног. Это — ваша любовь и целительная энергия, позвольте ей заполнить собой каждую частичку вашего тела. Можете сказать себе: «С каждым вдохом я становлюсь здоровее».

Почувствуйте, как этот свет очищает ваше тело от болезней и восстанавливает в нем здоровье. Позвольте этому свету излиться из вас во все стороны на окружающих вас людей. Пусть ваша целительная энергия войдет в каждого, кому она, на ваш взгляд, необходима. Какое это счастье — поделиться своей любовью, светом, целительной энергией с теми, кто нуждается в них. Пусть теперь свет, изливающийся из вас, достигнет больниц, домов ребенка, тюрем, сумасшедших домов — всех мест, где царит отчаяние. Пусть он принесет туда надежду, свет и мир.

Позвольте вашему свету войти в каждый дом вашего города, где люди испытывают боль и страдания. Пусть ваша любовь, свет и целительная энергия помогут нуждающимся в них людям. Теперь позвольте свету излиться на церкви и смягчить сердца прихожан, чтобы они приняли идею любви без всяких условий. Пусть прекрасный свет, льющийся из вашего сердца, достигнет Капитолия и правительственных зданий, неся просвещение и правду. Пусть он войдет в каждую столицу, озарит каждое правительство. Выберите на планете место, которому вы хотите помочь исцелиться. Сконцентрируйте на нем весь свой свет, будь оно далеко или совсем рядом. Сосредоточьте на нем свою любовь, свет и целительную энергию и представьте, как там воцаряются равновесие и гармония. Представьте себе это место как целое. Каждый день находите время, чтобы сосредоточиться и послать свою любовь, свет и целительную энергию в это место. Все мы — люди. Все мы — дети. Все мы — наш мир, и все мы — наше будущее. То, что мы отдаем, возвращается к нам, многократно умноженное.

Принимая процветание

Давайте осознаем свои положительные качества. Мы открыты прекрасным новым идеям, мы восприимчивы к ним. Мы позволяем процветанию войти в нашу жизнь на всех ее уровнях. Мы заслуживаем всего наилучшего. Мы готовы принять все наилучшее. Наши доходы неуклонно растут. Мы сделали шаг от «нищенского» мышления к процветающему мышлению. Мы любим себя. Мы радуемся тому, каковы мы есть, и знаем, что жизнь всегда готова помочь нам и дать все необходимое. Мы переходим от успеха к успеху, от радости к радости, от изобилия к еще большему изобилию. Мы едины с Силой, сотворившей нас. Мы сознаем свое величие. Мы — божественные великолепные проявления Жизни, и мы открыты всему лучшему в ней.

И так оно и есть!

Приветствие ребенку

Положите руку на сердце. Закройте глаза. Постарайтесь не просто увидеть ребенка внутри вас, но сами станьте им. Пусть вашим голосом заговорят ваши родители, приветствующие ваше появление в этом мире и в их жизни. Послушайте, как они говорят:

«Мы так рады тебе. Мы с нетерпением ждали тебя. Нам так хотелось, чтобы ты вошел в нашу семью. Это так важно для нас. Мы так рады, что ты, малыш, — мальчик (девочка). Мы ценим твою неповторимость, все твои характерные черты. Без тебя семья не была бы такой, как сейчас. Мы любим тебя. Мы хотим, чтобы ты был (была) с нами. Мы хотим помочь тебе вырасти и реализовать свои возможности. Ты не обязан стать таким, как мы. Ты сможешь быть самим собой. Ты такой красивый, такой умный. У тебя есть творческие способности. Нам так приятно, что ты появился у нас. Мы любим тебя больше всего на свете. Благодарим тебя за то, что ты выбрал нашу семью, чтобы появиться на свет. Мы знаем: на тебе благословение Божие. И ты благословил нас своим рождением. Мы любим тебя. Мы по-настоящему любим тебя».

Дайте возможность ребенку внутри вас почувствовать правдивость этих слов. Постарайтесь каждый день, сосредоточившись, повторять эти слова. Можете делать это, глядя в зеркало.

Говорите себе все, что когда-то хотели услышать от родителей. Малышу внутри вас необходимо чувствовать себя любимым и желанным. Дайте ему это. Неважно, стары вы, больны или напуганы, он все равно хочет быть желанным и любимым. Повторяйте ему: «Я люблю тебя, ты нужен мне». Это — правда. Вы нужны Вселенной, именно поэтому вы пришли в этот мир. Вы всегда были любимы и всегда будете любимы, вечно. Вы можете прожить счастливую жизнь.

И так оно и есть!

Любовь исцеляющая

Любовь — самая могущественная исцеляющая сила. Я открыт любви. Я хочу любить и быть любимым. Я вижу себя процветающим. Я вижу себя здоровым. Я вижу себя реализовавшим свой творческий потенциал. Я живу в мире и безопасности.

Пошлите всем своим знакомым мысли, наполненные поддержкой,

утешением, признанием и любовью. Знайте: посылая такие мысли, вы в ответ получаете такие же.

Включите в круг любви членов своей семьи, живых и мертвых. Пусть в него войдут ваши друзья, сослуживцы, знакомые из прошлого и все те, которых вы хотели бы простить, но не можете.

Пошлите свою любовь всем больным СПИДом и раком, всем их друзьям и любимым, сотрудникам хосписов, врачам, нянечкам, представителям нетрадиционной медицины и даже уборщицам. Давайте представим, что со СПИДом и раком покончено. Представьте, что видите газетные заголовки: «Найдено лекарство от рака. Найдено лекарство от СПИДа».

Включите в круг любви и себя. Простите себя. Скажите себе, что у вас прекрасные гармоничные отношения с родителями, наполненные любовью и взаимным уважением.

Пусть круг любви опояшет всю планету, пусть ваше сердце откроется и вы найдете в нем любовь без всяких условий. Представьте себе мир, в котором все живут с достоинством, в мире и радости.

Вы достойны любви. Вы прекрасны. Вы могущественны. Вы открыты всему наилучшему.

И так оно и есть!

Мы свободны быть собой

Для того чтобы обрести целостность, мы должны принять все в себе. Так откройте же свое сердце, освободите в нем место для всех проявлений вашего «я». Для тех, которыми вы гордитесь, и тех, которые смущают вас. Тех, которые вы отвергаете, и тех, которые любите. Вы — это все проявления вашего «я», сложенные вместе. Вы прекрасны. Все мы прекрасны. Если ваше сердце полно любви к себе, то вам есть чем поделиться с другими.

Теперь дайте этой любви заполнить вас целиком и излиться из вас на всех ваших знакомых. Представьте, что они находятся в центре вашей комнаты, чтобы принять любовь, исходящую из вашего любящего сердца. От ребенка внутри вас — детям внутри них. Посмотрите, как все эти дети пляшут, прыгают, кричат, кувыркаются и крутят сальто, вне себя от радости, выражая все лучшее в себе.

Позвольте ребенку внутри вас поиграть с другими детьми. Пусть он танцует, чувствуя себя на свободе и в безопасности. Позвольте ему быть таким, каким ему всегда хотелось быть. Вы — совершенный, цельный человек, и в вашем мире все прекрасно.

И так оно и есть!

Поделитесь целительной энергией

Встряхните руками, потрите их друг о друга. Поделитесь энергией с прекрасным созданием Божьим, стоящим перед вами. Это высокая честь и привилегия — поделиться целительной энергией с другим человеком. И это так просто сделать.

Каждый раз, встречаясь с друзьями, посвятите немного времени обмену целительной энергией. Нам необходимо отдавать и получать энергию друг от друга. И это совсем просто. И наполнено глубоким смыслом. Прикосновение означает: «Ты мне не безразличен, я беспокоюсь о тебе». Наверное, мы не во всем можем помочь, но мы стараемся, мы беспокоимся о других. Прикосновение говорит: «Я здесь, и я люблю тебя. Вместе мы сможем решить все проблемы».

Исчезают все болезни. Рарешаются все кризисы. Почувствуйте целительную энергию. Позвольте этой энергии ума и знаний пробудиться в вас. Мы заслуживаем исцеления. Мы заслуживаем цельности. Мы заслуживаем энания и любви к себе, таким, какие мы есть. Божественная любовь всегда откликалась и откликается на нужды каждого человека.

И так оно и есть!

Круг любви

Представьте, что стоите в совершенно безопасном месте. Сбросьте с плеч свою боль, страх и все, что давит на вас. Старые пристрастия к негативизму, негативные модели поведения. Понаблюдайте, как они падают. Теперь представьте, что стоите там же, широко раскинув руки, и говорите: «Я открыт и я принимаю _____ ». Провозгласите, чего вы хотите. Именно чего вы *хотите,* а не *не хотите*. И знайте, что это — возможно. Представьте себя цельным и здоровым человеком, в мире с самим собой и полным любви.

Нам нужна всего лишь одна идея, чтобы изменить жизнь. На нашей Земле мы можем войти в круг ненависти, а можем — в круг любви и исцеления. Я выбираю последний. Я понимаю: все хотят того же, что и я. Мы хотим творчески проявить себя. Мы хотим жить в мире и безопасности.

Почувствуйте свою связь со всеми людьми, включенными в этот круг. Пусть ваша любовь идет от сердца к сердцу. Изливая любовь, знайте: она вернется к вам, умноженная стократно. «Посылаю всем мысленную поддержку и знаю, что она вернется ко мне». Представьте, как весь мир превращается в сияющий круг света.

И так оно и есть!

Вы заслуживаете любви

Мы не должны всему верить. То, что вам действительно нужно, придет к вам в нужное время в нужном месте. Каждый из нас способен больше любить себя. И каждый заслуживает любви. Мы достойны того, чтобы хорошо жить, быть здоровыми, любить и быть любимыми, процветать во всех сферах жизни. Каждый ребенок заслуживает прекрасной жизни.

Представьте, что вы окружены любовью. Что вы счастливый, здоровый человек. Представьте свою жизнь такой, как вам хотелось бы, во всех деталях. Знайте, что вы достойны всего этого. Теперь дайте любви, пульсирующей в вашем сердце, разлиться по всему телу, превращаясь в целительную энергию.

Позвольте своей любви заполнить всю комнату, весь дом, всю округу, пока вы не окажетесь в громадном круге любви. Ощутите циркуляцию любви, исходящей от вас и возвращающейся к вам. Любовь — самая могущественная исцеляющая сила. Пусть она снова и снова проходит сквозь вас, очищая тело. Вы есть любовь.

И так оно и есть!

Новое десятилетие

Представьте себе дверь, ведущую в десятилетие великого исцеления, о котором мы не могли даже мечтать в прошлом. Сейчас мы познаем поразительные способности, дремлющие в нас. И мы учимся принимать сигналы того сокровенного в нас, что знает ответы на все вопросы и ведет нас по жизни к высшим ее благам.

Так давайте представим, как открывается эта дверь и как мы переступаем порог, делая шаг к исцелению во всем его многообразии. Потому что каждый человек исцеляется по-своему. Многие нуждаются в исцелении тела, некоторые — в исцелении сердца и разума. И мы открыты навстречу исцелению, каждый — своему. Мы широко открываем дверь навстречу духовному росту и входим в нее без страха, зная, что мы в безопасности. Мы просто меняемся.

И так оно и есть!

Дух — это я

Только мы можем спасти мир. Объединившись ради общего дела, мы найдем способы сделать это. Нам нужно помнить, что в нас есть нечто большее, чем совокупность физического тела, черт характера, болезней и прошлого, большее, чем наши взаимоотношения с окружающими. Наш основной стержень — чистый дух. Он — вечен. Он всегда был и пребудет вовеки.

Мы пришли в этот мир, чтобы любить себя. И любить друг друга. Выполняя свое предназначение, мы найдем пути к исцелению себя и нашей планеты. Мы живем в необычайно интересное время, когда меняется буквально все. Мы можем даже не понимать всей глубины проблем, но мы плывем в потоке, стараясь выплыть. И мы найдем решения.

Мы — духовны. И мы — свободны. Мы связаны на духовном уровне, потому что знаем: он неотъемлемо присущ всем нам. И все мы — единое целое на духовном уровне. И мы — свободны.

И так оно и есть!

Безопасный мир

Возможно, вы привыкли, чтобы вас вели по жизни за руку. У всех нас богатый опыт, и у каждого есть, о чем рассказать. Мы говорим о негативном и позитивном. Мы говорим о страхах и разочарованиях, о том, как страшно бывает просто подойти к человеку и сказать: «Здравствуйте». Многие из нас до сих пор не верят, что могут позаботиться о себе. И мы чувствуем себя потерянными и одинокими.

Но мы уже работали над собой и заметили, что наша жизнь меняется. Мы избавились от множества проблем. Это не так уж легко, но, если мы проявляем упорство и настойчивость, положительные изменения действительно происходят.

Так давайте поделимся своей энергией и любовью со всеми окружающими. Знайте: когда ваше сердце открывается другим, чтобы одарить, их сердца открываются навстречу вам, предлагая свои дары. Откроем же свои сердца всем, находящимся в этой комнате, чтобы одарить их любовью, поддержкой, заботой. Поделимся своей любовью с теми, кто лишен крова, кому некуда идти. Поделимся ею со всеми, кто сейчас сердится, испытывает страх или боль. Со всеми. С теми, кого отвергают. С умирающими и уже ушедшими от нас.

Давайте поделимся любовью со всеми, независимо от того, хотят ее принять или нет. Нам не могут причинить боль те, кто отвергает нашу любовь. Пусть вся планета поселится в вашем сердце: животные, рыбы, птицы, растения и, конечно, все люди. Все, на кого мы сердимся, все, кто нас расстроил. Все, кто не разделяет наших убеждений, все, в ком поселилось зло. Давайте примем в наши сердца и их, чтобы, почувствовав себя в безопасности, они начали осознавать, что творят.

Представьте себе, как мир воцаряется на всей планете. Знайте: в этом есть и ваша заслуга. Порадуйтесь, что способны что-то сделать. Вы — прекрасны. Поблагодарите себя за все свои чудесные качества. Знайте: это правда.

И так оно и есть!

Любите каждую частицу себя

Мне хотелось бы, чтобы вы мысленно вернулись в то время, когда вам было пять лет. Постарайтесь представить себя как можно яснее. Посмотрите на этого малыша, протяните к нему руки и скажите: «Я — твое будущее, я пришел, чтобы любить тебя». Обнимите ребенка и приведите его в наше время. Встаньте перед зеркалом, чтобы с любовью смотреть друг на друга.

Вы видите, что чего-то еще недостает. Снова вернитесь в прошлое, к моменту своего рождения. Вы только что совершили трудное путешествие, торопясь появиться на свет. Вы покрыты влагой, вам холодно. Пуповина еще не перерезана, вокруг все залито светом, и вам страшно. И все же вы готовы начать свою жизнь на нашей планете. Полюбите этого младенца.

Перенеситесь в то время, когда вы учились ходить. Вы падали и снова вставали, и это повторялось много раз. И вот вы сделали первый шаг, потом еще один... Как вы гордились собой! Полюбите этого малыша.

А теперь вспомните свой первый день в школе. Как не хотелось расставаться с мамой! Но вы храбро перешагнули через порог, вступая в новую жизнь. Вы сделали все, как нужно. Полюбите этого ребенка.

И вот вам уже десять лет. Помните, как это было? Возможно, прекрасно, возможно, ужасно. Но вы изо всех сил старались выжить. Полюбите этого десятилетнего ребенка.

Вспомните себя подростка. Наверное, это было волнующим переживанием: чувствовать себя почти взрослым. Но, возможно, многое пугало вас: вы находились в тисках представлений сверстников о том, как нужно выглядеть и как вести себя. И вы старались справиться с этим. Полюбите этого подростка.

А сейчас вы — выпускник университета. Вы превзошли знаниями своих родителей. Вы готовы строить свою жизнь так, как хочется вам. Вы полны решимости и затаенного страха одновременно. Полюбите этого молодого человека.

Теперь вспомните свой первый рабочий день. Свою первую зарплату, которой вы так гордились. Вам хотелось работать хорошо. Предстояло еще многому научиться. И вы делали все, что было в ваших силах. Полюбите этого человека.

Подумайте о других значительных событиях своей жизни. Женитьба. Первый ребенок. Новый дом. Бывало все: и плохое, и хорошее. Но вы справлялись со всем, как могли. Полюбите этого человека: себя нынешнего.

А теперь представьте, что все эти части вашего «я» отражаются сейчас в зеркале и вы можете посмотреть на них с любовью. А вот и еще одна часть — ваше будущее. Оно стоит перед вами, протягивая руки навстречу, и говорит: «Я здесь, чтобы любить тебя».

И так оно и есть!

Почувствуйте свою силу

Почувствуйте свою силу. Ощутите мощь своего дыхания, своего голоса. Прочувствуйте всю силу своей любви. Ощутите силу своего прощения, силу решимости меняться к лучшему. Почувствуйте свою силу. Вы — прекрасны. Вы — божественное, величественное создание. Вы заслуживаете всего самого лучшего, всего, без всяких исключений. Почувствуйте свою силу. Не бойтесь ее, вы в безопасности. Приветствуйте новый день, раскинув руки, с любовью.

И так оно и есть!

Свет озаряющий

Сядьте друг против друга, возьмитесь за руки. Посмотрите в глаза друг другу. Глубоко вдохните и выдохните все свои страхи. Сделайте еще один глубокий вдох, а с выдохом освободитесь от своего суждения об этом человеке, поймите его. То, что вы видите в нем, — всего лишь отражение ваших качеств.

Теперь все хорошо. Мы — одно целое. Мы дышим одним воздухом, пьем одну воду, едим одну пищу. У нас общие желания и потребности. Мы хотим быть здоровыми. Мы хотим любить и быть любимыми. Мы хотим жить в мире и процветании. Мы хотим реализовать себя в этой жизни.

Посмотрите с любовью на того, кто сидит перед вами, с благодарностью примите в ответ его любовь. Знайте, что вам ничто не грозит. Глядя на него, пожелайте ему прекрасного здоровья. Пожелайте ему гармоничных отношений, чтобы его всегда и везде окружали любящие люди. Пожелайте ему процветания и благополучия. Пожелайте понимания и чувства защищенности и знайте: то, что вы отдаете, возвращается к вам, многократно умноженное. Так пожелайте своему визави всего самого наилучшего и знайте, что он достоин этого и хочет принять это.

И так оно и есть!

ПУТЬ
К ЗДОРОВОЙ
ЖИЗНИ

YOU CAN
HEAL YOUR
LIFE

ПРЕДИСЛОВИЕ

Если бы я оказался на безлюдном острове и мог взять с собой одну-единственную книгу, я бы выбрал книгу Луизы Л. Хей «Путь к здоровой жизни».

Это не только квинтэссенция теории мудрого учителя, но и убедительное и очень личное изложение жизненной позиции замечательной женщины.

В своей прекрасной книге Луиза описывает этапы своей духовной и нравственной эволюции. Я испытал чувство восхищения и сострадания к ней, прочитав полную драматизма историю ее жизни. По-моему, биография написана слишком кратко,— но это, может быть, уже тема другой книги.

На мой взгляд, здесь есть все, что вам, дорогие читатели, нужно знать о жизни, ее уроках и методах работы над собой. В книгу включен перечень различных вариантов психологического настроя, вызывающих недуги. По своему опыту знаю, что это очень полезный и уникальный в своем роде указатель.

Если представить, что кто-то на безлюдном острове найдет в бутылке рукопись этой книги, то, изучив ее, он (или она) узнает все необходимое для успеха в жизни.

Где бы вы ни были, но, если, возможно, совершенно случайно нашли дорогу к Луизе Хей, вы не ошиблись. Ее книги, исцеляющие аудио- и видеозаписи, а также вдохновенные семинары являются прекрасным подарком нашему неблагополучному миру.

Судьба подарила мне много великих учителей. Уверен, некоторые из них святые, а, может быть, даже аватары[1]. Но Луиза относится к тем великим учителям, к которым каждый может прийти и поговорить по душам. Она обладает удивительной способностью участливо и внимательно выслушать вас, как бы между делом готовя на кухне еду. (Точно так же мой другой великий учитель готовит потрясающе вкусный картофельный салат).

Луиза учит на собственном примере и живет согласно принципам, которые проповедует.

Мне оказана большая честь предложить эту книгу вашему вниманию. Надеюсь, она станет неотъемлемой частью вашей жизни. Поверьте, вы и она — стоите этого.

Дэйв Браун

«Попытки самореализации».
Дана Порт, Калифорния,
Сентябрь 1984 г.

---

[1] Аватара — земное воплощение Бога.

Часть первая

ВВЕДЕНИЕ

Советы моим читателям

Дорогие друзья!

Я написала эту книгу, чтобы поделиться с вами своими знаниями и теорией, которую проповедую. Моя книга «Исцели себя сам» получила широкое признание как заслуживающее доверия исследование различных вариантов психологического настроя, вызывающих недуги.

Я получила сотни писем читателей, которые просили в новой книге сообщить дополнительную информацию. Многие мои пациенты и участники семинаров здесь, в Америке, и за рубежом обратились с просьбой подробнее изложить суть и методы моей теории.

Я написала эту книгу в виде пособия. Представьте себе, что вы пришли ко мне на прием или присутствуете на моем семинаре. Если вы будете выполнять мои рекомендации в последовательности, указанной в книге, то, закрыв последнюю страницу, вы уже начнете изменять свою жизнь.

Советую сначала прочитать всю книгу. Затем медленно перечитать второй раз, тщательно выполняя каждое упражнение. Не спешите, уделите внимание каждому из них.

Если есть возможность, выполняйте упражнения с другом или близким родственником.

Каждая глава открывается аффирмацией, которая хороша для использования именно в той области жизни, в которой у вас возникли проблемы. Уделите 2-3 дня изучению каждой главы. Многократно повторяйте и записывайте аффирмацию.

Все главы завершаются исцеляющим наговором, который поможет усвоить положительные идеи и таким образом изменить ваш стереотип мышления. Перечитывайте каждый наговор несколько раз в день.

В заключение я расскажу вам историю своей жизни. На моем примере вы убедитесь, что независимо от происхождения и обстоятельств вы сами можете изменить свою жизнь к лучшему. Итак, вы начали осваивать мои идеи. Помните, моя любовь и поддержка всегда с вами.

Несколько пунктов моей философии

Каждый из нас отвечает за свой жизненный опыт.

Каждая мысль формирует наше будущее.

Наша сила — в настоящем моменте.

Все мы страдаем от недовольства собой
и сознания собственной вины.

Тайная мысль каждого: «Я недостаточно хорош».

Это только мысль, а мысль можно изменить.

Обида, осуждение и сознание вины —
самые пагубные для нас состояния души.

Избавление от обиды может излечить
даже от рака.

Все у нас ладится, если мы действительно
любим себя.

Мы должны избавиться от прошлого
и всех простить.

Надо захотеть научиться любить себя.

Самоуважение и согласие с самим собой
в настоящем —
ключи к положительным переменам в будущем.

Каждой болезни в своем теле мы обязаны себе.

В бесконечном потоке жизни,
частицей которого я являюсь,
все прекрасно, цельно, совершенно.
Но жизнь постоянно меняется.
Нет ни начала, ни конца — лишь круговорот материи и опыта.
Жизнь не есть нечто неподвижное и застывшее,
каждый миг ее неповторим и приносит обновление.
Я неразрывно связан с Великой Силой, создавшей меня,
которая дает мне энергию строить собственную жизнь.
Я счастлив, что обладаю Силой Разума
и могу пользоваться ею, как хочу.
Каждое мгновение жизни — отправная точка
на пути движения от прошлого к будущему.
Изменения для меня начинаются именно здесь, именно сейчас.
В моем мире все прекрасно.

Глава I

ВО ЧТО Я ВЕРЮ

«Дорога к мудрости и знаниям всегда открыта».

В сущности, наша жизнь очень проста:
нам возвращается то, что мы отдаем

Все, что мы думаем о себе, становится реальностью. Я убеждена, что все мы, включая меня, отвечаем за все в нашей жизни: хорошее и плохое. Каждая наша мысль формирует будущее. Каждый из нас своими мыслями, чувствами и словами создает свой жизненный опыт.

Мы сами создаем различные ситуации, а потом, тратя энергию, возлагаем на других вину за свои разочарования. Никто и ничто не властно над нами, так как «мы» единственные мыслители в своей жизни. Только сотворив гармонию в своих умах, мы обретаем ее в нашей жизни.

Скажите, какое из двух утверждений более характерно для вас:

«Люди стремятся причинить мне зло» или
«Все готовы мне помочь».

Каждое из этих убеждений формирует совершенно различный опыт. Наши представления о себе и жизни приобретают реальные черты.

Космос полностью поддерживает каждую нашу мысль,
в которую мы хотим верить

Иначе говоря, наше подсознание впитывает все, во что мы хотим верить, т. е. мои представления о себе и жизни становятся реальностью для меня, а ваши — для вас. Мы имеем неограниченные возможности выбора, как думать и о чем. Понимая это, лучше выбрать «Все готовы мне помочь», чем «Люди стремятся причинить мне зло».

Космическая сила никогда не судит
и не осуждает нас

Она принимает нас такими, какие мы есть, а затем отражает наши убеждения в нашей жизни. Если я хочу верить, что жизнь уныла, я одинок и никто не любит меня, то такой и окажется моя жизнь.

Если же внушу себе, что «мир пронизан любовью, я люблю и способен вызвать ответное чувство», если буду многократно повторять эту аффирмацию, то это мое убеждение станет реальностью. Люди, любящие меня, войдут в мою жизнь, чувства тех, кто уже любит, еще больше окрепнут, и я легко буду выражать симпатию и сердечные чувства к другим.

**Большинство из нас имеет нелепые представления
о том, «кто мы такие», и придерживается строгих
правил, «как следует жить»**

Говорю это не в осуждение, так как каждый из нас в меру сил
и способностей старается все делать как можно лучше. Если бы мы были
мудрее, лучше понимали себя и жизнь, конечно, поступали бы по-другому.
Не укоряйте себя за создавшуюся ситуацию. Уже тот факт, что вы нашли
эту книгу и открыли для себя Луизу Хей, означает, что вы готовы изменить
свою жизнь к лучшему. Поблагодарите себя за это. «Мужчины плачут!»
«Женщины не умеют распоряжаться деньгами!» В какие жесткие рамки
загоняют нас!

**Наше отношение к себе и жизни формируется
в раннем детстве под влиянием взрослых,
окружающих нас**

Именно тогда мы получаем первые представления о себе и мире.
Если вы жили среди несчастных, озлобленных, напуганных или испыты-
вающих чувство вины людей, то узнали много негативного о себе и своем
окружении.

«Я всегда все делаю неправильно». «Это моя вина». «Если сержусь,
значит, я — плохой».

Такие мысли делают нашу жизнь грустной и полной разочарований,
в которой отразится тот образ жизни, который мы хотим реализовать на
своем жизненном пути.

**Повзрослев, мы стремимся воссоздать эмоциональную
атмосферу, в которой прошло наше детство**

Трудно сказать, хорошо это или плохо, правильно или неправильно,
это то, что в нашем сознании ассоциируется с понятиями «дом», «семья».
Строя свои личные отношения, мы пытаемся воссоздать родственные связи,
которые были у нас с родителями или между ними. Не случайно наши
возлюбленные и начальники зачастую бывают «точь-в-точь» как мама или
папа. Мы относимся к себе так же, как родители относились к нам, точно
так же ругаем и наказываем себя. Послушайте себя! Вы используете почти
те же слова, что слышали в семье. Если нас любили в детстве, то теперь,
став взрослыми, мы тоже холим и лелеем себя.

Как часто вы говорили себе: «Ты все делаешь неправильно! Ты во всем
виноват!»

«Ты — замечательный! Я люблю тебя». Часто ли говорите это себе
теперь?

**Как бы то ни было, я не стала бы осуждать
родителей за это**

Мы все жертвы тех, кто сам в свое время оказался жертвой. Вероятно,
родители не могли нас научить тому, чего не знали сами. Если ваша мать
или отец не умели любить себя, то, конечно, не смогли научить вас этому.
Они старались как могли и поступали так, как их самих учили в детстве.
Если хотите лучше понять родителей, уговорите их вспомнить свое детство.
Терпеливо выслушав их, вы поймете, откуда появились их страхи и косые

взгляды. Окажется, что родители, по вашему мнению, «плохо» обращавшиеся с вами в детстве, были такими же запуганными, как и вы.

Я уверена, что мы сами выбираем своих родителей

Каждый из нас решает воплотиться в определенном образе, месте и времени на этой планете. Мы решили прийти сюда, чтобы получить определенные знания и жизненный опыт, которые бы обеспечили наше дальнейшее духовное и эмоциональное развитие. Мы выбираем свой пол, цвет, страну, где родиться, а потом ищем подходящих родителей, в которых отразится тот образ жизни, который мы хотим реализовать на своем жизненном пути. Потом, повзрослев, мы смотрим на них укоризненно и хнычем: «Это вы во всем виноваты!» Однако на самом деле мы сами выбрали их, так как они идеально соответствовали тому, что бы мы хотели совершить в своей жизни.

Мы формируем свои убеждения в детстве, а затем в течение всей жизни создаем ситуации, отвечающие им. Оглянитесь на свое прошлое. Вы увидите, как часто вы создавали одни и те же ситуации. Я уверена: они отражали то, во что вы верите сами. И не имеет значения, как долго эта проблема существовала, насколько серьезной была и в какой степени угрожала вашей жизни.

Наша сила — в настоящем моменте

Все события вашей жизни вплоть до настоящего момента были созданы вашими мыслями, убеждениями в прошлом и словами, которые вы произнесли вчера, на прошлой неделе, в прошлом месяце, прошлом году, 10, 20, 30, 40 лет назад или еще раньше в зависимости от вашего возраста.

Тем не менее это — ваше прошлое. Оно ушло безвозвратно. Очень важно знать, о чем вы думаете и во что верите и что говорите именно в данный момент, поскольку именно эти мысли и убеждения сформируют ваше будущее. Ваша сила именно в настоящем моменте. Именно он определяет ваши поступки на завтра, следующую неделю, следующий месяц и т. д.

Хорошо, если бы вы обратили внимание на то, о чем думаете именно сейчас. Ваши мысли позитивные или негативные? Хотите, чтобы они определили ваше будущее? Запомните их и в дальнейшем имейте в виду.

Главное в нашей жизни — мысль,
а мысль всегда можно изменить

Не имеет значения, что за проблема стоит перед нами, наш поступок — всего лишь отражение мысли. Даже если вы испытываете чувство глубокой неудовлетворенности собой, оно — лишь результат того, что вы сами о себе так думаете. «Я — плохой человек». Эта мысль формирует чувство, которому вы поддаетесь. Как бы то ни было, если не будет мысли, не будет и чувства. А мысли можно изменить. Изменится мысль, и вы избавитесь от чувства.

Все это только объясняет происхождение многих наших убеждений. Но не будем использовать эту информацию для оправдания зацикленности на своей боли или неприятности. Независимо от того, каким продолжительным был негативный настрой, прошлое не властно над нами. Источник нашей силы — настоящий момент. Как чудесно сознавать это! Мы можем уже сейчас начать свободную жизнь.

Верите вы или нет, но мы сами выбираем свои мысли

Мы можем снова и снова по привычке думать об одном и том же, так что даже не создается впечатления, что мы сами выбираем свои мысли. Но мы сделали своеобразный выбор. Мы можем отказаться от некоторых мыслей. Вспомните, как часто вы отказывались позитивно думать о себе. А теперь можете отказаться от негативных мыслей.

Мне кажется, что все, с кем я знакома или кого лечила, в той или иной мере страдают от недовольства собой и сознания собственной вины. Чем больше мы ненавидим себя и чем сильнее сознание вины, тем менее благополучна наша жизнь. И наоборот, чем больше ценим и уважаем себя, отказавшись от сознания вины, тем больше достигаем успехов во всех областях жизни.

Самая сокровенная мысль всех, кого я лечила: «Я недостаточно хорош»

Можно еще добавить к этому: «Я мало работаю» или «Я — не достоин». Ну как, звучит похоже на вас? Вы часто себе говорили, намекали или чувствовали, что «недостаточно хороши»? Но для кого? И по чьим меркам?

Если это мнение укоренилось в вас, то как можно сделать свою жизнь процветающей, полной любви, радости и здоровья? Это подсознательное убеждение так или иначе всегда будет входить в противоречие с вашей жизнью. Вы никоим образом не сможете совместить их, что-нибудь где-нибудь обязательно будет идти не так.

Я убеждена, что чувство обиды, критика и самокритика, сознание вины и страх порождают самые большие проблемы

Именно эти чувства и состояния порождают большинство проблем в нашем теле и жизни. А причина в том, что мы осуждаем других и не несем ответственности за свои поступки. Действительно, если мы сами будем отвечать за все происходящее в нашей жизни, то некого будет обвинять. Где бы и что бы ни происходило «там, вне нас»,— это только отражение нашего собственного сознания. Я ни в коем случае не оправдываю плохое поведение некоторых людей, но именно наши убеждения привлекают их и провоцируют так дурно обращаться с нами.

Если вы поймаете себя на том, что говорите: «Все со мной поступают так-то и так-то, критикуют, не помогают, унижают и оскорбляют меня», значит, это — «ваш психологический настрой, ваш стереотип мышления». Вероятно, некоторые ваши мысли привлекают к вам внимание людей, которые позволяют себе такое поведение. Но если вы измените свой настрой, они отойдут и будут вести себя так с другими. Вы больше не привлекаете их.

Приведу несколько результатов влияния психологического настроя на физическое состояние людей: длительное чувство обиды и гнева пожирает тело и может спровоцировать рак. Постоянная привычка осуждать и критиковать вызывает артрит. Сознание вины связано с ожиданием наказания, которое формирует боль. Когда ко мне приходит пациент с жалобой на многочисленные боли, я знаю: его мучает сознание не одной вины. Страх и напряжение могут способствовать облысению, возникновению язвенной болезни и трофических язв на ногах.

Я пришла к выводу, что прощение, избавление от обиды и душевное равновесие способно излечить даже рак. Хотя это, возможно, звучит слишком упрощенно, я убедилась на практике в правдивости вышесказанного.

Мы можем изменить наше отношение к прошлому

Прошлое ушло безвозвратно. Не в наших силах изменить его. Но мы можем изменить наши представления о нем. Как глупо сейчас, в данный момент наказывать себя за обиду, нанесенную нам кем-то в далеком прошлом.

Я часто говорю людям, страдающим от нанесенной обиды: «Пожалуйста, начните избавляться от этого чувства сейчас, пока это сделать довольно легко. Не ждите, пока окажетесь под ножом хирурга или на смертном одре. Тогда ужас охватит вас. Вы начнете паниковать, и нам будет очень трудно сосредоточить ваши мысли на лечении. Сначала нам потребуется время, чтобы избавить вас от страха».

Если вы внушите себе, что вы беспомощные и беззащитные жертвы, и все наши усилия вылечить вас — бесполезны, то Космос поддержит ваше убеждение, в результате ваше состояние будет ухудшаться с каждым днем. Крайне необходимо, чтобы вы выбросили из головы глупые, косные и грустные мысли и убеждения, которые не поддерживают вас. Даже наша концепция Бога должна работать на нас, а не против нас.

Для того чтобы избавиться от прошлого, мы должны захотеть простить

Мы должны захотеть избавиться от прошлого и простить всех, включая себя. Возможно, мы не знаем, как это сделать, а может быть, и фраза «Мы намерены простить» означает начало исцеляющего процесса. Исцеление возможно лишь в том случае, если мы откажемся от прошлого и всех простим. «Я прощаю тебя за то, что ты не такой, каким бы я хотел тебя видеть. Я прощаю и освобождаю тебя». Эта аффирмация делает и нас свободными.

Все заболевания происходят от нежелания простить

Каждый раз, когда мы заболеваем, нужно спросить себя: кого нужно простить?

В книге «Курс лекций о чудесах» говорится, что все болезни происходят от нежелания простить людей и себя и что «каждый раз, когда заболеваем, надо оглянуться вокруг и посмотреть, кого мы должны простить».

А я бы добавила к этому: вы обнаружите, что вам будет труднее всего простить именно того человека, которому необходимо позволить уйти прежде всех. Прощение означает отказ, уступку, разрешение уйти. Но это ничего не имеет общего с дурным поведением. Просто это — избавление от всей проблемы. Нам не обязательно знать, КАК прощать. Единственное, что от нас требуется, — иметь ЖЕЛАНИЕ, НАМЕРЕНИЕ простить. Космос сам позаботится, КАК это сделать.

Мы всегда ощущаем свою боль. Но многим из нас так трудно представить, что те, кто больше всего нуждается в прощении, тоже чувствовали боль. Мы должны понять, что они старались делать все как можно лучше, пользуясь знаниями и сведениями, доступными в то время.

175

Когда ко мне приходят люди со своими проблемами, мне все равно, с какими — слабое здоровье, нехватка денег, далекие от совершенства отношения или снижение творческих способностей,— единственное, над чем я работаю с ними,— ЛЮБОВЬ К СЕБЕ.

Полагаю, что, когда мы действительно любим и принимаем себя такими, какие есть на самом деле, все в жизни складывается хорошо. Наше здоровье улучшается, мы зарабатываем больше денег, наши отношения становятся более гармоничными, а творческие способности полностью раскрываются. Создается впечатление, что все происходит без наших усилий, самой собой.

Любовь и душевное равновесие, спокойная, доброжелательная и доверительная атмосфера делают вашу умственную работу более организованной, отношения — более теплыми, помогут получить новую работу, обеспечить лучшим, чем было, жильем и даже способны нормализовать ваш вес. Известно, что любящие себя и свое тело люди никогда не обращаются плохо ни с собой, ни с другими.

Ваше душевное равновесие и самопризнание сейчас являются ключом к благотворным переменам во всех областях в будущем.

По-моему, любовь к себе начинается с отказа от любой самокритики когда-либо и за что-либо. Критика и осуждение загоняют нас в рамки тех стереотипов мышления, которые мы пытаемся изменить. Понимание и доброта помогают выйти из этих рамок. Вспомните, ведь вы годами терзали себя самокритикой, и что из этого вышло? Попытайтесь жить в согласии с самим собой и посмотрите, что будет дальше.

В бесконечном потоке жизни,
частицей которого я являюсь,
все прекрасно, цельно, совершенно.
Я верю в Силу, более могущественную, чем я.
Каждый день, каждый миг она струится сквозь меня.
Я открываю себя мудрости и признаю,
что в этом Космосе существует Единственный Разум.
Он задает все вопросы, он предлагает все решения,
он исцеляет, творит, создает.
Я верю этой Великой Силе и в этот Великий Разум
и знаю: то, что должно знать, открывается мне,
то, что должно иметь, приходит ко мне
в должное время,
в должом месте и в должной
последовательности.
В моем мире все прекрасно.

Часть вторая

ЗАНЯТИЯ С ЛУИЗОЙ

Глава 2

В ЧЕМ ПРОБЛЕМА?

«Не бойтесь заглянуть себе в душу».

Мое тело не функционирует

Оно болит, кровоточит, ноет, давит, ломит, жжет, стареет, усыхает. Я плохо вижу, плохо слышу. Плюс многие другие ощущения и состояния, свойственные только вам. Но все это я уже слышала!

Отношения с окружающими меня людьми далеки от идеала

Родственники или окружающие меня люди все время что-то требуют, не поддерживают меня, осуждают, не любят, докучают мне, не хотят, чтобы я беспокоил их, не дают возможности оставаться одному, третируют, никогда не слушают меня и т. д. Это все так знакомо. Вы можете добавить что-то еще?

Мои финансовые дела плачевны

Мои доходы: не существуют, если появляются, то очень редко, денег никогда не хватает, они утекают сквозь пальцы быстрее, чем появляются; мои доходы не позволяют вовремя оплачивать счета. Плюс то, что вы можете придумать сами. По-моему, вы и я где-то это слышали?

Моя жизнь не ладится

Я никогда не делаю того, что хотелось бы. Никому не могу угодить. Не знаю, чего хочу. Мои желания и потребности игнорируются. Я это делаю только в угоду им. Меня всячески унижают и третируют. У меня нет таланта. У меня ничего не получается. Я всегда откладываю дела на потом. Мне всегда не везёт и т. д. Не правда ли, все это до боли знакомо?

Когда бы я ни спросила своего пациента, как у него (нее) идут дела, всегда получаю один из вышеприведенных ответов, а иногда сразу несколько. Пациенты обычно убеждены, что знают свои проблемы. Но я-то знаю, что эти жалобы — всего лишь внешнее проявление их образа мыслей, их психологического настроя. Под ними скрыты другие, более глубокие, являющиеся базисом всех внешних проявлений.

Я внимательно прислушиваюсь к речи собеседников, к словам, которые они употребляют, и задаю несколько вопросов, которые считаю главными:

177

Что происходит в вашей жизни?
Как вы себя чувствуете?
Как зарабатываете на жизнь?
Любите ли вы свою работу?
Каково ваше финансовое положение?
Какова ваша личная жизнь?
Чем закончился ваш последний роман?
А предпоследний?
Расскажите мне вкратце о своем детстве.

Беседуя с пациентами, я наблюдаю за их мимикой, позой, которую они принимают, но основное внимание уделяю их словам. Известно, что мысли и слова определяют наше будущее. Слушая, как и что говорит пациент, я без труда могу понять причину его конкретных проблем. Наши слова отражают наши скрытые мысли. Иногда слова, употребляемые пациентами, не согласуются с поступками, о которых они рассказывают. Тогда мне ясно, что пациенты либо не в курсе реальных событий, либо лгут мне. Одно из этих предположений и является отправным пунктом нашей работы.

Упражнение: Я должен

Я даю пациентам лист бумаги, ручку и прошу написать вверху заголовок:

Я должен

_____

_____

_____

_____

_____

Затем предлагаю в 5 или 6 вариантах закончить эту фразу. Некоторые затрудняются даже начать упражнение, в то время как других нелегко остановить.

Когда все ответы написаны, я прошу пациентов зачитать их вслух по порядку, начиная словами «Я должен...». После каждого ответа спрашиваю: «Почему?»

Ответы, которые я получаю, интересные и откровенные. Они звучат примерно так:

Моя мать сказала, что я должен.
Потому что боюсь.
Потому что я должен быть безупречным.
Потому что я должен каждый день так поступать.
Потому что я слишком ленивый (слишком мал ростом,
    слишком высокий, слишком полный, слишком худой, слишком
    неразговорчивый, очень некрасивый, совсем никчемный и т. д.).

Ответы показывают, что эти люди участвуют в своем мнении, которое лимитирует их поведение.

Не комментируя ответы, я в конце занятия беседую с пациентами на тему «Глагол ДОЛЖЕН».

Я уверена, что этот глагол — одно из самых, если так можно выразиться, «разрушительных» слов в нашем языке. Каждый раз, произнося его, мы, в сущности, говорим «неправильно». Мы либо «сейчас ошибаемся», либо «когда-то сделали ошибку», либо «собираемся совершить ошибку». Не думаю, что нам нужны новые «ошибки» в жизни. У нас должен быть более свободный выбор. Будь моя воля, я бы совсем изъяла из словаря глагол «должен», заменив его выражением «Я бы мог», потому что оно дает нам шанс не совершать ошибки.

Затем я прошу своих собеседников прочитать упражнение, фразу за фразой, еще раз, начиная их словами: «Если бы я действительно хотел, я бы мог _____ ». В этом случае все ответы предстают в новом свете.

Когда упражнение выполнено, я прошу зачитать его и после каждого предложения мягко, ненавязчиво спрашиваю: «А почему не сделали?» Вот какие ответы я услышала:

Я не хочу.
Я боюсь.
Я не знаю, как.
Потому что я плохой и т. д.

Выясняется, что некоторые пациенты годами укоряли себя за поступки, совершенные против своей воли, или осуждали себя за несвершившиеся планы и мечты. Очень часто они поступали так, следуя советам или указаниям других людей. Теперь, осознав это, они могли, выполняя мое упражнение, запросто вычеркнуть эту фразу из списка с глаголом «Должен». Какое облегчение сразу чувствовали они!

Посмотрите на людей, которые годами, против своего желания, только в угоду родителям, заставляют себя делать карьеру. А все потому, что родители считали: «Он должен стать зубным врачом или учителем». Как часто мы страдаем от сознания собственной неполноценности, потому что кто-то сказал, что, следуя примеру какого-то родственника, мы «должны» стать богаче, энергичнее или красивее.

А что бы вы могли с чувством облегчения вычеркнуть из своего списка с глаголом «должен»?

Выполнив упражнение, мои собеседники начинают другими глазами смотреть на свою жизнь. Они понимают, что поступали так или иначе вопреки своей воле и желанию, просто это считалось обязательным. Они опасались своим отказом обидеть кого-либо, старались угодить другим или считали себя «плохими».

Теперь проблема начала видоизменяться. Друзья! Я начала свое занятие с попытки избавить вас от сознания «своей неправильности», своего несоответствия чьим-то стандартам.

Затем я обычно знакомлю вас со своей «философией жизни», изложенной в первой главе этой книги. Вот ее суть. Жизнь в действительности очень проста: мы получаем то, что отдаем другим. Вселенная полностью поддерживает убеждения, которые мы предпочитаем иметь. Еще в детстве под влиянием взрослых мы учимся оценивать себя. С годами наши убеждения, какими бы они ни были, отражаются в наших поступках. Существуют разные варианты психологического настроя. Наша сила в настоящем моменте. Перемены могут начаться именно сейчас, сию минуту.

Любить себя

Мне хотелось бы повторить еще раз, что, независимо от того, какие проблемы волнуют пациентов и учеников, единственное, над чем я работаю с каждым, — это «Любить себя». Любовь — чудодейственное средство. Любить себя — означает привносить чудеса в свою жизнь.

Я не имею в виду тщеславие, надменность или эгоцентризм, так как это не любовь, а всего лишь страх. Я говорю об уважении к себе, благоговении перед своим телом и разумом и благодарности к ним.

Что я подразумеваю под словом «любовь»? Это чувство огромной признательности, пронизывающее каждую клеточку моего сердца. Существуют различные объекты любви. Я, например, люблю:

> Жизнь во всех ее проявлениях.
> Радость бытия.
> Красоту, окружающую меня.
> Другого человека.
> Знания.
> Сам мыслительный процесс.
> Свое тело и его функции.
> Зверей, птиц и рыб.
> Все виды овощей.
> Космос и все, что с ним связано.

А что вы можете еще добавить?

А теперь рассмотрим, как мы выражаем недовольство самим собой:

> Мы постоянно ругаем и критикуем себя.
> Мы плохо обращаемся со своим телом, злоупотребляя пищей, алкоголем и наркотиками.
> Мы внушаем себе, что нас никто не любит.
> Мы боимся потребовать приличную плату за свои услуги.
> Мы сами провоцируем болезни и боли.
> Мы откладываем дела, которые могли бы принести нам пользу.
> Мы живем в хаосе и беспорядке.
> Мы делаем долги и обременяем себя платежами и расходами.
> Мы заводим любовников и партнеров, которые унижают нас.

А как вы выражаете неудовлетворение собой?

Отрицание всего хорошего, что есть в вас, и есть нелюбовь к себе. Я вспомнила случай с одной пациенткой, которая носила очки. Однажды она избавилась от страха, мучившего ее всю жизнь. На другой день, проснувшись, она обнаружила, что очки стали ей мешать. Поглядев вокруг себя, она поняла, что ее зрение полностью восстановилось.

Тем не менее весь день она говорила себе: «Не верю, не могу поверить в это». В результате на следующий день ей снова пришлось надеть очки. Дело в том, что наше подсознание не воспринимает юмора, а пациентка не смогла поверить в чудесное исцеление.

Другим проявлением неудовлетворенности собой является чувство неполноценности.

Том был прекрасным художником. Он на заказ декоративно оформлял стены домов богатых клиентов. Тем не менее он всегда опаздывал с оплатой своих счетов. Первоначальная цена, назначаемая им, не соответствовала затраченным на работу усилиям и времени. Каждый, кто выполняет неординарную работу, вправе требовать любую оплату. Состоятельные люди любят платить большие деньги, так как в этом случае ценность приобретаемого возрастает.

Приведу следующие примеры:

Ваш партнер устал и раздражен. Вы спрашиваете себя, что я сделала не так?

Он пригласил вас раз или два, а потом навсегда исчез. Вы думаете: «Я, наверное, ему не подхожу».

Ваш брак кончается разводом, и вы уверены, что потерпели крах.

Вы чувствуете себя неполноценным, так как ваше тело совсем не соответствует тем эталонам красоты, что можно видеть в рекламе и журналах «Вог» и «Джентлmenz Квотэли».

Вы не можете представиться как положено, так как уверены, что «недостаточно хороши» для этого.

Вы боитесь интимной близости, не решаетесь завести серьезный роман, поэтому предпочитаете редкие и случайные связи.

Вы не можете принимать решения, потому что уверены, что обязательно ошибетесь.

А как вы выражаете свое чувство неполноценности?

Совершенство ребенка

Как совершенны и очаровательны вы были в раннем детстве. Детям не надо стремиться к совершенству, они и есть само совершенство и ведут себя так, словно знают об этом. Они ощущают себя центром Вселенной, не боятся просить все, что захочется, и, не стесняясь, выражают свои эмоции: если ребенок сердится — вся округа знает об этом, он улыбается — и его улыбка освещает весь дом. Дети преисполнены любви и обладают удивительной смелостью.

Малыш может умереть без любви. С годами мы, взрослые, вынуждены учиться жить без любви, но для ребенка это невыносимо. Дети любят свое тело, каждый орган, каждую частичку, включая даже экскременты, — они лелеют себя.

Вы и мы были такими. Но, взрослея, мы все больше прислушиваемся к мнению взрослых, которым свойственно чувство страха, и теряем свое былое очарование и совершенство.

Я никогда не верю пациентам, уверяющим меня, что они очень, ну очень непривлекательны. Моя задача: вернуть их в то время, когда они любили себя.

Упражнение с зеркалом

Я прошу пациента поставить перед собой маленькое зеркало, посмотреть в него и, назвав себя по имени, сказать: «Я люблю и принимаю тебя таким, какой ты есть на самом деле».

Многим трудно выполнить это упражнение. Редко кто остается спокойным, а о радости или удовольствии и речи быть не может. Одни плачут или готовы вот-вот расплакаться, другие сердятся, третьи — преуменьшают свои достоинства, но есть и такие, которые уверяют меня, что не в силах выполнить упражнение. Один пациент даже швырнул зеркало и хотел убежать. Ему потребовалось несколько месяцев, прежде чем он смог обратиться к своему отражению в зеркале.

Многие годы я, глядя на себя в зеркало, только критиковала себя. Помню, я даже боялась смотреть себе в глаза. Но сейчас воспоминания о бесконечных часах, потраченных на выщипывание бровей в попытке сделать свое лицо хоть немного приятнее, забавляют и смешат меня.

Это простое упражнение с зеркалом многое объясняет. Менее чем через час я понимаю суть главной проблемы, порой скрывающейся под другой, видимой. Мы можем долго и упорно работать над этой внешней проблемой и в ту минуту, когда, казалось бы, все уже налажено и отрегулировано, она вдруг возникает где-нибудь еще.

То, что мы считаем «Проблемой», на самом деле редко является таковой

Она была очень недовольна своим внешним видом, особенно зубами. Ходила от одного дантиста к другому, с грустью констатируя, что они делают ее еще более некрасивой. Она сделала себе пластическую операцию носа, которая оказалась неудачной. Что бы ни делал каждый специалист, результат лишь отражал представление этой женщины о своей непривлекательности. В действительности ее проблема заключалась не во внешнем виде, а в убеждении, что она нехороша собой.

У другой пациентки было ужасное дыхание: было невыносимо находиться рядом с ней. Она готовилась стать пастырем, и внешне ее поведение было достойным и благочестивым. Однако время от времени при мысли о том, что кто-то может угрожать ее карьере, ее душили вспышки гнева и зависти. Эти тайные мысли и подозрения отражались на ее дыхании. Порой, даже притворяясь любящей, она была отвратительна. Пациентка сама угрожала себе.

Ему было 15 лет, когда мать привела его ко мне на прием. У мальчика была болезнь Ходжкинса, и ему осталось жить всего 3 месяца. Мать была в истерике, и по понятным причинам с ней было трудно найти общий язык, но мальчик был умный, спокойный и страстно хотел жить. Он был готов сделать все, что я ему говорила, даже изменить образ мыслей и манеру говорить. Разведенные родители все время ссорились, и мальчик не имел представления об уюте домашнего очага.

Он мечтал стать актером. Стремление к славе и богатству превосходило его способности испытывать чувство радости. Он считал, что только известность принесет ему признание и богатство. Я научила мальчика ценить и любить себя, и он поправился. Теперь он уже взрослый и регулярно выступает на Бродвее. Как только он научился радоваться жизни и быть в ладу с собой, ему стали предлагать роли в спектаклях.

Проблема изменения веса являет собой еще один наглядный пример того, как мы тратим уйму энергии совсем не там, где нужно. Многие пациенты годами пытаются снизить свой вес, но все их старания тщетны. По их мнению, полнота — корень всех неприятностей, неудач и болезней. Я полагаю, что излишний вес — только внешнее проявление их тайн и скрытых проблем, таких, как постоянная тревога, или страх, или необходимость в защите. Когда мы ощущаем страх, не чувствуем себя в безопасности или страдаем от комплекса неполноценности, то, как бы защищаясь, прибавляем в весе. Чувствовать себя виновным за каждый съеденный кусок, постоянно укорять себя за полноту и производить бесконечные подсчеты калорийности продуктов питания — бесполезная трата времени. Если не признать этого, то и через 20 лет вы останетесь в том же положении, так как еще не начали работу над реальной проблемой. А все, что мы делали прежде, только нагнетало страх и усиливало чувство опасности, поэтому в виде защитной реакции мы прибавляем в весе.

Итак, я не хочу, чтобы вы акцентировали свое внимание на различных диетах, поскольку они не оправдывают себя. Единственная эффективная диета — умственная, то есть отказ от отрицательных мыслей. Я говорю пациентам: «Давайте на время отложим эту проблему в сторону». Сначала займемся другим».

Пациенты часто говорят, что недовольны собой, так как слишком полные или, как выразилась одна девушка, «слишком округлая». Я объясняю им: причина в том, что они не любят себя. Радуйтесь жизни, уважайте себя, сохраняйте душевное равновесие, и вы с удивлением обнаружите, как ваша полнота стремительно исчезает.

Иногда пациенты сердятся, когда я объясняю им, как просто изменить свою жизнь. Возможно, они считают, что я не понимаю их. Одна женщина, расстроившись, сказала мне: «Я пришла к вам получить помощь в работе над диссертацией, а не учиться любить себя». Для меня было ясно, что ее главная проблема заключалась в большом неудовлетворении собой, что влияло на все сферы ее жизни, включая работу над диссертацией. До тех пор, пока она будет чувствовать эту неудовлетворенность собой, она нигде и ни в чем не добьется успеха.

Не выслушав меня до конца, пациентка ушла вся в слезах, но через год вернулась с той же проблемой, к которой прибавилось множество других. Некоторые люди не готовы изменить свою жизнь, и не надо осуждать их за это. Помните? «Все мы начинаем меняться в определенное время, в определенном месте и определенной последовательности». Я, например, начала менять свой образ жизни после 50 лет.

Суть реальной проблемы

Итак, наш пациент очень расстроился, взглянув на себя в маленькое безобидное зеркальце. Я улыбаюсь и говорю: «Хорошо, а теперь перейдем к реальной проблеме. Теперь мы можем убрать все, что мешает вам». Я рассказываю более подробно о том, что значит любить себя и что, по-моему, эта любовь начинается с полного отказа от самокритики.

Наблюдая за их лицами, я спрашиваю, критикуют ли они себя? Их реакция на мой вопрос говорит мне о многом.

Да, конечно,
Не так часто, как делал это раньше.
Как же я изменюсь, если не буду критиковать себя?
Разве все не критикуют себя?

Я отвечаю: «Мы не говорим о всех, мы говорим только о вас. Почему вы критикуете себя? Что с вами?»

Слушая их ответы, я составляю список, который очень похож на список с глаголом «должен». Пациенты считают себя слишком высокими, маленькими, полными, худыми, молчаливыми, старыми, ленивыми, молодыми, некрасивыми. (Интересно, что так отвечают даже самые красивые и обаятельные женщины). Обратите внимание, как часто, почти всегда, мы слышим слово «слишком». И наконец мы приходим к главному выводу: «Я недостаточно хорош».

Ура! Ура! Наконец-то мы нашли корень проблемы. Они критикуют себя потому, что внушили себе мысль: «Я плохой». Пациенты всегда удивляются, как быстро мы приходит к этому выводу. Теперь мы можем не ломать голову над побочными эффектами, вроде «излишний вес, болезни, плохие отношения, финансовые проблемы или снижение творческих способностей». Всю свою энергию нам нужно направить на удаление первопричины, а именно «недовольства самим собой».

В бесконечном потоке жизни,
частицей которого я являюсь,
все прекрасно, цельно, совершенно.
Всевышний хранит и направляет меня.
Я не боюсь заглянуть себе в душу.
Я не боюсь оглянуться на прошлое.
Я не боюсь расширить
свои представления о жизни.
Я не просто личность,
я — прошлое,
настоящее и будущее.
Теперь я хочу стать выше личного,
чтобы познать великолепие бытия.
Я очень хочу научиться любить себя.
В моем мире все прекрасно.

Глава 3

В ЧЕМ КОРЕНЬ ПРОБЛЕМЫ?

«Прошлое не властно над нами».

Итак, друзья, мы с вами обсудили много ситуаций и подробно разобрались в том, что считали «проблемой». А теперь займемся реальной проблемой, так, как я ее понимаю. Мы неудовлетворены собой, считаем себя недостаточно хорошими, «следовательно, недостаточно любим себя». С моей точки зрения, именно в этом и заключается реальная проблема. Поэтому предлагаю рассмотреть, на чем она основана и где ее корни.

Как произошло, что из малышей, знающих свое совершенство и совершенство окружающего мира, мы превратились в людей, обремененных тяжким грузом проблем и ощущающих себя недостойными любви и уважения?

В качестве примера возьмем розу. Сначала это был маленький бутон. Потом, превратившись в красивый цветок, она благоухала до тех пор, пока не опал последний лепесток. И все это время она была прекрасной, совершенной и непрерывно изменялась. То же происходит и с нами. Мы всегда совершенны, прекрасны и непрерывно изменяемся. Мы стараемся как можно больше знать, понимать, как можно лучше использовать свои знания. Если будем и в дальнейшем следовать этому правилу, тогда и мысли наши изменятся.

Приведение мыслей в порядок

Теперь настало время немного подробнее вспомнить прошлое, наши взгляды и убеждения, которые управляли нами тогда.

Некоторые пациенты считают эту часть «очистительного» процесса довольно болезненной, но это не всегда так. Прежде чем начать «очищение», мы должны сделать «ревизию» своих мыслей.

Тщательно убирая комнату, вы всегда внимательно осматриваете ее и все вещи в ней. Некоторые вы любите, вытираете с них пыль или полируете, возвращая им былую красоту. Другие вещи нуждаются в ремонте, и вы возьмете это на заметку. Третьи больше никогда не пригодятся вам; значит, пришло время расстаться с ними. Старые газеты, журналы и бумажную посуду можно спокойно выбросить в мусорную корзину и не надо расстраиваться из-за этого.

Точно так же мы приводим в порядок свои мысли, и стоит ли переживать из-за того, что от некоторых надо избавиться. Пусть они оставят нас так же легко, как если бы мы выбросили остатки еды в мусорную корзину. Скажите, будете ли вы рыться во вчерашних остатках еды, готовя пищу на сегодня? Будете ли вы копаться в устаревших убеждениях, создавая основу для своего будущего?

Если какая-нибудь мысль или убеждение не идет вам на пользу, пусть она исчезнет! Ведь нет закона, по которому вы не вправе отказаться от прошлых, устаревших убеждений.

Давайте поговорим о некоторых из них, мешающих нам полноценно жить, т. е. так называемых «ограничивающих убеждениях», и посмотрим, откуда они произошли.

Убеждение, мешающее полноценной жизни: Я недостаточно хорош.

Причина: Отец, внушивший сыну, что он глуп.

Этот пациент хотел добиться успеха, чтобы отец мог гордиться им. Но, к сожалению, у него дела шли из рук вон плохо, за что его много критиковали. А он очень обижался на это. Отец продолжал финансировать его коммерческую деятельность, однако неудачи преследовали его. Со временем он даже привык к ним и вынуждал отца платить, платить и платить. Конечно, он был самым большим неудачником.

Убеждение, мешающее полнокровной жизни: Неумение любить себя.

Причина: Желание заслужить похвалу отца.

Ее единственное желание было стать похожей на отца. Они ни в чем не могли согласиться друг с другом и все время спорили. Ей хотелось услышать слова одобрения, однако он только критиковал ее. Все тело пациентки изнывало от боли. Точно так же себя чувствовал и отец. Она не понимала, что ее раздражение и гнев порождают боль. То же самое можно сказать и об отце.

Убеждение, мешающее жить: Жизнь была в опасности.

Причина: Запугивания отца.

Пациентка считала жизнь опасной, мрачной и суровой. Она почти никогда не смеялась, так как боялась, что потом обязательно случится что-то «плохое». Ее воспитали, постоянно делая замечания: «Не смейся, а то они схватят тебя».

Убеждение, мешающее жить: Я недостаточно хорош.

Причина: Его бросили, им пренебрегали.

С этим пациентом было трудно беседовать, так как молчание стало его образом жизни. Он только что прекратил употреблять наркотики и алкоголь и был убежден, что он ужасен. Я узнала, что его воспитывала тетя, так как мать умерла, когда он был ребенком. Тетя редко разговаривала с ним, только изредка приказывала, поэтому он вырос в тишине. Она окружала его даже во время еды. Так молча он проводил в своей комнате день за днем. Его любовник также не отличался многословием, и большую часть времени они проводили молча. Любовник умер, и он снова остался один.

Упражнение: Негативные высказывания

Для выполнения этого упражнения возьмите большой лист бумаги ли составьте список всех замечаний и указаний, услышанных вами в детстве от родителей. Что, по их мнению, у вас было не так. Не торопитесь. Постарайтесь вспомнить как можно больше их негативных высказываний. Для этого упражнения обычно хватает полчаса.

Что ваши родители говорили о деньгах? О вашем теле? О любви и отношениях? Как они оценивали ваши творческие способности. Что прощали в вашем поведении? Какие их замечания ограничивали вашу жизнь, загоняя ее в узкие рамки, т. е. мешали вам полнокровно жить?

Если сможете, взгляните объективно на свой список и скажите себе: «Вот откуда появилось мое предубеждение!»

Теперь, друзья, возьмем другой лист бумаги и рассмотрим проблему более внимательно, немного глубже.

Какие еще негативные высказывания вы услышали в детстве?

От родственников _____
От учителей _____
От друзей _____
От представителей _____
От служителей церкви _____

Это упражнение выполняйте не спеша, отдавая отчет в своих чувствах, которые наполняют вас именно сейчас.

Все, что написано на этих двух листах бумаги, есть не что иное, как убеждения, от которых вам следует отказаться. Именно из-за них вы чувствуете неудовлетворение самим собой.

Представить себя ребенком

Как вы думаете, что бы сделал трехлетний ребенок, которого посадили в середине комнаты, накричали на него, называя глупым, грязнулей, неумехой и т. д., и которому надавали шлепков? Он бы молча и покорно сел в угол или залился горькими слезами. Да, он бы сделал или то, или другое, но в любом случае мы бы так никогда и не узнали о его способностях.

Другой эксперимент. Возьмем того же ребенка, приласкаем его и скажем, что мы очень любим его, нам нравится его личико, какой он умный, сообразительный, как все хорошо делает. Это ничего, что он ошибается, несмотря ни на что мы всегда будем с ним,— тогда вы будете приятно удивлены способностями, которые он проявит!

В душе каждого из нас существует такой же 3-летний ребенок, а мы все время покрикиваем на него и еще удивляемся, почему наша жизнь не ладится.

Хотели бы вы дружить с человеком, который постоянно критикует и осуждает вас? Возможно, с вами обращались так же несправедливо, как с этим ребенком, что очень печально. Но все это дела давно минувших дней, и если сейчас вы относитесь к себе так же критически, то это еще более вызывает сожаление. Перед вами несколько негативных высказываний знакомых с детства. Как они соотносятся с вашими убеждениями, что у вас не все ладно? Они совпадают? Скорее всего, да. Мы строим свою жизнь, основываясь на детских впечатлениях и наказах взрослых. В детстве мы все хорошие, послушно исполняем указания взрослых и принимаем все, что они нам говорят, за чистую монету.

186

Было бы проще простого обвинять только родителей и чувствовать себя жертвами всю оставшуюся жизнь. Но согласитесь, это не принесет никакого удовлетворения, а наши проблемы так и останутся нерешенными.

Осуждение семьи

Осуждение — один из самых верных способов остаться с проблемой наедине. Осуждая других, мы отдаем всю энергию. Понимание происходящего дает возможность подняться выше жизненных обстоятельств и контролировать свое будущее.

Прошлое невозможно изменить; будущее определяется сегодня нашими мыслями и убеждениями. Во имя нашей свободы необходимо понять, что наши родители старались все делать как можно лучше с присущим им опытом жизни. Они, как и мы, ощущали свою беспомощность, поэтому могли научить только тому, чему их самих когда-то научили.

Много ли вы знаете о детстве своих родителей, особенно в возрасте до 10 лет? Если это возможно, расспросите их о детских годах, и вам будет намного легче понять, почему они поступали именно так, а не иначе. Поняв причины их поведения, вы почувствуете жалость и сочувствие к ним.

Если же у вас нет такой возможности, постарайтесь представить родителей детьми.

Это необходимо для вашей свободы. Вы не можете стать свободными, пока не освободите своих родителей и не простите их. Если требуете от них совершенства, то будете требовать его и от себя, а в результате будете несчастными всю жизнь.

Выбор родителей

Я согласна с теорией, что мы сами выбираем родителей. Уроки жизни, которые мы получаем, вполне возможно, соответствуют их «слабостям и недостаткам».

Убеждена, что все мы совершаем путешествие в вечности и приходим на эту планету получить уроки, знания, необходимые для нашей духовной эволюции. Мы выбираем пол, цвет кожи и страну, где родиться, подыскиваем себе родителей, которые «отразят» наши убеждения.

Наш визит на эту планету подобен посещению школы. Если мы хотим стать косметологом, мы поступаем в школу косметологии; механиком — в школу механики; юристом — в юридическую школу. Родители, которых мы нашли себе, являются идеальной парой. Они «эксперты» в той области знаний, которую вы решили изучать. Став взрослыми, мы обычно осуждающе указываем пальцем на родителей и говорим: «Это вы во всем виноваты». Но я убеждена, что мы сами выбираем их.

Слушать других

В детстве наши старшие братья и сестры становятся божествами для нас. Когда они недовольны, то способны отшлепать нас или отругать. Они, вероятно, говорят так:

«Я расскажу, как ты...» (внушение вины).

«Ты еще маленький, не можешь это сделать».

«Ты слишком глуп, чтобы играть с нами».

В школе учителя оказывают на нас огромное влияние. В пятом классе одна учительница заявила мне, что из-за своего высокого роста я никогда не смогу стать балериной. Отказавшись от своей мечты, я зря поверила ей и упустила время и возможность сделать танцы своей профессией.

Поняли ли вы, что тесты проводили только с целью оценить ваши знания в заданный период, или, будучи ребенком, вы согласились на эту проверку, чтобы узнать себе цену?

В детстве наши друзья делятся с нами неверной информацией о жизни. Другие дети дразнят нас, оставляя в наших душах непреходящую боль. Когда я училась в школе, меня звали Лунни, и дети переделали мое имя в «лунатик» (в переводе с английского — «сумасшедшая, глупая»).

Соседи также влияли на нас постоянными своими замечаниями, а родители все время одергивали: «А что подумают соседи?»

Я предлагаю вспомнить других людей, которых вы уважали и к мнениям которых прислушивались. И конечно, играют большую роль яркие и убедительные рекламные программы и объявление в печати и по телевидению. Все эти многочисленные продукты и товары продавались с большим успехом, так как реклама нам внушала, если не купим их, значит, мы «ничто» или ненормальные люди.

* * *

Мы собрались здесь, чтобы переступить границы наших прежних предубеждений. Мы здесь, чтобы познать наше величие и божественность независимо от того, что «Они» говорили нам. Вам нужно преодолеть свои негативные убеждения, а мне — свои.

В бесконечном потоке жизни,
частицей которого я являюсь,
все прекрасно, цельно, совершенно.
Прошлое не властно надо мною,
потому что я хочу учиться и изменяться.
Я знаю, прошлое — необходимый этап,
пройдя который, я оказался сегодня здесь.
Я хочу привести в порядок свой Дом Разума.
Знаю, не важно, с чего я начну,
поэтому начинаю
сейчас с самой маленькой комнаты,
так я скоро достигну результата.
Я с нетерпением берусь за это,
потому что уверен: именно этот опыт
больше никогда не повторится.
Я очень хочу стать свободным.
В моем мире все прекрасно.

Глава 4

ДЕЙСТВИТЕЛЬНО ЛИ ЭТО ТАК?

«Истина есть неизменяемая часть меня».

Вопрос «Это действительно так?» имеет два ответа: «Да» или «Нет». «Да» — если вы убеждены в реальности происходящего, и «Нет», если не верите этому. Стакан одновременно наполовину полный и наполовину пустой, в зависимости от того, как на него смотреть. Существуют, без преувеличения, миллиарды мыслей, которые вы можете выбрать.

Большинство из нас предпочитает такой образ мыслей, который был свойственен нашим родителям, но мы вовсе не обязаны продолжать эту традицию. Ни в одном законе не написано, что мы должны думать только так, а не иначе.

Во что бы я ни захотела верить, оно становится для меня реальностью, но наши мысли могут быть совершенно разными, так же как наши поступки и жизнь.

Контролируйте свои мысли

Вы прекрасно знаете, что наши мысли приобретают реальные черты. Если у вас случился финансовый крах, значит, где-то на каком-то уровне подсознания вы были убеждены, что не заслуживаете быть богатым. Или если уверены, что ничто хорошее не вечно, то, возможно, в глубине души считаете, что ничего не получаете от жизни, или, как я часто слышала от вас: «Я просто не могу выиграть».

Если вам кажется, что не способны налаживать нормальные отношения с людьми, то, скорее всего, вы внушили себе, что «никто меня не любит» или «я не достоин любви». Может быть, вы опасаетесь, что кто-то будет властвовать над вами, как это было с вашей матерью, или вы считаете, что «люди только причиняют мне неприятности».

Если у вас слабое здоровье и вы убеждены, что «болезни преследуют вашу семью» или на вас очень действует погода, может быть, у вас появляется мысль: «Я рожден, чтобы страдать» или «Одна неудача следует за другой».

Вы можете иметь и другие убеждения, о существовании которых даже не подозреваете. Поверьте, таких, как вы, много, большинство. И все видят только внешние обстоятельства жизни. Вы останетесь жертвой до тех пор, пока кто-либо не укажет вам на взаимосвязь жизненного опыта и мыслей.

Проблема:	Убеждение:
Финансовый крах	Я не достоин иметь деньги
Отсутствие друзей	Никто не любит меня
Неприятности на работе	Я недостаточно хорош
Желание угодить другим	Я никогда не поступаю так, как хочу

Какова бы ни была ваша проблема, ее причина кроется в вашем стереотипе мышления, а любой стереотип можно изменить!

Проблемы, с которыми мы так упорно боремся и в которых постоянно барахтаемся, могут казаться совершенно реальными. Но независимо от того, каким бы трудным и запутанным ни было дело, которым мы заняты, — это только внешний, видимый результат нашего образа мыслей.

Если вы не знаете, какие убеждения создают ваши проблемы, то поступили совершенно правильно, взяв мою книгу, так как она написана для того, чтобы помочь вам. Спросите себя: «Какие мои мысли создают эту ситуацию?»

Посидите спокойно, и ваш разум даст вам ответ.

Это всего лишь убеждение, которое вы восприняли в детстве

Некоторые наши убеждения позитивны и полезны. Они помогают нам в дальнейшей жизни, как, например: «Переходя улицу, посмотри в обе стороны».

Другие полезны только в детстве, но по мере взросления мы отказываемся от них. «Не доверяй незнакомым людям» — может быть хорошим советом ребенку, но не взрослому, поскольку, следуя ему в дальнейшем, он обречет себя на одиночество и изоляцию от людей.

Почему мы редко спрашиваем себя, «правда ли это»? Например, почему я убежден, что «мне трудно учиться».

Было бы правильнее эти вопросы сформулировать так: «Сейчас это верно для меня?»; «Откуда появилось это убеждение?»; «Верю ли я до сих пор тому, что сказал мне учитель первого класса?»; «Станет ли мне лучше, если я откажусь от этого убеждения?»

Утверждения типа «мальчики не плачут» и «девочки не лазают по деревьям» приводят к тому, что мужчины скрывают свои эмоции, а женщины стесняются быть физически развитыми.

Если нам в детстве внушают, что окружающий мир ужасный и опасный, и все, что мы слышим вокруг, будет соответствовать этому внушению, то мы воспримем его как истину. То же самое можно сказать о советах: «Не доверяй незнакомым!»; «Не выходи из дома ночью!» и «Люди обманут тебя».

И наоборот, если нас приучат к мысли, что мир прекрасен и безопасен, то мы будем смотреть на него с любовью и восхищением, легко усвоим, что «люди очень доброжелательны», «миром правит любовь» и «я всегда будут иметь то, в чем нуждаюсь».

Вас сызмальства научили фразе: «Это моя вина»? В таком случае вы всегда и во всем будете чувствовать себя виноватым и в конце концов превратитесь в «вечно извиняющегося» человека.

Если вы в детстве привыкли говорить: «Я не считаю», значит, вы всегда будете последним в любой очереди и чувствовать себя обделенным. Точно такой случай произошел со мной в детстве, когда мне однажды не досталось ни одного кусочка торта (см. глава 16 «О себе»). Вы даже будете ощущать себя невидимкой, так как другие просто не будут замечать вас. Под влиянием обстоятельств в детстве вы привыкли думать: «Никто не любит меня»? Считайте, что одиночество — ваш удел. Если вам удается найти друга или завязать какие-то родственные отношения, все это будет кратковременным.

В семье вас учили: «Этого не хватит»? Я уверена, вам всегда будет казаться, что ваш буфет пуст, а вы сами будете в долгах как в шелках.

Один из моих пациентов вырос в семье, где считали, что все очень плохо и не может быть иначе. Главным его любимым увлечением была игра в теннис. Однажды он повредил колено. Несмотря на лечение у многих докторов, ему становилось все хуже и хуже. Кончилось все плачевно: ему пришлось отказаться от своего хобби.

Другой пациент вырос в семье проповедника. С детства ему внушили, что всем и во всем ему надо уступать. Семья проповедника всегда так и поступала. И теперь, помогая своим клиентам совершать выгодные сделки, он не имеет денег даже на карманные расходы. Из-за своего убеждения он всю свою жизнь стоит последним в очереди.

Если вы верите во что-то, оно кажется вам верным

Как часто мы говорим: «А я вот такой» или «А вот это так». На самом деле эти фразы означают, что нам кажется верным то, во что мы верим. Обычно наши убеждения являются мнением других людей, которых мы включили в свою систему убеждений. Без сомнения, оно в точности совпадает с другими нашими убеждениями.

Вы относитесь к тем людям, которые, выглянув в окно в дождливый день, восклицают с тоской: «Ох, какой отвратительный день!»

Но день не может быть отвратительным. Это просто дождливый день, и, если одеться по погоде и изменить отношение к ней, вы можете даже получить удовольствие от дождя! Если же вы убеждены в обратном, то в дождь вы всегда будете в отвратительном настроении. Вы предпочтете противиться ему, нежели плыть по течению существующих обстоятельств.

Если мы хотим сделать свою жизнь радостной и приятной, нужно думать о радостном; если хотим жить в любви и согласии — думать о любви и т. д. Что бы мы ни подумали или ни сказали, вернется к нам в подобной форме.

Каждый момент — новое начало

Повторяю: «Наша сила в настоящем моменте». Мы никогда не стоим на месте. Именно в этот момент в наших умах происходят все изменения.

Не важно, как долго мы негативно мыслили или болели, безразлично относились друг к другу или страдали от безденежья или неудовлетворенности самими собой, — мы сегодня не можем начать изменяться. Больше нет необходимости считать свои проблемы главными. Теперь они, постепенно смягчаясь, исчезнут навсегда. И это в ваших силах. Запомните: только вы (и никто другой) имеет этот тип мышления. Только вы обладаете властью и силой над собой. Ваши мысли и убеждения в прошлом создали ситуацию именно на этот миг, и все другие обстоятельства жизни, вплоть до этого момента. Все, во что мы сейчас хотим верить и о чем хотим думать и говорить, создает следующий момент, следующий день, месяц и следующий год.

Да, да, мои дорогие! Исходя из своего многолетнего опыта, я могу дать вам прекрасный совет, но в вашей воле думать по-прежнему, вы можете отказаться измениться и барахтаться в своих проблемах. Вы, только вы властны в своем мире! И вы получите именно то, о чем хотите думать!

Именно в данный момент начинается новый процесс. Каждый момент — начало нового движения вперед: именно здесь и именно сейчас.

Как прекрасно осознавать это! Наша сила в настоящем. Именно в этот миг начинается перемена!

Верно ли это?

Остановитесь на мгновение и поймайте свою мысль. О чем вы думаете именно сейчас? Если верно, что ваши сиюминутные мысли определяют дальнейшую жизнь, хотели бы вы, чтобы они обрели реальные черты? Если ваши мысли отражают гнев, тревогу, боль, страх или жажду мести, то, как вы полагаете, реализовавшись, в каком виде они вернутся к вам?

Конечно, нелегко в бесконечно меняющемся потоке мыслей поймать одну-единственную, но вы уже сейчас можете начать наблюдение за собой, своими мыслями и своей речью. Если вы поймаете себя на том, что используете негативные слова, остановитесь на полуфразе. Вы можете перефразировать или опустить ее или просто сказать: «Уйди вон!»

Представьте себя стоящим в очереди в кафетерии или буфете какого-нибудь фешенебельного отеля, где вместо различных блюд вам предлагают блюда мыслей. Вы должны выбрать любые по своему вкусу. Эти мысли создадут ваш большой жизненный опыт.

Будет довольно глупо, если вы выберете мысли, создающие проблемы или вызывающие боль. Это равносильно пище, которая плохо влияет на ваше здоровье. Мы можем ошибиться раз или два, но вскоре точно определим, какая пища нам не подходит, и в дальнейшем постараемся остерегаться ее. «Постараемся воздержаться от мыслей, которые порождают проблемы и боль».

Один из моих первых учителей д-р Рэймонд Баркер (*Barker*) часто говорил: «Когда существует проблема, надо не предпринимать что-либо, а знать».

Наше сознание создает наше будущее. Когда в нашей жизни происходит что-либо нежелательное для нас, то мы должны, воспользовавшись сознанием, постараться изменить ситуацию. И мы начинаем менять ее в ту же секунду, когда меняем свои мысли о ней.

Моя давняя мечта, чтобы тема «Как мы мыслим» стала первым предметом, изучаемым в школе. Я никогда не понимала, зачем детям надо обязательно запоминать даты исторических битв. По-моему, это пустая трата умственной энергии. Вместо этого мы могли бы научить их таким важным вещам, как, например: «Как мы мыслим»; «Как вести финансовые дела»; «Как обеспечить свою финансовую безопасность»; «Как уважать и ценить себя и не терять своего достоинства».

Вы можете представить себе, каким бы стало целое поколение взрослых, если бы в течение всего школьного курса их обучали этим предметам? Подумайте, какое влияние оказали бы эти истины!

Мы бы воспитали счастливых, обеспеченных людей, которые, мудро и правильно вложив деньги, обогатили бы экономику страны, имели бы со всеми прекрасные отношения и, отлично выполняя родительские обязанности, создали бы следующее поколение уверенных и спокойных людей. Но вместе с тем каждый человек останется личностью со свойственной ему или ей созидательной способностью.

Давайте не будем терять время и продолжим работу.

В бесконечном потоке жизни,
частицей которого я являюсь,
все прекрасно, цельно, совершенно.
Я не хочу больше верить
в старые ограничения и барьеры.
Я хочу видеть себя таким,

каким меня видит Космос:
прекрасным, цельным и совершенным.
Суть моего Бытия в том,
что я создан прекрасным,
цельным и совершенным.
Я буду всегда прекрасным,
цельным и совершенным.
Теперь я хочу прожить свою жизнь
с этим убеждением.
Я нахожусь в должном месте, в должное время
и совершаю то, что должен совершить.
В моем мире все прекрасно.

Глава 5

ЧТО МЫ БУДЕМ ДЕЛАТЬ ТЕПЕРЬ?

«Я смотрю на родителей и хочу измениться».

Решение измениться

Многие пациенты, узнав об этом пункте моей теории, ужасаются тому, что мы называем неприятностями жизни, вскидывают вверх руки и сдаются. Другие — сердятся на себя или на жизнь и тоже сдаются.

Под словом «сдаются» я подразумеваю: «Все это безнадежно; невозможно что-либо изменить, так зачем же пытаться?» Или: «Оставьте все, как есть». Вы, по меньшей мере, знаете, как справиться с этой болью. Да, она вам не нравится, но вы уже привыкли к ней и надеетесь, что хуже не будет.

Но для меня быть постоянно в состоянии раздражения и гнева — равносильно быть посаженной в угол с бумажным колпаком на голове, который в виде наказания надевается ленивому ученику. Не кажется ли вам все это знакомым? В вашей жизни что-то происходит — вы раздражаетесь. Появилась новая ситуация — вы опять вне себя, т. е. постоянное состояние раздражительности и гнева не покидает вас. Что же хорошего выйдет из этого?

По-моему, глупо и бесполезно все время сердиться. Это — пустая трата времени. Кроме того, это значит, что вы не хотите понять и принять жизнь в новом, другом ракурсе.

Было бы намного полезнее спросить себя: «Каким образом я создаю так много ситуаций, раздражающих меня?»

Какие ваши убеждения порождают срывы и разочарования? Какие флюиды испускаете вы, что они вызывают у других людей желание рассердить вас? И почему вы убеждены, что для того, чтобы добиться своего, вы должны раздражаться?

Помните: «Все, что вы отдаете другим, возвращается к вам». Чем чаще вы даете выход своему раздражению, тем больше создаете ситуации, раздражающие вас. Не правда ли, очень похоже на отбывание наказания в углу?

А теперь я хочу спросить: «Прочитав этот параграф, вы опять почувствовали раздражение, а может быть, рассердились?» Прекрасно. Этого я и добивалась. Мои слова должны были задеть за живое, чтобы именно сейчас пробудить в вас желание перемен.

Решение: Я хочу измениться

Хотите узнать, насколько вы упрямы? Предложите себе идею «хочу измениться». Все мы мечтаем о лучшей жизни, но сами-то не предпринимаем конкретных шагов в этом направлении. Мы бы предпочли, чтобы изменились «они», т. е. обстоятельства жизни, а не мы. Но в первую очередь мы должны измениться сами: изменить свой образ мыслей, манеру говорить и выражать свои эмоции. Только после этого произойдут перемены и вне нас.

Это и есть наш следующий шаг. Мы уже знаем, какие проблемы волнуют нас и как они возникли. Теперь необходимо, чтобы появилось «желание перемен».

Я всегда отличалась упрямством. Даже теперь, после многолетней работы над собой, когда хочу в чем-то изменить свою жизнь, упрямство вновь и вновь заявляет о себе, и я сопротивляюсь перемене. Временами становлюсь слишком уверенной в своей правоте, сердитой и замкнутой.

Да, это все еще случается, но я знаю, что «бью» по важному пункту процесса перемен. Приняв решение избавиться еще от какого-то убеждения, я еще больше углубляюсь в свое сознание. Каждый старый пласт мышления должен быть заменен новым. Одни пласты легко поддаются, другие — нет. Убрать их, все равно что пытаться перышком поднять тяжелый валун. Чем больше цепляюсь за устаревшее убеждение или мысль, тем более осознаю, как важно для меня избавиться именно от него.

Но все это постигается на собственном опыте намного быстрее, чем я научу вас.

Я полагаю, что многие талантливые педагоги произошли не из благополучных, а из несчастных семей, переживших много страданий и боли. Только пройдя через эти испытания и избавившись от пластов устаревших убеждений, они смогли помочь другим. Большинство хороших учителей постоянно работает над собой, удаляя один за другим ограничительные барьеры сознания. Это становится главным занятием их жизни.

Теперь, обнаружив в себе что-то еще, требующее изменения, я не раздражаюсь и не внушаю себе, что «я — плохая», а спокойно воспринимаю эту необходимость. Это и стало главным отличием в моих методах работы в прошлом и настоящем.

Уборка в доме

Работа, которую я сейчас провожу над собой, чем-то похожа на уборку в доме. Я осматриваю все уголки своего разума, все мысли и убеждения. Некоторые люблю, поэтому оставляю их и делаю более полезными. Другие требуют перестановки и небольших изменений. Третьи — за ненадобностью выбрасываю как мусор.

И совершенно не обязательно раздражаться из-за этого и чувствовать себя «плохой».

Упражнение: Я очень хочу измениться

Для этого используем аффирмацию «Я очень хочу измениться». Как можно чаще повторяйте ее. Произнося эти слова, можете прикоснуться к горлу, которое олицетворяет центр энергии перемен в нашем организме. Как только вы дотронетесь до горла, в вашем сознании начнется преобразовательный процесс.

Вам нужно настроить себя на возможные перемены в жизни. Запомните: именно та сфера жизни, где вы не хотите перемен, в первую очередь нуждается в них. «Я очень хочу перемен».

Космический Разум всегда реагирует на ваши мысли и слова. Обстоятельства начинают меняться сразу же после вашего утверждения.

Существует много методов изменить себя

Работая над собой, вы можете пользоваться не только моими идеями и советами. Существует множество других, не менее полезных методов.

Подумайте о некоторых из них. Я имею в виду: духовный, психический и физический. Есть также холистический, воздействующий на тело, сознание и дух человека. Вы можете начать с одного метода, постепенно включая другие. Одни пациенты начинают с психического, одновременно участвуют в семинарах или применяют лечебные средства. Другие сочетают духовные способы с медитацией (или молитвами).

Когда вы наводите порядок в доме, не имеет значения, с какой комнаты вы начнете. Не так ли? Поэтому послушайте мой совет: начните с того метода, который вам больше всего нравится. Остальные придут сами.

Если люди, питающиеся как попало, начинают пользоваться духовным (спиритуалистическим) методом, то часто приходят к выводу, что неправильно питаются. Под влиянием литературы и семинаров они осознают, что их внешний вид и ощущения зависят от продуктов питания, употребляемых ими.

Я не могу дать вам исчерпывающего совета о питании, поскольку поняла, что каждая система подходит одним и не подходит другим. У меня есть несколько хороших местных практикующих специалистов в области холистики. Когда я увижу, что пациент нуждается в совете, связанном с питанием, то обычно направляю его к этим специалистам. Это та область жизни, где каждый человек должен найти наиболее подходящий для себя метод или получить консультацию у специалиста.

Многие книги о питании написаны авторами, которые были больны и выработали свою систему питания. Поэтому они решили поделиться с каждым своим открытием. Но не все люди одинаковы.

Например, макробиотика [1] и натуропатия являются двумя совершенно противоположными методами. Приверженцы натуропатии никогда ничего не варят, не жарят и т. д., редко едят хлеб или зерновые и стараются не употреблять в пищу одновременно фрукты и овощи. Кроме того, они никогда не пользуются солью. Сторонники макробиотики, наоборот, готовят разные блюда (жарят, варят), пользуются солью и имеют различные системы комбинирования продуктов питания. Обе системы широко применяются, обе помогли исцелить множество людей, но ни одна из них не подходит абсолютно всем.

Моя система питания очень проста: я ем все, что растет на земле. Если не растет, не ем.

Советую вам осознанно подходить к питанию. Это равносильно контролю над своими мыслями. Кроме того, питаясь рационально, мы можем научиться быть внимательными к своему телу и сигналам, которые оно подает нам.

Избавление от негативных мыслей, сопровождающих нас почти всю жизнь, по своей сути равнозначно переходу к рациональной программе питания после многолетнего игнорирования элементарных правил сочетания продуктов. Но и в том и другом случае у вас может возникнуть кризис.

---

[1] Макробиотика — одна из оздоровительных систем.

Как только начнете диету питания и ваш организм начнет избавляться от токсических веществ, ваше самочувствие на 1—2 дня может ухудшиться. То же самое происходит, если вы решите изменить свой образ мыслей. Сначала у вас создается впечатление, что жизненные обстоятельства ухудшились.

Вспомните праздничный обед на День Благодарения. Все вкусно поели и надо вымыть сковородку, на которой жарилась индейка. Сковородка вся обгорела и покрылась пятнами жира, поэтому на некоторое время вы замачиваете её в горячей воде с мылом, а потом начинаете чистить. Ох, какую же грязь вы разводите! Кажется, сковородка стала грязнее, чем была. Но если вы продолжаете ее мыть и чистить, то вскоре она станет чистой и блестящей, совсем как новая!

С нашими мыслями, которые мы хотим «почистить», происходит то же самое. Поэтому продолжайте работать с новыми аффирмациями и скоро вы окончательно избавитесь от старых, лимитирующих вас стереотипов мышления.

Упражнение: Желание измениться

Итак, мы приняли решение измениться и будем пользоваться любым подходящим способом или всеми сразу. Разрешите описать один из них, которым я пользуюсь сама и в работе с пациентами.

Во-первых, посмотрите в зеркало и скажите себе: «Я очень хочу измениться».

Заметьте, какие у вас при этом возникают ощущения: если вы колеблетесь, или сопротивляетесь, или просто не хотите измениться, спросите себя: «Почему? За какое старое убеждение я держусь?» Пожалуйста, не браните себя за это, только запомните свою реакцию. Держу пари, что именно это убеждение приносило вам больше всего неприятностей. Я хотела бы знать, откуда оно появилось? А **вы** знаете это?

Не имеет значения, знаете вы или нет, давайте постараемся избавиться от этой негативной мысли. Для этого снова подойдите к зеркалу и, дотронувшись до горла, повторите громко 10 раз подряд фразу: «Я хочу избавиться от сопротивления».

Работа с зеркалом очень эффективна. Еще в детстве мы получили много негативной информации от людей, которые смотрели нам прямо в глаза, а возможно, и грозили пальцем. И сейчас всякий раз, глядя на себя в зеркало, мы говорим себе что-нибудь плохое или критикуем свой внешний вид или свое поведение. Посмотреть себе прямо в глаза и сказать себе что-то хорошее — кратчайший путь к получению результатов в работе с аффирмациями.

В бесконечном потоке жизни,
частицей которого я являюсь,
все прекрасно, цельно, совершенно.
Теперь я хочу спокойно и объективно
взглянуть на свои устаревшие представления
и изменить их.
Я способен к учебе. Я могу научиться.
Я хочу измениться.
Я хочу получить удовольствие от этого.
И если узнаю, что мне надо избавиться

196

еще от какого-то убеждения,
буду радоваться, словно нашел клад.
Я вижу и чувствую,
как изменяюсь с каждым мгновением.
Мысли больше не властны надо мною.
Я обладаю силой в этом мире.
Я хочу быть свободным.
В моем мире все прекрасно.

Глава 6

СОПРОТИВЛЕНИЕ ПЕРЕМЕНАМ

«Я живу в ритме и потоке вечно меняющейся жизни».

Осознанность — первый шаг к исцелению и переменам

Чтобы исправить ситуацию, которая беспокоит нас, нужно понять, какое глубоко укоренившееся убеждение вызвало ее к жизни. Возможно, мы слишком часто думаем об этой ситуации и жалуемся на нее. В результате мы концентрируем на ней все внимание и оказываемся тесно привязанными к ней. Для того чтобы найти новые пути выхода из этой ситуации, мы привлекаем друзей, наставников, коллег или обращаемся к книге.

Мое пробуждение началось со случайно оброненной фразы друга, которого пригласили на какое-то собрание. Друг не пошел, но что-то подсказало мне посетить это собрание. Это незначительное событие стало первым шагом на пути моей эволюции. Всю значимость этого шага я поняла несколько позже. Часто на первом этапе обучения мы считаем такой подход неразумным, а то и просто вздором. Возможно, он кажется нам слишком легким и неприемлемым. Мы не хотим изменяться, сопротивляемся и даже сердимся при одной мысли о необходимости перемен.

Я говорю своим пациентам и ученикам, что любая их реакция показывает: они уже включились в исцелительный процесс, хотя окончательный итог потребует довольно много времени. Истина состоит в том, что процесс начинается в тот момент, когда в нашем сознании возникает мысль о необходимости перемен.

Нетерпение представляет собой другую форму сопротивления: это отказ учиться и изменяться.

Требуя коренных изменений прямо сейчас, мы не даем себе возможности и времени научиться решать проблемы.

Приведу простейший пример.

Если вы сидите в одной комнате и хотите перейти в другую, то для этого вам нужно встать и идти шаг за шагом в нужном направлении. Сидя без движения в своем кресле, вы не попадете в другую комнату. То же самое и с вашей проблемой. Если вы хотите избавиться от нее, но ничего не собираетесь для этого предпринимать, это только осложнит решение.

Теперь пришло время осознать всю ответственность за ситуацию, которую создали мы сами. Я не имею в виду вашу вину или недовольство собой. Мы должны осознавать, что обладаем «силой внутри нас», которая преображает наши мысли в наш жизненный опыт. В прошлом мы, не подозревая об этом, использовали эту «силу» для создания нежелательных для нас ситуаций. Но тогда мы не отдавали отчета в своих поступках. Теперь, понимая свою ответственность, мы научимся сознательно, для своего блага пользоваться этой «силой». Часто, когда я предлагаю своим пациентам решение проблемы, новый метод подхода к ней или прощение человека, имеющего к этой проблеме прямое отношение, то вижу, как в гневе сжимаются кулаки и зубы, а руки прижимаются к груди. Сопротивление налицо, и я понимаю: попала в точку.

Нам всем многому надо учиться. Самое трудное — занятия и уроки, которые мы выбрали сами. Если все идет гладко, это не учеба. Значит, это нам уже известно.

Не бойтесь учиться

Представьте себе, что вам предстоит труднейшая работа, но вы не хотите ее делать, сопротивляетесь ей. Значит, на данный момент это самый важный для вас урок. Перестаньте противиться, сопротивляться и позвольте себе научиться тому, в чем вы нуждаетесь. Вам будет легче сделать следующий шаг. Не поддавайтесь лени, не позволяйте себе сопротивляться переменам. Мы с вами можем работать в двух направлениях:
1) просто наблюдать за своим сопротивлением;
2) менять свой образ мыслей.

Понаблюдайте за собой, посмотрите, какие формы принимает ваше нежелание что-либо менять в себе, и идите вперед.

Уловки, к которым мы прибегаем

Наши действия часто отражают сопротивление или нежелание что-либо делать. В чем они могут заключаться? Мы можем перевести разговор на другую тему, уйти из комнаты, пойти в ванную, опоздать, заболеть. Можно медлить с работой, занявшись чем-то другим, потратив время зря, глядя в сторону, например в окно, перелистывая журналы и отказываясь обращать внимание на работу. Некоторые для этого часто едят, пьют или курят, завязывают новые отношения с людьми или порывают с ними, провоцируют аварии машин, электробытовых приборов, канализации и т. д.

Предположения

Часто, оправдывая свое сопротивление, мы ссылаемся на других и заявляем: из этого ничего хорошего не выйдет.

Мой муж (жена) этого не поймет.
Для этого мне придется изменить свою индивидуальность.
Только сумасшедшие ходят к врачам.
Им со мной не справиться, когда я сержусь.
Они не могут мне помочь в решении моей проблемы.
Мой случай совершенно особый.
Я не хочу их тревожить.
Все образуется само собой.
Никто так не делает.

Убеждения

Мы выросли с убеждениями, ставшими препятствием для наших перемен. Вот некоторые из них:

Это не кончено.
Просто это неправильно,
Будет плохо, если я так поступлю.
Обычно мужчины / женщины так не делают.
В моей семье это не принято.
Любовь не для меня.
Туда так далеко ехать.
Очень много работы.
Это безумно дорого.
Это займет слишком много времени.
Не верю в это.
Я не такой человек.

Они

Мы отдаем нашу силу другим и таким образом оправдываем свое сопротивление изменениям. Обычно мы говорим так:

Господь этого не одобрит.
Я жду благоприятного расположения звезд.
Здесь неподходящая обстановка.
Они не разрешат мне измениться.
У меня нет хорошего учителя.
Мой врач этого не хочет (против этого).
После работы не могу найти для этого время.
Не хочу быть очарованным ими.
Это они виноваты.
Сначала они должны измениться сами.
Как только я получу..., я сделаю это.
Вы (они) не понимают.
Я не хочу причинить им вред.
Это против моего воспитания, религиозных и философских убеждений.

Каждый из нас имеет собственное представление о своей внешности, которое использует как барьер или отказ от изменений.
Оказывается, мы слишком:

старые;
молодые;
полные;
худые;
маленького роста;
высокие;
ленивые;
сильные;
слабые;
молчаливые;
красивые;
бедные;

никчемные;
легкомысленные;
серьезные;
самодовольные.

Не кажется ли вам, что список чересчур велик?

Тактика отсрочки

Методы, которые мы применяем, чтобы отсрочить начало работы, — поговорим о них. Наше сопротивление иногда принимает форму отсрочки. Мы оправдываем себя так:

Я сделаю это позже.
Я не могу сейчас об этом думать.
Сейчас у меня нет времени.
Это займет слишком много рабочего времени.
Да, это хорошая идея, но я сделаю это в другое время.
Мне так много нужно сделать.
Я подумаю об этом завтра.
Как только я разделаюсь с этим...
Как только вернусь из этой поездки.
Сейчас не время.
Слишком поздно (или еще не время начинать).

Отказ

Следующие фразы выражают отказ от каких-либо перемен:

У меня все в порядке.
Ничего не могу поделать с этой проблемой.
Последнее время у меня все было в порядке.
Что хорошего принесет мне это изменение?
Если не обращать внимания на эту проблему, может быть, она разрешится сама собой.

Страх

Страх, а именно боязнь неизвестности, является, пожалуй, самой главной причиной сопротивления переменам. Список уловок может быть очень длинным. Посмотрите сами:

Я еще не готов.
Я могу провалиться.
Они могут меня отвергнуть.
А что подумают соседи?
Я боюсь рассказать мужу (жене).
Мне будет обидно выслушать это.
Возможно, мне нужно измениться.
Возможно, это будет стоить больших денег.
Я лучше умру первый (или лучше сначала разведусь).
Я не решаюсь выразить свои чувства.
Я не хочу об этом говорить.
У меня нет больше сил с этим бороться.

Кто знает, где я могу умереть.
Я могу потерять свою независимость.
Это так трудно.
Сейчас я испытываю финансовые затруднения.
Я могу поранить спину.
Я не буду совершенным.
Я могу потерять друзей.
Я никому не верю.
Это может повредить моему имиджу.
Я недостаточно хорош.

Этот список можно продолжать до бесконечности. А вы не пользуетесь такими отговорками, оправдывая свое нежелание или отказ что-то делать?

А теперь вам задание.

Я приведу вам два примера из своей практики. Попробуйте определить, в чем в обоих случаях выразилось сопротивление пациентов?

Ко мне на прием пришла пациентка с жалобой на многочисленные боли. Она пережила три автокатастрофы, в результате у нее были сломаны спина, шея и колено. Она опоздала на прием, так как заблудилась и попала в пробку.

Пациентка непринужденно рассказала о всех своих проблемах, но, как только я сказала: «Разрешите мне кое-что у вас спросить», что тут началось! Ее сразу же стали беспокоить контактные линзы, она вдруг захотела пересесть в другое кресло, затем ей понадобилось пойти в туалет. До конца занятия я так и не смогла ее заставить выслушать мои вопросы.

Вы поняли эту ситуацию? Правильно: все это было проявлением сопротивления. Пациентка не была готова распроститься с прошлым и исцелиться. Как мне стало известно, ее сестра тоже дважды получила травму спины. То же самое произошло и с ее матерью.

Другой пациент был хорошим актером, мимом, работающим на улице. Он хвастался, как ловко обманывал других, особенно студентов, и как умел вовремя улизнуть с украденным. Но тем не менее он всегда был без денег, по крайней мере на месяц задерживал квартплату, и у него даже часто отключали телефон. Одет он был неопрятно, работал от случая к случаю. Его мучили боли во всем теле, а личная жизнь так и не сложилась.

По его словам, он не мог прекратить обманывать, пока в его жизни не появится что-нибудь хорошее. Конечно, ничего хорошего у него не могло появиться, так как он не отказывался от этой дурной привычки. Значит, сначала ему было нужно от нее отказаться.

Что вы думаете об этой ситуации? Вы оказались правы: сопротивление пациента выразилось в том, что он не был готов распрощаться со старыми привычками.

Оставьте в покое своих друзей

Очень часто, вместо того чтобы работать над собой, мы стремимся изменить кого-то из своих друзей. Это тоже один из видов сопротивления.

В первые годы практики у меня была пациентка, которая постоянно просила меня навестить ее друзей, находящихся в больнице. Вместо того чтобы послать им цветы, она хотела с моей помощью решить их проблемы. Я приезжала к ее больным подругам с магнитофоном, вызывая их изумление, так как они не знали, зачем я здесь и что намереваюсь с ними делать. Так продолжалось до тех пор, пока я не поняла: нельзя работать с людьми, которые сами не проявляют желания со мной встретиться.

Иногда пациенты приходят ко мне ради чистого интереса. Или оказывается, что их визит ко мне заранее оплачен более состоятельными людьми. Но это, как правило, ни к чему не приводит, и эти люди редко возвращаются ко мне.

Мы часто хотим поделиться радостью с другими. Но, возможно, они не в состоянии разделить нашу радость и наши взгляды на данную ситуацию, так как сами не готовы к необходимым переменам. Более того, это может нас поссорить.

Я помогаю пациентам, которые сами ко мне приходят, но оставляю в покое своих друзей.

Работа с зеркалом

Зеркало отражает наше отношение к самим себе. Оно ясно показывает, где и в чем нам нужно измениться, чтобы сделать свою жизнь полной радости и гармонии.

Я советую всем, проходя мимо зеркала, посмотреть себе в глаза и сказать что-нибудь приятное. Самый эффективный способ работы с аффирмациями — произносить их громко, глядя в зеркало: так вы моментально почувствуете, сопротивляетесь ли вы или нет. Если да, то надо как можно быстрее найти способ избавиться от этого недостатка. Было бы прекрасно, если бы, работая с этой книгой, вы использовали зеркало. Пользоваться им надо как можно чаще, произнося аффирмации. Проверьте, в чем вы сопротивляетесь, а в чем открыты и готовы работать над собой.

Посмотрите в зеркало и скажите: «Я хочу измениться». Обратите внимание на свою реакцию. Если вы колеблетесь или сопротивляетесь, спросите себя: «Почему?» За какие старые убеждения вы продолжаете цепляться?

Но не надо себя ругать. Просто отметьте, какая мысль или фраза в этот момент всплыла в вашей памяти. Именно она и доставляет вам самые большие неприятности.

Если после работы с аффирмациями окажется, что ничего не происходит и не меняется, то легче всего заявить: «О, аффирмации бесполезны». В действительности же это означает, что необходимо предпринять что-то еще, прежде чем произносить аффирмации.

Повторяющиеся стереотипы отражают наши потребности

Каждая наша привычка, каждый вновь и вновь повторяющийся стереотип указывает на внутреннюю потребность. А она, в свою очередь, соответствует нашим убеждениям.

Какая-то внутренняя потребность приводит к полноте, плохим отношениям, неудачам, курению и любым другим проблемам, с которыми нам приходится сталкиваться.

Сколько раз мы обещали себе: «Никогда больше не буду этого делать!» Еще не кончился день, а мы уже съели кусочек торта, выкурили сигарету, обидели любимого человека и т. д. Потом сердито говорим себе: «У меня нет силы воли, я — недисциплинированный человек. Я просто слабохарактерный».

Все это усугубляет чувство вины, которое постоянно нас преследует.

**На самом деле эта проблема не имеет ничего общего
ни с силой воли, ни с дисциплиной**

От чего бы мы ни пытались избавиться, это всего лишь симптом, внешний эффект, и ничего более. Бесполезно устранять симптом, не искоренив причины, порождающей его. Как только мы теряем контроль над собой, ослабляем силу воли или дисциплину — симптом возникает вновь.

Стремление избавиться от потребности

Я часто говорю пациентам: «У вас есть какая-то потребность в этой ситуации, иначе она бы не существовала. Давайте постараемся выработать в себе стремление избавиться от потребности. Не будет потребности — исчезнет желание курить, переедать и т. д., то есть исчезнет любой другой отрицательный стереотип».

В этом случае первая аффирмация звучит так: «Я хочу избавиться от потребности сопротивляться...» Скажите себе: «Я хочу перестать сопротивляться своей потребности» (будь то головная боль, излишний вес, недостаток денег и т. д.). Если вы ощущаете сопротивление именно этой фразе, значит, другие ваши аффирмации пока не будут эффективными.

Нужно уничтожить паутину, которой вы себя опутали. Если вы когда-либо разматывали клубок бечевки, то знаете, что, дергая и натягивая бечевку, только туже затянете узел. Нужно спокойно и терпеливо развязывать все узлы. Такое же терпение и спокойствие вам потребуется для того, чтобы развязать все узелки вашего сознания. Если понадобится, обратитесь за помощью к друзьям, коллегам или специалистам. Относитесь к себе с любовью во время этого процесса. Ключ к успеху — желание распрощаться с прошлым, с устаревшими стереотипами. В этом весь секрет.

Когда я говорю о «потребности проблемы», я имею в виду, что каждое внешнее проявление является естественным выражением того или иного образа мыслей. Борьба с внешним проявлением-симптомом — не что иное, как зря потраченная энергия, в результате чего проблема только усугубляется.

**Промедление с началом любого дела — одно из
проявлений убеждения «Я недостоин»**

Если вы обычно прибегаете к различного рода уловкам и отговоркам, лишь бы не браться за дело, значит, вам свойственно убеждение «Я недостоин». Ведь оттягивание, промедление — один из способов удержать нас от каких-либо действий или поступков. Большинство людей, оттягивающих свои дела, тратят много сил и времени, ругая себя за это, называют себя лентяями и доказывают себе, что они плохие.

Неприятие чужих радостей

Один мой пациент очень любил привлекать внимание окружающих и обычно приходил на собрание с опозданием, чтобы возбудить общий интерес.

Он рос в семье, где было 18 детей. Уже с раннего детства он считал себя обделенным: если родители угощали его братьев и сестер, то он, как правило, последним получал лакомый кусочек. Поэтому еще с ранних лет у него зародилось чувство болезненной зависти к более удачливым. И даже теперь, когда кому-либо улыбается судьба, он не может разделить радость с этим человеком. Вместо этого он говорит: «Ох, как бы я хотел это иметь!» Или: «Почему у меня до сих пор этого нет?»

Неприятие чужой удачи или успеха препятствует его собственному духовному росту или изменению.

Чувство самоценности и самоуважения открывает двери судьбы

Однажды ко мне пришла пациентка в возрасте 79 лет. Она была преподавателем пения, а несколько ее учеников занимались рекламными передачами на телевидении. Она тоже мечтала заняться этим бизнесом, однако не решалась. Я полностью поддержала ее желание и объяснила: «Будьте сама собой. Вы одна в своем роде, делайте это себе в удовольствие».

Есть разряд людей, которые ждут, что же вы можете им предложить. Дайте им понять, что вы существуете, способны на хорошие, полезные дела, от которых можете получить удовольствие и вы, и вас окружающие. И тогда все станет на свое место.

Моя пациентка пригласила к себе несколько агентов и режиссеров, занимающихся подбором актерского состава. Когда они к ней приехали, то услышали: «Я очень пожилая гражданка и хочу заняться бизнесом, связанным с рекламой и объявлениями». Спустя некоторое время она сделала несколько передач и с тех пор продолжает работу. Я часто вижу ее на ТВ и в журналах. Итак, никогда не поздно начать новую карьеру, особенно в том случае, когда вы получаете от этой работы удовольствие.

Заниматься самокритикой, — значит, никогда не добиться своей цели.

Занимаясь самокритикой, вы только медлите с началом работы или предаетесь лени, поэтому свою умственную энергию вы должны направить на избавление от старых стереотипов и создание нового образа мышления. Скажите себе: «Я хочу избавиться от потребности быть недостойным и заслуживаю всего наилучшего в жизни; теперь с любовью я разрешаю себе признать это.

По мере того как я в течение нескольких дней буду повторять эту аффирмацию, все внешние проявления проволочки начнут исчезать сами по себе.

Как только мысль о самоценности утвердится в моем сознании, добро и благо не заставят себя долго ждать.

Вы можете сказать: а как это может соотноситься с негативными мыслями или внешними проявлениями в вашей жизни?

Независимо от вашего подхода к проблеме и самого обсуждаемого предмета, мы имеем дело только с мыслями, а их можно изменить.

Если мы желаем каким-то образом изменить обстоятельства, нам нужно сказать: «Я хочу избавиться от своего образа мышления, который создает это обстоятельство».

Вы можете многократно повторять эту фразу каждый раз, когда думаете о своей болезни или какой-либо другой проблеме.

Как только вы ее произнесете, моментально почувствуете, что вы больше не являетесь жертвой обстоятельств. Вы больше не беспомощны, вы сознаете свою силу.

Вы говорите себе: «Я начинаю понимать, что сам создал это. Теперь ко мне возвращается сила. Я намерен избавиться от своей старой мысли».

Самокритика

Я знаю клиентку, которая способна за один присест съесть почти полкило сливочного масла, а заодно и закусить еще чем-нибудь, будучи не в состоянии оставаться наедине со своими негативными мыслями. А на следующий день будет сердиться на себя, почему такая полная. Когда она была маленькой, то, обходя вокруг стола, доедала остатки обеда и куски масла за всеми членами семьи. Вся семья посмеивалась над ней, находя это забавным, т. е. фактически одобряя ее поступки.

Как вы думаете, на кого вы пытаетесь воздействовать, когда ругаете или «казните» себя?

Почти все наши стереотипы, положительные и отрицательные, сложились еще в 3-летнем возрасте. И с тех пор наш опыт базируется на представлениях, сформировавшихся именно в тот период нашей жизни. Мы обращаемся с собой так же, как с нами обращались родители. Человек же, которого вы ругаете, — это 3-летний ребенок внутри вас.

Если вы сердитесь на себя за то, что по характеру пугливы, чего-либо постоянно боитесь, — представьте себя 3-летним ребенком. Что бы вы сделали, если бы перед вами оказался 3-летний ребенок? Рассердились бы на него, или, протянув к нему руки, стали бы утешать до тех пор, пока он не успокоится? Возможно, что взрослые, окружавшие вас в детстве, не знали, как успокоить ребенка. А теперь вы сами стали взрослым, и если не успокаиваете ребенка внутри себя, то это действительно очень печально.

То, что было сделано в прошлом — уже не вернешь. Но сейчас у вас есть возможность обращаться с собой так, как вы хотели бы, чтобы с вами обращались другие. Напуганного ребенка нужно успокоить, а не ругать.

Если же вы будете ругать себя, то боязнь и страх проявятся в вас в еще большей степени.

Если ребенок внутри вас не чувствует себя в безопасности, это создает множество проблем. Помните, каким ничтожным вы иногда чувствовали себя в молодости? Сейчас ребенок внутри вас чувствует себя точно так же.

«Будьте добры к себе. Начинайте любить и одобрять себя». Именно в этом нуждается дитя, для того чтобы выразить себя наилучшим образом.

В бесконечном потоке жизни,
частицей которого я являюсь,
все прекрасно, цельно, совершенно.
Я хочу освободиться от всего,
что сопротивляется
переменам в моем сознании.
Эти мысли больше не властны надо мной.
Я властвую в этом мире.
Я двигаюсь вместе с потоком перемен,
происходящих в моей жизни,
и одобряю себя и то, как я изменяюсь.
Я стараюсь изо всех сил.
С каждым днем мне становится легче.
Меня радует, что я двигаюсь в ритме и потоке
своей постоянно меняющейся жизни.
Сегодня — замечательный день.
И я хочу, чтобы так и было.
В моем мире все прекрасно.

Глава 7

КАК ИЗМЕНИТЬ СЕБЯ?

«Я легко и радостно перехожу мосты».

Мне нравится вопрос: «Как это происходит?» Все существующие в мире теории бесполезны до тех пор, пока мы не научимся их применять и совершенствоваться. Я всегда руководствуюсь практическими соображениями и хочу знать, как делать то или другое.

Друзья! Теперь мы начнем работать над следующими принципами:

Воспитание в себе желания освободиться от ненужных стереотипов.

Контроль над сознанием.

Обучение методам прощения себя и других.

Избавление от потребности

Когда мы пытаемся избавиться от какого-либо стереотипа мышления или поведения, нам вдруг кажется, что ситуация на некоторое время ухудшается. Но это не так уж и плохо. Это знак того, что ситуация начала изменяться, наши аффирмации благотворно действуют, и работу над собой следует продолжить.

Примеры

Мы работаем не покладая рук, чтобы улучшить свое благосостояние, как вдруг потеряли бумажник.

Мы стремимся улучшить отношение с кем-либо, но неожиданно с ним поссорились.

Мы все делаем для укрепления здоровья, как вдруг простудились.

Мы стремимся как можно лучше проявить свои творческие способности и таланты, но проваливаемся на прослушивании или конкурсе.

Иногда проблема развивается в другом направлении. Предположим, вы хотите бросить курить и говорите: «Я хочу избавиться от табакокурения!» Если вы продолжаете курить, то замечаете ухудшение отношений с кем-либо.

Казалось бы, какая существенная связь между вашим курением и отношениями с другими людьми? Вы думаете никакой? Нет, это не так. Не огорчайтесь, если вы почувствовали дискомфортность по отношению к кому-то. Это признак начавшихся в вас перемен, т. е. вы начали изменяться: процесс пошел.

Можете задать себе несколько вопросов. Например: хочу ли я разорвать эти ненормальные отношения? Не является ли сигаретный дым экраном, заслоняющим от меня действительность, т. е. не мешает ли он понять, насколько эти отношения неудобны для меня? Зачем я поддерживаю и сохраняю эти отношения?

Вы сознаете, что сигареты являются только симптомом, а не причиной. Теперь вы развиваетесь изнутри и понимаете, что может вас освободить.

Вы начинаете внушать себе: «Я хочу избавиться от «потребности» неудобных отношений».

После чего вы замечаете: причина вашего ощущения дискомфортности в критическом отношении к вам со стороны окружающих.

Зная о том, что свой жизненный опыт мы создаем сами, вы начинаете внушать себе: «Я хочу избавиться от потребности быть критикуемым».

Поразмыслив над критицизмом, вы вспоминаете, что в детстве вас много критиковали. В результате маленький ребенок внутри вас чувствует себя «как дома» только тогда, когда его критикуют. И создание экрана из сигаретного дыма не что иное, как бегство от этой критики.

Возможно, следующим вашим шагом будет заявление: «Я хочу простить».

Продолжая работу с аффирмациями, вы обнаруживаете, что сигареты больше не привлекают вас, а люди — не критикуют. Теперь вы знаете, что избавились от «потребности» курить.

Чтобы добиться успеха, требуется не так уж и много времени. Если вы проявите настойчивость и ежедневно в течение нескольких минут будете размышлять об изменениях, которые происходят, вы получите ответы на все свои вопросы.

Ваш интеллект — это тот же Разум, что создал всю планету. Верьте Руководителю, который живет внутри вас, и он расскажет, что же вам конкретно необходимо знать.

Упражнение: Избавление от потребности

Если вы участвуете в семинаре, желательно, чтобы это упражнение выполнялось с партнером. С таким же успехом вы можете использовать большое зеркало.

Подумайте, что бы вы хотели изменить в своей жизни. Подойдя к зеркалу, взгляните прямо себе в глаза и громко скажите: «Сейчас я поняла, что сама создала эту ситуацию, а теперь хочу избавиться от этого стереотипа мышления».

Произносите эту фразу с чувством несколько раз.

Если вы с партнером, пусть он скажет, верит ли он вам. Я очень хочу, чтобы вы убедили его.

Спросите себя, действительно ли вы имели это в виду.

Глядя в зеркало, убедите себя, что на этот раз вы готовы выйти из кабального прошлого.

На этом упражнении многие пугаются, так как не знают, КАК избавиться. Они боятся принять на себя обязательства до тех пор, пока не узнают всех ответов. Но это только порождает еще большее сопротивление. Пройдите через это.

Замечательно то, что вы не обязательно должны знать КАК. Каждая ваша мысль или ваше подсознание само подскажет КАК, было бы желание что-то сделать.

Ваш разум — инструмент

Вы — нечто более значительное, чем ваш разум. Можете считать, что ваш ум показывает спектакль, потому что вы научили его так работать. Но при желании этот инструмент мышления можно чему-то научить и переучить.

Ваш ум — это инструмент, которым вы можете пользоваться любым способом.

То, как вы сейчас пользуетесь своим умом, — всего лишь привычка, а любые привычки можно изменить, было бы желание и уверенность в том, что это возможно.

Угомонитесь, прекратите болтать о разуме. Давайте всерьез задумаемся над тем, что же такое разум.

«Ваш разум — это инструмент, который вы можете использовать любым способом».

Мысли, которым вы отдаете предпочтение, формируют ваш жизненный опыт. Если вы верите в то, что привычку или мысль трудно изменить, то именно это ваше убеждение превратится в реальность. Если начнете думать: «Мне становится легче изменяться», именно эта мысль станет правдой для вас.

Контроль над разумом

Вы обладаете удивительной силой и умственными способностями, определяющими ваши мысли и слова.

Научившись контролировать свой разум, сознательно выбирая ту или иную мысль, вы наделяете себя этой силой.

Если вы считаете, что ваш разум контролирует вас, — ошибаетесь: вы сами контролируете его и пользуетесь им в зависимости от жизненных ситуаций. Благодаря разуму, вы можете отказаться от старых стереотипов мышления.

Если эти стереотипы пытаются вернуться и говорят: «Измениться очень трудно», в этом случае скажите своему разуму: «Теперь я хочу верить, что мне становится легче изменяться». Возможно, вам придется не раз вести такие беседы с самим собой, чтобы убедиться: ситуация контролируется вами и все идет так, как вы приказываете себе.

Единственное, над чем вы имеете контроль, — это ваша сиюминутная мысль

Итак, вы распрощались со своими старыми мыслями. С ними ничего нельзя сделать, кроме как пережить те ситуации, которые сформировали ваши сиюминутные мысли и находятся под вашим полным контролем.

Пример

Допустим, у вас есть ребенок, которому разрешалось ложиться спать в то время, когда он захочет. Затем вы вдруг решили укладывать его в 8 часов вечера. Как вы думаете, во что превратится его первая ночь после перемены режима?

Ребенок восстанет против нового правила, будет пронзительно кричать, бить ножками, только чтобы не идти в постель. Если вы смягчитесь и отступите от своего решения, ребенок победит и будет пытаться всегда вас контролировать.

Но если вы спокойно, но твердо будете стоять на своем, через 2—3 ночи недовольство ребенка пройдет и он начнет жить по новому режиму.

То же самое происходит с вашим разумом. Конечно, сначала он будет противиться. Он не хочет переучиваться, изменяться. Но вы контролируете его, и, если будете строги к себе и сосредоточите все свое внимание на новом образе мыслей, он довольно скоро воцарится в вашем сознании. И вам будет приятно сознавать, что вы не беспомощная жертва своих мыслей, а хозяин и господин своего разума.

Упражнение: Расслабление

Читая эти строки, глубоко вдохните, затем, выдыхая, полностью расслабьтесь. Пусть разгладится кожа на лбу и лице. Не нужно напрягать голову. Дайте также расслабиться своему языку и горлу. Распрямите плечи. Книгу можете держать расслабленными руками. Пусть расслабится ваша спина, брюшная полость и таз. Дышите ровно, расслабьте ноги и ступни.

Вы почувствовали изменение в своем теле после того, как начали читать предыдущий абзац? Отметьте про себя, как долго вы можете быть в этом состоянии. Учтите: то, что вы делаете со своим телом,— вы совершаете со своим разумом.

В этом расслабленном, удобном положении скажите себе: «Я хочу отпустить. Я освобождаю. Я разрешаю уйти. Я избавляюсь от напряжения. Я избавляюсь от гнева и раздражения. Я разрешаю уйти от себя всей печали. Я освобождаюсь от всех устаревших и ограничивающих меня мыслей и идей. Я разрешаю им уйти. Я в мире и согласии с самим собой и в гармонии с процессом жизни. Я чувствую себя в безопасности».

Выполните это упражнение 2—3 раза. Почувствуйте облегчение от избавления. Повторяйте упражнение каждый раз, как только почувствуете, что вновь появляются мысли о трудности перемен. Надо немного поупражняться, и тогда это упражнение станет частью вашей жизни. Сначала расслабьтесь, примите спокойную позу, тогда аффирмации быстрее дадут результат. Вы легче будете их воспринимать.

Не должно быть никакого напряжения или нажима. Просто расслабьтесь и подумайте о чем-нибудь приятном. Это так легко.

Физическое избавление

В нашей неспокойной повседневной жизни часто возникает необходимость снимать стрессовые состояния и напряжение. Отрицательные эмоции, вызывающие эти явления, как бы заперты в нашем теле. Им необходимо дать выход. Покричите во весь голос в автомобиле с закрытыми стеклами, это очень поможет снять напряжение. Особенно это полезно в том случае, если вы воздерживаетесь от грубых словесных выражений. Можно также колотить постель руками и ногами, или бить подушки. Эти проверенные жизнью действия — безвредный способ высвобождения подавленного гнева, так же, как игра в теннис или бег.

Недавно я почувствовала боль в плече. Это продолжалось день-два. Я попыталась ее игнорировать, но боль не проходила. Я села и спросила себя: «Что происходит? Что я ощущаю?»

Я поняла, наконец, свое состояние: у меня было ощущение жжения. Жжение, жжение... Это символизирует гнев. Почему я сержусь?

Я не могла ответить себе, потому сказала: «Ну-ка давай посмотрим, что нам удастся обнаружить?» Я положила на кровать две большие подушки и начала колотить их со всей силой.

После примерно 12 ударов я поняла, в чем дело и почему я сержусь. Это было так ясно. Поэтому я стала бить по подушкам еще сильнее, немного пошумела и высвободила свои эмоции. Закончив эту процедуру, я почувствовала себя намного лучше, а на следующий день боль в плече совершенно прекратилась.

В тисках прошлого

Многие говорят мне, что не могут радоваться из-за чего-то, что случилось с ними в прошлом. Они не могут сейчас жить полнокровной жизнью, так как в прошлом что-то не сделали, а если и сделали, то не так, как следует. Не могут ответить на чью-то любовь из-за обиды, которую нанесли им в прошлом. Поскольку ранее их преследовали в основном одни неприятности, они боятся, что сегодня может повториться с ними то же самое. Неблаговидные поступки, совершенные ими в прошлом, о чем они, естественно, сожалеют, накладывают на них, по их собственному мнению, печать на всю жизнь. Кроме того, в своих бедах и несчастьях они склонны обвинять всех, в том числе и людей, с которыми раньше общались. В результате нанесенных обид у них появляется злость и ненависть. Они становятся злопамятными и не простят, не забудут то, что с ними когда-то плохо обошлись.

Примеры

Так как меня не пригласили на вечер выпускников в среднюю школу, я не могу радоваться жизни.

Так как я плохо выступил на первом прослушивании, я всегда буду бояться их.

Так как я больше не женат, не могу теперь жить полнокровной жизнью.

Поскольку в детстве я был бедным, то, думаю, никогда не разбогатею.

Поскольку однажды своровал, я должен всю жизнь казнить себя за этот неблаговидный поступок.

Поскольку меня однажды незаслуженно обидели, я окончательно потерял доверие к людям.

Мы часто отказываемся понять, что, удерживая в памяти прошлое, независимо от того, насколько плохое оно было, мы только раним себя, хотя, к сожалению, часто этого не сознаем.

Прошлое ушло безвозвратно, и его нельзя изменить. Существует только настоящее, а, сокрушаясь о прошлом, мы теряем возможность приобрести жизненный опыт в настоящем.

Упражнение: Освобождение от груза прошлого

Давайте «почистим» свой разум и освободимся от груза прошлого. Постарайтесь не поддаваться эмоциям, пусть это будут просто воспоминания и ничего более.

Когда вы вспоминаете, как вы были одеты в школе в третьем классе, то ваши мысли не несут никакой эмоциональной нагрузки. Разве не так?

То же самое может быть со всеми случаями нашей жизни. Избавившись от грустных воспоминаний о прошлом, мы сможем пользоваться силой разума, для того чтобы наслаждаться этим моментом и создавать великое будущее.

Составьте список всего, от чего вы хотели бы избавиться. Насколько сильно ваше желание сделать это? Заметьте, как вы реагируете. Что вы должны сделать, чтобы освободиться от того, что вы внесли в список? Как вы сопротивляетесь?

Прощение

Следующий шаг — прощение. Прощение нас самих и других освобождает от груза прошлого. В книге «Курс лекций о чудесах» часто повторяется фраза, что прощение — это ответ почти на все вопросы. Я уверена, когда мы на чем-то зацикливаемся, это значит, что мы должны чаще прощать кого-либо. Когда в нашей жизни попадаются рифы, это говорит о том, что мы продолжаем цепляться за какой-то момент в прошлом.

Это может быть раскаяние, печаль, боль, страх или вина, осуждение, гнев, обида, иногда даже желание отомстить.

Каждое из этих состояний является результатом вашего нежелания простить и означает ОТКАЗ позволить уйти прошлому и дать возможность родиться настоящему моменту.

Любовь все исцеляет, а дорога к любви идет через прощение. Прощение помогает избавиться от обиды. Существует несколько способов избавления от обиды, среди которых я предпочитаю упражнение Эмета Фокса.

Упражнение: Избавление от обиды

Существует упражнение для освобождения от обиды Эмета Фокса, которое очень эффективно. Он рекомендует: спокойно сядьте, закройте глаза, полностью расслабьтесь. Затем представьте себя перед маленькой сценой в затемненном зрительном зале театра. Допустим, на этой сцене находится человек, которого вы очень обидели. Это может быть кто-нибудь из прошлого или настоящего, живущий в настоящее время или умерший. Как только вы ясно увидите перед собой этого человека, представьте, что с ним произошло что-то хорошее, очень важное и приятное для него событие. Он улыбается, он счастлив!

Пусть это видение продлится несколько минут. Когда оно исчезнет, я бы хотела, чтобы на сцене вы заняли его место. И с вами также происходит радостное событие: вы тоже улыбаетесь, вы счастливы! Знайте, что необозримые пространства Космоса доступны всем нам.

Вышеуказанное упражнение разгоняет темные тучи обиды, бремя которой несет большинство из нас. Некоторым пациентам будет очень трудно выполнять данное упражнение. Постарайтесь, каждый раз выполняя его, представлять другого человека. Исполнять упражнение необходимо один раз в день в течение месяца, и вы убедитесь, что вам станет намного легче, вы станете спокойнее, доброжелательнее к окружающим.

Упражнение: Месть, отмщение

Верующие знают, как важно прощение. Некоторым из нас нужно сделать решающий шаг, чтобы окончательно простить...

Иногда маленький ребенок внутри нас нуждается в удовлетворении жажды мести, после чего он будет готов простить. В этом случае полезно следующее упражнение:

Закройте глаза, сядьте спокойно. Подумайте о людях, которых вам труднее всего простить. Что бы вы действительно хотели с ними сделать? Что они со своей стороны должны предпринять, чтобы заслужить ваше доверие? Представьте во всех деталях, что все это происходит в настоящее время. Как долго вы хотели бы их видеть страдающими и наказуемыми?

Простите всех страждущих, и вы почувствуете себя удовлетворенным, так как принесли людям добро и успокоение.

Не стоит увлекаться этим упражнением ежедневно. Выполните его один раз, и оно поможет вам завершить процесс освобождения от жажды мести.

Упражнение: Прощение

Теперь мы готовы к прощению. Это упражнение желательно выполнять с партнером, а если же вы один — громко повторяйте аффирмаци.

Сядьте спокойно с закрытыми глазами и скажите: «Человек, которого я должен простить...» и «Я прощаю его за...»

Повторяйте это многократно. У вас будет достаточно моментов, позволяющих в настоящее время и в дальнейшем совершать благородные поступки: прощать людей.

Если с вами это упражнение выполняет партнер, пусть он скажет вам: «Спасибо, я освобождаю тебя». Если вы один, представьте, что это говорит человек, которого вы прощаете. Повторяйте эти фразы в течение 5—10 минут. Загляните в свое сердце и посмотрите, не остались ли там непрощенные вами люди. Пусть и они уйдут из вашей жизни.

После того как вы «очистились», обратитесь к себе. Скажите себе громко: «Я прощаю себя за...» Повторите это несколько раз в течение 5 минут. Это очень эффективное упражнение. Было бы хорошо выполнять его раз в неделю.

Из своего опыта скажу, что некоторые ситуации решаются легко, а другие — нет. Но, наконец, наступит такой момент, когда однажды они исчезнут навсегда.

Упражнение: Визуализация

Еще одно хорошее упражнение. Желательно его также выполнять с партнером или записать на пленку и слушать ее.

Представьте себя ребенком 5—6 лет. Посмотрите внимательно ему в глаза. Чего он хочет? Он ждет любви от вас. Поэтому протяните к нему руки, обнимите его, прижмите к себе нежно, с любовью. Расскажите, как сильно вы его любите, как заботитесь о нем. Обожайте его и скажите, что это неважно, если он совершает ошибки. Обещайте независимо от обстоятельств находиться всегда рядом с ним. А теперь пусть этот ребенок станет совсем маленьким, таким, чтобы его можно было поместить в ваше сердце. Посадите его так, чтобы, поглядев вниз, вы могли видеть его личико, обращенное к вам. Одарите его своей любовью.

Теперь представьте свою мать девочкой 4—5 лет. Она испугана, ищет любовь и ласку и не знает, где их найти. Обнимите эту девочку, прижмите к себе и дайте понять, как любите ее и заботитесь о ней. Пусть она знает, что всегда и везде может полагаться на вас. Когда она успокоится и почувствует себя в безопасности, позвольте ей уменьшиться до такого размера, чтобы она могла поместиться в вашем сердце. В вашем сердце нашлось место для двух малышей. Подарите им свою любовь.

А этот напуганный, плачущий мальчик 3—4 лет — ваш отец. Он тоже ищет любви. Посмотрите, как слезы катятся по его щекам. Он горько плачет, не знает, куда пойти. Вы уже можете обращаться с маленькими испуганными детьми, поэтому обнимите это дрожащее тельце. Успокойте малыша, спойте вполголоса песенку, приласкайте его. Пусть он почувствует, как вы любите его.

Когда мальчик успокоится и высохнут слезы, дайте ему уменьшиться до такого размера, чтобы и он обрел свое место в вашем сердце. Поместите его туда.

Теперь в вашем сердце трое детей, которые могут любить друг друга, а вы — всех троих.

Ваше сердце вмещает столько любви, что она может исцелить целую планету. Но пока воспользуемся ею, чтобы исцелить вас. Почувствуйте в глубине своего сердца приятную теплоту, мягкость и доброту. Пусть эти чувства помогут изменить ваш образ мыслей и манеру говорить.

В бесконечном потоке жизни,
частицей которого я являюсь,
все прекрасно, цельно, совершенно.
Изменение — естественный закон моей жизни.
Я приветствую изменение.
Я очень хочу измениться.
Я хочу изменить свой образ мыслей.
Я хочу изменить слова, которые произношу.
Я радостно и свободно
двигаюсь от прошлого к будущему.
Простить оказалось намного легче,
чем я предполагал.
Простив, я чувствую себя свободно и легко.
Я с радостью учусь
любить себя все больше и больше.
Чем больше я избавляюсь от обиды, тем больше любви я отдаю.
Мне приятно менять свой образ мыслей.
Я учусь наслаждаться опытом сегодняшнего дня.
В моем мире все прекрасно.

Глава 8

СОЗДАНИЕ НОВОГО

«Я без труда получаю ответы на все свои вопросы».

Я не хочу быть полным.
Я не хочу быть разоренным.
Я не хочу быть старым.
Я не хочу жить здесь.
Я не хочу иметь эти отношения.
Я не хочу быть похожим на отца (мать).
Я не хочу больше работать на этом месте.
Я не хочу иметь эти волосы (этот нос, это тело).
Я не хочу быть одиноким.
Я не хочу быть несчастным.
Я не хочу быть больным.

**Чем больше мы думаем над негативными явлениями,
тем больше усугубляем их**

Приведенные выше утверждения показывают, как раньше с помощью сознания нас учили бороться с негативными явлениями жизни. Нам внушали, что при многократном повторении негативных фраз позитив сам придет к нам. Но я уверена, что все происходит иначе.

Как часто вы сокрушались, не получив того, в чем на самом деле не очень и нуждались. Помогло ли это вам добиться желаемого?

213

Если вы дейсвительно намерены изменить свою жизнь, то борьба с негативом — пустая трата времени.

Запомните:

Чем больше вы обращаете внимание на то, от чего хотели бы избавиться, тем больше усугубляете его.

Все, что вы не любили в себе в жизни, скорее всего, до сих пор остается с вами.

Все, чему вы уделяете внимание, растет, увеличивается и становится неотъемлемой частью вашей жизни. Отвлекитесь от грустных и неприятных мыслей и помечтайте о том, кем вы хотели бы стать и что хотели бы иметь. Постарайтесь сконцентрировать все свое внимание на этом. Предлагаю вышеуказанные негативные утверждения переделать в позитивные:

Я — стройный.

Я — преуспевающий.

Я — всегда молод.

Сейчас я переезжаю на лучшее место.

У меня прекрасные отношения с...

Я — личность.

Я люблю свои волосы (свой нос, свое тело).

Я полон любви и нежности.

Я — радостный, счастливый и свободный.

Я полностью здоров.

Аффирмации

Учитесь думать позитивными аффирмациями. Ими могут стать любые ваши утверждения. Мы слишком часто думаем о негативном. Негативные утверждения только множат то нежелательное, от чего вы бы хотели освободиться. Когда вы говорите: «Я терпеть не могу свою работу», то это ничего не даст. Но если вы скажете: «Теперь я принимаю замечательную новую работу», то это заявление откроет каналы восприятия в вашем сознании и, таким образом, новая работа вам будет обеспечена.

Постоянно повторяйте аффирмации о том, какой бы хотелось вам видеть свою жизнь. Кстати, следует помнить об одной важной детали:

Всегда произносите аффирмации только в настоящем времени!

Например: «Я молодой и здоровый» или «Я имею прекрасных друзей». Ваше пожелание, высказанное в будущем времени или сослагательном наклонении, так и останется неосуществленным.

Любить себя

Как я уже говорила, независимо от проблемы, беспокоящей вас, главное, над чем нужно работать,— **любить себя.** Именно эта «магическая палочка» способна помочь вам. Помните ли вы то счастливое время, когда были довольны собой и своей жизнью? Помните ли, когда были влюблены и, казалось, жили без проблем? Да, любовь к себе может принести такую волну приятных чувств и счастливых случайностей, что вы будете танцевать от радости! **Любовь к себе делает человека счастливым!**

Невозможно любить себя, если вы не приняли себя таким, какой вы есть на самом деле, и не оценили всех своих достоинств. Это значит, должна быть исключена любая критика. Однако я уже слышу ваши возражения:

Но я всегда критиковал себя.

Как мне такое в себе может нравиться?

Мои родители (учителя, возлюбленные) всегда критиковали меня!

Как я объясню это?

Мне не пристало так поступать.

Как я смогу измениться, если не буду критиковать себя?

Тренировка сознания

Самокритика, несколько примеров которой мы привели выше — всего лишь пустая болтовня вашего разума. Видите, вы сами научили его ругать вас и сопротивляться переменам. Не обращайте внимания на него и продолжайте работу над собой.

А теперь повторим упражнение, которое делали раньше. Посмотрите на свое отражение в зеркале и скажите: «Я люблю и принимаю себя таким, какой есть».

Как вы чувствуете себя теперь? Не стало ли вам немного легче после работы, которую мы проделали с целью прощения? Это и есть наша главная проблема. Самопризнание и самоодобрение являются ключами к позитивным переменам в вас и вашей жизни.

Когда я очень не любила себя, то временами даже шлепала себя по лицу. Если кто-либо говорил,что — любима, моей первой реакцией было: «Что они видят хорошего во мне?» или классическое: «Если бы они знали, какая я на самом деле, вряд ли полюбили бы меня».

Тогда я не осознавала, что все хорошее в жизни начинается с признанием самого себя и любви к собственному «я». После того как я усвоила эту истину, мои отношения со своим «я» наладились.

Я начала с того, что попыталась обнаружить в себе хорошие качества и достоинства, и даже этот небольшой шаг к изменению оказался очень полезным: мое здоровье стало улучшаться с каждым днем.

Таким образом, хорошее здоровье начинается с любви к себе. То же самое можно сказать о благосостоянии, любви и раскрытии творческих способностей. Позже я научилась любить и принимать не только свои достоинства, но и недостатки. Вот тогда и начался мой прогресс.

Упражнение: Я одобряю себя

Я давала это упражнение сотням людей, и результаты были потрясающи. Предлагаю вам многократно повторять фразу: «Я одобряю себя».

Выполняйте это упражнение не менее 300—400 раз в день. Не пугайтесь! Это не так много, как кажется сначала. Когда вы чем-то обеспокоены или столкнулись с трудной проблемой, 300—400 раз в день — это то количество, которое как раз требуется для выполнения данного упражнения. Лучше всего, если бы вы сделали эту аффирмацию мантрой, которую постоянно проговаривали бы во время ходьбы или прогулки.

Это верный способ выявить все негативное в вашем сознании.

Если к вам приходят негативные мысли, вроде: «Как я могу одобрять себя, если я полный», или «Глупо думать, что это упражнение поможет мне», или «Я плохой»,— значит, вам нужно контролировать свое сознание.

Старайтесь не придавать этим мыслям никакого значения. Просто рассматривайте их, как один из способов привязать вас к прошлому. Мягко скажите таким мыслям: «Уйдите. Я отпускаю вас. Я одобряю себя».

Даже сейчас, обдумывая это упражнение, вы можете услышать ворчливый внутренний голос: «Какая глупость! Все это неправдоподобно. Это ложь! Как я могу одобрить себя, если делаю так?»

Пусть эти мысли, промелькнув, исчезнут. Они отражают сопротивление, неприятие перемен и до тех пор будут властвовать над вами, пока вы будете верить им.

«Я одобряю себя», «Я одобряю себя», «Я одобряю себя». Повторяйте эту аффирмацию всегда и везде, независимо от обстоятельств жизни. Давайте представим, что кто-то совершает поступок, который вы не можете одобрить. Если именно в этот момент вы сможете сказать себе аффирмацию «Я одобряю себя», значит, вы действительно начали преображаться. Мысли не имеют над нами силы, пока мы не позволяем им овладеть нашим сознанием. Они — всего лишь слова, нанизанные на одну нить. Сами по себе они не имеют никакого смысла. Только мы придаем им определенный смысл. Поэтому давайте отдадим предпочтение тем мыслям, которые поддерживают нас и дают пищу нашему разуму.

Игнорируя мнение других, человек самоутверждается. Если бы я постоянно твердила вам, что вы — розовый поросенок, то вы бы или посмеялись надо мной или рассердились, посчитав меня сумасшедшей.

Многие россказни, в которые нам хотелось бы верить, так же далеки от действительности и неправдоподобны. Поэтому считать, что ваша значимость зависит от вашей фигуры,— все равно что поверить бредням о поросенке.

Черты характера, которые мы не любим в себе и считаем отрицательными, отражают нашу индивидуальность. В этом проявляется наша уникальность и особенность. Природа никогда не повторяет себя. С тех пор как на нашей планете возникла жизнь, в течение тысячелетий здесь не выпало двух одинаковых снежинок или двух капель дождя. Каждая маргаритка уникальная и единственная в своем роде. Наши отпечатки пальцев, как и мы сами, отличаются друг от друга. Самой природой предполагается, что мы различны. И когда мы принимаем это за аксиому, не остается места для конкуренции и нездоровой зависти. Мы пришли на эту планету, чтобы выразить себя и показать «кто мы есть».

Не пытайтесь стать похожими на других, иначе вы потеряете свою индивидуальность.

Я многого не знала о себе до тех пор, пока не начала любить себя такой, какая я есть именно сейчас.

Претворяйте свои знания в жизнь

Думай о том, что может сделать тебя счастливым. Делай то, что тебе нравится. Будь с людьми, с которыми тебе хорошо. Ешь то, что нравится твоему телу. Иди туда, где тебе хорошо.

Бросать семена на благодатную почву

Представьте себе куст томата. Известно, что со здорового куста можно собрать сотни томатов. Но для того, чтобы вырастить куст, нам нужно приобрести маленькое высушенное семечко. Оно совершенно не похоже на куст. Естественно, что и его вкус не имеет ничего общего со вкусом этого овоща. Не зная точно, вы никогда бы не поверили, что из него может вырасти целый куст. Но тем не менее представим, что посадили это семя в удобренную почву и полили. Пусть солнечные лучи освещают его.

Когда появится крошечный побег, вы не наступаете на него и не говорите: «Это не куст томата». Напротив, посмотрев на него, вы восклицаете: «Ой, он пророс!» И с радостью наблюдаете, как он дальше растет.

Если вы продолжаете поливать его, удалять сорняки из почвы, а солнце вдоволь освещает его, то через некоторое время у вас вырастет куст, на котором будет более сотни сочных и ароматных томатов. А все началось с крошечного семени.

То же самое происходит с вами, когда вы приобретаете новый жизненный опыт. Почва, в которую вы сажаете растение,— ваше подсознание. Семя — новая аффирмация. Весь ваш новый жизненный опыт сосредоточен в этом крошечном семечке. Вы поливаете его аффирмациями, освещаете светом позитивных мыслей, пропалываете, удаляя негативные мысли, появившиеся у вас. И когда вы видите первые слабые ростки — признаки изменений, вы не говорите: «Этого мало!» Вместо этого, глядя на появляющиеся перемены, весело восклицаете: «О, смотрите! Я начинаю изменяться! Она, т. е. аффирмация, работает!»

Затем вы будете наблюдать, как ваш жизненный опыт обогащается, вы изменяетесь и достигаете своей мечты.

Упражнение: Добивайтесь новых изменений

Пришло время вернуться к списку ваших проблем и превратить их в позитивные аффирмации. Вы можете также перечислить ситуации, которые вам не нравятся и требуют перемен. Выделите из них любые три и сделайте из них позитивные утверждения.

Предположим, что ваш список выглядел бы так:

Моя жизнь ужасна.
Никто не любит меня.
Мне надо похудеть.
Я хочу переехать.
Я ненавижу свою работу.
Мне нужно быть более организованным.
Я недостаточно много работаю.
Я недостаточно хорош.

Вы можете изменить их таким образом:

Я хочу избавиться от стереотипа, который создает эти ситуации.
Во мне происходят позитивные явления.
У меня прекрасное, стройное тело.
Где бы я ни был, везде пользуюсь успехом.
У меня прекрасная квартира.
Я получаю замечательную новую работу.
Теперь я очень организован и собран.
Я ценю все, что делаю.
Я люблю и одобряю себя.
Я верю, что жизнь подарит мне все самое лучшее.
Я заслуживаю самого лучшего и принимаю его сейчас.

К этим аффирмациям вы можете добавить все, что хотели бы изменить в своем списке. Помните: любовь и одобрение самого себя, спокойная, безопасная атмосфера, вера, достоинство и самоуважение помогают создать благоприятные отношения, активизировать вашу умственную деятельность, нормализовать вас, получить новую работу и жилище. Чудесно, как растет куст томата! Чудесно, когда мы можем проявлять свои желания и мечты!

Вы заслуживаете иметь желания

Верите ли вы в то, что заслуживаете иметь желания? Если не верите, то вы не позволите себе иметь их. Внезапно возникнут обстоятельства вне вашего контроля и расстроят вас.

Упражнение: Я достоин, заслуживаю

Посмотрите на себя в зеркало и скажите: «Я заслуживаю иметь (быть)... и принимаю это сейчас». Повторите эту аффирмацию 2—3 раза.

Как вы себя чувствуете? Всегда обращайте внимание на свои чувства и ощущения в своем теле. Чувствуете ли себя хорошо или до сих пор ощущаете комплекс неполноценности?

Если в вашем теле появляются неприятные ощущения и отрицательные реакции, значит, вам нужно снова повторить аффирмацию: «Я избавляюсь от стереотипа в моем сознании, который создает сопротивление моему благу». Затем прибавьте новую аффирмацию: «Я заслуживаю...»

Повторяйте аффирмации до тех пор, пока неприятные ощущения не исчезнут, если на это уйдет даже несколько дней подряд.

Холистическая философия

Занимаясь «созиданием нового», мы можем использовать холистический метод. Холистическая философия включает развитие и питание тела, духа и разума человека. Если игнорируется хотя бы одна из составных частей, человек остается несовершенным, лишенным цельности. Не имеет значения, с чего вы начнете свое совершенствование, при условии, что включите также другие составные части.

Если мы начинаем с тела, то следует включить питание, изучить связь между нашим выбором продуктов и напитками и их влияние на наше самочувствие. Нам нужно выбрать самые подходящие для нашего организма. Это травы и витамины, гомеопатические и другие лечебные средства.

Мы должны выбрать также наиболее подходящую систему упражнений, укрепляющих костную систему и омолаживающих тело. Кроме плавания и других видов спорта можно заниматься танцами, боевыми искусствами и йогой. Я очень люблю батут и ежедневно занимаюсь на нем, а наклонная доска помогает мне расслабиться.

Вы могли бы попробовать и другие формы занятий, такие, как Ролфинг, Хеллер или Трэгер. Полезны были бы массаж, рефлексотерапия (ступни), акупунктура, хиропрактика, биоэнергетика, рэйки и т. д.

Что касается разума, то можно пользоваться аффирмациями, различными видами визуализации и такими методами психологического исцеления, как Гештальтерапия, гипноз, реберфинг, психодрама, арттерапия и т. д.

Любая форма медитации — прекрасный способ «успокоить» сознание и дать возможность проявиться своим знаниям и ощущениям. Я обычно просто сажусь с закрытыми глазами, спрашиваю себя: «Что мне нужно узнать?» — и жду ответа. Если получаю ответ — прекрасно, если нет — тоже хорошо. Я получу его на следующий день.

Существует множество семинаров и групп, занимающихся медитацией, например: «Инсайт», Кен Кинз груп и др. Многие группы работают по субботам и выходным дням. Они дают возможность узнать новую точку зрения на жизнь. Ни один семинар или группа не может окончательно решить все ваши проблемы, но, несомненно, они помогают людям изменить жизнь «здесь и теперь».

Для духовного развития и совершенствования вы можете читать молитвы, медитировать. Кроме того, важно установить контакт со своим «Высшим Источником». Я полагаю, что упражнения «прощение» и «абсолютная любовь» также являются средствами совершенствования духа.

Я назову лишь несколько спиритуалистических групп: Христианские церкви, Метафизические церкви, Трансцедентальная медитация Сиддха Фаундейшн и т. д.

Хочу еще раз напомнить вам, что существует много способов достижения цели. Если не работает один, попробуйте другой. Все они эффективны и полезны. Я не могу посоветовать какой-нибудь один, конкретный. Это тот случай, когда вы сами должны определить, что вам подходит больше. Никто: ни группа, ни специалист не могут ответить на все ваши вопросы. У меня тоже нет всех ответов. Я лишь показываю вам один из путей к холистическому исцелению.

В бесконечном потоке жизни,
частицей которого я являюсь,
Все прекрасно, цельно, совершенно.
Моя жизнь всегда в движении,
и каждый ее миг — неповторимый, новый и очень важный.
Аффирмации помогают мне создать то, что я хочу.
Наступил новый день. И я другой сегодня.
Я думаю по-другому.
Я говорю иначе. Я действую по-другому.
И люди обращаются со мной иначе.
Мой новый мир —
отражение моего нового образа мыслей.
Мне доставляет истинное наслаждение
бросать новые семена в благодатную почву,
ибо я знаю — эти семена дадут ростки нового,
которое обогатит мой жизненный опыт.
В моем мире все прекрасно.

Глава 9

ЕЖЕДНЕВНАЯ РАБОТА НАД СОБОЙ

«Я наслаждаюсь, осваивая новый образ мыслей».

Если ребенок упал и отказывается идти дальше, он никогда не научится ходить

Чтобы сделать работу над собой частью вашей жизни, вам придется много тренироваться. Это вполне естественно, так как вы только начинаете учиться. Прежде всего вам необходима сосредоточенность. Это дается далеко не всем, поэтому многие считают «домашнюю» работу «тяжким» трудом. Но я бы так не сказала. Процесс обучения всегда одинаков, независимо от того, чему вы учитесь: водить ли машину, печатать ли на машинке, играть ли в теннис, или думать о чем-то хорошем.

Сначала мы все делаем очень неловко и неуверенно, так как наше подсознание обучается методом проб и ошибок, а потом, каждый раз повторяя одно и то же упражнение, мы обретаем легкость. Конечно, не стоит надеяться, что все вы освоите в первый день. Сначала выполняйте упражнение как сможете. Для начала и это хорошо. Повторяйте про себя: «Я стараюсь делать как можно лучше».

Всегда подбодряйте себя

Я прекрасно помню свою первую лекцию. По окончании ее я спустилась с подиума и сказала себе: «Луиза, ты была великолепна! Через 5—6 лекций ты станешь профессионалом!»

Через некоторое время, проанализировав свое выступление, я уже думала о поправках, которые можно внести в текст: где добавить материала, а где, наоборот, убрать лишнее.

Думаю, я делала все правильно и заниматься самокритикой было бы излишне.

Если бы я начала ругать себя: «Ох, ты была ужасна, ты ошиблась там-то и там-то...» После этого читать вторую лекцию у меня не хватило бы мужества. Но моя вторая лекция оказалась лучше, а после пятой я уже чувствовала себя профессионалом.

Законы, которым подчиняется наша жизнь

Перед тем как приступить к работе над этой книгой, я купила компьютер, который назвала «Волшебная леди». Для меня это было новинкой, которую в ближайшее время нужно было изучить. В дальнейшем я пришла к выводу, что обучение работе на компьютере схоже с изучением законов духовного развития. Когда я освоила компьютер, он действительно стал являть мне чудеса. Если я в точности не следовала его правилам, он просто отказывался работать. Зато компьютер начинал проявлять волшебство, когда работа с ним проходила в нормальном режиме. Конечно, для этого необходима большая тренировка и практика.

То же самое можно сказать и о работе, которую вы сами начнете выполнять. Вы должны изучить законы духовного развития и в точности следовать им. У вас нет возможности изменить их и приспособить к прису́щему вам типу мышления. Вы должны освоить новый язык, и только после этого волшебство придет в вашу жизнь.

Активизируйте свое обучение

Чем разнообразнее способы обучения, тем больше их можно активизировать и получать от этого удовлетворение.

Я предлагаю следующее:

Выражать благодарность (Всевышнему, природе, людям...)
Регулярно записывать аффирмации.
Медитировать.
Произносить аффирмации вслух.
Петь аффирмации.
Заниматься упражнениями на расслабление.
Использовать визуализацию.
Читать и изучать соответствующую литературу.

Моя ежедневная работа

Первая мысль, которая возникает у меня утром, когда я просыпаюсь, — это благодарность Всевышнему за то, что он дал мне возможность не только жить, существовать, но и реально мыслить.

Каждое утро, как обычно, 15 минут уделяю гимнастике: упражняюсь на батуте и делаю упражнения по аэробике, которые рекомендуются в ТВ-программе. Затем принимаю душ, после чего примерно полчаса занимаюсь медитацией, читаю аффирмации и молитвы.

Теперь я готова к завтраку, который, как правило, состоит из фруктов и фруктовых соков и чая, настоянного на целебных травах. Благодарю Кормилицу-Землю за то, что она питает меня.

После завтрака я опять приступаю к аффирмациям: громко читаю их, а иногда даже пою. Они звучат приблизительно так:

Луиза, ты чудесная, я люблю тебя.
Сегодня — лучший день в твоей жизни.
Все у тебя идет прекрасно.
Ты узнаешь все, что хотела бы знать.
Ты получишь все, в чем нуждаешься.
Все идет хорошо.

На ленч я часто ем порцию салата и опять благословляю еду и благодарю за нее. Ближе к вчеру я провожу несколько минут на одном из тренажеров, чтобы мое тело расслабилось. Иногда одновременно слушаю аудиозапись.

На обед ем сваренные на пару овощи и рис, иногда с рыбой или курятиной. Мой организм лучше воспринимает простую пищу. Я люблю обедать в компании. Перед едой мы благословляем друг друга.

По вечерам люблю почитать или занимаюсь научными исследованиями. Благо, всегда есть что изучать и чему учиться. Часто (по 10—20 раз) записываю нужную мне именно в это время аффирмацию.

Перед тем как заснуть, я как бы воссоздаю в памяти все события прошедшего дня и отношусь к нему с благоговением. Торжественно заявляю, что буду спать глубоким, крепким сном, а утром проснусь бодрой, полной оптимизма и готовой к новому дню.

Звучит непривычно возвышенно, не правда ли? Действительно, сначала кажется, не слишком ли большую ношу взваливаешь на себя, справишься ли с ней? Но вскоре приходишь к выводу, что новый образ мыслей становится такой же частью вашей обновленной жизни, как выполнение жизненно важных действий, как-то: принятие душа или ванны, чистка зубов, утренняя зарядка и т. д. Вы все это будете делать легко, автоматически, с отличным настроением. Очень хотелось бы, чтобы во всех действиях ежедневно участвовала вся семья. Это сближает членов семьи, способствует взаимопониманию и здоровым отношениям. Например, медитирование в начале каждого дня или перед обедом приносит мир и гармонию во все жизненные моменты. Если вы не уверены, что у вас хватит на это времени, встаньте на полчаса раньше. Польза, которую вы получите, стóит ваших усилий.

Как вы начинаете свой день?

Что вы прежде всего произносите, просыпаясь по утрам? У каждого из нас есть что сказать себе почти каждый день. Какую фразу вы произносите, позитивную или негативную? Я могу вспомнить время, когда, проснувшись утром, я говорила со стоном: «Господи, еще один день!» И что вы думаете? Именно такой день мне и предстоял: все шло из рук вон плохо. Теперь, просыпаясь и еще не открывая глаз, я благодарю кровать за хороший сон. Затем, все еще с закрытыми глазами, примерно 10 минут произношу благодарственные слова за все хорошее в моей жизни. Затем намечаю некоторые дела на предстоящий день, убеждая себя, что все будет хорошо и я получу от всего удовлетворение. Я вам рассказала о том, что делаю перед тем, как приступить к утренней медитации и молитвам.

Медитация

Каждый день уделите несколько минут медитации сидя. Если вы новичок, начните с 5 минут. Сядьте спокойно, наблюдая за своим дыханием, дайте свободу своим мыслям. Не заостряйте на них особого внимания. Мыслить — естественное состояние вашего мозга, поэтому не пытайтесь отделаться от мыслей.

Существует множество кружков, групп и книг, с помощью которых вы узнаете различные способы медитации. Вне зависимости от того, где и как вы начнете ею заниматься, в конечном итоге сами создадите метод, подходящий именно для вас. Что же касается лично меня, то я обычно спокойно сижу и спрашиваю себя: «Что мне нужно знать?» И позволяю ответу прийти ко мне, если он захочет это сделать. Я знаю, если не сейчас, то он придет позже. Короче говоря, нет плохих или хороших методов медитации.

Другая форма медитации: сядьте и спокойно наблюдайте за своим дыханием. Считайте — «один», когда вдыхаете, и — «два», когда выдыхаете. Считайте так до «десяти», затем снова начните с «одного». Если увидите, что досчитали до 25 или далее, начните считать сначала. У меня была одна пациентка, которая казалась мне очень умной и спокойной. Она невероятно быстро все схватывала и к тому же обладала большим чувством юмора. Однако она была очень несобранной, не могла сконцентрироваться на чем-то одном. Ее финансовые дела были из рук вон плохи, карьера сложилась неудачно, жизнь протекала в основном монотонно, неинтересно, без любви.

Так как она мгновенно все усваивала, ей было очень трудно заставить себя с помощью монотонных упражнений осуществить какие-либо идеи на практике. Работать с данной пациенткой было нелегко, она отняла у меня много сил и энергии. Но труды, как говорится, не пропали даром: в конце концов ежедневная медитация ей очень помогла. Начинали мы с ней с 5 минут, а постепенно она достигла 15—20 минут в день.

Упражнение: Ежедневные аффирмации

Записывайте одну или две аффирмации по 10—20 раз в день. Читайте их громко, с воодушевлением. Придумайте или используйте какой-нибудь мотив и напевайте его как песню. Пойте радостно и весело. Пусть эти аффирмации весь день звучат в вашей душе. Аффирмации, которые мы повторяем, впоследствии становятся нашими убеждениями и всегда дают результат, который порой мы даже не можем и представить.

Одно из моих убеждений состоит в том, что у меня всегда хорошие отношения с домовладельцем. Последний раз хозяин квартиры, которую я снимала в Нью-Йорк-сити, был известен как очень трудный в общении человек, на него жаловались все квартиросъемщики. Я прожила в его доме 5 лет, а видела всего 3 раза.

Когда я решила переехать в Калифорнию, появилась необходимость продать все свое имущество, чтобы начать новую жизнь, не обремененную прошлым. Поэтому я стала читать аффирмации:

Все мое имущество продано быстро и легко.
Очень легко двигаться.
Все идет согласно Божественному Праведному Распорядку.
Все идет хорошо.

Я совсем не думала о том, как трудно будет продать вещи и где буду спать несколько последних ночей. Просто продолжала медитировать. В результате мои пациенты и студенты очень быстро раскупили все мое небольшое имущество и большинство книг. Я письменно известила своего домовладельца об отъезде и прекращении аренды. К моему великому удивлению, он позвонил мне, выражая сожаление по поводу моего решения, и предложил дать рекомендательное письмо новому домовладельцу в Калифорнии. Он попросил разрешения купить мою мебель, поскольку решил в дальнейшем сдавать эту квартиру вместе с мебелью.

Таким образом, мое сознание реализовало оба убеждения («У меня всегда хорошие отношения с домовладельцами» и «Все будет продано легко и быстро») в такой форме, какую я и не могла представить.

В результате, к большому удивлению остальных жильцов, последние ночи в Нью-Йорк-сити я провела вполне комфортно, в своей квартире, среди своей мебели и на своей кровати. Более того, мне заплатили за это! Я покинула квартиру с небольшим багажом: несколько платьев, фен для волос, соковыжималка, машинка для печатания. С чеком на довольно крупную сумму я спокойно села в поезд, отправляющийся в Лос-Анджелес.

Не бойтесь преодолевать препятствия

Когда я приехала в Калифорнию, у меня возникла необходимость купить машину. Поскольку до этого у меня ее не было и я не делала здесь регулярных покупок, кредит открыт не был. Банки также не предоставили бы мне никакого кредита. Уже тот факт, что я — женщина и сама зарабатываю себе на жизнь, только усугублял мое положение. Тратить все свои сбережения на новую машину не имело никакого смысла. Открытие кредита в банке стало настоящей «Уловкой-22», т. е. непреодолимым препятствием.

Я отказалась от каких бы то ни было отрицательных мыслей в сложившейся ситуации. Взяла машину напрокат и продолжала уверять себя, что «у меня красивая новая машина, и я легко приобрету ее». Кроме того, я всем говорила, с кем приходилось встречаться, что хочу купить машину, но не могу открыть кредит. Примерно через 3 месяца я встретила женщину-биснесмена, которая стала симпатизировать мне. Услышав мою историю с машиной, она пообещала: «Ладно, я позабочусь об этом». Она позвонила подруге в банк (за какую-то услугу она у нее была в долгу) и сказала ей, что я ее «старая» подруга. Спустя 3 дня я выехала со стоянки дилеров на новом автомобиле.

Я не была настолько обеспокоена, чтобы чувствовать «благоговейный страх перед процессом». Считаю, что причиной появления машины с задержкой на 3 месяца является то, что прежде я никогда не связывала себя ежемесячными платежами, и ребенок во мне испугался. Ему нужно было время, чтобы набраться мужества и сделать решающий шаг.

Упражнение: Я люблю себя

Итак, эти дни вы непрестанно внушали себе: «Я одобряю себя». Таким образом, вы создали основу для своего дальнейшего измнения. Продолжайте упражнение в течение месяца.

Теперь возьмите лист бумаги и наверху напишите: «Я люблю себя и поэтому...» Закончите эту аффирмацию словами, которые отвечают вашим желаниям на данный момент. Многократно перечитывайте ее, добавляя ежедневно новые фразы. Самая большая польза от этого упражнения заключается в том, что почти невозможно умалить свои достоинства, когда говоришь: «Я люблю себя...»

Упражнение: Благотворные изменения

Представьте себе, что ваша мечта сбылась: вы стали тем, кем хотели стать, и получили то, к чему стремились. Постарайтесь представить это во всех деталях и словно наяву увидеть и ощутить все нюансы нового состояния. Обратите внимание, как окружающие реагируют на ваши перемены. Независимо от их реакции продолжайте выполнять упражнение.

Упражнение: Расширение кругозора

Читайте как можно больше, чтобы расширить свой кругозор и понять процессы, просходящие в вашем сознании. Прочитав мою книгу, вы сделаете лишь первый шаг. Учитывайте мнение других, обращайте внимание на их манеру высказывать свои мысли. Занимайтесь в группе до тех пор, пока не почувствуете преимущество в своих знаниях по сравнению с другими. Эта работа должна продолжаться всю жизнь. Чем больше вы учитесь, чем больше упражняетесь и применяете знания и навыки на практике, тем лучше вы будете себя чувствовать и тем прекраснее станет ваша жизнь.

Наша ежедневная работа над собой оказалась очень плодотворной

Чем больше методов вы используете в работе над собой, тем быстрее достигнете положительных результатов. В вашей жизни начнут происходить маленькие чудеса. Люди и вещи, которые вы игнорируете, постепенно уйдут из вашей жизни, а ваши мечты начнут воплощаться в жизнь. Я очень удивилась и обрадовалась, когда спустя несколько месяцев работы над собой стала выглядеть намного моложе, лет на 10.

Любите себя и свое дело

Смейтесь над жизнью и над собой, и ничто не будет раздражать вас. Как бы то ни было, наше пребывание на этой планете — временное. В другой жизни мы в любом случае вели бы себя по-другому, так почему бы не сделать это именно сейчас!

Вы, наверное, читали книги Нормана Казна. Он смехом вылечил себя от смертельной болезни. К сожалению, Норман не изменил свой образ мыслей, вызвавший этот, а затем другой недуг. Тем не менее смехом он исцелился от всех болезней.

Существует множество способов лечения. Попробуйте все, а затем выберите тот, который больше всего вам подходит.

Ложась спать, закройте глаза и снова поблагодарите Всевышнего за все блага, которые он ниспослал вам, и тогда еще больше хорошего войдет в вашу жизнь.

Не слушайте, пожалуйста, информационные программы радио и телевидения. Новости — нескончаемый поток отрицательной информации, скорбный перечень несчастий и катастроф, которые, разумеется, вы не хотели бы увидеть и во сне. Во время сна ваш мозг «очищается» от отрицательных мыслей. Кроме того, во сне вы можете попросить совета или помощи. А утром, проснувшись, получите ответ.

Засыпайте спокойно. Верьте, что жизнь принесет вам счастье, благополучие, веру в себя.

Не думайте о своих упражнениях как о тяжком и нудном труде. Они могут доставлять удовольствие, стать игрой и приносить вам удовлетворение. Все зависит от вас самих. Вы можете сделать приятными даже такие трудные упражнения, как «Прощение» и «Избавление от обиды и гнева». Сочините песенку о человеке или ситуации, от которых хотели бы избавиться. Когда вы поете песенку или частушку, вам становится веселее, а упражнение выполняется намного легче.

Когда я наедине работаю с пациентом, я стараюсь как можно скорее рассмешить его. Чем больше мы будем смеяться, тем быстрее все ненужное уйдет от нас. Если бы вам пришлось увидеть свои проблемы на сцене в пьесе Нила Симона, хохотали бы над собой до упаду. Ведь трагедия и комедия по сути одно и то же. Все зависит только от вашей точки зрения. «О, какие же мы — все смертные — дураки!»

Приложите все усилия, чтобы процесс вашего преобразования стал радостным и приятным.

В бесконечном потоке жизни,
частицей которого я являюсь,
все прекрасно, цельно, совершенно.
Я служу опорой для себя самого,
а жизнь поддерживает меня.
Я вижу: вся моя жизнь и все вокруг
подчиняется Высшему Закону.
Я с радостью учусь новому.
Мой день начинается с благодарности и радости.
Я жду каждого нового дня с энтузиазмом,
ибо знаю: в моей жизни все прекрасно.
Я люблю себя и все, чем я занимаюсь.
Я — живое, любящее и радостное создание,
в котором отражается вся прелесть бытия.
В моем мире все прекрасно.

Часть третья

ПРЕТВОРЕНИЕ ИДЕЙ В ЖИЗНЬ

Глава 10

ОТНОШЕНИЯ

«Все мои отношения с окружающим миром гармоничны».

Мне представляется, что жизнь — система отношений, которые складываются со всем, что нас окружает. Сейчас, когда вы читаете эту книгу, она тоже вызывает у вас определенное отношение и к себе, и ко мне, как автору, и к моим взглядам и убеждениям.

Предметы, продукты, погода, транспорт, люди — все вызывает к себе то или иное отношение, которое лишь отражает, как вы относитесь к самому себе. А отношение к себе, в свою очередь, формируется под сильным воздействием того, как складывались наши отношения со взрослыми в детстве. Наше отношение к себе в значительной степени зависит от того, как реагировали они на нас и наши поступки, когда мы были детьми, и в положительном, и в отрицательном смысле.

Задумайтесь, как вы себя ругаете, если чем-то недовольны? Не так ли бранили вас родители? А что они говорили, когда хотели одобрить ваш поступок? Я уверена, вы хвалите себя точно так же.

Если же они вас вообще не хвалили, то вы просто не знаете, как это сделать, а возможно, и считаете себя недостойным одобрения. Я отнюдь не обвиняю родителей: все мы лишь жертвы тех, кто сам был жертвой. Они не могли научить нас тому, чего не знали сами.

Сондра Рей, выдающийся специалист в области ребёрфинга [1], проделавшая огромную работу по изучению человеческих отношений, утверждает, что все значимые для нас отношения отражают отношения с родителями. Она также полагает, что, полностью не прояснив, как складывались отношения с ними, мы не сможем свободно строить такие отношения, как хотим.

Отношения — зеркало, где отражаемся мы сами. Мы притягиваем к себе лишь то, что отражает наши личные качества или представления об отношениях. И это именно так, идет ли речь о начальнике, коллеге или подчиненном, друге, любовнике, супруге, родителях или ребенке.

То, что вам в них не нравится,— следствие ваших собственных поступков, быть может, поступков, от которых вы когда-то воздержались, или ваших убеждений. Вы не смогли бы привлечь этих людей и их не было бы рядом с вами, если б их образ жизни так или иначе не соответствовал вашему мироощущению.

Упражнение

Подумайте о том, кто вызывает ваше раздражение. Выделите три главных качества в этом человеке, которые вам особенно неприятны и которые вы хотели бы в нем изменить.

---

[1] Ребёрфинг — современная оздоровительная система.

А теперь загляните в себя и спросите: «А не присущи ли и мне эти качества, не поступаю ли и я подобным образом?»

Закройте глаза и проделайте это не спеша.

Потом задайте себе вопрос: «ХОЧУ ЛИ Я ИЗМЕНИТЬСЯ?»

Когда вы избавитесь от этих привычек и убеждений в своих мыслях и поведении, поверьте, что эти люди тоже изменятся или уйдут из вашей жизни.

Если ваш начальник придира и ему невозможно угодить, всмотритесь в себя: быть может, вы тоже ведете себя аналогичным способом в определенных ситуациях или убеждены, что начальники всегда всем недовольны и излишне строги.

Если ваш подчиненный не выполняет указаний, проанализируйте свое поведение: не так ли поступаете и вы. Постарайтесь изменить свои убеждения. Уволить легко, но вашу модель поведения это не исправит.

Если коллега не проявляет желания сотрудничать, не хочет работать в команде, подумайте: чем вы могли вызвать такое отношение? Быть может, вы сами не склонны к сотрудничеству?

Если у вас есть друг, на которого нельзя положиться и который не раз вас подводил, постарайтесь вспомнить: когда вы сами оказались ненадежным, подвели друзей? Не является ли это вашей моделью поведения?

Если любимый холоден и вам кажется, что он вас не любит, задумайтесь: не полагаете ли вы сами, что любовь должна быть сдержанной и не следует слишком проявлять свои чувства? Возможно, такое мнение сложилось у вас еще в детстве, когда вы наблюдали, как ведут себя ваши родители.

Если ваш супруг или супруга все время ворчит и вы не чувствуете его поддержки, вновь обратитесь к детским воспоминаниям: может быть, такое поведение было свойственно вашим родителям? А вы сами не ведете себя подобным образом?

Вас раздражают привычки вашего ребенка — я гарантирую, это ваши привычки. Дети лишь подражают взрослым, копируя в своем поведении то, что видят в семье. Освободитесь от вредных привычек сами и увидите, как ваш ребенок меняется буквально на глазах.

Единственная возможность изменить других — сначала измениться самому. Исправьте свою модель поведения, и вы заметите, как меняются к лучшему окружающие вас люди.

Бессмысленно и бесполезно кого-то обвинять. Вы только попусту тратите свою энергию. А энергию надо беречь. Без нее вы ничего не сможете изменить и останетесь лишь беспомощной жертвой, неспособной найти выход.

Как быть любимым

Любовь приходит, когда мы ее совсем не ждем. Настойчивые поиски любви никогда не приводят к выбору подходящего партнера, а лишь порождают тоску и ввергают в несчастье. Любовь не сосуществует во вне, она всегда внутри нас.

Не надо торопить приход любви. Возможно, вы еще к ней не готовы или не достигли того уровня внутреннего развития, который позволит привлечь такую любовь, как вы хотите.

Не стоит связывать свою жизнь с кем-то, только чтобы избежать одиночества. Определите для себя: какой любви вы ждете? Какие качества хотели бы видеть в любимом? И вы непременно встретите такого человека.

Попытайтесь проанализировать: почему вы до сих пор не встретили любовь? Возможно, вы чрезмерно строги? Или чувствуете себя недостойным ее? А может, предъявляете завышенные требования? Хотите, чтобы ваш избранник походил на «звезду экрана»? Боитесь интимной близости? Считаете, что вам нельзя полюбить?

Будьте готовы к приходу любви. Подготовьте для нее почву, берегите и лелейте ее. Будьте любящими и будете любимы. Откройте для любви свое сердце и примите, как прекрасный дар.

В бесконечном потоке жизни,
частицей которого я являюсь,
все прекрасно, цельно, совершенно.
Я живу в согласии и гармонии
со всеми, кого я знаю.
В глубине моей души —
неиссякаемый источник любви.
Я разрешаю ей выйти на поверхность,
и любовь заполняет мое сердце, мое тело,
мой разум, сознание, все мое существо.
Я излучаю любовь, и она возвращается ко мне
многократно умноженной.
Чем больше любви я получаю,
тем больше отдаю.
Этот кладезь неистощим.
Мне хорошо, когда я люблю;
любовь выражает
радость, которая живет во мне.
Я люблю себя и поэтому нежно забочусь о своем теле.
Я холю его и лелею, вкусно кормлю, пою
и хорошо одеваю,
и оно отвечает мне крепким здоровьем и энергией.
Я люблю себя, поэтому у меня удобный дом,
где есть все, что мне нужно,
и где приятно находиться.
Я наполняю свой дом флюидами любви,
и кто бы ни зашел сюда, включая и меня,
ощутит любовь и будет ею согрет.

Я люблю себя, поэтому делаю работу,
которая мне нравится
и позволяет раскрыть мои таланты
и созидательные способности.
Я работаю для тех и с теми,
кого люблю и кто любит меня;
при этом я хорошо зарабатываю.

229

Я люблю себя, поэтому думаю обо всех с любовью
и с любовью к ним отношусь.
Я знаю — то, что я отдаю,
воздастся сторицей.
Я привлекаю в свой мир только любящих людей,
потому что в них отражаюсь я сам.
Я люблю себя, поэтому живу только настоящим,
ощущая прекрасным каждое мгновение и зная,
что меня ждет светлое, радостное
и спокойное будущее.
Я — возлюбленное дитя Космоса.
Космос заботится обо мне с любовью,
и так будет всегда.
В моем мире все прекрасно.

Глава 11

РАБОТА

«Все, что я делаю, доставляет мне глубокое удовлетворение».

Вам нравится эта аффирмация? Хотите, чтоб так было и у вас? Так что вам мешает? Быть может, вы сами себя ограничиваете, внушая мысли, вроде этих:

Я терпеть не могу эту работу.
Я ненавижу своего начальника.
Я мало зарабатываю.
На работе меня не ценят.
Я не могу ладить с коллегами.
Не знаю, чем бы мне хотелось заняться.

Это — негативный тип мышления, отражающий вашу защитную реакцию. Как вы думаете, к чему хорошему он вас может привести? Поверьте, вы начали не с того: вам надо полностью избавиться от подобных мыслей.

Если вам не нравится работа и вы хотите ее поменять, если у вас на работе проблемы или вообще ее сейчас нет, лучшее, что вы можете сделать, — подумать о своем нынешнем положении с любовью, осознать, что это лишь шаг на жизненном пути и то, где вы сейчас находитесь, определено вашими нынешними убеждениями. Если к вам не относятся так, как вам бы хотелось, значит, в вашем сознании существует стереотип мышления, вызывающий данной отношение. Подумайте с любовью о своей нынешней работе или о той, которую исполняли в последнее время: и о здании, лифте, лестницах, мебели, оборудовании, и о тех, на кого и для кого вы трудитесь.

Внушайте себе: «Мне всегда везло на начальников. Мой начальник относится ко мне с уважением. Он вежлив, щедр и с ним очень легко работать». Позвольте этим мыслям укорениться в сознании, это поможет вам в дальнейшем; и если вы когда-нибудь сами станете начальником, то будете именно таким.

Расскажу про одного молодого человека: он получил новую работу и очень нервничал. Я помню, как сказала ему: «Почему это у тебя не получится? Ты **непременно** добьешься успеха. Распахни свое сердце и дай талантам возможность раскрыться. Отнесись с любовью к учреждению, где тебе предстоит работать, к тем, на кого ты трудишься, к коллегам — и все будет хорошо».

Он последовал моему совету и добился большого успеха.

Если вы решили оставить работу или сменить, убедите себя, что с любовью передаете ее тому, кто мечтает именно о такой работе.

Поверьте, что такие люди, конечно же, есть, и сегодня жизнь сводит вас вместе на своей шахматной доске.

Аффирмация работы

«Я полностью открыт и готов воспринять замечательную новую работу, которая позволит мне проявить свои таланты и способности, выразить творческие возможности и получить от этого удовлетворение. Я люблю тех, с кем и для кого тружусь, и они тоже любят и уважают меня. Я работаю в прекрасном месте и при этом хорошо зарабатываю».

Если вас кто-то раздражает на работе, благославляйте его с любовью. В каждом человеке аккумулируются самые разные качества. **Быть может, мы этого и не захотим, но при определенных обстоятельствах каждый может стать Гитлером или Матерью Терезой.** Если человек излишне строг и придирчив, утверждайте, что он доброжелателен и любвеобилен. Если брюзга, убедите, что он веселый и с ним очень приятно проводить время. Если проявляет жестокость, внушите, что его главная черта — доброта и сострадание. Если вы будете замечать в человеке только хорошие качества, он непременно будет проявлять в отношениях с вами именно эти черты, независимо от того, как ведет себя с другими.

Пример

Моему знакомому предложили новую работу: играть в клубе на фортепьяно. Хозяин этого заведения славился своей скаредностью и непорядочностью. Подчиненные даже прозвали его: «Господин Смерть». Вот что я сказала, когда ко мне обратились за помощью: «В каждом человеке есть положительные качества. Не важно, как реагируют на вашего начальника другие сотрудники. К вам это не имеет ни малейшего отношения. Думайте о нем всегда с теплом и любовью. Скажите себе: «У меня всегда были замечательные начальники». Повторяйте это снова и снова».

Ученик последовал моему совету, и у него все получилось. Начальник стал с ним приветливо здороваться, потом выплатил премию и даже пригласил играть еще в нескольких клубах. Однако с остальными работниками, которые продолжали негативно думать о начальнике, он по-прежнему обращался дурно.

Если работа вам нравится, но вы считаете, что вам мало платят, скажите себе, что и сейчас неплохо зарабатываете. Когда мы бываем благодарны за то, что имеем, это дает возможность для дальнейшего роста. Убедите себя, что ваше сознание открывает путь к большему благосостоянию и прибавка к жалованию — лишь ШАГ на этом пути. Повторяйте, что вы заслуживаете прибавки вовсе не потому, что недовольны нынешним положением. Единственная причина — вы прекрасное приобретение для компании, и хозяева мечтают поделиться с вами прибылью. Работайте как можно лучше, и Космос будет знать, что вы заслуживаете продвижения.

Нынешнее положение зависит только от вашего сознания. Оно или сохранит его, или позволит вам продвинуться дальше. Дело за вами.

Все в ваших руках.

В бесконечном потоке жизни,
частицей которого я являюсь,
все прекрасно, цельно, совершенно.
Уникальные таланты и творческие способности,
берущие начало в моем естестве,
выходят наружу и реализуются,
принося мне глубокое удовлетворение.
Так много людей нуждается в моей помощи.
Я нужен им и могу выбирать работу, которую хочу.
Я хорошо зарабатываю, занимаясь тем, что мне нравится.
Моя работа доставляет мне радость и удовольствие.
В моем мире все прекрасно.

Глава 12

УСПЕХ

«Любой опыт несет в себе успех».

Что такое «неудача»? Не получилось, как вы хотели или надеялись? Закон приобретения опыта действует очень четко. Мысли и убеждения находят точное отражение в нашей реальной деятельности. Вы потерпели неудачу, если упустили что-то важное, оступились, быть может, внутренний голос сказал вам, что вы не заслужили успеха, или в глубине души почувствовали себя недостойным желаемого результата.

Это похоже на работу с компьютером. Когда происходит сбой — виновата я сама. Значит, я нарушила правила его работы и мне надо еще кое-чему научиться.

Старая поговорка гласит: «Если не получилось с первого раза, попробуй еще». И это абсолютно верно. Только не надо ругать себя за неудачу и повторять старые ошибки. Важно понять, в чем вы заблуждались и попробовать по-другому, до тех пор, пока у вас не получится.

Я полагаю, что идти всю жизнь от успеха к успеху — право, данное нам от рождения. А если так не происходит, значит, мы пока еще не сумели правильно оценить свои способности, не верим в возможность успеха или просто его не осознаем.

Когда мы слишком высоко поднимаем планку и ставим невыполнимую на сегодняшний день задачу, неудача неизбежна.

Вспомните — когда ребенок учится ходить или говорить, мы хвалим его и ободряем за каждый маленький успех. Ребенок сияет от счастья старается изо всех сил. А вы хвалите себя, когда пытаетесь научиться чему-то новому? Или мешаете себе, называя тупицей и неудачником?

Многие актеры и актрисы считают, что должны сыграть блестяще уже на первой репетиции. Я же всегда напоминаю им, что репетиция существует для того, чтобы учиться. Во время репетиции можно и ошибиться, но можно и попробовать что-то новое. Только практика помогает научиться новому, пока оно не становится неотъемлемой частью нас самих. Высокий профессионализм в любой области всегда является результатом многолетнего напряженного труда.

Не повторяйте моей ошибки: я часто боялась попробовать что-то новое. Не зная, как это делается, я не хотела глупо выглядеть в глазах других. Процесс обучения невозможен без ошибок. И вы будете их совершать, пока в вашем подсознании не сложатся правильные представления.

Не важно, как давно вы считаете себя неудачником, — начните создавать «модель успеха» прямо сейчас. Независимо от того, где и кем вы работаете, принцип один и тот же: посейте «семена» успеха. Они обязательно прорастут и дадут прекрасный урожай.

Вот предлагаемая мною аффирмация успеха:

> Божественный разум предоставляет мне все идеи, которые я могу использовать.
> Во всем мне сопутствует успех.
> Мир — безбрежное море возможностей для всех, включая меня.
> Многие нуждаются в моей помощи.
> Я закладываю новое представление об успехе.
> Я вхожу в круг победителей.
> Я — магнит для Божественного Благоденствия.
> Мои самые заветные мечты — благославенны.
> Я притягиваю к себе все сокровища мира.
> И повсюду передо мной открываются великолепные возможности.

Выберите любую из этих строк и повторяйте в течение нескольких дней. Потом перейдите к следующей и так далее. Пусть эти идеи заполнят ваше сознание. Не беспокойтесь о том, ка́к претворить их в жизнь. Возможности для этого непременно представятся. Доверьтесь своему интеллекту, он выведет вас на правильный путь. Ведь вы, бесспорно, заслуживаете успеха во всем, чем бы вы ни занимались.

В бесконечном потоке жизни,
частицей которого я являюсь,
все прекрасно, цельно, совершенно.
Я неразрывно связан с той Великой Силой,
которая создала и меня.
Я обладаю всем необходимым,
чтобы добиться успеха.
А сейчас я разрешаю формуле успеха
заполнить все мое сознание
и претвориться в моей жизни.
Все, что мне предназначено совершить,
будет успешным.
Я учусь на своем опыте.
Я иду от успеха к успеху, от триумфа к триумфу.
Мой жизненный путь — цепь шагов,
ведущих к еще большему успеху.
В моем мире все прекрасно.

Глава 13

БЛАГОСОСТОЯНИЕ

«Я заслуживаю лучшего и готов его принять прямо сейчас».

Если вы хотите, чтобы то, что говорится в данной аффирмации, исполнилось для вас, не верьте следующим утверждениям:

> Деньги не растут на деревьях.
> Деньги — вещь грязная и мерзкая.
> Деньги — зло.
> Я хоть и бедный, но честный.
> Все богачи — обманщики (негодяи).
> Не хочу иметь много денег и этим гордиться.
> Мне не найти хорошую работу.
> Мне никогда не заработать много денег.
> Деньги быстрее уходят, чем приходят.
> Я вечно в долгах.
> Беднякам не выбиться из нужды.
> Истинным художникам всю жизнь приходится бороться.
> Деньги есть только у жуликов.
> Побеждает всегда кто-то другой, только не я.
> О, я бы не запросил так много!
> Я этого не заслуживаю.
> Я недостаточно хорош, чтоб прилично зарабатывать.
> Никому не говорите, сколько денег у вас на счету.
> Никогда не одалживайте.
> «Копейка рубль бережет».
> Откладывайте на черный день.
> Экономическая депрессия может начаться когда угодно.
> Меня раздражает, если у кого-то много денег.
> Деньги достаются тяжким трудом.

Итак, вы разделяете хотя бы некоторые из этих убеждений? И при этом полагаете, что, следуя им, можно стать состоятельным человеком?

Это стереотип старого, ограниченного мышления. Возможно, именно так относились к деньгам в вашей семье: ведь, как известно, мы продолжаем разделять семейные убеждения, пока сознательно от них не откажемся. Как бы там ни было, вы должны избавиться от подобных идей, если действительно стремитесь к достатку.

Для меня настоящее благополучие начинается с того, чтобы думать о себе хорошо. Это еще и свобода выбора: делать то, что хочешь и когда хочешь. И дело тут вовсе не в том, сколько у вас денег. Благополучие — состояние души. Благосостояние или его отсутствие является отражением ваших мыслей и идей.

Вы заслуживаете благосостояния

Если мы не убеждены, что заслуживаем благосостояния, то даже когда достаток идет к нам прямо в руки, так или иначе от него отказываемся. Вот пример:

Мои занятия посещал юноша, очень хотевший добиться благосостояния. Однажды он пришел на занятия перевозбужденный и рассказал, что только что выиграл 500 долларов. «Просто не верю! Я ведь никогда не выигрываю!» — повторил он несколько раз. Мы поняли, что в его сознании происходят изменения. Однако юноша все еще продолжал чувствовать себя недостойным. И что же?! На следующей неделе мой ученик не смог прийти на занятия, так как сломал ногу. Счет от врача составил ровно 500 долларов.

Дело в том, что он боялся «продвинуться вперед» в новом направлении, к благосостоянию, и сам себя таким образом наказал.

Сосредоточивайте свое внимание на растущих доходах, но не на подлежащих оплате счетах. Если все время думать о нужде и долгах, это приведет к еще большей нужде и долгам.

Космос — неисчерпаемый источник, из которого вы можете получить абсолютно все. Как-нибудь вечером взгляните на ясное небо и попробуйте пересчитать звезды, или горсть песчинок на ладони, или листья на ветке, или капли дождя на оконном стекле, или семена в помидоре. Вы только представьте себе, что из каждого такого зернышка вырастет целый куст томатов, на котором будет много плодов. Будьте благодарны за то, что имеете, и будете иметь больше. Я всегда благословляю с любовью все, что у меня есть: свой дом, воду, свет и тепло в доме, телефон, мебель, электроприборы и утварь, одежду, средства передвижения, работу, деньги, которые имею, друзей, способность видеть, чувствовать, осязать и ощущать вкус, ходить и наслаждаться красотой нашей невероятно прекрасной планеты.

Только собственное убеждение, что бедность и нужда неизбежны, мешает нам добиться благосостояния. А что конкретно мешает вам?

Быть может, вы полагаете, что деньги нужны только затем, чтобы помогать другим, и таким образом расписываетесь в собственной никчемности?

Убедитесь, что сами не отказываетесь от благосостояния. Когда вас приглашают на обед или на ужин — примите приглашение с радостью и удовольствием. И не думайте, будто это лишь формальный обмен любезностями. Вы получили подарок — возьмите его с благодарностью. Если он вам почему-то не подходит — передарите тому, кому он нужнее. Улыбайтесь и говорите «спасибо», когда вам что-то дарят или делают добро. Дарите и творите добро сами. Пусть этот поток будет непрерывным. Так вы дадите Космосу знать, что готовы принять то благо, которым он хочет вас одарить.

Приготовьте место для нового

Приготовьте место для нового. Очистите холодильник, выбросив все эти маленькие недоеденные кусочки, завернутые в фольгу. Освободите шкафы: избавьтесь от вещей, которыми месяцев шесть уже не пользуетесь. А уж если что-то не понадобилось вам в течение года, не сомневайтесь ни на минуту — непременно уберите, продайте, обменяйте, отдайте или даже сожгите.

Беспорядок в шкафах олицетворяет сумятицу в голове. Разбирая шкафы, скажите: «Я разбираю завалы в своей голове (освобождаю свое сознание)». Космос любит символические жесты.

Поверьте, когда я впервые услышала: «Богатства Космоса доступны всем», эта мысль показалась мне смехотворно нелепой.

«А как же обездоленные бедняки,— подумала я,— или что делать с моей безысходной бедностью?» Я злилась, когда мне говорили: «Твоя бедность — результат представлений, живущих в твоем сознании». Прошло немало лет, прежде чем я поняла: единственный, кто виноват в том, что у меня мало средств, я сама. Причина была в моей твердой убежденности, что я «не достойна», «не заслуживаю достатка», что «деньги добываются с трудом», а у меня «нет ни талантов, ни способностей». Именно эти мысли держали меня в плену комплекса «отказа от благосостояния» («не иметь»).

ПРОЩЕ ВСЕГО КИЧИТЬСЯ БОГАТСТВОМ! Как вы отнесетесь к такому заявлению? Полагаете верным? Не согласны? Рассердились? Или остались безразличны? Хотите швырнуть эту книгу на пол? Если оно вызвало у вас любую из этих реакций, ОЧЕНЬ ХОРОШО! Значит, я сумела добраться до глубины вашего естества, где вы пытаетесь сопротивляться правде, задела вас за живое. Есть над чем работать! Время пришло — дайте своим талантам возможность проявиться, откройте дорогу достатку, и поток всех и всяческих благ вас не минует.

Относитесь к своим счетам с любовью

Очень важно прекратить беспокоиться о деньгах и негодовать по поводу подлежащих оплате счетов. Многие воспринимают счета как своего рода наказание, которого надо постараться избежать. Однако на самом деле счета подтверждают нашу платежеспособность. Кредитор, полагая вас достаточно состоятельным, предоставляет вам товары и услуги в долг. Я благословляю с любовью каждый счет, который ко мне приходит, и каждый чек, который подписываю. Я даже запечатлела на нем поцелуй. Если вы платите с раздражением, вряд ли деньги к вам возвратятся. Но стоит проделать то же самое с любовью и радостью, как вы откроете свободный доступ потоку изобилия. Не комкайте деньги, засовывая в карман, — отнеситесь к ним по-дружески.

Не работа, счет в банке, капиталовложения, не супруг, супруга или родители являются гарантом вашей финансовой безопасности, а лишь способность вступить в контакт с космической энергией, создающей все и вся.

Мне радостно сознавать, что та самая энергия, живущая и во мне, создает все, в чем я нуждаюсь, и делает это так легко и просто. Космос щедр и изобилен. Наше право, данное нам от рождения, получать от него все, что нужно, только не надо убеждать себя в обратном.

Пользуясь телефоном, я неизменно благословляю его с любовью. И что же? Он приносит мне только добрые вести и приятные сообщения. Так же я отношусь и к почтовому ящику — и каждый день он переполнен извещениями о денежных переводах и чудесными, теплыми письмами от друзей, пациентов и читателей. Получая счета, я всегда радуюсь, испытывая чувство благодарности к компаниям, которые мне доверяют. Я благославляю дверной звонок и входную дверь, зная, что в мой дом приходит только добро. И так оно и происходит.

Идеи для всех

Один бондарь решил расширить свое дело и стал посещать мои занятия. Считая себя хорошим специалистом, он надеялся довести свой доход до 100 000 долларов в год. Я поделилась с ним своими идеями, теми же, что изложила перед вами. Вскоре он заработал так много, что смог вложить деньги в китайский фарфор. Он стал проводить больше времени дома, наслаждаясь красотой вещей, которые приобрел благодаря увеличению своего дохода.

Радуйтесь, когда другим повезет

Не ставьте заслон на пути собственного благополучия, раздражаясь или завидуя, если кому-то живется лучше, чем вам. Не делайте замечаний по поводу того, кто и как тратит деньги. Это вас не касается.

Каждый живет, подчиняясь закону собственного сознания. Займитесь-ка лучше собой. Благословите удачу, улыбнувшуюся другим, и твердо знайте, что в мире всего для всех предостаточно.

Вы, случайно, не скупец? Не жалеете чаевых? Не читаете нотаций уборщицам? Не забываете в канун Рождества о швейцарах в офисе и о консьержке? Не экономите, когда нет необходимости, покупая несвежие, лежалые овощи и вчерашний хлеб? Не делаете покупки в захудалом магазинчике? Не заказываете в ресторане самые дешевые блюда?

Знайте, что существует закон «потребностей и их удовлетворения». Потребности — прежде всего, а уж деньги обладают способностью приходить туда, где они нужнее. Заметьте, что даже очень бедной семье обычно удается собрать деньги на похороны.

Визуализация — океан изобилия

Имейте в виду, что ваше представление о благосостоянии не зависит от дохода, совсем наоборот — ваш доход зависит от этого представления.

Думайте, что хотите иметь больше, и так оно и будет.

Мне нравится представлять, как я стою на берегу океана и любуюсь им, зная, что это — океан изобилия и он мне доступен. Посмотрите, что вы держите сейчас в руках: чайную ложку, наперсток, бумажный стаканчик, чашку, бокал, кувшин, ведро или таз, а может, трубопровод соединяет вас с этим океаном? Оглянитесь вокруг и вы поймете: совершенно не важно, сколько здесь собралось народу и с каким сосудом они пришли. Хватит на всех. Океан не исчерпать. А вот сосуд, который вы держите в руках и который всегда можно заменить на больший, и есть ваше сознание. Проделывайте это упражнение как можно чаще, и вы ощутите бесконечность пространства и безграничность возможностей.

Раскройте свои объятия

По крайней мере, раз в день я удобно усаживаюсь, как бы раскрыв объятия, словно хочу обнять весь мир, и говорю: «Я открыта и готова воспринять все блага и дары Космоса». Это дает мне удивительное ощущение пространства, его безграничности и необъятности возможностей, которые есть всегда и повсюду. Космос щедро делится с нами всеми благами, но он может передать только то, что присутствует в нашем сознании. Для меня же не составляет труда создать представление о чем-то большем в своем сознании. Это как космический банк: мысленно я делаю в него вклады, расширяя представление о собственных созидательных способностях. Наши вклады — медитация, исцеляющие наговоры (тексты) и аффирмации. Так давайте вносить эти вклады в космический банк ежедневно.

Дело не просто в том, чтобы иметь больше денег. Этого недостаточно. Мы хотим получать от них удовольствие. Скажите, а вы так поступаете? Почему нет? Можно найти великое множество путей и способов доставлять себе маленькие радости. Вы потратили на прошлой неделе деньги на что-нибудь для себя приятное? Почему вы этого не сделали? Какие старые убеждения вам помешали? Избавьтесь от них. И не относитесь к деньгам слишком серьезно. Деньги — лишь средство обмена. Всего-навсего. Подумайте: что бы вы делали и как бы себя вели, если бы в них не нуждались?

Джерри Гиллс, автор книги «Любовь к деньгам», одной из лучших, на мой взгляд, на эту тему, предлагает создать своего рода «штрафную копилку». Идея в том, что каждый раз, стоит вам выразить недовольство собственным финансовым положением, мы обязаны вложить в «штрафную копилку» определенную сумму, а в конце недели потратить на что-нибудь для себя приятное.

Необходимо в корне пересмотреть свое отношение к деньгам. Как я убедилась, гораздо легче провести семинар о сексе, чем о деньгах. Люди обычно злятся, когда их устоявшиеся представления об этом предмете вызывают чье-то возражение. Даже те, кто приходит ко мне на занятия с отчаянным желанием разбогатеть, буквально из себя выходят, стоит мне попытаться изменить их крайне ограниченные представления о деньгах, достатке и благосостоянии.

«Я хочу измениться». «Я хочу избавиться от прежних негативных убеждений». Это две очень важные аффирмации, и иногда приходится очень подолгу с ними работать, чтоб, освободив место для новых идей, начать создавать собственное благополучие.

Избавьтесь от стереотипа «фиксированного дохода». Не ограничивайте Космос, настаивая, что у вас ТОЛЬКО некий определенный доход или заработок и больше нет никаких средств. Зарплата, доход — лишь СПОСОБ, ПУТЬ, которым вы можете получить то, что хотите. ЭТО НЕ ИСТОЧНИК. Источник же один — КОСМОС.

Путей и способов существует множество. Надо быть открытым для их восприятия. Возможности получения благ и доходов могут быть любые — дайте этой мысли утвердиться в вашем сознании. Вы нашли на улице десятицентовую монетку — скажите источнику «Спасибо». Пусть вы получили самую малость, главное — перед вами открываются новые пути.

Я открыт и готов воспринять доход любыми новыми путями.

Я получаю блага из ожидаемых и неожидаемых источников.

Я не ограничиваю себя, принимая блага из неиссякаемого источника, бесконечным многообразием путей и способов.

Радуйтесь малому — в этом ростки нового

Стремясь к благосостоянию, мы обязательно достигаем того уровня, который соответствует нашим представлениям о том, чего мы заслуживаем. Расскажу про одну писательницу, которая хотела увеличить свой доход. Ее аффирмация гласила: «Я хорошо зарабатываю писательским трудом». Как-то она зашла в кафе, где обычно завтракала, и, удобно устроившись за столиком, вынула свои записи, приготовилась поработать. Неожиданно к ней обратился менеджер: «Вы ведь писательница? Так, может, и для меня кое-что напишете?» Он принес несколько фирменный бланков и попросил написать на каждом: «Индейка на ленч — только 3,95 доллара». За это менеджер предложил ей бесплатный завтрак.

Это небольшое событие отразило начало изменений, происходящих в ее сознании. И в дальнейшем она с успехом продавала свои книги.

Осознайте свое благосостояние

Начните осознавать свое благосостояние везде и во всем и непременно радуйтесь этому. Реверенд Айк, известный миссионер-евангелист из Нью-Йорка, любит вспоминать, как в бытность свою еще бедным проповедником часто проходил мимо шикарных ресторанов, богатых домов, дорогих автомобилей, витрин с изысканной одеждой и громко говорил: «Это для меня, это — по мне!» Получайте удовольствие при виде прекрасных вилл, банков, роскошных магазинов, яхт. Осознайте все это, как часть ВАШЕГО достатка. Таким образом, вы расширяете свое сознание, принимая или включая в него все то, что вам хотелось бы иметь. Увидев хорошо одетых людей, подумайте: «Разве не замечательно, что они так богаты? Для всех нас всего предостаточно».

Мы ведь не гонимся за чужими благами, а хотим лишь того, что должно принадлежать нам.

И в то же время мы ничем не владеем. Мы лишь пользуемся неким имуществом, пока оно не переходит к кому-то другому. Иногда, правда, оно остается в семье на протяжении жизни нескольких поколений, но все равно в конце концов уйдет. В этом проявляется естественный ход и ритм жизни. Вещи приходят и уходят. Я верю, что если что-то уходит, то лишь затем, чтоб освободить место для нового и лучшего.

Принимайте комплименты

Многие хотят разбогатеть, но совершенно не воспринимают комплименты. Я знаю некоторых молодых, подающих надежды актеров и актрис, мечтающих стать «звездой», так они просто съеживаются, когда слышат комплимент.

Однако комплимент — это подарок, который несет нам процветание. Научитесь принимать их любезно и с радостью. Я всегда улыбаюсь и благодарю, если получаю комплимент или подарок. Так приучила меня моя мать, когда я была совсем маленькой. И я следую этому правилу всю свою жизнь.

Еще лучше ответить на комплимент комплиментом. В таком случае сделавший вам комплимент почувствует, будто сам получил подарок. Принимайте все, что посылает вам жизнь, с благодарностью и щедро делитесь с другими. Пусть этот процесс будет непрерывным.

Радуйтесь, что можете просыпаться каждое утро и проживать новый день. Будьте счастливы, что вы живы, здоровы, имеете друзей, обладаете способностью творить и ощущать радость бытия. Стремитесь к высшему знанию и наслаждайтесь процессом собственной трансформации.

В бесконечном потоке жизни,
частицей которого я являюсь,
все прекрасно цельно, совершенно.
Я принадлежу Божественной Силе, давшей мне жизнь.
Я с открытой душой принимаю все блага,
щедро посылаемые мне Космосом.
Все мои потребности и желания
удовлетворяются прежде, чем я об этом попрошу.
Меня направляет и защищает Божий промысел,
благодаря которому я всегда делаю правильный выбор.
Памятуя о безграничной щедрости Провидения,
я всегда радуюсь успехам других людей.
Я всемерно стремлюсь развить в себе
сознание того, насколько щедра жизнь,
благодаря чему постоянно растет
мое материальное благополучие.
Ото всех и отовсюду исходит добро.
Все прекрасно в моем мире.

Глава 14

НАШЕ ТЕЛО

*«Я с любовью прислушиваюсь к сигналам,
которые посылает мне мое тело».*

Я убеждена, что мы сами становимся виновниками своих так называемых «болезней». Наше тело, как и все сущее, отражает наши мысли и мировоззрение. Стоит только прислушаться к своим ощущениям, как станут поняты сигналы тела, ведь оно каждой своей клеточкой отзывается на наши слова и мысли.

Привычный образ мыслей, наши высказывания определяют и наше поведение, расположение духа, здоровье и нездоровье. Тот, кто постоянно хмур, явно далек от радостных мыслей и доброго расположения духа. Сколь длительным может быть воздействие стереотипов мышления, особенно заметно по лицам пожилых. А как в их возрасте будете выглядеть вы?

В эту часть книги я включила перечень губительных для здоровья стереотипов мышления, а также новых, целительных стереотипов, или аффирмаций. Я уже приводила его в книге «Исцели свое тело». Кроме того, я проанализировала некоторые наиболее типичные жизненные ситуации, чтобы дать представление о том, как мы сами создаем себе проблемы.

Разумеется, не все упомянутые мной стереотипы на сто процентов верны для каждого человека. Тем не менее, прочтя о них, вы сможете понять истинную причину своего недуга. Многие специалисты по нетрадиционной медицине, которые постоянно используют в работе книгу «Исцели свое тело», считают включенные в этот перечень стереотипы верными на 90—95 процентов.

* * *

ГОЛОВА олицетворяет собой наше «я» в общении с миром. По ней о нас обычно судят окружающие; недомогания головы означают: что-то неладно с нашим «я».

ВОЛОСЫ — показатель нашей силы. При стрессе, испуге в плечевых мышцах возникает сильнейшее напряжение, которое передается коже головы и, бывает, распространяется дальше, на кожу вокруг глаз. Волосы растут из фолликулов (волосяных мешочков), которые при чрезмерном напряжении кожи сжимаются, лишая волосы возможности нормально дышать, отчего те отмирают и выпадают. При постоянном напряжении фолликулы остаются сжатыми, не давая волосам отрасти заново. Это ведет к облысению.

Женское облысение получило распространение с тех пор, как женщины начали осваивать полный стрессов мир бизнеса. Оно остается незаметным для окружающих благодаря искусным парикам, в которых потерявшие волосы женщины, в отличие от большинства мужчин, выглядят естественно и привлекательно.

Неспособность расслабиться говорит не о силе, а о слабости человека. Напротив, способность освободиться от напряжения, успокоиться, сконцентрироваться на своем внутреннем «я» дает силу и уверенность. Умение снимать физическое напряжение необходимо всем, и многим, в частности, полезно научиться снимать напряжение с кожи головы.

УШИ — их состояние зависит от того, насколько мы готовы к общению с окружающими. Обычно причиной боли в ушах является нежелание слышать неприятные вещи. Если болят уши, значит, услышанное вывело нас из равновесия.

Уши часто болят у детей, которым дома приходится сталкиваться с чем-то неприятным, о чем они не желали бы знать; к тому же детям запрещают вслух выражать свой гнев, осознание собственного бессилия усиливает болезнь.

ГЛУХОТА — это следствие длительного нежелания слушать. Замечали ли вы, что партнер глуховатого человека обычно говорит без умолку?

ГЛАЗА — индикатор нашей готовности видеть мир. Если с ними возникают проблемы, это, как правило, означает, что мы не желаем замечать нечто либо в собственной жизни, либо в окружающем мире (в прошлом, настоящем или будущем).

Если очки вынуждены надевать малыши, можно с уверенностью сказать, что у них неладно дома, и дети в прямом смысле отказываются на что-то смотреть. Бессильные изменить ситуацию к лучшему, они неосознанно стараются расфокусировать зрение, чтобы лишиться способности ясно различать окружающее.

Многим пациентам удалось добиться поразительных успехов, когда, вернувшись мысленно в прошлое, они освобождались от ощущения неприятия, возникшего в связи с какими-либо обстоятельствами за год или два до того, как им были выписаны очки.

Вы отвергаете что-то в своем настоящем? Чего-то боитесь? Настоящего или будущего? Если бы сохранили хорошее зрение, что бы вы хотели увидеть, чего не видите сейчас? Вы понимаете, что навлекаете на себя своим нежеланием видеть?

Интересные вопросы, не правда ли?

ГОЛОВНЫЕ БОЛИ происходят от заниженной самооценки. Когда у вас в очередной раз заболит голова, спросите себя, в чем и по какой причине вы поступили неправильно по отношению к себе. Простите себя, освободитесь от чувства вины, и головную боль как рукой снимет.

ПРИДАТОЧНЫЕ ПАЗУХИ НОСА — как правило, боль в них вызвана раздражением на близкого человека.

Мы забываем, что сами создаем ситуации, которые заставляют нас страдать, а потом лишаем себя душевных сил, обвиняя в своих несчастьях других. Надо помнить, что никто и ничто не властно над нами, потому что мы живем по собственному разумению, приобретая опыт, творя свою действительность и тех, кто нас в ней окружает. Мир в душах и умах оборачивается миром в реальной жизни.

ШЕЯ И ГОРЛО требуют особого внимания, потому что исключительно уязвимы для всякого рода болезнетворных стереотипов.

ШЕЯ — это способность к гибкости мышления, восприятию чужого мнения, нового взгляда на проблему. Как правило, болезни шеи вызывают упрямое, фарисейское нежелание взглянуть на ситуацию по-новому. Об этом свидетельствует, например, жировой «воротник». Как-то Вирджиния Сэтир, блестящий семейный врач, шутки ради подсчитала, что существует более 250 способов мыть посуду — в зависимости от личности исполнителя и моющих средств, которые он использует. Принимая только один способ, одну точку зрения, мы отворачиваемся от разнообразия, которое предлагает нам жизнь.

ГОРЛО — его состояние отражает нашу способность отстоять свои интересы, выразить свои желания, заявить о себе как о личности. Горло болит тогда, когда мы не чувствуем себя вправе и в состоянии постоять за себя. Мы раздражены — отсюда боль в горле; если мы к тому же чем-то взволнованы, выведены из состояния душевного равновесия, то к боли в горле присоединится еще и простуда. Ларингит — признак того, что отрицательные эмоции захлестывают, лишая нас дара речи.

Кроме того, горло — средоточие нашей творческой энергии. Когда эта энергия не находит выхода, горло заболевает. Нам известно немало людей, которые живут для других, всю жизнь делая то, что хочется их родителям, супругам, возлюбленным, боссам, но только не им самим. Такие люди, как правило, вследствие подавления собственных желаний и творческих порывов страдают тонзиллитом и болезнями щитовидной железы.

В области горла находится пятая чакра, центр энергии и перемен. Когда мы сопротивляемся перемене, или застигнуты ею врасплох, или, напротив, усиленно стараемся перемениться, активно задействуется область горла. Обратите внимание на внезапные приступы кашля у себя и у других. Что было сказано непосредственно перед ними? Как мы реагировали на сказанное? Что послужило их причиной: наше упрямство, нежелание перемен, или это свидетельство того, что перемены уже начались? На своих сеансах я использую кашель как инструмент самопознания. Когда кто-нибудь закашляется, я прошу его коснуться горла и произнести: «Я готов к переменам» или «Я меняюсь».

РУКИ (от плеча до кисти) характеризуют нашу способность усваивать жизненный опыт. Предплечья — показатель того, в каком объеме мы его усваиваем; руки от локтя до кисти характеризуют эту способность в целом. Суставы становятся как бы хранилищами старых переживаний, локти — индикаторами гибкости в выборе направления движения вперед. Подумайте, так ли легко, как прежде, вы способны менять направление своей жизни, или старые переживания заставляют вас топтаться на месте?

КИСТИ — их назначение держать, сжимать, захватывать что-то. Ими мы стремимся коснуться всего, с чем сталкиваемся в жизни, иногда не спеша с этим расставаться. Они бывают ловкими и неумелыми, скупыми и щедрыми. Ими мы подаем милостыню, ухаживаем за собой или, бывает, они не годятся вообще ни на что полезное.

Кисти могут быть слабыми и сильными, их может искривить артрит, причина которого кроется в чересчур критическом отношении к жизни; узловатые межфаланговые суставы — следствие чрезмерных раздумий. Крючковатые пальцы говорят о том, что их обладатель боится потерять или упустить что-то или недополучить чего-то от жизни.

Однако следует помнить, что чересчур сильное стремление удержать партнера может того только отпугнуть. Стиснув пальцы, вы больше не сможете брать, а значит, не усвоите ничего нового. Свободное потряхивание кистями помогает освободиться от скованности.

Расслабьтесь: никто не в силах отнять у вас ваше достояние.

ПАЛЬЦЫ — каждый из них имеет свое значение. Связанные с ними недомогания указывают на характер ваших проблем. Например, если вы порезали указательный палец, виной тому, скорее всего, страх и гнев из-за ущемленного в какой-то житейской ситуации самолюбия. Большой палец связан с мыслительными способностями; если с ним возникают проблемы, значит, вы обеспокоены. Указательный палец — индикатор страха и самолюбия. Средний — гнева и сексуальности. Рассердившись на кого-то, подержите себя за средний палец: гнев уляжется. Если объект вашей агрессивности женщина, подержите средний палец левой руки, если мужчина — правой. Безымянный палец олицетворяет одновременно согласие и огорчение. Мизинец — семейные отношения и претензии.

СПИНА олицетворяет ваше ощущение поддержки. Проблемы со спиной означают, что вы не чувствуете поддержки. Зачастую мы думаем, что нас поддерживает только работа, семья или супруг, в действительности же нас всех поддерживают Космос и сама Жизнь.

Недомогания в верхней части спины указывают на недостаток эмоциональной поддержки: мы убеждены, что супруг (любовник, друг, босс) нас не понимает и не поддерживает.

Средняя часть спины — индикатор чувства вины и прошлых страхов. Вы боитесь прошлого, стараетесь забыть о нем? Нет ли у вас ощущения, будто вас ударили в спину ножом?

Вы потерпели финансовый крах и чувствуете себя бесповоротно конченным человеком? Или просто очень этого боитесь? В таком случае следует обратить внимание на поясницу. Отсутствие денег, страх их потерять вызывают недомогания этой части тела. Беспокойство по поводу количества денег, как правило, не оказывает такого воздействия.

Очень многие из нас считают деньги важнейшим фактором своего существования, без которого они не смогут жить. Это не так. Есть нечто гораздо более важное и драгоценное для нас, без чего наша жизнь просто невозможна, — дыхание.

Когда мы делаем выдох, мы почему-то уверены, что за ним обязательно последует вдох. Не имея возможности вдохнуть снова, мы не проживем и трех минут. Если Божественная Сила, создавшая нас, наделила нас способностью дышать столько времени, сколько нам отпущено, как мы можем не верить, что получим от нее и все остальное, нужное для жизни?

ЛЕГКИЕ олицетворяют собой наше отношение к жизни. Если у вас проблемы с легкими, значит, вы либо боитесь жизни вообще, либо боитесь жить полной, насыщенной жизнью.

Прежде женщины, как правило, дышали неглубоко — они считали себя гражданами второго сорта, недостойными места в обществе, а иногда и права на жизнь. К счастью, теперь положение меняется: женщины становятся полноправными членами общества и дышат глубоко, полной грудью.

Я рада, что они начали активно заниматься спортом. Такая возможность представилась им, насколько мне известно, впервые в истории человечества. Оторвавшись от грубой, неблагодарной работы на полях, женщины занялись физическим самосовершенствованием, и посмотрите, каких великолепных результатов они достигли!

Эмфизема легких и привычка много курить, как правило, — следствие отрицательного отношения к жизни, ощущения собственной ущербности. Вот почему не стоит пилить курильщика, это не поможет ему избавиться от этого порока.

МОЛОЧНЫЕ ЖЕЛЕЗЫ олицетворяют материнское начало. Заболевания молочных желез — следствие того, что это начало берет верх над разумом по отношению к какому-либо человеку, месту, ситуации, переживанию.

Материнская забота не должна быть чрезмерной, не лишайте «дитя» самостоятельности. Постарайтесь не перебарщивать в стремлении опекать и направлять. Чересчур ревностная забота мешает подопечному набраться жизненного опыта. Иногда наша чрезмерная опека в прямом смысле лишает его «подпитки» из Космоса.

Рак молочной железы возникает, кроме того, вследствие затаенной обиды. Забудьте о своих обидах и страхах, живите свободно, вам поможет разум Космоса, который живет в каждом из нас.

СЕРДЦЕ, разумеется, олицетворяет любовь, а кровь, которую оно гонит по нашим жилам, — радость. Если мы лишаем себя любви и радости, сердце сжимается и холодеет. В результате кровь течет медленнее, что ведет к анемии, ангине и инфарктам.

Сердце в этом не виновато. Порой мы сами превращаем свое существование в «мыльную оперу», которая заслоняет от нас реальные житейские радости. Мы годами лишаем свое сердце такой «подпитки», и в результате оно буквально разрывается от боли. Инфаркт, как правило, случается у людей, которые не умеют радоваться жизни. Если они так и не научатся этому, то их ждет новый инфаркт.

Мы говорим: «золотое сердце», «ледяное сердце», «черное сердце», «сердце, открытое навстречу людям», «сердце, полное любви». А вы задумывались, какое сердце у вас?

ЖЕЛУДОК — показатель вашей способности усваивать новые идеи, набираться опыта. Чего или кого вы «не перевариваете»? Что задевает вас за живое?

Проблемы с желудком обычно сигнализируют о неспособности приспособиться к новой ситуации, наш страх перед ней.

На заре пассажирских авиаперевозок идею полета внутри гигантской металлической птицы многие восприняли с большим трудом. И что же? Непременным атрибутом таких полетов стали гигиенические пакеты, которыми пользовалось большинство пассажиров, доставляя немало хлопот стюардессам. Теперь, много лет спустя, эти пакеты по-прежнему у нас под рукой в полете, но ими редко кто пользуется. Мы привыкли к полетам, идея прочно утвердилась в умах.

ЯЗВЫ возникают исключительно из-за боязни собственной несостоятельности. Сначала мы боимся не угодить родителям, потом — начальству. Мы словно не в состоянии «переварить» то, какие мы есть на самом деле, и изо всех сил, не щадя себя, стремимся угодить другим. Вне зависимости от значимости своего дела мы в глубине души считаем себя ничтожествами и стараемся скрыть это от окружающих.

ПОЛОВЫЕ ОРГАНЫ — средоточие женского начала у женщин и мужского у мужчин.

Если имеют место проблемы с половой принадлежностью, стремление подавить свою сексуальность, взгляд на собственное тело как на сосуд греха и вожделения, значит, имеют место отклонения в работе половых органов.

Человек, привыкший с детства называть половые органы и их функции своими именами, — редкость. Как правило, нас воспитывают на тех или иных эвфемизмах. Помните, какие эвфемизмы были в ходу в вашей семье? Может быть, у вас презрительно говорили о гениталиях: «Это место», отчего вы начали стыдиться своих половых органов?

Пожалуй, сексуальная революция, разразившаяся несколько лет назад, имела и положительную сторону, поскольку благодаря ей мы покончили с викторианским лицемерием. Внезапно оказалось, что иметь связь со многими партнерами вовсе не так уж плохо и что женщина, подобно мужчине, тоже может позволить себе брать партнеров на одну ночь. Обмен супругами стал практиковаться более открыто. Многие из нас научились пользоваться сексуальной свободой, открывали для себя новые способы получения сексуального наслаждения.

Однако некоторые не смогли отрешиться от того, что Роза Ламонт, основательница Института Самопознания, называет «мамин Бог». Вспомните: все, что в трехлетнем возрасте рассказала вам о Господе мать, по-прежнему сидит в вашем подсознании, если только вы намеренно не постарались от этого освободиться. Какие представления о Господе она вам внушила? Он зол, мстителен? Как он относится к сексу? Если в нас с детства заложено чувство вины перед Господом за свою порочную натуру, то в дальнейшем нам неизбежно придется за это расплачиваться.

Причиной заболеваний МОЧЕВОГО ПУЗЫРЯ, ЗАДНЕГО ПРОХОДА, а также ВАГИНИТА, ПРОСТАТИТА и проблем с ПЕНИСОМ тоже являются заблуждения относительно собственного организма и его естественных отправлений.

Наши органы суть не что иное, как сама жизнь со всеми своими специфическими функциями. Мы же не считаем греховными печень и глаза, почему же тогда мы стыдимся своих гениталий?

Анальное отверстие выглядит ничуть не менее естественно и прекрасно, чем ухо. Не будь у нас заднего прохода, мы бы скоро умерли, потому что организм не смог бы освободиться от шлаков. Любая часть организма, любая его функция совершенна, естественна и прекрасна.

Я прошу пациентов с сексуальными проблемами относиться к своим анусам, пенисам и влагалищам с любовью и благодарностью за то, что они делают для организма, ценить их естественную красоту. Если эти строки заставили вас поежиться от отвращения или рассердили вас, спросите себя, в чем причина. Кто внушил вам отрицательное отношение к этим частям тела? Явно не Господь. Он дал нам половые органы, чтобы мы получали сексуальное удовлетворение. Отрицать это, — значит, обрекать себя на боль и страдания. Секс не только не постыден, он прекрасен и естественен. Заниматься сексом так же необходимо, как дышать и есть.

Попробуйте представить себе беспредельность Космоса — у вас ничего не получится. Даже лучшим в мире ученым, в распоряжении которых современнейшее оборудование, не под силу измерить его просторы. Космос — это бесконечное множество галактик, в одной из которых, не самой большой, в дальнем уголке вращаются относительно скромное по размерам солнце и несколько крошечных планет. Одна из них и есть наша Земля.

Не могу поверить, что создавший все это Разум, бесконечный, не поддающийся пониманию, воплощен в фигуре старичка, который со своего облака наблюдает за нами и нашими гениталиями!

А ведь в детстве многим из нас внушили именно такое представление о Боге.

Избавиться от нелепых, отживших, бесполезных идей для нас жизненно важно. По-моему, наши религиозные взгляды должны быть нам во благо, а не против нас. В мире столько всевозможных религий — есть из чего выбрать подходящую. Если ваши религиозные убеждения наталкивают вас на мысль, что вы недостойный грешник, поменяйте их.

Я не агитирую за свободный секс, просто некоторые из наших правил потеряли смысл, отчего многие вынуждены нарушать их и лицемерить.

Когда люди научатся не стыдиться своей сексуальности, любить и уважать самих себя, тогда они будут приносить себе и друг другу только добро и радость. Причина многочисленных сексуальных расстройств кроется в нашем отвращении к самим себе. Отсюда и плохое отношение к окружающим.

Для решения этой проблемы недостаточно уроков полового воспитания в школе. Необходимо на более глубоком уровне разъяснять детям, что их тело, половые органы и сексуальное чувство созданы для радости жизни. Я всем сердцем убеждена, что люди, которые с любовью относятся к себе и своему телу, никогда не причинят вреда ни себе, ни другим.

Я открыла, что причина расстройства МОЧЕВОГО ПУЗЫРЯ кроется, как правило, в раздражении, обиде. Очень часто это обида на партнера, оскорбившего наше женское или мужское начало. Женщины чаще страдают такими расстройствами, потому что больше мужчин склонны скрывать обиду. ВАГИНИТ тоже предполагает обиду на сексуального партнера.

ПРОСТАТИТ же часто связан с заниженной самооценкой и опасением оказаться с возрастом сексуально несостоятельным. Те же причины плюс страх и озлобление против предыдущего партнера вызывают ИМПОТЕНЦИЮ. ФРИГИДНОСТЬ возникает, когда женщина боится секса или считает телесные радости грехом. Еще одной причиной этого заболевания может быть крайне заниженная самооценка и нечуткость партнера.

ПРЕДМЕНСТРУАЛЬНЫЙ СИНДРОМ (ПМС), принявший в наше время характер эпидемии, связан с засильем рекламы, которая вбивает в головы женщин, что тело всегда и при любых обстоятельствах должно быть вымыто до стерильной чистоты, проспринцовано, присыпано, надушено и т. д. Одновременно многих женщин угнетает мысль, что для них, во всем остальном равных с мужчинами, ежемесячное женское недомогание есть нечто совершенно неприемлемое. Эти факторы, вкупе со столь распространенным в наше время пристрастием к сладкому, стали благодатной почвой для ПМС.

Помните, что все особенности женского организма, включая менструации и менопаузу, совершенно естественны, принимайте их как должное. Несмотря ни на что, наше тело — прекрасное, дивное творение природы.

По моему убеждению, венерическую болезнь вызывает чувство «сексуальной вины» — ощущение, часто неосознанное, что мы не вправе раскрывать свою сексуальность. Носитель венерического заболевания может иметь много половых партнеров, но заразятся от него только обладатели слабой иммунной системы, которая не в состоянии защитить их ни психологически, ни физически. В дополнение к венерическим болезням, знакомым человечеству с давних пор, в последние годы в гетеросексуальной среде получил распространение ГЕРПЕС, который возвращается к заразившему снова и снова, чтобы «наказать» за «плохое поведение». Особенно мы уязвимы для герпеса в период душевных невзгод. Если у вас появились его симптомы, сделайте правильные выводы!

А теперь посмотрим, применима ли эта теория к гомосексуальному сообществу, ведь помимо общих для всех проблем педерасты и лесбиянки сталкиваются с недоброжелательным отношением окружающих. Частенько к хору осуждающих голосов присоединяются и их собственные родители. Жить, а тем более любить себя в таких условиях трудно, поэтому неудивительно, что гомосексуалисты одними из первых стали жертвами такой страшной болезни, как СПИД.

Что касается гетеросексуального сообщества, то в нем многие женщины страшатся старости из-за ореола всеобщего поклонения, которым окружена молодость. У мужчин переход в старшую возрастную категорию происходит не так болезненно, потому что седина их только украшает. Нередко седовласый мужчина вызывает у окружающих уважение, желание попросить совета, помощи.

Совсем иначе у мужчин-гомосексуалистов, потому что в их субкультуре царит культ молодости и красоты. Как правило, начинающие гомосексуалисты обладают первым качеством, тогда как второе есть далеко не у всех. И если физической привлекательности придается огромное значение, то чувства, внутренний мир человека остаются практически без внимания. Иначе говоря, немолодые и некрасивые здесь совсем не котируются, потому что значение имеет только тело, а отнюдь не душа.

Такой стереотип мышления не делает чести этой субкультуре, потому что в его основе тоже лежит дискриминация. Из-за него многие гомосексуалисты-мужчины начинают бояться старости, считая, что лучше умереть, чем постареть. А СПИД как раз убивает.

Слишком часто гомосексуалисты-мужчины ощущают, что, старея, они перестают быть нужными своим партнерам, поэтому они предпочитают смерть, саморазрушение, ведя соответствующий образ жизни. Некоторые его особенности, например оценка человека по его «статям», постоянное «перемывание костей» друг другу, отказ от душевной близости с партнером, и так далее, чудовищны. Но ведь и СПИД — чудовищное заболевание.

Подобное отношение к себе и друг другу как раз и порождает чувство вины на уровне подсознания, независимо от гомосексуального стажа и опыта. Гомосексуальные развлечения могут стать роковыми для обоих партнеров, потому что не предполагают душевной близости и глубины.

Разумеется, я ни в коем случае не стремлюсь внушить гомосексуалистам чувство вины, хочу только ради общего блага обратить их внимание на некоторые устоявшиеся стереотипы, которые мешают жить в любви, уважении и радости. Пятьдесят лет назад почти все люди нетрадиционной сексуальной ориентации вынуждены были скрывать свои наклонности, тогда как сейчас они образуют свои сообщества, в которых могут существовать относительно открыто. Мне кажется несправедливым, что в нынешних, более благоприятных для них условиях они наносят друг другу душевные травмы. Если их третируют «натуралы», это печально, но если гомосексуалисты третируют друг друга, это трагично.

Мужчины по своей природе склонны иметь больше сексуальных партнеров, чем женщины, поэтому в мужской гомосексуальной среде сексом занимаются гораздо больше, чем в женской. Это прекрасно, если секс приносит удовлетворение и радость, а не служит каким-то побочным целям. Например, бывает, что мужчины постоянно меняют партнеров, удовлетворяя скрытую в глубинах подсознания тягу к самоутверждению. Мне кажется, что связь с несколькими партнерами, алкоголь и даже таблетки «для тонуса» не принесут вреда, если прибегать к ним время от времени. Однако постоянное использование столь сильных средств для поддержания собственного престижа свидетельствует о потере связи с нашей «питательной средой», Космосом. В этом случае не обойтись без корректировки образа мыслей.

Моя цель — не судить, а помочь излечиться, освободиться от стереотипов прошлого. Мы, люди, суть божественно-прекрасное воплощение Жизни. Давайте же во весь голос заявим об этом!

ТОЛСТАЯ КИШКА олицетворяет нашу способность освобождаться от того, в чем мы уже не нуждаемся. Наше тело, подчиняясь совершенному ритму течения жизни, нуждается в сбалансированной системе приема, усвоения и очищения от шлаков. Этот баланс могут нарушить только наши страхи. Запорами, как правило, страдают люди, которые боятся чего-то лишиться или недополучить. Они цепляются за старые, приносящие одни страдания связи, боятся выбросить отслужившую одежду, которая давным-давно без пользы висит в шкафу, потому что, по их разумению, она может еще на что-нибудь сгодиться. Они не уходят с нудной работы, боятся лишний раз доставить себе удовольствие, копя деньги на черный день. Однако не забывайте, что во вчерашних объедках трудно найти что-нибудь на завтрак. Выработайте в себе веру в Жизнь, которая о вас всегда позаботится.

Назначение наших НОГ — нести нас по жизненному пути. Болезни ног, как правило, указывают на боязнь двигаться вперед или в каком-то определенном направлении. Наши ноги бегают, шаркают, косолапят, прихрамывают, подкрадываются; огромные жирные бедра — следствие детских обид и подавленного гнева. Нежелание что-либо делать часто становится причиной не очень серьезных заболеваний ног. ВАРИКОЗНОЕ РАСШИРЕНИЕ

ВЕН указывает на нелюбимую работу или пребывание в неприятном для вас месте. Из-за вашего неприятия вены теряют способность разносить по телу радость.

Подумайте, действительно ли вы выбрали правильный путь?

КОЛЕНИ, как и шея, — индикатор гибкости; они олицетворяют собой способность подчиняться и чувство собственного достоинства, самолюбие и упрямство. Часто, начав движение вперед, мы стараемся держаться прямо, что ведет к неподвижности суставов. Мы жаждем двигаться вперед, но при этом не любим переходить на другую дорогу. Вот почему лечение коленей требует столько времени, ведь их болезни вызваны задетым самолюбием, оскорбленным достоинством.

Если у вас заболят колени, спросите себя, в чем вы проявили гордыню. Прекратите упрямиться и идите дальше. Жизнь — в движении; ее поток подхватит и понесет вас. Чтобы жить спокойно и счастливо, надо проявлять гибкость и не выбиваться из общего потока. Посмотрите на иву: как она гнется и раскачивается на ветру! При этом она изящна, стройна и находится в полной гармонии с окружающим миром.

Главное — понимать себя и свою жизнь, то есть свое прошлое, настоящее и будущее.

Многие пожилые люди испытывают затруднения с ходьбой, потому что утратили эту способность. Часто их угнетает мысль, что им просто некуда идти. Малыши же бегают вприпрыжку — ноги сами несут их вперед, тогда как старики ходят еле-еле, словно нехотя.

КОЖА есть отражение нашей индивидуальности. Проблемы с кожей возникают тогда, когда нашей индивидуальности что-то угрожает. Например, когда мы боимся подпасть под чью-то власть.

Один из простейших способов избавиться от кожных заболеваний — повторять про себя несколько сот раз в день: «Я молодец, я всегда поступаю правильно!» Настройтесь на правильный лад, и вы вернете себе былую силу и энергию.

НЕСЧАСТНЫЕ СЛУЧАИ в действительности отнюдь не случайны. Как правило, мы сами их на себя накликаем. Для этого совсем не обязательно специально задаваться такой целью, достаточно заиметь соответственный стереотип мышления, и несчастье не заставит себя ждать. Некоторые из нас словно притягивают его к себе, их так и называют «Тридцать три несчастья»; другие же живут совершенно спокойно, умудряясь ни разу в жизни не попасть в подобную ситуацию. Почему?

Несчастные случаи — это выражение нашего гнева или крайней степени разочарования, которое человек не может выразить. Кроме того, несчастные случаи указывают на неподчинение чьему-либо авторитету. В ярости мы готовы ударить, но вместо этого подставляемся под удар сами.

Когда мы злимся на себя, у нас возникает чувство вины; вина требует воздаяния, которое и не замедлит явиться в виде несчастного случая.

Внешне нашей вины в нем нет, на первый взгляд, мы лишь жертвы рокового стечения обстоятельств. К нам обращено всеобщее участие, о нас заботятся, нам помогают, иногда для поправки здоровья укладывают на долгое время в постель. И мы страдаем от боли.

Место, где коренится боль, — ключ к пониманию того, в чем именно мы чувствуем себя виноватыми, а степень наших физических страданий подсказывает, сколь суровое наказание мы себе уготовили.

АНОРЕКСИЯ и БУЛИМИЯ — следствие полного самоотрицания, крайней степени неприятия собственной личности.

Пища дает нам жизнь. Отказ от пищи равносилен отказу от жизни.

Почему вы идете на этот шаг? Что в вашей жизни настолько ужасно, что вы решились уйти из нее?

Ненавидя себя, вы ненавидите не что иное, как свои представления о себе. Но ведь им свойственно меняться.

Действительно ли вы столь ужасны, или в вас просто воспитали чересчур критический взгляд на мир? Вы критиковали в детстве учителей? Когда вам рассказывали о Боге и религии, у вас появлялась мысль, что вы плохой ребенок? Мы так часто склонны искать «настоящую» причину, по которой нас не любят и не принимают такими, какие мы есть!

Современная индустрия моды внушает нам, что только худое, субтильное тело красиво, поэтому многие женщины, одержимые мыслями о своих недостатках, сосредоточивают ненависть к себе на собственном теле. В глубине их подсознания они уверены: если похудею, ко мне будут относится с любовью. Но их попытки обречены на провал, как обречено на провал все, навязанное извне. Ключ к успеху внутри нас, это — мир с самой собой.

АРТРИТ — результат постоянно критического отношения к себе и окружающим. Из-за этой склонности страдающие артритом люди часто сами становятся объектами критики со стороны других. Их проклятие — перфекционизм, то есть стремление всегда и везде добиваться совершенства.

Знаете ли вы человека, которому это удается? Я не знаю. Зачем предъявлять к себе и другим сверхвысокие требования? Перфекционизм делает человека практически невыносимым в обществе. Это крайнее выражение недовольства собой, страшное бремя для самого перфекциониста.

АСТМУ мы называем «удавкой любви». Она возникает, когда человек в глубине подсознания отказывается дышать «для себя». Детишки-астматики часто очень совестливы, у них гипертрофировано чувство ответственности. Они считают себя в ответе за все вокруг, что идет «не так». Отсюда — заниженная самооценка, ощущение вины и потребность наказать себя за нее.

Иногда астма вылечивается простой сменой местожительства, особенно в тех случаях, когда ребенок уезжает один, без семьи.

Как правило, дети выздоравливают, взрослея, — с отъездом на учебу или в дом супруга, короче, так или иначе покидая отчий дом. Бывает, что в дальнейшем заболевание возвращается, но отнюдь не по вине каких-то новых обстоятельств. Причина та же, что и в детстве.

НАРЫВЫ, ОЖОГИ, ПОРЕЗЫ, ЖАР, КОЖНЫЕ ВЫСЫПАНИЯ и ВСЕВОЗМОЖНЫЕ ВОСПАЛИТЕЛЬНЫЕ ЗАБОЛЕВАНИЯ указывают на сжигающий нас гнев. Как бы мы ни пытались его подавить, он находит выражение в том или ином заболевании. Рано или поздно пар из разогретого котла требует выхода. Гнев разрушителен, он может запросто смести наш хрупкий мирок! И тем не менее от него можно освободиться, произнеся вслух простую фразу: «Это меня очень разозлило!» Правда, своему начальнику такое не скажешь, но зато можно пнуть ногой кровать, или, сидя в машине, завопить во весь голос, или сыграть партию в теннис — вот действенные, но безобидные способы выпустить пар.

Многие утонченные натуры считают недостойным давать волю своему гневу. В будущем, наверное, люди перестанут злиться друг на друга, но до того благословенного времени будет, пожалуй, разумнее и полезнее для здоровья не закрывать глаза на свои истинные чувства.

РАК вызывает глубокая, долго копившаяся обида, которая буквально разъедает ткани. Возможно, это детская обида на окружающих, не оправдавших доверия. Запомнив ее на всю жизнь, человек начинает жалеть себя, теряет способность заводить серьезные отношения с другими людьми, жизнь кажется ему бесконечной чередой разочарований. В его сознании берет верх чувство безысходности, беспомощности, невосполнимой потери, и он начинает винить в своих проблемах окружающих. Кроме того, раковые больные, как правило, отличаются повышенной самокритичностью. Я убеждена, что ключ к успеху в лечении рака — умение любить и принимать себя такими, какие мы есть.

ЛИШНИЙ ВЕС говорит о нашей незащищенности. Мы пытаемся защититься от обид, мелочных уколов, критических замечаний, оскорблений, сексуальных притязаний, от страха перед жизнью и всевозможных других страхов. Обширный выбор, не правда ли?

Наблюдая за своим организмом в течение многих лет, я заметила, что в те периоды, когда у меня появляется ощущение незащищенности, я набираю несколько фунтов, хотя полнотой не страдаю. Когда это ощущение проходит, исчезает и лишний вес.

Бороться с лишним весом, сидеть на диетах — впустую тратить время и силы. Едва вы прекратите борьбу, как потерянные килограммы тут же вернутся. Любите себя, верьте в жизнь и в свою способность обеспечить себе защищенное, благополучное существование, — это лучше самой хорошей диеты.

Если вы сядете на диету под влиянием негативного отношения к себе, от жирка вас это не избавит.

К сожалению, слишком многие родители закармливают детей, не давая себе труда задуматься над причинами их повышенного аппетита. В дальнейшем, повзрослев, эти несчастные дети будут обречены до конца дней «заедать» свои проблемы.

БОЛЬ любого рода свидетельствует о чувстве вины. Боль — это всегда наказание за вину. Хроническую боль вызывает непреходящее чувство вины, которое часто спрятано в таких глубинах подсознания, что мы о нем и не подозреваем.

Осознание своей вины ничего нам не дает. Оно не улучшает нашего самочувствия, не помогает изменить ситуацию в лучшую сторону.

Не надо «приговаривать» себя к наказанию; простив себя, вы освободитесь от боли.

ИНСУЛЬТЫ происходят вследствие закупорки сосудов мозга тромбами, которые препятствуют его кровоснабжению.

Мозг подобен компьютеру, управляющему нашим организмом. Кровь — это радость жизни, а вены и артерии — каналы передачи, предназначенные для того, чтобы донести ее до каждой клетки. В нашем организме все подчиняется закону любви, ибо Космический Разум и есть сама любовь. Ничто и никто на свете не может нормально существовать без любви и радости.

Из-за негативного мышления поток любви и радости не может свободно поступать в мозг.

Внутренняя несвобода, боязнь выглядеть смешным не располагают к веселью. То же самое относится и к любви, и радости жизни. Если избавиться от привычки во всем видеть дурную сторону, мир не будет казаться таким мрачным. Можно даже самую маленькую неприятность раздуть до размеров вселенской катастрофы, но можно и в ужасной трагедии найти повод для оптимизма. Все зависит от нашей позиции.

Часто нам кажется, что наша жизнь могла бы быть намного лучше, поэтому мы изо всех сил стремимся повернуть ее в другое русло. Иногда следствием этого стремления становится инсульт, который и вправду совершенно меняет нашу жизнь, заставляя понять ее истинные ценности.

ТУГОПОДВИЖНОСТЬ тела говорит о негибкости ума. Страх перед жизнью заставляет нас цепляться за старое, и мы постепенно утрачиваем гибкость. К этому приводит также нежелание воспринимать иной взгляд на вещи. Жизнь так разнообразна! Вспомните Вирджинию Сэтир с ее 256 способами мыть посуду.

Обратите внимание, какая часть вашего тела страдает тугоподвижностью, найдите ее в перечне стереотипов мышления в конце книги и прочтите, в чем именно вы не проявляете должной гибкости.

ОПЕРАТИВНОЕ ВМЕШАТЕЛЬСТВО бывает необходимо, например, при переломах, несчастных случаях и в других ситуациях, когда пациент еще не освоил как следует мою систему и не в силах помочь себе сам. Тогда разумнее согласиться на операцию и употребить все известные целительские приемы, чтобы в дальнейшем вновь не попасть на операционный стол.

Число медиков, искренне преданных своей благородной профессии, убежденных, что лечить надо не болезнь, а пациента, постоянно увеличивается, но все же еще многие врачи, не давая себе труда задуматься над причиной заболевания, борются не с корнем зла, а с его проявлениями.

Делают они это двумя способами: травят лекарствами и кромсают ножами. Второй метод применяется в хирургии, поэтому если вы обратитесь за помощью к хирургам, то они, как правило, порекомендуют именно оперироваться. Согласившись на операцию, сделайте все, чтобы она прошла как можно лучше, и выздоровление долго себя ждать не заставит.

Попросите хирургов и другой медперсонал помочь вам. Они зачастую совершенно упускают из виду, что лежащий под наркозом пациент на подсознательном уровне воспринимает все происходящее в операционной.

Одна из руководительниц «Нью Эйдж» рассказывала, как перед срочной операцией попросила хирурга и анестезиолога включить в операционной негромкую музыку. Кроме того, эта женщина попросила их во время операции произносить целительные настрои. С той же просьбой она обратилась и к медсестре послеоперационной палаты. И что же? Операция и послеоперационный период прошли на удивление легко, без осложнений!

Я советую своим клиентам, попадая в больницы, использовать следующие настрои: «Каждая рука, касающаяся меня в больнице, несет мне только исцеление и любовь»; «Операция проходит быстро, легко, без всяких осложнений»; «Мне хорошо и спокойно всегда, при всех обстоятельствах».

После операции полезно послушать негромкую приятную музыку и несколько раз повторить про себя: «Я стремительно поправляюсь, с каждым днем мне все лучше и лучше».

Если есть возможность, запишите аффирмации на пленку, возьмите с собой в больницу и в восстановительный период раз за разом проигрывайте ее. Старайтесь не зациклиться на боли. Все время представляйте себе, как любовь, нескончаемым потоком изливаясь из вашего сердца, течет вниз, к кончикам пальцев рук. Положите ладони на больное место и скажите ему: «Я люблю тебя, я стараюсь помочь тебе выздороветь».

ОПУХАНИЕ тела говорит о засорении и застое в эмоциональной сфере. Мы не даем себе забыть воображаемые обиды, мучаем себя неприятными воспоминаниями. Мы опухаем от невыплаканных слез, невысказанных обид, от ощущения безысходности.

Отбросьте прошлое, верните себе былую силу и энергию. Гоните прочь неприятные мысли, пусть вас посещают только приятные. Позвольте потоку жизни подхватить вас и нести вперед.

НОВООБРАЗОВАНИЯ, опухоли, суть искусственные наращения. Как устрица, спасая себя от вторжения инородного тела, обволакивает песчинку твердой блестящей оболочкой, отчего та превращается в восхитительную жемчужину, так и мы до тех пор носимся с какой-нибудь своей застарелой обидой, постоянно бередим ее, пока она не доведет нас до опухоли.

Я называю это «старое кино, которое смотришь вновь и вновь». По моему убеждению, женщины потому столь часто страдают от опухолей матки, что слишком тяжело и долго переживают обиды, нанесенные их женскому началу. Я называю это синдромом брошенной любовницы.

Разрыв отношений не должен умалять нас в собственных глазах.

Не важно, с чем нам приходится сталкиваться в жизни, важно, как мы на это реагируем. Мы несем полную ответственность за то, как живем. Что в своем отношении к самой себе вам следует изменить, чтобы окружающие начали относиться к вам с бóльшим, чем прежде, вниманием и любовью?

НОВЫЕ ЦЕЛИТЕЛЬНЫЕ СТЕРЕОТИПЫ МЫШЛЕНИЯ

ЛИЦО *(при угревой сыпи)*: Я люблю и принимаю свою физическую сущность такой, какая она есть. Я прекрасно выгляжу.

РАЗУМ: В жизни все меняется, в том числе и мои взгляды на свое будущее.

ПАЗУХИ: Я один на один с жизнью. Никто не вправе беспокоить меня без моего разрешения. Вокруг меня мир и гармония. Я не верю в расхожие истины.

ГЛАЗА: Ощущение свободы переполняет меня. Я смело гляжу в будущее, потому что жизнь вечна и полна радости. Я смотрю на мир с любовью. Никто и никогда не в силах сделать мне больно или обидеть меня.

ГОРЛО: Я умею разговаривать с собой. Я смело высказываю свои мысли. Душа полна творческих сил. Я говорю с окружающими с любовью.

ЛЕГКИЕ *(при бронхите)*: Вокруг меня все мирно и спокойно, нет никаких раздражителей. *При астме*: Мне дана свобода распоряжаться своей жизнью, как я того захочу.

СЕРДЦЕ: Радость, любовь, спокойствие. Я с радостью принимаю жизнь такой, какая она есть.

ПЕЧЕНЬ: Я спокойно отказываюсь от всего, что мне больше не нужно. Теперь мое сознание полно новых, свежих, жизнеутверждающих идей.

ТОЛСТЫЙ КИШЕЧНИК: Все вокруг меня дышит свободой; я расстаюсь с прошлым; поток жизни легко течет через меня. *При геморрое*: Я сбрасываю с себя груз воспоминаний, освобождаюсь от давления обстоятельств. Я живу только радостным настоящим.

ПОЛОВЫЕ ОРГАНЫ *(при импотенции)*: Сила переполняет меня. Я даю волю своей сексуальности, которая наполняет меня легкостью и радостью. Я счастлив принять этот дар. Меня не гнетет ни ощущение вины, ни предчувствие неизбежного наказания.

КОЛЕННЫЙ СУСТАВ: Прощение, терпимость, сопереживание. Я без колебаний иду вперед.

КОЖА: Я привлекаю к себе благожелательное внимание. Я в безопасности. Мне никто не угрожает. У меня спокойно на душе. Ничто в окружающем мире мне не угрожает. Все настроены по отношению ко мне очень дружественно. Я больше не чувствую ни гнева, ни обиды. Я непременно получу все, в чем бы ни нуждалась, и приму это без всякого ощущения вины. Моя жизнь, наполненная маленькими радостями, течет мирно и спокойно.

СПИНА: Меня поддерживает сама жизнь. Я доверяю породившему меня Космосу. Я одариваю своей любовью и доверием всех окружающих меня людей. *При болях в пояснице*: Я с доверием отношусь к Космосу. Меня отличают смелость и независимость.

ГОЛОВА: В моем мире царят спокойствие, любовь и радость. Я не противлюсь потоку жизни, который свободно проникает в каждую клетку моего расслабленного тела.

УШИ: Я внемлю Богу. Я прислушиваюсь к радостным кликам жизни. Я ее частица. Мое сердце полно любви.

РОТ: У меня решительный характер. Я с готовностью иду навстречу жизни. Я приветствую новые идеи, которые она выдвигает.

ШЕЯ: Одно из моих достоинств — гибкость. Я охотно принимаю чужие точки зрения.

ПЛЕЧИ *(при бурсите)*: Я стараюсь «выпустить пар», не причинив никому вреда. Любовь помогает мне утишить свой гнев и обрести спокойствие. Жизнь несет радость и свободу. Все, что я приемлю из ее даров, мне во благо.

КИСТИ РУК: Ко всем идеям я отношусь с любовью, легко и свободно.

ПАЛЬЦЫ: Напряжение отпускает меня, потому что я знаю: жизнь мудра, она позаботится обо всем, что мне нужно.

ЖЕЛУДОК: я легко усваиваю новые идеи. В моей жизни царит согласие, ничто меня не раздражает. Моя душа спокойна.

ПОЧКИ: Во всех и во всем я вижу только добро. Я всегда действую правильно. Я полностью реализую свои возможности.

МОЧЕВОЙ ПУЗЫРЬ: Я расстаюсь с прошлым и приветствую настоящее.

ТАЗ *(при вагинитах)*: Формы и средства выражения любви могут меняться, но сама она вечна. *При нарушениях менструального цикла*: Я храню спокойствие, как бы ни менялся мой цикл. Я с любовью благословляю свое тело. Все его части прекрасны.

БЕДРО: Я с радостью иду вперед, потому что меня поддерживает сила Жизни. Я иду навстречу добру. Я чувствую себя в полной безопасности. *При артрите*: Мое сердце переполняет любовь и прощение. В моей жизни царит свобода. Я хочу, чтобы каждый оставался самим собой.

ЖЕЛЕЗЫ ВНУТРЕННЕЙ СЕКРЕЦИИ: Мои душевные силы находятся в полном равновесии, мой организм функционирует нормально. Я люблю жизнь и иду по ней свободно.

СТУПНИ: Я стою с сознанием правды. Я иду вперед с радостью. Я обладаю способностью духовного проникновения в суть вещей.

Эти новые стереотипы мышления (позитивные аффирмации) помогут вам избавиться от болезней и снять напряжение.

В бесконечном потоке жизни,
частицей которого я являюсь,
все прекрасно, цельно, совершенно.
Мое тело — мой лучший друг.
Каждую его клетку
наполняет Божественный Разум.
Я чутко прислушиваюсь к Нему, потому что знаю:
все, о чем через мое тело
говорит мне Божественный Разум,
имеет огромную важность.
Я чувствую себя в полной безопасности,
ибо Он защищает и направляет меня.
Я выбираю здоровье и свободу.
В моем мире все прекрасно.

253

Глава 15

ПЕРЕЧЕНЬ НЕДОМОГАНИЙ, ИХ ВОЗМОЖНЫХ ПСИХОЛОГИЧЕСКИХ ПРИЧИН И ЦЕЛИТЕЛЬНЫХ НАСТРОЕВ

«Я само воплощение здоровья, цельности и совершенства».

Просматривая приведенный ниже перечень, взятый из моей книги «Исцели свое тело», постарайтесь выявить связь между своими недомоганиями, прошлыми и нынешними, и их возможными причинами, указанными в перечне.

Если вы страдаете каким-нибудь недомоганием, то:

1. Найдите в перечне возможную психологическую причину своего недомогания, решите для себя, применим ли такой подход в вашем случае; если нет, подумайте и спросите себя, какие иные стереотипы мышления могли вызвать ваше недомогание.

2. Повторите про себя: «Я хочу покончить со стереотипом, который довел меня до болезни».

3. Повторите несколько раз новый, целительный настрой.

4. Внушите себе, что вы уже на пути к выздоровлению.

Всякий раз, когда вам в голову придут мысли о ваших проблемах, повторяйте пункты 2, 3 и 4.

Недомогание и другие проблемы; некоторые органы и части тела	Возможная причина недомоганий и других проблем; характеристика некоторых органов и частей тела	Целительные настрои
Абсцесс	Неприятные мысли об обидах, придирках; желание отплатить той же монетой	Я даю мыслям свободу. С прошлым покончено. Я в ладу с собой.
Аденоиды	Нелады в семье. Ощущение себя нежеланным ребенком в детстве	Я — желанный, глубоко любимый ребенок.
Алкоголизм	Мысль о собственной никчемности. Чувство вины, безисходности, низкая самооценка. Неприятие собственной личности	Я живу в сегодняшнем дне. Каждый момент приносит нечто новое. Я хочу понять, в чем моя ценность. Я люблю себя и доволен собой.
Аллергия (см. также: Сенная лихорадка)	Неприятие кого-либо из окружающих. Отрицание собственной силы	Мир безопасен и дружелюбен. Мне ничто не угрожает. Я в согласии с окружающим миром.
Аменорея (см. также: Женские болезни и Менструация: недомогания)	Нежелание быть женщиной. Неприязнь к самой себе	Меня радует, что я такая, какая есть. Я — воплощение совершенства жизни, у меня всегда все прекрасно.
Амнезия (потеря памяти)	Страх. Бегство от жизни. Неспособность постоять за себя	Я всегда веду себя разумно, смело, с чувством собственного достоинства. Жизнь прекрасна. Мне ничто не угрожает.
Ангина (см. также: Горло, Тонзиллит)	Излишнее старание избежать грубости. Неспособность к самовыражению	Я отбрасываю все ограничения и обретаю свободу самовыражения.
Анемия	Нерешительность. Дефицит радости. Страх перед жизнью. Заниженная самооценка	Я радуюсь жизни. Я люблю жизнь.
Анемия серповидно-клеточная	Вера в собственную ущербность лишает радости жизни	Ребенок в моей душе живет, вдыхая жизнь, впитывая любовь. Господь еженевно творит чудеса.

255

Недомогание и другие проблемы; некоторые органы и части тела	Возможная причина недомоганий и других проблем; характеристика некоторых органов и частей тела	Целительные настрои
Анорексия (отсутствие аппетита). (См. также: Аппетит (потеря)	Крайне заниженная самооценка, ненависть к себе, ужас перед жизнью	Я принимаю себя такой, какая я есть, я прекрасна. Я выбираю радость, я целиком приемлю себя.
Аноректальное кровотечение (наличие крови в испражнениях)	Гнев и разочарование	Я верю в счастливую жизнь. В моей жизни случается только хорошее.
Анус (см. также: Геморрой)	Неумение избавиться от накопившихся проблем, обид и отрицательных эмоций	Я легко расстаюсь со всем старым и ненужным.
Анус: абсцесс	Злость на то, от чего хотите избавиться	Избавление совершенно безопасно. Мое тело покидает лишь то, что мне уже не нужно.
Анус: боль	Чувство вины. Желание наказания. Заниженная самооценка	С прошлым покончено. Я выбираю любовь и одобряю себя во всем.
Анус: зуд	Чувство вины за прошлое	Я с радостью прощаю себя. Я наслаждаюсь свободой.
Анус: свищ	Неполное очищение от шлаков. Нежелание расстаться с мусором прошлого	Я с радостью расстаюсь с прошлым. Я наслаждаюсь свободой.
Апатия	Нежелание чувствовать. Подавление своего «я». Страх	Чувствовать не значит страдать. Я иду навстречу жизни. Я стремлюсь пройти через испытания жизнью.
Аппендицит	Страх. Страх перед жизнью. Блокирование потока добра, изливаемого на нас жизнью	Я в безопасности. Я расслабляюсь, позволяю потоку жизни радостно течь дальше через мое тело.
Аппетит (чрезмерный)	Страх. Потребность в защите. Боязнь проявить свои чувства	Я в полной безопасности и не страшусь проявлять свои чувства.
Аппетит (потеря). (См. также: Анорексия)	Страх. Самозащита. Недоверие к жизни.	Я люблю и одобряю себя во всем. Ничто мне не угрожает. Жизнь радостна и безопасна.

Недомогание и другие проблемы; некоторые органы и части тела	Возможная причина недомоганий и других проблем; характеристика некоторых органов и частей тела	Целительные настрои
Артерии (заболевания артерий)	Неумение радоваться жизни	Меня переполняет радость. Она растекается по моему телу с каждым ударом сердца.
Атеросклероз	Сопротивление, напряженность. Упрямое нежелание видеть хорошее	Я полностью открыт жизни и радости. Я смотрю на все с любовью.
Артрит пальцев	Желание наказания. Порицание себя. Самоощущение жертвы	Я смотрю на мир с любовью и пониманием. Все события своей жизни я рассматриваю сквозь призму любви.
Артрит (см. также: Суставы)	Ощущение неприязни со стороны окружающих. Критика, обиды	Я — воплощение любви. Я люблю себя и одобряю все свои поступки. Я с любовью смотрю на других людей.
Астма у младенцев и детей постарше	Боязнь жизни. Нежелание жить в этом мире	Этот ребенок в полной безопасности. Я его люблю.
Астма	Неспособность дышать для собственного блага. Чувство подавленности. Невыплаканные слезы	Я спокойно беру свою жизнь в собственные руки. Я выбираю свободу.
Бедра (верхняя часть)	Устойчивая опора для тела. Основной механизм для движения вперед	Да здравствуют бедра! Каждый день наполнен радостью. Я твердо стою на ногах, я свободен.
Бедра: заболевания	Боязнь движения вперед, боязнь важных решений. Отсутствие цели	Моя устойчивость абсолютна. Я легко и радостно иду вперед независимо от возраста.
Бели (см. также: Женские болезни, Вагинит)	Убежденность, что женщины бессильны влиять на противоположный пол	Я в ответе за ситуации, в которых оказываюсь. Никто не властен надо мной, кроме меня самой. Моя женственность меня радует. Я свободна.
Белые угри	Стеснительность, стремление скрыть некрасивую внешность	Я считаю себя красивой и любимой.
Бесплодие	Страх и сопротивление жизненному процессу или нежелание становиться родителем	Я верю в жизнь. В нужное время я всегда нахожусь там, где нужно, и делаю то, что нужно. Я люблю себя и все в себе одобряю.

Недомогание и другие проблемы; некоторые органы и части тела	Возможная причина недомоганий и других проблем; характеристика некоторых органов и частей тела	Целительные настрои
Бессонница	Страх. Недоверие к жизненному процессу. Чувство вины	С любовью я завершаю этот день и погружаюсь в мирный сон, зная, что завтрашний день даст мне все необходимое.
Бешенство	Злоба. Уверенность, что насилие превыше всего	Во мне и вокруг меня царит мир и спокойствие.
Боковой амиотрофический склероз (болезнь Лу Герига; русский термин: «Болезнь Шарко»)	Нежелание признать собственную ценность и успехи	Я знаю, что я стоящий человек. Успех мне не повредит. Жизнь меня любит.
Болезнь Аддисона (хроническая недостаточность коры надпочечников). (См. также: Надпочечники: заболевания)	Острый эмоциональный голод. Крайнее недовольство собой	Я с любовью забочусь о своем теле, мыслях и чувствах.
Болезнь Альцгеймера (вид старческого слабоумия). (См. также: Слабоумие и Старость)	Нежелание принимать мир таким, каков он есть. Ощущение безнадежности и беспомощности. Гнев	Всегда можно найти новый, лучший способ познавать жизнь. Я прощаю и предаю прошлое забвению. Я предаюсь радости.
Болезнь Брайта (гломерулонефрит). (См. также: Нефрит)	Ощущение себя никчемным ребенком-неумехой, неудачником, разиней	Я люблю себя и одобряю. Я забочусь о себе, я всегда на высоте.
Болезнь Гентингтона	Огорчение, вызванное неспособностью изменить других людей	Я предоставляю право управлять миром Космосу. В моей душе царит покой. Я в полном согласии с жизнью.
Болезнь Кушинга (см. также: Надпочечники: заболевания)	Психологическая дисгармония. Избыток разрушительных идей. Пораженческое настроение	Я с любовью примиряю тело и дух. Я думаю теперь только о хорошем.
Болезнь Пэджета (деформирующий остоз)	Потеря основы, на которой можно строить свою жизнь. Ощущение, что всем на вас наплевать	Я знаю, что Жизнь дает мне замечательную поддержку. Жизнь меня любит и заботится обо мне.
Болезнь Паркинсона (см. также: Парез)	Страх и неодолимое желание контролировать все и вся	Я снимаю напряжение. Я в полной безопасности. Жизнь создана для меня, и я полностью ей доверяю.

Недомогание и другие проблемы; некоторые органы и части тела	Возможная причина недомоганий и других проблем; характеристика некоторых органов и частей тела	Целительные настрои
Болезнь Ходжкина (заболевание лимфатической системы)	Чувство вины, безграничный страх оказаться не на высоте. Лихорадочные, до полного истощения жизненной энергии, попытки доказать собственную значимость. В погоне за самоутверждением преданы забвению радости жизни	Для меня счастье быть собой. Будучи тем, что я есть, я соответствую всем требованиям времени. Я люблю себя и одобряю все свои решения принимать от других и сам дарю им радость.
Боли	Стремление к любви, объятиям	Я люблю себя и одобряю свои поступки. Я люблю и любим.
Боль от газов в кишечнике	Зажатость, страх, нереализованные идеи	Я расслабляюсь, позволяя потоку жизни легко и свободно течь по моему телу.
Боль	Чувство вины и как следствие — подсознательная потребность наказать себя	Я с радостью расстаюсь с прошлым. Кругом свободные люди, и я — один из них. Я совершенно спокоен.
Бородавка подошвенная (роговая)	Сильное разочарование и сомнение в будущем	Я продвигаюсь вперед легко и уверенно. Я доверяю жизни и смело двигаюсь вперед.
Бородавки	Мелочные придирки. Убеждение в своем уродстве	Я — воплощение любви и красоты жизни в ее полном проявлении.
Бронхит (см. также: Респираторные заболевания)	Нервозная атмосфера в семье, частые шумные ссоры при редких затишьях	Во мне и вокруг меня царят мир и гармония. Все идет хорошо.
Булимия (обостренное чувство голода)	Страхи и безнадежность, ненависть к себе	Меня любит, питает и поддерживает сама жизнь. Она дает мне ощущение безопасности.
Бурсит (воспаление синовиальной сумки)	Подавленный гнев, желание ударить	Любовь снимает напряжение и избавляет от всего дурного.
Бурсит большого пальца ноги	Неумение радоваться жизни	Я с радостью приветствую удивительные события, которые посылает навстречу мне жизнь.

Недомогание и другие проблемы; некоторые органы и части тела	Возможная причина недомоганий и других проблем; характеристика некоторых органов и частей тела	Целительные настрои
Вагинит (воспаление слизистой оболочки влагалища). (См. также: Женские болезни, Бели)	Злость на партнера. Чувство вины на сексуальной почве. Потребность наказать себя	Моя любовь к себе отражает отношение ко мне людей. Меня радует моя сексуальность.
Варикозное расширение вен	Неприятная ситуация. Неодобрение окружающих. Чувство перегруженности и подавленности	Я дружу с правдой, я с радостью живу и иду вперед. Я люблю жизнь, я свободен идти, куда захочу.
Венерические болезни (см. также: СПИД, Гонорея, Герпес, Сифилис)	Чувство вины на сексуальной почве. Потребность наказать себя. Убеждение в греховности гениталий	Я с любовью и радостью принимаю свою сексуальность и ее проявления. Я принимаю только те мысли, которые дают мне поддержку и улучшают мое самочувствие.
Ветряная оспа	Томительное ожидание, страх и напряжение. Повышенная чувствительность	Я доверяю естественному течению жизни, отсюда мое спокойствие и миролюбие. В моем мире все хорошо.
Вирус Эпштейна — Барра	Стремление выйти за пределы своих возможностей. Боязнь оказаться не на высоте. Истощение внутренних ресурсов. Стресс	Я избавляюсь от напряжения, я признаю свою самоценность. Я на должной высоте. Жизнь легка и радостна.
Вирусная инфекция (см. также: Инфекция)	Отсутствие в жизни радости. Горечь	Я с удовольствием позволяю потоку радости вливаться в мою жизнь.
Витилиго (дефекты пигментации кожи)	Чувство полного отчуждения от общества. Одиночество	Я нахожусь в самом центре жизни, она полна любви.
Волдыри	Обида, отсутствие эмоциональной защиты	Поток жизни мягко несет меня от события к событию. В моем мире все прекрасно.
Волчанка красная	Ощущение безнадежности, неумение постоять за себя, гнев и жажда наказания	Я готов, не теряя спокойствия, постоять за себя. Я убежден, что полностью распоряжаюсь собой. Я люблю себя и одобряю. Моя жизнь свободна, мне ничто не угрожает.

Недомогание и другие проблемы; некоторые органы и части тела	Возможная причина недомоганий и других проблем; характеристика некоторых органов и частей тела	Целительные настрои
Воспаление (см. также: Воспалительные процессы)	Страх, ярость. Воспаленное сознание	Мои мысли тихи, спокойны, нацелены на главное.
Воспалительные процессы	Условия, в которых вы оказались, вызывают гнев и разочарование	Я отказываюсь от всякой критики в свой адрес. Я люблю себя и одобряю все свои поступки.
Вросший ноготь на ноге	Беспокойство и чувство вины в связи с сомнениями в своем праве двигаться вперед	Принимать решения — мое священное право. Я в безопасности, я абсолютно свободен.
Вульва (наружные женские половые органы)	Излишняя душевная ранимость и чувствительность	Слабость и уязвимость отнюдь не всегда таят в себе опасность.
Выделение гноя (периодонтит)	Гнев на себя за неспособность принимать решения. Слабость характера, нерешительность	Я одобряю себя и все свои решения.
Выкидыш	Страх перед жизнью и перед будущим, нежелание жить сегодняшним днем, выпадение из общего потока жизни	Божественное провидение заботится обо мне. Я люблю и ценю себя, все идет хорошо.
Гангрена	Болезненная чувствительность. Радость тонет в недобрых мыслях	Отныне все мои мысли гармоничны, и радость свободно растекается по моему телу.
Гастрит (см. также: Желудочные болезни)	Затянувшаяся неопределенность, чувство отрешенности	Я люблю и одобряю себя. Я в безопасности.
Геморрой (см. также: Анус)	Боязнь не уложиться в отведенное время. Злость на нечто в прошлом. Страх перед расставанием. Тяжелые чувства	Я расстаюсь со всем, кроме любви. Я могу делать то, что хочу,— для этого у меня всегда есть возможность и время.
Гениталии	Олицетворение мужского или женского начала	Моя природа не таит в себе никакой опасности.
Гениталии: проблемы	Боязнь оказаться не на высоте	Я радуюсь тому выражению жизни, которым являюсь. В моем нынешнем состоянии я — совершенство. Я люблю и одобряю себя.

261

Недомогание и другие проблемы; некоторые органы и части тела	Возможная причина недомоганий и других проблем; характеристика некоторых органов и частей тела	Целительные настрои
Гепатит (см. также: Болезни печени)	Сопротивление переменам. Страх, гнев, ненависть. Печень — вместилище гнева и ярости	Мое сознание чисто и свободно. Забыв о прошлом, я иду навстречу новому. В моем мире все хорошо.
Герпес гениталий (см. также: Венерические болезни)	Вера в греховность секса и потребность наказать себя за него. Чувство стыда. Вера в карающего бога. Неприязнь к гениталиям	Все во мне нормально и естественно. Меня радуют собственные сексуальность и тело.
Герпес простой (см. также: Пузырьковый лишай)	Сильнейшее желание делать все плохо. Невысказанная горечь.	В моих словах и мыслях только любовь. Между мной и жизнью — мир.
Гипервентиляция легких (см. также: Приступы удушья, Проблемы дыхания)	Страх. Сопротивление переменам. Неверие в благотворность перемен	Мне ничто не угрожает, в какой бы части Вселенной я ни находился. Я люблю себя и доверяю Жизни.
Гипертиреоз (синдром, обусловленный повышением активности щитовидной железы). (См. также: Щитовидная железа)	Гнев из-за того, что окружающие игнорируют вашу личность	Я нахожусь в центре жизни, я одобряю себя и все, что вижу вокруг.
Гиперфункция (повышенная активность)	Страх, огромное давление извне и лихорадочное состояние	Я в безопасности. Всякое давление извне исчезает, я в полном порядке.
Гипокликемия (понижение содержания глюкозы в крови)	Подавленность, ощущение безысходности и собственной ненужности	Теперь моя жизнь будет светлее, легче и радостнее, чем раньше.
Гипотиреоз (синдром, обусловленный понижением активности щитовидной железы). (См. также: Щитовидная железа)	Ощущение безнадежности, застоя.	Я строю свою новую жизнь по правилам, которые меня полностью устраивают.

Недомогание и другие проблемы; некоторые органы и части тела	Возможная причина недомоганий и других проблем; характеристика некоторых органов и частей тела	Целительные настрои
Гипофиз	Олицетворяет собой центр управления организмом	Мое тело и сознание прекрасно взаимодействуют. Я контролирую свои мысли.
Гирсутизм (избыточное оволосение у женщин)	Гнев, под которым зачастую прячется страх. Стремление обвинить кого-либо в своих несчастьях, часто — нежелание заниматься самовоспитанием	Я — словно своя собственная любящая и любимая мать. Любовь и одобрение, как кокон, со всех сторон окутывают меня. Я могу без опаски показать людям, что я из себя представляю.
Глаза	Олицетворение способности ясно видеть прошлое, настоящее и будущее	Я смотрю на мир с любовью и радостью.
Глазные болезни (см. также: Ячмень)	Неприятие чего-то в собственной жизни	Отныне создаю жизнь, на которую мне нравится смотреть.
Глазные болезни: близорукость (см. также: Миопия)	Боязнь будущего	Я принимаю Божественное руководство, я всегда в безопасности
Глазные болезни: глаукома	Упорнейшее нежелание просить. Давят застарелые обиды. Подавленность	Я смотрю на все с любовью и нежностью.
Глазные болезни: дальнозоркость	Ощущение себя не от мира сего	Здесь и сейчас мне ничто не угрожает. Я это ясно вижу.
Глазные болезни: детские	Нежелание видеть, что происходит в семье	Теперь этого ребенка окружают гармония, красота и радость. Ему нечего бояться.
Глазные болезни: катаракта	Неспособность смотреть вперед с радостью. Туманное будущее	Жизнь вечна, она полна радости.
Глазные болезни: косоглазие (см. также: Кератит)	Нежелание видеть, что происходит вокруг. Действие наперекор судьбе	Дар зрения не таит в себе никакой угрозы. В моей душе покой.
Глазные болезни: экзотропия (расходящееся косоглазие)	Боязнь взглянуть действительности в глаза	Я люблю и одобряю себя таким, какой я есть.

Недомогание и другие проблемы; некоторые органы и части тела	Возможная причина недомоганий и других проблем; характеристика некоторых органов и частей тела	Целительные настрои
Гланды	Олицетворяют собой «сдерживающее» начало. Что-то может начаться без вашего участия и желания	Я — созидательная сила в своем собственном мире.
Глухота	Неприятие, упрямство, изоляция	Я прислушиваюсь к Божественному Разуму и радуюсь всему, что я слышу. Я — неотъемлемая часть всего сущего.
Голень	Крушение идеалов. Голени символизируют жизненные принципы	Я с радостью и любовью живу на уровне своих самых высоких требований.
Голеностопный сустав	Отсутствие гибкости и чувство вины. Лодыжки — символ способности к наслаждению	Я заслуживаю наслаждения жизнью. Я принимаю все радости, которые предлагает мне жизнь.
Головокружение	Мимолетные, бессвязные мысли. Нежелание видеть	В жизни я человек спокойный и целеустремленный. Я могу совершенно спокойно жить и радоваться.
Головные боли (см. также: Мигрень)	Недооценка себя, самокритика, страх	Я люблю и одобряю себя. Я смотрю на себя с любовью. Я в полной безопасности.
Гонорея (см. также: Венерические болезни)	Потребности в наказании	Я люблю свое тело. Я люблю свою сексуальность. Я люблю себя.
Горло	Канал самовыражения и творчества	Я открываю сердце навстречу жизни и пою о радости любви.
Горло: болезни (см. также: Ангина)	Неспособность постоять за себя. Подавленный гнев. Кризис творчества. Нежелание измениться	Шуметь не запрещается. Мое самовыражение свободно и радостно. Я легко могу постоять за себя. Я демонстрирую свою способность к творчеству. Я хочу измениться.
Грибок	Отсталые убеждения. Нежелание расставаться с прошлым. Ваше прошлое довлеет над настоящим	Я радостно и свободно живу в сегодняшнем дне.

Недомогание и другие проблемы; некоторые органы и части тела	Возможная причина недомоганий и других проблем; характеристика некоторых органов и частей тела	Целительные настрои
Грипп (эпидемический). (См. также: Респираторные заболевания)	Реакция на негативный настрой окружающих, общепринятые отрицательные установки. Страх. Вера в общепринятые правила	Я выше общепринятых верований и правил. Я верю в свободу от внешних воздействий.
Груди	Символизируют материнскую заботу, вынашивание. Вскармливание	Существует устойчивый баланс между тем, что я поглощаю и тем, что отдаю другим.
Груди: заболевания	Отказ себе в «питании». Ставите себя на последнее место	Я нужна. Теперь я забочусь о себе, питаю себя с любовью и радостью.
Груди: киста, уплотнения, болезненные ощущения (мастит)	Избыток заботы. Излишняя протекция. Подавление личности	Я признаю свободу каждого быть тем, кем он хочет быть. Мы все свободны, мы в безопасности.
Грыжа	Прерванные отношения. Напряжение, отягощенность, неправильное творческое самовыражение	В моем сознании — нежность и гармония. Я люблю и одобряю себя. Ничто не мешает мне быть собой.
Грыжа межпозвоночного диска	Ощущение, что жизнь полностью лишила вас поддержки	Жизнь поддерживает все мои мысли, потому что я люблю и одобряю себя. Все идет хорошо.
Депрессия	Гнев, который вы, по-вашему мнению, не имеете права чувствовать. Безнадежность	Я выхожу за пределы страхов и ограниченности, свойственных другим людям. Я создаю собственную жизнь.
Десны: заболевания	Неспособность выполнять решения. Отсутствие четко выраженного отношения к жизни	Я человек решительный. Я иду до конца и с любовью поддерживаю себя.
Детские болезни	Вера в календари, социальные концепции и надуманные правила. Взрослые вокруг ведут себя как дети	У этого ребенка Божественная защита, он окружен любовью. Мы требуем неприкосновенности его психики.
Диабет	Тоска по несбывшемуся. Сильная потребность в контроле. Глубокое горе. Боязнь, что в жизни не осталось ничего приятного	Это мгновение наполнено радостью. Я начинаю вкушать сладость сегодняшнего дня.

265

Недомогание и другие проблемы; некоторые органы и части тела	Возможная причина недомоганий и других проблем; характеристика некоторых органов и частей тела	Целительные настрои
Дизентерия	Страх и концентрация гнева	Я наполняю сознание миром и покоем, и это отражается в моем теле
Дизентерия амебная	Уверенность, что недруги стремятся добраться до вас	Я — воплощение силы в своем собственном мире. Я пребываю в мире и покое.
Дизентерия бактериальная	Давление и безнадежность	Меня переполняют жизнь и энергия, а также радость жизни
Дисменорея (расстройство менструального цикла). (См. также: Женские болезни, Менструация)	Гнев, обращенный на себя. Ненависть к женскому телу или женщинам	Я люблю свое тело. Я люблю себя. Я люблю все свои циклы. Все идет хорошо.
Дрожжевая инфекция (см. также: Кандидоз, Молочница)	Отрицание собственных потребностей. Отказ себе в поддержке	Отныне я поддерживаю себя с любовью и радостью.
Дурной запах изо рта	Грязные мысли, сплетни, отношения	Я обо всех и обо всем говорю с любовью, из моего рта вырывается благоуханное дыхание жизни.
Дыхание	Символизирует способность «вдыхать» жизни	Я люблю жизнь. Жизнь не таит в себе никакой угрозы.
Дыхание: болезни (см. также: Приступы удушья, Гипервентиляция легких)	Боязнь или отказ «вдыхать» жизнь полной грудью. Отказ себе в праве занимать какое-то место в жизни или вообще существовать	Свободно жить и дышать полной грудью — мое право с рождения. Я человек, достойный любви. Отныне мой выбор — полнокровная жизнь.
Желтуха (см. также: Болезни печени)	Внутренняя и внешняя предвзятость. Односторонние выводы	Я терпим. Сострадательно и с любовью отношусь ко всем людям, включая себя.
Желчно-каменная болезнь	Горечь. Тяжелые мысли. Проклятия. Гордость	От прошлого можно с радостью отказаться. Жизнь прекрасна, я тоже.
Желудок	Вместилище пищи. Отвечает также за «усваивание» идей	Я легко «усваиваю» жизнь.

Недомогание и другие проблемы; некоторые органы и части тела	Возможная причина недомоганий и других проблем; характеристика некоторых органов и частей тела	Целительные настрои
Желудочные болезни (см. также: Гастрит, Изжога, Язва желудка или двенадцатиперстной кишки, Язва)	Ужас. Боязнь нового. Нежелание усваивать новое	Жизнь не вредит мне. В любой момент дня я усваиваю что-то новое. Все идет хорошо.
Женские болезни (см. также: Аменорея, Дисменорея, Фиброма, Бели, Менструация, Вагинит)	Неприятие самой себя. Отказ от женственности. Отказ от своего женского начала	Я радуюсь, что я женщина. Я люблю быть женщиной. Я люблю свое тело.
Заикание	Ненадежность. Отсутствие возможности для самовыражения. Запрещение плакать	Я свободно могу постоять за себя. Теперь я спокойно выражаю все, что хочу. Я обращаюсь к окружающим только с чувством любви.
Запястье	Символизирует движение и легкость	Я действую мудро, с легкостью и любовью.
Задержка жидкости (см. также: Отек, Опухоль)	Что вы боитесь потерять?	Мне приятно и радостно расставаться с этим.
Запах изо рта (см. также: Дурной запах изо рта)	Гневные мысли, мысли о мести. Мешает прошлое	Я радостно расстаюсь с прошлым. Отныне я несу в себе только любовь.
Запах тела	Страх. Неприязнь к себе. Страх перед другими	Я люблю себя и одобряю. Я в полной безопасности.
Запор	Нежелание расставаться с устаревшими мыслями. Увязание в прошлом, иногда язвительность	По мере расставания с прошлым в меня входит новое, свежее, реальное. Я пропускаю через себя поток жизни.
Запястный синдром (см. также: Запястье)	Гнев и разочарование, связанные с мнимой несправедливостью жизни	Я решаю строить жизнь, в которой будет радость и изобилие. Мне легко.
Зоб (см. также: Щитовидная железа)	Ненависть ко всему навязанному извне. Ощущение исковерканной жизни. Несостоявшаяся личность	Я — свой собственный авторитет и созидательная сила. Никто не мешает мне быть собой.

Недомогание и другие проблемы; некоторые органы и части тела	Возможная причина недомоганий и других проблем; характеристика некоторых органов и частей тела	Целительные настрои
Зубы	Символизируют решительность	
Зубные болезни (см. также: Корневой канал)	Длительная нерешительность. Неспособность распознавать идеи для их последующего анализа и принятия решений	Мои решения основываются на принципах истины, и я знаю, что в моей жизни все правильно.
Зуб мудрости (с затрудненным прорезом — ретенированный)	Вы не отводите места в сознании для закладки прочного фундамента последующей жизни	Я открываю жизни дверь в свое сознание. Во мне — обширное пространство для роста и изменений.
Зуд	Желания, идущие вразрез с характером. Неудовлетворенность. Раскаяние. Стремление выбраться из сложной ситуации.	Мне мирно и спокойно там, где я есть. Я принимаю все хорошее во мне, зная, что будут удовлетворены все мои потребности и желания.
Изжога (см. также: Язва желудка или двенадцатиперстной кишки, Желудочные болезни, Язва)	Страх. Тиски страха	Я дышу полной грудью. Я в безопасности. Я доверяю жизненному процессу.
Излишний вес (см. также: Ожирение)	Страх. Потребность в защите. Нежелание чувствовать. Беззащитность, отрицание себя. Подавленное стремление достичь желаемого	У меня нет противоборства чувств. Я в безопасности. Я сам создаю себе безопасность. Я люблю и одобряю себя.
Илеит (воспаление подвздошной кишки), болезнь Крона, региональный энтерит	Страх. Беспокойство. Недомогание	Я люблю и одобряю себя. Я делаю самое лучшее из того, что могу. У меня спокойно на душе.
Импотенция	Сексуальное давление, напряжение, чувство вины. Социальные убеждения. Озлобленность на партнера. Боязнь матери	Отныне я легко и радостно позволяю своему сексуальному нахалу действовать в полную силу.
Инфекция (см. также: Вирусная инфекция)	Раздражение, гнев, досада	Отныне я становлюсь миролюбивой и гармоничной личностью.

Недомогание и другие проблемы; некоторые органы и части тела	Возможная причина недомоганий и других проблем; характеристика некоторых органов и частей тела	Целительные настрои
Искривление позвоночника (см. также: Покатые плечи, Сколиоз)	Неспособность плыть по течению жизни. Страх и попытки удержать устаревшие мысли. Недоверие к жизни. Отсутствие цельности натуры. Никакой смелости убеждений	Я забываю обо всех страхах. Отныне я доверяю жизненному процессу. Я знаю, что жизнь — это для меня. У меня прямая и гордая от любви и самоуважения осанка
Кандидоз (см. также: Молочница, Дрожжевая инфекция)	Чувство разбросанности. Сильные разочарования и гнев. Претензии и недоверие к людям.	Я могу быть тем, кем хочу. Я заслуживаю самого лучшего в жизни. Я ценю себя и других.
Карбункул (см. также: Фурункул)	Досада и гнев по поводу собственных несправедливых действий	Я предаю прошлое забвению и позволяю времени залечивать раны, когда-либо нанесенные мне жизнью.
Катаракта	Неспособность с радостью смотреть вперед. Будущее во мгле.	Жизнь вечна; полна радости. Я с нетерпением жду каждого нового мгновения жизни.
Кашель (см. также: Респираторные заболевания)	Желание крикнуть на весь мир: «Посмотрите же на меня! Послушайте же меня!»	Меня замечают, любят и высоко ценят.
Кератит (см. также: Глазные болезни)	Сильный гнев. Желание ударить первого встречного	Я позволяю чувству любви, идущему из моего сердца, излечить все, что я вижу. Я выбираю мир и покой, все в моем мире прекрасно.
Киста	Постоянное переживание прежних обид. Неправильное развитие	Я думаю о том, что все идет хорошо. Я люблю себя.
Кишечник	Символизирует избавление от ненужного. Ассимиляция. Всасывание. Легкое очищение	Я легко усваиваю и впитываю все, что мне нужно знать, и с радостью расстаюсь с прошлым. Избавляться от ставшего ненужным — это так легко.
Кишечник: проблемы	Страх перед необходимостью избавиться от всего отжившего и ненужного	Я легко и свободно отбрасываю все старое и с радостью приветствую приход нового.
Кожа	Защищает нашу индивидуальность. Орган чувств	Оставаясь собой, я чувствую себя спокойно.

Недомогание и другие проблемы; некоторые органы и части тела	Возможная причина недомоганий и других проблем; характеристика некоторых органов и частей тела	Целительные настрои
Кожа: болезни (см. также: Крапивница, Псориаз, Сыпь)	Беспокойство, страх, застарелый неприятный осадок в душе. Чувство угрозы	Я с любовью защищаю себя мирными, радостными мыслями. Прошлое прощено и забыто. Сейчас у меня полная свобода.
Колени (см. также: Суставы)	Символ гордости, исключительности собственного «я»	Я человек гибкий и податливый.
Колени: заболевания	Упрямство и гордыня. Неспособность быть податливым человеком. Страх. Негибкость. Нежелание уступить	Прощение. Понимание. Сострадание. Я легко уступаю и поддаюсь, и все идет хорошо.
Колики	Раздражение, нетерпение, недовольство окружением	Я реагирую только на любовь и ласковые слова. Все идет мирно.
Колиты (см. также: Кишечник, Слизистая толстой кишки, Спастический колит)	Признак неуверенности в себе; также олицетворяют способность легко расставаться с прошлым	Я — часть четкого ритма и течения жизни. Все идет согласно Божественному предопределению.
Кома	Страх. Стремление избежать кого-то или чего-то	Я окружаю себя защитой и любовью. Я создаю вокруг себя целительную атмосферу.
Ком в горле	Страх, недоверие к жизни	Я в безопасности. Я верю, что я создан для жизни. Я выражаю свои чувства свободно и радостно.
Конъюнктивит (см. также: Конъюнктивит острый эпидемический)	Гнев и разочарование в чем-либо	Я на все смотрю с любовью, я убежден, что гармоничное решение существует, я готов его найти и принять.
Конъюнктивит острый эпидемический (см. также: Конъюнктивит)	Гнев и разочарование в чем-либо, нежелание это видеть	У меня нет необходимости настаивать на своей провоте. Я люблю себя и одобряю каждый свой шаг.
Корковый паралич (см. также: Паралич)	Потребность объединить семью своей любовью	Я вношу свой вклад в мирное существование своей семьи, где все любят друг друга. У меня все идет хорошо.

Недомогание и другие проблемы; некоторые органы и части тела	Возможная причина недомоганий и других проблем; характеристика некоторых органов и частей тела	Целительные настрои
Корневой канал зуба (см. также: Зубы)	Потеря уверенности в себе, отказ от основных убеждений	Я создаю прочную основу для себя и своей жизни. Я с радостью нахожу поддержку в своих убеждениях.
Коронарный тромбоз (см. также: Сердечный приступ)	Чувство одиночества и страха. Ощущение, что из-за своих недостатков вы никогда ничего не добьетесь	Я и жизнь — единое целое, меня поддерживает Космос, у меня все прекрасно.
Костные заболевания: деформация (см. также: Остеомиелит, Остеопороз)	Ощущение угнетенности и напряжения. Тело и мысли цепенеют	Я вдыхаю полной грудью, я освобождаюсь от напряжения и подчиняюсь потоку жизни.
Костные заболевания: переломы, трещины	Неподчинение чужой власти	Я сам волен распоряжаться собой.
Костный мозг: заболевания	Глубокая озабоченность своей судьбой	Божественный Разум — основа моей жизни. Он меня любит и поддерживает во всем, поэтому мне не надо беспокоиться своей безопасности.
Кость (костные заболевания). (См. также: Скелет)	Олицетворяет собой структуру космоса	В моем теле все прекрасно и пропорционально.
Крапивница (см. также: Сыпь)	Скрытый, подавленный страх, склонность к преувеличению	Моя жизнь полна мира и покоя.
Кровотечение	Радость покидает нас, остается злость	Моя жизнь полна радости, и я с готовностью делюсь ею с другими.
Кровоточивость десен	Безрадостная жизнь, недовольство своими решениями	Я верю, что в моей жизни все правильно; моя душа спокойна.
Кровь: заболевания (см. также: Лейкемия, Анемия)	Отсутствие радости, интеллектуальный застой	Меня посещают новые радостные мысли.
Кровь: повышенное давление	Застарелые душевные проблемы, требующие решения	Я с радостью предаю прошлое забвению. В моей душе царит мир.

Недомогание и другие проблемы; некоторые органы и части тела	Возможная причина недомоганий и других проблем; характеристика некоторых органов и частей тела	Целительные настрои
Кровь: пониженное давление	Дефицит любви в детстве, неверие в собственные силы	Отныне я живу настоящим, в котором много радости. Моя жизнь переполнена радостью.
Кровь: повышенная свертываемость	Перекрыт поток радости	Я стараюсь воспрять к новой жизни. Меня несет поток жизни.
Ларингит	Злость, которая мешает говорить, боязнь высказать свое мнение, чувство обиды и негодования	Ничто не мешает мне попросить, чего я хочу. Я свободен в самовыражении. В моей душе царит мир.
Левая сторона тела	Олицетворяет способность к восприятию, женское начало, женственность, материнское начало	Мое женское начало прекрасно сбалансировано.
Легочные заболевания (см. также: Пневмония)	Депрессия, страх перед жизнью. Крайне низкая самооценка	Я с любовью воспринимаю жизнь во всей ее полноте.
Лейкемия (см. также: Кровь: заболевания)	Подавленное творческое начало	Я возвышаюсь над прошлой ограниченностью, я свободен, я имею смелость быть самим собой.
Ленточный червь (солитер)	Глубокое убеждение в своей греховности, неспособность противостоять чуждому влиянию	Мнение окружающих лишь отражает те добрые чувства, которые я испытываю к себе, я люблю и ценю себя.
Лимфа: заболевания	Необходимость переориентироваться на самые главные жизненные ценности: любовь и радость	Самое главное для меня — любовь и радость жизни. Я плыву по течению жизни. В душе моей покой.
Лихорадка	Гнев, излишнее возбуждение	Я — воплощенное спокойствие и любовь.
Лицо	Символизирует ту сторону нашей индивидуальности, которую мы обращаем к миру	Я в полной безопасности, я могу спокойно быть самим собой.
Лобковая кость	Символизирует защиту половых органов	Моему сексуальному началу ничто не угрожает.

Недомогание и другие проблемы; некоторые органы и части тела	Возможная причина недомоганий и других проблем; характеристика некоторых органов и частей тела	Целительные настрои
Локоть	Олицетворяет смену направления движения и способность к восприятию нового опыта	Я с легкостью принимаю перемены и новые направления потока жизни.
Малярия	Нарушенное равновесие в отношениях с природой и жизнью.	Я единое целое с природой и жизнью во всех их проявлениях, мне ничто не угрожает.
Мастоидит	Гнев и разочарование, нежелание слышать (чаще встречается у детей). Страх, который препятствует пониманию	Меня окружает гармония Божественного и Божественное спокойствие, они живут во мне, я — оазис мира, любви и радости, у меня все прекрасно.
Матка	Средоточие творческого начала	В своем теле я чувствую себя уверенно и радостно.
Менингит спинно-мозговой	Раздражение, озлобленность	Я предаю забвению все то, что вызывало мои раздражение и злость, и принимаю покой и радость жизни.
Менопауза: неприятные ощущения	Боязнь стать неинтересной для окружающих. Боязнь старости. Неприязнь к себе. Низкая самооценка	Уравновешенность и душевный покой не покидает меня, как бы ни менялся цикл. Я с любовью благославляю свое тело.
Менструация: недомогания (см. также: Аменорея, Дисменорея, Женские болезни)	Отрицание своего женского начала, чувство вины, страха. Убеждение, что гениталии греховны и нечисты	Я считаю себя женщиной в полном смысле слова. Все отправления моего организма нормальны и естественны. Я люблю себя и одобряю во всем.
Мигрень (см. также: Головные боли)	Нежелание быть ведомым. Сопротивление потоку жизни. Страх на сексуальной почве (мастурбация — прекрасное средство избавиться от этого страха)	Я сбрасываю с себя напряжение и плыву вперед в потоке жизни, позволив ей обеспечить все мои потребности. Я наслаждаюсь жизнью во всех ее проявлениях.
Миопия (см. также: Глазные болезни)	Страх перед будущим	Я доверяю жизни. Я чувствую себя в безопасности.

Недомогание и другие проблемы; некоторые органы и части тела	Возможная причина недомоганий и других проблем; характеристика некоторых органов и частей тела	Целительные настрои
Мозг	Это своего рода компьютер, управляющий организмом	Я — оператор, который с любовью управляет своим сознанием.
Мозг: опухоль	Неправильно сформулированные «компьютером» убеждения, упрямство. Нежелание отказаться от устаревших стереотипов мышления	Я могу легко перепрограммировать «компьютер» моего сознания. Жизнь — это постоянное обновление, поэтому мое сознание постоянно обновляется.
Мозоли	Упорное нежелание расстаться с болезненными воспоминаниями. Косные идеи и мысли. Страх	В новых направлениях и мыслях не таится никакой угрозы. Я освобождаюсь от груза прошлого и свободно иду вперед, мне ничто не угрожает, я наслаждаюсь свободой.
Молочница (см. также: Кандидоз, Рот, Дрожжевая инфекция)	Злость на себя за ошибочные решения	Я люблю принимать решения, поскольку знаю, что всегда смогу их изменить, мне ничто не угрожает.
Мононуклеоз (болезнь Филатова, лимфоидноклеточная ангина)	Злость, вызванная дефицитом любви и низкой самооценкой. Безразличное отношение к себе	Я люблю и ценю себя, я забочусь о себе. У меня есть все, что мне нужно.
Морская болезнь (см. также: Укачивание при движении)	Страх смерти. Слабый самоконтроль	Я в полной безопасности. Где бы я ни находился, моя душа полна спокойствия и веры в жизнь.
Мочевые пути: инфекция	Раздражение, злость (обычно на противоположный пол или на сексуального партнера). Стремление обвинить во всем других	Я отвергаю стереотип мышления, который стал причиной моего недуга, я хочу измениться, я люблю себя и одобряю каждый свой шаг.
Мочеиспускательный канал: воспаление (уретрит)	Озлобленность, стремление переложить вину на других	Жизнь приносит мне только радость.
Мышечная дистрофия	Убеждение, что взрослеть не стоит	Я преодолеваю запреты своих родителей. Я свободен и хочу употребить эту свободу для того, чтобы развить в себе все самое лучшее.

Недомогание и другие проблемы; некоторые органы и части тела	Возможная причина недомоганий и других проблем; характеристика некоторых органов и частей тела	Целительные настрои
Мышцы	Сопротивление всему новому. Мышцы олицетворяют нашу способность к движению вперед	Я воспринимаю жизнь, как веселый танец.
Надпочечники: заболевания (см. также: Болезнь Аддисона, Болезнь Кушинга)	Угнетенное состояние, наплевательское отношение к себе, ощущение тревоги	Я люблю себя и одобряю свои действия. Забота о себе мне ничем не угрожает.
Нарколепсия	Полное бессилие, страх, желание уйти от жизни. Нежелание находиться в каком-то месте	Я полагаюсь на Божественный Разум, который ведет меня по жизни и защищает. Я в полной безопасности.
Насморк	Потребность в поддержке. Невысказанная боль	Я люблю и радую себя чем только могу.
Невралгия	Сознание своей порочности. Трудности общения	Я прощаю себя, я люблю и одобряю себя, общение приносит мне только радость.
Недержание мочи	Переполненность эмоциями. Длительное подавление своих чувств	Я ценю в себе способность чувствовать. Она мне ничем не угрожает. Я люблю себя.
«Неизлечимая» болезнь	Нужно осознать, что эту болезнь нельзя вылечить какими-то «внешними» средствами. Нужно использовать внутренний подход, тогда болезнь исчезнет так же внезапно, как и появилась	Чудеса — обыденная вещь. Я погружаюсь внутрь себя, чтобы разрушить болезнетворный стереотип, я готов принять Божественное исцеление и получаю его!
Нервный срыв	Эгоизм, «засорение» каналов общения	Я с любовью открываю душу навстречу людям. Мне ничто не угрожает. Я прекрасно себя чувствую
Нервозность	Страх, беспокойство, суета, неверие в жизнь	Я путешествую по бесконечным просторам вселенной, меня никто не ограничивает во времени. Мое сердце открыто навстречу людям. У меня все замечательно.

275

Недомогание и другие проблемы; некоторые органы и части тела	Возможная причина недомоганий и других проблем; характеристика некоторых органов и частей тела	Целительные настрои
Нервы	Основа чувственного воприятия. Олицетворяют способность к общению	Я с легкостью и радостью общаюсь с людьми.
Несварение	Животный страх, ужас, беспокойство, жалобы на жизнь	Я спокойно и радостно усваиваю все то, что несет мне жизнь.
Несчастный случай	Неспособность постоять за себя. Неподчинение чужой власти. Убеждение в необходимости насилия	Я освобождаюсь от стереотипов мышления, приведших меня к несчастному случаю. В моей душе царят мир и спокойствие. Я достойный человек.
Нефрит (см. также: Болезнь Брайта)	Сильное разочарование в жизни из-за неудач	Я всегда поступаю правильно. Я охотно расстаюсь со старым и радуюсь новому. У меня все прекрасно.
Новообразования	Память о старых обидах. Чувство неприязни	Я с легкостью прощаю себя, я люблю себя и всегда буду думать о себе только хорошо.
Ноги	Несут нас вперед по жизни	Жизнь — это то, что мне нужно! Я наслаждаюсь жизнью.
Ноги (заболевания в нижней их части)	Страх перед будущим, нежелание двигаться вперед	Я радостно и уверенно иду вперед, у меня нет сомнений, что будущее прекрасно.
Ногти	Олицетворяют самозащиту	Я легко и свободно общаюсь с другими людьми.
Ногти (привычка их грызть)	Ощущение безысходности, самоедство. Ненависть к отцу или матери	Я не боюсь взрослеть. Повзрослев я легко и радостно управляю своей жизнью.
Нос	Символизирует признание собственных достоинств	Я восхищаюсь своей интуицией.
Нос (насморк)	Заниженная самооценка	Я люблю и ценю себя.
Нос: кровотечение	Потребность в признании со стороны окружающих. Ощущение, что никто вас не замечает. Желание быть любимым	Я люблю и одобряю себя, я знаю, чего стою. Я восхищаюсь собой.

Недомогание и другие проблемы; некоторые органы и части тела	Возможная причина недомоганий и других проблем; характеристика некоторых органов и частей тела	Целительные настрои
Носоглоточные выделения	Потребность в поддержке. Невыплаканные слезы	Я люблю себя и стараюсь порадовать себя, как только могу.
Обвислые черты лица	Расплывчатость, нечеткость мыслей. Обида на жизнь	Я радуюсь жизни и наслаждаюсь каждой минутой каждого дня. Это возвращает мне молодость.
Облысение	Страх, напряжение. Стремление все контролировать, недоверчивое отношение к жизни	Мне ничто не угрожает, я люблю себя и одобряю каждый свой шаг. Я верю в жизнь.
Обморок (вазовагальный криз, синдром Говерса)	Страх, боязнь не справиться с чем-либо	У меня достаточно сил и знаний, чтобы справиться со всеми испытаниями, которые посылает мне жизнь.
Ожирение (см. также: Излишний вес)	Сверхранимость. Часто — страх и потребность в защите. Страх также может маскировать гнев и нежелание прощать	Меня защищает Божественная Любовь. Я всегда в безопасности. Я хочу повзрослеть, чтобы принять на себя всю полноту ответственности за свою жизнь. Я прощаю других людей. Я творец собственной жизни. Мне ничто не угрожает.
Ожирение: бедра (верхняя часть)	Упрямство и обида на родителей	Я прощаю прошлое, я не боюсь переступить через запреты родителей.
Ожирение: бедра (нижняя часть)	Воспоминания об обидах детства. Злость на отца	Я считаю своего отца ребенком, который вырос без любви и ласки. Я прощаю его. Мы оба свободны.
Ожирение: живот	Раздражение из-за отказа в духовной пище	Я развиваюсь духовно, у меня достаточно духовной пищи. Я удовлетворен и свободен.
Ожирение: руки	Гнев из-за отвергнутой любви	Любовь ничем мне не грозит. Я могу любить столько, сколько захочу.
Ожог	Раздражение, негодование, гнев	Я стараюсь создавать в своей душе и окружающем мире только мир и гармонию. Мне есть за что себя уважать.

Недомогание и другие проблемы; некоторые органы и части тела	Возможная причина недомоганий и других проблем; характеристика некоторых органов и частей тела	Целительные настрои
Озноб	Внутренняя сжатость, уход в себя	Мне ничто не угрожает, меня окружает и защищает любовь, у меня все прекрасно.
Онемение (спонтанно возникающее неприятное ощущение онемения, покалывания, жжения)	Подавление чувства любви, уважения и других эмоций	Я готов поделиться своими чувствами и любовью с другими людьми, я с благодарностью реагирую на каждое проявление любви в других людях.
Опухание (см. также: Отеки, Задержка жидкости)	Застой в мыслях, навязчивые, болезненные идеи	Мои мысли текут легко и свободно, я легко ориентируюсь в этом потоке.
Опухоли	Воспоминания о старых обидах и переживаниях, угрызения совести	Я с радостью расстаюсь с прошлым. Все мои мысли обращены к будущему. У меня все прекрасно.
Остеомиелит (см. также: Костные заболевания)	Гнев, разочарование в жизни, отсутствие поддержки	Я не конфликтую с жизнью, я ей доверяю. Мне ничто не угрожает. Меня ничто не тревожит.
Остеопороз (см. также: Костные заболевания)	Отсутствие опоры в жизни	Я могу постоять за себя, а жизнь всегда с любовью поддержит меня, даже если я этого не жду.
Отек (см. также: Задержка жидкости, Опухание)	Нежелание с кем-то или чем-то расстаться	Я легко расстаюсь с прошлым. В этой легкости нет ничего опасного для меня. Я абсолютно свободен.
Отит (воспаление наружного слухового прохода, среднего уха, внутреннего уха)	Гнев, нежелание кого-либо или что-либо слушать, частые ссоры в родительском доме	Я живу в гармоничном мире. Я слышу только хорошее. Меня все любят.
Отрыжка	Страх, чрезмерная жажда удовольствий	В моей жизни всему есть свое место и время. Я живу в гармонии и спокойствии.
Пальцы	Олицетворение нашего отношения к мелочам жизни	Мелочи жизни меня совсем не беспокоят.

Недомогание и другие проблемы; некоторые органы и части тела	Возможная причина недомоганий и других проблем; характеристика некоторых органов и частей тела	Целительные настрои
Пальцы: безымянный	По нему можно судить о наших дружеских, любовных отношениях, а также связанных с ними огорчениях	Моя любовь безмятежна, она не приносит мне никаких огорчений.
Пальцы: большой	По нему можно судить о нашем интеллекте и о том, что нас тревожит	В моем сознании царит мир и покой.
Пальцы: мизинец	По нему можно судить о наших семейных отношениях и способности к притворству	В потоке жизни я чувствую себя как дома.
Пальцы: средний	Показатель нашей склонности впадать в гнев, а также нашей сексуальности	Меня устраивает степень моей сексуальности.
Пальцы: указательный	Индикатор самомнения и страха	У меня в жизни все прекрасно и надежно.
Пальцы стопы	Олицетворяют наше отношение к мелочам жизни в будущем	Все решится само собой.
Панкреатит	Неприятие, гнев, ощущение безысходности, потому что жизнь перестала радовать	Я люблю себя и одобряю каждый свой шаг, я забочусь о том, чтобы моя жизнь была приятной и радостной.
Паразиты	Подчинение чуждому влиянию	Я люблю себя и с радостью освобождаюсь от чуждого влияния.
Паралич (корковый паралич)	Нежелание меняться вместе с жизнью, неприятие жизни	Жизнь постоянно меняется, я легко приспосабливаюсь к переменам. Я принимаю жизнь такой, какая она есть; я принимаю прошлое, настоящее и будущее.
Паралич Белла (поражение лицевого нерва). (См. также: Парез, Паралич)	Напряженная попытка подавить гнев, нежелание показать свои истинные чувства	Мне ничто не угрожает, я могу спокойно высказать, что у меня наболело на душе, я прощаю себя за это.
Паралич (см. также: «Парез»)	Страх, ужас перед какой-либо ситуацией, перед кем-либо	Я — неотъемлемая частица потока жизни, я веду себя правильно во всех ситуациях, в которые жизнь ставит меня.

Недомогание и другие проблемы; некоторые органы и части тела	Возможная причина недомоганий и других проблем; характеристика некоторых органов и частей тела	Целительные настрои
Парез (см. также: Паралич Белла, Паралич, Болезнь Паркинсона)	Ощущение тупика умственного застоя	Мои мысли текут свободно и легко, я живу легко и радостно.
Перитонзиллярный абсцесс (см. также: Ангина, Тонзиллит)	Убеждение в собственной неспособности постоять за себя, добиться своих целей	Я должен получить все, чего хочу,— таково мое прирожденное право. Отныне я с сознанием этого права, спокойно и радостно глядя на жизнь, добиваюсь всего, чего хочу.
Печень	Средоточие гнева и примитивных эмоций	Любовь, спокойствие и радость — вот составляющие моей жизни.
Печень: заболевания (см. также: Гепатит, Желтуха)	Постоянные придирки и жалобы; самообман из-за попыток оправдать свои плохие качества, ощущение своей греховности	Отныне мое сердце открыто навстречу людям, я всюду ищу и нахожу одну любовь.
Пищевое отравление	Подчинение воле других, ощущение беззащитности	У меня достаточно сил и способностей, чтобы «переварить» все, с чем меня сталкивает жизнь.
Плаксивость	Слезы — река жизни, их вызывает радость или горе и печаль	Я в ладу со своими чувствами, я владею собой. Я люблю себя и одобряю каждый свой шаг.
Плечи (см. также: Суставы, Покатые плечи)	Олицетворяют способность стойко переносить жизненные невзгоды. Только наше собственное отношение к жизни превращает ее в тяжкое бремя	Я предпочитаю смотреть на жизнь радостно и с любовью, какие бы испытания она мне ни посылала.
Пневмония (воспаление легких). (См. также: Легочные заболевания)	Отчаяние, усталость от жизни, эмоциональные травмы, которые постоянно бередят душу	С ощущением внутренней свободы я приемлю все идеи, которые посылает мне Провидение, ибо они наполнены дыханием и разумом самой жизни.
Подагра	Потребность доминировать над другими, нетерпимость, гнев	Мне ничто не угрожает, я живу в полном согласии с собой и другими людьми.

Недомогание и другие проблемы; некоторые органы и части тела	Возможная причина недомоганий и других проблем; характеристика некоторых органов и частей тела	Целительные настрои
Поджелудочная железа	Олицетворяет нашу способность воспринимать «сладость» жизни	Моя жизнь полна сладостных моментов.
Позвоночник	Гибкая опора в жизни	Меня поддерживает сама жизнь.
Покатые плечи (см. также: Плечи, Искривление позвоночника)	Олицетворение способности стойко переносить перипетии жизни. Только наше отношение к жизни может превратить ее в тяжелое бремя	Теперь, несмотря ни на что, я всегда буду относиться к жизни спокойно и весело.
Полиомиелит	Парализующая ревность, желание задержать кого-то возле себя	Жизненных щедрот хватит на всех. Добрые мысли настраивают меня на добро и желание обрести свободу.
Понос	Страх перед жизнью, неприятие ее, стремление убежать от реальности	Моя система поглощения, усвоения, и очищения от шлаков работает идеально. Я спокойно и уверенно смотрю в будущее.
Порезы (см. также: Травмы, Раны)	Чувство вины за отступление от своих правил, потребность в наказании	Я — творец своей жизни, которая приносит мне только счастье и удовлетворение.
Пороки	Желание убежать от себя, страх перед жизнью, неумение себя любить	Во мне растет уверенность, что я замечательный, достойный уважения человек. Отныне я буду любить себя и радоваться жизни.
Потеря устойчивости	Рассеянность, неспособность сконцентрироваться	Мне ничто не угрожает. Я концентрирую свое внимание на мысли и, обретая устойчивость, совершенствую свою жизнь. У меня все прекрасно.
Почки: болезни	Критическое отношение к жизни, разочарование, недовольство собой	В моей жизни все происходит только по Божьему промыслу и только для моего блага. Я не боюсь взрослеть.
Почечные камни	Неутоленный гнев	Я с легкостью разрешаю все прошлые пролемы.

281

Недомогание и другие проблемы; некоторые органы и части тела	Возможная причина недомоганий и других проблем; характеристика некоторых органов и частей тела	Целительные настрои
Правая сторона тела	Неспособность противостоять чужому влиянию, безразличие к жизни; мужское и отцовское начала	Я легко, без усилий привожу в равновесие энергию мужского начала.
Предменструальный синдром	Попустительство беспорядку, подчинение внешнему воздействию, отрицательное отношение к естественным процессам женского организма	Я полностью контролирую свое сознание и свою жизнь. Я полна энергии и силы. Мой организм функционирует безупречно. Я люблю себя.
Припадки, приступы	Попытка убежать от себя, от семьи, от жизни	Вселенная — мой дом, в котором мне ничто не угрожает. В нем мне хорошо, я встречаю полное понимание.
Приступы удушья (см. также: Дыхание: болезни, Гипервентиляция легких)	Страх, недоверие к жизни, неспособность расстаться с прошлым	Когда человек взрослеет, в этом нет ничего страшного. Мне ничто не угрожает, мой мир абсолютно безопасен.
Проблемы старения	Боязнь отрицательного отношения со стороны окружающих, нежелание принимать себя такими, какие мы есть. Неприятие современной действительности	Я люблю себя в любом возрасте. Каждый миг моей жизни прекрасен.
Проказа	Полная неспособность управлять своей жизнью. Давнее убеждение в своей неспособности к чему-то хорошему, в своей душевной нечистоте	Я поднимаюсь над своими недостатками. Меня направляет и вдохновляет Божественное Провидение. Его любовь исцеляет все.
Простата	Средоточие мужского начала	Я всей душой принимаю свою мужскую природу
Простата: заболевания	Ослабление мужского начала вследствие внутренних страхов. Непособность выдержать сексуальное напряжение и побороть чувство вины. Боязнь старости	Я люблю себя и одобряю каждый свой шаг. Я верю в свои силы. Мой дух вечно молод

282

Недомогание и другие проблемы; некоторые органы и части тела	Возможная причина недомоганий и других проблем; характеристика некоторых органов и частей тела	Целительные настрои
Простуда (заболевание верхних дыхательных путей). (См. также: Респираторные заболевания)	Смятение, беспорядок, мелочные обиды. Убеждение, что простуда неизбежна	Я позволяю себе расслабиться. В моей душе и окружающем мире разлиты ясность и гармония. У меня все прекрасно.
Психическое заболевание	Обрыв родственных связей, уход в себя. Отчаянное желание спрятаться от жизни	Мой разум знает, чего он стоит. Он — воплощение творческого начала и Божественного самовыражения.
Псориаз (см. также: Кожа: болезни)	Боязнь оскорбления. Потеря чувства собственного достоинства. Отказ брать на себя ответственность за собственные чувства	Я заслуживаю самой лучшей участи. Я люблю себя и одобряю каждый свой шаг.
Пузырьковый лишай (см. также: Герпес простой)	Подавленный гнев	Я живу исключительно спокойно, потому что люблю себя. У меня все прекрасно.
Радикулит (ишиас)	Лицемерие; страх потерять деньги и лишиться будущего	Жизнь приносит мне только пользу, мне все во благо, я чувствую себя в полной безопасности.
Рак	Давняя глубокая обида. Пожирающая душу глубоко скрытая печаль. Постоянная неприязнь к кому-то или чему-то. Чувство безысходности	Я с любовью прощаю и придаю забвению все прошлые обиды. Мой мир заполнен только радостью. Я люблю себя и одобряю каждый свой шаг.
Раны (см. также: Порезы, Травмы)	Чувство вины и недовольство собой	Я прощаю себя и люблю.
Ранки (на губах или в полости рта)	Ядовитые замечания, которые мы не позволяем себе произнести вслух. Стремление обвинить в своих бедах других	В моем радостном, полном любви мире происходит только хорошее.
Ранки (на теле)	Подавленный гнев	Радость переполняет меня, и я с удовольствием выражаю это чувство.
Рассеянный склероз	Жестокосердие, подавляющая воля, отсутствие гибкости. Косность мышления, страх	Думая только о приятном и радостном, я создаю вокруг себя светлый и радостный мир. Я наслаждаюсь своей свободой и ощущением безопасности.

Недомогание и другие проблемы; некоторые органы и части тела	Возможная причина недомоганий и других проблем; характеристика некоторых органов и частей тела	Целительные настрои
Растяжения	Гнев и обида. Нежелание идти по какому-то определенному пути	Я верю, что жизнь направляет меня только к моему высшему благу. В моей душе царит полное спокойствие.
Рахит	Эмоциональный голод, недостаток любви и защищенности	Мне ничто не угрожает. Меня питает любовь самого Космоса.
Рвота	Боязнь нового	Я спокойно и радостно принимаю те идеи, которые посылает мне жизнь. Отовсюду ко мне приходит только благо, и я стараюсь передать его другим.
Ревматизм	Ощущение уязвимости. Недостаток любви. Постоянные огорчения и обиды	Я хозяин своей судьбы. Я все больше и больше люблю и одобряю себя и других. Моя жизнь становится все лучше и лучше.
Ревматический артрит	Критическое отношение к авторитетам. Ощущение подавленности	Я для себя — главный авторитет. Жизнь прекрасна.
Респираторные заболевания (см. также: Бронхит, Простуда, Кашель, Грипп)	Боязнь принять жизнь во всех ее проявлениях	Я в полной безопасности. Я люблю себя и свою жизнь.
Ригидность затылочных мышц (см. также: Шея: болезни)	Упрямство	Нет ничего плохого или опасного в том, чтобы разделить взгляды других людей.
Роды	Олицетворение начала жизни	Новорожденного ждет удивительно радостная и счастливая жизнь. Все идет прекрасно.
Роды (отклонения)	Вера в карму: мы сами выбираем свои пути, своих родителей и детей. Этот процесс вечен	С точки зрения жизненного процесса все важно и полезно. Я удовлетворена своим положением.
Рот	Олицетворяет нашу способность к восприятию новых идей	Меня питает любовь.

Недомогание и другие проблемы; некоторые органы и части тела	Возможная причина недомоганий и других проблем; характеристика некоторых органов и частей тела	Целительные настрои
Рот: заболевания	Предвзятость, закрытость по отношению к чужим идеям, неспособность воспринимать новое	Я приветствую новые идеи. Я с готовностью их принимаю.
Рука	Олицетворяет нашу способность приобретать и сохранять жизненный опыт	Легко и радостно, с любовью я принимаю все, что дает мне жизнь.
Рука (кисть)	Олицетворяет нашу способность к взаимодействию с жизнью	Мои взаимоотношения с жизнью строятся на любви, они легки и радостны.
Самоубийство	Бескомпромиссное отношение к жизни, нежелание искать другой выход	Я живу с убеждением, что у меня масса возможностей. Всегда можно найти другой выход из трудного положения. В моей жизни все прочно и надежно.
Седые волосы	Стресс. Убеждение в неизбежности сочетания давления и напряжения	Я живу спокойно и радостно во всех отношениях. Я полностью удовлетворен своими способностями и возможностями.
Селезенка	Одержимость навязчивыми идеями	Я люблю себя и одобряю каждый свой шаг. Я верю, что всегда смогу найти достойное место в жизни.
Сенная лихорадка (см. также: Аллергия)	Избыток эмоций. Боязнь определенного времени года. Чувство вины и неизбежности наказания	Я один на один с жизнью во всей ее полноте. Ничто и никогда не может мне угрожать.
Сердце (см. также: Кровь)	Средоточие любви и покоя	Мое сердце бьется в ритме любви.
Сердце: приступ (инфаркт миокарда). (См. также: Коронарный тромбоз)	Отказ от радостей жизни из-за денег, карьеры и т. д.	Я возвращаю радость в свое сердце. Я выражаю всем свою любовь.
Сердце: болезни	Давние эмоциональные проблемы, недостаток радости. Жестокосердие, вера в неизбежность стресса	Радость, радость, радость. Я с удовольствием пропускаю поток радости через свое сознание, тело и жизнь.

285

Недомогание и другие проблемы; некоторые органы и части тела	Возможная причина недомоганий и других проблем; характеристика некоторых органов и частей тела	Целительные настрои
Синусит (воспаление слизистой оболочки околоносовых пазух)	Раздражение, вызванное близкими людьми	Моя жизнь и все пространство вокруг меня наполнены гармонией и спокойствием.
Синяки (кровоподтеки)	Мелочные уколы жизни. Потребность наказать себя	Я люблю себя и восхищаюсь собой. Я ни в коем случае не хочу причинить себе вред. У меня все прекрасно.
Сифилис (см. также: Венерические болезни)	Бессмысленное растрачивание сил	Я хочу быть только самим собой. Я одобряю себя таким, какой я есть.
Скелет (см. также: Кость)	Разрушение структуры. Кости олицетворяют собой основу жизни	У меня крепкое тело и отличное здоровье. Я отлично сложен.
Склеродермия	Попытка отгородиться от жизни. Боязнь жизни, неспособность позаботиться о себе	Я сбрасываю с себя напряжение, потому что мне ничто не угрожает. Я верю в жизнь и в себя.
Сколиоз (см. Покатые плечи, Искривление позвоночника)		
Слабость	Потребность дать отдых уму	Я предоставляю своему сознанию возможность хорошо отдохнуть.
Слабоумие (см. также: Болезнь Альцгеймера, Старость)	Нежелание принимать мир таким, какой он есть. Ощущение безнадежности и беспомощности. Гнев	Я на своем месте, мне ничто не угрожает.
Слизистая толстой кишки (см. также: Колит, Кишечник, Спастический колит)	Невозможность вывести шлаки из-за наслоения устаревших убеждений. Неспособность вылезти из вязкой трясины прошлого	Я предаю прошлое забвению. У меня ясная голова. Я мирно и радостно живу настоящим.
Смерть	Олицетворяет наш уход с жизненной сцены	Я с радостью перехожу в новое состояние. Все идет хорошо.
Солнечное сплетение	Центр интуиции	Я доверяю своему внутреннему голосу. Я обладаю силой, мудростью и волей.

Недомогание и другие проблемы; некоторые органы и части тела	Возможная причина недомоганий и других проблем; характеристика некоторых органов и частей тела	Целительные настрои
Спазмы	Возбуждение, порожденное страхом	Я отбрасываю неприятные мысли, стараюсь расслабиться и позволяю потоку жизни нести меня дальше. У меня все хорошо.
Спазмы брюшной полости	Страх	Я верю в жизнь. Мне ничто не угрожает.
Спастический колит (см. также: Колит, Кишечник, Слизистая толстой кишки)	Боязнь что-то упустить, ощущение ненадежности бытия	Надо верить в жизнь, которая всегда даст все что нужно. Все идет хорошо.
СПИД	Ощущение беззащитности и безнадежности. Отсутствие поддержки. Крайне низкая самооценка. Неприязнь к себе. Чувство сексуальной вины	Я важная часть Космоса, который меня любит. У меня есть силы и способности. Я люблю себя и ценю.
Спина	Олицетворение жизненной опоры	Я знаю, что Жизнь меня всегда поддержит.
Спина: болезни (см. Смещение позвонков)		
Спина: болезни верхней части	Нехватка моральной поддержки и любви. Попытки сдержать свою любовь	Я люблю себя и одобряю все свои решения. Меня любит и поддерживает Жизнь.
Спина: болезни поясницы	Страх лишиться денег. Отсутствие финансовой поддержки	Я доверяю Жизни. Я всегда получаю то, что мне нужно. У меня все прекрасно.
Спина: болезни средней части	Ощущение своей вины, сосредоточенность на прошлом, желание спрятаться от жизни	Я предаю прошлое забвению. В моем сердце царит любовь, которая дает мне силы двигаться вперед.
Старость (см. также: Болезнь Альцгеймера)	Потребность в заботе и внимании, как в детстве, которая является формой контроля над окружающими. Уход от действительности	Космический Разум на всех уровнях жизни обеспечит мне защиту и покой.

Недомогание и другие проблемы; некоторые органы и части тела	Возможная причина недомоганий и других проблем; характеристика некоторых органов и частей тела	Целительные настрои
Столбняк (см. также Тризм)	Стремление подавить гнев и избавиться от вредных мыслей	Пусть поток любви, излившись из моего сердца, промоет все уголки моего организма и очистит мой дух
Стригущий лишай (дерматомикоз)	Раздражение на других людей, низкая самооценка	Я люблю и одобряю все свои шаги. Никто и ничто не властно надо мной. Я абсолютно свободен.
Ступни	Олицетворение осознания самих себя, жизни и окружающих	Я все ясно осознаю, я готов измениться в соответствии с изменением времени. Я чувствую себя в полной безопасности.
Ступни: болезни	Страх перед будущим, боязнь отстать от жизни	Я легко и радостно шагаю вперед по жизни.
Судороги	Напряжение, страх, попытка за что-то ухватиться в стремлении обрести опору	Напряжение оставляет меня. В моей душе воцаряется мир.
Суставы (см. также: Артрит, Локоть, Колено, Плечи)	Олицетворяет смену направлений в жизни и легкость движения по этим направлениям	Я легко изменяюсь. Моей жизнью руководит Провидение, поэтому я всегда выбираю самое правильное направление.
Сухость в глазах	Злость, нежелание смотреть на мир с любовью, неготовность к прощению, иногда злорадоство	Я охотно прощаю. Мой взгляд полон любви. Я смотрю на мир с пониманием и состраданием.
Сыпь	Ощущение незащищенности	У меня есть сила для того, чтобы защититься. У меня все хорошо.
Сыпь (см. также: Крапивница)	Раздражение из-за промедления. Желание привлечь к себе внимание, как в детстве	Я люблю и одобряю каждый свой шаг. Я примиряюсь с жизнью.
Тик, конвульсии	Страх, ощущение слежки	Жизнь принимает меня таким, какой я есть. У меня все хорошо. Я чувствую себя в полной безопасности.
Тонзиллит (см. также: Ангина)	Страх, подавление эмоций и творческого начала	Все хорошее во мне течет свободно. Я свободно провожу в жизнь Божественные идеи. В моей душе царит мир.

Недомогание и другие проблемы; некоторые органы и части тела	Возможная причина недомоганий и других проблем; характеристика некоторых органов и частей тела	Целительные настрои
Тошнота	Боязнь нового, резкий отказ от восприятия новых идей	Мне ничто не угрожает, я доверяю жизни, которая посылает мне только благо.
Травмы (см. также: Порезы, Раны)	Обращенный на себя гнев. Чувство вины	Я обращаю свой гнев во благо. Я люблю себя и высоко ценю.
Тревога	Неверие в жизнь	Я люблю себя и одобряю каждый свой шаг. Я верю в жизнь. Мне ничто не угрожает.
Тризм (спазм жевательных мышц). (См. также: Столбняк)	Гнев, желание покомандовать, подавление эмоций	Я верю в жизнь, которая всегда даст мне все, чего я хочу. Она на моей стороне.
Туберкулез	Потери из-за эгоизма, собственническое отношение к жизни, жесткость в мыслях, стремление к мести.	Любя и одобряя себя, я стремлюсь создать вокруг себя мир, полный радости и спокойствия.
Тугоподвижность	Негибкое мышление	Мое положение достаточно надежно, можно позволить себе гибкость мышления.
Угри (см. также: Белые угри)	Гневливость	Я мысленно смиряю себя, и в душе наступает покой.
Угри (прыщи)	Несогласие с собой, нелюбовь к себе	Я — Божественное выражение жизни. Я люблю и принимаю себя таким, какой я есть.
Узелковые утолщения	Чувство обиды и безысходности, уязвленное самолюбие из-за трудностей с карьерой	Я освобождаюсь от внутренней скованности, которая мешает мне добиться успеха.
Укачивание при движении (см. также: Укачивание при езде в автомобиле или поезде, Морская болезнь)	Страх. Боязнь потерять контроль над собой	Я всегда в состоянии контролировать себя, мне ничто не угрожает. Я люблю себя и одобряю все свои шаги.
Укачивание при езде в автомобиле или поезде	Страх. Зависимость. Ощущение тупика	Я легко преодолеваю пространство и время. Вокруг меня только любовь.

Недомогание и другие проблемы; некоторые органы и части тела	Возможная причина недомоганий и других проблем; характеристика некоторых органов и частей тела	Целительные настрои
Укусы	Страх. Уязвимость для пренебрежительного отношения со стороны окружающих	Я прощаю себя и люблю с каждым днем все больше и больше.
Укусы животных	Гнев на самого ебя. Жажда наказания	Я абсолютно свободен.
Укусы насекомых	Чувство вины из-за мелких прегрешений	В моей жизни нет поводов для раздражения, все прекрасно.
Усталость	Скука, занятие нелюбимым делом, обида	Меня переполняют энергия и радость жизни.
Уши	Олицетворяют нашу способность слушать и слышать	Я слушаю с любовью.
Фибрознокистозная дегенерация	Полное разочарование в жизни	Жизнь меня любит, и я люблю жизнь. Я свободно вдыхаю ее полной грудью.
Фиброма и киста (см. также: Женские болезни)	Воспоминания об оскорблении, нанесенном партнером, удар по женскому самолюбию	Я придаю забвению тягостное воспоминание, я стараюсь нести людям только добро.
Флебит (воспаление вен)	Гнев и разочарование, стремление переложить на других вину за безрадостную жизнь	Радость свободно растекается по моему телу. Я во всем согласен с жизнью.
Фригидность	Страх, боязнь физического наслаждения; убеждение, что секс греховен; нечуткость партнеров, страх перед отцом	В наслаждении не таится никакой угрозы. Я счастлива оттого, что я женщина.
Фурункул (см. также: Карбункул)	Гнев, раздражение, смятение чувств	Я полон радости, любви и спокойствия.
Холестерин (повышенное содержание)	Засорение каналов передачи радости. Боязнь радости	Я люблю жизнь, мои артерии и вены готовы донести ее радость до каждой клеточки моего тела. Умение радоваться не таит в себе никакой угрозы.
Храп	Упорное нежелание расстаться с устаревшими стереотипами мышления	Я придаю забвению все воспоминания, которые не приносят мне любви и радости. Я перехожу от устаревших стереотипов к новым, свежим и жизнеутверждающим мыслям.

Недомогание и другие проблемы; некоторые органы и части тела	Возможная причина недомоганий и других проблем; характеристика некоторых органов и частей тела	Целительные настрои
Хронические болезни	Нежелание перемен, страх перед будущим, ощущение опасности	Я готов к переменам и росту. Я тружусь ради создания нового, безопасного будущего.
Царапины (ссадины)	Душевные терзания при мысли о том, что жизнь многого недодала вам	Я благодарен жизни за ее щедрость ко мне. Жизнь благословляет меня.
Целлюлит (воспаление подкожной клетчатки)	Гнев на себя и желание наказать себя	Я прощаю себя и других людей, я свободен любить и наслаждаться жизнью.
Циркуляция	Олицетворяет нашу способность чувствовать и выражать свои чувства положительным образом	Свобода дает мне возможность посылать потоки любви и радости в каждый уголок моего мира. Я люблю жизнь.
Цистит (болезнь мочевого пузыря)	Ощущение тревоги. Нежелание расстаться со старыми представлениями. Боязнь дать свободу чувствам. Гневливость	Я с радостью расстаюсь с прошлым и приветствую все новое. Ничто мне не угрожает.
Челюсть (мышечно-лицевой синдром)	Гнев, обида, жажда мести	Я очень хочу избавиться от причин, вызывающих эту болезнь. Я люблю и высоко ценю себя. Я в полной безопасности.
Чесотка	Извращенное мышление. Неспособность защитить свой внутренний мир от внешних влияний	Я воплощение жизни, любви и радости. Я принадлежу только себе.
Шея (шейный отдел позвоночника)	Олицетворяет гибкость и способность видеть вокруг себя	У меня добрые отношения с жизнью.
Шея: болезни (см. также: Искривление позвоночника, Ригидность затылочных мышц)	Нежелание видеть другие стороны проблемы, упрямство, косность	Я с легкостью и гибкостью подхожу к своей проблеме, решить ее можно множеством путей. У меня все прекрасно.
Шум в ушах	Нежелание слышать собственное «я». Упрямство	Я доверяю собственному «я», с любовью прислушиваюсь к внутреннему голосу. Я отвергаю все проявления нелюбви.

Недомогание и другие проблемы; некоторые органы и части тела	Возможная причина недомоганий и других проблем; характеристика некоторых органов и частей тела	Целительные настрои
Щитовидная железа	Главная железа иммунной системы. Олицетворяет собой нашу уязвимость перед жизнью	Добрые мысли укрепляют мою иммунную систему. У меня надежная внутренняя и внешняя защита. Я с любовью прислушиваюсь к себе.
Щитовидная железа: болезни (см. также: Гипертиреоз, Гипотиреоз)	Унижения. Обида на то, что не удается добиться желаемого	Я выхожу за рамки всех ограничений и свободно выражаю свое творческое начало.
Эпилепсия	Боязнь преследования. Уход от жизни. Ощущеие враждебности мира. Насилие над собой	Я предпочитаю видеть жизнь вечной и радостной. Радость никогда не покинет меня.
Экзема	Непримиримый антагонизм. Нервные срывы	Меня окружают мир, гармония, любовь и радость. Мне ничто и никто не угрожает.
Эмфизема	Боязнь вздохнуть полной грудью. Крайне низкая самооценка	Я от рождения имею право на свободу и радость жизни. Я люблю жизнь. Я люблю себя.
Эндометриоз	Ощущение незащищенности, разочарования, обида. Чрезмерное увлечение сахаром, как средство заглушить недовольство собой	Я сильная женщина, меня любят и желают. Быть женщиной — прекрасно. Я люблю себя, я довольна собой.
Энурез (недержание мочи)	Страх перед родителями (обычно отцом)	Каждый ребенок достоин любви и понимания.
Эпидермофития стопы	Ощущение безысходности, вызванное непониманием окружающих. Затрудненное продвижение вперед	Я люблю себя и одобряю каждый свой шаг. Мне никто не угрожает. Я должен двигаться вперед.
Ягодицы	Олицетворение силы. Дряблость ягодиц — выражение бессилия, признак утраты силы	Я сильный человек. Я разумно пользуюсь своей силой. Мне ничто не угрожает. У меня все прекрасно.
Язва (см. также: Изжога, Язва пептическая (желудка или двенадцати-перстной кишки), Желудочные болезни)	Страх. Низкая самооценка. Угнетенное состояние	Я люблю себя и одобряю каждый свой шаг. Я совершенно спокоен, у меня все хорошо.

Недомогание и другие проблемы; некоторые органы и части тела	Возможная причина недомоганий и других проблем; характеристика некоторых органов и частей тела	Целительные настрои
Язва пептическая (желудка или двенадцатиперстной кишки»). (См. также: Изжога, Желудочные болезни, Язва)	Страх, низкая самооценка, стремление угодить окружающим	Я замечательный человек, я люблю себя и одобряю каждый свой шаг. Я совершенно спокоен.
Язык	Символизирует способность предаваться жизненным наслаждениям	Я радуюсь, что жизнь очень щедра ко мне.
Яички	Олицетворение мужского начала	Мужское начало не таит в себе никакой угрозы.
Яичники	Олицетворяют созидательное начало	Мое созидательное начало находится в полном равновесии.
Ячмень (см. также: Глазные болезни)	Озлобленность	Я смотрю на жизнь с любовью и радостью.

Часть четвертая

Глава 16

О СЕБЕ

«Все мы — одно целое».

«Расскажите мне немного о своем детстве», — прошу я обычно пациентов. При этом меня вовсе не интересуют детали: я хочу лишь представить себе общую картину. Дело в том, что корни всех проблем именно там, в далеком детстве, когда формировались многие из наших сегодняшних убеждений.

Мне было всего полтора года, когда мои родители развелись. Плохо помню то время. Но вот когда моя мама устроилась работать живущей прислугой и мне пришлось жить отдельно — она отдала меня в чужие руки — это я прекрасно помню и по сей день; тот ужас и страх, которые меня охватили. Говорят, я плакала три недели, не переставая. Семья, в которой поселила меня мама, ничего не могла поделать, так что ей пришлось меня забрать и искать другую работу. Сейчас я думаю о ней с восхищением: одинокая женщина, как трудно ей приходилось... Но тогда меня, маленькую девочку, заботило лишь то, что я не получаю достаточно любви и внимания, в которых так нуждалась.

Я так никогда и не поняла до конца, любила ли моя мама отчима или просто вышла за него, чтобы у нас был хороший дом. Но в любом случае это было неудачное решение. Мой отчим вырос в Европе, в немецкой семье со строгими и даже жесткими порядками. Он и не представлял себе, что может быть по-другому. Вскоре у меня родилась сестра. А потом — 1930 год, разразилась экономическая депрессия. Это были тяжелые времена. Мне было 5 лет.

Ко всему еще меня изнасиловал сосед — старый алкоголик. До сих пор помню обследование у врача и слушание дела в суде, где я выступала главным свидетелем. Ужасные воспоминания! Насильника приговорили к 15 годам заключения. Но так как мне не уставали повторять: «Это твоя вина, ты виновата», я долгие годы со страхом ожидала, что он вот-вот вернется и отомстит, потому что попал в тюрьму из-за меня.

Как вы поняли, мое детство не было счастливым и радостным — оскорбления и унижения, тяжкий труд. О себе я была очень низкого мнения. Все было плохо. Так формировались мои представления о себе и об окружающем мире.

Расскажу об одном событии. Оно произошло, когда я училась в 4-ом классе. И хотя это маленький эпизод, он очень характерен для моей тогдашней жизни. В школе был праздник, испекли несколько больших пирогов. А надо сказать, что, кроме меня, все остальные дети происходили из вполне благополучных семей среднего класса. Я же — всегда плохо одета, волосы забавно подстрижены «под горшок», носила высокие черные ботинки, да к тому же еще пахла чесноком, который меня заставляли есть, «чтобы не было глистов». Пирогов у нас в доме отроду не бывало — они были нам не по карману. Помню одну пожилую женщину, жившую по соседству: она давала мне 10 центов каждую неделю, а на мой день рождения и на Рождество дарила доллар. 10 центов шли в семейный бюджет, а на доллар мне покупали белье на целый год в самой дешевой лавке.

Так вот, вернемся к празднику в школе. Представьте, пирогов было так много, что некоторые ребятишки, которых и дома часто ими баловали, съели по два-три куска. Когда же очередь дошла до меня (надеюсь, вы догадались, что я была последней), пирогов вообще не осталось — ни единого кусочка.

Теперь я отчетливо сознаю: причиной было мое уже сложившееся убеждение, что я не достойна, НЕ ЗАСЛУЖИВАЮ. Именно поэтому я оказалась последней и осталась без пирога. Это было МОЕ убеждение, а ОНИ своими поступками лишь отразили его.

Когда мне исполнилось 15, я, не в силах больше терпеть сексуальные оскорбления и унижения, бросила дом, школу и, уехав из города, устроилась работать в кафе официанткой. Работа была нелегкой, но куда лучше того, чем мне приходилось заниматься дома.

Мне очень недоставало нежности и любви. Чувство же собственного достоинства у меня в ту пору вообще отсутствовало, так что я с готовностью отдавала себя каждому, стоило ему проявить ко мне хоть чуточку добра. Вскоре после 16-летия я родила дочь. Понимая, что не смогу ее воспитать, я подыскала хорошую бездетную пару, мечтавшую о ребенке. У них в доме я прожила последние 4 месяца беременности и дала дочке их фамилию.

Сами понимаете, что при таких обстоятельствах я не только не испытала радости материнства, но ощутила лишь стыд, вину и потерю. Это было ужасное время, и его надо было пережить. Помню еще, что у девочки были необычно большие пальцы на ногах, совсем как у меня. Так что, доведись нам встретиться, мне достаточно было бы увидеть ее разутой, чтобы убедиться — это она. Я рассталась с дочерью, когда ей было 5 дней.

Я сразу же вернулась домой и поговорила с матерью, которая продолжала оставаться жертвой. «Хватит, — сказала я ей, — ты не должна это больше терпеть. Я забираю тебя отсюда». И мы уехали вместе. Мою десятилетнюю сестру, которая всегда была «папочкиной любимицей», она оставила с отцом.

Я помогла матери устроиться в небольшой отель прислугой, нашла ей удобную квартиру, где она наконец-то почувствовала себя свободной. Исполнив свой долг и сделав для нее все, что могла, я уехала с подругой на месяц в Чикаго — и возвратилась через 30 с лишнем лет.

В те времена далекой юности насилие, которому я подверглась ребенком, и укоренившееся с годами чувство собственной никчемности привели к тому, что я привлекала к себе лишь мужчин, которые очень дурно со мной обращались и даже били. Возможно, я продолжала бы терпеть подобное отношение и ругать мужчин всю свою жизнь, но со временем положительный опыт, приобретенный благодаря работе над собой, позволил развиться чувству собственного достоинства, и мужчины такого рода стали уходить из моей жизни. Они ведь соответствовали моему прежнему подсознательному убеждению, что меня можно оскорблять, от которого я постепенно избавлялась. Я не могу извинить их поведение, но знаю, что их притягивал именно «мой стереотип мышления». Теперь мужчина, способный оскорбить женщину, даже не знает о моем существовании. Наши модели поведения больше не притягивают друг друга.

После нескольких лет, проведенных в Чикаго, где мне приходилось в основном работать прислугой, я переехала в Нью-Йорк. Мне повезло — я стала супермоделью. И тем не менее даже работа с известными модельерами не помогла мне начать относиться к себе с уважением. Я находила в себе все новые и новые недостатки, вплоть до того, что не считала себя красивой.

Много лет я провела в мире высокой моды. Я встретила замечательного человека — англичанина, образованного, настоящего джентльмена — и вышла за него замуж. Мы путешествовали по миру, встречались с членами королевской семьи и даже обедали в Белом Доме. Однако я продолжала не уважать себя, хоть и была известной манекенщицей и замужем за чудесным человеком.

Мы были женаты 14 лет, как вдруг мой муж объявил, что хочет развестись и жениться на другой. Это произошло как раз, когда я только начала верить, что хорошее может длиться долго. Для меня все было кончено. Но время шло, я жила и однажды почувствовала, что моя жизнь начинает меняться. Как-то весной это подтвердил и специалист по нумерологии, сказав, что осенью произойдет небольшое событие и оно в корне изменит мою жизнь.

Событие и впрямь было такое незначительное, что я смогла его оценить лишь несколько месяцев спустя. Совершенно случайно я попала на собрание в Церкви Религиозной науки в Нью-Йорке. То, что там говорили, было для меня абсолютно новым, но какой-то внутренний голос сказал: «Обрати внимание», и я послушалась. Я стала не только посещать воскресные службы, но и занятия в течение недели. Мир моды и красоты все больше терял для меня привлекательность. Нельзя же, в конце концов, всю жизнь только и думать, что о размере талии и форме бровей? Если учесть, что когда-то я бросила школу, где, впрочем, толком и не училась, то со мной поистине произошло удивительное превращение — я стала жадной до знаний, прилежной студенткой. Я поглощала буквально все, что попадалось, по метафизике и целительству.

Церковь Религиозной науки стала для меня родным домом. В остальном моя жизнь шла по-старому, но этим занятиям я посвящала все больше и больше времени. Через 3 года, сдав экзамен и получив специальную лицензию практикующего целителя, я начала работать при церкви. Это было много лет тому назад...

И это действительно было только начало. Позднее я стала и трансцендентальным медитатором. Но так как в нашей церкви на следующий год не предполагалось специальной программы обучения пастырей, я решила предпринять что-нибудь сама. Так я попала в Международный университет Махариши (Фейрфилд, штат Айова), где проучилась шесть месяцев.

Для меня это было как раз то, что надо. Занятия для новичков были организованы таким образом, что каждый понедельник с утра мы начинали изучать какой-нибудь новый предмет: биологию, химию, теорию относительности, о которых я до этого едва слышала. Утром в субботу мы сдавали по этому предмету экзамен. Воскресенье — день отдыха. А с понедельника все начиналось по новой.

И никаких развлечений, к которым я привыкла в Нью-Йорке. Вечером, после ужина, все расходились по комнатам — заниматься самостоятельно. Я была самой старшей из студентов, и мне все ужасно нравилось. Никакого курения, выпивка и наркотики запрещены. Мы медитировали по четыре раза ежедневно. В день своего отъезда я чуть не упала в обморок в аэропорту от сигаретного дыма.

В Нью-Йорке я возвратилась к своим прежним делам и вскоре приступила к занятиям по программе подготовки пастырей. Я принимала самое активное участие в работе церкви и связанных с этим мероприятиях. Стала выступать на дневных собраниях, работать с пациентами. Все шло прекрасно. Воодушевленная успехами, я даже решила написать небольшую книжку «Исцели себя сам». Поначалу это был лишь перечень метафизических причин различных заболеваний. Я начала сама читать лекции, путешествовала и организовала группу учеников.

И вот пришел день, когда мне поставили диагноз — рак. При том, что пятилетней девочкой я подверглась насилию и впоследствии меня часто избивали, не удивительно, что это был рак матки.

Как каждый, кто услышит такой диагноз, я впала в ужасную панику. Однако благодаря работе с пациентами я знала, что можно исцелиться путем умственной работы и психотерапии. Теперь мне предоставлялась возможность доказать это на себе. В конце концов, я ведь написала к тому времени книгу о стереотипах мышления и знала, что рак, как заболевание, является результатом долго копившейся обиды, которая начинает разъедать тело. А сама все еще продолжала упорствовать в своем нежелании простить обиду «им» — тем, кто из моего детства, — и перестать на них сердиться. Теперь у меня не оставалось времени — так многое надо было успеть.

Для меня слово **неизлечимый,** которое так пугает многих, значит лишь, что данное положение не может быть исправлено никаким внешним способом, так что исцелиться можно только самому, упорно над собой работая.

Если бы я согласилась на операцию, не изменив свои убеждения и стереотипы мышления, которые породили болезнь, то врачи просто бы резали и резали Луизу, пока от нее ничего бы не осталось. Такой вариант меня не устраивал. Операция могла помочь, если б устранить и те убеждения, которые вызвали болезнь, тогда болезнь не повторится. Я убеждена, если случается рецидив, виноваты не врачи, которые «недорезали», а сам пациент, ничего не изменивший в своих взглядах и убеждениях. Таким образом он вновь воссоздал условия для того же самого заболевания, возможно, правда, в другом органе или другой части тела.

Я верила, что, если смогу избавиться от тех застарелых чувств, которые породили рак, мне не понадобится операция. Я попросила у врачей отсрочку, сославшись на то, что у меня нет денег, и они скрепя сердце дали мне 3 месяца.

Я немедленно занялась собой: читала и анализировала все, что могла достать о нетрадиционных методах лечения, все, что должно было помочь мне исцелиться.

Посетив несколько магазинов, я скупила все книги о раке. Я пошла в библиотеку, чтобы найти дополнительную литературу. Я заинтересовалась рефлексотерапией (ступни) и лечением толстой кишки, подумав, что и это может мне пригодиться. И еще, мне везло — я выходила прямо на нужных мне людей. Так, прочитав книгу о рефлексотерапии, мне захотелось найти и специалиста-практика. Однажды на лекции я случайно села в последнем ряду, хотя обычно сидела впереди. Буквально через минуту в зал зашел мужчина и сел рядом. Вы уже догадались, кто это был? Специалист по рефлексотерапии (ступни), практиковавший на дому. Он приходил ко мне домой по три раза в неделю на протяжении двух месяцев и очень мне помог.

Я также знала, что мне необходимо полюбить себя гораздо сильнее, чем я привыкла. В детстве я получила мало любви, и меня не научили хорошо к себе относиться. Я усвоила «их» стереотип отношения к себе: вечные придирки, замечания, и он стал моей второй натурой.

Сотрудничая с Церковью, я осознала, как важно полюбить себя и одобрять свои действия и поступки. Но я все время откладывала это «на потом», ну, как диету, которую мы всегда начинаем соблюдать завтра. Теперь я не могла больше медлить. Поначалу мне было очень трудно стоять перед зеркалом, повторяя: «Луиза, я люблю тебя. Я правда очень тебя люблю». И тем не менее я не отступала. Вскоре я обнаружила, что в нескольких ситуациях, в которых, случись они раньше, я бы себя отчаянно ругала, теперь, благодаря упражнениям перед зеркалом и другой работе над собой, я уже так не поступала. Я явно делала успехи.

Я знала, что должна избавиться от обиды и негодования, которые мучили меня с детства. Это было совершенно необходимо.

Да, у меня было очень тяжелое детство, много эмоциональных, физических и сексуальных унижений выпало на мою долю. Но все это происходило много лет назад и не могло послужить оправданием моему нынешнему отношению к себе. Я буквально позволяла раку «разъедать свое тело», и все потому, что никак не могла простить.

Пришло время проанализировать те давние события и начать ПОНИМАТЬ, как сформировались характеры людей, которые могут так относиться к ребенку.

С помощью хорошего психотерапевта мне удалось наконец избавиться от глубоко запрятанного и долго хранимого чувства гнева и обиды. Для этого я даже колотила подушки и в ярости кричала, после чего мне стало гораздо лучше. Потом я стала вспоминать, что рассказывали мне родители о своем детстве. Складывая вместе отдельные эпизоды, я получила более или менее цельную картину — представление об их жизни. Мое понимание возрастало; теперь, будучи взрослой, я даже начала им сочувствовать, разделяя их боль: так постепенно исчезало и чувство обиды.

Кроме всего прочего, мне еще повезло с отличным диетологом: он помог очистить мой организм от токсинов и шлаков, скопившихся за годы неправильного питания. Я узнала, что дрянная пища ведет к отравлению организма. А неправильные мысли отравляют разум. Я придерживалась очень строгой диеты и почти ничего не ела, кроме массы свежих овощей, особенно салатов. В первый месяц я даже чистила желудок по 3 раза в неделю.

Мне не пришлось идти на операцию. В результате всего, что я проделала, очищая тело и разум, через 6 месяцев после того, как мне объявили диагноз, врачам пришлось признать уже известный мне факт — никакого намека на рак! Теперь я знала уже из собственного опыта: «БОЛЕЗНЬ МОЖНО ИЗЛЕЧИТЬ, ЕСЛИ МЫ ОЧЕНЬ ХОТИМ ИЗМЕНИТЬ СВОИ МЫСЛИ, УБЕЖДЕНИЯ И ПОСТУПКИ!»

Иногда случается и так: то, что кажется величайшей трагедией в нашей жизни, оборачивается на благо. Я многому научилась за время болезни и по-новому оценила жизнь. Задумавшись над тем, что действительно для меня важно, я решила уехать из Нью-Йорка — города почти без зелени и с резкими колебаниями погоды. Некоторые мои пациенты очень не хотели меня отпускать — даже уверяли, что «умрут» без меня. Я успокоила их, пообещав, что буду навещать дважды в год. К тому же телефон доступен всем. Итак, прекратив все дела в Нью-Йорке, я села на комфортабельный поезд и уехала в Калифорнию. Начать я решила с Лос-Анджелеса.

Хоть это и было место моего рождения, кроме матери и сестры, я там практически никого не знала. Обе они жили в пригороде, примерно в часе езды. У нас в семье никогда не было близких, доверительных отношений, и тем не менее я была неприятно поражена, узнав, что моя мать вот уже несколько лет как ослепла и никто не удосужился мне об этом сообщить. Сестра оказалась слишком «занятой», чтобы со мной увидеться. «Пусть, как хочет», — подумала я и занялась устройством собственной жизни.

Моя небольшая книга «Исцели себя сам» открыла передо мной массу возможностей. Я стала посещать собрания «Нью-Эйдж». Обычно я представлялась и дарила книжку. Многие меня уже знали. Первые полгода я часто проводила время на пляже, понимая, что позже, став более занятой, не смогу себе этого позволить. Постепенно у меня появились пациенты. Меня то и дело приглашали выступить, все налаживалось: Лос-Анджелес радушно меня встретил. Через пару лет я смогла переехать в чудесный дом.

Моя жизнь в Лос-Анджелесе ничем не напоминала годы детства, проведенные здесь же, благодаря огромным переменам, произошедшим в моем сознании. Все шло, как по накатанной дорожке. Право, как быстро может наша жизнь совершенно перемениться!

Однажды поздно вечером мне позвонила сестра — впервые за два года. Она сообщила, что наша 90-летняя мать, слепая и почти глухая, упала — у нее перелом спины. Так в одно мгновение эта сильная, независимая женщина, моя мать, превратилась в беспомощного ребенка, страдающего от боли. Но вместе с этим приоткрылась и завеса таинственности, окружавшая мою сестру. Мы все начали общаться. Я узнала, что у сестры тоже проблемы со спиной — частые боли мешают ей сидеть и ходить. Она никому об этом не говорила, и, хотя плохо выглядела (страдала отсутствием аппетита), муж не догадывался о ее болезни.

После месяца, проведенного в больнице, мама должна была возвратиться домой. Но она уже не могла себя обслуживать и поселилась со мной.

Хотя я и знала, что жизнь не стоит на месте и всякое может произойти, однако совершенно не представляла, как со всем этим справлюсь. «Хорошо, — обратилась я к Богу, — я буду о ней заботиться, но ты мне помоги и обеспечь деньгами!»

И все сложилось более чем удачно для нас обеих. Мама приехала в субботу, а в пятницу на следующей неделе мне надо было уезжать на четыре дня в Сан-Франциско. Я не могла оставить ее одну, а ехать было необходимо.

«Боже, — сказала я, — сделай что-нибудь. Мне нужно найти до отъезда подходящего человека, который бы нам помог».

Такой человек появился в следующий четверг и, переехав к нам, занялся организацией нашего быта и уходом за матерью. Так еще раз подтвердилось одно из главных моих убеждений: «Мне всегда откроется то, что должно знать, а то, что мне нужно, я получу по Божественному повелению».

Я поняла: вновь пришло время учиться. Надо избавиться от мусора, накопившегося с детства.

Когда я была ребенком, моя мать была не в силах меня защитить. Однако теперь я могла о ней заботиться и делала это. Между мной, матерью и сестрой стали возникать новые отношения.

Я узнала, что много лет назад, когда я увезла мать из города, отчим обрушил всю свою ярость и боль на сестру, так что ей тоже пришлось страдать от его жестокости.

Я поняла, что страх и напряжение, плюс уверенность, что никто не может ей помочь, значительно увеличивали ее физическое недомогание. Теперь с ней была Луиза — не для того, чтобы выступить в роли спасителя, а с горячим желанием помочь сестре улучшить свою жизнь.

Очень медленно, но мы начали распутывать этот клубок. Сейчас, в 1984 году, процесс все еще продолжается. Мы пробуем разные методы, но прежде всего я стараюсь, чтобы она почувствовала себя в безопасности. Так мы продвигаемся шаг за шагом.

Надо сказать, у мамы дела идут гораздо лучше. Она делает зарядку четыре раза в день и при этом очень старается. Тело ее становится более сильным и подвижным. Я подобрала ей слуховой аппарат, так что она стала больше интересоваться жизнью. Несмотря на ее религиозно-теологические воззрения, мне удалось уговорить ее удалить катаракту с одного глаза. Как счастлива она была вновь обрести зрение! А мы не могли нарадоваться на нее — будто сами увидели мир ее глазами. Теперь она с удовольствием много читает.

Мы стали находить с ней время посидеть и поговорить так, как никогда раньше не делали. Между нами появилось новое взаимопонимание. Теперь мы свободно общаемся, смеемся, плачем, обнимаем друг друга. Только иногда она все же раздражает меня — так что я знаю, еще есть над чем работать.

Моя мать ушла в мир иной в 1985 году. Я скучаю по ней и люблю ее. Мы завершили вместе все, что могли. Теперь мы обе свободны.

ПОСЛЕСЛОВИЕ

Прошло 10 лет с тех пор, как я написала эту книгу. Многое произошло за эти годы. Успех книги превзошел все мои ожидания: а моей заветной мечтой было помочь как можно большему числу людей изменить жизнь к лучшему.

Книга разошлась в количестве почти трех миллионов экземпляров и переведена на 23 языка, включая польский и персидский. Поистине Космос хотел, чтоб она достигла разных уголков планеты. Я думаю, причина успеха в моей способности помочь людям измениться к лучшему, ни в чем их при этом не обвиняя.

Шесть с половиной лет я посвятила работе с больными СПИДом. Все началось однажды вечером, когда в моей гостиной собралось шестеро больных, а через пару лет мы уже проводили еженедельные встречи, в которых участвовало до 800 человек. Для меня это был очень важный период духовного роста. Сердце буквально разрывалось от любви и сострадания. Я не забуду все, что мы делали, до конца своей жизни. Группа поддержки Хейрада и сейчас существует в Западном Голливуде, однако я с ней больше не связана, так как несколько лет назад уехала из города.

Как-то уже после того, как я закончила книгу, несколько человек из группы Хейрада вместе со мной участвовали в известном телешоу Опры Уинфри: мы рассказали о своем положительном опыте работы с больными СПИДом. На той же неделе, вместе с доктором Берни Сигел, я принимала участие в телепрограмме Фила Донахью. Моя книга оставалась лучшим бестселлером целых 13 недель. Я постоянно ощущала, как много новых возможностей открывает передо мной жизнь, и работала ежедневно, без выходных, по 10 часов. И так продолжалось довольно долго.

Теперь у меня небольшая ферма и я провожу бо́льшую часть времени в саду, с огромным удовольствием ухаживая за растениями. Я — последователь органического садоводства, так что у меня ничего не пропадает: ни кустик салата, ни листок с дерева. Все отбросы идут в компост. Почву я постоянно улучшаю и удобряю, и земля у меня очень плодородная. Круглый год я стараюсь питаться свежими фруктами и овощами из своего сада.

Много радости доставляют и мои зверушки: скоч терьер Френсис, западный горный терьер Хайленд, миниатюрная японская декоративная собачонка Винки, моя гималайская кошка — красавица Сабрина и забавные кролики Митси и Витси. Все они когда-то были обижены судьбой. Я ведь не покупаю животных, я их спасаю. Год любви поистине творит чудеса, в том числе и с домашними животными. Теперь я купаюсь в их безграничной любви, и все мы доставляем друг другу много радости.

Жизнь циклична. Бывает время работать и время двигаться дальше. Когда-то я вела семинары и повсюду читала лекции. Я подготовила курс интенсивной тренировки, рассчитанный на 10 дней, и ездила по всей стране, представляя свои программы. Но больше я этим не занимаюсь. Я как бы частично ушла в отставку, чтобы хоть какое-то время по-настоящему насладиться жизнью.

Сейчас, когда мне 67 лет, я смотрю на жизнь несколько по-иному, мне интересно, как мы проживаем свои последние годы. Меня привлекает идея стать «высокочтимым старейшиной» и провести остаток жизни, как самые прекрасные годы своей жизни. К тому же я хочу научить тех, кто идет к закату, как стать «высокочтимым старейшиной» и, заняв подобающее место в обществе, быть наставником мудрости. Я уверена, что до самых последних дней можно оставаться полным сил, энергии и здоровья и наслаждаться каждым мгновением.

Книга и кассета «Путь к здоровой жизни» стали фундаментом, на котором мне удалось создать небольшое издательство «Хей Хаус». Мы специализируемся на издании книг и производстве кассет, которые помогают людям самим справиться с недугами и проблемами. Мне нравится зарабатывать, помогая другим улучшить свою жизнь, и я искренне поддерживаю всех авторов, которые несут светлые идеи, помогая нам осознать себя и продвинуться по пути духовного развития.

Как-то астролог сказал, что мне с рождения было предначертано помочь очень и очень многим, лично с ними общаясь. Конечно, 67 лет назад, когда магнитофонов и в помине еще не было, трудно было бы представить, как это возможно осуществить «лично». Однако теперь благодаря чудесам техники тысячи людей каждый вечер ложатся спать, слушая мой голос.

И в результате многие, кого я даже никогда не встречала, чувствуют, будто мы хорошо знакомы — ведь мы и правда провели много времени вместе, общаясь друг с другом. И вот еще что совершенно замечательно: куда бы я ни приехала, меня везде встречают с любовью. Люди видят во мне старого друга, не раз помогавшего в сложных ситуациях.

Я веду и колонку «Советы Луизы Хей», которая выходит под заголовком «Дорогая Луиза» или «Спросите у Луизы», в зависимости от того, где она опубликована. Началось это два года назад с публикации в журнале «Саинс оф майнд» («Наука разума»), а теперь я печатаюсь в 31 духовно-религиозном издании «Нью-Эйдж», круг читателей которых составляет более миллиона человек. Если вы захотите увидеть мою колонку в своей местной газете, дайте мне знать.

Куда жизнь приведет меня завтра? Не знаю. Но я полностью открыта и готова воспринять все, что она мне предложит.

Луиза Хей.
Июль 1994 г.

ПОЗИТИВНЫЙ
ПОДХОД

THE AIDS BOOK
CREATING A POSITIVE
APPROACH

ВВЕДЕНИЕ

Когда впервые стало известно о СПИДе, я думала, что знаю все ответы, однако с разрастанием эпидемии этого страшного заболевания, моя уверенность сошла на нет, хотя сочувствие и понимание выросли неимоверно.

Сейчас я смотрю на эту болезнь с глобальной точки зрения. В явлении, которое называется СПИД, скрыто намного больше, чем мы думали. И я не уверена, что мы сейчас настолько близки к пониманию его природы, чтобы полностью уничтожить СПИД.

Это заболевание касается не только людей из особой группы,— так называемой группы риска, — которых мы можем проигнорировать. Надеяться, что СПИД убьет нескольких людей, которые «не так уж и важны», означает зайти в тупик. Мы имеем дело с феноменом огромных масштабов. Фактически именно неоказание помощи первым жертвам СПИДа и позволило этому заболеванию вспыхнуть с такой пугающей силой.

Мне горько думать о тысячах гетеросексуалистов, которые заболели СПИДом только потому, что общество, правительство и церковь были так неповоротливы на начальном этапе его распространения. Каждое живое существо заслуживает любви и внимания. Один из самых важных уроков нашей жизни — это умение делиться безоговорочной любовью и принимать ее.

Сначала мы думали, что СПИД — болезнь гомосексуалистов-мужчин, так как впервые она была обнаружена в США в общинах геев («голубых»). Из-за этого мы позволили предубеждению и страху заслонить необходимость помощи страдающим людям. А сейчас мы прекрасно понимаем, что СПИД — беда всего человечества и он не привязан к какой-либо определенной группе людей. В некоторых районах Африки СПИДом поражено до сорока процентов гетеросексуального населения. Женщины, дети и даже младенцы болеют СПИДом. Не смотря на то, что эта болезнь передается и половым путем, это не венерическое заболевание: вирус обитает в крови и должен попасть в кровь, чтобы начать размножаться.

Я работаю с больными СПИДом с 1983 года, и за это время многое узнала и стала свидетельницей многих перемен. Как терапевт, я сталкивалась с различными мнениями. Когда СПИД впервые появился на сцене, люди звонили мне, чтобы сказать: «Луиза, у меня друг болен СПИДом. Что я могу ему сказать?» Вскоре я поняла, что если расскажу о своих идеях одному человеку, а он или она попытается объяснить их кому-то, кто слабо воспринимает абстрактные понятия, многое будет потеряно. И тогда я решила записать магнитофонную кассету, которая получила название: «СПИД: позитивный подход».

Кассета была рассчитана, в основном, на мужчин-гомосексуалистов. На одной ее стороне я описывала свои представления того периода о природе заболевания, а на второй были упражнения на расслабление с визуализациями и положительными аффирмациями. Эта кассета, записанная в августе 1983 года, была первой попыткой взглянуть на СПИД с позитивной точки зрения. Мало-помалу ко мне потянулись больные СПИДом — им просто больше некуда было идти.

В январе 1985 года я пригласила шесть больных СПИДом мужчин к себе на квартиру. В то время я работала с некоторыми из них ин-

305

дивидуально, и один предложил, чтобы я создала группу, где мы могли бы обмениваться мыслями. Трое из моих клиентов согласились встретиться и привести троих друзей, которым тоже был поставлен «диагноз». Помню, как в тот первый вечер мы с моей помощницей приготовили ужин для этих шестерых, а потом сели рядом и сформулировали задачу группы.

Мы не знали, что конкретно хотим сделать, но это должно было быть чем-то позитивным. И я решила, что мы не станем играть в игру «Разве это не ужасно?» — мы и так это знали по публикациям в газетах и телепередачам. Мы слышали, как медицинские светила признавались, что они бессильны, и все больные СПИДом умрут в течение года.

Мы решили найти позитивный подход: собрали все полезное, что знали, о СПИДе и поделились этим друг с другом. Если один из нас начинал чувствовать себя лучше, мы выясняли, что он делал для этого, и остальные пытались подражать ему. Узнав о правильном питании, мы тут же применяли эти знания на практике. Мы гнали обиды и просили прощения, изучали медитацию и визуализацию. Но в первую очередь мы учились любить себя.

Страх был самой серьезной проблемой, с которой сталкивался каждый из членов группы: страх перед неизвестностью, страх боли и страх смерти. Когда мы объединились в группу, это уже само по себе принесло больным облегчение. Как лидер я делилась с ними своей силой, и они обращались ко мне, когда у них возникали вопросы. Разумеется, я могла ответить не на все из них, но мои пациенты знали, что я тревожусь о них и хочу помочь.

В то время я была единственным человеком в мире, который давал хоть какую-то надежду. Я не обещала никаких особых результатов и не призывала уйти от врачей: все, что мы делали в группе, — это дополняли лечение, которое несчастные получали в различных больницах, или восполняли его отсутствие. В те дни находилось крайне мало врачей, рисковавших прикоснуться к больным СПИДом. По своему невежеству они были полны страха и предпочитали держаться в стороне вместо того, чтобы сопереживать больным и заботиться о них.

Когда первый вечер подошел к концу, я провела сеанс визуализации. Мы представили, что находимся в удивительно спокойном месте, где много исцеляющей энергии. Закончили мы встречу песней Дж. Джозефса «Я люблю себя». Тогда еще мы не знали, что будем заканчивать этой песней каждую встречу моей группы поддержки и что она приобретет достаточную популярность.

Уходя, каждый из членов группы чувствовал себя лучше. Они хоть ненадолго избавились от волнений и страха и больше не ощущали себя беспомощными жертвами. На следующий день некоторые признались, что впервые со дня постановки диагноза провели спокойную ночь.

На следующей встрече мы обсуждали другие проблемы, над которыми будем работать в дальнейшем: не только болезнь, но и страх, самооценка, вера в себя, гнев и злоба, чувство вины... Как сказать родителям, что их ребенок гомосексуалист и болен СПИДом? Мы обсуждали секс и безопасный секс. Как простить, как любить себя, хотя ты знаешь, что тебе вынесен смертный приговор. Недостатка в темах для обсуждения у нас не было, но больше всего мы хотели говорить о положительной стороне СПИДа.

Эта группа стала расти, так как ее участники привели своих друзей. Я купила большой электрический чайник, чтобы заваривать травяной чай. Через несколько месяцев уже восемьдесят пять человек толпились в моей гостиной, свисали из окон и стояли в дверях. Мы переехали в большее по размеру помещение, и на следующей неделе ко мне пришли уже сто пятьдесят человек! Мы по-прежнему встречались по средам, и к весне 1988 года на каждую встречу приходило до шестисот человек. Не все из них были больны СПИДом, часто появлялись друзья, любовники и просто любопытные. Приходили женщины и даже дети, медсестры, врачи, сотрудники хосписов и сторонники нетрадиционной медицины...

Врачи стали присылать к нам больных. У нас был один врач, который работал со многими больными СПИДом, и во время первого же визита рекомендовал больному трижды посетить наши семинары. Этот доктор знал, что намного легче работать, когда у пациента позитивный настрой.

Через два с половиной года из первых шести участников группы трое покинули нашу планету, а один ушел из группы. Оставшиеся двое по-прежнему со мной и прекрасно себя чувствуют. Те же трое, что умерли, сделали это спокойно, веря в завершенность своей миссии на Земле. Поддержка группы сыграла огромную роль в их жизни. Итак, мы добились того, чего и хотели: постепенно исправили качество своей жизни. Но самые важные изменения произошли в их сознании — изменения в мыслях и отношении к себе и к жизни. И я вижу это в своей группе вновь и вновь.

Недавно я прощалась с одним умирающим человеком. Я пожелала ему «bon voyage» (доброго пути) перед тем важным путешествием, что ждет его впереди, он поблагодарил меня и сказал, что я была его путеводной звездой два последних года и помогла ему превратить то, что должно было стать ужасающим испытанием, в нечто спокойное и полное духовного развития.

Было бы неправдой утверждать, что всем становится лучше: в группе есть люди, которые уже покинули нашу планету, и люди, которым плохо... Вместе с тем, у нас много людей, которые радикальным образом изменили «качество» своей жизни. У нас есть несколько — всего несколько! — человек, которые, похоже, победили СПИД. Врачи пока не соглашаются с этим. Они собираются выждать несколько лет и понаблюдать за ними.

Мы все еще не нашли универсального ответа, мы не можем сказать: «Поступай так-то и так-то — и ты излечишься», — однако мы знаем, что люди многое могут сделать, чтобы помочь себе. Некоторые методы лечения помогают одним больным и бессильны для других, и мы делаем все возможное, чтобы ознакомить членов нашей группы со всеми известными способами борьбы со СПИДом, чтобы они могли выбрать свой путь.

Мы заметили, что лучше всего с болезнью справляются люди, которые изменили свое питание и используют методы нетрадиционной медицины. Ученые изо всех сил стараются синтезировать яд, который убьет вирус, не причинив вреда больному, но увы — побочные эффекты этих лекарств часто разрушительны для больных, к тому же и сами препараты очень дороги.

Лично я считаю, что правительство обязано бесплатно раздавать лекарства всем, кто не может позволить себе их купить. Большинство больных СПИДом живут на пособие и редко когда имеют пару долларов к концу месяца.

В эту среду встреча нашей группы, «Хей-рейд», как мы это называем, будет посвящена не лечению, а поддержке друг друга. Мы собираемся в группе поддержки, чтобы быть вместе и помогать другим. Мы поем, медитируем, делимся успехами и страхами, занимаемся визуализацией и работаем над тем, как любить себя.

За те два с половиной года, что я веду группу, я наблюдала огромное число случаев исцеления сознания. Люди, которые когда-то пришли напуганными и отчаявшимися, сейчас с улыбкой контролируют свою жизнь. Они видят ее с новой стороны. Для большинства СПИД стал шансом изменить жизнь к лучшему. Когда люди чувствуют безусловную любовь, в них проявляются лучшие черты характера. Даже те, кто покинул Землю, сделали это намного спокойнее.

В наше время многие дети ощущают отчуждение в семьях, и это еще слабо сказано, если говорить о гомосексуалистах. Люди с нетрадиционной сексуальной ориентацией сталкиваются со всеми обычными проблемами взаимоотношений родители — ребенок, к тому же они должны скрывать свои наклонности из страха быть отвергнутыми или осмеянными. Сын или дочь боятся сказать родителям, кто они на самом деле, или сами родители, узнавая что их ребенок — гомосексуалист, в страхе и замешательстве отказываются даже разговаривать с ним.

За последние годы мы видели, как исцелились многие семьи. Люди, которые были чужими друг другу, воссоединяются вместе, окруженные любовью и прощением.

Сексуальное надругательство над детьми — это отвратительная вещь, которая часто встречается в нашем обществе. Я не думаю, что обычные люди знают, как часто гомосексуалисты, будучи детьми, подвергаются насилию.

Я не целитель, я никого не лечу. Я просто женщина, которая знает и учит силе любви, и это все, что я делаю. Иногда, если люди все-таки научаются любить себя, они сами исцеляют себя. Как сказал доктор Берни Сигел: «Когда человек меняется, то новая личность уже не нуждается в старых болезнях».

Я давно знаю, что единственный способ справиться с такой проблемой, как СПИД, — позитивное, полное любви отношение к людям. Из этого кризиса мы должны извлечь очень важный урок. Я считаю, что речь идет о выживании всей планеты: СПИД — это один из видов загрязнения Земли. Это заболевание происходит от безнадежности и подавленности, или из «комплекса жертвы», как назвала это Кэролайн Мисс в своей книге «СПИД: путь к трансформации». Необходимость в подобных книгах — еще одно доказательство того, что мы лишены любви.

Множество людей просило меня записать то, что мы узнали во время наших «Хей-рейдов», чтобы они могли поделиться этим с другими. Многое из того, чем мы занимались, касалось слишком личных вопросов и это трудно выразить словами, потому что все шло от взаимоотношений внутри группы. Однако на последующих страницах я постаралась по возможности рассказать о наших открытиях в области заболевания под названием СПИД. Надеюсь, это будет полезно всем.

Если вы больны СПИДом и решили следовать моим советам, то знайте, что я не могу гарантировать вам выздоровления, но уверена, что если вы возьметесь за дело, то существенно улучшите свою жизнь. Я делюсь с вами знаниями, чтобы вы научились пользоваться своей собственной целительной силой. На своих семинарах и в группах поддержки я создаю атмосферу любви и понимания, в которой мы можем делиться друг с другом красотой нашего бытия, меняться и расти. И многие люди обнаружили, что они исцелили себя сами.

Часть 1

ЧТО ТАКОЕ ЗАБОЛЕВАНИЕ СПИД?

Глава первая

ЧТО ТАКОЕ СПИД?

Аффирмация:

Это испытание закончится, подарив нам возможность
для духовного роста!

Эпидемии сопровождают человечество на протяжении всего его существования.
Они не наказание Господне, а результат нездоровых условий жизни как
отдельного индивидуума, так и общества в целом. В тринадцатом веке
население Европы недоедало и жило очень скученно. Солдаты, возвращавшиеся
из крестовых походов, несли с собой микробы и вирусы, с которыми
они никогда раньше не сталкивались. И через несколько лет голода людей
поразила «черная смерть» — бубонная чума, за которой последовали другие
эпидемии, в результате чего население Европы уменьшилось вдвое.

Рост населения США в начале этого века, как следствие иммиграции,
привел к появлению условий, которые позволили сходным образом распространиться эпидемии гриппа, возникшей после первой мировой войны.
И вновь тяжелые условия жизни вместе с неконтролируемыми перемещени-
ями людей в военное время спровоцировали болезнь и позволили ей
распространиться, словно лесному пожару, в Европе, а потом и в США.

Необходимо также помнить и о стрессе военного времени. Это была
война, которой мир еще не знал, с новым оружием и более страшными
видами смерти.

Я считаю, что мы подвергаемся воздействию всего того, что окружает
нас, и то, что мы подхватим, зависит от уровня нашего сознания.

Что мы думаем о жизни и о нас самих? Может быть, мы считаем, что
«жизнь трудна, и нам всегда выпадает наихудшее» или что «жизнь полна
войн и ненависти», или «я все равно плохой, так что какая разница?», или «я
всегда знал, что умру молодым»? Если наши мысли созвучны этим высказываниям, наша иммунная система будет ослаблена, и мы легко подхватим
любое распространенное на данный момент заболевание. Если же наша
иммунная система сильна и здорова, то и тела будут автоматически бороться с любой болезнью, с которой мы столкнемся.

Эпидемия СПИДа

Не все оказываются жертвами эпидемии. Даже во времена царствова-
ния «черной смерти» многие люди так и не заболели. Также и СПИД — он
поражает вовсе не каждого, кто с ним сталкивается. Я не думаю, что

мораль имеет какое-то отношение к этому заболеванию: правила морали меняются от сообщества к сообществу, и то, что нормально и естественно в одной стране, неприлично и отвергается в другой.

В Америке, например, считается естественным, что женщина открывает лицо, руки и ноги, в Италии же ее могут не пустить в церковь с непокрытой головой и обнаженными руками. На Ближнем Востоке женщина подвергнется осуждению, а в некоторых случаях даже будет забита камнями до смерти, если просто появится на публике без чадры.

Многие утверждают, что СПИД — наказание Господне тем, кто не является гетеросексуалом. Это только один, и весьма ограниченный взгляд на ситуацию. А как же тогда быть с гетеросексуалами, у которых СПИД? Болезнь поражает и женщин, и детей... Если думать в этом направлении, получится, что избранные Богом люди — это лесбиянки, так как к настоящему времени у них почти не зафиксированы случаи СПИДа.

Рассматривать одну группу людей как лучшую или худшую, чем другая, означает жить в мире страха и иметь очень ограниченные взгляды. Представьте себе, что на нашей планете только один вид цветов, а ведь мы любим их именно за многообразие, когда каждый цветок красив по-своему. Как и среди растений, среди людей существуют разные группы, внутри которых можно найти бесконечное число вариаций. Так оно и должно быть! Каждый человек на нашей планете — это еще одно прекрасное творение Господа, и мы можем научиться видеть людей именно такими.

Чем не является СПИД

СПИД — это не заболевание гомосексуалистов, он просто пришел к нам из общин геев. Считается, что СПИД впервые появился в изолированных племенах Африки. Некоторые ученые считают, что он передался людям от зеленых мартышек. На каком-то этапе в Африку приехала группа гаитянских рабочих, а когда они вернулись на Гаити, то привезли болезнь с собой. Часть «голубой» общины Нью-Йорка и Флориды предпочитает отдыхать на Гаити. Эти мужчины подхватили вирус и привезли заболевание с собой, и оно начало свой путь в западном обществе. Таким образом, оно пришло к нам ЧЕРЕЗ гомосексуалистов, а не является их болезнью.

Авиация внесла существенный вклад в быстрое распространение СПИДа: Гаэтан Дугас — мужчина, которого ученые назвали «нулевой больной СПИДом», — был стюардом на международных авиалиниях.

В Сент-Луисе в хранившихся с 1969 года образцах тканей пятнадцатилетнего мальчика, умершего от неизвестной болезни, был обнаружен вирус СПИДа.

А истории все множатся. Я слышала версию о том, что СПИД возник, когда отделение ЦРУ, занимающееся биологическим оружием, случайно инфицировало пробы с гамма-глобулином.

Неважно, как это заболевание пришло к нам, неважно, кто его принес, — важно, почему оно здесь и как мы, создания Творца, должны действовать и извлекать уроки из брошенного нам природой вызова.

Поэтому, если вы ищете какие-то устрашающие факты, вы выбрали не ту книгу: и так уже слишком много пугающей информации прошло через газеты и телевидение. Пора послушать о положительных сторонах СПИДа.

СПИД — это не смертный приговор. СПИД — это не всегда смертельное заболевание. СПИД — не конец света, хотя многие именно так и думают.

Что такое СПИД?

Вирус.

Вирус — это отрезок нуклеиновой кислоты, хранящийся внутри защитной белковой оболочки, называемой капсидом.

Это не клетка — это просто субклеточная «инструкция» для размножения, и вирус именно это и делает — размножается.

Существуют четыре основных вида генетического материала, который вирусы используют для воспроизведения: одноцепочечные РНК или ДНК, двухцепочечные ДНК или РНК.

Проникая в тело, вирус находит себе клетку-хозяина, затем либо взрезает мембрану клетки «шипом», который имеется у него в капсиде, либо использует ферменты, чтобы разрушить клеточную мембрану и проникнуть в клетку. Оказавшись внутри, вирус пользуется механизмами клетки-хозяина, чтобы воспроизводить себя. Иногда вирус проникает в клетку и «впадает в спячку»: такое случается с вирусом герпеса и ретровирусом ВИЧ (вирусом иммунодефицита человека); для развития заболевания в этом случае требуется вспомогательный фактор, обычно стресс.

При проникновении инфекции в теле возникает так называемый «первичный иммунный ответ». На этой стадии в месте инфекции собираются В и Т-лимфоциты. В-клетки синтезируют антитела к вирусу, а Т-клетки распознают «нарушителя» (называемого антигеном) и обезвреживают его. Эти специализированные клетки творят чудеса с помощью антител!

Антитело — это белок. Под микроскопом он выглядит как буква «Y», имеет две цепочки, называемые «тяжелыми» и две, называемые «легкими». Их части образуют активный центр, который «распознает» антиген и связывается с ним, формируя комплекс «антиген — антитело», таким образом «обезвреживая» чужеродный фактор.

Вирус иммунодефицита человека (ВИЧ)

Это один из ретровирусов, которые поражают людей. Вследствие своего уникального процесса воспроизведения он является серьезным противником.

Генетический материал этого вируса представляет из себя одиночную цепочку РНК. Вирус несет с собой фермент, называемый «обратной транскриптазой». Когда вирус попадает в клетку, он или затаивается, пока не вступит в действие вспомогательный фактор, или сразу же начинает размножаться.

В последнем случае обратная транскриптаза запускает синтез цепочки ДНК как зеркального отражения вирусной РНК, формируя промежуточный продукт, называемый ДНК/РНК комплекс. С этого момента вирус маскируется под генетический материал клетки-хозяина и затем создает двухцепочечную молекулу ДНК — совершенно отличную от оригинала, на основе которой и происходит синтез множества копий вируса.

Опасность вируса ВИЧ заключается в том, что его «жертвами» становятся те самые клетки, которые необходимы для иммунной реакции, — Т-лимфоциты. Убивая эти клетки, вирус уничтожает иммунную систему, вызывая состояние, которое и называется СПИД. Любая атака даже условно-патогенных возбудителей приводит к развитию тяжелейших заболеваний и угрожает жизни.

Положительная ВИЧ-реакция

Что сказать о людях, у которых выявлена положительная реакция на вирус, но нет СПИДа?

Многие из тех, кто контактировал с вирусом СПИДа, не заболеют, так как их сильная иммунная система немедленно уничтожит вирус.

Если вы обнаружили, что у вас положительная проба, — это еще не конец света: это просто сообщение вашего тела о том, что вы «сошли с катушек» и нуждаетесь в позитивных сдвигах в своей жизни. Наши тела хотят чувствовать себя хорошо и делают все, что в их власти, чтобы этого добиться. «Положительная проба» — это предупреждение, попытка нашего сознания войти с нами в контакт. Наша задача — обнаружить и уничтожить причину ухудшения здоровья. Если мы вовремя услышим это предупреждение, наше состояние может и не перейти в СПИД — лечение начинается тогда, когда мы отказываемся поверить в неизлечимость этого заболевания.

Если у вас положительная проба на ВИЧ, то это означает, что вы контактировали с вирусом. Это предупреждение от нашего высшего «я», которое говорит, что изменения должны быть сделаны НЕМЕДЛЕННО! Они могут происходить на многих уровнях: психическом, физическом и духовном. Жить, зная, что у вас положительный анализ — значит делать все возможное, чтобы укрепить иммунную систему. А сильная иммунная система никогда не позволит вирусу взять верх над вашим телом.

Если ваша иммунная система лишь слегка ослаблена, то, получив этот сигнал, вы сможете быстро вернуть ее в нормальное состояние — если, конечно, согласны на необходимые изменения. Категорически отвергайте «смертный приговор» — неважно, от какого авторитета он исходит. Доктор Берни Сигал говорил: «Научными исследованиями подтверждено: есть люди, победившие рак. Подражание их поведению существенно улучшит шансы больных раком — вне зависимости от тяжести, типа заболевания, возраста больного или его материального положения».

Рак очень схож со СПИДом, и к ним обоим можно применить одни и те же принципы лечения. Любое сообщение от нашего тела — это сообщение, которое мы делаем себе сами, и мы сами вольны или услышать его, или проигнорировать.

Никто чужой не подвергает нас риску заболеть. Мы, и только мы сами делаем это! Я говорю всем, кто еще здоров: «Прислушайтесь к сигналам об опасности! Примите меры! Вы подвергаете себя ненужному риску? Если да, то остановитесь! Подумайте, какие проблемы в вашей жизни могут быть решены. Вы с достаточной любовью относитесь к своему телу? Чувствуете ли вы безусловную любовь? Если нет — немедленно меняйте себя! Намного легче измениться, когда вы еще относительно здоровы, чем когда вы столкнулись со страхом и тяжело больны!»

Иммунная система тела — очень сложная, но сильная структура. Она способна с помощью антител создавать до восемнадцати биллионов различных кодов, чтобы атаковать чужеродные вещества. Поэтому естественно, что, встретившись с вирусом иммунодефицита человека, она быстро «прочитывает» его и создает подходящее антитело. И только ослабленное состояние тела виновно в том, что вирус берет над ним верх. Причина этого — в особенностях данного ретровируса. Так как он использует для своего размножения генетический код Т-клеток, ВИЧ способен менять свой антигенный код в некоторых случаях быстрее, чем наш организм успевает создать к нему новые антитела, чтобы защитить себя.

Но в большинстве случаев, созданные антитела могут удерживать вирус в латентном состоянии, так что у человека никогда не возникает СПИД.

ПредСПИД

Термин «предСПИД» на мой взгляд является слишком неопределенным. Человек, которому поставлен диагноз «предСПИД», может чувствовать себя так же плохо, как и больной СПИДом, быть не в состоянии обслуживать себя или ходить на работу, и все же он лишен социальных льгот и получает меньше помощи, потому что «менее болен».

Это самая настоящая дискриминация и еще один способ продемонстрировать отсутствие любви к страдающим людям. Для меня СПИД и предСПИД — одно и то же, поэтому когда я употребляю термин «СПИД», то имею в виду и больных с предСПИДом.

СПИД

Я понимаю СПИД как послание нашего тела — последнюю его попытку войти с нами в контакт на той стадии, когда вы уже не можете просто проглотить таблетку и сделать вид, что ничего не произошло. Сейчас уже вы обязаны принять меры.

Нас учили, что можно выпить лекарство и заняться своими делами — неважно, была ли это легкая простуда или тяжелейший грипп. Присмотритесь к телевизионной рекламе: она нацелена исключительно на пренебрежение к самому себе.

Так много людей в течение долгих лет относились к себе как к двум личностям, словно говоря: «Вот я, а вот мое тело»! Это как раз та точка, где мы начинаем терять контакт с собой. Следующим логичным шагом будет: «Я могу делать что угодно со своим телом, и это не принесет мне вреда». На самом-то деле все совсем не так! Наступает поворотный момент, когда наше тело требует внимания к себе. Это происходит, когда мы получаем заболевание. Но многих из нас словно поражает глухота: мы отправляемся в аптеку и покупаем лекарство, чтобы оно «привело нас в норму».

Поступить так, означает сказать телу: «Я тебя не люблю и не хочу тебя слушать. Заткнись!» Подобное пренебрежение — один из многих способов, которыми мы выражаем ненависть к себе.

Когда я говорю о любви, люди часто соглашаются: «Да-да, разумеется, я люблю себя!» Хорошо. Если ты любишь себя, присмотрись, как ты к себе относишься. Разве это любовь? Цель заболевания — передать тебе некое сообщение. Когда речь идет о СПИДе, ты просто умрешь, если ничего не изменишь. Если ты согласен взять на себя ответственность и произвести позитивные изменения, твоя жизнь станет лучше, чем была до того, как у тебя был обнаружен СПИД. Если же ты продолжишь изображать из себя беспомощную жертву, тогда ты, скорее всего, закончишь так же плачевно, как это расписывается в газетах.

Лечение

Сегодня еще один совершенный день на Земле. Мы проживем его с радостью. Сейчас мы находимся в самом центре необычайного нового опыта, какого не было раньше. Мы на территории, полной белых пятен, плывем по водоемам, которых нет на карте, но мы не должны забывать, что нас защищают и направляют Небеса.

Мы не одни. Объединившись в любви, ища исцеления, мы обнаружим начало гармоничного соединения всех народов. Сейчас мы решили отбросить свои старые предубеждения и. страхи. Мы знаем, что душа не думает о различиях полов и цвете кожи. Вся наша планета. нуждается в исцелении для единства нашего сознания.

Настало время объединиться в своих усилиях изменить мир. Мы едины с той силой, что создала нас!

Мы спокойны, и все хорошо в нашем мире.

Глава вторая

ПОЗИТИВНЫЙ ПОДХОД

Аффирмация:

В любви мы найдем все ответы!

В этой книге я часто рассказываю о больных, которым был поставлен диагноз СПИД и которые находятся в процессе излечения. Эти трогательные истории о людях, отказавшихся принять популярный медицинский вердикт о «смертельном заболевании», помогут вам найти в себе силы самому принять участие в своем лечении.

В Центре контроля за заболеваниями в Атланте, штат Джорджия, уверены, что нет двух одинаковых случаев СПИДа: каждый индивидуум имеет свою уникальную форму болезни. Таким образом, есть все основания считать, что и методов лечения должно быть так же много.

Изучив приведенные здесь способы исцеления, вы сможете найти описание конкретного метода, который поможет вам усилить свою целительную энергию. Эти люди решили рассказать о себе, чтобы помочь вам!

Методы, которыми они пользовались, хороши как для исцеления тела, разума и духа, так и для профилактики СПИДа и поддержания отличного здоровья.

История Джорджа

Джордж — двадцатидевятилетний красавчик шести футов и четырех дюймов росту, бывший манекенщик, с короткими, аккуратно подстриженными каштановыми волосами и проницательными голубыми глазами. После того, как мы познакомились поближе, — а это заняло довольно много времени, потому что вначале он был очень сдержан, — я обнаружила в нем великолепное сочетание скромности и властности, застенчивости и силы.

Его первыми симптомами СПИДа были неприятные ощущения в костях и постоянная боль внизу спины — тупое болезненное ощущение, которое трудно было описать врачам. В то время у него появились и ночные приступы потливости, легкая потеря веса, увеличение лимфатических узлов в паху...

Вначале его лечили экспериментальным иммунным стимулятором. Он не испытывал отрицательных побочных эффектов, но и положительных сдвигов в его самочувствии не было, хотя результаты анализов улучшились.

Джордж принимает поливитамины и без энтузиазма отнесся к советам диетолога, у которого консультировался: «Он не сказал мне ничего нового, потому что я готовлю себе именно так уже много лет». Он любит готовить и любит поесть, и готовит, что хочет. С его слов создается впечатление, что он придерживается исключительно правильного питания.

В начале болезни он обращался за помощью только к друзьям и родителям. Затем обратился в специализированный центр поддержки, но не получил того, что хотел. Тогда он попытал счастья в фонде Шанти, и был приятно удивлен их отношением.

«Я встретил там людей, которые очень мне помогли. Они помогали и другим, неважно, кто они были и в каком состоянии находились». После некоторого давления Джордж признался, что в настоящий момент является членом совета директоров этого фонда.

Еще до того, как он встретил этих людей, он самостоятельно занимался медитацией по утрам под музыку. «Я просто говорил себе, что я очень здоровый человек». О визуализациях он сказал: «Я использую простую методику со школьной доской. Я рисую на ней мелом, а потом стираю эти пометки: вот так же исчезают саркомы Капоши». Что касается духовных учителей, он был заворожен Стивом и Александрой Левиными, которые провели очень вдохновляющий семинар по СПИДу. Не стоит и говорить, что Джордж черпает вдохновение и в наших ночных Хей-рейдах!

«Луиза показывает людям, что они обязаны любить себя каждый день, потому что если они не сделают этого, все остальное рассыплется на кусочки. Вы не сможете полюбить другого человека, если не любите себя».

Одним из положительных аспектов СПИДа для Джорджа стало пробуждение его духовного сознания. «Мой духовный путь начался после диагноза. Мне было сказано: «Проснись!» Я не могу сказать, что СПИД принес с собой только плохое, — разве что необходимость иметь дело с врачами, больницами и раком».

Когда его попросили посоветовать альтернативную терапию, Джордж сказал, что ему помогло иглоукалывание, но самым лучшим советом он считает тот, который ему дала его онколог. «Она сказала, что самое важное — сохранить позитивный настрой, а я посмотрел на нее и спросил: «Вы шутите? Как можно сохранить позитивный настрой, когда имеешь дело с чем-то подобным?» А она ответила: «Попробуй — и все получится!»

Какое-то время я просто ходил в трансе, думая: «Осталось немного времени, и я уже этого ничего не увижу», а потом однажды ранним утром посмотрел на яркое солнце и понял, что должен со всем примириться. Если я собираюсь жить, то должен придерживаться позитивного отношения к жизни».

Самым важным для Джорджа сейчас является его духовное развитие и благополучие. Он много читает. Он также бегает каждый день — и не только ради физической нагрузки: во время бега он медитирует.

«Мне все время говорят, что я не похож на больного СПИДом. Я чувствую себя великолепно и выгляжу так же. Я не собираюсь умирать от СПИДа! Я настроен за пять-шесть лет победить болезнь, а пока меня, как и всех в Калифорнии, больше волнуют землетрясения».

Я встретила Джорджа через месяц после этого интервью и отметила, что он буквально светится. Когда я спросила его, почему он выглядит еще лучше, чем раньше, он объяснил, что только что получил результаты обследования, которые показали, что его иммунная система вернулась к нормальному состоянию.

Больны вы СПИДом или нет — знайте, что жизнь дает нам столько возможностей для позитивного взгляда на вещи! На планете так много еды, и все же многие люди недоедают. Мы уничтожаем еду, чтобы получить прибыль, тем самым моря голодом людей, которым мы способны дать нашу любовь.

На планете так много денег, что их нельзя сосчитать. Мы невероятно богаты, и все же многие люди почти лишены средств к существованию — хотя это не означает, что денег нет.

На Земле живут миллиарды людей, разных по внешности и по характеру, но мы слышим со всех сторон об одиночестве. Причина его — в страхе быть отвергнутыми. Нас лишают общения представления о собственных недостатках. Чтобы их уничтожить, мы должны уйти от нашего прошлого и того, что другие говорили нам о невозможности что-то сделать.

Моя работа стала для меня ступенью духовного роста. Мои представления о способности любви преображать жизнь стали еще сильней, чем прежде. Я обнимаю людей, на которых еще несколько лет назад не могла смотреть без ужаса: я избавилась от многих своих страхов, когда увидела, как мужественно держатся эти красивые молодые люди.

Настало время исцеления, достижения единения — а не время порицаний. Мы должны избавиться от ограниченного мышления прошлого. Я верю, что все мы — творения Господа. Пора сказать об этом во всеуслышание!

Лечение

Сегодня еще один совершенный день на Земле. Мы проживем его с радостью. Для каждой созданной нами проблемы есть свое решение.

Мы не ограничены нашим человеческим мышлением, так как всем нам доступна целая вселенная мудрости и знаний. Мы действуем от чистого сердца, зная, что любовь открывает все двери. Это сила, которая поможет нам встретить и преодолеть любой кризис в нашей жизни.

Я знаю, что любое заболевание, возникавшее когда-либо, было побеждено на Земле, значит, это может случиться и со мной. Я окружаю себя коконом любви, и я в безопасности. Мы едины с той силой, что создала нас.

Мы спокойны, и все хорошо в нашем мире.

Глава третья

БОЛЕЗНЬ ДЕФИЦИТА ЛЮБВИ

Аффирмация:

Мы хотим открыть наши сердца!

Почему на планете появился СПИД? Я думаю, чтобы показать нам, что мы натворили со своими жизнями и со своей планетой. Наши физические тела и наш мир нуждаются в исцелении. Воздух загрязнен, а леса вырубаются. Мы по-прежнему затеваем войны и мучаем других людей. Наш организм отравлен химической пищей, сигаретами, алкоголем и разнообразными лекарствами. Мы живем в страхе перед ядерным Армагеддоном. Все это так похоже на болезнь! Поэтому я считаю, что вся наша планета страдает от своеобразной формы СПИДа.

Мы не прислушивались к мириаду сигналов, которые подавала Земля, и наши тела подвели нас. Мы бездумно идем вперед, заполняя свои тела алкоголем и наркотиками, нещадно эксплуатируя их. Естественно, что и к планете мы относимся сходным образом. Члены общества Анонимных алкоголиков знают, что некоторым из них надо полностью обессилеть, прежде чем они прозреют и изменятся.

Давайте поймем, что СПИД — это и есть потеря всех наших сил, и не станем ждать чего-то еще более ужасного, прежде чем начнем менять свою лишенную любви жизнь.

Катастрофы эти вызывают наше нежелание остановиться и прислушаться к предупредительным сигналам, которые посылает наше тело. Как следствие грядет довольно тяжелое испытание, которое заставит нас посмотреть на то, что мы делаем, на уровне как отдельного человека, так и всей общности людей. СПИД и есть это испытание. Каждое несчастье, которое мы преодолеваем, становится для нас уроком. Оно дает нам возможность исцелить себя и планету. Время пришло.

Я часто спрашиваю у членов своей группы: «Почему, как вы думаете, на нашей планете появился СПИД?» и «Почему, как вы думаете, вы заболели СПИДом?». Ответы часто следующие: «Болезнь дала мне шанс полюбить себя», «Сейчас я знаю, что меня любят другие люди», «Я нашел свой духовный путь», «Мне было необходимо кардинально изменить свою жизнь», «Я должен был узнать, что небезразличен людям». Или, как сказал один человек: «Когда я был здоров, я был по-настоящему болен. Сейчас, когда я заболел, я впервые в жизни чувствую себя хорошо».

Один мужчина испытал настолько сильное потрясение, что даже написал письмо своему СПИДу и дал мне его копию:

«22 июля 1987 г.

Дорогой СПИД!

Очень долго я был зол на тебя за то, что ты стал частью моей жизни. Мне казалось, что ты осквернил мою жизнь, и самой сильной эмоцией в наших отношениях был гнев!

Но сейчас я решил посмотреть на тебя с другой стороны. Я больше не злюсь на тебя. Сейчас я наконец понял, что ты стал позитивной силой в моей жизни. Ты — посланец, который принес мне новое понимание жизни и моей души. За это я благодарю тебя, прощаю и отпускаю с миром.

Никогда раньше никто не давал мне такую возможность. Ты даже не представляешь, как много мне дал. Ты дал мне импульс, в котором я нуждался, чтобы посмотреть на свою жизнь, увидеть ее проблемы и найти решения. Сейчас я осознал все те возможности, которые у меня есть.

С твоей помощью я научился любить себя, а как следствие — люблю других и любим ими. Сейчас я вижу такие грани своей личности, о которых раньше не подозревал. С того времени как ты появился, я вырос духовно и интеллектуально. Я стал любящим, честным и неравнодушным человеком. Поэтому еще раз спасибо за возможность поглубже заглянуть в свою жизнь. Как я могу не простить тебя, когда твое появление вызвало так много положительных эмоций?

Одновременно благодаря тебе я понял, что ты не властен надо мной. Я — владыка своего собственного мира. Поэтому, простив тебя, я отпускаю тебя из своей жизни.

Я принимаю и люблю себя таким, какой я есть. Я исцеляюсь и выбираю для себя прекрасное здоровье. И снова я благодарю тебя, прощаю и отпускаю тебя с миром.

С любовью. Пол».

От многих своих знакомых, больных СПИДом, я узнала, что именно отсутствие любви — любви к себе самим, любви к другим людям и любви других людей — сыграло огромную роль в том, что они заболели.

СПИД для меня — это заболевание дефицита любви. СПИД показывает нам, какими невероятно черствыми мы можем быть. Посмотрите, как мы относимся к больным СПИДом! Их часто отвергают, изолируют, бросают, отказывают им в помощи...

Это происходит даже с детьми и младенцами.

Вспомните тот позорный случай с поджогом в Аркадии, Флорида, в 1987 году: трое детей, больных СПИДом, были сначала исключены из школы, а потом, на волне ненависти и страха, толпа подожгла их дома, заставив их с родителями покинуть штат.

Мне кажется, всегда есть выбор между любовью и страхом. Если мы выбираем страх и сопутствующее ему поведение, то скатываемся вниз. Если мы выбираем любовь и возможности, которые она дарит нам, мы сможем исцелить всю планету. Выбор за нами. Будущее принадлежит только нам.

Какой выбор вы делаете каждый день? К чему приводит ваш личный выбор: к разрушению или исцелению планеты?

Эта дилемма поджидает нас, и когда мы не любим или разрушаем свои тела. Как мне кажется, большинство предпочитает их разрушать. В некоторых кругах стало привычным слишком много пить, принимать наркотики, недоедать, практиковать болезненный или неполноценный секс.

Одна из причин, по которой так много людей принимает наркотики или пьет, — это страх перед одиночеством. Перспектива в одиночестве справляться со своими чувствами пугает многих. *Мы научились глушить свои эмоции.* Мы глотаем горсти таблеток, чтобы избавиться от боли, и хватаемся за еду, алкоголь, сигареты и наркотики, чтобы избавиться от чувств.

Любая из вышеперечисленных причин, и тем более — их сочетание, может ослабить тело и иммунную систему. А тело с ослабленной иммунной системой легко подхватит самое распространенное на данный момент заболевание. Все это никак не связано с моральными устоями, поэтому давайте избавляться от комплекса собственной вины и стремления судить других! Давайте избавляться от вредных привычек! Давайте снова будем заботиться о наших телах и чувствах!

Интересно, что первыми жертвами заболевания СПИД были представители сексуальных меньшинств или те, кто чувствовал себя неспособным постоять за себя: африканцы, гаитяне, геи, больные гемофилией, наркоманы, люди, перенесшие переливание крови и их дети.

Это люди, для которых характерны подавленные гнев и ярость по отношению к своим семьям или обществу в целом. Эти негативные эмоции сочетаются у них с чувством беспомощности и неспособности добиться каких-либо положительных сдвигов в своей жизни. Они еще не знают о силе своего разума!

Наш разум — очень мощный инструмент. Много раз уже говорилось, что мы используем только десять процентов нашего мозга. Задумывались ли вы когда-нибудь над тем, для чего нужны оставшиеся девяносто? Я считаю, что человек обладает скрытыми возможностями, о которых он даже не подозревает. Одни из нас способны видеть ауру, другие обладают даром ясновидения или другими так называемыми экстрасенсорными способностями; все мы слышали об астральных перемещениях... Если бы я могла использовать ресурсы своего мозга и полностью реализовать свой потенциал, я бы перемещалась через океан без самолета, исчезала в одном месте и появлялась в другом...

Я думаю, телепатия и другие подобные ей возможности будут доступны нам, когда мы узнаем их механизмы. Я верю, что в нас есть способности, которыми мы сможем воспользоваться, когда придет время.

Сейчас они не доступны нам, потому что мы еще не готовы. Мы можем с их помощью причинить вред друг другу, планете и всей Вселенной. Посмотрите, как мы сейчас относимся к другим людям! Нам надо оставить позади боль и страдания! Мы должны научиться безоговорочно любить себя и других!

Безграничная, безусловная любовь

Все великие учителя прошлого и настоящего говорили о ценности безусловной любви — того состояния ума, когда мы любим и полностью принимаем себя, а как следствие — можем любить и принимать других такими, какие они есть. Позитивные изменения в нашей жизни произойдут намного быстрее и легче, если мы подарим себе и друг другу любовь, лишенную условий, ограничений или оговорок. Когда большинство из нас усвоит этот урок и сможет делать это каждый день, мы будем готовы к следующему космическому шагу.

Уроки исцеления, которые несет «голубым» такое испытание как СПИД, — это уроки любви. Мы не можем быть разделены друг с другом, мы не можем пренебрегать собой и другими. *Любовь — это целительная сила, и единственный путь к любви — прощение*. Многие «голубые» примут это сообщение и пойдут по планете, исцеляя людей, а это, в свою очередь, поможет снять барьеры между гомо- и гетеросексуалами.

Предрассудки и гнев

Когда часто сталкиваешься с предрассудками общества, легко поддаться гневу и ненависти. В конце концов, вы имеете на это право, судя по тому, как «они» себя ведут! Беда только в том, что человек всегда получает обратно то, что он послал во Вселенную. В наших группах мы учимся постоять за себя и посылать любовь расстроенным людям. Во многом подобное отношение возникает, когда люди освобождаются от страха.

Напуганный человек забывает о любви. Он может убежать от тебя, оттолкнуть, бросить, попытаться избавиться от тебя, изолировать тебя или применить против тебя закон. Отвечать на это яростью и ненавистью означает только усугубить ситуацию, что может привести к конфликту, и даже к войне.

Месть — всегда путь вниз, и если мы выбираем духовный путь внутреннего роста, наша задача — остановиться и остановить других.

Поэтому мы берем самых ярых фанатиков, которые на самом-то деле — испуганные и невежественные люди, и посылаем им свою любовь. Мы берем родителей, ожесточившихся к своим детям, и посылаем им любовь. Мы делаем все возможное, чтобы принимать людей такими, какие они есть, так же как хотим, чтобы они принимали такими и нас. Ни один человек не сможет причинить нам вред, если мы любим себя. Причинить вред нам могут только наши собственные мысли.

Не пугайте себя своими мыслями, не растрачивайте свою энергию!

Хотя на раннем этапе СПИД наблюдался в основном в общинах геев, сейчас мы знаем, что он уже преодолел все барьеры и угнездился там, где есть подходящие для него условия. Плодородная почва для СПИДа —

сниженная жизненная энергия, ослабленная иммунная система и, соответственно, депрессивный взгляд на жизнь, который берет начало в отсутствии любви к себе.

Что такое безусловная любовь? Упрощая, это способность любить себя и других без всяких оговорок и правил. Безусловная любовь — это идеальное состояние, к которому стремится наша планета. Это самый большой урок, который нам предстоит выучить, и он должен начаться с нас самих. Это означает принимать и себя, и других людей, и жизнь, не судя никого. Цветок, щенок, гроза, наши переживания существуют сами по себе. Если мы скажем: «Какой красивый цветок, или милый щенок, или отвратительная гроза, или ужасное переживание!», это уже будет нашей оценкой. Другой в ответ может возразить, что это уродливый цветок, проказливый щенок, долгожданная гроза или исцеляющее переживание... Все эти суждения зависят от нашего отношения к событиям.

Сказать, что у кого-то рыжие волосы, — это простое утверждение. Сказать, что у кого-то красивые или уродливые рыжие волосы — это оценка. Наше суждение исходит из нашего произвольного видения данного события или человека. Разве вы не замечаете, что судите и себя самого? Мы ведь постоянно говорим что-то вроде: «Мой нос слишком длинный» или «У меня слишком широкие бедра», или «Я не достаточно умен», или «Меня не любят таким, какой я есть», или «Я недостаточно хороший».

«У меня слишком длинный нос»... Для чего или для кого? Откуда мы взяли общепринятые стандарты носа? А знаете ли вы, что форма носа меняется у людей в разных частях нашей планеты? Неужели вы оцениваете свою значимость по форме бедер? *Если я чувствую, что меня не любят, то это значит, что я сам себя не люблю!* И кто сказал, что я недостаточно хорош; откуда я вообще это взял?!

Все это такая глупость! Мой нос дышит, мои бедра той формы, какой они есть... Да, я могу изменить форму носа или бедер, но это все равно не будет иметь никакого отношения к моей значимости или любви к себе! Я достоин любви, если я сам в этом уверен, и только мне решать, достаточно хорош я или нет.

История Брюса

«В возрасте четырех или пяти лет я был милым рыжеволосым малышом со множеством веснушек, который обожал музыку и танцы. Я верил в Бога, любил науку, и моим самым любимым развлечением было смотреть по телевизору мультфильмы.

Я вырос в семье среднего достатка, и мой отец был алкоголиком. Так как он часто отсутствовал, а мама работала на полставки, чтобы содержать семью, я проводил много времени в одиночестве перед телевизором. В некотором роде, телевизор заменял мне любящего родителя.

Моей любимой программой были мультфильмы про морячка Попая, которые я смотрел каждый день. Он был одним из «хороших парней», а съев шпинат, мог победить всех врагов и даже завоевать любовь и одобрение Олив Ойл.

Маленьким мальчикам надо верить в героев, и сейчас я понимаю, как важен был для меня Попай — мой первый герой. Я считал, что настоящий мужчина должен быть именно таким.

Некоторые психологи полагают, что наши личности закладываются в пятилетнем возрасте. Мне кажется, это правда. Повзрослев, я превратился в гомосексуалиста, очень похожего на этого героя мультфильмов. Вместо того, чтобы есть шпинат, я потреблял наркотики и алкоголь, и с их помощью мог справиться с любой бедой и даже разбить множество сердец субботними вечерами в сауне...

Я обычно прятался за кожаными брюками, бейсболками и ковбойскими ботинками. Со всем этим маскарадом, а так же наркотиками и алкоголем я жил по стандартам мультфильмов. В результате, я забросил себя, становясь все более одиноким и чужим тем самым людям, с которыми хотел быть близок.

Сегодня я понимаю, что я не герой мультфильма, и что жизнь — не маскарад. Напротив, теперь я очень заботливый и полный любви мужчина, с настоящими потребностями и чувствами.

Это понимание пришло ко мне после посещения групп поддержки больных СПИДом, а также после индивидуальных занятий с психотерапевтом.

Меня предупредили, что результаты анализов говорят о сниженной функции иммунной системы и что есть много людей со сходными анализами, которые чувствуют себя хорошо и не больны СПИДом.

Получив результаты, я впал в панику, однако, посещая группу поддержки, смог обратиться за помощью к другим людям и разделить с ними свои чувства.

Сегодня я в своей жизни принимаю только любовь. Я использую аффирмации и трачу много времени на то, чтобы обнять себя и полюбоваться милым невысоким парнем, который смотрит на меня, когда я стою перед зеркалом.

Сегодня я стал для себя любящим родителем. Я избавился от желания быть кем-то другим.

Я искренне рад, что нашел силы, чтобы помочь себе и что нахожусь в процессе перерождения. Освободившись от того, что мне мешало, я теперь могу быть самим собой.

Я люблю себя, я люблю всех, и я доверяю нашей Вселенной».

Мы гадаем, как преодолеть трудности, что встречаются в нашей жизни. Признания Брюса показывают, что все они возникают потому, что мы не любим и осуждаем себя. Если мы как индивидуумы относимся к себе с безоговорочной любовью, тогда и наши переживания перестают быть негативными. Мы можем научиться принимать других, не ставя им никаких условий, позволяя им быть теми, кто они есть, любить их, как они учатся любить себя.

Если все мы начнем практиковать безусловную любовь, я уверена, что через два поколения мы сможем превратить нашу планету в совершенно безопасное место.

Каждый из нас так или иначе страдает от дефицита любви. Некоторые страдают от этого с самого рождения. Если в детстве нам редко разрешали любить и уважать себя, тогда и став взрослыми, мы скорее всего откажем себе в этом. Если нас учили, что мы недостойны любви, тогда мы, вероятно, станем смотреть на себя как на бесполезные и никому не нужные существа. Эту никчемность мы можем выражать сотнями способов: мы можем стать наркоманами и постоянно загонять себя в состояние, когда не надо ни о чем думать, тем самым каждый день наказывая свое тело.

Это ощущение собственной никчемности может заставить нас стать проститутками — ведь «если я все равно плохая, какая разница, что я делаю со своим телом».

Если мы считаем себя неспособными вызвать любовь у других, мы можем стать распутниками, лишь бы заполнить болезненную пустоту внутри. Я думаю, что популярная в последние годы неразборчивость в связях, как среди гетеро-, так и среди гомосексуалистов, идет от нашего страха перед близкими отношениями. Легко запрыгнуть в постель, гораздо труднее быть открытым, честным и по-настоящему близким с другим человеком.

Да, сексуальная революция в прошлом дала нам разрешение быть более раскованными в сексе, и для некоторых это стало смыслом жизни, так как это намного легче, чем иметь дело с настоящими взаимоотношениями.

Лечение

Сегодня еще один совершенный день на Земле. Мы проживем его с радостью. Мы с благодарностью и радостью примем этот подарок. Мы понимаем, что у нас слишком мало времени, чтобы тратить его на прошлое. Поэтому мы погрузимся вглубь себя и любящим взглядом окинем все темные уголки души, где затаились боль и страх. Мы больше не хотим, чтобы они задерживали нас! Мы заглянем в свои сердца и принесем с собой щедрый свет любви, которая горит внутри нас. Мы позволим этой любви, лишенной осуждения и напрасных ожиданий, наполнить наше тело, наш мозг и наше сознание.

Свет любви растворит все чужеродное. Мы избавимся от старого хлама — он не может существовать сам по себе, ибо в нем нет истины: это просто старые воспоминания о событиях, которые больше не существуют, и пусть они исчезают из наших жизней. Мы едины с той силой, что создала нас.

Мы спокойны, и все хорошо в нашем мире!

Глава четвертая

ДЕЛАЯ ВЫБОР

Аффирмация:

Мы гораздо больше любых проблем, мы — их решение!

Если мы выбрали заболевание, можем ли мы выбрать его лечение? Вспомните, что так называемый «выбор» заболевания редко происходит на уровне сознания: он идет из наших глубинных представлений и привычных способов мыслить, вести себя и говорить. Эти привычки провоцируют негативные действия и создают атмосферу, в которой процветают заболевания. Давайте проанализируем наше поведение и подумаем, что мы можем сделать, чтобы изменить свою жизнь!

Ваша единственная цель — выздороветь? Это бесполезно, потому что если вы не измените то, что лежит в основе вашей болезни, простое излечение тела не принесет результата. У нас, однако, всегда есть шанс, и знать это крайне важно.

Слишком многие думают, что мы навсегда останемся там, где мы есть, и тем, кто мы есть. Это неправда: у нас всегда есть выбор! Каждый момент каждого дня мы делаем свой выбор. Мы выбираем, как дышать и ходить, садиться и одеваться, есть и общаться с другими людьми. Существует и глобальный выбор — стиля жизни, партнеров, работы, и даже нашего здоровья. Какие же из ваших ежедневных действий помогают укрепить здоровье, а какие способствуют вашему скатыванию в болезнь? Если мы выбираем мысли, которые приводят к хорошему отношению к себе самому, тогда наши действия будут, скорее всего, позитивными. Если мы выбираем мысли, которые снижают нашу самооценку, мы скатываемся к негативным переживаниям.

То, что происходит с нами каждый день, берет начало в нашем выборе, с того самого мгновения, когда мы решили снова прийти на эту планету. Я думаю, что мы заранее (еще до своего появления на свет) знаем, какие нас ждут социальные и семейные проблемы. И сами выбираем способ с ними справиться. Неважно, что говорят семья или общество, — мы все решаем сами, включая и то, будем ли мы вообще прислушиваться к их мнению. Мы приходим на нашу планету в определенное время, чтобы пройти определенные испытания, которые помогут нам на нашем духовном пути.

Редко кто сознательно выбирает болезнь, а вот подсознательно — многие: им требуется болезнь, чтобы удовлетворить какую-то потребность. Есть много причин для того, чтобы заболеть. Например:

вера в то, что вы склонны к заболеваниям;

вера в то, что болезнь неизбежна;

невежество в отношении здорового питания;

способ избежать чего-то. «Они не могут ожидать от меня этого, потому что я болен»;

чтобы уйти с работы;

чтобы отдохнуть;

чтобы тебя жалели;

чтобы узнать, кто тебя действительно любит;

чтобы попросить вещи, которые, как вы чувствуете, вы не заслужили бы в других обстоятельствах;

чтобы о вас заботились;

чтобы удержать кого-то около себя;

чтобы получить разрешение сделать что-то, что вы всегда хотели сделать, но не успевали;

как извинение ваших неудач;

наказание самого себя за то, что «недостаточно хорош»;

наследственная реакция на стресс;

не зная, чем бы еще заняться.

Мы можем даже «нуждаться» в уродстве, которое сопровождает болезнь, чтобы нас любили не за внешность, а за нашу внутреннюю сущность. Последнее — интересное наблюдение, сделанное у некоторых исключительно красивых людей: ими обычно так восхищаются за их красоту, что они часто думают, что всем наплевать на человека, который внутри. Они жаждут, чтобы их ценили за ум или способности, а не за внешность.

Эти люди иногда хотят быть обычными или даже непривлекательными. Временами они сознательно выбирают действия, которые помогут им уничтожить свою красоту, либо культивируют болезнь, чтобы узнать, кто их действительно любит. У красивых людей тоже есть проблемы... Безоговорочная любовь и признание одинаково важны для всех нас.

Карма

Мы так часто слышим о карме. Что же она действительно означает в нашей жизни?

Карма — это просто-напросто закон причинно-следственных связей: что мы отдаем, то и возвращается к нам — в мыслях, словах и действиях. Каждое следствие должно иметь причину. Бумеранг все время возвращается в начало пути.

Это представление имеет положительные и отрицательные стороны. Все хорошее в нашей жизни — это тоже карма, которую мы создали таким же образом как создали все плохое.

Мы не привязаны к карме, поэтому когда меняемся, то расстаемся с нашей старой кармой. Слишком много людей рассматривают карму как оправдание своему нежеланию меняться. «О, это все моя карма, она была со мной всю жизнь... Я тут ничего не могу поделать». Ну и что? Неважно, как долго в прошлом вас сопровождали несчастливые события, — наша сила всегда связана с настоящим. Мы и только мы можем произвести изменения, которые требуются для уничтожения плохой кармы.

В чем же заключаются эти изменения? В том, чтобы остановить те действия, которые создают и воссоздают наши проблемы. Никто не станет работать за нас, мы сами создаем свой мир! Если причина проблем — в нас самих, мы должны измениться. Вы издеваетесь над своим телом? Над другими людьми? Вы грубо разговариваете с окружающими? Вы страдаете от ревности? Жалуетесь и постоянно обвиняете кого-то? Тогда знайте, что человек может и должен меняться! Вы чувствуете себя жертвой? Верите в неизбежность страданий? Тогда избавьтесь от этой веры! По крайней мере, вы можете захотеть это сделать.

Если вы заметите, что действуете по старинке, в соответствии со своей старой кармой, — остановитесь! Напомните себе, что вы теперь другой человек, начните менять свои мысли, слова, действия. Помогут даже небольшие изменения в мышлении.

Самое главное — человек не должен бранить себя и чувствовать вину из-за неприятностей. Прошлое исчезло и забыто, это труп настоящего, и мы должны похоронить его, покончить с ним быстро, с любовью и радостью. Пусть страдание останется в прошлой жизни!

Мы все здесь для того, чтобы учиться и расти. Не ограничивайте себя этой книгой, читайте другие книги, слушайте записи, ходите на занятия, если можете. Вы услышите от разных людей те же самые послания, только сказанные другими словами. Погрузитесь в учебу — это для вас благо. Вы можете стать настоящим специалистом в том, как улучшить качество своей жизни!

Когда вы хотите учиться, возможности этого сыплются дождем. Послушайте, что говорят другие, посмотрите на их жизнь. Найдите связь между тем, что они говорят, и тем, что они пережили. Станьте своим собственным учителем! Каждый человек обладает достаточной мудростью и способностью к духовному росту.

Мы не привязаны к нашему негативному выбору

Хотя многие из нас и ошибались в прошлом, мы не привязаны к этим ошибкам. Мы всегда можем измениться, можем «выбросить» представления, которые «не работают», и создать другие. Например, люди часто верят, что они «недостаточно хороши», и, как следствие, плохо к себе относятся. Если выяснить, откуда взялось это представление, то обнаружится, что оно, как правило, исходит от родителей или человека, который казался нам очень важным в раннем детстве. Сейчас, будучи взрослыми, мы можем признать, что это мнение было ошибочным и не относилось к нам. Затем мы можем начать любить себя, и автоматически наше мышление и поведение станут более позитивными.

Возможно, в прошлом вы бессознательно выбрали поведение, которое привело к болезням, и тяжело переживали следствие этого выбора. Однако сейчас вы можете выбрать здоровье и выучить, что лучше всего подходит для поддержания отличного самочувствия.

Слишком часто люди бессознательно следуют по пути ухудшения здоровья, пока не наступит кризис, и тогда они наконец осознают, что у них был выбор. Они начинают гнаться за здоровьем, ожидая мгновенных результатов, и не могут понять, что пройдет много времени, прежде чем им удастся повернуть вспять годы саморазрушения. Иногда они отчаиваются и возвращаются к старому, лишая себя последнего шанса на выздоровление.

Намного проще выбрать здоровье, когда вы еще не подхватили заболевание и не нужно восстанавливать разрушенное. Я обычно говорю своим пациентам: «Легче избавиться от наших негативных эмоций до того, как перед нами замаячит нож хирурга. В противном случае придется иметь дело и с паникой». Разумеется, изменения могут происходить в любое время: мы живем в настоящем, и меняемся в каждый данный момент времени.

Выбор здоровья включает в себя освобождение от старых предрассудков, так же как и от ярлыков других людей, которые мы таскаем на себе. Именно эти негативные стереотипы и ведут к заболеванию. Расстаться со старыми обидами и простить всех, кто когда-то причинил вам боль, принять решение любить и принимать себя — значит, сотворить чудо и улучшить не только свое здоровье, но и всю свою жизнь. Внутренняя свобода, которую мы ощущаем, когда начинаем меняться, — это часть нашего самоизлечения.

История Вальтера

«Я любящий и щедрый человек», — сказал Вальтер, когда его попросили описать себя. Он редко хвастает своей победой над СПИДом: он находится в ремиссии с 1984 года. Ему тридцать пять лет, он родом из Нью Джерси, и буквально заряжен энергией.

«Перед тем как мне поставили диагноз, я был недоволен жизнью. У меня только что кардинально изменилась работа: я уволился с должности служащего, переехал в Нью-Йорк и начал работать парикмахером в театре и на телевидении. Я принимал наркотики, шлялся по вечеринкам и почти не спал. Я вовремя понял, что ожидает меня в будущем, если не остановиться. Я знал, что если останусь в Нью-Йорке, то умру. Поэтому и вернулся назад, в Калифорнию, где до этого прожил пять лет».

Это был июль 1982 года, и в то время у Вальтера появились сильные головные боли, потеря веса и ночные приступы потливости. «Я пошел к врачам, которые решили, что у меня вторичный сифилис, и лечили меня лошадиными дозами пенициллина; думаю, тогда все и произошло. Я заблокировал тот период в своем сознании, однако в результате этой врачебной ошибки мое здоровье сильно пошатнулось».

В ноябре 1982 года он впервые заметил, что лимфатический узел в паху увеличился до размеров мяча для гольфа. Биопсия показала, что это саркома Капоши. Тогда он отправился в клинику и прошел полное обследование, чтобы определить, есть ли у него поражения внутренних органов.

Тесты подтвердили поставленный ранее диагноз, так как было выявлено поражение желудка. «Мне оставалось либо вообще ничего не делать, либо принимать интерферон, либо провести химиотерапию. Я выбрал второе. Начал с низкой дозы — шесть миллионов единиц ежедневно, внутримышечно. Когда через два месяца лечение не принесло результата, я переключился на девяносто три миллиона единиц внутривенно. Я отправлялся в больницу в понедельник и оставался там до пятницы, и так каждую неделю в течение всего 1983 года. В начале 1984 я перешел на амбулаторный прием».

Хотя пораженные участки начали исчезать, Вальтер не выдержал и прекратил лечение: препарат вызывал сильные боли в мышцах, очень высокую температуру и озноб, так что врачи были вынуждены давать ему морфий.

«Я был очень слаб и проводил большую часть времени в постели». Вскоре после прекращения лечения Вальтеру сообщили, что у него полная ремиссия, и это состояние не менялось с 1984 года.

Витамины не играют значительной роли в его лечении. «Я принимаю одну таблетку в день». Что касается питания. «Я ем все, что могу, но питаюсь действительно правильно — пища не обязательно здоровая, но полезная. В начале болезни я потерял в весе, поэтому приказывал себе есть, хотелось мне этого или нет». В результате Вальтер весит 190 фунтов при росте пять футов и восемь дюймов.

Что касается духовного наставничества, то Вальтер в основном опирается на себя и своих друзей.

Во время болезни Вальтер почти не получал помощи от семьи: его брат не позволял ему приезжать в гости, а мать, которой за семьдесят, чувствовала себя неважно и не понимала, что происходит. В большей степени поддержка приходила от его друзей.

«Я был тогда страшно напуган, но уверен: мое излечение было вызвано упрямством. Какая-то частица меня говорила, что у меня заболевание, с которым мне не жить, но другая частица верила, что я не умру, и она была сильнее. Я отказался умирать».

Вальтер рекомендует делать то, что вам подходит, и не следовать слепо советам других. «Не покупайте то, что вам навязывают, делайте только то, в чем уверены... Я думаю, больше всего мне помогли мое упрямство и отказ поверить, что я умру. Я не пытался кардинальным образом поменять жизнь — например, я не стал вегетарианцем. Я не стал насиловать свое тело и разум, пытаясь изображать из себя некое нереальное существо, которое излучает только любовь. Я старался, но в разумных пределах. Я делал то, что считал нужным для себя, не обращая внимания на мнение других людей.

Человек не имеет права говорить: «Моя жизнь не удалась, поэтому я стану кем-то другим». Многие люди, меняясь, только скатываются вниз и превращают свою жизнь в сплошную ложь».

Сегодня Вальтер живет по-настоящему, следуя своей мечте и полностью наслаждаясь жизнью.

Лечение

Сегодня еще один совершенный день на Земле. Мы проживем его с радостью. Мы видим проблему, зная, что обязательно найдется ее решение — внутри нас есть все ответы. Мы едины с Разумом, который везде одинаков. Мы выходим за пределы ограниченного мышления человеческого разума и соединяемся с бесконечным, Небесным Разумом, которому все подвластно.

Имея такие возможности, решениям несть числа! Мы в безопасности и знаем, что едины с той силой, что создала нас.

Мы спокойны, и все хорошо в нашем мире!

Часть 2

ИСЦЕЛЯЯ СЕБЯ

Глава пятая

ИСЦЕЛЯЮЩАЯ СИЛА ИЗМЕНЕНИЙ

Аффирмация:

Наша готовность изменяться творит чудеса в нашей жизни!

Исцеление — это путь к цельности. Есть множество областей нашей жизни, которые требуют исцеления. Очень часто это тело, но еще чаще — сердце. Нуждаются в лечении наши чувства и наши отношения с другими людьми, наши представления о самих себе и даже банковский счет.

Я обнаружила, что большинство больных СПИДом, которые очень строго следовали медицинским предписаниям, излечивались плохо.

Медицинское сообщество признает свое бессилие, поэтому экспериментирует с лекарствами, которые обладают множеством побочных эффектов и могут быть очень разрушительными для и без того ослабленных тел.

Из числа моих знакомых, больных СПИДом, те, кто выбрал альтернативные методы лечения, чувствуют себя намного лучше тех, кто следует медицинским предписаниям, позволяющим вводить в тело разного рода лекарственные яды. Эти альтернативные методы включают в себя гомеопатию, акупунктуру, правильное питание, огромные дозы витаминов, фитотерапию, медитации, визуализации, посещение групп поддержки и поиск духовного пути, который дает ощущение спокойствия и душевного комфорта.

Изменения

Изменения происходят непрерывно: каждый новый глоток воздуха отличен от предыдущего; меняются времена года и мы вместе с ними. И все же многие из нас боятся меняться. Мы хотим, чтобы мир изменился, но сами цепляемся за отжившие свой век привычки. Все мы — в процессе постоянного обновления, и когда сопротивляемся этому, то отказываемся принять в свою жизнь нечто очень ценное. Так же как мы едим пищу, перевариваем ее и избавляемся от отходов пищеварения, так мы сталкиваемся с событиями, переживаем их, а затем оставляем в себе только то, что нам пригодится в будущем. После чего наступает черед новой пище и новым событиям.

Если мы хотим измениться, то должны поменять свои мысли и представления, потому что как только они изменятся, станет другой и наша жизнь. У всех нас есть какие-то области жизни, где все идет благополучно, — значит, система наших представлений о жизни и ее ценностях в этих областях позитивна. Нет необходимости выбрасывать то, что работает: мы должны найти те сферы бытия, где чувствуем себя неуютно. Просто измените то, что не работает, или что может работать лучше!

Мы не обязаны знать точно, *как* мы должны меняться. Достаточно просто *захотеть*, сказать себе нечто вроде: «Это мне не помогает, я хочу измениться и готов сделать все, что для этого потребуется». Или: «Я сейчас поворачиваю свое сознание с болезни на здоровье, с горечи на спокойствие, с ненависти на прощение».

Вы одни знаете, в каких изменениях нуждаетесь. Скажите об этом в своих аффирмациях.

Сила

Мы — могущественные существа. Мы можем этого не понимать, потому что слишком часто отдаем контроль над нашей силой другим. И все же стоит не забывать, что мы единственные мыслители в нашем разуме. Неважно, что другие говорят нам, — мы сами решаем, принять что-то или отвергнуть. Наша сила заключена в наших мыслях, потому что именно они обладают созидательной энергией.

Мы теряем свою силу через чувство вины, когда не в состоянии сказать «нет», или пытаясь угодить остальным, чтобы нас больше любили... Возможно, мы живем по шаблонам наших родителей, любовников или супругов, наших врачей, друзей, нанимателей или церкви. Это еще один способ сказать: «Я недостаточно хорош», который порождает ненависть к себе и отрицание себя.

Когда мы больны, то часто отдаем свою силу врачам и другим медицинским авторитетам. А лишенному силы человеку сложнее исцелить себя. Лучше всего, если исцеление является плодом усилий нескольких человек: вы выбираете себе врача, который поможет вам выздороветь, и вместе с ним принимаете решения. Таким образом вы вносите существенный вклад в свое излечение.

Мы возвращаем себе силу, меняя свои приоритеты, когда понимаем, что мы самодостаточны и не можем жить, лишь отвечая представлениям других о нас. Мы приходим на нашу планету не для того, чтобы отказывать себе в чем-то, — мы приходим, обладая только одним нам свойственной уникальностью. Никто не может жить так, как живет другой: у каждого свои таланты и способности, и человек должен использовать их на благо всей планеты. Здесь используется аффирмация: «Я признаю свою силу и позволяю своей уникальности выразить себя во всей полноте».

Не думаю, что будет эгоистичным сказать: «Я первым пришел на эту Землю», — таким образом мы начинаем заботиться о своей душе: ты сам решаешь, что для тебя хорошо, это просто акт любви к себе. Я заметила, что женщины, у которых развивается рак груди, много лет отдавали свою энергию. Грудь олицетворяет кормление, а эти женщины «кормили» всех вокруг, но только не себя, отдавали все другим, не оставляя себе ничего. Это настолько входило у них в привычку, что окружающие невольно ожидали от них подобного поведения. Для этих женщин было огромным испытанием сказать однажды: «Нет!». Когда же они наконец говорили: «Нет, теперь моя очередь», то возвращали себе утраченную энергию и тем самым улучшали свое состояние.

Признание своей силы — и использование ее для исцеления себя и помощи другим — один из первых шагов к будущему здоровью нашей планеты. Мы все способны делиться любовью и здоровьем, и эта щедрость поможет исцелить наши жизни.

Лечение

Сегодня еще один совершенный день на Земле. Мы проживем его с радостью. В этом меняющемся мире я тоже хочу меняться. Я хочу менять себя и свои мысли, чтобы улучшить качество моей жизни и мой мир. Мое тело любит меня, несмотря на то, как я к нему отношусь. Мое тело общается со мной, и я сейчас прислушиваюсь к его сообщениям.

Я обращаю внимание на свое тело и обязательно вношу коррективы, давая ему то, что требуется, чтобы вернуть его к оптимальному здоровью. Я призываю свою внутреннюю силу, которая доступна мне, когда бы она ни потребовалась. Мы едины с той силой, что создала нас.

Мы спокойны, и все хорошо в нашем мире!

Глава шестая

УЧИМСЯ ЛЮБИТЬ СЕБЯ

Аффирмация:

Я хочу любить и уважать себя!

Когда я говорю о любви к самому себе, люди часто думают, что я имею в виду тщеславие и самовлюбленность. Однако эти качества не имеют ни малейшего отношения к любви. Тщеславие и чванство — следствие недостатка самоуважения. Разумеется, мы хотим выглядеть как можно лучше, но когда мы слишком зациклены на нашей физической внешности, это означает, что мы — такие, какие сейчас, — недостаточно хороши. Мы чувствуем себя неуверенно и пытаемся сделать себя более приемлемыми для окружающих людей, но лакировка нашего внешнего облика бессмысленна, потому что в этом случае мы связываем самоуважение с внешностью, которая постоянно меняется. Наше достоинство не вытекает из физической красоты: оно основано на том, насколько мы любим себя.

Любовь к себе — очень простое понятие. Оно означает, что вы заботитесь о себе. Если вы выбрали этот путь, то все остальное вытекает из него само собой. Любовь к себе — это избавление от самонаказания, это прощение себя, это прощание с прошлым, уважение самого себя, наслаждение самим собой, любовь к тому, кем ты являешься. Это умение постоять за себя в различных ситуациях.

Как мы любим других?

Как мы любим других? Принимаем ли мы их — таких, как они есть? Разрешаем ли им быть самими собой? Перестаем ли их воспитывать? Позволяем ли им заботиться об их собственном духовном росте? Мы не в состоянии учиться за других. Если присутствие других людей разрушительно для нас, мы можем избегать их — и это будет в порядке вещей. *Мы должны любить себя настолько, чтобы не попадать под влияние саморазрушающихся личностей*. Если в вашей жизни много людей с отрицательным влиянием на вас, вы должны задуматься над тем, какие особенности вашего характера привлекают их к вам.

Когда мы меняемся и отбрасываем старые привычки, меняются и окружающие нас люди — пропорционально тому, как они связаны с нашей новой личностью. В противном случае они покидают нашу жизнь, освобождая место для других. Но как бы это ни происходило, такие изменения станут для нас позитивным опытом, если мы любим и уважаем себя.

Еще одно мощное орудие исцеления взаимоотношений — семейных или рабочих, близких или случайных, — это «благословение любовью». Когда действие другого человека грозит разрушить гармонию вашей жизни, благословите его любовью. Вы можете сделать это несколькими способами. Можете сказать: «Я благословляю тебя любовью и приношу гармонию в эту ситуацию» или «Я благословляю тебя любовью, отпускаю тебя и позволяю тебе уйти» или «Я отпускаю тебя к твоему высшему добру».

Если делать это постоянно, что-то сдвинется на невидимой стороне бытия, и ситуация изменится к лучшему. Я видела, как этот метод исцеляет самые разные взаимоотношения: начальники превращались в хороших друзей, в семьях расцветала любовь, невыносимые люди уезжали, а интимные отношения становились более откровенными. Те из нас, кто попробовал благословение любовью, не нарадуются на результаты.

Во что я верю

Я верю в то, что все события, которые случились с нами за нашу жизнь до этого момента, есть следствие мыслей и представлений, которых мы держались в прошлом. Мысли обладают невиданной созидательной силой. Наши мысли творят нашу реальность. Это закон природы, который мы начинаем понимать и применять на практике только сейчас, хотя могли бы это сделать давным-давно.

Моя философия очень проста — слишком проста, по мнению некоторых людей. И все же я видела, как она снова и снова подтверждается. Вот некоторые из основных ее положений:

1. Что мы отдаем, то и получаем обратно.

Этот постулат существует уже много веков. Вспомните золотое правило: «Веди себя так, как ты хочешь, чтобы люди вели себя с тобой». Это закон природы, который применим к нашим мыслям: если мы судим, критикуем, пусть даже мысленно, тогда и нас будут судить и критиковать. Если мы любим безоговорочно, то мы привлекаем к себе людей, которые дадут нам такую же абсолютную любовь и заботу. Мысли о ненависти и мести только привлекут полные ответной ненависти мысли и действия. Мысли о ревности приводят к потерям в нашей жизни. С другой стороны, мысли о прощении вызывают исцеление и благоденствие, мысли о любви и радости привлекут в нашу жизнь не только любовь, но и нечто невероятно ценное — и оно будет отражать наши новые представления о своей ценности в этом мире.

2. То, что мы думаем о себе и своей жизни, становится правдой для нас.

Вот почему так важно знать, во что мы верим. Слишком часто на нас отражается ограниченное мышление наших родителей или окружения. Я нередко прошу людей сесть и, перечислив некоторые базовые аспекты своей жизни, написать, что они думают о них. Например, «Что вы думаете о...

Мужчинах	Потерях
Женщинах	Благосостоянии
Любви	Старости
Сексе	Работе
Здоровье	Успехе
Вашем теле	Боге?»

Удивительно, как много своих представлений мы получаем в возрасте около пяти лет! Несомненно, многие из этих давних верований не подходят нам сегодня, поэтому периодические умственные «чистки» будут крайне полезными. Так как все наши мысли — результат нашего выбора, сейчас мы можем отобрать только те, которые в наибольшей степени поддерживают и «питают» нас.

3. Наши мысли обладают созидательной энергией.

Это самый важный закон природы, который нам надо знать. Мысли подобны каплям воды: когда мы снова и снова думаем об одном и том же в течение долгого времени, эти капли превращаются в ручейки, озера или океаны. Если это позитивные мысли, то мы плывем по океану жизни. Если они негативные, то мы тонем в море отчаяния.

Что вы обычно испытываете, когда просыпаетесь утром? Радость или обреченность? От этого и зависит будущий день. Вы настроены на любовь, веру и надежду? Тогда они зададут настроение всему дню — и этот ореол любви принесет вам все, в чем вы нуждаетесь. Посидите молча несколько мгновений, проанализируйте, о чем вы сейчас думаете. Вы действительно хотите, чтобы у вас была та жизнь, к которой ведут эти размышления? Начните осознанно выбирать для себя мысли, которые поддержат вас и помогут вам!

4. Мы достойны любви.

Все мы. Вы и я. Мы не должны заслуживать любовь, как не должны заслуживать право дышать — мы дышим, потому что существуем. Мы достойны любви, потому что существуем. Мы должны это понять и принять. Мы достойны любви к себе. Не позволяйте отрицательному отношению ваших родителей или предубеждению общества погасить ваш свет. Гармония вашего бытия в том, что вы любите и любимы. Однако вы должны принять эту мысль, чтобы она стала реальностью вашей жизни. Помните, ваши мысли созидают вашу реальность. То, что «они» думают или говорят, никак не связано с вашей значимостью в собственных глазах. Скажите себе прямо сейчас: *«Я достоин любви»*.

5. Самоодобрение — ключ к позитивным изменениям.

Когда мы злимся на себя, когда судим и критикуем все, что делаем, когда мы оскорбляем себя, то излучаем крайне негативные вибрации, и наша жизнь портится. Помните, что эти привычки пришли из прошлого и не имеют отношения к действительности. Как мы можем ожидать любви и понимания от других, если сами не любим и не понимаем себя? «Я люблю и принимаю себя таким, каков я есть» — очень сильная мысль, которая поможет вам создать мир радости.

4. Мы можем проститься с прошлым и простить всех.

Прошлое существует только в нашей памяти. Держаться за старые обиды — значит наказывать себя сегодня за то, что кто-то другой сделал давным-давно. Это же бессмысленно! Слишком часто мы находимся в тюрьме злобного негодования, а это ужасная жизнь! Вы можете освободиться из нее. Простить не значит забыть чье-то плохое поведение —

это избавление от нашей «фиксации» на той ситуации. Вы должны освободиться, чтобы не воссоздавать подобную ситуацию в будущем. В каждый данный момент человек делает все, что может, с присущим ему пониманием. Отказаться от гнева и заменить его пониманием означает освободить себя. Прощение — дар самим себе.

7. Прощение открывает дверь к любви.

Любовь — это наша цель. Безусловная любовь. Как ее достигнуть? Пройдя через врата прощения. Прощение можно сравнить с луковицей, в которой много чешуек. Лучше начинать с верхних слоев — с тех вещей, которые легче простить, — и продвигаться к более серьезным обидам, только когда вы уже привыкнете к этому процессу. Мы будем отбрасывать обиды одну за другой, пока не окажемся на глубинном уровне понимания. И там мы обнаружим, что нас ждет любовь. Прощение и любовь идут рука об руку.

8. Любовь — самая мощная исцеляющая сила из всех существующих.

Любовь стимулирует нашу иммунную систему — наша любовь к себе. Мы не можем исцелиться или достичь цельности в атмосфере ненависти. Когда мы научаемся любить себя, мы становимся сильными. Любовь возносит нас с положения жертвы в позицию победителя.

Наша любовь к себе привлекает к нам то, что нам необходимо на пути к исцелению. Люди, которые хорошо относятся к себе, становятся естественным образом привлекательны и для остальных.

9. Стоит только захотеть.

Мы не должны ждать, пока поймем, как прощать: все, что нам надо, — просто захотеть этого. Наши мысли обладают великой созидательной энергией. Подумать: «Я хочу освободиться от критицизма», или «Я хочу простить себя», или «Я хочу любить себя», — это отправить мысль во Вселенную. Если повторять эту мысль, она приведет в действие законы притяжения, и вы вскоре обнаружите новые пути, к достижению желаемого. Вселенная любит вас и готова помочь вам претворить в жизнь все, во что вы хотите верить. Захотите жить достойно!

Если вас заинтересовали мои представления, прочитайте предлагаемые мною ниже десять ступеней к тому, как полюбить себя. Я пользовалась ими с самого начала своей работы, и они мне очень помогли. Они просты, так как любовь к себе — это совсем простая вещь.

Десять шагов к тому, как любить себя

1. Откажитесь от критики. Критицизм никогда ничего не меняет, прекратите критиковать себя! Принимайте себя таким, какой вы есть. Все меняется, и когда вы критикуете себя, ваши изменения негативны. Когда же вы одобряете свои поступки, эти изменения носят позитивный характер.

2. Не пугайте себя. Перестаньте мысленно запугивать себя — это страшный способ существования. Найдите образ, который доставляет вам удовольствие (мой, например, — кремовые розы), и немедленно переключайте свой испуганный ум на мысли о приятном.

3. Будьте мягкими, добрыми и терпеливыми. Будьте мягкими с собой, будьте добрыми с собой, будьте терпеливыми с собой, пока вы еще только учитесь думать иначе. Относитесь к себе словно к другому человеку, которого вы по-настоящему любите.

4. Будьте добрыми к своим мыслям. Самобичевание — это проявление ненависти к своим мыслям. Нельзя осуждать себя за то, что вы думаете так, а не иначе. Просто спокойно смените тему для размышлений.

5. Хвалите себя. Критицизм разрушает внутренний дух, а похвала укрепляет его. Хвалите себя так часто, как только можете. И с каждой маленькой победой напоминайте себе, как вы отлично со всем справляетесь!

6. Поддерживайте себя. Найдите способ поддержать себя: обратитесь к друзьям и позвольте им помочь вам. Истинный признак силы духа — обратиться за помощью, когда вы больше всего в ней нуждаетесь.

7. Любите свои недостатки. Признайте, что они — ваш ответ на какую-то потребность, и сейчас вы ищете новый, позитивный способ удовлетворить эту потребность. Поэтому с любовью распрощайтесь со старым негативным поведением.

8. Заботьтесь о своем теле. Разузнайте побольше о правильном питании: какого рода «топливо» требуется вашему организму, чтобы получить максимум энергии и жизненной силы? Подумайте о занятиях спортом. Какие физические упражнения доставляют вам удовольствие? Заботьтесь о том храме, в котором вы живете, ухаживайте за ним!

9. Работа с зеркалом. Чаще смотрите в свои глаза, говорите о растущей любви к себе. Простите себя, глядя в зеркало. Поговорите перед зеркалом со своими родителями. Простите также и их. По крайней мере раз в день скажите себе перед зеркалом: «Я люблю тебя, я действительно люблю тебя!»

10. Приступайте прямо сейчас! Не ждите, пока вам станет лучше, или вы похудеете, или получите новую работу, или завяжете новое знакомство. Начните сейчас — и делайте все, что можете.

Быть достойным

Многие из нас отказываются приложить усилия к тому, чтобы создать себе лучшую жизнь, потому что не верят, что они ее заслуживают. Это неверие может брать начало в чем-то столь же давнем, как обучение навыкам опрятности, или когда нам говорили, что мы получим что-то только при условии, если съедим все до крошки или уберемся в комнате, или сложим игрушки. Здесь опять-таки речь идет о покупке чьего-то мнения, которое не имеет никакого отношения к реалиям нашего бытия.

Чувство, что вы этого не заслужили, никак не связано с получением чего-то хорошего: это всего лишь наше нежелание принять то, что само идет в руки. Позвольте себе принять хорошее, неважно, считаете вы, что заслужили это, или нет.

Упражнения

Здесь приводятся несколько вопросов, которые помогут вам ощутить себя способным получать то, что вы заслуживаете, а также почувствовать любовь и исцеляющие силы, которые приходят вместе с этим ощущением.

Что вы хотите из того, чего у вас нет?
Будьте конкретны.

По каким правилам вознаграждали в вашем доме?
Что они говорили вам? «Ты не заслужил»? Или «Ты заслужил хороший поцелуй»? Ваши родители считали, что они тоже чего-то заслужили? Вы всегда должны были чем-то заслужить вознаграждение? Вы получали то, что хотели? У вас отбирали что-то, когда вы поступали «неправильно»?

Как вы считаете, вы достойны...?

Что вы при этом думаете? «Позже, когда я заработаю это»? «Сначала я должен это заработать»? Вы достаточно хороши сейчас? А будете ли вы когда-нибудь достаточно хороши?

Какая мысль мешает вам заслужить вознаграждение?

«У меня мало денег». Страх. Старые убеждения: «Из тебя никогда ничего путного не выйдет», «Я недостаточно хорош».

Вы заслуживаете жизнь?

Если да, то почему? Почему, если нет? Говорили ли «они» вам когда-нибудь: «Ты заслужил смерть?» Если так, было ли это частью вашего религиозного воспитания?

Ради чего вы живете?

Какова цель вашей жизни? Что значимого вы создали? Тусовки по барам и накачивание наркотиками не являются чем-то стоящим. Создали ли вы себе причину жить?

Чего вы заслуживаете?

«Я заслуживаю любви, радости и всего хорошего». Или вы считаете, что заслужили только плохое? Почему? Когда эта мысль появилась в вашей жизни? Вы хотите избавиться от нее? Чем вы хотите ее заменить? Помните: это мысли, а мысли можно менять.

Что вы хотите сделать, чтобы стать более достойным человеком?

Вы хотите использовать аффирмации? Лечиться? Прощать? Если да, тогда вы станете таким.

Легко видеть, как растет сила человека, идущего по пути, на котором он чувствует, что заслужил все самое хорошее. Попробуйте это лечение, чтобы создать новый позитивный настрой. Помните, что со временем вы сможете создавать собственные исцеляющие утверждения, а индивидуальный подход всегда был самым успешным. В конце концов, вы — лучший специалист по себе самому, и никто не знает вас так, как вы себя знаете!

Лечение,
дарующее чувство достоинства

Я достоин. Я достоин всего наилучшего! Не немного, не чуточку, а всего! Сейчас я оставляю в прошлом все негативные ограничивающие мысли. Я освобождаюсь и избавляюсь от всех предрассудков моих родителей. Я люблю их, но иду дальше. Моя личность — не зеркало их отрицательного мнения. Я освобождаюсь от страхов и предубеждений общества, в котором сейчас живу.

Я абсолютно свободен! Сейчас я движусь в новое пространство сознания, где хочу видеть себя другим. Я хочу созидать новые мысли о себе и своей жизни, и это новое мышление станет моей новой реальностью.

Я уверен в том, что я един с энергией успеха во Вселенной. Сейчас я движусь к процветанию, и во мне заложены все возможности к этому. Я заслуживаю жизнь — хорошую жизнь! Я заслуживаю любовь, много любви! Я заслуживаю хорошее здоровье! Я заслуживаю жизни комфортной и богатой! Я заслуживаю радость и счастье. Я достоин свободы — свободы быть всем, кем я могу стать. Я заслуживаю даже больше, чем все перечисленное! Я заслуживаю всего самого хорошего в жизни!

Вселенная сгорает от желания реализовать мои новые представления о себе. Я принимаю эту насыщенную жизнь с радостью, удовольствием и благодарностью, потому что я достоин ее. Я принимаю это, я знаю, что все это — правда.

Лечение

Сегодня еще один совершенный день на Земле. Мы проживем его с радостью. Неважно, что я думал о себе в прошлом, сегодня наступил новый день, и в этом новом мгновении времени я начинаю видеть себя с большим сочувствием. Критицизм и стремление судить уходят, и я свободен принять всего себя. Я отношусь к своим мыслям так, словно от них зависит вся моя жизнь, потому что знаю, что это правда.

Открываются врата любви, моей любви к себе. Это путь к исцелению. Я сделаю этот день таким, что его захочется помнить и завтра. Сегодня я начну путешествие к исцелению. Мы едины с той силой, что создала нас.

Мы спокойны, и все хорошо в нашем мире!

Глава седьмая

СТЕРЕОТИПЫ НЕГАТИВНЫХ МЫСЛЕЙ

Аффирмация:

Я выхожу за пределы всех своих старых ограничений!

Никоим образом я не хочу вызывать у кого-нибудь чувство вины. И все же, чтобы добиться изменений, мы должны понимать, как работает наш мозг. Никто не хочет болеть, и все же нам, видимо, нужны заболевания, потому что это способ нашего тела сказать, что кое-что не работает в нашем сознании.

Разумеется, мы не говорим, что хотим иметь ту или иную болезнь, но мы создаем такой психический настрой, при котором эти заболевания процветают. Очень часто мы делаем это неосознанно. В конце концов, разве не было большинство из нас воспитано в сознании перепуганных жертв или людей, ненавидящих и презирающих жизнь? Я слышала, как родители говорят, что их дети не имеют права быть счастливыми и что страдание — в порядке вещей. Если родители твердили своему ребенку, что он плохой и из него никогда ничего путного не выйдет, то, вырастая, человек будет считать, что это правда.

Большая часть родителей также верит и учит своих детей, что болезнь — это козни дьявола, который разит нас, если мы не остережемся. Медицина соглашается с этим, и говорит, что только она может что-то для нас сделать. Религия, как правило, — еще один способ сказать себе, что ты «недостаточно хорош»: в ней снова и снова подчеркивается наша беспомощность. Неудивительно, что мы растеряны и разгневаны, когда заболеваем!

Я уверена, что все может быть иначе: мы можем взять ответственность за себя в свои руки и измениться позитивным образом.

Разве нам когда-нибудь говорили в детстве, что наши мысли определяют нашу действительность? Или что мы достаточно сильны, чтобы измениться и создать для себя достойную жизнь? Разве говорили нам, какие мы замечательные и что нас ждет радостная и полная любви жизнь? Говорили, что мы будем процветать и нас ждет успех? Если бы мы услышали тогда все эти вещи, наша жизнь сейчас была бы совершенно иной!

Давайте не будем терять времени, проклиная своих родителей: они и сами не знали ничего лучшего. Сейчас мы сами себе родители. Мы можем говорить себе все те позитивные вещи, которые не слышали в прошлом.

Упражнение по негативным стереотипам мышления

Попробуйте это упражнение. Когда вы будете читать вопросы, подумайте о том, какими вы представляете своих родителей. Затем подумайте о новых представлениях, которые вы создадите для себя в будущем.

Запишите все, что вы бы хотели услышать от своих родителей, а затем читайте себе эти любящие послания вслух перед зеркалом. Делайте это каждый день, пока эти сообщения не станут реальными для ребенка внутри вас.

Влияние негативных мыслительных стереотипов

Годы, прожитые с негативными мыслительными стереотипами — начиная с ваших мыслей о родителях, — подточили вашу иммунную систему. К тому же мы снижаем способность нашего тела функционировать на оптимальном уровне неудачным выбором пищи. Если добавить ко всему этому чувство, что нас никто не любит, не хочет и чувство одиночества, то наш организм готов подхватить любое широко распространенное заболевание нашего времени. Человек буквально создал эпидемии рака, предменструального синдрома, инфекционного мононуклеоза, кандидозов, а сейчас «благодаря» ему процветает и СПИД.

Когда же мы наконец услышим эти сообщения? Мы явно делаем что-то не так! Мы ведь неплохие люди, мы просто сошли с правильного пути. Давайте не будем ругать себя! Давайте подумаем, что можно сделать, чтобы исцелиться. Никто не сделает это за нас!

Если вы начинаете плохо думать о себе или создавать проблемы в своей жизни, переберите в уме несколько простых вопросов. Попробуйте точно представить, что именно вы хотите получить, когда ситуация разрешится. Затем представьте себе, как вы можете изменить ее в положительную сторону. Например:

1. Чего вы пытаетесь избежать, думая таким образом или создавая эту проблему?
2. Кого вы пытаетесь наказать?
3. Какие чувства овладевают вами? Почему?
4. Каких гарантий вы ждете от жизни?
5. Как сильно вы любите предаваться жалости к себе?
6. Что вы получаете от своей боли?
7. Что вы боитесь потерять?
8. Поможет ли это вам?

Ответьте на эти вопросы как можно честнее — и вас ждет прозрение.

Стресс как дополнение наших негативных стереотипов

У всех нас бывают «плохие» дни, когда абсолютно все, кажется, идет наперекосяк.

Но когда мы находимся в плену негативных мыслительных стереотипов, подобные дни ухудшают ситуацию в сотни раз. Это крайне опасно для нас, потому что мы и так несем лишнюю психологическую нагрузку. Надо научиться от нее освобождаться! Вот источники некоторых из наиболее частых ежедневных стрессов:

1. Ваш муж/жена/любовник или лучший друг.
2. Деньги в целом или деловые партнеры.
3. Собака/кошка или им подобные.
4. Самый мой «любимый» стресс — необходимость уложиться в запланированное время.
5. Ситуация на работе, с подчиненными или начальством.
6. Машина/автобус или другие средства передвижения.

Психологи и психиатры могут связать каждое физическое заболевание со стрессом, и упомянутые выше пункты легко впишутся в это представление. Если мы научимся освобождаться от психологических перегрузок или хотя бы справляться со стрессами, битва против наших болезней или «плохих» дней уже будет наполовину выиграна!

Упражнение в состоянии стресса

Попробуйте это упражнение, чтобы облегчить стресс. Задайте себе следующие вопросы по вышеприведенным пунктам источников стрессов:

1. Могу ли я сделать что-то реальное, чтобы изменить этого человека?
2. Что я могу сделать, чтобы улучшить свое финансовое положение?
3. Разве животные виноваты? Они так любят нас.
4. Если я попаду в катастрофу на шоссе, разве это поможет мне добраться на место быстрее? Может быть я дал невыполнимое обещание? По чьим стандартам я пытаюсь жить?
5. Неужели эта работа единственно подходящая для меня? Могу ли я проявить свой созидательный потенциал на этой работе? Нравится ли мне человек, на которого я работаю (или тот, кто работает на меня)?
6. Могу ли я сделать что-то, чтобы успеть вовремя? Почему я думал, что успею? Если машина сломана, могу ли я починить ее?

Затем задайте себе несколько общих вопросов:

1. Научился ли я чему-нибудь в этой «стрессовой» ситуации?
2. Что я сделаю по-другому, если это случится снова?
3. Было ли это так уж плохо?
4. Было ли что-то смешное в той ситуации?
5. Встретился ли я с чем-то новым и замечательным?

Обдумав эти вопросы, сделайте несколько глубоких вдохов, и медленно выпустите воздух — словно вы избавляетесь от того, что вызвало стресс. В конце концов, именно это и происходит сейчас!

Юмор

Все это формы позитивного избавления от негативной энергии: юмор, рационализация, плач, гнев и крик. Смех, юмор — еще одно могущественное оружие в нашей битве за самих себя.

Во время своих еженедельных встреч по средам я обнаружила, что если относиться ко всему с юмором, то высвобождается так много запрятанных в глубине эмоций! Я даже ввела специальный «перерыв, чтобы посмеяться», когда мы все по очереди рассказывали анекдоты.

Смех — не такая уж простая вещь для некоторых из нас, так же как другим трудно сказать, о чем они думают — потому что это по сути одно и то же. Здесь я привожу несколько вопросов, которые вы должны задать себе, когда рассердитесь:

1. Разве ситуация не настолько глупа, чтобы посмеяться над ней?
2. Разве он/она не похож на...?
3. О ком или о чем напоминает эта ситуация?
4. Нельзя ли просто посмеяться над ней и забыть?

Помните, что сила юмора вполне реальна. Норман Казинс рассказывает в своей книге «Анатомия болезни», как можно использовать юмор и рациональное питание, чтобы полностью исцелить свое тело.

Негативные физические изменения

Любить себя — такой сложный урок! Знать, что мы нечто большее, чем физическое тело, понимать, как надо реагировать на нормальный и естественный процесс его старения. Мы установили заведомо проигрышные правила в вопросе старения: решили, что стареть — значит терпеть поражение, что это должно презираться и избегаться любой ценой. И тем не менее все мы, кто не умер в молодости, постареем...

Когда мы приближаемся к тому, что должно стать одним из лучших периодов нашей жизни, то, заметив новую морщину, смотрим на себя с раздражением. Раньше стариков уважали и обращались к ним за советом, сейчас же мы презираем пожилых людей и отталкиваем их, предоставляя умирать в одиночестве или в домах для престарелых. Мы, очевидно, не понимаем, что наше поведение вернется к нам по закону бумеранга. Я содрогаюсь, когда думаю, как будут относиться в старости к тем, кто сейчас обижает и грабит стариков...

Наши тела — это одежда, которую носят наши личности. Наши души выбрали эти определенные тела еще до того, как мы в очередной раз вернулись на планету. Они никак не связаны с нашей значимостью: наша ценность проистекает из того, что мы чувствуем по отношению к себе.

Если у нас есть физическое заболевание, то наше излечение во многом зависит от того, как мы к себе относимся. Если мы не любим или даже ненавидим себя, мы используем это физическое событие, чтобы усилить подобные негативные чувства. Если мы живем в мире с самим собой, если мы любим себя, тогда мы примем эти изменения и постараемся извлечь из них лучшее.

Для большинства рано или поздно наступает время, когда человек уже не справляется с болезнью в одиночку. Наша врожденная независимость не позволяет нам просить о помощи, пусть даже речь идет о жизненно важных потребностях, и все же мы должны сделать это — это одна из форм принятия любви. Я много раз слышала от тяжело больных СПИДом: «Я и не подозревал, что так много людей любит меня». Иногда требуется тяжелая болезнь, чтобы мы смогли принять любовь, которая всегда была под рукой!

Иногда болезнь приводит к смерти. Тогда многие из нас испытывают ощущение провала, словно мы допустили ошибку. Так же как и в случае со старением, мы сделали смерть чем-то, чего нужно избегать. Медицина использует все новые и новые технические методы, чтобы силой заставить тело жить, хотя его жизненный ресурс уже исчерпан. Смерть, как и рождение, — естественный и нормальный процесс, и она редко приходит по нашему желанию.

Что касается жизни вообще, то мы появляемся словно в середине фильма и уходим всегда также в середине.

Когда приближается смерть, мы можем принять ее с миром. Бороться с тем, что есть, — это только страдать и испытывать боль. Это время для всех проявить любовь. Быть рядом с умирающим человеком и просто повторять снова и снова: «Я люблю тебя, и ты в безопасности» — это лучшее, что вы можете сделать для него. Если же умираете вы — откройте себя любви и знайте, что вам ничто не угрожает. Несмотря на пугающие легенды, которыми мы окружили смерть, каждый человек, который вернулся, пережив клиническую смерть, говорит о спокойствии и невероятной любви, которые ожидают нас, едва мы переступаем порог от этой жизни к следующей.

Справедливо утверждение, что мы владеем силой, чтобы победить все болезни на нашей планете, но правда и то, что рано или поздно наступает время сбросить постаревшее тело. Давайте же поможем друг другу сделать это спокойно, с достоинством и даже с радостью! Радость можно найти в любой фазе жизни — от нашего первого дыхания до последнего. Давайте сделаем и этот переход мирным событием, полным любви!

Кто виноват?

Я никогда никого не виню, так как человек делает все, что может в каждый данный момент и в данном месте. Даже наши родители заботились о нас так, как могли, в соответствии с системой ценностей, которую они в свое время получили. Мы отрицаем нашу собственную внутреннюю мудрость, когда принимаем негативное мнение людей о себе. И все мы равным образом несем ответственность, когда высказываем плохое мнение о других.

Как часто мы говорим, что мужчины или женщины, или «голубые», или черные, или старые, или молодые, или данная раса, религиозная группа, или люди, которые одеты определенным образом, недостаточно хороши. Эти уничижительные мысли рикошетом возвращаются к нам. Мы должны усвоить закон причины и следствия и понять, что наши мысли могут повлиять на нас самих.

Лечение

Сегодня еще один совершенный день на Земле. Мы проживем его с радостью. Сегодня я хочу очистить мою жизнь и мой разум от всех негативных, разрушительных и полных страха мыслей. Я больше не слушаю и не участвую в наносящих вред разговорах. Сегодня никто не сможет обидеть меня, потому что я отказываюсь быть обиженным.

Неважно, насколько оправданно это может казаться, но я отказываюсь от разрушительных эмоций. Я поднимаюсь надо всем, что пытается вызвать у меня гнев или страх. Разрушительные мысли не властны надо мной, чувство вины не изменит прошлого! Я думаю и говорю только о том, что хочу привнести в свою жизнь. Я способен сделать все, что мне нужно! Мы едины с той силой, что создала нас.

Мы спокойны, и все хорошо в нашем мире!

Глава восьмая

НАКАЗЫВАЯ СЕБЯ:
НАРКОМАНИЯ, АЛКОГОЛИЗМ,
ПЛОХОЕ ПИТАНИЕ

Аффирмация:

Я благословляю свое тело с любовью!

Наркомания

Наркомания, к сожалению, встречается в нашем обществе слишком часто. Она стала одним из вернейших способов побега от действительности. Наркотики искушают: «Проиграй с нами — и мы дадим тебе чувство благости». И это правда — по крайней мере, на время: от наркотиков нам действительно хорошо, потому что они меняют нашу реальность. Но только представьте себя, какую ужасную цену придется вам заплатить за это удовольствие! От наркотиков здоровье быстро рушится, и человек чувствует себя уже не так хорошо. К тому же развивается наркотическая зависимость, он уже не может без них жить и готов заплатить любую цену за наркотик. Люди разоряются, убивают и грабят, уничтожают в себе чувства к другим людям и разрушают свою личность.

Наркотики ослабляют нашу иммунную систему до крайне опасной черты. Почему же мы вообще их пробуем?

Часто это простое любопытство, удовлетворив которое, человек теряет к наркотикам интерес. А вот повторный прием — уже другое дело. Я еще не встречала наркоманов, которые хорошо бы думали о себе. Мы принимаем наркотики, чтобы убежать. Убежать от себя самих, от наших чувств. Чтобы сделать вид, что нам хорошо, спрятать нашу боль.

Все начинается с того, что мы не любим и не принимаем себя такими, какие мы есть. Мы пытаемся уничтожить наши детские представления о собственной никчемности, но ничего не получается, потому что наркотики выходят из организма, и мы чувствуем себя еще хуже, чем раньше, но сейчас к этому присоединяется еще и чувство вины за то, что мы их принимаем.

Алкоголизм

Очень древний способ побега от действительности. Алкоголь часто неотъемлемый спутник праздника, он помогает расслабиться, но это его свойство слишком преувеличивается теми, кто не уважает себя. Алкоголь влияет на печень, а печень и желчный пузырь напрямую связаны с гневом: желчный пузырь связан с гневом и горечью по отношению к другим людям, печень — символ гнева, направленного на себя, символ ненависти к себе.

Алкоголики очень непримиримы к себе. Они изыскивают один повод за другим, чтобы напиться, а настоящая причина кроется в желании наказать и оскорбить себя. Почему? Потому что когда-то в детстве им втолковали, что они не только недостаточно хорошие, но и просто плохие и должны быть наказаны.

Гомосексуальная «культура» отличается настолько унизительным отношением к старикам, что вкупе с полученными в молодости представлениями о собственной никчемности она приводит к тому, что многие геи в пожилом возрасте становятся алкоголиками. Грустно смотреть, как один стакан за другим только усиливает их веру в свою ненужность...

Неправильное питание

Все мы знаем, что пища является топливом для наших тел. Каждый раз, когда вы едите на ходу, разве не раздается в вашем мозгу тревожный звоночек? Или вы забыли, как сами говорили своему соседу по столу: «Я никогда не ем ЭТО»?

Все знают основы правильного питания, но все равно мы используем пищу как способ наказать себя — чтобы развить ожирение или подкосить свое здоровье.

Мы стали нацией с зависимостью от пищевого хлама. Мы позволяем крупным производителям пищи и их рекламным агентам влиять на наши пищевые привычки. Было время, когда все знали вкус хорошей пищи. Сегодня же у нас есть дети и подростки, которые никогда не ели настоящей еды: они выросли на консервированной, бутылированной, замороженной, расфасованной, подогретой в микроволновой печи пище или на химических соединениях, которые имитируют еду.

Естественно, что человек хочет есть ту пищу, которой кормили его в детстве родители, потому что таким образом ребенок внутри него чувствует, что его любят. Отказаться от своих пищевых привычек — значит, почувствовать себя так, словно ты отказываешься от своих родителей.

Ни разу во время своего взросления мы не получаем информацию о правильном питании. То, что нам говорят, идет, как правило, от производителей мяса, молока, фирм по производству упаковки и т. д., которые продвигают на рынок свою продукцию. Если в вашей семье не знали о правильном питании и не кормили вас настоящей пищей, то и вы не знаете, какая еда хороша для вашего тела. Врачи здесь не помогут: если врач хочет узнать о пище или ее влиянии на тело, ему приходится за свой счет повышать свое образование. Современная медицина отдает приоритет хирургии и фармакотерапии.

Поэтому питание должно стать для нас наукой, которую придется учить самостоятельно. Методом проб и ошибок вы сможете найти для себя такую пищу, которая даст вам наибольшую энергию и хорошие ощущения. Или же вы должны обратиться к опытному специалисту, который будет направлять вас в этом вопросе.

История Джона

Джон впервые заметил фиолетовую язвочку на ноге в апреле 1984 и пошел к врачу, чтобы провериться. Тот посоветовал ему не беспокоиться. Тогда Джон показал ее своему соседу по комнате, который сказал, что нечто подобное было обнаружено у его друга, который потом умер. Джон снова отправился к врачам, и на этот раз ему диагностировали саркому Капоши. Кроме того, он в течение четырех месяцев страдал от диареи, и выяснилось, что виной тому криптоспоридии — простейшие, от которых, как считается, невозможно избавиться. Джон никогда не чувствовал себя особенно плохо, но первого августа ему был поставлен диагноз СПИД.

Так начался для Джона путь к здоровью, и первым, что он изменил, была его диета. Он выбрал макробиотический подход, и в течение трех месяцев его друзья помогали ему готовить сбалансированную еду. Вначале он очень строго следовал своей диете, но затем не выдержал, потому что «я очень люблю сладости и пиво».

Сегодня Джон считает себя макробиотиком, который жульничает. «Когда я готовлю для себя, я ем рис с овощами, но если иду в гости, то не откажусь и от пирога. Я редко ем мясо и почти не употребляю молочные продукты».

С помощью макробиотического подхода Джон вылечил себя от криптоспоридий. В течение трех дней «я ел горсть сырого риса и тыквенных семян, горсть сырого чеснока и пил чай». Последние четыре обследования дали отрицательный результат, а значит, что-то уничтожило эту предположительно неизлечимую болезнь. Джон также использует аминокислоты, чтобы укрепить свои клетки.

В результате, Джон отлично чувствует себя. «Никаких ночных приливов, никакой лихорадки. Я занимаюсь спортом, бегаю три или четыре мили. После этого я устаю, но не сбиваюсь с дыхания. Я занимаюсь аэробикой, плаваю, и чувствую себя великолепно». Когда его спрашивают, лучше ему или нет, Джон отвечает: «Мне нечего было улучшать, так как я никогда не чувствовал себя по-настоящему плохо. Но я четыре раза сдавал анализы, и они четыре раза были отрицательными. Я не говорю, что у меня нет СПИДа — просто я не являюсь носителем вируса, потому что его нет в моей крови, но у меня все еще ослабленная иммунная система, и я по-прежнему предрасположен к инфекционным заболеваниям».

Джон считает, что ему повезло с поддержкой других людей. Все началось с его семьи. «Мои родители очень старые и больные, но они здорово помогали мне. Когда я рассказал им о СПИДе, моя мать ответила: «Ничего с тобой не будет. У тебя очень здоровые корни».

Помимо семьи Джон получал помощь и в моей группе. «Сначала я достал пленку Луизы и прокручивал ее каждый вечер в течение года перед сном или по утрам. Я прослушивал и другие записи, несколько раз ходил на частные консультации. Она сделала для меня четыре записи, которые я прослушиваю и по сей день. В нашей группе я встретил много друзей — больных СПИДом и много других замечательных людей. Мои друзья очень поддерживают меня. У меня есть друзья-гетеросексуалы и друзья-гомосексуалисты, которые остались рядом со мной. Мне помогают почти все».

Джон часто практикует визуализации и аффирмации. «Я расслабляюсь и держу в руках кристалл. Кристалл усиливает энергию. У меня есть три или четыре любимые аффирмации. Желательно для большей эффективности повторять их десять раз. Я обычно говорю о своем высшем «я», которое в ответе за мою жизнь и поддерживает отличное здоровье в моем теле, а также о созидательной работе, которую мне нравится выполнять, и о взаимоотношениях. Я представляю себе, как Т-клетки распознают вирусы, бактерии и грибки, которые проникают в мое тело; они носят маленькие щиты и пробираются через мою кровь, чтобы бороться с чужаками».

Он также представляет себе, как кровь циркулирует по его телу, наполняя его белым светом и Небесной Любовью.

Джон испробовал несколько видов альтернативной терапии. Восемь месяцев он посещал Чарльза Вайтхауза, чтобы тот проверял его ауру по циклотрону, и, судя по результатам, его состояние «по фактору СПИДа» улучшается. Он также ходил к фитотерапевту, который давал ему разные травы.

Когда его спросили, какой из подходов он назвал бы самым действенным, Джон ответил: «Я думаю, самое важное — это питание, потом забота о сознании и подсознании, и иммунной системе разума. Я просто занимался всем подряд, и что-то сработало: то ли мое подсознание, то ли переданная от матери здоровая конституция, то ли радиотроника и травы...

В настоящее время я словно на качелях: я ем макробиотическую пищу, а потом съедаю кусок торта, — и все же возвращаюсь назад и делаю для себя хорошие, позитивные вещи. Когда я делаю что-то, за что раньше ненавидел себя, то пытаюсь одновременно с этим любить себя, чтобы старые негативные чувства не брали надо мной верх. В свое время, мне кажется, я избавлюсь от всех негативных вещей — например, от пристрастия к алкоголю и сладостям.

Страх играл незначительную роль в моей жизни, в чем мне очень повезло. Я смотрел на СПИД как на шанс вырасти. Я думаю, что заболел по трем причинам: иммунная система моего разума была ослаблена, так как за последние двадцать лет я напичкал свое тело множеством лекарств и антибиотиков, сражаясь с гонореей и другими болячками; кроме того, я принимал наркотики — не так уж часто, но достаточно, чтобы подорвать свое здоровье. Я ничего не могу поделать с лекарствами, которые загонялись в мое тело в те годы, но моя умственная иммунная система может стать сильнее начиная с сегодняшнего дня, и я почти отказался от наркотиков. Пью я тоже немного. Поэтому я и не боюсь СПИДа.

Я смотрю в зеркало, но не вижу там ничего, чего бы мне стоило бояться, потому что я чувствую себя здоровым и выгляжу хорошо. Я знаю, что у меня СПИД, но не боюсь его. Я принимаю себя таким, каков я есть. Правда, если мое состояние вдруг резко ухудшится, тогда я, возможно, буду бояться гораздо сильнее».

Мне кажется, подобного рода рассказы должны многому научить нас. СПИД слабее, чем наша вера — вера в себя. СПИД слабее Бога. А если вы поверите, что ваша вера в себя сильна и идет от Бога, то в вашей жизни произойдет много хорошего.

Лечение

Сегодня еще один совершенный день на Земле. Мы проживем его с радостью. Я уважаю и защищаю свое тело, потому что дорожу своим здоровьем. Мое тело с каждым днем становится все более близким мне. Я люблю эту крепость, этот школьный класс, в котором обитает моя душа. Я глубоко уважаю каждый его орган, мускул, сустав, каждую клетку моего тела. Я использую все свои чувства, чтобы усилить близость с моим физическим «я».

Я благословляю мое тело. Я благодарен Господу за мое тело. Я люблю мое тело. Мы едины с той силой, что создала нас.

Мы спокойны, и все хорошо в нашем мире!

Глава девятая

ПРЕОДОЛЕВАЯ НЕГАТИВНОЕ ОТНОШЕНИЕ К СЕБЕ

Аффирмация:

С любовью мы преодолеем любые препятствия!

Людям даны все необходимые чувства, чтобы помочь им пережить разные ситуации. Ничего не пропущено. Нет хороших чувств и плохих чувств — все они просто чувства, и когда мы переживаем определенную ситуацию, какое бы чувство ни доминировало в тот момент, оно проходит. Когда мы пытаемся убежать от наших чувств, они всегда тут как тут.

Чувства — это мысли в движении внутри нашего тела. Когда мы осознаем, что сами творим свои чувства через мысли — а ведь на мысли мы можем повлиять! — тогда у нас появится способность делать другой выбор и создавать другие ситуации.

Иногда мы создаем у себя потребность чувствовать себя одинокими, что обычно берет начало в детских страхах, или в том, что мы не воспринимаем себя как человека. Как часто вы говорили: «Я хочу, чтобы меня кто-нибудь любил»? Так вот, вы и есть тот самый «кто-нибудь». Если в вашей жизни нет любви, то причина в том, что вы сами не любите себя. Если вы сами не можете находиться наедине с собой, почему кто-то другой захочет быть рядом с вами?

Когда люди серьезно больны, у них забирают энергию врачи, медсестры, больничный персонал. Называть людей «жертвами» — это еще больше унижать их. Давайте прямо сейчас откажемся от слова «жертва»! Больные СПИДом предпочитают, чтобы их называли не «жертвами СПИДа», а «больными СПИДом». Каждый из нас имеет право сохранять свое достоинство в любых обстоятельствах!

Первая реакция на диагноз СПИД

Когда человеку впервые ставится этот диагноз, большая часть из нас проходит через следующие эмоциональные реакции:

1. Страх и паника.
2. Отрицание.
3. Гнев и депрессия.
4. Беспомощность.

Первая реакция — страх и паника. Это естественно и нормально: вы сталкиваетесь с чем-то неизвестным. Вы слышали множество ужасных историй, а самый распространенный прогноз — «смертельное заболевание».

Затем наступает стадия отрицания. «О нет, только не я!», «Этого не может быть!», «Это не моя вина!». А потом гнев обращается внутрь и сменяется депрессией: «Буду просто сидеть и смотреть на стенку».

Депрессия может перейти в чувство беспомощности и безнадежности. «Ничего теперь не поделаешь...», «Какой теперь в этом смысл?», «Зачем теперь стараться?», «Мне остается просто написать завещание и умереть».

Иногда сюда примешивается и сожаление — очень разрушительная сила. Мы говорим себе: «Если бы я не сделал того-то и того-то, я был бы сейчас здоров». Это в корне неверно! На самом-то деле состояние, в котором вы сейчас находитесь, — это всего лишь отражение обстоятельств, в которых вы находились в тот данный момент времени и в данной точке пространства. Принять это — значит сделать первый шаг к внутреннему ладу и любви.

Естественно и нормально пройти через все эти стадии, но так же естественно и нормально оставить их позади. Позвольте себе выплеснуть все свои чувства: плачьте, гневайтесь, капризничайте, позвольте своему телу выразить все, что творится внутри его, — а затем спросите себя: «Что я могу сделать, чтобы мне стало легче?». Именно тогда вы и должны обратиться за помощью.

Гнев

Как много гнева в СПИДе! Гнева на саму болезнь. Кроме того, СПИД часто возрождает к жизни старый гнев, который был похоронен много лет назад: гнев на наши семьи за унижение и давление, которому мы подвергались, гнев на них за то, что они отвергли нас, когда мы не реализовали их мечты... А для геев — гнев на родителей за нежелание признать их сексуальную ориентацию, гнев на изоляцию, которая часто сопутствует болезни, гнев на все эти глупые законы и правила, которые говорят, что человек или группа людей недостаточно хороши, гнев на правительство и церковь за то, что они из-за моральных предрассудков позволили умереть многим людям.

Гнев на друзей и любовников, которые в страхе бросили вас. А главное — мы гневаемся на себя за то, что создали условия, при которых СПИД овладел нашим телом. Гнев на самих себя, потому что у нас нет ответов на вопрос «Что делать?», гнев из-за чувства своей беспомощности и зависимости.

Есть еще более сильный гнев на врачей, которые тоже не знают, что делать, и часто бездумно подписывают нам смертный приговор. Гнев на огромные финансовые траты на лечение и лекарства, которые не помогают. Гнев, гнев, гнев... Ярость и беспомощность. Что можно сделать с этими сильными чувствами? Как можем мы справиться с гневом, перевести эмоции в позитивное русло? Подавить гнев и позволить ему укорениться в наших телах — опасный путь. Мы должны выпустить наши чувства наружу.

Например, мы можем «поговорить» с людьми, на которых гневаемся, и таким образом разрядиться. К сожалению, слишком часто это невыполнимо. В таком случае есть и другие способы! Мы можем бить подушки, колотить боксерскую грушу, бегать или играть в теннис.

Мы можем заниматься медитацией, освобождаясь от нашего гнева, прощая себя и других. Мы можем говорить или кричать на других людей, стоя перед зеркалом. Но когда бы вы ни выпустили свой гнев на других — во время медитации или перед зеркалом, — вы должны заканчивать это, прощая их и говоря, что вам действительно нужны их любовь и одобрение. Если же этого не будет сдалано, ваши упражнения станут просто негативными аффирмациями, которые не обладают целительной силой.

Упражнения на высвобождение гнева

Здесь приведены упражнения, направленные на высвобождение гнева. Посмотрите в свои глаза в зеркале. Представьте себя или человека, который, как вы думаете, обидел вас. Скажите этому человеку конкретно, почему вы на него гневаетесь. Не сдерживайте себя, вы можете говорить нечто вроде:

1. Я зол на тебя, потому что...
2. Я оскорблен, потому что ты...
3. Я боюсь, потому что...
4. Мне хочется сделать с тобой....

Просто выпустите гнев! Когда вы закончите выражать свой гнев к этому человеку, скажите:

5. О'кей, все забыто.
6. Я освобождаю и отпускаю тебя.
7. Что в моих мыслях стало причиной этой ситуации?
8. Какие убеждения я должен изменить, чтобы больше не испытывать гнева?

Хей-рейд по гневу

Голос: Я пережил нечто удивительное и хочу рассказать об этом.

Два дня назад я считал врачей просто... Ну, скажем, я устал видеть врачей, разъезжающих в кадиллаках. Я думал, что для них эта профессия стала просто самым легким способом делать деньги, стать членами престижных клубов и раскатывать на шикарных машинах.

Поэтому, когда мой врач вызвал меня на прошлой неделе на обследование и за полчаса не сделал ничего, кроме как прослушал меня, постучал по груди и сказал, что я прекрасно выгляжу, а потом прислал мне счет на сто долларов, я взорвался. Я был в ярости. Я написал ему письмо и так и сказал там, что я разъярен его наглостью.

Он ответил очень добрым и полным размышлений письмом, которое сам напечатал. Он писал, что его прием не ограничивается выстукиванием, так как время и внимание, которые он уделяет больным, являются необходимой составной частью лечения. Я ответил ему очень зло. Я написал, что если мне захочется платить за доброту и сочувствие, я найму проститутку.

Луиза: Вы все еще гневаетесь.

Голос: Гнев играет важную роль в моей жизни. То, что произошло, дало мне возможность выплеснуть его. Я трижды переписывал свое письмо, говоря себе: «Ты ведь не хочешь так резко отвечать ему, потому что он искренне пытался сделать тебе приятное». Но я получаю все, чего мне недостает, здесь, и не хочу переплачивать врачу!

В тот вечер я написал три разных письма, и каждое было все более мягким, чем предыдущее, но фраза о проститутке была во всех. Я решил лечь спать и подождать утра, хотя мне было очень трудно сделать это.

На следующее утро в почте было второе письмо от моего врача. Он выписал мне бесплатный рецепт на все витамины, которые я получал у диетолога. Таким образом, одной бумажкой он сэкономил мне примерно три тысячи долларов! И я понял, что его волновали не только деньги, и очень обрадовался, что не отослал то свое письмо.

Луиза: Мы можем многому научиться в своем гневе.

Страх

СПИД заставляет нас встретиться лицом к лицу с нашими самыми большими страхами: страхом потери, страхом быть отвергнутым, страхом перед беспомощностью и одиночеством, страхом перед болью и, разумеется, страхом смерти.

Но надо помнить, что когда вы чего-то боитесь, вы всегда преувеличиваете опасность. Многие больные говорили о своей болезни: «Это на самом-то деле не так уж и плохо» или «Я смог, как видите, справиться с этой штукой!» Постоянный страх очень угнетающе действует на нашу иммунную систему. Когда люди со СПИДом позволяют своему страху взять над ними вверх, я спрашиваю их, чего они боялись, когда у них не было СПИДа. И оказывается, что они на все реагировали со страхом.

Для человека, у которого обнаружен СПИД, на передний план выступает страх потери, например, потери независимости. У многих меняется внешность — они опускаются. Люди часто теряют работу. Больные могут бояться потерять людей, места и вещи, которые любят.

Именно в этот момент требуется помощь групп поддержки. Говорите о своих страхах! Не зацикливайтесь на них, а пытайтесь найти способ посмотреть на них со стороны. Спрашивайте других, как они справились со своим страхом. Держитесь подальше от людей с негативным настроем: сейчас в вашей жизни нужны люди, которые всегда добиваются успеха.

Поможет даже такая простая вещь, как дыхание: позвольте себе дышать глубоко и полностью расслабляйте тело и мозг. Делайте это как можно чаще в течение дня — вы сможете думать с большей ясностью, когда вы расслаблены. Многим помогла медитация. Аффирмация «Все хорошо» также несет спокойствие. А когда мы меняем свое отношение к жизни, меняются и события вокруг нас.

Обсуждайте неотвратимость смерти. Неважно, кто мы или какое у нас заболевание, через это переживание пройдут все люди.

Как вы относитесь к смерти? Что, как вы думаете, произойдет с вами, когда вы умрете? Воспитывали ли вас в религии, пугающей адским огнем и серой? Неужели вы действительно верите, что обречены гореть в аду? Хотите ли вы изменить это представление? Сейчас вы взрослый человек и вольны выбирать все что угодно, в том числе и религию. Создайте себе представление о смерти, которое поддержит вас, и спокойно живите с ним.

Чувство вины

Чувство вины — еще один комплекс, от которого лучше избавиться как можно быстрее. Вина не помогает нам, а, напротив, заставляет нас чувствовать себя плохо. А нам это совершенно ни к чему — мы находимся в процессе любви к себе.

К несчастью, слишком многих из нас в детстве заставляли хорошо себя вести, манипулируя именно чувством вины. Как следствие, мы сами все время испытываем это чувство и уверены, что можем заставить других что-то делать, только если они будут чувствовать себя виноватыми. Это отнюдь не исцеляющая привычка!

Очень часто люди принимают на себя вину, будучи уверенными в том, что они недостаточно хороши; или это может быть связано с сексом, с нетипичной сексуальной ориентацией... Возможно, у них возникает страшное чувство вины из-за того, что они больны СПИДом. Но настало время избавиться от этого чувства, что бы ни было ему причиной! Прошлое ушло в небытие, мы его никак не изменим. Сегодня нам лучше распрощаться с ним, а затем сконцентрировать свою энергию и направить ее на поиск пути к исцелению. «Я люблю и принимаю себя таким, какой я есть» — очень хорошая аффирмация для избавления от чувства вины.

Злость

Злость — это гнев, который был подавлен. Вместо того, чтобы выразить его позитивным способом, мы «проглатываем» гнев, считая, что не имеем права гневаться. В результате мы злимся или впадаем в депрессию. Самое же страшное — это то, что злоба гнездится в теле, и, накопившись, начинает «поедать» наши органы и суставы. Рак — это тоже следствие длительной злобы. Разве стоит держаться за старые обиды? Отпустите их! Ради нащего же здоровья! Как это сделать? Просто использовать старое доброе прощение.

Часто рядом со злостью идет горе. Если мы поймем, как обращаться с этой сильной эмоцией и использовать ее себе во благо, то процесс нашего исцеления пойдет быстрее, и наша жизнь улучшится.

Горе

В эти дни мы горюем как никогда раньше. Кто-то сказал мне, что у него умерло 140 друзей. Можете себе представить горе этого человека?

Любовники теряют своих любимых, родители теряют детей... Многим из оставшихся в живых тяжело говорить о своих переживаниях из-за стыда, которым мы окружили это заболевание — СПИД. Когда умирает кто-то, кого вы любите, пройдет не меньше года, прежде чем ослабнет ваше горе. А если друзья умирают каждый месяц или неделю, как можно перестать горевать? Горе становится для людей постоянным спутником.

Горе может быть сильным и всепоглощающим, и мы должны мобилизовать все ресурсы организма, чтобы справиться с ним. Тут нет единых рецептов: часто нам помогают друзья, может помочь медитация. Сейчас в большинстве городов есть группы, которые специализируются на том, чтобы помочь страдающим от горя людям справиться с этим сильным чувством.

Попробуем посмотреть на потерю наших любимых с другой стороны. Я верю, что мы навсегда связаны с теми, кого любим, и можем общаться с ними. С точки зрения материи они исчезли с Земли, и все же связь с ними осталась на умственном и духовном уровнях. Возьмите свои воспоминания: разве они не существуют по-прежнему? Разве для нас они не реальны?

Оставив планету, эти люди больше не страдают от наших предубеждений и страхов. Их восприятие мира расширилось, и они могут дать нам совет, который не ограничен человеческим мышлением. Мы видим часть одной жизни, они видят переплетения многих судеб. Мы можем разговаривать с ними и завершить любое дело, которое они оставили недоделанным; мы можем просить у них помощи, в том числе и помочь нам с нашим горем. Наша потеря происходит только на физическом уровне, остальные связи не исчезают. Не отворачивайтесь от людей, которые ушли, оставайтесь с ними в контакте.

Упражнения в горе

Мой друг Сэмюэль Киршнер написал замечательное упражнение: «Глубоко вдохните и выдохните. Следите за своим дыханием, держитесь его ритма.

Представьте себя на тропинке через лес. Это прекрасный день, дует легкий ветерок, сквозь деревья пробиваются лучи солнца. Вы выходите на берег широкой реки. Продолжайте дышать в том же ритме. Когда вы подходите к воде, вы видите в ней свое отражение. На поверхности воды появляются маленькие волны, и ваше отражение искажается. Вы поднимаете голову и видите маленькую лодочку, в которой кто-то сидит. Вы сразу же узнаете своего духовного проводника.

Лодка подплывает ближе, и ваш духовный проводник приглашает вас сесть в нее. Вы чувствуете себя очень уверенно. Лодка тихо движется вниз по реке, ее просто несет течением. Свет вокруг постепенно усиливается, и вы едва осмеливаетесь поднять глаза — так ярко свечение. Этот свет становится теплее и нежнее. Он манит вас к себе, и вы хотите оказаться внутри него.

Сейчас, когда вы смотрите наверх, вы видите маленький остров. Свет тянет за собой вашу лодку. Оказавшись ближе, вы видите хрустальный дворец. Все вокруг залито светло-голубым светом. Когда лодка пристает к берегу острова, вы видите множество существ. Они лишены тел и сотканы из света. Они помогают вам выбраться из лодки и ведут вас за собой, а ваш духовный проводник идет за вами.

В этих существах вы узнаете людей, которые когда-то были близки вам и которые умерли, и все они находятся вокруг этого хрустального дворца.

Вас вводят внутрь, в большую комнату, сделанную из хрусталя. Вы видите перед собой всех тех, кто был вам дорог и кто покинул планету. Сейчас вы можете поговорить с ними и сказать им все, что не сказали перед их уходом. Вы можете задать им любые вопросы, они с готовностью ответят вам. Они кажутся очень счастливыми и спокойными.

Вы не сдерживаете чувств, потому что это правильно и приветствуется ими. Вы говорите им, как скучаете по ним, как сильно они влияют на вашу жизнь, как они близки вам и каким трудным и внезапным был их уход. Они понимают и принимают все, что вы им скажете, все, что вы пытаетесь выразить словами.

И вы рассказываете им, как вы обходитесь без них в этом мире, как вы боитесь за себя. Вы просите у них прощения и получаете его, и прощаете себя. Ваш духовный проводник поддерживает и успокаивает вас. Вы продолжаете. Вы говорите им, что их жизнь была прожита не зря, говорите о том, как сильно они обогатили вашу жизнь, как много они для вас значат. Вы просите их не прерывать вашу связь и наставлять вас в будущем.

Вы продолжаете дышать. Если у вас есть родители, которых вы потеряли, вы тоже встречаете их вместе с другими членами семьи, друзьями и любовниками. Вы продолжаете дышать. А потом вы высвобождаете свой гнев, и его поглощает свет.

Если хотите, повернитесь к кому-нибудь и подержитесь за него. Позвольте, чтобы вас держали. Почувствуйте, как расширяется ваша грудь. Впустите в себя побольше воздуха. Задержите его и выпустите. Пройдите сквозь череду тех красивых, сделанных из света существ, с которыми вы связаны. Они с любовью машут вам. Они любят вас и полностью понимают.

Вы знаете, что когда-нибудь снова встретитесь с ними, а сейчас должны вернуться назад. Вы все еще в человеческом теле, вас ждут незавершенные дела и уроки жизни, которым вы должны научиться... Вы машете им в ответ, зная, что разлуки не будет. Когда бы вы ни захотели связаться с ними, вы сможете вернуться на этот остров с хрустальным дворцом.

С помощью своего проводника вы снова забираетесь в лодку. Свет все еще яркий и искушающий, но вы должны возвращаться. Вместе вы отчаливаете и плывете по реке. Река смывает ваши слезы, и постепенно свет ослабевает. Ваш проводник благодарит вас за желание оставаться человеком и подвозит к берегу. Сейчас ваше отражение в воде очень четкое. Вы вернулись. Горе ушло».

Лечение

Сегодня еще один совершенный день на Земле. Мы проживем его с радостью. Я открыт и принимаю силу, счастье и спокойствие. Я собираюсь строить свою жизнь на надежде, мужестве и любви. Сейчас я принимаю все хорошее как что-то абсолютно органичное, естественное для себя. Любовь в моем мире — это волшебная исцеляющая сила. С помощью любви я приступаю к трансформации моей жизни.

У нас есть сила и мощь, чтобы преодолеть то, что кажется непреодолимым. Мы едины с той силой, что создала нас.

Мы спокойны, и все хорошо в нашем мире!

Глава десятая

ПРОЩЕНИЕ: ПУТЬ К ЛИЧНОЙ СВОБОДЕ

Аффирмация:

Я готов прощать!

Прощение

Наша единственная цель — любовь, а путь к ней лежит через прощение. Как вы уже могли заметить, в этой книге снова и снова повторяются слова о любви и прощении. Да, это очень просто, но это помогает! Любовь — исцеляющий ответ на прощение. Если нам тяжело любить себя, то только потому, что мы не умеем прощать. Мы ищем себе оправдания и становимся самодовольными. Мы можем быть «правы», но мы все равно несчастливы. Мы можем винить всех и вся — и не видеть свое собственное нежелание освободиться.

Я хочу поделиться с вами отрывком из письма ко мне одного молодого человека, который в конце своей жизни решил всех простить и в буквальном смысле слова возродился.

«Четыре года назад мне поставили диагноз «саркома Капоши». К счастью, в течение первых трех лет у меня не было внешних поражений. Однако в январе этого у года у меня стали появляться изъязвления во рту и на лице. К октябрю их число приблизилось к сотне.

После того как я побывал на вашем семинаре, я стал посещать нью-йоркский центр «Исцеляющий круг» и работать с вашим учителем Сэмюэлем Киршнером. В начале октября мне стало очень плохо. Я весил уже всего 122 фунта (мой рост 5 футов 11 дюймов) и все время проводил в постели, не в силах делать что-либо другое. Меня постоянно мучили лихорадки и простуды. Когда я смог подняться, я сделал рентген, и мне сказали, что у меня пневмоцистная пневмония. Врач сказал, что у него сейчас нет свободных мест в больнице, и прописал мне бактрим.

Мы с моим любовником перепробовали все, чтобы я мог проглотить эти таблетки: мы даже перемалывали их и закладывали в маленькие капсулы, но меня всегда рвало после них. У меня резко повысилась температура и началось сильное обезвоживание организма. Несколькими ночами позже, около 23 часов, после длительной рвоты, я сказал «хватит». С этой минуты я покончил с медициной, таблетками и больницами. Если мне суждено умереть, то я сделаю это в своей постели и так, как захочу!

Мы долго говорили с моим любовником. Он разрешил мне уйти: сказал, что если мне легче умереть, то он поддержит меня. Тогда я позвонил своей матери, которая все это время была мне настоящим другом. Я сказал ей, что решил умереть естественным путем, дома, и мне нужно ее разрешение. Она сказала: «Один раз я уже перерезала пуповину и сделаю это снова, чтобы ты мог возродиться».

Я попрощался и приготовился умереть. Я перебирал всех людей в своей жизни, прощал их и отпускал. Я вспомнил все свои страхи. За этим занятием я провел почти всю ночь. Затем я увидел Свет и стал ждать смерти, так как знал, что мое тело больше не может существовать. Я сделал все, что вы советовали в своей книге «Ты можешь исцелить свою жизнь».

На следующее утро, когда взошло солнце, я был очень спокоен и сдержан. Внезапно я почувствовал прилив энергии. Я был в прекрасном настроении и даже запел. В течение дня я чувствовал себя все лучше и лучше. Все это время меня окутывало невероятное спокойствие.

В тот вечер в группе поддержки я поделился своими переживаниями с семьюдесятью людьми. Мне сказали, что на меня снизошел Свет, и это было чудо! Сейчас прошло несколько дней, и я чувствую себя сильнее, чем прежде: мои кожные высыпания исчезают прямо на глазах. Впервые за много лет мне позвонил отец, и наши отношения полностью наладились. Сейчас я знаю, что чудеса случаются, если (как вы и говорили) мы готовы *работать*».

Я читала это письмо многим людям, потому что оно так вдохновляет! Прощение может дать вам возможность почувствовать себя ближе к Свету. Не обязательно знать точно, как прощать — достаточно просто захотеть этого.

Готовность прощать откроет все двери и выведет на путь: другой человек может сам позвонить вам или как-то заговорить о прошлом, так что вы оба пойдете навстречу друг другу.

Упражнение на прощение

Все проблемы в межличностных отношениях могут быть связаны с отсутствием прощения. Помните: вы должны начать с себя. Здесь я привожу простые упражнения, как помочь себе простить.

1. Спросите себя, что труднее всего простить? Кого труднее всего простить? Почему?
2. Если вы действительно хотите простить этого человека, вы легко это можете сделать. Почему же вы держитесь за старую обиду?
3. На что бы вы хотели поменять свои отрицательные эмоции? Можете ли вы проявить понимание в ответ на предательство? Сострадание в ответ на оскорбление? Можете ли вы подарить прощение?
4. Хотите ли вы изменить свои старые представления о том, что «я достоин оскорбления» на «я достоин заботы»?
5. Как сильно вы хотите отказаться от старых идей ради новой свободы, которую несет прощение?

История Нэнси

«Как говорится, Бог никогда не даст тебе больше того, с чем ты можешь справиться. Временами я гадаю, сколько еще выпадет на мою долю, но всегда нахожу в себе силы».

Это замечание типично для Нэнси, которая в свои сорок буквально лучится энергией. Ее нельзя назвать типичной домашней хозяйкой с Беверли Хилл, хотя она действительно живет в роскошном доме на холме. Нэнси — счастливая в браке маленькая брюнетка с сияющими глазами, она гордая мать красивой, недавно удочеренной девочки. Она — одна из основателей проекта по СПИДу в Лос-Анджелесе и только что получила премию за свою упорную работу. Она также только что узнала, что и сама заражена СПИДом.

Оглядываясь на причины, которые могли привести ее к болезни, Нэнси признается: «Пять лет назад я вела очень свободный образ жизни и любила повеселиться. Я истощила свой организм, так как всегда наслаждалась жизнью на полную катушку».

Она также говорит, что никогда не относилась к людям, которые сознательно придерживаются правильного питания. «Во время работы в Центре поддержки я постоянно сталкивалась со смертью, но не позволяла себе горевать и очень многое носила в себе. Правда, когда я стала работать с больными, я отказалась от большинства своих плохих привычек и заменила их чем-то более конструктивным».

Нэнси замолкает и потом бурчит себе под нос: «Но я по-прежнему обожаю ходить на танцы!»

В начале этого года Нэнси повредила ногу в спортзале, а затем ударила ее о кресло. Место ушиба загноилось, так что ей пришлось лечь в больницу на операцию. «Я думаю, именно тогда были уничтожены остатки моего иммунитета, особенно если вспомнить, какие дозы антибиотиков я получала».

Она вернулась домой из больницы, но рана не заживала. «Однажды вечером, поднявшись по лестнице, я с трудом восстановила дыхание. До этого, за исключением редких поносов, у меня совершенно не было симптомов СПИДа. Я чувствовала себя отлично, так что дыхание стало единственной моей проблемой».

На следующий день Нэнси прошла тестирование, и у нее была обнаружена пневмоцистная пневмония. Она провела десять дней в больнице, лечась бактримом, «который я принимала вместе с огромными дозами мегадофила, чтобы защитить свой желудок, так что, как только антибиотики уничтожали полезные бактерии, мегадофил восстанавливал их. Я рекомендую мегадофил всем, кто лечится таким образом».

Она вернулась домой и возобновила свою активную жизнь. Они с мужем отправились в круиз вокруг Аляски, а по возвращении Нэнси начала принимать экспериментальный препарат «компонент С». «Он очень эффективно поддерживает иммунную систему. У него практически нет побочных эффектов, и он выпускается в виде таблеток, которые я принимала каждые четыре часа».

Примерно в то же время у Нэнси начались лихорадки. Затем, во время путешествия в Санта-Фе, она попала в больницу с обезвоживанием организма, но врачи не смогли ничего обнаружить. У нее резко подскочила температура. «Я вернулась в больницу, и они сказали мне, чтобы я готовилась к худшему. Врач спросил меня, не хочу ли я что-либо сказать ему. «Я никуда не уйду, — ответила я. — Когда нам надо будет поговорить об этом, мы поговорим, но сейчас я никуда не собираюсь уходить».

Мне снились кошмары, и во время этого кризиса я с трудом фокусировалась на своем духовном «я». Я много разговаривала с Богом, но пропускала внутреннюю работу, которую обычно делала каждый день».

Витамины и питание стали играть огромную роль в ее жизни. Она консультируется у фитотерапевта и участвует в программе по витаминам. «Я принимаю витамины B, C, иммуноплекс, аминокислоты и мультивитамины. Я стараюсь не есть много «пустой» пищи, но еще не изменила свою диету. Правда, вместо кофе я пью его суррогат из ячменя.

Больше всего поддержки я нашла внутри себя. К тому же, мне повезло жить с людьми, которые духовно в ладу с собой. Мне пришлось прекратить контакты со многими друзьями, которые все еще ведут разгульную жизнь, потому что я им завидую, а воля у меня слабая. Я знаю, что остаться дома с книгой в руках поможет мне больше, чем то, что я делала раньше.

Многие из моих друзей нашли себя духовно, и я счастлива, что они достигли гармонии, ведь это самое главное. Мне кажется, тут должна «сработать» комбинация из множества различных вещей. Так как каждый человек уникален, ты не можешь сказать: «Это же помогло тому человеку — значит, поможет и мне». Я считаю, что каждый должен искать только то, что подходит именно ему».

Нэнси также рекомендует окружить себя как можно большей любовью. «Не могу поверить, как много любви я нашла в своей жизни!»

В течение многих месяцев, Нэнси не решалась рассказать все своей семье. «Причиной был страх отторжения, но когда тяжесть моего пребывания в больнице стала очевидной, я решила больше не скрывать правду. Они необыкновенно поддержали меня! Они прилетели через два дня после того, как я попала в больницу, и оставались рядом все время, пока не увидели, что мне стало лучше».

Медитации и развивающе-философское чтение были частью жизни Нэнси задолго до ее болезни, и они помогли ей осознать силу ее внутреннего разума. «Я впервые посетила семинары Луизы Хей, когда они проводились в ее гостиной всего для десяти человек. Луиза всегда оказывает на меня успокаивающее воздействие. В любом случае, я три раза в день медитирую и проговариваю аффирмации.

Сейчас во мне царит спокойствие, которого я не знала раньше. Когда человек сталкивается с угрожающей жизни болезнью, он вынужден возвращаться к тому, что раньше откладывал в сторону. Я думаю, что заболела, чтобы расчистить «склад» различных проблем в моей жизни, и пока я не закончу с этим, я не смогу «перейти черту» и выяснить, что же там дальше. Я верю в реинкарнацию, и это тоже несет мне душевный комфорт. И хотя еще бывают дни, когда я безумно боюсь, я работаю над собой, избавляясь от страхов и контролируя все, что со мной происходит.

Я не вижу в себе ничего отличного от того, что происходит с больными-мужчинами. Не читайте статистики и помните, что ваш случай особенный. Когда у меня во рту появилась саркома Капоши, я решила провести курс химиотерапии. Некоторые люди рассказывали мне об этом ужасные вещи, но я слушала и других, которые говорили о надежде и возможной удаче. Осознайте, что вы уникальны и болезнь эта тоже уникальна. Одни люди умирают, другие живут, и вы сами должны взять на себя ответственность за решение вопрос — жить или умирать. Сейчас я чувствую в себе желание жить».

Лечение

Сегодня еще один совершенный день на Земле. Мы проживем его с радостью. Никто не заберет у меня то, что дано мне по праву. И хотя я могу не знать, как прощать, я хочу прощать, уверенная, что найду помощь на каждом отрезке своей жизни. Я хочу простить всех, кто когда-либо сделал мне что-то плохое. Это мой день всепрощения. Я прощаю себя за все прошлые обиды в отношении как себя, так и других. Я освобождаю себя от тяжести вины и стыда.

Я ухожу прочь от прошлого и живу с радостью, принимая каждое мгновение жизни. Я свободен. Мы едины с той силой, что создала нас.

Мы спокойны, и все хорошо в нашем мире!

Глава одиннадцатая

СОЗДАВАЯ ПОЗИТИВНОЕ ОТНОШЕНИЕ К ЖИЗНИ

Аффирмация:

Я выбираю наслаждаться своим совершенным днем!

Жить, когда ты болен СПИДом — это огромный урок в том, чтобы принимать все, как есть. Возможно, сознательно мы бы никогда не сделали этого, однако СПИД существует, и после того, как мы прошли через первые стадии страха, отрицания, гнева и безнадежного смирения, надо переходить в более позитивную фазу.

СПИД — время учиться. Чему мы способны научиться у этого заболевания и как можем поправить свое здоровье? Мы можем злиться на болезнь и использовать этот гнев, чтобы сделать все возможное, лишь бы ее уничтожить. Но мы не должны злиться на себя — даже если отчетливо видим, как сами пришли к тому, чтобы заболеть. Нельзя осложнять свою жизнь гневом на себя!

Работа с зеркалом

Сядьте перед зеркалом, с любовью глядя в глаза своему отражению, и скажите: «Я люблю тебя, я в самом деле люблю тебя!»

Занимайтесь этим сразу как только встанете утром и перед тем как лечь. Делайте это в течение дня. Если при этом появятся неприятные ощущения, подождите, пока они исчезнут — это всего лишь старые мысли, которые ограничивали вас в прошлом, и они уничтожаются вашим желанием полюбить себя.

Вы можете также подойти к зеркалу как только проснетесь и сказать: «Я люблю тебя. Что я могу сделать для тебя сегодня, чтобы ты был счастлив?». Затем прислушайтесь к своим внутренним потребностям. В первый раз это может быть что-то незначительное, но прислушиваясь, вы начнете доверять себе, и скоро обнаружите, что вам легче доверять и остальным.

Если происходит что-то для вас неприятное, немедленно подойдите к зеркалу и скажите: «Все в порядке, я по-прежнему люблю тебя». Вы должны всегда помнить, что любовь к себе намного важнее любого переживания: эмоции стихнут, а ваша любовь останется неизменной.

Если происходит что-то восхитительное, подойдите к зеркалу и скажите: «Спасибо!» Признайте, что вы — причина всего хорошего в вашей жизни. Чем больше вы уважаете себя, тем чаще у вас будет повод для этого уважения.

Посмотрите в свои собственные глаза и скажите: «Я прощаю и люблю тебя». У всех нас есть за что просить прощения: мы так суровы к себе, так критичны! Мы «бьем» себя за каждую ошибку, пусть даже ничтожную. У нас всегда найдется повод говорить о прощении себя!

Используйте зеркало и для общения с другими людьми. Здесь вы можете сказать им то, что боитесь сказать при личной встрече, можете разобраться со старыми проблемами, можете простить этих людей. Вы можете попросить у них любви и одобрения.

Работа с зеркалом для исцеления личности

Вы также можете использовать зеркало для исцеления своей личности — зеркало всегда говорит правду о нас. Вы можете сказать своему отражению: «Я хорошо забочусь о тебе. Вместе мы сделаем все, чтобы исцелиться. Я хочу понять то, что мне нужно понять, я хочу измениться и духовно вырасти. Сейчас я привлекаю к себе все, что мне нужно на физическом уровне, чтобы исцелить себя. Я благословляю любовью состояние, которое называется СПИД, и хочу отпустить его и позволить ему уйти. Я люблю свою иммунную систему и делаю все возможное, чтобы она стала сильной и здоровой. Мне легко следовать новому здоровому образу жизни. Мое тело с каждым днем становится сильнее. Я чувствую себя лучше и я выгляжу лучше. Я спокоен. Все хорошо в моем мире!»

Если вы начнете так день, то проживете его с более позитивным настроем. Мы не можем ждать, пока медицина обнаружит химическое средство против СПИДа — мы должны сами найти свой путь, чтобы укрепить нашу иммунную систему. Например, правильное питание. Помогут также физическая нагрузка, медитация и визуализации. Позитивный настрой — прекрасный усилитель наших действий. И, разумеется, любовь. Любовь к нам самим и другим людям — самый мощный из известных сегодня стимуляторов иммунной системы.

Как я уже говорила много раз, причина трудностей, с которыми сталкиваются люди перед зеркалом, в том, что зеркало говорит только правду. Когда мы смотрим в него, то видим отражение собственных мыслей. И если мы не любим себя, нам трудно смотреть себе в глаза. Я заметила, что даже самые красивые люди будут осуждать свою внешность в зеркале, если они не любят себя.

С другой стороны, зеркало — одно из самых мощных орудий, которые помогают нам изменить жизнь. Если, глядя в зеркало, говорить себе позитивные вещи, или, как я это называю, «проводить работу с зеркалом», то изменения наступят быстрее.

Я видела множество людей, которые изменили свою жизнь, просто глядя в зеркало и говоря: «Я люблю тебя, я в самом деле люблю тебя». Вначале это казалось им лживым или даже странным. Да, это упражнение вначале может вызвать гнев, или грусть, или даже страх. И все же, если мы продолжаем произносить эту простую аффирмацию каждый раз, когда оказываемся перед зеркалом, наша внутренняя энергия начинает меняться, освобождаясь от разрушительных мыслей и поведения. Пройдет время, и мы поймем, что действительно любим себя.

Вы можете использовать зеркало, чтобы говорить людям вещи, которые боитесь сказать им при личном общении. Разговаривайте с родителями, любовниками, начальством, врачами — всеми, с кем вам надо что-то обсудить. Учитесь требовать повышения по службе или объясняйтесь в любви, или просите прощения. Это удивительным образом поможет вам устранить все недоразумения, и когда вы в следующий раз встретитесь с тем человеком, что-то изменится. Если вы стали чужими с родителями используйте зеркало, чтобы сократить дистанцию между вами. Посмотрите в зеркало и скажите: «Мам (или, пап), я хочу, чтобы ты знала, кто я есть на самом деле». Потом скажите им, какой вы замечательный. Скажите, чего вы хотите от них. Скажите о том, как бы вы хотели, чтобы сложились отношения между вами. И всегда заканчивайте разговор, давая им понять, как вам важны их любовь и одобрение. Если вы будете делать это каждый день в течение двух-трех недель, а потом позвоните им или приедете в гости, вы сами поразитесь тому, как они изменились к вам.

Позитивный подход к собственным недостаткам

Если у вас СПИД или близкое СПИДу заболевание, не ставьте перед собой цель просто вернуться в состояние, которое было у вас до болезни: вряд ли оно было особенно хорошим, иначе вы бы никогда не заболели. После того, как вы были инфицированы, вирус терпеливо ждет в вашем организме, чтобы ваша иммунная система ослабла, и тогда берет вверх. Множество людей сейчас являются носителями вируса, но никогда не заболеют, потому что их иммунная система сильна, и такой и останется, или, даже если их иммунная система ослаблена, они сами не загоняют себя настолько, чтобы развить состояние СПИДа.

Значит, чтобы побороть болезнь, важно иметь крепкую иммунную систему. Это ваша обязанность. Часто мы напрасно тратим свою энергию, ища заветную таблетку, которая немедленно сделает нас здоровыми — и возвращаемся к тем действиям, которые как раз и стали причиной заболевания.

Мы ищем волшебное лекарство... Да, эти природные и синтетические препараты могут быть чудесными, но они дают только один — телесный — аспект исцеления. Между тем как тело, ум и дух также должны исцелиться. Если врачи завтра найдут лекарство от СПИДа, действительно ли вы исцелитесь? Или вы просто примите лекарство для своего тела и немедленно вернетесь к своей прежней жизни, чтобы на месте СПИДа появилось что-то еще?

Это ваша жизнь, вам и решать, что с ней делать. Ни один врач или целитель не будет работать на вас, если вы сами того не захотите. Если вы решили принимать активное участие в процессе лечения, делайте это с радостью и любовью. Каждый человек обладает целительной энергией. Я встречала многих больных, которые победили СПИД, и сейчас хотят донести знания по самоисцелению до всех людей.

История Тома

«В воскресенье 19 августа 1984 года, ровно в восемь утра был дан старт ежегодного марафона в Сан-Франциско. Я и несколько членов моего клуба любителей бега влились в толпу десяти тысяч других бегунов. Во время бега я думал о пурпурном пятне на щеке, которое не проходило уже два месяца. Я отлично пробежал дистанцию и, к своей радости, финишировал седьмым.

Вскоре после марафона я решил провести биопсию этого пятна на щеке. Была диагностирована саркома Капоши. Помню, как я сидел, потрясенный до глубины души, в офисе дерматолога и думал: «Этого не может быть...» Однако, как ни странно, этот кошмар стал для меня самым значительным временем моей жизни. О да, я, как и другие, пережил мысли о самоубийстве, гнев, депрессию, шок и мысли типа «но почему именно я?!». Следующие двадцать четыре часа я дюжину раз составлял в уме свое завещание, воображая, как пройдут мои похороны и даже кто придет на них!

В тот вечер мне дали пленку, записанную доктором Эмметом Миллером «Целительное путешествие». И пока я слушал ее, я внезапно вновь почувствовал себя ответственным за свою жизнь. На следующее утро я вышел на улицу и увидел пальмы, голубое небо, цветы и осознал, какой это бесценный дар — жить на Земле. Моя жизнь изменилась, и я стал наслаждаться каждым ее мгновением, здесь и сейчас, намного сильнее, чем прежде.

Мой любимый всячески поддерживал меня, одаривая своей любовью. Когда он узнал о диагнозе, то сразу сказал: «Это ничего не меняет между нами. Я люблю тебя и буду рядом». Как я был тогда счастлив! Он позволил мне заниматься тем, что для меня важно, а сам взял на себя хлопоты по дому. Я глубоко люблю его и благодарен ему за помощь!

Так как физически я чувствовал себя очень хорошо, я решил, что, заболев, должен изменить мир, неся свет надежды себе и другим людям перед лицом болезни, которая напугала все человечество. Я решил сделать уже существующий семинар по СПИДу более позитивным, обнадеживающим и духовным. Для этого требовалось намного больше, чем те ужасающие данные, которые обрисовывали страшное лицо СПИДа. Я хотел расширить семинар от десяти людей к сотне и начать кампанию среди аудитории не поддаваться СПИДу и верить, что, объединившись, мы можем наслаждаться жизнью, несмотря на болезнь, и мало-помалу преодолеем СПИД.

В то время я и встретил Луизу Хей. Я сразу же увидел ее чудесные способности и дал себе слово купить ее пленку по СПИДу и регулярно общаться с ней. Она помогла мне понять на более глубоком уровне, что не так уж позорно быть геем и что любой секс — это нормально. Я осознал, насколько сильно на меня повлияло мнение других людей в этом вопросе, из-за чего я стал винить и наказывать себя. Как только я избавился от предрассудков, моя жизнь неимоверно расширилась. Я перешел на очищающую диету, ходил на иглоукалывание и каждую неделю консультировался у Луизы. Сейчас я чувствую себя великолепно.

Затем мне представилась еще одна изумительная возможность: ко мне обратились с предложением стать исполнительным директором ежегодных соревнований по бегу на пяти- и десятикилометровые дистанции, выручка от которых должна была пойти организациям, борющимся со СПИДом. Я принял предложение и занялся этим делом, которое возымело небывалый успех: участвовали восемьсот пятьдесят бегунов и триста пятьдесят ходоков!

Так как я стал в некотором роде местной знаменитостью, появляясь на телевидении и радио и печатаясь в журналах, я в конце концов решил сообщить своим родным о диагнозе. Когда я в 1979 году рассказал им о себе, мы крупно повздорили, и я боялся, что все повторится вновь. Но они съехались в Лос-Анджелес со всей страны, не одобряя мою сексуальную ориентацию, но полностью поддерживая меня, члена их семьи.

Во время церемонии открытия вечера после бега я рассказал аудитории из двух тысяч человек, как много для меня значит видеть рядом семью в этот самый значительный день моей жизни. Тогда я и сказал моей семье, что люблю их. Аудитория аплодировала мне стоя. Я слился в единое целое со всеми остальными — это был незабываемый момент! Сразу же после этого мэр Джон Хейдман поблагодарил меня за работу, проведенную мною на соревнованиях, и сказал, что я стал образцом для больных СПИДом и всего общества в целом. Это был воистину лучший день моей жизни!

Мой последний проект — это тренировка участников нью-йоркского марафона. Мне предложили дать интервью в журналах «Пипл», «Эсквайр» и «Лондон Таймс». Я скажу им, что моя цель — это жизнь, полная любви и надежды. Я работаю каждый день, чтобы этого достичь, и стараюсь помочь в этом другим. Я благодарю судьбу за свои отношения с Дугом, моими родителями, моей семьей, Луизой Хей и членами общины гомосексуалистов. Я научился любить себя, и это открыло мне путь к моей мечте и осознанию того, что и я что-то изменил в этом мире!»

С тех пор Том покинул нашу планету, но есть многое, что мы можем почерпнуть из его позитивного отношения к СПИДу. Стоит ли любое заболевание того, чтобы человек отказывался от своей жизни? Том по-настоящему прожил каждое мгновение каждого дня. Так же можете сделать и вы.

Лечение

Сегодня еще один совершенный день на Земле. Мы проживем его с радостью. Позитивные исцеляющие мысли — это то, о чем я хочу думать. Все звезды и планеты находятся на своих совершенных орбитах, подчиняясь Небесным Законам; то же происходит и со мной. Возможно, я не понимаю своим ограниченным человеческим разумом всего, что происходит, однако, я знаю, что на космическом уровне, я нахожусь на своем месте, в нужное время и делаю подобающую мне работу.

Этот опыт — ступенька на пути к новому знанию и великим победам. Мы едины с той силой, что создала нас.

Мы спокойны и все хорошо в нашем мире.

Глава двенадцатая

УЗНАВАЯ СВОЮ
ИММУННУЮ СИСТЕМУ

Аффирмация:

Мой иммунитет с каждым днем становится все сильнее!

Иммунная система — это хранитель нашего тела. Она эффективна и предана нам. Эта система работает с самого нашего рождения, она уничтожает непрошеных «гостей» и охраняет наше тело. Чтобы поддерживать хорошее здоровье, нам нужна сильная иммунная система. Вы когда-нибудь благодарили ее? Если нет, то найдите время и сделайте это прямо сейчас!

Мы знаем, что любовь — самый мощный из известных стимуляторов иммунной системы. Если любовь усиливает иммунную систему, тогда что же ослабляет и истощает ее? Злоба, страх, грусть, ярость, ревность, отчаяние, жалость и ненависть к себе. Как часто и как долго вы предавались этим истощающим иммунную систему чувствам? Ничего страшного, когда подобные чувства на короткое время овладевают вами; однако, если вы решили так и оставаться в этом истощающем эмоциональном состоянии, вы только вредите своей иммунной системе!

Как же ее укрепить? Меняя себя. Меняя наши представления о себе самих. Любя себя таким, какой ты есть. Желая проститься с прошлым и простить. Наши тела всегда отражают состояние нашего сознания на данный момент. Помните: когда мы меняем свои представления, мы должны меняться вместе с ними — и физически, и эмоционально. Когда мы меняемся, нам часто уже бывает не нужно старое заболевание. Это неотъемлемая часть того, как сделать себя цельным человеком и исцелить себя.

Если у нас негативный настрой мыслей, сейчас самое время его изменить. Когда мы освобождаемся от одних эмоций, их место должны занять другие. Мы можем сами регулировать этот процесс, желая заменить:

злость	на понимание,
страх	на спокойствие,
грусть	на прощение,
ярость	на любовь,
ревность	на радость,
отчаяние	на надежду,
жалость к себе	на ответственность перед собой,
отторжение	на принятие,
ненависть к себе	на любовь к себе.

Мы начнем с сознательного выбора. Когда мы заметим, что злимся, скажем: «Нет, я выбираю понимание!» Если мы грустим, то думаем о прощении, если мы испытываем гнев или ярость, то должны постараться превратить их в любовь. Если мы ревнуем, то начинаем радоваться счастью другого, если мы в отчаянии, то ищем надежду... Вместо того, чтобы сидеть и жалеть себя, мы должны брать на себя ответственность за свои поступки. Отторжение может и должно превратиться в принятие, а ненависть может и должна стать любовью к себе, если мы этого захотим!

Но это не произойдет за один день: старые привычки умирают медленно. Помните: они жили в нас много лет, поэтому требуется время, чтобы их заменить. И все же, если приложить усилия, результат не заставит себя ждать: через некоторое время мы обнаружим, что стали думать по-другому; мы заметим, что более спокойно реагируем на события — уже не расстраиваемся так часто, как бывало. Да и сами события изменились! В нашей жизни появилось больше хорошего. Все это — положительная стимуляция нашей иммунной системы и здоровья нашего тела.

История Питера

«Я художник, и выражаю себя в своих творениях. Думаю, любой может самовыражаться и не держать все внутри». Физически Питер и сам произведение искусства. Его постоянно преследуют фотографы, которые предлагают ему работу. Карьера манекенщика напрашивается для него сама собой, но он хочет заниматься другим. Скоро он начнет разрисовывать гигантскую фреску, чтобы собрать деньги для больных СПИДом.

Но так было не всегда. Шесть лет назад здоровье Питера сильно пошатнулось, и этот кризис перевернул всю его жизнь. «Я чувствовал, что моя болезнь вызвана душевным состоянием, и считал себя жертвой. Тогда было еще рано говорить, был ли это СПИД, потому что никто о нем не знал, да это и неважно. Важно то, что я был сильно болен и оказался перед выбором — жить или умереть».

У Питера был хронический мононуклеоз в течение шести месяцев, а в лимфатических узлах на шее, под мышками и в паху начались злокачественные перерождения. На какое-то время ему стало лучше, а потом, через четыре месяца, все повторилось. Он сильно потерял в весе, его мучили приступы потливости, вялость и чувство постоянной слабости. Питер ходил от одного врача к другому, но они могли только предложить ему все новые и новые обследования. Он потерял работу, его отношения с партнерами стали разрушительными для обеих сторон, а его самооценка упала до нуля. «Я был жертвой. Я был несчастен с собой и своей жизнью, поэтому и заболел. В основе всего была моя нелюбовь к себе».

Его вес упал до 114 фунтов (рост Питера превышает шесть футов), а кожа приобрела землистый оттенок. Он потерял веру во врачей, потому что «они не понимали, что происходит». Именно в этот момент Питер посетил иридодиагноста — специалиста, который диагностирует по радужной оболочке глаз. «Глаза — это зеркало нашей души». Он увидел, что тело Питера разбалансировано, и согласился работать с Питером при условии, что тот будет участвовать в процессе лечения.

Лечение началось с семидневной диеты, состоящей из морковного сока, дистиллированной воды и трав. Затем Питер начал прием минеральных веществ, содержащихся в определенных продуктах, которые помогали восстановить здоровье его тела. «Когда вы голодаете, начинается процесс, называемый автолизисом, или самоперевариванием. Первое, что переваривается, это слабые или больные клетки».

Этот метод лечения пришелся Питеру по душе, потому что он сам участвовал в воссоздании своего здоровья. «Когда ты идешь к врачу, ты ждешь, что он скажет тебе о чем-то плохом, и ты чувствуешь себя таким беспомощным... Он дает тебе лекарство». Питеру давали антибиотики, которые никак не помогли предотвратить тяжелую грибковую инфекцию в горле. С ней он тоже справился с помощью рационального питания.

Врачи провели биопсию одного из лимфатических узлов в паху Питера и обнаружили там доброкачественную опухоль. Это явилось настоящим поворотным пунктом в болезни Питера. Первое, что он сделал, — навсегда распрощался в врачами. «Я дошел до перекрестка дорог и внезапно увидел еще один путь — через диетологию. Я пошел к диетологам, потому что они давали мне надежду. С их помощью я был в состоянии что-то изменить».

Питер обнаружил, что путь к здоровью требует объединенных усилий ума, тела и духа. Его диетолог был монахом, поэтому он оказывал ему и духовную помощь. «Болезнь отравляет мозг, и если ты лишен любви к жизни, мозгу наносится тяжелый урон. Когда ты приходишь из вселенной любви, твое тело само защитит себя. Я дал обещание своему телу, разуму и духу, что, когда мне станет лучше, ничто подобное со мной больше не случится».

Таким образом, дорога назад, к здоровью, для Питера включала все аспекты его жизни. Он стал изучать диетологию и тратить время на приготовление правильной пищи. Он нашел новую работу, которая ему по-настоящему нравилась, начал ходить в спортивный зал и набрал вес. Он покинул своего любовника и вернулся к родителям. «Это было для меня временем пробуждения. Я стал духовно расти и заново создавать свою жизнь». Важной частью его обязательств перед самим собой было обещание духовно исцелить свою семью и возродить там любовь. Он долгое время не разговаривал с родителями, потому что они с трудом воспринимали его сексуальную ориентацию. «Моя болезнь сблизила нас, потому что они осознали, что лучше иметь «голубого» сына, чем мертвого. Они вырастили меня, но они не могут жить за меня. Мы стали частью друг друга через любовь. Поэтому теперь я регулярно общаюсь с ними. Сближение с ними — большой шаг к моему излечению».

Не менее важным, чем принятие другими его сексуальной ориентации, было принятие ее им самим. «Я не хочу жить по-другому, я не хочу быть гетеросексуалом. Любовь к себе — это и принятие своей сексуальности. Я был геем всю свою жизнь, я родился с этим. Такой я есть, и мне хорошо. В детстве я был очень чувствительным ребенком и страдал от одиночества, потому что не вписывался в компанию других детей, и надо мной смеялись. Но сейчас я понял, что их веселье относилось к другому человеку. Я не могу позволить этим насмешкам нанести вред моему организму. И когда я наконец осознал, что со мной все в порядке, я смог выздороветь».

Когда его спрашивают о духовных наставниках, Питер говорит, что самое сильное влияние на него оказывал его собственный внутренний голос. Этот голос есть у каждого, и люди могут научиться прислушиваться к нему. «Это очень важно, потому что мы вступаем в новый век, а любовь — это то, что так нужно многим из нас. Многие пытаются найти ключ к жизни... Это вызывает у меня недоумение, потому что вы можете искать высоко или низко, далеко или близко, и все же ответы будут всегда внутри вас».

Питер признает существование многих замечательных духовных учителей, но считает, что слишком мало людей по-настоящему ищут их. «Я пронес своего духовного наставника через всю свою жизнь. Я всегда слышал свой внутренний голос. Вы должны поддерживать гармонию в себе, иначе ваша жизнь будет в беспорядке, когда ваш разум будет говорить одно, а сердце — другое. Сейчас я прислушиваюсь и к тому, и к другому, но и они слушают друг друга. Я всегда шел за своим сердцем, и чем больше я верю ему, тем меньше ошибок совершаю в жизни».

Питер подчеркивает важность прощения. «Я страшно любопытный человек, и хочу попробовать все: только в этом случае человек может делать выбор с открытыми глазами. Идти по жизни вслепую — значит, потерять ее. Если вы споткнулись, поднимитесь и простите себя. Вы сами решаете, жить ли вам на небесах или в аду, и все ваши поступки отражают этот выбор. Раньше я жил в аду, но мне это больше не подходит».

Фреска Питера получила имя «Трилогия Голубой Луны». Первую часть ее он называет «Канун понимания», и она отражает понимание того, что здоровье и счастье проистекают от любви, которая живет внутри нас. Вторая часть — «Заря новой эры» — изображает время, когда будут открыты двери самопонимания, поддержки и любви, и люди поймут «великую целительную энергию, которой мы все владеем». Последняя часть называется «Великое откровение», и Питер считает, что оно происходит прямо сейчас.

«Чем быстрее мы придем друг к другу, тем быстрее найдем ответы. Мы все изначально едины, и когда вновь объединимся в любви, никто и ничто не встанет на пути этой великой целительной силы».

Лечение

Сегодня еще один совершенный день на Земле. Мы проживем его с радостью. Я знаю, что любовь — самый мощный из известных стимуляторов иммунной системы, поэтому делаю все возможное, чтобы усилить любовь к себе и другим людям. Я с радостью избавляюсь от негативных мыслей, которые мешают этому потоку любви. Я полностью свободен от всех негативных мыслей или событий вокруг меня. У меня нет времени на злобу и гнев.

Сегодня я отпускаю свою болезнь, потому что она мне больше не нужна. Я чувствую, как каждая клетка моего тела отвечает на мою новую силу. Мое обновление происходит в каждое мгновение этого дня. Мы едины с той силой, что создала нас.

Мы спокойны и все хорошо в нашем мире!

Глава тринадцатая

РАССЛАБЛЕНИЕ, МЕДИТАЦИЯ, ВИЗУАЛИЗАЦИИ, АФФИРМАЦИИ

Аффирмация:

У меня есть средства, чтобы помочь себе!

Расслабление и медитация

Расслабление очень важно для процесса исцеления. Крайне трудно позволить целительной энергии течь внутри нас, если мы напряжены и напуганы. Потребуется всего мгновение или два по нескольку раз в день, чтобы позволить своему телу расслабиться. В любой момент вы можете закрыть глаза, сделать два-три глубоких вздоха и выпустить все напряжение, которое вы, возможно, носите в себе. Если вы располагаете большим временем, сядьте или лягте и уговорите свое тело полностью расслабиться. Повторяйте про себя: «Мои пальцы расслабляются, мои ноги расслабляются, мои щиколотки расслабляются» и т.д., работая так снизу вверх над всем телом, или вы можете начать сверху и двигаться вниз.

После этого упражнения вы на некоторое время обретете спокойствие. Частое повторение упражнения приведет к тому, что спокойствие внутри вас будет постоянным. Это очень действенная форма медитации, которую вы можете делать где угодно.

В нашем обществе мы сделали медитацию чем-то таинственным и трудным для понимания. Однако медитация — это один из самых древних и самых простых процессов. Да, мы можем усложнить ее, добавив упражнения на дыхание и ритуальные мантры, и такая медитация прекрасно подойдет натренированным людям. Однако медитировать может кто угодно, это очень легко.

Достаточно сесть или лечь, закрыть глаза и сделать несколько глубоких вздохов. Тело автоматически расслабится. Мы не должны вмешиваться в этот процесс. Можно повторять слова «исцеление», «спокойствие», или «любовь», или что-то важное для нас. Мы можем даже сказать: «Я люблю себя», мы можем спросить: «Что мне надо знать?» или сказать: «Я хочу учиться», а потом просто лежать молча.

Через день или два решение вашей проблемы само придет к вам. Не торопитесь, позвольте всему идти своей чередой. Помните: наш мозг всегда полон самых различных мыслей и вы никогда не сможете думать «по заказу». Позвольте ненужным мыслям уйти самим. Вы можете заметить: «О, сейчас я думаю со страхом или гневом». Не придавайте значения этим мыслям, пусть они несутся мимо как облачка по небу в погожий летний день.

Говорят, если держать спину как можно прямее, и не скрещивать руки или ноги, то это усилит эффект медитации. Не буду спорить. Если сможете, придерживайтесь этого правила. Самое главное — медитировать регулярно. Эффект медитации накапливается постепенно: чем чаще вы ею занимаетесь, тем больше тело и мозг ощущают положительное воздействие расслабления, и тем быстрее вы получите ответы на свои вопросы.

Еще один легкий способ медитации — считать свои вздохи, сидя молча с закрытыми глазами. Сосчитайте «один» на вдох, «два» на выдох, «три» — на новый вдох, и так далее. Просчитайте свои вдохи-выдохи от одного до десяти. Когда вы выдохнете на счет десять, начните все заново. Если ваши мысли разбегаются, и вы обнаружили, что досчитали до восемнадцати или тридцати, — просто вернитесь к цифре «один». Если вы заметили, что думаете о вашем враче, или лекарствах, или о покупках, начните считать снова.

Вы не способны неправильно делать медитацию, и в любом случае она принесет вам пользу. Вы можете найти несколько книг и выучить несколько методов, можете посетить занятия по медитации — только начните! Пусть медитация станет вашей привычкой, насколько это возможно.

Если вы новичок, я бы посоветовала вам заниматься ею всего по пять минут в день: люди, которые сразу же медитируют по двадцать или тридцать минут, скоро начинают скучать и бросают это занятие. Пять минут один или два раза в день — хорошее начало. Если вы сможете делать это примерно в одно и то же время каждый день, то тело начинает «ждать» занятий.

Медитация даст вам небольшой отдых, который исключительно благотворен для исцеления ваших чувств и вашего тела.

Мы все внутри себя храним вселенскую мудрость. Внутри нас есть ответы на все вопросы, которые мы когда-либо зададим. К несчастью, большую часть времени мы так заняты, творя вокруг себя некое подобие «мыльной оперы», которую мы называем своей жизнью, что редко прислушиваемся к своей внутренней мудрости. Медитация создает пространство, где мы можем помолчать и прислушаться к внутреннему «я». Вы даже не представляете, как вы умны! И вы найдете все ответы — только обратитесь к себе!

Визуализации

Мы занимаемся визуализациями все время — это то же самое, что воображение: мы представляем себе или воображаем вещи, которые случились с нами в прошлом или то, чего мы хотим или боимся в будущем. Все люди могут воображать, или визуализировать. Если не верите, просто закройте глаза и представьте себе, к примеру, свою ванную комнату. Разумеется, вы с легкостью это сделаете. Это и будет визуализация.

Когда мы говорим о «занятии визуализациями», то имеем в виду то, что мы создаем в мозгу позитивную картину события, которое хотели бы пережить.

Написаны сотни книг о визуализации и о ее положительном эффекте при исцелении болезни. Сходите в библиотеку и прочитайте все, что есть об этом методе.

Тело, которое по природе своей есть сконцентрированные действия, должно следовать за сознанием, которое представляет собой нематериальную форму этих действий. Если мы меняем наши умственные представления, изменения затрагивают и физический уровень. Они могут быть позитивными или негативными, в зависимости от того, что мы думаем или воображаем.

Существуют сотни образов и способов визуализаций, которые мы можем использовать, чтобы войти в контакт с нашими телами. Часто лучше всего использовать образы, которые привлекают ребенка внутри нас. Не обязательно знать анатомически, как выглядит или действует отдельная часть тела, — достаточно ее образа. Когда у меня был рак, я использовала образ прохладной, чистой воды, которая струилась через мое тело и уносила с собой весь мусор. Ваша иммунная система может быть армией, которая защищает вас, или командой уборщиков, или садовниками, выдергивающими сорняки, или любым другим образом по вашему вкусу.

Позитивная визуализация состоит из трех частей:

1. Образ проблемы или боли, или заболевания, или больной части тела.
2. Образ позитивной силы, которая уничтожает эту проблему.
3. Образ тела, которое восстанавливается на пути к отличному здоровью, а затем движется по жизни легко и энергично.

Когда есть физическая проблема, лучше всего создать образ, который для вас значим. Затем выберите несколько минут три раза в день. Сядьте, расслабьте ваше тело глубоким дыханием. Позвольте себе успокоиться. Можно включить тихую музыку. Вы можете слушать описание своей визуализации на пленке или просто проигрывать ее в мозгу. Когда закончите, оставьте себе несколько мгновений, чтобы принять это позитивное переживание. Клетки вашего тела будут отвечать на ваши мысли. Повторение визуализации часто усиливает ее эффект. Не волнуйтесь, если не можете представить себе какой-то образ: просто думайте о нем, и это тоже поможет.

Ниже я приведу визуализацию, которую особенно люблю для укрепления Т-лимфоцитов иммунной системы. Вы можете изменить любую ее часть, чтобы приспособить к своим излюбленным образам.

Визуализация на Т-клетки

«Мы знаем, какое у нас замечательное тело. Это чудо красоты! Наше тело такое умное! Наше тело такое сообразительное! Оно знает, как помочь процессу исцеления. Наше тело знает, как усилить Т-клетки, — оно занималось этим с самого рождения. Давайте проследуем в тот центр внутри нас, где создаются Т-клетки, — Строительный центр Т-клеток. Позвольте нам заново нанять рабочих в этом Центре. Возможно, завод некоторое время простаивал, но сейчас он заново открывается. Мы нанимаем много новых рабочих, колонну за колонной, и все они горят нетерпением и готовы создавать самые лучшие Т-клетки. Эти рабочие специализируются на создании самых здоровых, самых счастливых, эффективных и способных Т-клеток. Рабочие готовы. Оборудование налажено. Звучит свисток, настало время работать.

Сейчас на нашей внутренней фабрике сотни рабочих, и все они самым действенным и ускоренным способом создают отличные новые Т- клетки. Посмотрите на каждую Т-клетку, которая сходит со сборки! Заметьте, как она безупречна, заметьте, как она здорова, как сильна. Обратите внимание и на то, как каждая Т-клетка жаждет побыстрее отправиться на свое место.

Вспомните, что именно вы — владелец этой фабрики. Вы здесь и командуйте: проследите за тем, чтобы новые Т-клетки имели под рукой только лучшее: лучшую атмосферу для работы, лучшую пищу, отличную одежду и прекрасное оборудование. Пусть они знают, что вы уважаете их! Они — лучшие, и вы относитесь к ним наилучшим образом.

А сейчас отправьте эти Т-клетки на их посты, скажите им, что пора работать. Посмотрите, как они маршируют на свои рабочие места! Они счастливы, здоровы и сильны, они обладают неистощимой энергией и любят вас. Они хотят сделать для вас все, что в их силах. Они — ваши защитники!

Сейчас Т-клетки на своих рабочих местах. Они ощущают присутствие вируса. Звучит боевой клич, и они отправляются в бой. Вам не обязательно идти с ними. Эти Т-клетки — профессионалы, и они точно знают, что им делать: они уничтожают все, что не должно находиться в вашей крови. Вы распространяете по телу с этими Т-клетками любовь и заботу о себе. Они заботятся о вас прямо сейчас — расслабьтесь и позвольте им работать!

Когда вы поймете, что можете вернуться в эту комнату, знайте, что о вашем теле заботятся. Все хорошо в вашем мире!»

Это не единственная визуализация — самые ценные придут изнутри нас. Не бойтесь создавать свои собственные целительные методы! Некоторые люди, например, представляют огромный ластик, который стирает вирус. Делайте то, что для вас лучше всего! Вы всегда будете точно знать, что вам нужно.

Помните: у вас замечательное воображение. Используйте его в позитивном плане, чтобы внести свой вклад в лечение. Не тратьте время, представляя себе худший сценарий, когда вы можете использовать ту же энергию для выработки позитивного взгляда на вещи, который в свою очередь поможет вам добиться чудесных изменений в себе.

Аффирмации

Аффирмации, как и визуализации, — это то, что мы делаем все время. Аффирмации — это слова и предложения, которые мы проговариваем мысленно или вслух. Мы произносим аффирмации с утра до вечера. Что последнее сказали вы себе, перед тем как лечь спать вчера вечером? Это была аффирмация, и она повлияла на ваш сон. Что вы говорите себе сразу же, едва проснетесь утром? Это тоже аффирмация, и она начинает ваш день. Обычно через наши головы проходит больше негативных, чем позитивных аффирмаций.

Когда мы говорим о том, чтобы «заниматься аффирмациями», мы имеем в виду «создавать определенные утверждения, чтобы достичь позитивных изменений, к которым мы стремимся в нашей жизни». Разумеется, то, о чем вы говорите в аффирмациях, не станет реальностью, когда вы в первый раз их произнесете. Если бы эти вещи уже присутствовали в вашей жизни, вам бы не нужны были аффирмации. Аффирмация подобна семени, брошенному в землю, которому требуется время, чтобы прорасти и развиться в большое растение. Повторение позволит аффирмации превратиться из семечка в цветущее растение. Не блокируйте вашу целительную энергию словами: «Я произнес эту аффирмацию три раза, а она не помогла». Дайте себе время, чтобы создать что-то новое! Начинайте и не останавливайтесь!

Каждая наша мысль и каждое произнесенное слово — это аффирмация. Слишком часто они негативные, а мы не понимаем, что эти слова влияют на наше будущее. Однако, когда я говорю о «занятиях аффирмациями», то имею в виду создание специальных предложений, нацеленных на то, чтобы привнести что-то новое в вашу жизнь или уничтожить то, что мы больше не хотим в ней видеть. Очень важно, *как* мы это сделаем. Если я работаю на нелюбимой работе и хочу найти новую, я не могу использовать аффирмацию «я ненавижу эту работу» и ждать, что из этого выйдет что-то путное. «Я ненавижу эту работу» — негативная аффирмация, и она только задержит меня там, где, по моим словам, я не хочу находиться. «Я ненавижу эту работу» не приведет вас к замечательной новой работе.

Если вы покидаете старое место работы с гневом и ненавистью, вы создадите гнев и ненависть и на новом месте, так как это то, что вам требуется, по мнению вашего подсознания. Это можно отнести к работе, телу и отношениям между людьми. Если вы ненавидите свое тело, вам будет намного труднее добиться длительной ремиссии.

Позитивный способ найти хорошую новую работу — это сказать что-то вроде: «Я благословляю эту работу любовью и освобождаю ее для того, кто будет рад ее занять и станет работать лучше меня. Сейчас я открываю себя для новой замечательной работы, которая созидательна и насыщенна. Работы в красивом месте, с общительными людьми и хорошей зарплатой. Есть кто-то, кто ищет именно то, что я могу ему предложить. Мы встретимся друг с другом самым чудесным образом. Я благодарен судьбе за то, что это именно так».

Или вы можете просто сказать: «Я с любовью прощаюсь с этим переживанием и открываю себя для новой замечательной работы».

Иногда лучше всего короткие аффирмации, потому что их легко повторять снова и снова. «Сейчас я настроен на замечательную новую работу», сказанное несколько раз в течение дня, откроет для вас новые возможности. Я люблю петь свои аффирмации или рифмовать их и повторять в уме. Некоторые люди пишут их десять, тридцать или сотни раз. Любой выбранный вами метод поможет, если вы позволите этим аффирмациям вытеснить ваши негативные мысли.

«Я хочу прощать» — великая аффирмация. Мы все должны простить так много, а большинство из нас вообще не собирается прощать. Сказать, что мы *хотим* простить поможет освободиться от большей части прошлого.

Если мы полны страха, мы можем повторять: «Я разрешаю себе успокоиться». Эта аффирмация говорит вашему подсознанию, что вы контролируете ситуацию и хотите создать новую атмосферу. «Я не боюсь» будет в данных обстоятельствах негативной аффирмацией: вы ведь на самом деле боитесь, поэтому аффирмация не принесет ничего позитивного. Аффирмация всегда должна замещать негативное чем-то позитивным. Вы одновременно выдергиваете сорняк и сажаете новое, полезное растение.

Если мы злимся, мы можем сказать себе: «Я хочу выйти из этой ситуации». Или «Я хочу простить». Затем мы даем нашему подсознанию (или нашему внутреннему «я», или Вселенной — как вам больше нравится) разрешение найти новый путь.

Когда мы работаем, чтобы восстановить хорошее здоровье, мы можем использовать следующие аффирмации:

«Мы с моим телом живем в мире и согласии».

«Я принимаю для себя отличное здоровье».

«Я люблю мое тело и позволяю ему исцелиться».

«Количество моих Т-клеток растет с каждым днем».

«Я сильный и невосприимчивый к болезням человек».

«Я бесстрашен во всех негативных ситуациях».

«Моя душа совершенна и целостна».

«Мое тело отражает безупречность души».

«У меня роскошные и сильные волосы».

«Выбранная мной пища очень качественная и питательная для моего тела».

«Я легко и регулярно удаляю все отходы из своего тела».

«Мои железы — отличные стражи моего организма».

Цель занятий аффирмациями — освободить нас и создать лучшую жизнь. Это не наказание. Делайте аффирмации с радостью и желанием, тогда они помогут быстрее. Но, самое главное, делайте их! Контролируйте свои слова и выражения, так как они тоже ваши аффирмации.

Молитва

Сила молитвы признавалась много веков. Для некоторых людей в период испытаний естественно обратиться именно к молитве.

Я бы предложила молиться позитивным образом. Мольба в адрес раздражительного старика на небесах не принесет ничего хорошего. Почувствуйте вашу общность со Вселенной, прежде чем обратитесь к ней с просьбой. Вообразите, что вы с Богом партнеры, и вместе должны решить ваши проблемы.

Лечение

Сегодня еще один совершенный день на Земле. Мы проживем его с радостью. Сегодня я новый человек. Я расслабляюсь и освобождаю свои мысли от малейшего гнета. Ничто и никто не сможет расстроить меня или вызвать мое раздражение. Я спокоен. Я свободная личность, живущая в спокойствии духа, которое есть отражение моей любви к себе.

Я за все, что улучшит качество моей жизни. Я использую свои слова и мысли, как инструменты, чтобы созидать свое будущее.

Я часто выражаю благодарность и ищу поводы, за которые могу поблагодарить. Я живу жизнью, полной благодарности. Мы едины с той силой, что создала нас.

Мы спокойны и все хорошо в нашем мире!

Глава четырнадцатая

ИСЦЕЛЕНИЕ СЕМЬИ

Аффирмация:

Мы все — члены семьи, созданной любовью!

Я верю, что дети выбирают своих родителей и родители выбирают своих детей. Прожив одну жизнь, мы возвращаемся, чтобы продолжить свое духовное образование и рост. Мы снова и снова взаимодействуем с теми же самыми душами. Мы всегда работаем над новой гранью своего духовного развития. Если что-то осталось недоделанным в одной жизни, то будет предпринята попытка завершить это в другой.

Отсюда следуют интересные вопросы: «Какой выбор мы сделали перед этой последней реинкарнацией? Почему человек стал геем в этой жизни? Почему этот гей выбрал именно этих родителей? Почему эти родители выбрали (на космическом уровне) ребенка-гомосексуалиста? Каков урок, который они все должны усвоить? Почему ребенок решил реинкарнироваться в это определенное время, когда существует вероятность пережить такое испытание как СПИД?

Как мы справляемся с чувством вины из-за того, что отвергли ребенка, который «не такой, как мы» или у которого пугающая нас болезнь? Почему мы захлопнули двери в наши сердца? Что произойдет с теми, кого отвергли, и с теми, кто отверг? Какими будут их роли, когда они встретятся в новой жизни?

Легко отвергнуть то, чего ты боишься. Мы часто убегаем от проблем, хотя осознаем на глубинном внутреннем уровне, что когда-нибудь снова с ними столкнемся. Мы затуманиваем свое сознание, волнуясь: «А что подумают соседи? Отвергнут ли они меня, если узнают о моей любви к ребенку, отличному от нас? Что для меня главное?»

Нет правильных или неправильных ответов на эти вопросы. Каждый ищет свой путь. Некоторые из нас пришли в этот мир, чтобы испытать гонения, боль, одиночество или болезнь. Но у нас есть все возможности к тому, чтобы снова выбрать любовь и вырасти духовно. Я не верю, что нужно держаться за наш негативный выбор! Мы можем последовать сообщению своего сердца и переступить пределы любого негативного переживания.

СПИД как подарок

Для родителей больных СПИДом эта болезнь — подарок. Она предоставляет им возможность проявить способность любить. Заглянуть за внешность, за то, что вы видите в теле, и выразить любовь, на которую вы способны. Семьи, открывающие сердца и объятия своим детям, сами переживают великое исцеление.

Самое важное, что вы можете сделать для детей, больны они или нет, это безоговорочно их любить. Быть открытыми для общения, чтобы они могли рассказывать вам все, не боясь вашего неодобрения. Да, они отличаются от вас, а вы отличаетесь от них. Но вы можете и должны по-прежнему любить и поддерживать друг друга, и духовно расти в процессе своих переживаний.

Когда я слышу, как родители жалуются, что их дети сейчас выросли и больше не звонят им, я думаю: когда же эти родители сами обрубили все связи с детьми? Достаточно лишь твердить ребенку: «Не говори так», «Не думай так», «Не делай так», «Не будь таким» — и он отдалится от вас и·будет оберегать от вас свою жизнь: когда нас осуждают за то, какие мы есть, мы перестаем общаться с этим человеком. Слишком многие семьи ограничивают свои разговоры едой и погодой: любой другой предмет обсуждения вызывает негодование. Это не лучший способ выразить свою любовь и радость.

Так же как гомосексуалисты зачастую замкнуты, так и их родители часто ничего не говорят о том, что у них такие дети. Страдают и те, и другие. Выйти из этого тупика и для детей, и для родителей означает позволить любви снова расцвести в их жизни.

История Эндрю

«Мне поставили диагноз «лимфома Беркитта», «саркома Капоши», а затем и СПИД 10 января 1984 года, и я сразу же прошел курс лечения в больнице. Сначала я пролежал там полтора месяца, после чего меня отпустили на два дня. Потом я снова лег в больницу на три недели, и в итоге за год я двенадцать раз побывал в больнице.

Мне провели химиотерапию против лимфомы. Некоторые из моих препаратов были еще на стадии разработки, например, ПБ16 против саркомы Капоши, но они совершенно не помогли: я испытывал тяжелые побочные эффекты, такие как тошнота, выпадение волос, пигментация кожи, изъязвления во рту и слизистых оболочках. Самым неприятным было хроническое подташнивание. Химические препараты действуют на быстрорастущие клетки, такие как раковые, но к ним ведь относятся и клетки кожи и желудка.

Сейчас мне существенно лучше, чем в прошлом году. В отношении лимфомы Беркитта у меня ремиссия с марта 1984 года. Я не проверял количество Т-лимфоцитов, и не знаю, как у меня с этим обстоят дела, но количество белых кровяных телец в моей крови возросло, и мой онколог сказал, что если не учитывать трех зон поражения саркомой Капоши все остальное благополучно.

Я не делаю ничего экстраординарного в питании — просто стараюсь есть здоровую пищу, которая снабдит меня всеми необходимыми микроэлементами. Я не принимаю мегадозы витаминов, я вообще решил не участвовать ни в какой лечебной программе — я просто слежу за тем, что ем. Я не фанатик и временами позволяю себе отбивную, но очень редко, потому что обнаружил, что чувствую себя не слишком хорошо после мяса с кровью. На данный момент я знаю, что я ем, и как себя при этом чувствую и пытаюсь следовать правилам рационального питания.

Моя семья поддержала меня с самого начала болезни. Мама, как и мой бывший любовник и многие другие, приходили ко мне в больницу каждый день. Меня посетили мой отец, мой отчим, и даже сестры приехали из северной Калифорнии.

Я прочитал книгу Карла Саймонта «Как снова стать здоровым». Я принес ее своему врачу, и он сказал, что если меня интересует подобный подход, то он рекомендует мне посетить одно место в Санта-Монике: там располагается некоммерческая организация, созданная для поддержки онкологических больных.

Я поехал туда и жил там до апреля, пока не закончился мой курс химиотерапии. Потом я решил уехать, потому что остаться там означало для меня, по сути, «цепляться» за рак.

В это время я встретил хорошего друга, который отвел меня на семинары Луизы Хей. Я слышал об этой группе еще год назад от друга из Сан-Франциско, который подарил мне пленку «СПИД: позитивный подход». Я гордился тем, что стал членом этой группы, хотя здесь не делалось ничего такого, чего бы я раньше не знал. Эти занятия просто укрепили мои представления о жизни и о нашей роли в ней, показали мне как можно уничтожить болезнь, если прийти в полное согласие с душой и телом.

Что касается альтернативной медицины, то человек может делать что угодно, если он верит в это.

Еще я занимался рейки. После выхода моей статьи в журнале «Ньюсуик» со мной связался человек из Айовы. Он устроил марафон с пятью людьми разного уровня рейки, когда все одновременно работали надо мной в течение трех часов.

Рейки — это наука об энергии, действующей при наложении рук. Пока длился сеанс, я чувствовал себя очень расслабленным, однако через несколько часов у меня внезапно подскочила температура. Я испугался, но мне сказали, что подобное случается, когда человек получает очень много энергии, что и произошло со мной той ночью.

Я не говорю, что рейки — это панацея от всех бед. Возможно, она помогает не всем, но вы сами должны понять, хороша она для вас или нет».

Когда мать Эндрю решила выступить по телевидению и дать интервью журналам, чтобы поддержать своего больного сына, это стало исцелением для них обоих. Эндрю получил сотни писем. Люди были тронуты выступлением его матери, которая сказала больному СПИДом сыну: «Я люблю тебя».

История Хелен-Клер

Хелен-Клер по виду — типичная домохозяйка из южной Калифорнии. Она также типичный пример того, как обманчива внешность. «Я сорок два года была директором детского сада, и рано ушла на пенсию, потому что хотела заниматься другими делами. Я — президент общества «Питание для стариков» и член совета библиотеки. Одновременно я — инспектор государственной аттестационной комиссии, которая лицензирует медсестер, юристов, архитекторов и инженеров».

Хелен также преданная мать Эндрю, которому 10 января 1984 года был поставлен диагноз СПИД, и в этой роли появилась на телевидении и дала интервью журналу «Ньюсуик».

«Энди почему-то никогда не думал о себе слишком хорошо. Он всегда был очень ранимым мальчиком. Его сестры-близняшки, которые на три с половиной года его старше, прекрасно учились и пользовались огромной популярностью, так что ему было тяжело за ними угнаться. Мне кажется, что, заболев, он приобрел некоторую уверенность в своих силах.

Я догадалась, что он гей, еще до того, как он мне об этом сказал. Я всегда считала, что это его право и его выбор, и это определенно не ухудшило наши отношения, хотя мне кажется, что он многое потерял, когда отказался от семьи и детей.

Одно время я боялась, что причина его сексуальной ориентации каким-то образом связана с моим поведением, и прошла курс психотерапии, чтобы избавиться от чувства вины. Сейчас я так не думаю. Я замужем за его отчимом уже двенадцать лет, и когда все это произошло, Энди обратился к нам. Он очень близок с отчимом. Его отец занят в киноиндустрии, они часто видятся, но их отношения не так близки, как у Энди с моим мужем.

Последний год был очень тяжелым для Энди: авиакомпания, на которую он работал, обанкротилась, и ему пришлось уйти. Он также тяжело переболел гепатитом, и это наверняка имело прямое отношение к его заболеванию СПИДом. Я думаю, есть что-то внутри тебя, что делает тебя больным. Ваша иммунная система рушится, если вы эмоционально слабы, так что обычно можно понять, когда все началось. Энди согласен со мной. Когда у него появились первые боли в желудке, он подумал, что это язва — результат стресса, вызванного внезапной потерей работы.

Мы знали, что у Энди СПИД, еще до того, как ему официально поставили этот диагноз, так как у него были все типичные симптомы иммунодефицита. Энди приехал к нам на Новый год. Он был в ужасной форме, хотя и отрицал это, и я поняла, что он болен. Я предложила ему, чтобы он на время переехал в южную Калифорнию, что он и сделал. Здесь он пошел к врачу и через несколько дней его положили в больницу.

Энди испытывал очень сильную боль, которая проходила только при приеме лекарств, и совершенно не думал, что у него СПИД. Из-за этой опухоли в животе он провел ужасающие шесть недель в больнице, так что когда я сказала ему о СПИДе, он удивился: «У меня СПИД?». Он был так потрясен, что заплакал. Я и не подозревала, что он ничего не знает... Мы долго говорили об этом, потому что он не мог вспомнить многое, что случилось в первые месяцы его болезни.

Друзья Энди прекрасно относились к нему и часто его навещали, но когда они уходили, он изливал на меня всю свою тоску. Умом я понимала, что я — единственный человек, с которым он мог поделиться своими переживаниями, но меня все равно ранило, что он всегда злой рядом со мной и веселый с друзьями.

Потихоньку ему становилось лучше: химиотерапия эффективна, когда на нее с самого начала идет положительная реакция. У Энди сразу же исчезла опухоль, которая до этого закрывала одну почку и вызывала страшную боль. Но потом он заболел грибковой пневмонией, а количество белых кровяных телец в его крови было так мало из-за СПИДа и химиотерапии, что у него буквально не осталось сил, чтобы бороться с новой болезнью.

Прежде чем Энди начал лечение, я спросила врача, каковы его шансы, потому что не хотела, чтобы он страдал попусту. Врач ответил, что, по его мнению, Энди справится. Поэтому, приняв решение, мы уже не оглядывались назад, и это была борьба до последнего.

Я с ужасом наблюдала за другим пациентом в больнице, которому становилось все хуже и хуже, пока он не умер. Его семья отказалась навещать его — по крайней мере, до самых последних недель. Другой больной сообщил своей матери, что он пришел в больницу, чтобы умереть, а она сказала мне: «Он достаточно настрадался... Его тело износилось, и ему пора прекратить мучиться».

Подобные мысли посещали и меня, когда в течение недели Энди рвало каждые полчаса. Это было ужасно, но даже тогда он не хотел сдаваться! Он боролся за то, чтобы вернуться к жизни, и ему это удалось: сейчас он уже шесть месяцев не принимает никаких лекарств, и я думаю, что в этом ему очень помогла Луиза Хей.

Энди отправился в «Велнесс Коммюнити» — группу по поддержке больных раком в Санта-Монике, но ушел от них, когда у него исчез рак. Мне кажется, что группа Луизы ему больше подходит. Луиза учит больных СПИДом любить себя и поднимать свою самооценку. У меня были похожие проблемы с самооценкой в жизни, поэтому я знаю, что это такое. После этого испытания я духовно выросла, хотя и ужасным способом — глядя на чужую боль. Я больше не волнуюсь по мелочам: я поняла, что многие вещи, которые раньше тревожили меня, вовсе не так уж важны. Я много времени провожу с Энди, и он помогает мне.

Я думаю, что смогу помочь своими советами многим людям. Я сделала все, что было в моих силах, и не чувствую за собой вины. Я слышала от психиатров, что многие матери считают, будто именно они в какой-то степени виновны в том, что их сыновья геи и больны СПИДом. У меня таких мыслей нет.

Я с оптимизмом смотрю в будущее. Энди отлично чувствует себя, у него были ангина и простуда, и он сам справился с ними. В последний раз, когда он обследовался, количество белых кровяных телец в его крови значительно увеличилось. Я не думаю, что Энди излечился от СПИДа, но он явно контролирует свою болезнь. Его иммунная система наконец заработала».

Последний совет от Хелен-Клер: «Вы не владельцы своих детей — вы их родители, но они вырастают и становятся независимыми личностями, и если вы не примете этого, то вы их потеряете. Я не понимаю, почему родители не могут принять свое собственное дитя таким, какое оно есть! Так много людей в группе и друзей Энди подходили ко мне и говорили: «Хотели бы мы, чтобы у нас были такие родители как...» или «хотел бы я, чтобы мои родители принимали меня таким, какой я есть!»

Самое тяжелое, что приходится пережить родителям — это откровенные признания их детей о себе. В большинстве своем это просто очень тяжело, а в худшем случае может разрушить семью. Но это великий урок, как принять то, что ЕСТЬ, и принять как данное. И когда мы научимся принимать наших детей как самостоятельные уникальные существа, которыми они и являются, мы по-настоящему начнем любить их.

Лечение

Сегодня еще один совершенный день на Земле. Мы проживем его с радостью. Я окружаю себя, моих друзей, мою семью и мой дом гармонией и любовью. Я позволю уйти любой мысли, которая ранит меня, даже если она пришла от тех, кого я люблю. Я выхожу за рамки ограниченного мышления тех, кого люблю, к новому чувству свободы. Я больше не подхожу со своими мерками к другим людям, и они свободны быть самими собой. Я отдаю другим то же самое, что хочу получить от них.

Любовь и понимание свободно перетекают между мной и теми, кого я знаю. Мы едины с той силой, что создала нас.

Мы спокойны и все хорошо в нашем мире!

Глава пятнадцатая

ГОМОСЕКСУАЛИСТ В СЕМЬЕ

Аффирмация:

Мы благословлены особым, драгоценным даром!

«Выход на свет»

Для человека гомосексуальной ориентации крайне трудно рассказать своим родителям и членам семьи о своей атипичной сексуальной ориентации.

Этот «выход на свет» требует огромного мужества, так как слишком часто решившегося на него встречают враждебность и положение изгоя. Безусловная любовь исчезает или затеняется фальшивой моралью или страхом перед тем «что скажут люди».

Каждый человек на нашей планете — уникальное создание и пришел сюда, чтобы работать над своим духовным развитием. Мы не можем судить других, не мешая при этом своему собственному духовному росту. Если у родителей ребенок-гомосексуалист, значит, они сами выбрали его (на уровне души), чтобы поработать над уроком, заданием открыть свои сердца. Нельзя винить себя в сексуальной ориентации ребенка — надо научиться принимать его таким, какой он есть — и любить его за это.

Намного легче быть откровенным с родителями, если вы честны сами с собой. Если мы чувствуем, что недостаточно хороши, тогда почти невозможно уговорить других принять нас такими, какие мы есть. Когда мы откровенны в своей любви к себе, мы разговариваем с людьми, чувствуя в себе особую внутреннюю силу. Очень многие члены нашей группы поддержки еще не говорили родителям, что они геи и больны СПИДом.

Я часто слышу: «О, нет, я не могу рассказать об этом моим родителям, они это не примут» или «Это причинит им слишком сильную боль». Вы так несправедливы к родителям! В этих словах вы пытаетесь «прожить их жизнью» — настаиваете на том, что знаете точно, какие чувства они будут испытывать. Позвольте же им самим жить своей жизнью. Как они смогут вырасти духовно, если вы отказываете им в этом переживании? Сказать кому-то, кто вы есть на самом деле, не означает причинить тому человеку боль: если они решат, что их оскорбили, это будет их собственный выбор. Но ведь есть и другие чувства, кроме чувства оскорбленности. Позвольте им выбирать самим!

В нашей группе мы предлагаем человеку, который собирается «открыться», некоторое время попрактиковаться перед зеркалом. Выберите родителя, с которым вам сложнее всего разговаривать, и представьте перед зеркалом ваш разговор с ним / ней. В первый раз вас могут переполнять эмоции, но ведь вы всего лишь сидите перед зеркалом... Во второй раз это пройдет уже менее болезненно, а если практиковаться ежедневно, то с каждым разом вам будет все легче и легче. И когда в конце концов наступит время визита или телефонного звонка, вы обнаружите, что каким-то дивным образом взаимоотношения между членами вашей семьи стали более теплыми, чем вы ожидали.

Начните со слов: «Мам, (или «пап»), есть кое-что, что я хочу тебе сказать». Затем расскажите, кто вы есть. Можете добавить: «Я боялся говорить об этом раньше, потому что...». Скажите, чего вы хотите от них. Не говорите: «Я не хочу, чтобы вы отвергли меня» — лучше замените это на «Я хочу, чтобы вы любили, принимали и поддерживали меня». С каждым днем вам станет все яснее, что именно вы хотите сказать. Посылайте родителям любовь всякий раз, когда думаете о них, а в промежутках между этим работайте над любовью к себе.

Если после вашего рассказа родители разгневаются, помните, что это их первая реакция. Дайте им немного времени, чтобы остыть, «переварить» услышанное... Как любые родители, они, возможно, уже давно подозревали КОЕ-ЧТО, поэтому позвольте им быть теми, кто они есть, так же как вы хотели бы, чтобы они позволили вам быть тем, кто вы есть. Продолжайте посылать им свою любовь и твердите себе, что «у вас замечательные, полные любви отношения с семьей». Как мы выяснили, подобная «работа в уме» очень эффективна: внутрисемейные отношения улучшаются, а иногда даже происходит внезапный поворот на сто восемьдесят градусов. Любовь реально существует, и вы поможете им ее найти!

Если вы все-таки столкнулись с тотальным отрицанием вас — создайте себе свою собственную семью из людей, которые вас любят. Если вас никто не любит — начните любить себя сами. Найдите или создайте группу поддержки. Такие группы становятся заменителями семьи. Помните, что все, что вы отдаете, возвращается к вам.

Сколько людей — столько и возможных реакций. Множество геев, которые никогда не открывались перед родителями, сейчас получили возможность сказать: «Эй, мама и папа, я гей и у меня СПИД, и мне нужна ваша любовь и поддержка!» Некоторых людей отвергли, другие же встретились с удивительной реакцией невероятной любви.

Если родители реагируют с гневом и отрицанием, причина кроется в их страхе. Когда пресса и телевидение несут сообщения о СПИДе как о всеобщем проклятии и трагической судьбе, неудивительно, что плохо информированные люди реагируют таким образом: это естественный защитный механизм, если уж на то пошло.

Неважно, как на ваше признание отреагировали родители, в ваших интересах благословить их любовью. Повторяю: что бы вы ни отдавали, оно вернется к вам. Поэтому нет смысла гневаться, так как это не излечит ситуацию. Огромный урок для людей со СПИДом — обнаружить целительную силу любви.

Я вовсе не предлагаю вам превратиться в «мальчика для битья» — я просто говорю: «Не тратьте свое драгоценное время на погружение в гнев и злость! Каким бы оправданным это ни казалось, ваши злые мысли только нанесут вред вашему же организму. Они не стоят того!»

Дайте родителям время передумать! Держите двери в понимание открытыми. Дайте им шанс заново полюбить вас!

История Джеффа

Джефф, медбрат по профессии и один из молодых красавчиков в нашей группе, столкнулся с большими трудностями во время лечения. Он страдал от различных инфекционных заболеваний, но ему еще не был поставлен диагноз СПИД. Джефф был очень скрытным человеком и часто испытывал гнев по отношению к своей семье, особенно к отцу.

Затем ему поставили диагноз СПИД. Это было одним из самых значительных переживаний в его жизни, оно позволило ему собрать волю в кулак и принять решение держаться своей программы исцеления.

Первое, и самое сложное, что надо было сделать, — это открыться семье. Он позвонил своей матери и сказал: «Я делаю это не для того, чтобы причинить тебе боль, но я знаю, что пять процентов больных СПИДом геев, которые хорошо себя чувствуют, были откровенны со своими семьями, а я хочу жить! Мама, я хочу, чтобы ты знала, что я «голубой» и у меня СПИД!»

Его мать приняла это на удивление хорошо. Затем Джефф обзвонил всех членов своей семьи (которых насчитывалось двадцать восемь человек) и сообщил еще и им. Когда он закончил, то чувствовал себя так, словно с его плеч свалилась многотонная глыба. Сейчас он выглядит намного лучше. Он держится программы своего лечения до последней буквы. Он не ест ни грамма того, что не включено в режим его питания. Его способности к любви растут день ото дня. Джефф явно поправляется, и это очень отрадно видеть.

Для тех, кто еще не открылся своим родственникам, мы советуем разговоры с матерью или отцом перед зеркалом. Посмотрите в зеркало и скажите: «Мам, я хочу тебе сказать кое-что...». И всегда заканчивайте так: «Мне по-настоящему нужны твои любовь и одобрение!». Любовь и одобрение — это то, что мы хотим получить от других людей. Занимайтесь этими упражнениями каждый день несколько недель или месяцев — и обязательно произойдет какой-то позитивный сдвиг: каким-то образом другой человек изменит свое излучение.

Подобный подход позволит вам окунуться в пространство, заполненное любовью. Затем вы или напишете письмо, или позвоните, или приедете в гости — как вам будет удобнее. И встреча будет более искренней и полной любви, чем в прошлом. Мы в состоянии открыть любящее пространство наших сердец для каждого члена семьи!

История Люка

Люк — красивый молодой человек, который родился среди мормонов, верящих, что гомосексуализм — грех. Семья Люка принадлежит к старейшинам, и это сделало его положение еще более сложным. Он начал с того, что стал каждый день посылать им любовь и прощать их за все их и его собственные прошлые ошибки.

Это заняло у него несколько месяцев. Он представлял себе, как его семья окружена светом любви, и как они принимают его, Люка, с распростертыми объятиями. Затем, в один прекрасный день, ему позвонили его дядя и тетя, которые сказали, что не все члены семьи враждебны к гомосексуалистам, и не против ли он, чтобы они устроили ему день рождения. Он сказал «О нет, не против!», и приехали восемь членов его семьи — все убежденные мормоны. Он пригласил восемь своих близких друзей, и меня в том числе. Этот праздник прошел в незабываемой атмосфере любви и поддержки.

Чем больше мы отдаем любви, тем больше учимся ее отдавать, тем больше получаем ее сами. В тот вечер любовь вернулась к Люку, усиленная десятикратно. После ужина мы все пели. Это был очень целительный вечер. Мы даже сели на пол вокруг Люка и положили руки ему на плечи, посылая ему любовь и целительную энергию.

Тот вечер объединил родственников так, как этого не случалось раньше. Сейчас Люк «работает» над оставшимися членами семьи, и только вопрос времени, когда они откроют ему свои сердца.

Иногда очень трудно дарить любовь, когда ты натыкаешься на стены или сталкиваешься с гневом. Однако, продолжайте заниматься этим, и мало-помалу люди начнут отвечать вам. К настоящему времени мы помогли открыть много сердец.

Вы знаете, каким совершенством вы были в детстве? Дети не должны что-то делать, чтобы стать совершенством — они уже есть совершенство и ведут себя так, словно знают об этом. Дети знают, что они — центр Вселенной. Они не боятся просить желаемое и непринужденно выражают свои чувства. Когда ребенок сердится, об этом тут же узнаете и вы, и все ваши соседи, а от его улыбки становится светлее в комнате. Дети всегда полны любви!

Младенец умрет, если не получит любви. Когда мы вырастаем, то учимся обходиться без нее, но дети этого не потерпят. Они также любят каждый орган своего тела. У них нет стыда или чувства вины.

И вы когда-то были таким. Мы все были такими. А потом мы стали прислушиваться к взрослым вокруг нас и отрицать свое собственное величие...

Вы не то, что о вас думают ваши родители, вы не то, чем заклеймило вас общество. Возможно, общество и даже семья прокляли вас, но вы-то сами не занимайтесь этим! Эти мнения — результат давно бытующих представлений. Единственное, что вам надо действительно изменить, — это СИСТЕМУ СВОИХ ПРЕДСТАВЛЕНИЙ!

Сейчас на моих семинарах встречаются и гомосексуалисты, и гетеросексуалы, и больные СПИДом. Я открыто говорю с ними о том, как можно и как нельзя заболеть СПИДом, позволяя людям вслух высказывать свои страхи. Через несколько часов беседы большая часть этих страхов исчезает. Люди видят, что геи похожи на них самих, и открывают им свои сердца. Те же, кто больше всех зашорены и напуганы, почти всегда к концу семинара становятся теми, кто больше всех хочет помочь больным. Любовь лечит, и я наблюдаю это снова и снова! Любовь лечит сердца, а это именно то, что нуждается в исцелении. Все остальное произойдет своим чередом.

Система ценностей в семье

Когда мы были очень маленькими, мы учились судить о себе и о жизни по реакциям взрослых вокруг нас. Таким образом, если вы живете с людьми, которые очень несчастливы или напуганы, постоянно испытывают вину или гнев, тогда и вы узнаете много плохого о себе и о мире. «Я всегда все делаю плохо»; «Тут моя вина»; «Если я злюсь, то я плохой человек».

Когда мы вырастаем, мы обычно подсознательно стараемся воссоздать эмоциональное окружение нашего детства. Это не хорошо или плохо, правильно или ошибочно, это то, что, по нашему мнению, является нашим «домом». Мы также стараемся воссоздать в наших личных отношениях те отношения, что были у нас с матерями или отцами, или те, что существовали между ними. Подумайте, как часто ваш любовник или начальник поступает «точь в точь» как ваши мать или отец!

Мы относимся к себе так, как к нам относились родители: таким же образом ругаем и наказываем себя. Можно даже услышать в уме слова, которые они говорили... Соответственно любим и поощряем себя мы так же, как нас любили и поощряли в детстве.

«Ты никогда не делаешь ничего путного»; «Это все твоя вина»; «Ты плохой человек»... Как часто вы говорите это себе? «Ты замечательный!»; «Я люблю тебя!»... А как часто вы это себе говорите?

Давайте не будем винить наших родителей. Все мы жертвы других жертв, и они не могли научить нас тому, чего не знали сами. Если ваша мать не знала, как любить себя, или ваш отец не знал, как любить себя, они не могли передать это вам. Они делали все, что могли, когда учили вас, детей. И если им приходилось ломать себя, подстраиваться под определенные стандарты, чтобы порадовать своих родителей, они будут ожидать и от вас того же. Коль скоро вы хотите лучше понять своих родителей, поговорите с ними об их детстве до десятилетнего возраста, и если вы будете слушать их с сочувствием, то поймете, откуда взялись их страхи и комплексы. Они были когда-то такими же напуганными, как и вы сейчас. Но когда вы откроете свое сердце для любви, они смогут благодарно последовать за вами.

Лечение

Сегодня еще один совершенный день на Земле. Мы проживем его с радостью. Не у всех есть такая особенная семья, как у меня, и такие возможности открыть свои сердца, как это делают у меня в семье. Мы не ограничены предрассудками соседей или общества — мы выше этого! Мы — семья, которая выросла из любви, и с гордостью принимаем к себе каждого человека.

Мы все необыкновенные и все достойны любви. Я люблю и принимаю каждого члена моей замечательной семьи, а они в ответ любят и обожают меня. Мы едины с той силой, что создала нас.

Мы спокойны, и все хорошо в нашем мире!

Глава шестнадцатая

ВЫБИРАЯ НАШИХ РОДИТЕЛЕЙ

Аффирмация:

Я делаю свой выбор с любовью и прислушиваясь к своей внутренней мудрости!

Наш выбор

Я верю, что мы выбираем своих родителей. Каждый из нас решает возродиться на этой планете в определенном месте и в определенное время. Мы приходим сюда, чтобы выполнить особое задание, которое продвинет нас по нашему духовному эволюционному пути. Мы выбираем свою сексуальную ориентацию, цвет кожи, страну, а затем оглядываемся в поисках родителей, которые лучше всего подходят для выполнения того задания, над которым мы будем работать в этой жизни. Мы выбираем их потому, что они прекрасно нам подходят. Они — самая подходящая вам пара, настоящие специалисты в том, что вы выбрали для познания и эволюции.

Да, мы выбираем подходящих нам родителей, иначе нас не было бы здесь. Если мы и ошибаемся в выборе, то очень скоро, очень рано покидаем нашу планету. Мне кажется, именно в этом причина появления мертворожденных детей и «синдрома внезапной детской смертности»: или душа вернулась слишком рано, или произошла ошибка в выборе родителей.

Мы закладываем свою систему ценностей в раннем детстве, а затем движемся по жизни, создавая себе переживания, которые идеально соответствуют нашим представлениям о ней. Оглянитесь на свою жизнь и обратите внимание на то, как часто вы сталкиваетесь с одними и теми же или сходными событиями. Вы сами воссоздаете их вновь и вновь, потому что они отражают что-то в вашем характере. Неважно, как долго мы решали какую-то проблему, какой степени сложности она была или как к нам отнеслась жизнь — помните, что любые негативные обстоятельства, которые существовали в прошлом, могут быть изменены сейчас.

Мы пришли на эту планету, но перед этим выбрали задание, которое нам предстоит на ней выполнить. И неважно, как мы к этому подойдем — «объектом исследования» всегда является любовь: насколько сильно сможем мы любить себя, несмотря на все остальное, что мы создали в нашей жизни? Первое, что мы делаем, после того как поставили себе задание, — это выбираем свою сексуальную ориентацию, пол. Какой она будет на этот раз? Будем ли мы женщиной, потому что это предполагает определенные переживания, или станем мужчиной, так как это уже другой опыт? Выберем ли мы положение гетеросексуалов, что влечет за собой одни события, или станем гомосексуалистами, что предполагает совсем другие?

А потом, как я думаю, мы выбираем цвет кожи и решаем, где появимся на свете. Если мы родимся в Африке, то нас ждут совершенно иные обстоятельства жизни, нежели если бы мы появились на свет в Ливерпуле, Австралии или на Аляске.

После того, как мы все это решим, мы внимательно оглядываемся в поисках «правильных» родителей. Я знаю, что большинство из нас, когда вырастают, укоризненно смотрят на своих родителей и говорят: «Это ты виноват в том, что...» Но мне кажется, мы выбираем именно их, потому что именно они подходят нам больше всего. По той же причине они выбирают нас.

Если у родителей появился гомосексуальный ребенок, они выбрали его потому, что это дает им возможность открыть свои сердца: как сильно они смогут любить, невзирая на то, что говорят соседи? Вообще, то, что говорят соседи, кажется очень важным на этой планете. И неважно, о каком обществе идет речь: самое главное — «что скажут соседи»!

Как сильно мы готовы любить? Как сильно мы хотим быть искренними, любить и принимать тех, кто мы есть на самом деле? Все эти вопросы — основа нашего духовного роста. Наши переживания не хорошие и не плохие — это просто опыт жизни, который выбрала наша душа.

И поэтому люди так часто сердятся, когда им говорят, что они сами выбрали своих родителей. «Этого не может быть. Я ни за что не стал бы выбирать таких людей!» Но я-то знаю, что это именно так, потому что прошла через нечто подобное. Если бы вы ошиблись в выборе своих родителей, вы бы покинули нашу планету очень рано, еще до конца первого года жизни, может быть даже в течение нескольких часов. Но раз вы здесь, значит у вас самые подходящие на эту жизнь родители. И каким бы ни был ваш жизненный «урок», вы будете учить его вместе с ними!

Поездка в отпуск домой

Время отпусков всегда было самым напряженным в моей практике: на поверхность выплывают старые обиды, растет страх перед посещением родительского дома... У человека, больного СПИДом, эти страхи только усиливаются, и счастливое в прошлом время отдыха сейчас может стать для него временем боли и одиночества. Я обязательно посещаю больницы на День Благодарения и Рождество — самые тяжелые дни для тех, у кого СПИД.

Нам всем нужны любовь и поддержка.

Вам будет легче ездить домой, если вы позволите своей семье быть теми, кто они есть. Не пытайтесь переделать их! Вы же не любите, когда они пытаются изменить вас... Оставьте их в покое — просто меняйтесь сами и любите себя. Это и без того тяжелая работа. Если вы действительно хотите изменить их, измените сначала себя.

Мы всегда хотим, чтобы наша семья простила нас и любила такими, какие мы сейчас, но слишком часто сами мы отказываем близким в подобных чувствах. Если наше детство было болезненным, нам трудно простить, и мы ограничиваем свой духовный рост, держась за прошлое. Мы возвращаемся в пятилетний возраст вместо того, чтобы жить в настоящем; забываем, что все люди всегда делают только то, что они могут, прикладывая знание и мудрость, которыми они обладают на каждый данный момент. Люди, которые ведут себя плохо, — это люди, которых научили быть такими. Они просто не знают, как вести себя иначе! Ваш гнев не изменит их:

они будут в ответ на него такими же упрямыми, как и вы. А вот любовь и прощение творят чудеса!

Аффирмация: «Я хочу простить тебя, и я освобождаю себя» меняет ситуацию в корне. Потому что, когда вы прощаете их, вы освобождаетесь. Этот вид умственной работы исцелит даже самых твердолобых членов семьи. Попытайтесь, вы же ничего не теряете!

Возвращение домой на каникулы будет наиболее приятным, если вы не станете ничего ждать. Просто принимайте каждое мгновение как данность, любите себя в присутствии семьи, повторяйте аффирмацию: «Я люблю и принимаю себя», или «Мне комфортно и спокойно, и меня всегда любят, неважно, что бы ни произошло». Пусть так оно и будет. Если вы столкнетесь с их временным бешенством, любите себя настолько, чтобы на какое-то время уйти от них. Не ожидайте того, что было в прошлом. Сейчас все по-другому. Найдите время, чтобы отдохнуть и накормить себя. Проследите, чтобы вы получали пищу, которая требуется вашему организму, даже если вам придется везти ее с собой, — ваше здоровье важнее, чем правила приличия. Вы можете всегда сказать: «Мой врач говорит, чтобы я ел только это» — люди обычно уважают подобные авторитеты.

Помните, каждая проблема, которая возникла у вас с вашей семьей, может быть связана с дефицитом любви и прощения. Возвращение домой может стать для вас временем, полным радости, если вы сможете усвоить этот урок. *Когда мы прощаем и любим, мы обретаем внутреннее спокойствие.*

Лечение

Сегодня еще один совершенный день на Земле. Мы проживем его с радостью. Я выбрал своих родителей давным-давно, потому что знал, какую важную роль они сыграют в моем духовном росте. Я знаю, что и они выбрали меня с той же целью. Мы работаем над нашими жизненными заданиями, любя друг друга насколько можем в каждый данный момент. Мы едины с той силой, что создала нас.

Мы спокойны, и все хорошо в нашем мире!

Глава семнадцатая

НАША СЕКСУАЛЬНАЯ ОРИЕНТАЦИЯ

Аффирмация:

Я спокойно отношусь к своей сексуальной ориентации — она отлично мне подходит!

Когда общество диктует нам, что мы плохие из-за того, что мы из себя представляем или как себя выражаем, становится очень тяжело жить в нем. Люди затаиваются или прикидываются кем-то еще, чтобы доставить удовольствие другим. Но это не помогает и всегда разрушающе действует на личность.

В гомосексуальном сообществе мы имеем большую группу мужчин и женщин, которым твердят, что они плохие, или недостаточно хорошие, и таким образом наносят непоправимый вред их здоровью.

379

Когда ребенок растет, он развивает свое собственное, данное небесами, уникальное сексуальное поведение. К несчастью, определенные естественные и нормальные сексуальные чувства индивидуумов были подвергнуты осуждению. Слишком часто родители говорят, что быть гомосексуалистом — позор, поэтому дети начинают скрывать свои сексуальные предпочтения. А с этим закладывается и растет в них чувство стыда и вины.

Большинство людей не понимает, что сексуальность нельзя изменить по собственному желанию: если гетеросексуалу сказать, что он должен стать гомосексуалистом, чтобы быть принятым в обществе, он не сможет этого сделать. Однако почему-то подобные суждения вполне обычны применительно к геям...

Когда же мы наконец поймем, что целью нашей общей жизни является безусловная любовь? Нет людей, которые хуже или лучше других — мы все есть то, что мы есть на пути духовного развития. Предубеждения только тянут нас назад в нашей духовной эволюции.

Сексуальная ориентация — временное явление, выбранное только на эту жизнь. Я считаю, что мы время от времени возвращаемся на Землю, чтобы набраться жизненного опыта. Мы возрождаемся белыми, черными и желтыми, гетеросексуалами и гомосексуалистами, богатыми и бедными, умными и глупыми, красивыми и уродливыми, могучими и слабыми. Поэтому для меня все эти предубеждения очень глупы, так как если вы еще не побывали в определенной ситуации до настоящего времени, то рано или поздно вы окажетесь в ней.

Сейчас у нас есть группа в большинстве своем молодых юношей и девушек, которые в прошлом должны были тщательно скрывать, кто они такие, и делать вид, что они совсем другие. В последние несколько лет произошло ослабление гонений на гомосексуалистов, и они смогли «открыться» в определенных районах некоторых городов. Разумеется, эта внезапная свобода после долгих лет гнета привела к несколько необузданному поведению.

Когда какая-то группа людей долгое время подвергается гонениям, то после снятия давления они чаще всего ведут себя слишком шумно. Поэтому когда гомосексуалисты обнаружили, что могут «выйти на свет» и открыто заявить о себе, они слегка сошли с ума от этой свободы.

Они увлеклись не слишком здоровым образом жизни, потому что так долго им «не позволяли» следовать своим инстинктам. Сейчас настало время сексуальному маятнику качнуться в сторону равновесия.

Вина и сексуальная ориентация

Когда я говорю о чувстве вины, я не имею в виду, что для нее есть какая-либо причина. Особенно, когда дело касается нашей сексуальной ориентации. Неважно, что говорят остальные, неважно, какими бы они ни были авторитетами, неважно, сколь «недостойными» они вас считают, — все это никак не относится к вашей жизни.

Просто на секунду попробуйте представить себе необъятность Вселенной. Она за пределами нашего понимания. Даже наши лучшие ученые с самым современным оборудованием не могут измерить ее границы. Внутри этой Вселенной существуют миллионы галактик. В дальнем углу одной из этих небольших галактик есть небольшое солнце. Вокруг него вращаются несколько планет, в том числе и планета Земля.

Мне трудно представить, чтобы тот необъятный, невероятный Разум, который создал эту Вселенную, был обеспокоен моими гениталиями.

И все же многим из нас вбивали эту «мысль» в голову, когда мы были детьми. Мы должны отказаться от глупых, устаревших представлений, которые не поддерживают нас. Я не сомневаюсь, что даже наши представления о Боге должны быть теми, которые ПОМОГАЮТ нам. Существует так много разных религий. Если вы воспитаны в той, которая говорит, что вы грешник и распоследний червь, вы можете выбрать другую. Если ни одна из современных религий вас не устраивает, создайте свою, новую! Помните: всякая современная религия была создана кем-то, кто был неудовлетворен существующими. У этих людей тоже были свои мысли о Боге и Вселенной, и они смогли собрать вокруг себя единомышленников.

Понимая свою сексуальность

Недостаточно просто учить детей в школах механизму разделения полов: нам нужно на очень глубоком уровне объяснять детям, что их тела, их половые органы и их сексуальность — несут с собой радость жизни. Я верю, что люди, которые любят себя и свои тела, никогда не причинят боль себе и другим.

Сексуальная революция и движение за освобождение женщин принесли с собой много перемен. Происходит сближение полов. Мы обнаруживаем, что большинство наших различий связаны с культуральными и социальными особенностями, а не с физическими или умственными. Сейчас все больше и больше женщин на планете примеряют на себя традиционно мужские профессии и роли. Многие мужчины также получили возможность попробовать то, что испокон веку считалось лишь женской работой.

Я не призываю к тому, чтобы все вокруг все время занимались сексом — я просто говорю, что некоторые из наших постулатов бессмысленны, и поэтому многие люди нарушают их и становятся лицемерами.

Когда мы освобождаем людей от сексуальной вины и учим их любить и уважать себя, они относятся к себе и другим с радостью и добром. Причина, по которой сейчас так много проблем с сексуальным насилием, в том, что многие из нас страдают от ненависти и презрения к себе, и, как следствие, плохо обходятся и с собой, и с другими.

Я никоим образом не пытаюсь вызвать у кого-то чувство вины. Однако надо открыто говорить о том, что должно быть изменено, чтобы все в наших жизнях было наполнено любовью, радостью и уважением. Пятьдесят лет назад почти все геи скрывали свои сексуальные предпочтения, а сейчас они смогли занять свои ниши в современном обществе, где могут быть относительно искренними. Обидно, что многие из них причиняют так много боли своим же «голубым» собратьям. Достойно осуждения отношение некоторых гетеросексуалов к гомосексуалистам, но настоящая трагедия в том, как многие гомосексуалисты относятся к себе подобным.

Причиной для изгнания партнера или члена общины может стать старость или уродливая внешность, а ведь те, кто так поступают, выказывают этим неуважение к себе и своей общине.

Другой способ проявить свое неуважение — через секс. Яростные, временами грубые действия направлены против партнера. Или же часто практикуется анонимный, беспорядочный секс. На самом деле секс — это физическое проявление наших эмоциональных переживаний. Почему же мы так часто хотим, чтобы он выражал ненависть, страх и злобу?

Безопасный секс

Заботу о безопасном сексе столетиями несли женщины, и только сейчас мужчины, особенно гомосексуалисты, впервые осознали его важность. А сколько раздается жалоб и стенаний! Когда тело находится на пике страсти, оно не хочет прислушиваться к инструкциям мозга, говоря: «Не сейчас!» или «Не так!»

Один из членов нашей группы задал однажды такой вопрос: «Что сказать человеку, который отказывается пользоваться презервативом?». Он спросил то же самое у женщин на своей работе, зная, что они много раз сталкивались с подобной ситуацией. Ответ, как правило, связан с вашей самооценкой: если вы любите и высоко цените себя, вы откажетесь в этом случае заниматься сексом; если же вы не думаете о себе, то скорее всего «сдадитесь» в надежде, что «пронесет». Как сильно вы любите себя? Допустите ли вы насилие над собой? Ответ станет отрицательным, когда вырастет ваша любовь к себе.

Безопасно ли такое простое действие, как поцелуй? К сожалению, мы никогда не знаем, нет ли у нашего партнера пореза во рту или кровоточащих десен. Так как ученые еще не выяснили, может ли передаваться вирус СПИДа через поцелуй, лучше научиться другим формам поцелуев — например, в щеки и шею.

Безопасный секс заставляет людей быть изобретательнее.

Мужчины обычно всегда имели больше сексуальных партнеров, чем женщины. Некоторые мужчины предпочитают иметь множество партнеров, чтобы удовлетворить свое тщеславие, а не для того чтобы получить радость. Я не думаю, что плохо иметь нескольких партнеров, так же как может быть вполне оправданно редкое употребление алкоголя или легких наркотиков. Однако если человеку требуется несколько партнеров лишь для того, чтобы поднять уверенность в себе, тогда это становится разрушительным. Такой человек должен измениться.

Старение

В гетеросексуальном обществе многие женщины страшатся старения. Причина тому — в предрассудках, которые твердят о победоносности юности. Для мужчин это не так страшно, потому что старость часто приносит им уважение и почет.

Совсем иное дело для мужчин-гомосексуалистов, так как они создали культуру, которая сконцентрирована на юности и красоте. Однако даже в юности всего лишь некоторые из них отвечают общепринятым канонам красоты. А когда так много внимания уделяется физическому совершенству, то чувства внутри полностью игнорируются. Если вы немолоды и некрасивы, то вас словно и не замечают. Берется в расчет не личность, а тело.

Подобные представления — позор для гомосексуалистов. Это еще один способ сказать: «Голубой» — недостаточно хороший человек».

Слишком часто мужчины-гомосексуалисты чувствуют, что, постарев, они станут нежеланными. Уж лучше уничтожить себя — и многие ведут разрушительный образ жизни, а другие заболевают СПИДом.

Мы установили такие глупые правила: мы назвали старость преступлением. Мы отвратительно относимся к нашим старикам, не понимая, что в свое время к нам будут относиться так же. Неудивительно, что мы со страхом глядим на первую морщину или седой волос, видя в этом начало конца. Когда-то некоторые молодые люди считали, что старость начинается около тридцати лет. Затем они повзрослели и изменили свое мнение. Все мы каждый день становимся старше, и каждый возраст имеет свои ценности.

В культуре гомосексуалистов излишнее поклонение молодости и красоте и отрицание старости только усложняет жизнь людям. Если человек красив, когда он молод, то им восхищаются. Те же, кто не столь привлекателен, чувствуют себя лишними. Но даже красавцы стареют, и их старые поклонники уходят к более молодым и привлекательным. Мы создали так много способов сказать себе: «Ты недостаточно хорош»!

Когда мы боимся постареть, мы фактически говорим: «Я ничего не стою, важно только мое тело». Тело меняется — только посмотрите, как оно трансформировалось с тех пор, как вы были ребенком! А наш дух, наша сущность переходит из одной жизни в другую. Только мы сами можем осознать значение нашей личности!

Бояться постареть — значит только ускорить процессы дряхления. Когда мы отрицаем какую-либо часть себя, мы создаем еще больше ненависти к себе. Мы же можем наслаждаться жизнью в каждом возрасте. И, разумеется, мы должны относиться к старикам так, как вы бы хотели, чтобы относились к вам, когда вы достигнете их возраста.

Больные СПИДом также не могут избежать старости. В моей личной практике я часто видела, как больной СПИДом старел на несколько десятилетий всего за пару месяцев. Но СПИД — не выход. Только любовь к себе в любом возрасте откроет двери радости.

Устойчивые стереотипы негативного сексуального поведения

Подобное поведение может только вызвать у нас чувство вины — неважно, сколько человек побывало у нас в постели. Вообще, частая смена партнеров может быть очень деструктивной как для тех, кто дает, так и для тех, кто получает: это еще один способ избежать настоящей близости.

Мне кажется, что садо-мазохистская практика имеет больше отношения к гневу на родителей, особенно на отца, чем к сексуальности. Это игра в то, как «отомстить». Один — ребенок — умолял: «Пожалуйста, папочка, не наказывай меня, я обещаю быть послушным и хорошим! Пожалуйста, люби меня!»; другой — взрослый — отвечает: «Ты, проклятый ублюдок, я покажу тебе!»

Я заметила, что когда люди начинают больше любить себя, они отходят от подобных занятий, несущих разрушение обеим сторонам. Когда мы по-настоящему любим себя, мы не можем причинить себе боль и не можем причинить боль другому человеку.

Хей-рейд по сексу и сексуальности

История Луи Нассанея

«Мысли о сексе и сексуальности очень важны для людей со СПИДом. Когда почти четыре года назад мне был поставлен диагноз, первое, о чем я подумал, было: «А могу ли я теперь вообще заниматься сексом? Разве не секс создал мою болезнь? Достоин ли я того, чтобы заниматься сексом?» К тому времени я три месяца встречался с одним парнем. Через неделю после того, как мне поставили диагноз, я решил расстаться с моим другом.

Я подумал, что если поправлюсь, то мне больше никто не будет нужен рядом. И если я собираюсь работать над своей болезнью, я должен делать это в обществе одного только Господа Бога. Я не хотел, чтобы меня отвлекали телефонные звонки, я не хотел волноваться о свиданиях по выходным. Я хотел думать только о бедняге Луи.

Это было важное решение, меня ждало море печали и слез, но это был выбор, который я сделал осознанно. Я посчитал, что если мне будет нужен секс, то Луи сможет заняться сексом с Луи: в конце концов, секс существует во множестве форм — это могут быть фантазии, это может быть мастурбация, это может быть порнофильм и это может быть вообще жизнь без секса.

Семь месяцев я не испытывал оргазм, но это во многом было связано с моим лечением. Я получал интерферон, а потом, когда решил закончить с ним, провел два месяца в раздумьях, достоин ли я заниматься сексом.

Я знаю, что мои слова звучат очень странно, но так оно и было.

Многие люди со СПИДом думают, что они недостойны завязать с кем-то интимные отношения. Они считают себя недостойными даже просто заявить о своих потребностях и желаниях! Спрашивают: «Кому я нужен, если я заболел пневмонией и так сильно похудел?» или «Кому я нужен, раз у меня поражена кожа?» Некоторые здоровые люди сегодня не ведут половую жизнь из-за страха заразиться.

После окончания того курса интерферона я начал думать о себе лучше и решил проверить себя. Я вспомнил, что Луиза говорила мне, как важно быть честным с собой и рассказать все своему партнеру, прежде чем заняться сексом. Большинство из нас просто хочет найти себе партнера на ночь, но если я встречу кого-то, с кем у меня завяжутся близкие отношения, я рано или поздно должен буду признаться ему, что у меня СПИД. С таким же успехом я могу сразу же, не откладывая, сообщить ему об этом.

Многие из нас отказались от встреч на одну ночь, потому что поняли, что именно это и привело их к СПИДу. Подобные встречи отражают тот факт, что мы не любим себя и того человека, с которым встретились; они говорят о том, что нам от него нужен только секс, нас интересуют только его гениталии.

Я узнал от Луизы, что быть честным безопасно, и если человек отвергает тебя, то это так и должно быть. Рано или поздно кто-то полюбит беднягу Луи за его сердце, а не за его тело или его волосы.

Затем появилась замечательная статья обо мне в журнале «Пипл». Со мной связалось почти семьдесят человек, которые хотели бы познакомиться. Из них только один был из Лос-Анджелеса. Я решил встретиться с ним, и этот человек стал моим партнером и остается им уже два года».

Лечение

Сегодня еще один совершенный день на Земле. Мы проживем его с радостью. Моя душа лишена сексуальности, и все же я уже много раз пережил разные виды сексуальных контактов. Выбор, который я сделал в этой жизни, поможет мне духовно вырасти. Я радуюсь моей сексуальности, которая отлично подходит мне. Я в гармонии с тем, кто я есть в сексуальном, умственном и духовном плане. Мы едины с той силой, что создала нас.

Мы спокойны, и все хорошо в нашем мире!

Глава восемнадцатая

ЛЮБЯ ДРУГИХ, ЛЮБЯ САМИХ СЕБЯ

Аффирмация:

Я живу в любви и гармонии со всеми!

Отношения с другими людьми

Каждый раз, когда я думаю о взаимоотношениях с другими людьми, я возвращаюсь к одному особому аспекту этих отношений, а именно все к той же концепции любви к себе. Если вы не любите себя, вы не сможете наслаждаться хорошими взаимоотношениями, потому что вы очень переживаете из-за них: вы так беспокоитесь, что он или она делают в данный момент, и действительно ли он (она) любит вас... И где он (она), и почему не звонит, и будет ли дома вовремя, и с кем он (она) сейчас?

Мы нагружаем себя множеством забот, когда не любим себя. Человеку, который не любит себя, невозможно угодить, вы всегда будете для него недостаточно хороши. Слишком уж часто мы выворачиваемся наизнанку, пытаясь удовлетворить партнера, который сам не знает, как это принять, потому что не любит себя таким, каков он есть.

Когда мы говорим о ревности, то опять-таки имеем в виду человека, который не любит и не ценит себя. Поэтому-то он так не уверен в себе и ревнует к другому. Он словно бы говорит: «Я недостаточно хорош и не стою твоей любви. Не понимаю, за что ты любишь меня, и я точно знаю, что, уходя, ты делаешь разные гадости за моей спиной».

Взаимоотношения на работе

У нас не может быть хороших отношений на работе, если мы не заботимся о себе, потому что тогда мы становимся подозрительными, ревнивыми или очень самоуверенными. А наш маленький уголок или отдельчик превращается для нас в центр мироздания, потому что мы боимся, что другие люди заберут его.

Если мы любим себя, то всегда остаемся спокойными и уверенными в себе, и у нас замечательные отношения на работе. Представьте себе людей в вашем офисе, которые плохо сходятся с остальными. В чем же дело? Им наплевать на себя. Они вовсе не плохие: если вы не ладите с другими, это не означает, что вы плохой человек — это означает, что вы верите в старые фальшивые идеи. Вы поверили кому-то, сказавшему, что вы недостаточно хороши. А когда вы недостаточно хороши, чего вы ищете больше всего в жизни? Любви и одобрения.

Вы думаете: «Меня никто не любит» или «Я недостоин любви». А когда вы недостойны любви, вам очень тоскливо жить, и поэтому вы становитесь язвительными или излучаете презрение. Вы ведете себя так, что остальным не хочется быть рядом с вами, а потом вы говорите: «Вот видите, меня действительно никто не любит!»

В том, что касается возможности заразиться СПИДом на работе, существует довольно обширный материал, представленный врачами. Вы рискуете заболеть только в определенных ситуациях — например, если имели сексуальный контакт с больным человеком или использовали общие иголки в шприцах. Очевидно, что нахождение в одной комнате, пожатие рук, совместное пользование кухней или ванной абсолютно безопасно. Когда мы владеем информацией, нет причины бояться работать с больным человеком, так же как мы больше не боимся находиться в одном офисе с больным раком или диабетом.

Если вы услышали, что один из ваших коллег болен СПИДом, относитесь к нему так, как вы бы хотели, чтобы относились к вам на его месте. Не играйте в игру «ах, как это ужасно!», а скажите, что вы хотели бы ему помочь и спросите, как вы это можете сделать. Если ваши коллеги в своем невежестве полны страха, проследите, чтобы они получили нужную информацию о СПИДе: попросите своего начальника провести собрание, где кто-нибудь знающий смог бы ответить на вопросы и успокоить людей. В большинстве городов сейчас есть «горячие линии» по СПИДу. Но, самое главное — подавляйте любые попытки осудить человека и не сплетничайте: то, что мы отдаем, возвращается к нам. Пусть эта ситуация станет временем духовного роста для вас.

Новые взаимоотношения: как сказать другим, что у вас СПИД

Как сказать другому человеку, что у вас СПИД, и когда лучше это сделать? Каждый решает это сам. У всех нас разные жизненные ситуации, и тут нет единых правил. Я знаю только, что если у вас крайне низкая самооценка и вы очень критичны к себе, люди, которым вы это скажете, скорее всего плохо примут ваше сообщение. Если же вы сильны и погружены в любовь к себе, тогда вы, вероятнее всего, встретите в ответ тоже любовь, понимание и поддержку.

Быть правдивым и честным — лучшее поведение. Сообщите о своей болезни при первом же свидании, дайте человеку шанс принять свое решение: ведь если он (или она) станет вам близок, потом будет намного труднее рассказать об этом.

Сразу же сообщите обо всем своим родителям и попросите у них любви и помощи. Дайте и им шанс. Если они вас отвергнут — обратитесь к своим друзьям, группам поддержки и создайте свою собственную семью. Обязательно расскажите друзьям. Вы можете потерять нескольких напуганных людей — пусть они уходят с любовью: вы обязательно обнаружите, что рядом с вами много по-настоящему верных вам товарищей. Начальству я бы рассказала о болезни только в случае необходимости, и если вы уверены в его поддержке.

В нашей группе был молодой человек, который работал бухгалтером в одной из крупных компаний. Когда в фирме узнали, что у него СПИД, его попытались пересадить в маленькую каморку отдельно от всех, делая все, чтобы его уволить. Однажды ночью он пришел к нам на семинар в сильном возбуждении, жалуясь на боли в животе. Мы объяснили ему, как важно с любовью благословить всех в этой фирме — так, чтобы не пострадало его собственное психическое и физическое здоровье. В то же время мы согласились с ним по поводу необходимости подать в суд, если его будут и дальше выживать с работы. Как следствие, этот человек не стал ни перепуганным хлюпиком, ни воинствующим нахалом: он вел себя по возможности спокойно, когда объяснял свою позицию руководству компании. «Они» отступили, и он все еще работает в той фирме. К тому же, как оказалось, его морально поддерживают многие коллеги.

Хей-рейд по взаимоотношениям

Луиза: «Сегодня вечером мы хотим поговорить об отношениях между людьми. Вы знаете, что искать отношения, стеная о том, как вы одиноки, — не самый подходящий способ действительно найти их. Вы должны любить себя таким, какой вы есть, и знать, что вы достойны любви, что все хотят любить такого человека, как вы».

Тед: «Я сотворил чудо, которое считал невозможным, и это чудо называется «встреча с любимым человеком». Хотел бы я знать об этом заранее, когда пришел сюда год назад! Но тогда я ничего не знал, и рад, что сам нашел это чудо.

Мне поставили диагноз полтора года назад. Я никогда не чувствовал себя больным, и единственным проявлением моей болезни были высыпания на коже. С тех пор их у меня прибавилось, и это сильно испортило мое мнением о себе.

Мне кажется, для гомосексуалиста важно только то, что связано с его внешней привлекательностью. И так как я, повзрослев, считал себя довольно симпатичным, я стал очень самоуверенным. Когда мне был поставлен диагноз, я встречался с одним мужчиной, а через десять недель он бросил меня. Это было довольно тяжело пережить... Но чего еще я мог ожидать? Кто захочет знаться с больным СПИДом?

Причем, тогда у меня еще не было поражений кожи, и тот мой знакомый просто испугался. Тогда я подумал: «Ладно, значит, люди, с которыми я теперь могу встречаться, должны быть сами больны СПИДом, потому что только с ними мне будет спокойно. В итоге, у меня было несколько коротких интрижек. Я всеми силами пытался завязать с ними длительные отношения. Я говорил себе: «Это мой последний шанс. Я буду любить этого человека, хочу я того или нет».

Но ничего не получалось. Где-то шесть недель назад я встречался с двумя мужчинами, один из которых привлекал меня физически, а второй казался мне очень интересной личностью. Я старался как мог завязать с ними настоящие отношения, пока один не стал мне просто другом, а второй сказал, что нашел себе нового любовника.

Затем начался фестиваль геев и лесбиянок, а у меня не было партнера. Это был такой замечательный день! Мы веселились до упаду, и я не хотел, чтобы он кончался, потому что это был мой лучший день за долгое время...

Я вернулся домой и подумал: «Не хочу сегодня ночью быть один!» И решил пойти в бар. Я не был в барах очень давно и знал, что с таким заметным поражением кожи мне будет нелегко найти себе партнера на ночь.

Я пошел в бар за углом, надеясь, что в день фестиваля там будет много народу. Четыре человека прятались в темноте, а один стоял на свету. Я узнал его — мы встречались в гимнастическом зале, но никогда не были близко знакомы.

Я вежливо поздоровался, не собираясь даже заговаривать с ним, потому что понимал, насколько это будет неудобно: мне придется сказать, что у меня СПИД, и когда он увидит мою кожу на свету, то с содроганием отвернется.

Убедив себя, что у нас с ним все равно ничего не получится, я прошел мимо него и заказал пиво, хотя никогда раньше так не делал. Но той ночью я ломал все свои стереотипы. И когда я медленно погружался в жалость к себе, ко мне подошел Этот Человек.

Первая его фраза была: «Я видел тебя на семинаре у Луизы Хей. Я знаю твою историю и хочу провести с тобой ночь».

Этот мужчина буквально вдохнул в меня жизнь. Он — настоящий

посланец небес, и часто говорит мне: «Ты сможешь справиться со всем, если захочешь».

Я хочу сказать тем, у кого недавно был диагностирован СПИД и кто поставил на себе крест: вы ошибаетесь. А самое настоящее чудо для меня, это то, что у моего любимого отрицательная проба на ВИЧ».

Когда следует разорвать отношения

Это прекрасно выглядит на бумаге, но что же на самом деле происходит, когда мы чувствуем, что наши отношения не сложились?

Если мы не любим себя, то мы не станем разрывать отношения — предпочтем подвергаться насилию и унижению, говоря при этом: «Я недостоин любви, поэтому уж лучше останусь с ним и буду выносить все, ведь больше я никому не нужен». Но кто это говорит? Мы сами. А когда мы меняем это мнение, тогда и к нам начинают относиться по-другому. Я вообще не могу найти какой-либо аспект отношений между людьми, который не был бы связан с нашим мнением о себе. Любим ли мы себя? Если нет, то что нам мешает? Что вы такое думаете о себе, что мешает вам любить себя? Мы не можем исцелиться и стать цельными, если не станем любить себя такими, какие мы есть.

Лечение

Сегодня еще один совершенный день на Земле. Мы проживем его с радостью. Я — аккорд симфонии жизни. Я сливаю себя с ее гармонией, и мой разум настроен на спокойствие. Я в гармонии с жизнью. Все мы ходим по одной и той же Земле, дышим одним и тем же воздухом и используем одну и ту же воду. Я излучаю созданную мной гармонию на всех тех, с кем соприкасаюсь. Я несу спокойствие, любовь и гармонию в свой постоянно расширяющийся мир. Мы едины с той силой, что создала нас.

Мы спокойны, и все хорошо в нашем мире!

Часть 3

КАК НАЙТИ ПОМОЩЬ

Глава девятнадцатая

ВРАЧИ: ПОМОЩЬ ПРОЦЕССАМ САМОИЗЛЕЧЕНИЯ

Аффирмация:

Господь действует и через медицинских работников!

Когда у вас СПИД, врачи могут стать неотъемлемой частью вашей жизни, и ваши взаимоотношения с ними очень важны для излечения. Многие врачи боятся СПИДа, потому что очень мало знают о нем; многие поверили, что СПИД неизлечим, поэтому автоматически выносят смертный приговор своим больным. Но мы должны помнить, что нельзя слепо верить мрачным прогнозам медиков. Мы не статисты. Мы — уникальные существа. Мы подчиняемся законам нашего собственного сознания, а не сознания медицинских авторитетов. «Это может быть истиной для вас, но я предпочитаю верить другому» — хорошая аффирмация на все случаи жизни, когда бы вы ни услышали разного рода обескураживающие пророчества.

Возможно даже, что вы знаете гораздо больше о СПИДе, чем ваш врач. В конце концов, это вы больны, и только вы знаете, что именно болезнь творит с вами! Поэтому я бы порекомендовала вам узнать о СПИДе все, что возможно. Вы должны стать членом команды спасения вместе со своими медицинскими советниками. Помните: именно этим для вас является ваш врач — медицинским советником, а не непогрешимым авторитетом, не истиной в последней инстанции и уж точно не Господом Богом! Уважение должно быть проявлено с обеих сторон.

Вы совершенно справедливо хотите, чтобы врач выслушал вас и с уважением отнесся к вашим страхам и вопросам, чтобы он объяснил вам различные процедуры и их действие, рассказал о побочных эффектах лекарств и поддержал ваш интерес к альтернативным методам лечения. Если врач не отвечает этим требованиям, ищите другого.

Мой друг, доктор Боб Брукс, полностью одобряет ситуацию, когда больной работает бок о бок с врачом. Вот короткое описание его опыта работы с больными СПИДом.

«В течение почти трех лет я участвовал в обследовании и лечении людей со СПИДом. Некоторые из тех, с кем я работал, живут намного дольше, чем им было предсказано исходя из медицинской статистики. Эти люди, о которых я говорю, отличаются исключительной любовью к жизни и хорошим самочувствием, намного превышающим то, что описано в медицинской литературе или популярных изданиях. Когда я сталкиваюсь с такими людьми, я всегда спрашиваю себя, почему они, будучи серьезно больны, прекрасно справляются с болезнью, в то время как другие угасают.

Мои представления, почерпнутые из литературы по медицине и биологии, говорили мне, что все это результат генетических и конституциональных факторов. Однако сейчас я уже не так уверен в этом: мне кажется, что эти люди просто в корне иначе оценивают ситуацию.

Я хотел бы поделиться с вами некоторыми открытиями, которые я сделал насчет процесса исцеления от СПИДа.

Я полагаю, что мы одновременно живем во многих ипостасях. Две из них — это физическая реальность и наш жизненный опыт. Большинство людей считают свои переживания следствием обстоятельств, однако это спорный вопрос. Я думаю, что наш жизненный опыт больше связан с нашим отношением к этим обстоятельствам.

Так как мы буквально живем в море языка, мы не замечаем силы слова. В последнее время несколько исследований по гипертонии продемонстрировали, что одной из причин поднятия кровяного давления является человеческая речь, и что один из самых успешных способов достижения длительного контроля над патологически высоким давлением — это изменить диалог, форму общения между людьми.

Подобные исследования расширяют наши представления о причине медицинской болезни, включая другую ипостась нашего бытия, в данном конкретном случае — человека как разговаривающего существа. Я видел много людей со СПИДом, которые создали прочные отношения с другими людьми (часто с теми, у кого нет СПИДа), всего лишь по-другому рассказывая о себе и о том, что с ними случилось.

Я уверен, что хорошее самочувствие зиждется на нашем жизненном опыте. Мы можем хорошо себя чувствовать при любых обстоятельствах; и наоборот, можем быть богатыми и здоровыми — и не чувствовать себя таковыми.

Некоторым трудно поверить в эту мысль, потому что с их точки зрения, больной СПИДом хорошо себя чувствует, если активно участвует в различных событиях, испытывает радость и любовь. Когда же этого нет, то больным невозможно достичь позитивного настроя. Однако, невозможность испытать эти радости переживания происходит на самом деле не из-за отсутствия подходящих обстоятельств — в большей степени это результат того, *как* и *что* люди привыкли думать.

В реальности, хорошее самочувствие — это индивидуальный выбор. Он включает смену индивидуумом позиции жертвы обстоятельств на позицию творца своей жизни. Эта смена позиции требует огромной силы воли, которая поможет человеку взять всю ответственность за свою жизнь на себя. Здесь речь буквально идет о желании проверить, достаточно ли сильно внутреннее «я» для того, чтобы самому создавать свои переживания.

Подобный разговор об ответственности перед собой очень труден, потому что большинство людей считают чувство вины синонимом чувства ответственности. Это результат того, как к нам относились в детстве. Когда мы были маленькими и делали то, что не одобряли наши родители, их слова о нашей «безответственности» были в действительности обвинением. Больные, которые отказываются признавать за собой ответственность за свою жизнь, на самом-то деле не хотят, чтобы их винили в чем-то. Конечно, мы можем не признавать своей вины, но мы не в состоянии отказаться от чувства ответственности за себя.

Я думаю, именно поэтому многие больные СПИДом возражают против того, чтобы их называли жертвами СПИДа: с их точки зрения, они просто люди со СПИДом и не хотят проживать свою жизнь в качестве чьей-то жертвы. Они создают для себя жизни, полные любви, удовлетворения и высокого уровня здоровья.

Медицина, как наука физическая, неспособна создать настоящее здоровье. Предотвращение болезни или ее излечение не являются синонимами здоровья.

Чтобы обрести хорошее здоровье, мы должны расширить само понятие медицины. Я верю, что любые мероприятия, которые создают ощущение здоровья, помогают целительным процессам в нашем организме. Ниже я перечислю компоненты, которые, по моему мнению, необходимы, чтобы создать то, что я предпочитаю называть атмосферой исцеления.

1. Стремление жить — это ключ к любому виду лечения. Без такого стремления больные люди не смогут придерживаться поведения, которое повысит шансы выживаемости. Я видел умирающих больных, у которых внезапно появлялось сильное желание жить, и в результате происходило их чудесное исцеление. Я также видел больных, которые могли бы прожить намного дольше, исходя из их состояния здоровья, но безвременно умирали потому, что больше не хотели жить.

2. Ласка и любовь. Сила ласки и любви была, похоже, забыта в нашем обществе высоких технологий. Психологи задокументировали сильнейший эффект отсутствия ласки и любви у младенцев и назвали это состояние «синдромом отнятия от матери». Я думаю, что это верно и для взрослых, пусть даже в меньшей степени. Последствия этого не столь очевидны, и все же они так же серьезны в плане воздействия на здоровье. Нам всем нужны любовь и ласка. А нигде их отсутствие не ощущается так сильно, как в наших больницах, где больные СПИДом, как правило, содержатся в сенсорной изоляции и к ним относятся словно к прокаженным. Мы ведем себя так, будто удовлетворение этих основных потребностей должно каким-то образом выписываться нам по рецепту. А правда заключается в том, что никакой технический прогресс не восполнит дефицит удовлетворения базовых потребностей нашей натуры. Многие люди уже осознали это, и потому тревожатся по поводу своего пребывания в больнице — словно наше подсознание дает нам предупреждение: «Тут небезопасно для человека!»

3. Цель в жизни. Побег от смерти — не очень сильный стимул жить. Человек имеет наилучший шанс выжить, когда он имеет что-то, ради чего, по его мнению, *стоит жить*. Причины жить приходят к нам из других, не научных сфер, из тех исключительно тайных сфер сознания и бытия, которые делают нас людьми. Хорошие врачи знают это, хотя и не смогут как следует выразить эту идею словами. Все мы в медицинской практике наблюдали больных, у которых всепоглощающая привязанность к кому-то или чему-то являлась причиной или излечения, или длительной ремиссии.

4. Стремление обратиться к себе. То, как мы на Западе относимся к любому авторитету, потрясает: для многих из нас все, что написано в книге — непреложная истина. Когда же мы сталкиваемся с подобной ситуацией на самом деле и видим ее несоответствие книжному варианту, то начинаем сомневаться в себе — нас научили не верить своей интуиции и опыту всего человечества. И все же, вековая мудрость вдохновляет людей заглядывать внутрь себя в поисках ответов на самые трудные вопросы. Я думаю, что путь к исцелению начинается именно со *взгляда внутрь,* в себя, и осознания нашей собственной целительной силы.

Я бы хотел закончить эту дискуссию коротким описанием своей позиции по данному вопросу. Я считаю, что современная медицина внесла огромный вклад в сохранение здоровья людей, в этом нет никакого сомнения. Однако многое, жизненно важное для нашего выживания как индивидуумов и представителей вида «хомо сапиенс» было, к сожалению, забыто и проигнорировано медициной. Я считаю, что сейчас мы вступаем в век синтеза и кооперации. Так же как супердержавы должны научиться жить вместе, если мы хотим избежать гибели во вселенском взрыве, так и медицина должна научиться сосуществовать с другими, нетрадиционными направлениями, помогающими нашему здоровью. Пока врачи не научатся уважать другие подходы к исцелению и здоровью, они будут неуклонно терять уважение тех самых людей, которым поклялись служить. Настало время нам всем объединиться и объединить свои системы ценностей и свои знания. Наука ради науки больше не имеет смысла».

Аффирмация для врачей

Так же как врачи должны уважать альтернативную медицину, так и мы должны отвечать за тех врачей, которых выбрали для своего излечения. Врачи, которых мы привлекаем для этого, отражают наши собственные представления о нас самих и об их профессии. Если вы ищете нового врача или размышляете над тем, чтобы сменить старого, я бы предложила вам сначала заняться умственной работой. Решите для себя, что именно вы хотите найти в отношениях с этим человеком, а затем создайте аффирмацию: вы можете даже записать ее. Получится нечто подобное тому, что я привожу ниже.

«Сейчас у меня замечательный врач, мы уважаем друг друга. Мы — члены команды моего спасения. Нам легко общаться и понимать друг друга; мой врач поддерживает меня и уверен, что меня можно вылечить. Он очень знающий человек и одобряет меня в отношении общеукрепляющей терапии. Все, что мы делаем вместе, вносит вклад в процесс моего исцеления. Я люблю своего врача, и мой врач любит меня».

Добавьте все, что вы еще хотели бы видеть в ваших взаимоотношениях с врачом, после чего читайте это по нескольку раз в день. Так же продолжайте работать с аффирмацией: «Сейчас я привлекаю к себе самого лучшего врача». Если у вас появились негативные мысли по поводу врачей или вы слышали какие-либо ужасные истории на их счет, просто скажите себе: «Это может быть верно для других, но мой врач не такой». Проводите позитивную психическую работу, чтобы найти себе такого врача, какой вам нужен. Найдя же, называйте своего врача по имени — это поставит вас с ним вровень; не скрывайте от него какие-то детали вашей жизни: если уж он будет сопровождать вас на пути к исцелению, он должен знать обо всех аспектах вашей жизни — это и есть отражение вашего доверия к нему. Любой врач, которого оскорбит подобная открытость, слишком неуверен в себе, чтобы работать с ним. Врач — это человеческое существо, такое же как и вы, хоть и обладающее специальными знаниями, и он вовсе не сверхчеловек.

Билль о правах больного

Мой друг, доктор Альберт Лернер, создал «Билль о правах больного», чтобы показать, что мы, как больные, должны быть сами вовлечены в воссоздание своего здоровья.

«Ответственность за наше существование охватывает все аспекты нашего бытия и все фазы нашей жизни, и отношения врач-больной играют здесь решающую роль.
1. Вы имеете право получить достаточную информацию о своем заболевании и, советуясь с врачом, выбрать свой собственный курс лечения.
2. У вас есть право на партнерские отношения с вашим врачом. Вы должны:
   а). Понимать важность того, чтобы вас внимательно *выслушали!*

б). Четко определить цель своего визита.

в). Четко определить ваши потребности, лежащие за пределами насущных проблем. Например: длительная потребность в советах по поддержанию здоровья.

г). Сообщить врачу о своем эмоциональном состоянии и том, как вы справляетесь со стрессами. Задайте себе следующие вопросы:

— Вы предпочитаете сдерживаться или выражать чувства любви, гнева или грусти?

— Что происходит в вашей личной жизни, отношениях с людьми и на работе? Как вы с этим справляетесь?

3. Проинтервьюируйте врача. Задайте ему слудующие вопросы:

а). Каковы его философские воззрения на исцеление?

б). Готов ли он поддерживать диалог с больным.

в). Как он воспринимает конструктивную критику?

г). Занинимает ли врач оборонительную позицию, критичен ли он и вспыльчив или открыт и доступен в общении?

д). Чувствуете ли вы, что вас подгоняют, отталкивают или обрывают, когда вы пришли к врачу?

4. Лишите медицину флера таинственности.

а). На чем основывался ваш диагноз?

б). Какие были проведены лабораторные исследования и что они показали?

в). Какие еще данные были получены?

г). План лечения. Удостоверьтесь, что вы по крайней мере имеете к нему доступ.

д). Побочные эффекты (если они есть), касающиеся выписанных препаратов.

5. И, наконец, не будьте запуганным!»

Как видите, есть много замечательных врачей — заботливых, знающих, добрых, действительно заинтересованных в вашем состоянии и открытых для различных форм исцеления. И вы способны найти их, если любите себя. Становится все больше таких врачей, как Берни Сигал, который считает, что больной имеет самое прямое отношение к возникновению болезни и исцелению от нее. Эти врачи готовы выйти за пределы стандартной медицинской практики и включить больного в процесс исцеления. Они верят в совместные усилия!

Лечение

Сегодня еще один совершенный день на Земле. Мы проживем его с радостью. Я — особое существо, любимое Вселенной. Когда я усиливаю любовь к себе, Вселенная следует за мной, зеркально увеличивая и усиливая любовь. Я знаю, что энергия Вселенной есть в каждой личности, месте и вещи. Эта исцеляющая сила любви может выражать себя и через медицинскую профессию, она есть в каждой руке, которая касается моего тела.

На своем пути к исцелению я привлекаю только очень увлеченных людей. Мое присутствие помогает воспитывать духовные целительские способности в каждом враче. Врачи и медсестры поражены собственной способности работать вместе со мной как команда по исцелению. Мы едины с той силой, что создала нас.

Мы спокойны, и все хорошо в нашем мире!

393

Глава двадцатая

ИМЕЯ ДЕЛО
С МЕДИЦИНСКИМИ УЧРЕЖДЕНИЯМИ

Аффирмация:

Каждая рука, что касается меня, обладает целительной силой!

Больницы

В случае с раком было замечено, что люди, которых называли «плохими» или «тяжелыми» больными, имели лучшие показатели выживаемости. Больные же, которые смирились со всеми процедурами, чаще всего погибали. Если вы окажетесь в больнице, делайте все, что в ваших силах, чтобы постоять за себя: просите палату с хорошим видом из окна, задавайте вопросы и настаивайте на том, чтобы получить ответы; не соглашайтесь на процедуры, если вы не знаете, зачем они; возьмите с собой магнитофон и записывайте разговоры с медицинским персоналом — вы платите за их услуги и имеете полное право задавать им вопросы: действительно ли назначенные процедуры хороши для вашего организма или просто их здесь делают каждому больному?

Если вы слишком больны, чтобы постоять за себя, пригласите с собой хорошего друга. Проследите, чтобы у вас было с собой все необходимое: возьмите пленки для магнитофона, целительную музыку, пленки на расслабление. Используйте это время для учебы. Делайте визуализации, пишите аффирмации. Возьмите также несколько личных вещей, чтобы украсить свою палату; принесите из дома несколько рубашек, чтобы носить их вместо больничных халатов. Проследите за тем, чтобы кто-нибудь снабжал вас здоровой, полноценной пищей вместо больничной еды. Всегда держите рядом с собой тарелку со свежими фруктами.

История Билла

«Меня зовут Билл. 24 ноября 1984 года мне был поставлен диагноз «болезнь Ходжкина». Первой моей мыслью было: «Почему именно я?». Я три недели назад бросил старую работу и начал свой собственный бизнес, и у меня еще не было страховки. Моим первым вопросом врачу было: «Сколько мне осталось жить?». Я чувствовал себя самым несчастным человеком на Земле.

Потом я отправился в госпиталь со своим любовником, чтобы сделать биопсию. На пути домой его мотоцикл попал в аварию, и нам еще повезло, что мы остались в живых. Почти сразу после этого его мать, которая была мне близка как моя собственная, подверглась нападению — ей перерезали горло. Каким-то чудом она тоже выжила и сейчас хорошо себя чувствует. За два месяца до окончания курса химиотерапии мой младший брат пережил отравление угарным газом... Я полетел в Иллинойс, чтобы побыть со своей семьей, которую не видел пять лет. Врачи сказали, что если мой брат когда-либо выйдет из комы, то остаток жизни обречен на растительное существование...

Через две недели я полетел обратно в Сан-Франциско, чтобы пройти новый курс лечения. Четвертого июля позвонила моя сестра и сказала, что брат вышел из комы и поправляется. Через два месяца после окончания моего лечения умерла моя бабушка, которую я очень любил...

Мне казалось, что я несусь на санках с крутой горы и никак не могу остановиться.

Я многого ожидал от других. Медицина должна была вылечить меня, я же хотел как можно меньше «влезать» во все это. Врачи предложили мне провести курс химиотерапии. Я сомневался в успехе, но решил все-таки позволить им вылечить меня.

В августе 1985 терапия закончилась, и врачи сказали, что я в ремиссии. Я чувствовал себя неплохо, поэтому снова начал заниматься в гимнастическом зале. Месяц спустя я обнаружил припухлость в паху. Через некоторое время она увеличилась и стала болезненной. Врачи сказали, что у меня грыжа. Решив, что я слишком рано стал поднимать тяжести, я подумал, что их диагноз вполне разумен, но после дополнительного обследования я узнал, что эта припухлость — опухоль, которая увеличивается с каждым днем. Это меня убило. Я был в таком состоянии, что не думал, что проживу еще один день. И все же, я так и не взял ответственность на себя — это была «их» вина, что я не выздоровел.

За несколько месяцев до этого сосед дал мне книгу под названием «Ты можешь исцелить свою жизнь». Я был в таком отчаянии, что прочитал ее. Я открыл книгу около полуночи и читал до шести часов утра. Я делал аффирмации и слушал кассету «Рак: ваша исцеляющая сила». Устав, я заснул прямо на софе. Я проснулся через два часа — не мог поверить своим ощущениям: опухоль в паху исчезла. Все, что я нащупал, — это шарик размером с горошину там, где последние три недели было что-то размером с грецкий орех. Я был полон любви и энергии, я не чувствовал себя так хорошо даже до того, как мне поставили диагноз. Это было невероятно!

С того дня я осознал, что должен сам нести ответственность за свою жизнь. И я отвечаю за все, что происходит со мной.

С того незабываемого утра в моей жизни произошло много хорошего: возобновились отношения с родителями, и мы теперь ближе друг другу, чем были раньше. Мой любовник тоже прочитал книгу и прослушал пленки, и думает, что он улучшит наши отношения. Я больше не сосредотачиваюсь на негативных обстоятельствах, ищу во всем хорошее. Мой рак стал для меня огромным уроком: благодаря ему, моя жизнь наполнилась радостью и счастьем, она полна смысла, пока я помню, что люблю себя и что Вселенная всегда позаботится о моих нуждах.

Первая аффирмация, которую я запомнил, была из книги «Ты можешь исцелить свою жизнь». Она звучит так: «Я абсолютно счастлив быть самим собой. Я достаточно хорош таким, какой я есть. Я люблю и одобряю себя, я отдаю и получаю радость».

В первый раз, когда я записал эти слова, я счел их глупостью и думал, что все с точностью до наоборот. Сегодня же они для меня правдивы, я верю в каждое слово. Теперь по утрам, бреясь, я улыбаюсь себе в зеркале и говорю, как сильно я себя люблю и какой я особенный. Ко времени выхода из ванной я чувствую себя отлично!

Сейчас я прохожу второй курс химиотерапии, на этот раз активно участвуя в нем, и результаты превзошли все ожидания: мои врачи говорят, что анализ крови и мой внешний вид лучше, чем они были за весь последний год. Научившись любить себя и свое тело, я словно выехал с одноколейки на широкое шоссе».

Билл обнаружил позитивный подход к медицинскому сообществу. Если вы хотите последовать его примеру, вы должны помнить, что самое важное тут — ваше желание участвовать в процессе лечения. Когда вы принимаете таблетку, вы должны быть уверены, что это для вашей же пользы. Ни в коем случае не думайте о побочных эффектах, которые проявились у других людей, помните только о том избавлении, которое оно принесет вам.

Очень хорошо, если вы будете произносить аффирмацию после приема лекарства. Вы можете говорить что-то вроде: «Это самое отличное лекарстово для меня, и оно принесет мне много добра».

Нельзя полностью игнорировать усилия врачей: с помощью химиотерапевтического лечения было покончено со многими болезнями. В случае со СПИДом создатели лекарств тоже предлагают что-то новое буквально каждый день. Это очень хорошо, так как, благодаря их совместным усилиям в борьбе против СПИДа, могут быть попутно излечены и другие заболевания, например лейкемия. И в знак признания заслуг медицины в борьбе со СПИДом я предлагаю вам простой перечень некоторых способов медикаментозного лечения.

Лекарства

Иммуномодуляторы [1]

Это лекарства, которые усиливают синтез в теле лимфоцитов и теоретически укрепляют вашу иммунную систему.

1. *DDTC, Иммутол*. Это средство является, по-видимому, наиболее подходящим для ВИЧ-инфицированных больных и больных с «предСПИДом». Лишенное побочных эффектов, оно у некоторых больных способно восстанавливать нормальный уровень Т4- и Т8-лимфоцитов. Так как ВИЧ реплицируется в Т-клетках, некоторые исследователи считают, что увеличение числа Т-лимфоцитов в крови может также увеличить вирусную активность, однако, проведенные в Лионе (Франция) тесты показали, что с *DDTC*, этого не происходит.

2. *IMREG-1*. Это продукт собственных лимфоцитов тела. Действуя на иммунную систему, это лекарство повышает уровень Т4-клеток и степень реакции на антигены, такие как столбнячный анатоксин (обезвреженный бактериальный токсин). Оно не восстанавливает иммунный ответ до нормального уровня, но так как при его применении отсутствуют побочные эффекты, оно может оказаться полезным для продления жизни больных СПИДом, уменьшая риск возникновения сопутствующих ему инфекций.

3. *Иносиплекс, Исоприносин*. Хотя исследования по этим препаратам находятся еще на ранних стадиях, было показано, что они увеличивают количество НК-клеток (клеток — естественных киллеров). Для них тоже не было обнаружено никаких побочных эффектов.

4. *Интерлейкин-2*. Это еще один природный лимфоцин (иммуноактивный фактор лимфоцитов), известный также как фактор роста Т-клеток. В теле человека, как было доказано, он способствует пролиферации всех подвидов Т-клеток и благодаря этому является потенциальным агентом, восстанавливающим нормальный иммунный ответ у больных СПИДом. Так как это — естественный фактор роста, при лечении им не было выявлено никаких побочных эффектов. Это лекарство продавалось в аптеках много лет, и оно доступно всем.

---

[1] Названия лекарств могут не совпадать с теми, под которыми они известны в нашей стране. Необходимо также учесть, что здесь приведены данные на 1988 год и с тех пор многие лекарства устарели или же изменились представления об их эффективности.

Антивирусные препараты

Эти препараты препятствуют размножению вирусов.

1. *AL-721*. Это безвредная высококонцентрированная смесь, лецитин-нейтральный липид. В идеале, она обволакивает Т-клетки (как и все другие ваши клетки) дополнительным жировым «панцирем», затрудняя вирусу проникновение внутрь клетки.

2. *Рибовирин*. Хотя у некоторых больных это лекарство вызвало анемию, у ВИЧ-инфицированных и асимптоматических больных, оно, похоже, останавливает развитие болезни, достигая этого торможением действия фермента обратной транскриптазы, которая играет главную роль в размножении вируса.

3. *Бета-интерферон*. Это производное собственных клеток тела, чувствительных к раковым клеткам. Есть некоторый прогресс при лечении этим препаратом саркомы Капоши, хотя описаны и тяжелые побочные эффекты, такие как тошнота, потеря веса и боль в мышцах.

4. *Эндовудин Ретровир (AZT*, в России более известен как *азидотимидин*). *AZT* — это первое признанное Управлением по контролю за качеством пищевых продуктов, медикаментов и косметических средств, лекарство от СПИДа, которое сейчас широко применяется. Этот антивирусный препарат сражается с вирусом, «подсовывая» ему искусственную форму нуклеозида тимидина, которая необходима для синтеза вирусных компонентов. In vitro, как показывают тесты, данный препарат успешно подавляет репликацию вирусов. Человеку этот медикамент помогает год или два, а затем репликация вируса возобновляется. Побочные эффекты включают анемию и тошноту. Лекарство исходно было разработано как профилактическое средство, поэтому эти побочные эффекты обычно не возникают у ВИЧ-позитивных больных без выраженных симптомов инфицирования, с числом Т4-клеток выше или равным 500/куб.см.

Некоторые ученые думают, что именно комбинации этих двух типов препаратов могут дать долгожданное средство от СПИДа. И все же, проконсультируйтесь с вашим лечащим врачом, прежде чем начнете химиотерапевтическое лечение: многие из этих лекарств все еще являются экспериментальными, и вы можете подвергнуть ненужному риску свое и без того хрупкое здоровье.

Помните, что наука всегда пытается обнаружить «яд», который убьет болезнь, но не больного, поэтому присмотритесь к альтернативной медицине. Есть много видов общеукрепляющей терапии, которые помогают при лечении больных СПИДом и другими болезнями.

Вы можете участвовать в процессах исцеления и других людей — хотя бы даже во время посещения больниц. Умение вести себя с тяжелобольным — это путь к вашей личной радости и исцелению всех участников этого процесса взаимопомощи.

Лечение

Сегодня еще один совершенный день на Земле. Мы проживем его с радостью. Сегодня меня ждет какое-то неожиданное и неведомое благо. Я выше всех правил и предписаний. В каждом медицинском учреждении становится все больше врачей, которые увидели Свет и идут по пути духовного развития. И я привлекаю этих людей к себе, где бы я ни находился.

Моя духовная атмосфера любви и приятия в каждое мгновение этого дня словно магнитом притягивает к себе маленькие чудеса. Где бы я ни был, везде возникает целительная атмосфера, и она благословляет всех и несет спокойствие всем. Мы все едины с той силой, что создала нас.

Мы спокойны, и все хорошо в нашем мире!

Глава двадцать первая

КОГДА ЧЕЛОВЕК, КОТОРОГО ВЫ ЛЮБИТЕ, БОЛЕН СПИДОМ

Аффирмация:

Мое сердце открыто на самом глубинном уровне!

Если ваш друг болен СПИДом

Выразите свою любовь к нему действенно: звоните каждый день, если можете, пишите письма, или, если живете близко, почаще навещайте его и помогайте ему — иногда пустячная задачка может быть невыполнимой для больного СПИДом. Вызывайтесь исполнять поручения и делать работу по дому, отвозите его к врачу или на прогулку — сообразно уровню его энергии. Вы можете также записаться в группу поддержки и узнать, как конкретно помогать ему, в то же время поддерживая себя. Любите его без всяких условий, будьте нежны с собой и с ним!

Если член семьи болен СПИДом

Если вы узнали, что член вашей семьи болен СПИДом, скажите ему, что вы его любите и готовы поддержать любым доступным вам способом, — ему так необходимо это услышать! Любовь и поддержка помогут больше, чем любое лекарство. Делайте все, что можете, чтобы избавить больных СПИДом от чувства вины, если оно у них имеется. Если же между вами есть что-то незавершенное, осталась какая-то недоговоренность — настало время поговорить и завершить все. Я снова и снова слышу от людей, которые победили СПИД, что их семьи любят и поддерживают их.

Если СПИДом болен ваш ребенок

Что сказать о детях, у которых СПИД? Я просто считаю, что они сами выбрали на эту жизнь родителей, которые передали им это заболевание. Так много детей, больных СПИДом, заброшены и одиноки в больницах! А ведь то, что мы отдаем, всегда возвращается к нам. Если мы бросаем в беде другого человека, рано или поздно и нас в ней бросят. Не в этой жизни, так в следующей.

К сожалению, этим рассуждением не убедить тех, кто нас бросил или плохо к нам относится... Но если мы решим в ответ на это тоже вести себя отвратительно, то поступим очень неразумно, ибо только любовь может исцелять, а в зле мы друг друга все равно не перещеголяем. Неважно, что произошло, неважно, что «они» сделали с нами, — надо просто остановиться и послать им нашу любовь. Потому что любовь привлечет любовь и начнется процесс взаимного исцеления.

Чтобы лучше понять эту болезнь, мы должны научиться смотреть на жизнь в более космическом плане. Дети находятся под влиянием сознания окружающих их взрослых, они легко подхватывают стереотипы мышления и отвечают на них. Один из самых быстрых способов исцелить ребенка — это исцелить сознание взрослых. Ребенок же быстро среагирует на это изменение, и оно отразится в плане улучшения его здоровья.

Это похоже на то, как родители выбирают нас. Я верю, что мы сами выбираем родителей, наиболее подходящих для того, чтобы дать нам тот опыт, который требуется для нашего духовного эволюционного развития. Новые души выбирают более легкие переживания — они еще «ходят в детский сад». Взрослые души выбирают более тяжкие испытания для своих жизненных уроков. По моему мнению, тяжелобольные дети выбрали это испытание еще до того, как вновь появились на нашей Земле.

Бывает, что когда мы приходим на эту планету, нам не требуется долгая жизнь, чтобы выполнить свое задание на ней: нам может потребоваться всего несколько часов, или несколько месяцев, или несколько лет до его полного завершения. Мы проживаем так много жизней! И каждая из них непохожа на остальные, каждую свою жизнь мы проживаем «с разных точек зрения». Если мы плохо справляемся со своими проблемами в одной жизни, мы пытаемся компенсировать это в другой. Если однажды мы стали насильником, то в другой жизни обязательно изнасилуют нас... Об реинкарнации написано много книг. Почитайте их!

Я рассказываю это здесь не для того, чтобы вы ожесточили свои сердца, говоря: «Они заслуживают подобного обращения, потому что плохо вели себя в прошлой жизни», — я вовсе не это имела в виду! Мы нуждаемся в помощи других людей, чтобы трансформировать свои старые негативные привычки. Я показываю вам всю сложность и многоцветье жизни, чтобы показать, что каждое мгновение ее бесценно. Все, что мы говорим, делаем и думаем, имеет значение, и поэтому мы должны очистить свои поступки прямо СЕЙЧАС.

Если ваш ребенок болен СПИДом, помогите ему! Скажите членам вашей семьи и соседям, как сильно вы любите своего ребенка, не равняйтесь на их мысли — и тогда вы продвинетесь по своему пути духовного совершенства. Все великие учителя с начала истории человечества говорили о безусловной любви человека к человеку, и ее постижение — величайший урок, который нам предстоит усвоить в этой жизни. Мы городим множество препятствий перед этой любовью, и все же в состоянии преодолеть их все. Если во всех жизненных ситуациях идти от полного любви сердца, то вас ничто не устрашит!

Ваше отношение к любимым как к «падшим ангелам» или «грешникам», или даже к людям, которые «получили то, что заслужили» не вылечит их. У нас нет времени увлекаться подобным ограниченным взглядом на жизнь, так как именно он позволил СПИДу так широко распространиться между нами. Мы существуем на этой планете для того, чтобы помочь друг другу и превратить ее в оазис любви, спокойствия и всеобщего исцеления.

Появление рядом с нами больных СПИДом — новое испытание для всех нас. Тут нет правил, что делать и как себя вести, — мы сами ищем свой путь. Самоустраниться потому, что ты не знаешь, что делать, означает отказать своему другу или любимому в поддержке, которая им сейчас особенно нужна, и пропустить возможность для своего духовного роста. В своих размышлениях я пришла к тому, что, *покидая планету, мы берем с собой только нашу способность любить*. СПИД предоставил нам шанс открыть свои сердца на более глубинном уровне. Принимайте больных СПИДом такими, какие они есть, не пытайтесь их изменить. Принимайте то, что есть, и научитесь помогать им справиться с заболеванием.

Если вы боитесь СПИДа — спросите себя, как бы вы отреагировали, если бы у них был диабет, инсульт или рак.

Человек, который недавно был диагностирован, как ВИЧ-инфицированный, может быть таким же перепуганным, как и человек, больной СПИДом, поэтому будьте к нему очень внимательны. На самом деле, окончательный диагноз может даже принести некоторое облегчение, потому что этим людям теперь «нечего» бояться. В эти первые недели несчастному человеку может существенно помочь группа поддержки: давайте этим людям всю возможную позитивную информацию, предлагайте им участвовать в оздоровительной программе по питанию, советуйте им делать все возможное, чтобы укрепить свою иммунную систему. Относитесь к этим людям с особой любовью.

Посещение больницы

Это крайне тяжелое переживание, но в последнее время посещение больницы становится самым обычным занятием для многих. Это время дискомфорта для всех нас, потому что мы не знаем, что делать, чтобы действенно помочь человеку.

Получая знания о правильном питании, мы начинаем понимать, что конфеты или печенье — не самая полезная еда для больного. Если вы хотите принести ему еду или питье, то лучше будет, если вы найдете высококачественные, экологически чистые продукты. Свежие фрукты и соки намного полезней для организма, чем сладости и кока-кола. Свежий морковный сок — отличное дополнение к больничной кухне.

Если вы собрались в больницу, подумайте: «Что я могу сделать, чтобы помочь его излечению?». Возможно, больной хотел бы, чтобы ему почитали. Вы можете принести также кассеты с записями и даже недорогой магнитофон. В больнице время течет очень медленно, и ободряющие записи помогут превратить этот период жизни в нечто позитивное.

Помните, больше всего помогает личное посещение. Нам не обязательно быть особенно умными или особенно веселыми — достаточно просто прийти и сказать: «Я люблю тебя и хочу зарядить тебя положительной энергией». А затем коснуться тела больного. Наложение рук практиковалось с начала времен — это естественный человеческий жест, когда кому-то плохо. Даже когда мы сами порежемся, мы немедленно кладем руку на место пореза, «чтобы стало лучше». Подобный обмен энергией — благословение для обеих сторон.

Когда я посещаю кого-то в больнице, я люблю массировать ногу больного. Это обычно всегда принимается с радостью. Сначала спросите разрешения, а затем нежно погладьте ногу человека. Вам не требуется никаких особых знаний — просто следуйте своему внутреннему голосу. Это, вероятно, наилучший подарок, который вы сможете принести человеку в больницу, — внимание и расслабляющая энергия. Рефлексологи утверждают, что нога передает энергию во все части тела, и поэтому, массируя ногу, вы приносите облегчение всему телу.

Это также дает возможность не стоять, пытаясь придумать подходящие слова. Вместо ноги можно выбрать руку, да и вообще любую часть тела, свободную от поражений.

Один из моих студентов в Нью-Йорке организовал службу посещения больниц. Они приходят группами по три человека и проводят около пятнадцати-двадцати минут с каждым больным, слушая его, разговаривая с ним и / или массируя его. Они спрашивают, чего он хочет, и делают все возможное, чтобы выполнить его желание. Но самое главное — они дарят любовь там, где это больше всего нужно.

Лечение

Сегодня еще один совершенный день на Земле. Мы проживем его с радостью. Во мне столько любви, что я в состоянии исцелить всю планету! Сейчас я позволяю этой любви подняться на поверхность, чтобы я мог с ее помощью поддержать тех, кого люблю. Я полон любви и знаю, что сумею помочь людям мириадами способов.

Я здесь, чтобы любить без всяких условий, и у меня сейчас есть возможность это делать. Мы едины с той силой, что создала нас.

Мы спокойны, и все хорошо в нашем мире!

Глава двадцать вторая

О СМЕРТИ И УГАСАНИИ

Аффирмация:

Мы в гармонии с ритмом и потоком жизни!

Мы не знаем всех ответов, но должны жить в ладу с собой, неважно, кто мы есть, и осознать, что смерть не является проигрышем. Это просто одно из переживаний в нашей жизни. И, как я уже говорила много раз, мы уходим лишь тогда, когда наступает наше время. Мне даже кажется, что мы заранее заключаем соглашение с нашими душами о том, когда нам уходить.

Мы почему-то думаем, что останемся здесь надолго. Однако мы здесь до тех пор, пока выполним свою миссию, а затем перейдем в очень далекие миры или, возможно, вернемся. Смерть и рождение — две стороны одной медали: один человек приходит на планету, другой в это время покидает ее... Мы слишком долго избегали обсуждения темы смерти, не желая ничего знать о ней. А потом, внезапно, мы вплотную столкнулись с этой проблемой и с необходимостью примирить себя с ней.

Помните: смерть — не наказание. Смерть — не несчастье. Смерть — это всеобщий уравнитель, смерть — это всеобщий целитель. Смерть — это способ, которым мы покидаем данное тело, больше не подходящее нам, покидаем физический мир. Мы приходим на эту планету много раз и переживаем множество жизней, и мы покидаем планету тоже множеством разных путей и в различных возрастах.

Если у вас СПИД, и вы решили, что следует покинуть эту планету в ближайшем будущем, делайте это с радостью и любовью. Будьте спокойны, поделитесь этим спокойствием с окружающими. Позвольте им узнать, какой любящей может быть смерть. Если смерть пугает вас, почитайте книгу Р. Моуди «Жизнь после жизни». В ней приводится много рассказов людей, которые пережили клиническую смерть и вернулись. И каждый говорит о том, что его там встретили Любовь и Свет. Этот опыт изменил их взгляд на жизнь и уничтожил страх перед смертью.

Как и вы, я желаю как можно большему числу людей поправиться, хотя и вижу, что на самом деле только некоторые готовы заняться самоисцелением: требуется большая сила воли, чтобы мобилизовать себя на сто процентов. Я снова и снова слышу: «Я немного сжульничал в своей диете...» Обманул, но кого? Когда речь идет о жизни и смерти, не время жульничать.

«Ну, я немного покурил «травки» со своими друзьями...». Какие это друзья, которые поощряют вас и дальше вредить своей иммунной системе? Разве вам сейчас нужны подобные «друзья»?

Когда я захожу в больничную палату и вижу прохладительные напитки, шоколадное печенье и коробки конфет, мне хочется плакать.

Да, выздороветь — нелегкий труд. Да, это значит изменить весь уклад вашей жизни. Да, это может означать появление новых друзей. Сможете ли вы пойти на это? Достаточно ли вы любите себя? Есть ли у вас причина жить? Ради чего вы живете?

Некоторые люди используют это заболевание, чтобы с облегчением покинуть планету: они создали здесь себе жизнь, которую неспособны исправить, поэтому им легче уйти сейчас и попробовать начать все сначала. Некоторые хотят покинуть нашу планету как можно более шумно, став «примером» для общины гомосексуалистов или для всего человечества. Пусть! Не будем их судить.

Я знаю, что каждое заболевание, созданное нами, может быть нами же и вылечено. Всегда есть люди, которые вышли за пределы общепринятых мнений и чудесным образом исцелились. В отношении СПИДа я знаю, что если поймать это заболевание на раннем этапе, и если человек хочет отдать всего себя процессу исцеления, то лечение приносит удивительные результаты. Пока работает иммунная система, исцеление возможно. Когда же иммунная система опускается ниже определенного уровня — а он различен у разных людей, возвращение к здоровью затруднено.

Наступает время в жизни каждого человека, когда он (или она) должен принять тот факт, что наступает смерть. Мы должны быть спокойными в это время, когда бы оно ни наступило. Мы должны научиться принимать смерть. Мы так же должны пройти через переживания, которые она несет с собой.

Горе

Очень естественно разгневаться, когда уходит тот, кого вы любите. Иногда мы чувствуем и свою вину в этом, особенно если человек умирает. Мы укоряем себя: «Я не должен испытывать гнев», — но все равно его ощущаем.

Мы не привыкли проходить через смерть. К ней привыкаешь только тогда, когда имеешь дело с людьми, умирающими от старости. Сейчас же мы оказались в совершенно иной ситуации: мы моложе, и мы имеем дело с нашими друзьями, которые также молоды. К подобному опыту мы не готовы. Мы так долго отгораживались от представлений о смерти — а она вот, уже здесь, прямо среди нас, и случается каждый день... Это одна из причин, по которой я решила опубликовать небольшую книгу, названную «Когда кто-то умирает». Она полна добрых советов о том, как пройти через это переживание. Все, что мы можем тут сделать, — это помочь друг другу. Протянуть руку и сказать: «Я здесь, чтобы помочь тебе».

Горе не утихает почти год. Вы должны пройти с ним через все четыре времени года, потому что было так много всего, что вы делали рядом и вместе с тем человеком, и каждый сезон несет с собой эти воспоминания...

Я часто слышала, как люди жалуются, что кто-то «делал все как надо», а все равно заболел, или кто-то «делал все как надо» и все равно умер. Подобное отношение можно выразить словами: «Зачем менять свою жизнь, если все равно умрешь?» Я думаю, что это очень ограниченный взгляд на вещи.

Все умирают... Это то, что многие из нас не хотят признавать. Деревья, животные, птицы, рыбы, реки и даже звезды — все умирают, так же как и мы. Я считаю, что мы все пришли на эту планету учиться и духовно расти. Когда заканчивается наш жизненный урок, мы уходим. Мы договорились об этом с нашей душой, которая знает, когда наступит подходящее время уйти.

Если мы смотрим на нашу жизнь с точки зрения жертвы и видим смерть как несчастье или наказание — тогда нас действительно ожидает чувство безнадежности. Однако умирание — это время духовного роста для нас, и наша цель не должна быть ограничена тем, чтобы добавить еще несколько дней или месяцев к нашей жизни. Какой смысл жить дольше, если мы не исправили качество нашей жизни?

Разрешение на смерть

Болезнь — это не неудача. Смерть — не провал. Это жизненный опыт. Смерть — это способ перехода в следующую фазу вечной жизни. «Трудясь над собой», то есть лучше заботясь о себе, учась избавляться от злобы, прощая остальных и себя, любя себя без всяких условий, мы получаем возможность пройти через болезнь и смерть спокойно и удобно.

Некоторые люди утверждают: «Если вы трудитесь над собой, то вы никогда не заболеете». Да, возможно: мы сумеем достичь состояния, когда не будем нести себе вред. Я слышала, как Далай-лама говорил: «Если мы достаточно любим, нам не требуются никакие тибетские травы». И все же, если мы действительно окажемся там в атмосфере всеобщей бескорыстной любви, нам, может быть, и не стоит задерживаться на этой планете, где все только учатся любить. Социально принятые способы ухода — это болезнь и смерть, и, как следствие, чтобы уйти, мы провоцируем болезнь и несчастные случаи.

Однако мы забываем о законах причины и следствия. Наши мысли, наши слова и наши действия исходят из нас и возвращаются к нам в виде событий. Внезапная болезнь может быть прообразом какой-то старой проблемы, вернувшейся к нам, и наш урок — это «как с ней справиться?» Неужели, мы немедленно вернем к жизни застарелое чувство вины? Станем ли мы наказывать себя, потому что у нас возникло неприятное переживание?

Каждый момент жизни — это время учебы и духовного роста. Если мы учились любить себя, то время от времени будем проверять, так ли это. Как мы узнаем, действительно ли любим себя, если не попадем в ситуацию, в которой раньше проклинали бы себя, а теперь стали нежными и любящими?

Я видела много больных, которые приходили ко мне одинокими, злыми и испуганными. Через несколько месяцев работы над собой они превращались в любящих и полных прощения людей. Затем у них происходил рецидив болезни, только на этот раз он проживался ими по-другому: они были намного спокойнее и даже нежнее с собой, они были окружены множеством заботливых людей, которые помогали им пройти через это испытание. Некоторые были вынуждены даже ограничивать число посетителей в больнице!

Я видела и умирающих, которые были поражены тем, как много рядом с ними друзей. Им надо было умереть, чтобы осознать, как много людей их действительно любят, как много людей хотят потратить свое время на заботу о них. Им пришлось заплатить за это понимание непоправимо огромную цену. А ведь они могли понять это намного раньше и более легким способом! Помните: любовь может прийти к нам в любое время. Мы в силах сделать наши жизни полнее и богаче прямо сейчас!

Болезнь — это не неудача. Смерть — это не провал. Это опыт, через который нам необходимо пройти. «Работать над собой» не означает, что у вас никогда не будет проблем, — это означает лишь то, что вы сможете легче пройти через эти переживания. Вместо того, чтобы воспринимать их как трагедии, вы увидите их как что-то очень простое и вполне разрешимое. Как бы вы ни любили себя, вы однажды покинете эту планету, и ваш психологический настрой в это время во многом будет связан с вашим желанием перед уходом решить все старые проблемы.

Чем быстрее мы решим наши старые проблемы — простим семью, примиримся с самими собой, полюбим себя или позволим другим любить нас — тем скорее мы станем наслаждаться жизнью.

Мы все пытаемся расширить наши представления о жизни, осознать метафизический путь восприятия. Мы делаем для этого все возможное, используя понимание, знания и внутреннюю мудрость, которыми обладаем на данный момент. Расти и духовно меняться — нелегкая задача: разум предпочитает дремать и будет хвататься за любую возможность сопротивляться новому способу мышления.

И все же вы можете контролировать свои мысли! Не позволяйте только рассудку руководить собой — мы не должны возвращаться к старому, отжившему только потому, что у нас рецидив болезни. Не позволяйте вашему разуму найти новый способ увильнуть от работы и вновь расстроить вас.

Пусть вашей целью станут спокойствие и улучшение качества жизни прямо сейчас, в данный момент: как мы сможем еще больше любить себя? Кого или что еще сможем мы простить? Я верю, что, покидая планету, мы берем с собой только способность любить. Так как же нам усилить эту способность?

Подобный вопрос особенно важен, если имеешь дело со СПИДом. Когда так много наших друзей умирают, как мы можем проявить эту любовь?

Имея дело со множеством смертей

Мы заметили, что люди из нашей группы поступают в больницу или покидают планету какими-то волнами: все идет спокойно, а затем внезапно несколько человек заболевают или один за другим умирают. Это всегда очень тяжело для группы. Мы радуемся, когда кому-то становится лучше, и мы сильно огорчены, когда приходится сталкиваться с очередным доказательством нашей уязвимости и смертности.

В наших сердцах снова появляется страх и гнев, и именно в эти мгновения очень помогает группа поддержки.

Джозеф Ваттимо, который работает в сотрудничестве со мной, иногда бывает просто переполнен эмоциями, так же как и я. Тогда мы буквально падаем друг другу в объятия и беспомощно рыдаем. Затем, отпустив чувства отчаяния и безнадежности, мы возвращаемся к работе.

Глядя на смерть, я заметила, что часто люди, которые уходят с болью и страданиями, — это те, у кого сильнее всего проявляются ненависть к себе и чувство вины. Вина и ненависть к себе часто идут рука об руку. Вина всегда ищет наказания, а наказание создает боль. Эти люди не захотели избавиться от боли в прошлом, к тому же у них сложилось ужасающее представление о том, что с ними произойдет, когда они покинут планету.

Если нас воспитывали в вере, которая говорит о «пылающем огне ада», тогда нам, скорее всего, будет очень страшно умирать. Я часто предлагаю больным прочитать книгу Раймонда Моуди «Жизнь после жизни». Те, кто пережил смерть и был реанимирован, описывают это как прекрасное переживание — спокойное и полное любви. Они говорят, что теперь не будут бояться смерти.

Те, кто уходит спокойно и с пониманием, обычно уже разрешили все свои проблемы. Они перебрали все старые обиды и решили простить их, они наладили отношения со своей семьей, и жили в мире с самими собой, они научились любить и принимать себя такими, какие они есть. У них сложилось позитивное предстваление о смерти, включая то, что их жизнь — всего лишь один из этапов в вечном пути по Вселенной.

Некоторые люди были полностью отвергнуты своими семьями и умерли в одиночестве и страхе, а ведь каждый человек в минуту стресса ждет своих маму и папу. Мы хотим, чтобы наши родители обняли нас и сказали, что все будет хорошо и нам ничто не грозит.

Здесь очень много добра может сделать группа поддержки, которая заменит семью этим людям. Мы вполне можем быть сами себе родителями.

Группа поддержки может также помочь семьям, которые испуганы, полны сомнений и, вероятно, ничего не знают о болезни. Если человек знает о СПИДе только то, что он читал и слышал в газетах и по телевидению, то он с полной безнадежностью смотрит на эту болезнь. Очень хорошо в этом случае побыть рядом с людьми, которые это чувство уже преодолели, пережили, — возможно, они смогут ответить на ваши вопросы.

Распоряжение о смерти

Здесь я хочу поговорить о распоряжении, в котором вы выражаете свою волю насчет того, как далеко может зайти больница в попытках поддержать ваше тело живым. Некоторые штаты признают эти распоряжения, некоторые нет.

Иногда тело доходит до той критической точки, когда ему больше не имеет смысла бороться за жизнь. В больницах же всегда найдется какой-нибудь способ заставить его прожить еще несколько часов или дней. Хотите ли вы этого? Вот вопрос, который стоит обдумать и решить, пока вы еще в хорошей форме. Если тянуть слишком долго, то вы можете оказаться уже не в состоянии что-либо решать.

Распоряжение о смерти также определяет того, кто может принять за вас подобное решение. Вообще-то лучше, чтобы это был ваш друг или любимый, который хорошо владеет ситуацией, а не взволнованный родитель, который только что прибыл и ничего не понимает.

Мы все умираем. Я верю, что мы умираем много раз, так же как мы много раз были рождены. Смерть — не стыд, наказание или несчастье. Мы — не такие уж плохие люди, если пытались исцелить наши тела, и все же покидаем нашу планету. Это естественный и нормальный способ уйти, так же как рождение — естественный и нормальный способ прийти в этот мир. Смерть зачастую намного легче, чем жизнь: мы отчаянно пробиваемся через родовые пути, чтобы оказаться в этом мире, — и мы можем просто тихо отойти и скользнуть в Свет, когда умираем.

Я видела множество красивых и спокойных смертей. Это происходило у людей, которые решили все свои проблемы с другими и собой, кто уверен, что смерть — позитивный опыт. Они отчетливо видят Свет, когда готовы уйти, и знают, как много любви ожидает их там. Я видела также и смерти, полные боли, когда человек боится неизвестности и не хочет уходить. Возможно, эти люди верили в дьявола и вечный ад...

Если вы помогаете другу или любимому пройти через это совершенно особое испытание, сделайте все, чтобы оно стало для него радостью: слушайте его, позволяйте ему рассказывать вам все, что хочется. Будьте ему утешением.

Держите больных за руку, гладьте им ноги, говорите им, как сильно вы их любите. Расскажите, что они пройдут через Свет и будут встречены за чертой с Великой Любовью. Нет причины бояться смерти! Дайте им понять, что они изначально в безопасности.

Все мы приходим в середине фильма и в середине его уходим. Нет хорошего времени или плохого времени — есть только наше, данное нам время. Все подчиняется Небесному Порядку, все случается в определенной пространственно-временной последовательности. Мы никогда не теряем кого-то или что-то, потому что всегда на каком-то непостижимом уровне будем связаны с ними.

Помните о вашей любви и об этих связях, даже если вы горюете. Смерть не заканчивает наши отношения с тем человеком — напротив, пережив ее, мы способны духовно углубить свою жизнь и направить себя по пути понимания и любви.

Лечение

Сегодня еще один совершенный день на Земле. Мы проживем его с радостью. Хотя мы идем сейчас по Долине теней, мы спокойны, так как знаем, что и рождение, и смерть — естественные и нормальные составные части жизни. Сейчас мы окружены любовью, и когда мы покинем эту планету, нас проводят те, кто нас любит. В свою очередь, нас радостно встретят те, кого проводили мы, кто ждет, чтобы заключить нас в полные любви объятия.

Безусловная любовь простирается за пределы Вселенной и самой Смерти. Разум вечен, так же как и мы сами. Мы едины с той силой, что создала нас.

Мы спокойны, и все хорошо в нашем мире!

Глава двадцать третья

АЛЬТЕРНАТИВНЫЕ МЕТОДЫ ЛЕЧЕНИЯ

Аффирмация:

Я насыщаю мой организм любовью!

Если вы решились сделать все возможное, чтобы создать программу лечения, которая поможет вам в процессе вашего исцеления, есть несколько вещей, которые необходимо знать. Как уже было доказано, каждое тело отлично от другого, поэтому программа у разных людей будет разная. Сравните ее различные варианты, чтобы выбрать тот, который вам поможет. Да, вам придется потрудиться! Вы должны быть в контакте со своим телом и твердо решить, какой вариант программы подходит для вас лучше всего.

Если вы человек, который по-прежнему принимает легкие наркотики и большие дозы алкоголя, НАСТАЛО ВРЕМЯ ОСТАНОВИТЬСЯ! Вы должны вывести токсические вещества из своего организма. Эти вещества могут включать свободно продающиеся в аптеках лекарства, различные химикаты, инфекции и даже пищевые добавки.

Питание

Питание — жизненно важная составная часть вашего лечения. Для многих людей, выросших на стандартной американской пище, настоящим откровением стало знание о разрушительных или исцеляющих свойствах различных видов еды и напитков. Удобная в приготовлении пища, замороженные и консервированные продукты, продукты для микроволновой печи, продукты с красителями и консервантами могут быть разрушительными для тела. Эта пища не подходит даже здоровому человеку, потому что постепенно ослабляет его тело. Если же мы больны, она блокирует способность тела самоисцелиться.

Почти все диетологи согласны в том, что для улучшения питания надо ограничить себя в потреблении или даже совсем отказаться от сахара, всех прохладительных и газированных напитков, продуктов из пшеничной муки, молочных продуктов, мяса и еды, содержащей дрожжи, особенно если у вас грибковая инфекция: это либо мертвая, пустая пища, которая почти не имеет питательной ценности, либо пища, которая только усиливает заболевания.

Рекомендуется увеличить в питании долю сырой пищи, овощей, фруктов, цельных зерен (коричневый рис, ячневая крупа, овес, рожь, пшеница, гречиха, просо) и некоторых видов рыбы и птицы. Эти «живые» продукты содержат стимулирующие вещества, в которые входят все элементы, необходимые для ремонта и восстановления наших органов и клеток.

Чаще ешьте дома — любите себя настолько, чтобы самому себе готовить еду. В ресторане вы редко найдете здоровую еду. Питайте и снабжайте себя любовью и полноценной едой — вы стоите того.

Есть множество хороших книг, написанных на эту тему. Одна из лучших, на мой взгляд, — это книга Анны-Марии Колбин «Питание и лечение». Если вы всерьез решили уяснить связь между пищей и состоянием вашего организма, тогда начните с этой книги.

Витамины и минералы могут быть неплохим дополнением к нашему лечению. И все же, я бы не рекомендовала идти в аптеку и выбирать несколько на пробу. Вы должны обязательно проконсультироваться у хорошего диетолога или фитотерапевта и создать программу, приспособленную именно к вашему организму.

В Америке плохое питание сложилось исторически. Мы — второе поколение людей, живущих на «Великой Американской Диете», — так я называю искусственную пищу. Наша планета очень щедра на различные виды фруктов, овощей и зерен, но мы отвернулись от этих естественных продуктов и предпочли употреблять синтетическую еду. Многие люди считают вполне нормальным жить на сладостях и полуфабрикатах, которые почти не содержат необходимых питательных веществ.

Дети, выросшие на подобной «диете», сами выросли и родили детей. Сейчас и это второе поколение уже стало взрослым, а их иммунная система не так сильна, как у людей двадцать пять лет назад.

Вы можете спросить: «Почему же тогда увеличивается продолжительность жизни?». Все это только благодаря возможностям медицинской индустрии, способной заставить тело функционировать дольше, чем в прежние времена, а вовсе не из-за хорошего питания.

Физически и психологически плохое питание становится еще одним стрессом в нашей жизни. Как часто мы смотрим на гамбургер и думаем: «О, ужас!». Мусор и есть мусор, и мы интуитивно сразу узнаем его.

Тело справляется с подобным стрессом только до какого-то определенного предела. Так вот, этот предел сейчас наступил. Нормальное, здоровое тело способно само о себе позаботиться, что отражается в реакциях нашей иммунной системы. Наша иммунная система создана для уничтожения чужаков, и если мы ослабляем ее алкоголем, наркотиками и плохой пищей, то тем самым открываем ворота для самого распространенного в данный момент заболевания.

Одновременно с тем, как стало нормой плохое питание, мы позволили «расплодиться» и наркотикам. Я никогда не могла понять, почему власти не задушили их распространения в зародыше! Сейчас же мы имеем тысячи наркоманов, которые пойдут на все, чтобы получить наркотики, включая воровство и убийство. Наркотики и алкоголь стали способом жизни для многих людей.

Возьмем группу молодых людей, которые страдают от всех проблем, известных и другим людям, и были научены родителями и обществом, что они недостаточно хороши и не могут восприниматься такими, какие они есть. У многих геев родители даже отказываются разговаривать с ними. Неудивительно, что гомосексуалисты бросаются в омут наркотиков и алкоголя. «Мне сказали, что я недостаточно хорош, поэтому не стоит переживать, давайте веселиться!» И они веселятся — круглые сутки.

История Альберта

«Я чувствовал себя очень плохо, когда пришел в тот день к врачу. Это был ноябрь 1984 года. В горле саднило, а язык был покрыт белым налетом.

Мой врач с неохотой согласился на бактериальный анализ, так как считал, что это лишняя трата моего времени и денег, но я настоял. Результат был положительный — к его и моему удивлению. В это же время я провел серию тестов, включая и тот на количество Т-клеток. Их показатель был 0.96 — не слишком ужасный, но все равно очень низкий. Я не хотел, чтобы он снижался.

Мой врач прописал мне противогрибковый препарат, и молочница прошла, но через несколько недель она вернулась.

За следующие девять месяцев я внес в свою жизнь несколько существенных изменений, которые повлекли за собой улучшение здоровья.

Я начал с питания, исключив сахар, мед и кукурузную патоку. Излишнее потребление сладкого всегда было моей проблемой, поэтому начало обнадеживало. Отсутствие сахара дало мне энергию. Я не употреблял алкоголь или наркотики в течение трех лет, в противном случае восстановление моего здоровья не было бы таким быстрым. Сейчас я ем цельную пищу, много овощей, фруктов, мяса птицы и зерен. Сухофрукты тоже полезны, особенно изюм, который хорош для крови и прекрасный источник железа.

Я пошел в аптеку и купил огромные количества витамина С (по 1500 мл) и принимал по одной дозе три раза в день, а утром принимал ложку ацидофилина, размешанную в чашке воды или сока.

Друг рассказал мне о семинарах по средам и пригласил меня с собой, чтобы я мог сам услышать о подходе Луизы Хей к хорошему здоровью и позитивному мышлению.

У меня есть много магнитофонных пленок, и я часто их слушаю. Я обнаружил, что они — замечательный источник спокойствия.

Здоровая пища, витамины и другие лекарства определенно подходили мне, но, что еще более важно, мне нужно было стать честным и сосредоточенным на себе человеком. Я должен был внести существенные изменения в мое отношение к жизни и здоровью. Группа Луизы Хей и книга «Ты можешь исцелить свою жизнь» научили меня делать позитивные аффирмации, и не только для здоровья. Работа с зеркалом и медитации также сыграли важную роль в моем лечении.

В августе 1985 я вернулся к своему врачу на обследование. Я больше не страдал молочницей, показатель Т-клеток у меня 1.9, и я даже сделал тест на ВИЧ, который был отрицательным.

Я благодарю Господа за многое в моей жизни — замечательную семью, которая принимает меня целиком, хороших друзей, работу, счастливое будущее. Но больше всего за то, что я впервые в жизни люблю и одобряю себя самого. Благодаря этому кажущемуся простым утверждению я сделал себе замечательную жизнь и хорошее здоровье».

Фитотерапия

Я заметила, что для каждого заболевания, которое может создать человеческое существо, есть лекарство в природе. Вопрос только в том, как его найти. Траволечение старо как мир. В наше время мы ушли от него, чтобы найти мгновенное облегчение симптомов продуктами фармацевтических компаний. Однако химические вещества часто имеют побочные эффекты, которые могут быть даже хуже, чем наша болезнь. Травы требуют большего времени, чтобы вылечиться, но они не просто подавляют симптомы: когда они начинают свою работу, тело возвращается к здоровью и равновесию.

Заболевание означает, что тело выведено из природного равновесия. Химические препараты не помогают исправить положение, а ведь именно дисбаланс и вызвал отклонения в здоровье. Лекарственные же травы имеют дело именно с причиной болезни, и когда они ее уничтожают, то пропадают и симптомы.

Я верю, что можно найти травы, которые помогут вылечить СПИД. Мы знаем, что есть травяные сборы, которые помогают при лечении рака. Надеюсь, что одна-две травы, добавленные к этому сбору, создадут природное средство против СПИДа.

Травы могут быть использованы для того, чтобы вывести из тела токсины, улучшить кровоснабжение, повысить тонус органов и выполнить множество других целительных дел. Травы работают медленнее, чем наши быстродействующие западные лекарства, однако они почти не имеют побочного действия и сражаются с первопричиной болезни. Поищите, вокруг есть много хороших фитотерапевтов!

Витамин C

Терапия с помощью витамина C, то есть прием массированных доз витамина, чтобы уничтожить аллергическую реакцию на лекарства и усилить защитные силы организма, может оказаться крайне полезной. Лайнус Полинг, выпустивший в 1970 году книгу «Витамин C и обычная простуда», был первым, кто предложил использовать огромные дозы витамина для лечения и профилактики заболеваний. В настоящее время я знаю врачей, с успехом работающих с больными СПИДом и использующих для лечения витамин *С*. Помните только, что если вы выбираете один из этих видов терапий, вы должны обратиться за помощью к профессионалу.

Гомеопатия

Гомеопатия применяется с конца восемнадцатого века. В начале нашего столетия она была широко распространена, но потеряла популярность с развитием современной аллопатической медицины. Английская королевская семья до сих пор признает только гомеопатию. Этот подход позволяет использовать естественные вещества, чтобы облегчить течение болезни.

«Гомо» и «гомео» — греческие корни для понятия «такой» или «подобный». Следовательно, гомеопатия — это лечение подобного подобным. Каждое заболевание имеет специфическую субстанцию для его лечения — ту, которая будет «действовать» так же, или является «подобной» самому заболеванию.

Лучше всего обратиться к опытному гомеопату. Если вы не можете найти такого, прочитайте книгу Даны Уллман «Популярный справочник по гомеопатической медицине» (1984).

Физические упражнения

Занятия спортом — еще одна положительная привычка, которую стоит развить. Создайте программу подходящую именно для вас. Упражнения стимулируют энергию тела. Если не переборщить, то они заставят вас чувствовать себя лучше. Вставайте и двигайтесь, если можете. Дома вы сможете делать простые упражнения и представлять себе, как вы выполняете нечто более сложное. Через какой-то период вы действительно сумете выносить эти более тяжелые нагрузки.

Помните: разум всегда влияет на тело, и упражнения, выполненные сначала в уме, будут поднимать вас, пока вы сами не сможете их выполнять на физическом уровне.

Акупунктура

Присмотритесь к иглоукалыванию. Акупунктура — это насчитывающая пять тысяч лет китайская система, основанная на знании о потоках энергии, идущих через тело. Когда мы больны, наша энергия застаивается. Есть очень много точек, которые могут усилить защитную систему организма. Акупунктура активирует вашу собственную систему исцеления. Я сама периодически пользуюсь ею, чтобы повысить общее самочувствие. Положительный эффект от иглоукалывания может включать увеличение энергии или улучшение дыхания, уменьшение размера лимфоузлов, облегчение ночных приступов потливости и прерывание злоупотреблений алкоголем или наркотиками.

Работа с телом

Массаж. Разумеется, попробуйте и массаж. Многие из нас всегда носят с собой страх и напряжение. Массаж дает огромное расслабление нашим телам и умам. В Сан-Франциско есть красивая женщина по имени Айрин Смит, которая посвятила себя последний год массажу только больных СПИДом. Сейчас она учит тех, кто хочет работать с тяжелобольными людьми. Сделайте массаж регулярным в вашей жизни. Если вы не можете найти или позволить себе профессионального массажиста, — занимайтесь с друзьями.

Рейки — это метод пропускания целительной Небесной Энергии через людей. Говоря проще, рейки — метод наложения рук. Наши руки — могучее оружие в процессе исцеления. Все, чего мы касаемся, чувствует на себе нашу энергию, и когда мы концентрируем ее на лечении, то выздоравливаем. Во время моих встреч по средам я всегда провожу сеансы рейки, в которых участвуют как профессионалы, так и обычные люди.

Трагер. Еще один вид терапии для тела. Созданная Милтоном Трагером, он представляет собой простую процедуру, включающую воздействие каждый раз только на одну часть тела. Например, если зло скопилось в руке, врач берет руку в свои ладони и крутит ее. Постепенно больной начинает избавляться от своей злобы. Так продолжается до тех пор, пока не будет уничтожено все плохое.

Рольфинг — более сложный подход. Это особые карты, которые показывают, где скопились эмоции: злость, ненависть и др. Затем путем усиленного массажа этой области и сокращения зоны до очень маленькой площади удаляются негативные чувства. Метод был разработан Идой Рольф, которая считает, что для излечения необходимы более интенсивные и сконцентрированные усилия.

Работа с сознанием

Исцеление с помощью драгоценных камней

Сила драгоценных камней известна тысячелетиями. От древних египтян и ученых Греции и Рима люди знают, что она помогает в духовном и физическом исцелении. Камни обычно хранят и усиливают мысли, свет и любой тип энергии.

Есть даже метод лечения с помощью драгоценных камней, когда на картах показано, какие камни надо подносить к какой части тела. Но самое главное здесь — это позитивные мысли о здоровье и благополучии: все, что вам надо от Вселенной. Считается, что ваш камень вберет в себя эту мысль, а затем усилит ее, передавая во Вселенную. Та же в свое время отразит эту мысль в вашем личном исцелении.

Настрой мыслей

Как мы уже не раз говорили в этой книге, ваш умственный настрой имеет крайне важное отношение к вашему эмоциональному самочувствию, которое в свою очередь влияет на лечение. Ваша программа должна включать изучение и работу над тем, как вы оцениваете ситуацию.

Найдите себе опытного наставника, который поможет поднять ваши негативные мысли в сознание и выразить их. Если не можете найти наставника, попросите друга или вашу группу поддержки. Если рядом никого нет, воспользуйтесь зеркалом. Поговорите с вашим зеркальным отражением, избавьтесь от своих обид и страхов и выкажите свою любовь и радость. Иногда мы должны быть сами себе наставниками.

Одновременно найдите кого-то, кому вы можете помочь — не замыкайтесь в себе! Помощь другому человеку принесет благо вам обоим. Это может быть кто-то в вашей группе поддержки, это может быть и одинокий человек. Неважно, каково ваше состояние, сделайте что-то для другого. Обычный телефонный звонок может многое означать для страдающей души.

Лечение

Сегодня еще один совершенный день на Земле. Мы проживем его с радостью. Духовная пища, которую требуют наши тела и души, это постоянный поток любви. Я проявляю любовь к себе в панораме дней. Я вижу, что эта любовь выражается в том выборе, который я делаю. Я чувствую это в той любви, которой я окружаю себя. Я люблю себя настолько, чтобы есть только питательные пищу и напитки. Я люблю себя достаточно, чтобы «сесть на диету» из позитивных мыслей и действий. Я несу себе помощь для каждой грани моей жизни. Мы едины с той силой, что создала нас.

Мы спокойны, и все хорошо в нашем мире!

Глава двадцать четвертая

СИСТЕМА ПОДДЕРЖКИ

Аффирмация: Мы любим и поддерживаем друг друга!

Когда разразилась эпидемия СПИДа, я увидела, как сплотилась община гомосексуалистов, чтобы помочь своим братьям и сестрам. Различные центры по СПИДу работают невероятно много и открывают сердца, чтобы закрыть бреши, оставленные правительством и церковью. Люди с гомосексуальной ориентацией понимают, как глубоко они способны любить. Нам, роду человеческому, часто требуется война или трагедия, чтобы объединить нас и выявить в нас лучшее. Сейчас действительно время войны — войны против нашего самого большого страха — страха перед неизвестностью.

Группы поддержки — это одно из самого важного, что у нас есть, особенно когда мы оказываемся в сложной ситуации. Нам всем и всегда нужны любовь и поддержка, однако когда сталкиваешься с чем-то, что кажется непреодолимым препятствием, группа поддержки жизненно необходима. Это могут быть просто три друга, которые собрались вместе, или же нечто подобное моей группе, куда входят более шестисот человек. Но большая это группа или маленькая, принципы ее действия одни и те же. Я не была специалистом, когда основала свою группу, но за эти годы я выучила несколько простых правил, которые вы должны помнить, если хотите создать свою группу.

Как создать группу поддержки

Как начать? Просто собрать двух или трех друзей и следовать их советам. Если вы сделаете это с любовью в сердце, ваша группа будет расти: людей будет тянуть к вам словно магнитом. Не беспокойтесь о помещении для встреч, когда вас станет много, — Вселенная найдет ответ на этот вопрос. Напишите мне в офис. Мы посоветуем как работать вашей группе.

1. Если группа довольно мала, пусть все вначале представятся и расскажут почему они здесь.

2. Не тратьте время на игру «не правда ли, это ужасно?». Вы уже и так слишком много слышали подобной ерунды.

3. Собирайте положительную информацию о заболевании. Копируйте материалы и раздавайте их членам группы.

412

4. Выслушивайте друг друга. Давайте каждому человеку время поучаствовать, если он хочет.

5. Когда кто-то сталкивается с проблемой, объединяйте ваши возможности, чтобы помочь ему найти позитивный выход.

6. Занимайтесь аффирмациями, создавайте их для особых ситуаций. Например, вы можете создавать аффирмации, чтобы увеличить количество Т-клеток, — это объединит ваши умы конструктивным, позитивным способом.

7. Делайте каждый раз визуализации. Пусть их ведут разные люди. Визуализации могут быть спонтанными, или на основе прочитанного материала, или вы можете проиграть кассету. Удостоверьтесь, что вы расслаблены, когда начинаете занятие.

Хей-рейды

В моей собственной группе поддержки мы начинаем с приветствия. Затем отводим около десяти минут на объявления, после чего выключаем свет и поем в течение пяти минут; потом следует медитация.

После медитации начинают работать лечебные столы. У нас есть несколько раскладных столов и несколько кушеток для массажа. Человек, который хочет получить целительную энергию, ложится на стол, а другие его окружают, опуская руки на его тело. У нас есть несколько специалистов по рейки, которые всегда с готовностью предлагают свои руки. Эти столы действуют в течение всего семинара, и те, кто на них лежат, слышат все, что говорится рядом.

Открытая дискуссия

Затем я немного рассказываю о теме сегодняшнего вечера, и мы открываем дискуссию. Люди могут либо комментировать то, о чем шла речь, либо делиться своим опытом по этой проблеме. Они могут задавать вопросы или рассказывать что-то. Обсуждение может идти в любом направлении. Я думаю, что именно наша открытость превращает вечер в то, что нам надо.

Мы концентрируемся на принципах, которым я учу. Мы подходим к жизни с той точки зрения, что каждый человек в силах провести позитивные изменения в своей жизни. Способам, как этого добиться, и посвящены наши встречи. Мы очень много занимаемся уничтожением злобы, прощением и, разумеется, тем, как еще больше любить себя. Мы решили не обращать внимания на негативную информацию о СПИДе — читаем об этом как можно меньше и не забываем говорить себе: «Неправда, что от СПИДа все умирают, — я знаю людей, которые живы и исцелили себя». Мы не хотим поддаваться тем, кто настроен считать СПИД смертельным заболеванием, но мы и не спорим с ними. Благословите средства массовой информации любовью и знайте, что они не имеют власти над вами. Мы сами принимаем решения, чему верить. Мы верим в жизнь, любовь и исцеление.

К концу встречи мы занимаемся исцелением. Мы сдвигаем кресла к одной стене, затем или садимся в огромный круг на полу, держась за руки и занимаясь визуализацией, или выполняем то, что называем «целительными триадами».

Целительные триады

Целительные триады — это три человека, которые сидят рядом, сняв обувь. Затем один человек ложится, второй сидит у его головы, а оставшийся — у его ног. Сделайте так, чтобы лежащему было удобно, — например, подложите ему под голову подушку или даже положите его голову себе на колени. Мы гасим свет и включаем каждый раз одну и ту же музыку. Я пользуюсь «Бамбуковой флейтой», так как она обладает определенными характеристиками, которые я связываю с исцелением. Мы сосредоточиваемся, глубоко вздохнув несколько раз, а затем проговариваем три «ом», этот древний целительный звук.

Двое сидящих трут руки, пока не почувствуют в пальцах тепло и покалывание. Затем они кладут руки на лежащего человека и просто посылают ему любовь и целительную энергию. Они находятся в этой позиции от пяти до десяти минут, в течение которых я даю задание на медитацию или визуализацию. Я использую фразы «и так оно есть», и «так оно будет», чтобы завершить каждый сеанс. Затем они меняют положение — так, чтобы каждый побывал в каждой позиции. В конце третьей медитации мы еще раз поем три «ом», чтобы завершить цикл.

Затем мы садимся, беремся за руки и поем нашу песню, которой заканчиваем вечер с самой первой встречи. Она называется «Я люблю себя», и написал ее Джей Джозеф. Слова настолько подходят нам, что эта песня стала буквально нашим гимном.

Создавая целительный круг

Мой друг из Нью-Йорка Сэмюэль Киршнер ведет другую группу, которая называется «Целительный круг». Ниже я привожу несколько цитат из его инструкции, как создавать целительный круг.

«В основе целительного круга лежит жажда духовного роста и поиск того, как усилить и обогатить этот рост. Это поиск безопасного и изобильного пространства.

Пространство имеет очень близкое отношение к целительному кругу. Круг — это такая мощная геометрическая фигура, гибкая и в то же время незыблемая, непрерывная и в то же время включающая все, способная к бесконечному расширению — и все же устойчивая, сильная и надежная. Круг не заставляет людей выстраиваться в линию и не угрожает им множеством острых углов. Круг — это питающая фигура, это куколка, где мы все начинаем расти и узнавать наш первый урок любви.

После семинара Луизы Хей три года назад некоторые из нас почувствовали необходимость в чем-то подобном, чтобы поддерживать и продолжать любить себя. Сейчас я не могу представить себе жизнь без этой группы. Некоторые стали моими любимыми, другие — моими друзьями. Каждую неделю я чувствую, как растет мое стремление в круг, чтобы мы снова могли быть вместе, и я получил бы еще один заряд целительной энергии.

В нашем круге мы можем взять энергию, генерируемую группой, и проецировать ее через город к другим людям, которые слишком больны, чтобы прийти, или к медицинским работникам, когда тем грозит переутомление.

Начиная. Что основное? Как создать пространство, которое поддерживает в людях чувство целостности? Что такое целительный круг, как он себя подпитывает, одновременно служа местом для обмена информации и мыслей? Единственная цель круга — вдохновить участников, чтобы они приняли ответственность за свое исцеление и свою жизнь. Он создает позитивную и полную любви атмосферу, которая разрушает все барьеры, в которой все может быть сказано и где заканчивается изоляция.

Участники. Общение — краеугольный камень образования круга. Наберитесь мужества, чтобы поднять телефон или устроить обед, или появиться в другой социальной группе и сказать: «Мне нужна поддержка моих друзей, и я бы, в свою очередь, хотел оказывать поддержку людям». Сделайте этот первый шаг, черпайте мужество в любви друзей и коллег и доверяйте Вселенной в том, что ничего плохого не произойдет, если вы будете следовать своей интуиции. Бюллетени для больных, другие группы поддержки, такие как АА (Анонимные алкоголики) и медицинские работники — все они помогут вам войти в контакт с другими людьми.

Атмосфера. В начале найти свое пространство означает найти человека с достаточно большой гостиной, чтобы вместить ваших друзей по кругу. Приглядитесь к освещению, теплоснабжению и к тому, как их регулировать, если вы сидите в кругу, к форме и высоте комнаты, ее вентиляции, растениям и личности, которую эта комната привнесет в группу. Оплата своего пространства может быть самым серьезным расходом целительного круга. Финансирование его должно проводиться, не беспокоя тех, кто не в состоянии платить.

Завершение круга. Отгораживание пространства начинается с того, что все берутся за руки и вместе дышат, что объединяет энергию круга.

Подходит ли это для многих людей? То, что помогает двоим, поможет и другим.

Предлагая тему. В больших группах заранее заданная тема занятия поможет направить в нужное русло поток энергии и внимания и стимулировать комментарии людей, которые раньше боялись разделить свой страх.

Визуализации. Направленная на глубинное пространство исцеления, визуализация обращается к прощению, благодарности, радости и поиску высшего «Я». Рекомендуется проводить визуализации по крайней мере по одному разу каждый вечер.

Рассказы о себе. Что происходит в жизни людей, которые вошли в эту дверь? Почему они здесь? Что они надеются вынести из этого переживания? Научились ли они чему-то об исцелении за последнюю неделю?

Музыка. Музыка открывает сердца, влияет на дыхание и объединяет энергию группы. Она часто сразу же оказывает лечебный эффект. Выбор может быть разный, но любая спокойная музыка может использоваться как фон, а простые зажигательные песенки отлично помогут вновь пришедшим. Особенно я рекомендую «Песни-аффирмации» Луизы Хей.

Движения. В середине вечера люди устают, и желательно физически встряхнуться. В этот момент включается веселая танцевальная музыка. Всех просят встать и двигаться так, как хочется.

Формы исцеления. Здесь мы говорим о фитотерапии, гомеопатии, акупунктуре, работе с телом, питании, лечении вашего отношения к жизни, повторном рождении и многом другом. Круг — это место обмена информацией о способах лечения, которые попробовал каждый человек. Это также место, чтобы рассказывать о великолепных врачах и поддерживать работников здравоохранения в их работе.

Философия. Философия, лежащая в основе целительного круга — это представление о реальности, которую создает сам человек. Мы все отвечаем за свою жизнь и, таким образом, получаем возможность для духовного роста. Мы передаем слова надежды и исцеления всем, и особенно больным СПИДом. Мы считаем своей привелегией делить время и пространство с людьми, которые выбрали такой мужественный путь. Мы уважаем и почитаем этот особый путь и поддерживаем их и себя в том, чтобы подняться над страхом и паникой, которую распространяют газеты и телевидение. Мы — существа любви и света — не ограничены в нашей способности исцелять свои жизни.

Объятия

Последнее по порядку, но не по значимости, на моих семинарах, это — «время объятий». Я предлагаю, чтобы люди обняли как можно больше других людей. Это также время поговорить друг с другом или со мной.

Мы хотим, чтобы люди уходили из группы поддержки, чувствуя себя лучше, чем когда они пришли к нам. Здесь они испытывают душевный подъем, и это чувство может длиться неделями. Они встречают друзей, с которыми потом могут перезваниваться или встречаться. Иногда два или три предложения по телефону могут сыграть существенную роль в вашей жизни. Поэтому группа несет помощь и поддержку людям, которая им нужна каждый день. В нашей группе вы можете попросить все что угодно, и мы по возможности дадим вам это.

У нас есть команда, которая посещает наших членов, нуждающихся в утешении и смехе. Мы собираем пищу для программы помощи больным, которые не могут оплатить даже жизненно нужные вещи. Люди часто предлагают свою помощь, и это может быть все что угодно, начиная от предложения убраться в доме до бесплатной стрижки. Возможности безграничны.

Игрушечные мишки

Когда мы были очень маленькими, плюшевые мишки были нашими лучшими друзьями. Мы могли поведать им все секреты, а они никогда не фыркали на нас. Они дарили нам бескорыстную любовь и всегда помогали уладить наши проблемы. Когда мы вырастаем и сталкиваемся с проблемами, ребенок внутри нас пугается, так что игрушечный медвежонок может оказаться крайне полезным, чтобы успокоить нас. Я хотела бы видеть на каждой больничной кровати по медвежонку.

Один врач в Нью-Йорке жалуется, что я учу взрослых мужчин инфантильному поведению, предлагая им держать у себя плюшевых медвежат. У меня такое ощущение, что этот человек был лишен детства. Сейчас медицинское общество начинает признавать пользу от подобного «лекарства». В одной из больниц Нью-Йорка каждый больной, который перенес аорто-коронарное шунтирование, получает медвежонка. Игрушка служит двум целям. Когда больной чувствует позыв кашлянуть, он должен сжать медвежонка, чтобы предотвратить расхождение швов. Кроме того, игрушечный мишка несет им чувство любви и безопасности.

Лечение

Сегодня еще один совершенный день на Земле. Мы проживем его с радостью. Я знаю, что я не один на этой планете. Каждый человек, место или предмет связаны друг с другом. Что вредит одному, вредит всем нам. Следовательно, что лечит одного, может лечить всех нас. Мы хотим любить и поддерживать друг друга и этим помогаем исцелить всю планету. Мы олицетворяем любовь, мы делимся любовью, и нас исцеляет любовь.

Сегодняшний день содержит для нас только приятные переживания. Мы едины с той силой, что создала нас.

Мы спокойны, и все хорошо в нашем мире!

Глава двадцать пятая

ИСЦЕЛЯЯ ПЛАНЕТУ

Аффирмация:

Мы представляем себе наше полное исцеление!

Планета подошла к перекрестку, на котором сошлись люди, по-разному принимающие жизнь.

С одной стороны те, кто выбирает тьму вокруг себя. Они живут в страхе и ненависти и видят только плохое. Широко распространены наркотики, войны, пытки, гнет и голод. Есть те, кто предсказывает ядерный конец жизни на Земле.

С другой стороны, есть много людей с просветленным сознанием. Люди собираются вместе, чтобы понять, как работает мысль. Они хотят узнать больше и любить больше, чтобы улучшить качество всех наших жизней, спасти и исцелить планету.

Те из нас, кто в это воплощение выбрал жизнь гомосексуалиста, тоже выбрали на глубинном уровне желание участвовать в исцелении планеты.

* * *

Каждый человек на этой планете ценен по-своему. И только наша ненависть к себе создает все проблемы. Микрокосм всегда «работает» и проявляет свою позитивность или негативность в макрокосме. Всегда, во всех странах были группы людей, которые говорили другим группам, что те недостаточно хороши. Подобное желание унизить обычно свойственно напуганным и плохо думающим о себе людям, и оно никогда не несло здоровья для нашей планеты.

Как я уже говорила много раз, когда мы на самом деле любим себя, мы не можем причинить боль себе и не можем причинить боль другому человеку. Для меня — это единственный путь к миру на планете. Безусловная любовь — это цель, ради которой мы все пришли на Землю, и она начинается с принятия себя и любви к себе.

Что сказать о больных СПИДом гетеросексуалах? Какую роль они играют в великой схеме исцеления планеты?

Эти люди часто недоедают, так что их тела находятся в ослабленном состоянии. Они могут быть наркоманами или алкоголиками, но в одном я уверена: у них очень много ненависти, много злобы и отсутствует любовь к себе.

Подобный недостаток любви к себе создает атмосферу, в которой люди могут оскорблять друг друга и себя. Если мы верим, что мы плохие и полны чувства вины, тогда мы должны найти способ наказать себя. А что может быть лучше, чем насилие над своим телом?

Люди обычно не говорят: «Я хочу заболеть СПИДом». Они просто неосознанно создают условия внутри и вокруг себя, которые восприимчивы к болезни. СПИД — это самое популярное на данный момент заболевание.

СПИД пришел ниоткуда и вернется в никуда, когда он нам больше не будет нужен. Все эпидемии проходили со временем, и мы получали уроки как на уровне одного человека, так и всей планеты в целом.

*   *   *

Как я уже говорила раньше, у меня нет всех ответов о таком заболевании как СПИД. Это многогранное событие, которое вовлекает целую планету.

В нашей группе поддержки мы решили не тратить время на новые сообщения о СПИДе. Мы читаем как можно меньше и не забываем сказать себе: «Это неправда, что все умирают. Я знаю людей, которые живы и исцелились». Мы не хотим поддаваться тем, кто решил видеть СПИД как смертельное заболевание. Благословите газеты и телевидение любовью и знайте, что они не властны над нами. Мы сами принимаем решение во что верить. Мы верим в жизнь, любовь и исцеление.

И поэтому, как вы видите, как бы мне ни хотелось, я не владею единственным ответом, как вылечить все случаи СПИДа. Я могу только помочь вам улучшить качество вашей жизни. Любое лечение — это самоисцеление. Врач, медсестра, целители — все владеют различными методами и различными подходами к исцелению вашего тела, то только вы — тот единственный человек, кто решает, подходят вам эти методы или нет.

Если вы приняли решение остаться на планете и поправиться, тогда посвятите всего себя исцелению. Будьте полностью поглощены этим. Вам может даже понравиться ваш новый образ жизни. Если вы действительно хотите жить хорошо, вы никогда не вернетесь к старым способам насилия над собой.

Возможно, на каком-то глубинном уровне вы уже приняли решение покинуть планету, возможно, ваш урок уже закончен и вы подсознательно не хотите, чтобы сработал какой-то из этих методов лечения. Но какое бы решение вы не приняли, оно вам исключительно подходит. Мы здесь не для того, чтобы радовать других людей и жить вашу жизнь, как они считают нужным. Мы находимся на своем собственном пути и работаем на своем собственном уровне. Мы здесь, чтобы расти и принимать понимание, сопереживание и любовь. Когда мы закончим свой урок, мы уйдем. Это может быть раньше, это может быть позже, но когда бы это ни случилось, пусть это будет мирным и спокойным путешествием.

Продолжайте учиться любить себя. Позвольте этой любви охватить и других людей. Подарите им безоговорочную любовь, которую вы хотите найти для себя. Делайте все возможное, чтобы быть счастливым и несите эту радость в каждую область вашей жизни!

Лечение

Сегодня еще один совершенный день на Земле. Мы проживем его с радостью. Целостность — вот мой идеал. Я не соглашусь ни на что меньшее. Я един с каждым человеком, местом и вещью на этой планете. Я хочу помочь сделать этот мир безопасным для любви, где нас любят и принимают такими, как мы есть, и поддерживают, чтобы мы могли стать всем, чем мы можем. Я вижу в людях самое лучшее и помогаю проявить их самые лучшие черты. Любовь, которую я отдаю, я найду везде, где бы я не оказался.

Я вижу наш мир с плодородными землями, чистой свежей водой, чистым воздухом, сытыми людьми. Я вижу спокойных, благополучных, здоровых и свободных людей. Мы все целостные и завершенные личности.

Я живу в гармонии с самим собой и тем миром, который я представляю. Мы едины с той силой, что создала нас.

Мы спокойны, и все хорошо в нашем мире!

Я люблю вас!

ЖИЗНЬ! ЕДИНСТВЕННАЯ И НЕПОВТОРИМАЯ!

LIFE!

ПРЕДИСЛОВИЕ

Я решила написать эту книгу в дополнение к двум другим — «Исцели свою жизнь» и «Сила внутри нас», потому что во множестве писем, которые я получаю, и во время моих лекций мне продолжают задавать вопросы о самых главных вещах: о смысле жизни, о том, как мы можем стать лучше, несмотря на наш прошлый опыт, о том, что уже могло так или иначе повлиять на нас, и о том, что ждет нас впереди и какими будут оставшиеся годы нашей жизни. Мои собеседники — люди, интересующиеся метафизическими понятиями, и те, кто стремится изменить свою жизнь путем изменения мышления. Они освобождаются от старых негативных стереотипов и убеждений. Они так же учатся больше любить самих себя.

В соответствии с названием этой книги я построила повествование в свободном хронологическом порядке, отражающем некоторые этапы, которые мы проходим в жизни, — так, в начальных главах я пишу о вещах, с которыми мы сталкиваемся, пока молоды (темы детства, взаимоотношений, работы и т. д.), постепенно переходя к проблемам, которые беспокоят нас в зрелые годы.

На случай, если вы не знакомы с моей философией, я хотела бы дать несколько пояснений в отношении терминов, которыми я обозначаю некоторые понятия.

Прежде всего, я часто употребляю такие слова, как Вселенная, Бесконечный Интеллект, Высшая Сила, Бесконечный Разум, Дух, Бог, Сила Вселенной, Врожденная Мудрость и т. п., в отношении той силы, которая создала Вселенную и которая присутствует в каждом из нас. Если эти термины вас не устраивают, мысленно замените их на другие, которые вам ближе и понятнее. В конечном счете важно не само слово, а его значение.

Что касается моей философии вообще, то я полагаю важным для себя еще раз рассмотреть те понятия, которые составляют ее жизненную основу, хотя возможно, что вы уже слышали об этом от меня, а если нет — то услышите впервые.

Все очень просто: по моему глубокому убеждению, что мы даем, то мы и получаем; мы несем полную ответственность за все события в нашей жизни: и хорошие, и так называемые «плохие», так как сами способствуем возникновению тех или иных ситуаций. Мы создаем жизненный опыт с помощью собственных слов и мыслей. Создавая в своей душе покой и гармонию и настраиваясь на положительный образ мыслей, мы будем привлекать к себе только положительные явления и людей, которые думают подобным же образом. И наоборот, когда мы «зацикливаемся» на обвинениях и обидах, чувствуя себя жертвой, наша жизнь становится бессмысленной и полной разочарований, и мы начинаем притягивать к себе людей с аналогичным образом мыслей. Короче говоря, я утверждаю, что наше восприятие самих себя и окружающего превращается в нашу реальную жизнь.

Основные идеи моей философии могут быть сформулированы следующим образом:

Это всего лишь мысль, а мысль можно изменить.

Я верю, что все в жизни начинается с мысли. Какой бы ни была проблема, наши переживания являются внешними последствиями наших мыслей. Даже ненависть к самому себе есть только ненависть к мысли о себе. Например, если вы думаете: «Я плохой человек», эта мысль вызывает чувство ненависти, которое вас подавляет. Не будь у вас этой мысли, чувство не возникло бы. Мысли можно изменить. Сознательно выберите себе новую мысль, например: «Я замечательный». Измените мысль — и чувство изменится тоже. Каждая наша мысль создает наше будущее.

Точка силы всегда в настоящем моменте.

Все, что мы имеем, это настоящее. Все, что мы предпочитаем думать, во что мы верим и что говорим сегодня, формирует тот жизненный опыт, который нам предстоит пройти завтра, спустя неделю, месяц, год и т. д. Когда мы сосредоточиваемся на наших сегодняшних помыслах и убеждениях и тщательно отбираем их, как если бы мы выбирали подарок для близкого друга, мы в силах по собственному выбору задать направление своей дальнейшей жизни. Если же мы сосредоточиваемся на прошлом, у нас не хватает энергии для настоящего. Если мы живем будущим, мы живем в фантазиях. Реальное время существует только сейчас. И отсюда начинается процесс наших изменений.

Мы можем освободиться от прошлого и всех простить.

Когда мы держимся за прошлые печали, мы страдаем. Мы позволяем ситуациям и людям из нашего прошлого властвовать над нами. И мысленно отдаемся им в рабство. Они продолжают контролировать нас, когда мы «зацикливаемся» на «непрощении». Вот почему так важно научиться прощать. Простить — это значит избавиться от того, кто причинил нам боль, и перестать отождествлять себя с той личностью, которой причинили боль. Прощение позволяет вырваться из бессмысленного замкнутого круга боли, гнева и упреков, который держит нас в плену собственных страданий. Мы прощаем не какой-то поступок или действие, но людей, совершивших его, мы прощаем их страдания, смятение, неумение, отчаяние и их человеческие слабости. Как только мы выскажем наши чувства и освободимся от них, мы сможем двигаться дальше.

Наш разум навсегда связан с Единым Бесконечным Разумом.

Мы связаны с Бесконечным Разумом — этой Высшей Силой, которая создала нас и заронила в нас искру Божественной Души. Наш врожденный Разум это тот же Разум, который руководит всей жизнью. Наша задача — понять законы жизни и действовать в соответствии с ними. Высшая Сила любит свои создания, но так же дает нам свободу воли в принятии решений. Это Сила Добра, и она направляет нашу жизнь, когда мы позволяем это делать. Это не карающая сила отмщения. Это — закон причины и следствия. Это — абсолютная любовь, свобода, понимание и сочувствие. Она стоит перед нами и с улыбкой ждет, когда мы научимся объединяться с ней. Очень важно, чтобы наша жизнь повернулась в сторону Божественной Души, которая есть для нас источник добра.

Любите самих себя.

В любви к себе будьте щедры и свободны от условностей. Хвалите себя как можно больше. Когда вы поймете, что вы любимы, эта любовь начнет распространяться вовне и перейдет на все сферы вашей жизни, чтобы возвращаться к вам вновь и вновь, многократно усиливаясь. Следовательно, любя самого себя, вы поможете исцелению планеты. Чаще всего причинами наших проблем бывают обиды, страх, критицизм и чувство вины. Но мы можем изменить привычный образ мыслей, простить самих себя и других, научиться любить себя, и тогда эти разрушающие чувства останутся в прошлом.

Каждый их нас однажды принимает решение воплотиться на этой планете в определенной точке времени и пространства для того, чтобы получить знания, способствующие нашей духовной эволюции.

Я верю, что мы все совершаем бесконечное путешествие сквозь вечность. Мы выбираем себе пол, цвет кожи, страну, а затем оглядываемся в поисках той идеальной пары родителей, которые полностью отвечают нашим требованиям. Все события, которые происходят в нашей жизни, и все люди, с которыми мы сталкиваемся, дают нам полезные уроки.

Любите свою жизнь и самих себя.... Я поступаю именно так!

Луиза Л. Хей
1995 г., Южная Калифорния

ВВЕДЕНИЕ

В последние пять лет я стала меньше выступать с лекциями и путешествовать, отдавая большую часть времени своему саду. Это прекрасный сад, в нем полно самых разных растений, цветов, фруктов, овощей и деревьев, и я испытываю огромное удовольствие, когда ползаю на четвереньках, копаясь в земле. Я с любовью благословляю почву, и она щедро вознаграждает меня.

Я никогда не пользуюсь химическими удобрениями, а только органикой. Каждый опавший лист идет в компостную кучу. Я постепенно удобряю почву, и она становится все более плодородной. Я также стараюсь по возможности питаться плодами из собственного сада, наслаждаясь свежими фруктами и овощами круглый год.

Я намеренно упоминаю здесь о моем увлечении садоводством в качестве вступления к основному материалу, изложенному в этой книге. Поймите, что ваши мысли подобны семенам, которые вы сеете в *вашем* саду. Ваши убеждения — это та почва, в которую попадают эти семена. На богатой плодородной почве взойдут сильные здоровые ростки. Но даже хорошие семена будут прорастать с трудом, если почва бедная и в ней полно сорняков и камней.

Любой садовник знает, что, прежде чем разбивать новый сад или обновлять старый, необходимо сделать главное — подготовить почву. Первым делом надо убрать старые высохшие растения, сорняки и камни. Затем, если вы всерьез взялись за дело, вы дважды вскопаете землю на глубину двух лопат и удалите все корни и комки. Затем вы добавите побольше органического удобрения — компоста, лошадиного навоза и т. п. Все это укладывается толщиной 3-4 дюйма на поверхность, а затем хорошенько вскапывается и перемешивается с землей. Вот теперь можно приступить к посадке! На такой почве вырастет все, что вы пожелаете, и растения будут сильными и здоровыми.

Наши основные убеждения — это тоже почва, но только для ума. Если мы хотим, чтобы новые положительные аффирмации, т.е. наши мысли и произносимые нами слова, как можно быстрее превратились в реальность, нам придется приложить дополнительные усилия и подготовить свой ум для восприятия этих новых идей. Можно составить список с перечислением всего, во что мы верим (например, «Что я думаю о работе, о процветании, о взаимоотношениях, о здоровье» и т. д.), и изучить наши убеждения с точки зрения их негативности. Вы можете задать себе вопрос: «Хочу ли я продолжать строить свою жизнь на основе этих ограниченных понятий?» Затем вы можете дважды «««вскопать почву»»», уничтожая старые идеи, которые никогда не пригодятся для вашей новой жизни.

Изменив насколько возможно, старые отрицательные убеждения, добавьте в почву вашего разума большую дозу любви. Теперь ваш разум готов для посадки новых аффирмаций, и они взойдут поразительно быстро. И ваша жизнь чудесным образом переменится к лучшему. Как видите, ваши усилия не пропадут даром в любом случае, возделываете ли вы свой сад или почву вашего ума.

Каждая глава в этой книге заканчивается несколькими положительными аффирмациями, подкрепляющими идеи, изложенные в данной главе.

Выберите из них наиболее значимые для вас и повторяйте почаще. Упражнение в конце главы представляет собой поток новых идей, которые помогают вам сознательно перестроиться на жизнеутверждающую систему убеждений. Обратите внимание на то, что все упражнения и аффирмации произносятся от первого лица и в настоящем времени глагола. Мы никогда не говорим: «Я буду», или «если», или «когда», потому что эти обороты отдаляют действие. Любое упражнение или аффирмация всегда начинаются со слов «У меня есть», «Я являюсь», «Я всегда» или «Я принимаю». Эти утверждения означают, что их следует принять немедленно и Вселенная позаботится об этом *сейчас!*

Когда вы приступите к чтению последующих глав, прошу вас помнить, что не все идеи покажутся вам одинаково значимыми и важными. Возможно, вам захочется наскоро прочитать книгу, а затем вернуться назад и поработать с теми понятиями, которые наиболее важны для вас или конкретно применимы в вашей сегодняшней жизни. Повторите аффирмации. Прочтите упражнения. Пусть эти идеи станут частью вашего сознания. Впоследствии вы можете вернуться к тем главам, которые, по вашему мнению, не могут быть применимы лично к вам.

Как только вы укрепитесь в какой-то отдельной области, вы обнаружите, что работать над остальными будет легче. А далее вы поймете, что превращаетесь из рассады в высокое прекрасное дерево, прочно уходящее корнями в землю. Другими словами, вы будете расцветать в этом сложном, огромном, загадочном и неповторимом мире, который называется....

ЖИЗНЬ!

Глава 1

ТЕМЫ ДЕТСТВА: ФОРМИРОВАНИЕ НАШЕЙ БУДУЩЕЙ ЛИЧНОСТИ

Я с любовью гляжу в прошлое на того ребенка,
которым была когда-то, и понимаю, что в меру своих сил
и знаний он старался быть как можно лучше.

Мое начало

На лекциях люди часто смотрят на меня и думают: «Ну конечно, ей легко говорить, у нее в жизни никогда не было проблем, у нее на все готов ответ». Это далеко не так. Лично я не знаю ни одного хорошего учителя, который не прошел бы через многие внутренние кризисы. У большинства из них было невероятно трудное детство. Только излечив собственную боль, они поняли, как помочь исцелиться другим.

Что касается меня, то, насколько я помню, я была совершенно счастливым ребенком до полутора лет, когда мои родители неожиданно развелись. Моя мать, не имея никакого образования, пошла работать уборщицей. Меня поочередно отдавали в разные детские приюты. Мир в моих глазах рухнул. Я ни на что не могла рассчитывать, никто не брал меня на руки и не любил меня. В конце концов мать смогла устроиться домработницей и взяла меня жить к себе. Но к этому времени вред уже был нанесен.

Когда мне исполнилось пять лет, мать снова вышла замуж. Спустя годы, она говорила мне, что сделала это ради того, чтобы у меня был свой дом. К сожалению, ее новый муж оказался человеком грубого нрава, и жизнь для нас обеих превратилась в ад. В тот же самый год меня изнасиловал сосед. Когда это открылось, мне сказали, что я сама виновата и что я опозорила нашу семью. Дело передали в суд, и я до сих пор помню, какой травмой для меня было медицинское освидетельствование, которое меня заставили пройти. Насильник получил приговор — 16 лет заключения. Я жила в страхе, что его освободят и он отомстит мне за то, что я такая плохая девочка, которая засадила его в тюрьму.

Кроме того, я росла в годы Великой депрессии и мы были очень бедны. Наша соседка каждую неделю давала мне по 10 центов, и эти деньги шли в семейный бюджет. В те времена на 10 центов можно было купить батон хлеба или коробку овсяных хлопьев. На день рождения и на Рождество соседка дарила мне огромную сумму — целый доллар, и моя мать шла в магазин «Вулворт» и покупала мне белье и чулки на весь год. Одевалась я в то, что давали в благотворительном фонде. Мне приходилось носить платья не своего размера.

Я с детства узнала, что такое физические оскорбления, тяжелый труд, бедность и насмешки в школе. Каждый день меня заставляли есть чеснок, чтобы не завелись глисты. Глистов у меня не было, но и друзей тоже не было. Я была девочкой, от которой воняло и которая одевалась как пугало.

Теперь я понимаю, что моя мать не могла меня тогда защитить, потому что сама не умела защищаться. Она была воспитана в убеждении, что женщина должна терпеть от мужчины все. Прошло много лет, прежде чем я поняла, что мне необязательно придерживаться такого же образа мыслей.

Когда я была ребенком, мне постоянно внушали, что я глупая, никчемная и уродливая — чертово отродье, которое приходится кормить. Как же я могла хорошо к себе относиться, если меня постоянно бомбардировали негативными утверждениями? В школе я обычно забивалась в угол и оттуда смотрела, как играют другие дети. Я была никому не нужна, ни дома, ни в школе.

Когда мне было лет 12-13, мой отчим решил бить меня поменьше. Вместо этого он стал ложиться со мной в постель. Так начался новый кошмарный период, который продолжался, пока я не сбежала из дому, едва мне исполнилось 15 лет. В этот момент мне так не хватало любви и я так мало уважала себя, что могла переспать с любым парнем, которому захотелось меня обнять. У меня отсутствовало понятие о собственном достоинстве, откуда же было взяться нравственности?

В 16 лет я родила ребенка, девочку. Она пробыла со мной пять дней, после чего я передала ее новым родителям. Вспоминая об этом теперь, я понимаю, что моему ребенку нужно было найти путь именно к этим родителям, а я послужила только средством воплощения. Мне необходимо было испытать этот стыд. При отсутствии у меня самоуважения и негативном отношении к себе, это было закономерно.

Все начинается с детства

Сейчас мы много говорим о подростковой беременности и о том, как это ужасно. При этом как-то упускается из виду, что, если у девочки есть чувство собственного достоинства и самоуважения, она вряд ли забеременеет. Но когда вам с детства внушают, что вы ничтожество, то по логике вещей это ведет к половым заболеваниям и беременности.

Наши дети — самое ценное, что у нас есть, и прискорбно видеть отношение ко многим из них. В настоящее время среди бездомных людей в нашей стране растет количество матерей с детьми. Это позорное явление, когда матери ночуют на улице и возят свои пожитки на тележках из универмагов. Маленькие дети в буквальном смысле растут на улице. Наши дети станут нашими будущими лидерами. Какими духовными ценностями будут обладать эти бездомные дети? Как они могут уважать других людей, если мы так мало заботимся о них?

Как только ребенок подрастает и может сидеть перед телевизором, на него обрушивается реклама продуктов, которые зачастую вредны для нашего здоровья и благополучия. Например, посмотрев получасовую детскую программу, я увидела рекламу сладких напитков, сладких каш, кексов, конфет и всяких игрушек. Сахар усиливает негативные эмоции, и потому маленькие дети кричат и плачут. Эта реклама может быть хороша для производителей товаров, но никак не для детей. Кроме того, реклама развивает в нас чувство неудовлетворенности и жадности. Нас воспитывают в сознании того, что жадность — это нормальное и естественное свойство человека.

Родители говорят, что в двухлетнем возрасте дети бывают невыносимы. Многие не понимают, что в этот период ребенок начинает словами выражать те эмоции, которые подавляют в себе его родители. Сахар усиливает эти подавляемые чувства. В поведении маленьких детей всегда в точности отражаются эмоции и чувства, которые испытывают взрослые.

То же самое происходит с подростками, когда они начинают бунтовать. Скрытые эмоции родителей угнетают ребенка, и он открыто выражает свои чувства посредством бунта против взрослых. Родители получают то, что заслужили.

Мы позволяем нашим детям просиживать сотни часов у телевизора и после удивляемся, отчего так много насилия и преступлений в школе и в молодежной среде. Мы осуждаем преступность и не несем никакой ответственности за то, что сами способствуем этому явлению. Ничего удивительного, что в школе появилось оружие — по телевизору нам постоянно его показывают. Дети хотят иметь все, что они видят. Телевидение учит нас хотеть.

Многое из того, что мы видим по телевизору, так же учит нас неуважительному отношению к женщинам и старикам. Телевидение дает очень мало позитивного восприятия. И это очень стыдно, потому что телевидение располагает огромными возможностями для воспитания людей. С помощью телевидения сформировалось то больное и нефункциональное общество, в котором мы сейчас живем.

Сосредоточиваясь на негативном, мы порождаем еще больше негативного в жизни. Вот почему в нашем мире сейчас так много зла. Все средства массовой информации — телевидение, радио, газеты, журналы — способствуют этой концентрации зла, в особенности когда изображают насилие, преступления и оскорбления. Если бы они сосредоточили внимание на позитивном, то через какое-то время количество преступлений резко снизилось бы. Если бы наши мысли были только позитивными, со временем мир преобразился бы.

Мы можем помочь

Существуют способы, которыми мы можем помочь исцелить наше общество. Я верю, что необходимо раз и навсегда прекратить оскорблять детей. Дети, которые подвергаются оскорблениям, имеют низкую самооценку и, вырастая, часто становятся хулиганами и преступниками. В наших тюрьмах полно людей, которых оскорбляли в детстве. И мы с чувством собственной правоты продолжаем наказывать и оскорблять их во взрослом возрасте.

Нам не помогут ни дополнительные тюрьмы, ни новые законы о борьбе с преступностью, если мы сосредоточим внимание исключительно на преступлениях и преступниках. Я считаю, что наша тюремная система нуждается в коренном пересмотре. С помощью оскорблений никого не исправишь. Нужно проводить в тюрьмах групповую психотерапию как для заключенных, так и для охранников и надзирателей. Развитие самоуважения у каждого человека, находящегося внутри тюремной системы, станет значительным шагом вперед на пути к исцелению общества.

Да, я согласна, что есть преступники, которые не подлежат исправлению и должны быть изолированы от общества. Но в большинстве случаев те, кто отбывает свое наказание, возвращаются обратно в нормальную жизнь. Все, чему их научила тюрьма, — это как стать более опытными преступниками. Если бы мы могли излечить их от боли и страданий, перенесенных в детстве, они больше не стали бы наказывать общество.

Ни один маленький мальчик не рождается хулиганом. Ни одна маленькая девочка не рождается жертвой. Эти черты поведения являются результатом воспитания. Самый закоренелый преступник когда-то был крошечным ребенком. Нам нужно изменить стереотипы, способствующие негативным явлениям. Если бы мы внушили каждому ребенку, что все человеческие существа достойны уважения и любви, если бы мы поощряли в детях их таланты и способности и учили их мыслить положительными образами, то мы могли бы преобразить общество в течение жизни одного поколения. Эти дети станут в будущем родителями и нашими новыми лидерами. За два поколения мир неузнаваемо изменится. Люди начнут относиться друг к другу с уважением и любовью. Наркотики и алкоголизм отойдут в прошлое. Не нужно будет запирать двери домов. Радость станет естественной частью человеческой жизни.

Эти позитивные изменения начинаются на уровне сознания. Вы можете способствовать их осуществлению, поддерживая в себе определенный образ мыслей. Поверьте в то, что это возможно. Каждый день медитируйте, представляя себе, что наше общество возвращается к былому величию, предначертанному для Америки самой судьбой. Вы можете регулярно утверждать:

Я живу в мирном обществе.

Все дети благополучны и веселы.

Каждый досыта накормлен.

У каждого есть жилье.

Для каждого есть подходящая работа.

У каждого есть самоуважение и достоинство.

Понимание нашего «внутреннего ребенка»

Игра — это первая цель, к которой стремится вновь воплотившаяся душа. Ребенок грустит, оказавшись там, где ему не разрешено играть. Многих детей воспитывали таким образом, что они должны были на все спрашивать позволения у родителей; они не могли самостоятельно принимать решения. Другие дети росли под грузом совершенства. Им не разрешали делать ошибок. То есть им не разрешали учиться, поэтому теперь они так боятся принимать решения. Такой детский опыт способствует неуверенности в себе во взрослом возрасте.

Не думаю, чтобы нынешняя система школьного образования помогала ребенку сформироваться как личности. В ней слишком много конкуренции и, кроме того, она требует от ребенка умения приспосабливаться. Я также считаю, что вся система тестирования в школах развивает в детях чувство неполноценности. Детство — это нелегкая пора. Слишком многое подавляет творческий дух и способствует появлению чувства собственной никчемности.

Если у вас было трудное детство, то, возможно, сейчас вы по-прежнему отвергаете ребенка в самом себе. Может быть, вы даже не подозреваете, что внутри вас живет тот несчастный ребенок, которым когда-то были вы и который, наверное, продолжает мучить сам себя. Этот ребенок нуждается в исцелении. Этот ребенок нуждается в любви, которой вы были лишены, и только вы сами можете дать ему эту любовь.

Всем нам очень полезно регулярно разговаривать с ребенком внутри нас. Мне нравится проводить один день в неделю с моим ребенком. Утром я просыпаюсь и говорю: «Привет, малышка Лу. Сегодня наш день. Пойдем погуляем. Мы славно повеселимся». И в этот день мы все делаем вместе — я и малышка Лу. Я разговариваю с ней вслух или про себя, объясняю ей разные вещи. Я говорю ей, какая она красивая и умная девочка и как я ее люблю. Я говорю ей все то, что хотела бы услышать сама, когда была маленькой. К концу дня у меня прекрасное настроение, и я знаю, что ребенок внутри меня счастлив.

Вы можете найти свою детскую фотографию. Поставьте ее на видное место, рядом с ней можно поставить цветы. Каждый раз, проходя мимо, говорите: «Я тебя люблю. Я с тобой, чтобы заботиться о тебе». Вы можете исцелить ребенка, который внутри вас. Когда этот ребенок счастлив, вы тоже счастливы.

Вы так же можете писать вместе со своим ребенком. Возьмите две ручки разного цвета и лист бумаги. Правой рукой (если вы обычно пишете правой) напишите вопрос. Затем возьмите другую ручку в левую руку, и пусть ребенок напишет ответ. (Делайте наоборот, если вы левша.) Это поразительно эффективный способ для установления связи с ребенком внутри вас. Ответы, полученные на ваши вопросы, будут для вас неожиданными.

В книге Джона Полларда «Сами себе родители» предлагается множество упражнений, показывающих, как войти в контакт и как разговаривать с ребенком внутри себя. Когда вы будете готовы исцелить его, вы найдете подходящий способ.

Каждый негативный посыл, полученный вами в детстве, можно превратить в положительное утверждение. Пусть ваш разговор с самим собой будет непрерывным потоком положительных аффирмаций, развивающих чувство самоуважения. Вы посеете новые семена, которые взойдут и будут расти, если их хорошо поливать.

Аффирмации для развития самоуважения

Я любимое и желанное дитя.
Мои родители меня обожают.
Мои родители гордятся мной.
Мои родители поощряют меня.
Я люблю себя.
Я умный и сообразительный.
Я талантлив и творчески одарен.
Я всегда здоров.
У меня много друзей.
Я умею любить.
Я нравлюсь людям.
Я знаю, как заработать деньги.
Я умею экономить деньги.
Я добрый и любящий.
Я потрясающая личность.
Я умею заботиться о себе.
Мне нравится, как я выгляжу.
Я доволен своим телом.
Я вполне хорош.
Я заслуживаю самого лучшего.
Я прощаю всех, кто когда-либо обидел меня.
Я прощаю самого себя.
Я принимаю себя таким, какой я есть.
Все уже хорошо в моем мире.

Я такая, какая я есть

Я не слишком велика и не слишком мала. Мне не нужно никому доказывать, кто я есть. Я знаю, что являюсь совершенным и уникальным воплощением жизни. У меня было много других воплощений в Бесконечности, и каждое из них идеально соответствовало какой-то конкретной жизни. Я довольна, что на этот раз стала именно такой и появилась на свет в этом месте и в это время. Я самодостаточна. Мне принадлежит вся Жизнь. Мне не нужно бороться, чтобы стать лучше. Сегодня я люблю себя больше, чем вчера, и отношусь к себе как к горячо любимому существу. Я лелею себя. Я сияю радостью и красотой. Я питаюсь любовью, и она окрыляет меня. Чем больше я люблю себя, тем больше я люблю людей. Все вместе мы с любовью растим будущий мир, который будет еще прекраснее. Я с радостью сознаю свое совершенство и совершенство Жизни. И так оно и есть!

Глава 2

МУДРЫЕ ЖЕНЩИНЫ

Я утверждаю здесь свою силу женщины.
Если в данный момент в моей жизни нет идеального мужчины,
то я могу стать идеальной женщиной для самой себя.

Данная глава предназначена главным образом для женщин. Но я прошу мужчин помнить, что чем больше женщин усвоит эти понятия, тем лучше станет жизнь для мужчин. Идеи, полезные для женщин, так же годятся и для мужчин. Просто замените местоимение «она» на «он», как это годами делают женщины.

Нам предстоит многое сделать и многому научиться

Жизнь состоит из непрекращающегося опыта, который учит и двигает нас вперед. Очень долго женщины были полностью подчинены прихотям мужчин и их взглядам на жизнь. Нам говорили, что, когда и как мы должны делать. Я помню, как маленькой девочкой я училась тому, чтобы ходить на два шага позади мужчины, смотреть на него снизу вверх и говорить: «Что я должна делать, и о чем я должна думать?» Не то чтобы меня этому учили в буквальном смысле, но перед моими глазами был пример моей матери, которая поступала именно так, и я усваивала ее манеру поведения. Ее воспитали в духе полного подчинения мужчине, поэтому она принимала грубость и оскорбления как должное. То же самое делала и я. Вот превосходный пример того, *как мы усваиваем стереотипы.*

Мне понадобилось долгое время, чтобы осознать, что такое поведение ненормально и несправедливо в отношении меня как женщины. Постепенно изменяя свою систему взглядов и убеждений, я создавала в себе чувство самоуважения и собственной значимости. И одновременно изменился мир вокруг меня. Я перестала привлекать к себе властных и агрессивных мужчин. Внутреннее самоуважение и чувство собственной значимости — вот наиболее важные вещи, которыми могут обладать женщины. И если у нас нет этих качеств, мы должны развивать их в себе. Когда мы ценим себя как личность, мы не оказываемся в положении униженных и оскорбленных. Такое поведение возможно только в том случае, если мы думаем, что мы недостаточно хороши или никчемны.

431

Независимо от того, какими нас воспитали и каким оскорблениям мы подвергались в детстве, мы можем научиться любить себя теперь. Если мы, женщины и матери, будем учиться развивать в себе чувство собственного достоинства, эта черта характера автоматически перейдет к нашим детям. Наши дочери не позволят, чтобы их оскорбляли, а наши сыновья будут с уважением относиться к людям, в том числе ко всем женщинам, которые встретятся им в жизни. Ни в одном мальчике нет врожденной потребности оскорблять других, и ни одна девочка не появляется на свет с комплексом жертвы и отсутствием самоуважения. И тот, и другой тип поведения является приобретенным. Дети получают уроки насилия и учатся быть жертвами. Если мы хотим, чтобы взрослые люди в нашем обществе относились друг к другу с уважением, мы должны растить наших детей, развивая в них добрые чувства и самоуважение. Только таким способом можно достичь подлинного взаимного уважения между мужчинами и женщинами.

Давайте действовать сообща

Развитие самосознания у женщин не означает принижения роли мужчины. Дискриминация мужчин ничем не лучше дурного обращения с женщинами. Самоуничижение тоже бесполезно. Мы не хотим занимать подобную позицию. Все мы слишком привязаны к определенным стереотипам поведения, и я считаю, что пора от них отказаться. Бесполезно винить самих себя или мужчин во всех бедах нашей жизни, от этого ситуация не изменится. Обвинять кого-либо, это всегда проявление *бессилия*. Самое лучшее, что мы можем сделать для мужчин, это перестать быть жертвами и действовать сообща. Если человек обладает чувством самоуважения, его будут уважать все вокруг. Мы хотим исходить из любви, которая есть в наших сердцах, и воспринимать каждое существо на этой планете как нуждающееся в этой любви. Когда женщины осознают это, мы сможем сдвинуть горы и весь мир преобразится.

Как я отмечала ранее, эта глава предназначена главным образом для женщин, но и мужчины могут многое из нее почерпнуть, т. к. все эти способы годятся как для женщин, так и для мужчин. Женщинам необходимо знать — *действительно знать,* — что они не являются гражданами второго сорта. Это — миф, повторяемый в определенных слоях общества и лишенный всякого смысла. Все души равны, и, более того, они не имеют пола. Я знаю, что в самом начале движения феминисток женщины были настолько возмущены несправедливостями по отношению к ним, что обвиняли мужчин буквально во всем. Хотя в то время это было понятно и объяснимо — этим женщинами нужно было высказать вслух неудовлетворенность своим положением, что было своего рода психотерапией. Вы обращаетесь к врачу, чтобы избавиться от комплекса детских обид, и вам *необходимо* выговорить перед ним все свои чувства, прежде чем приступать к лечению. Когда группа людей долгое время находится в подавленном состоянии, то, стоит ей впервые почувствовать свободу, она становится дикой и неуправляемой.

Мне кажется, ярким подтверждением этому является сегодня Россия. Можете ли вы хотя бы вообразить, сколько гнева и ярости накопилось в душах людей, которые многие годы жили в условиях жестоких репрессий и террора? Потом внезапно страна стала «свободной», но ничего не предпринимается, чтобы исцелить этих людей. Учитывая все обстоятельства, происходящий сейчас в России хаос есть нормальное и естественное явление. Этих людей никогда не учили заботиться о других или любить самих себя. У них отсутствуют поведенческие модели и установки на мирную спокойную жизнь. Я считаю, что вся страна нуждается в серьезной психотерапии, чтобы залечить свои раны.

Однако, стоит только подождать, пока люди выплеснут свои чувства, и раскачавшийся маятник вернется в нормальное положение. Именно это и происходит сейчас с женщинами. Для них наступило время освободиться от гнева и обвинений, от комплекса жертвы и от чувства бессилия. Женщинам пора признать свою силу и утвердиться в ней, осмыслить происходящее и начать создавать тот мир равенства, в котором они хотят жить.

Когда женщины научатся заботиться о себе, уважать и ценить себя, все человечество, включая мужчин, сделает огромный скачок в правильном направлении. Между мужчинами и женщинами установятся отношения любви и взаимного уважения. Каждый поймет, что нам нечего делить, и мы будем благословлять друг друга. Мы все можем быть счастливы и благополучны.

У нас есть возможности для осуществления перемен

В течение долгого времени женщины стремились к большей самостоятельности. Сейчас у нас есть возможность стать такими, какими мы хотим быть. Да, между мужчиной и женщиной сохраняется значительное неравенство в отношении заработка и юридических прав. Мы по-прежнему должны довольствоваться теми решениями, который выносит суд. *Законы* написаны для мужчин. При рассмотрении дел судьи исходят из того, как бы мог поступить *нормальный мужчина,* даже если речь идет об изнасиловании.

Я хотела бы призвать женщин начать массовую кампанию с целью пересмотра существующих законов, чтобы они в равной степени учитывали интересы обоих полов. В решении важных вопросов женщины представляют собой огромную коллективную силу. Вспомните, ведь именно женщины избрали президентом Билла Клинтона, такова была реакция большинства избирательниц на заявления Аниты Хилл. Нам следует напоминать о том, что все вместе мы очень сильны. Энергия женщин, объединившихся ради единой цели, действительно является могучей силой. Семьдесят пять лет назад женщины вели борьбу за предоставление им избирательных прав. Сегодня мы можем баллотироваться в президенты.

Мы прошли долгий путь, и мы не хотим этого забывать. Да, мы только начинаем новый этап нашей эволюции. Нам многое предстоит сделать и многому научиться. Современные женщины подошли к новым границам свободы, — и нам нужны творческие решения, отвечающие интересам всех женщин без исключения, в том числе одиноких.

Возможности безграничны!

Сто лет тому назад незамужняя женщина могла стать только прислугой в чьем-то доме, причем жалованья ей обычно не платили. У нее не было ни социального статуса, ни права голоса, и ей оставалось принимать жизнь такой, какая она есть. В те времена женщина нуждалась в мужчине, чтобы обеспечить себе нормальную жизнь, а иногда — чтобы просто выжить. Даже пятьдесят лет тому назад у незамужней женщины выбор в жизни был невелик.

Сегодня незамужняя американка имеет неограниченные возможности. Она может подняться так высоко, как это позволят ее способности и вера в свои силы. Она может путешествовать, выбирать себе работу, зарабатывать хорошие деньги, иметь много друзей и всячески самоутверждаться в жизни. Она даже может иметь нескольких сексуальных партнеров и поддерживать любовные связи по своему желанию. Современная женщина может родить ребенка, не выходя замуж, и это нисколько не повредит ее положению в обществе. Так поступают многие известные актрисы, дизайнеры и прочие знаменитости. Женщина может создавать собственный стиль жизни.

Как жаль, что многие женщины продолжают жаловаться и плакать по поводу того, что рядом с ними нет мужчины. Нам не следует чувствовать себя ущербными, если у нас нет мужа или любимого человека. Когда мы «ищем любовь», мы тем самым признаем, что ее у нас нет. Но любовь есть в каждой женщине. Никто не может дать нам той любви, какую мы можем дать самим себе. И никто не может лишить нас этой любви. Поэтому не надо искать любовь там, где ее нет. Потребность найти себе партнера действует так же разрушающе, как любая вредная привычка. Если мы испытываем такую потребность, она свидетельствует только о внутренней неудовлетворенности. Это такое же нездоровое чувство, как зависимость от разного рода допингов. Это все равно, что говорить себе: «Со мной что-то не так».

Потребность найти партнера вызывает массу страхов. Она сопровождается переживаниями типа «я недостаточно хороша». Мы так озабочены и подавлены идеей поиска партнера, что многие женщины согласны терпеть около себя любого мужчину, даже если он оскорбляет и унижает их. Мы не должны так поступать по отношению к себе!

Нам не нужно создавать себе жизнь, полную боли и страданий, или чувствовать себя одинокими и несчастными. Все зависит от нашего выбора, и мы можем найти новые варианты, которые поддержат нас и принесут чувство удовлетворения. Конечно, нас приучили к тому, что наш выбор в жизни ограничен. Но так было раньше. Нам следует помнить, что сила всегда существует в настоящий момент и мы можем начать создавать себе новые перспективы прямо сейчас. Воспринимайте свое одиночество как *дар!*

Китайская поговорка гласит: «Половина неба держится на женщинах». Настало время доказать, что это правда. Однако мы ничего не добьемся, если будем жаловаться, возмущаться или развивать в себе комплекс жертвы, тем самым отдавая свою силу мужчинам и сложившейся системе отношений. Мужчины не делают нас жертвами — это делаем мы сами, позволяя им властвовать над собой. Наши отношения с мужчинами зеркально отражают то, что мы думаем о себе. Мы часто ищем в других любви и тепла, но все, что они могут нам дать, это отражение нашего собственного отношения к себе. Поэтому, чтобы двигаться вперед, нам прежде всего необходимо улучшить важнейшие из взаимоотношений — отношения с самой собой. Основная цель моей работы — это помочь женщинам осознать свою силу и воспользоваться ею наиболее конструктивными способами.

Любовь к себе
есть наиболее важная разновидность любви

Нам всем необходимо очень ясно представлять, что **всякая любовь в нашей жизни начинается с себя.** Очень часто мы ищем в образе отца, возлюбленного или мужа «идеального мужчину». Пора стать «идеальной женщиной» для самой себя. Но как это сделать? Начнем с того, что честно посмотрим на свои недостатки, но не для того, чтобы увидеть себя с плохой стороны, а чтобы увидеть те препятствия, созданные нами же, которые мешают нам быть такими, какими мы можем быть. И мы можем устранить эти препятствия и изменить свою жизнь, не занимаясь самобичеванием. Да, многие установки были усвоены нами еще в детстве. Но если мы когда-то им научились, то сегодня можем разучиться. Мы полностью сознаем, что хотим научиться любить самих себя. Для этого определим несколько основных направлений.

Прекратите всякую критику. Это бесполезное действие; критика никогда не ведет к позитивному результату. Не занимайтесь самокритикой — сбросьте с себя эту тяжесть прямо сейчас. Не критикуйте окружающих, ведь те недостатки, которые мы находим в других, являются проекцией изображения тех качеств, которые мы осуждаем в себе. Думать о другом человеке плохое — вот одна из главных причин нашей ограниченности. Не Жизнь, не Бог, не Вселенная, а только мы судим себя сами. Повторяйте утверждение: *«Я люблю и одобряю себя во всем»*.

Не запугивайте себя. Все мы хотим прекратить это делать. Слишком часто мы терроризируем себя своими собственными мыслями. В каждый момент времени нас занимает одна определенная мысль. Давайте научимся думать позитивными аффирмациями. Таким способом наше мышление изменит нашу жизнь в лучшую сторону. Поймав себя на том, что вы начинаете себя запугивать, немедленно утверждайте: *«Я являюсь воплощением божественного и прекрасного в мире и с этого момента живу полной жизнью»*.

Будьте верны себе. Мы связываем себя обязательствами по отношению к другим людям, забывая при этом о себе. Только от случая к случаю мы находим время для себя. Относитесь к себе внимательно и ответственно. Любите себя. Заботьтесь о своем сердце и о душе. Утверждайте: *«Мой самый любимый человек — это я»*.

Относитесь к себе как к любимому существу. Уважайте себя и лелейте. Любя себя, вы будете более открыты для того, чтобы получать любовь от других. Закон любви требует, чтобы вы концентрировали внимание на том, чего вы *действительно* хотите, а не на том, чего вы не хотите. Сосредоточьтесь на любви к себе. Утверждайте: *«Я люблю себя именно такой, какая я есть»*.

Ухаживайте за своим телом. Ваше тело — это драгоценный храм. Если вы собираетесь прожить долгую активную жизнь, значит, вы хотите заботиться о себе сейчас. Вы хотите хорошо выглядеть, а главное, хорошо себя чувствовать. Правильное питание и физические упражнения имеют важное значение. Вы хотите сохранить свое тело гибким и подвижным до последнего дня вашей жизни на этой прекрасной Земле. Утверждайте: *«Я здорова, счастлива и благополучна»*.

Занимайтесь самообразованием. Мы слишком часто жалуемся на нехватку знаний и не знаем, как с этим быть. Но вы умны и сообразительны, и вы можете учиться. Сейчас повсюду есть книги, кассеты, учебные курсы. Если вы стеснены в средствах и не можете их купить, пользуйтесь библиотекой. Я знаю, что буду учиться до последнего дня моей жизни на этой планете. Утверждайте: *«Я постоянно учусь и совершенствуюсь»*.

Создавайте свое финансовое будущее. Каждая женщина имеет право на собственные деньги. Нам очень важно усвоить это убеждение. От него во многом зависит наше ощущение собственной значимости. Мы всегда можем начать экономить с небольших сумм. Важно то, что мы откладываем деньги постоянно. Здесь можно посоветовать такие аффирмации как: *«Я постоянно повышаю свой доход». «Все, чем я занимаюсь, улучшает мое финансовое положение».*

Развивайте в себе творческие способности. Вашим творчеством может быть любое занятие, которое приносит вам удовлетворение. Это может быть все, что угодно — от домашней выпечки до проектирования зданий. Если у вас есть дети и мало свободного времени, договоритесь с кем-нибудь из подруг по очереди присматривать за детьми. Вы и ваша подруга должны освободить время для себя. Вы заслуживаете этого. Повторяйте аффирмацию: *«Я всегда нахожу время для творчества».*

Живите так, чтобы радость и счастье стали центром вашего мира. Источник радости и счастья всегда находится внутри нас. Убедитесь в том, что вы связаны с этим источником. Стройте свою жизнь на основе радости. Вот хорошая аффирмация для ежедневного повторения: *«Мой мир построен на радости и счастье».*

Развивайте прочную духовную связь с жизнью. Совсем не обязательно, чтобы эта духовная связь совпадала с вашим религиозным воспитанием. В детстве у вас не было выбора. Теперь вы взрослый человек и можете выбирать себе духовные убеждения. Время одиночества — это особое время в жизни человека. Самое важное — наладить взаимоотношения с самой собой. Не спешите, спокойно размышляйте, соединитесь со своим внутренним я, которое руководит вами. Повторяйте аффирмацию: *«Мои духовные убеждения поддерживают меня и помогают полностью реализоваться в жизни».*

Вы можете переписать вышеизложенные установки и перечитывать их ежедневно в течение месяца или двух, пока они прочно не улягутся в вашем сознании и не станут частью вашей жизни.

Любовь многолика

Многим женщинам не суждено в этой жизни иметь детей. Не поддавайтесь расхожему убеждению, что бездетная женщина не реализует себя в главном. Я всегда верила и верю в то, что на все есть своя причина. Возможно, что у вас иное предназначение в жизни. Если вы мечтаете о ребенке и остро чувствуете, как вам его не хватает, то погорюйте об этом. И двигайтесь дальше. Налаживайте свою жизнь. Не предавайтесь горю до бесконечности. Повторяйте следующее утверждение: «Я знаю, что все происходящее в моей жизни правильно и хорошо. Я полностью удовлетворена».

Лично я против того, чтобы прибегать к лечению бесплодия. Если ваше тело создано для того, чтобы иметь ребенка, он обязательно родится. Если вы не можете забеременеть, на то есть основательная причина. Примите это как должное. И затем налаживайте свою жизнь. Все методы лечения бесплодия дорогостоящи, экспериментальны и опасны. Сейчас начали появляться публикации об ужасных последствиях этого лечения. Был случай, когда женщина за огромные деньги подверглась 40 процедурам искуственного оплодотворения и в результате не только не забеременела, но заразилась СПИДом. Один из ее доноров оказался болен этой болезнью.

Не позволяйте врачам экспериментировать на вас. Когда мы прибегаем к неестественным способам для того, чтобы заставить наш организм сделать то, чему он внутренне сопротивляется, мы напрашиваемся на неприятности. Не пытайтесь обмануть матушку Природу. Посмотрите, сколько проблем возникает у женщин, которым искусственно увеличили грудь. Если у вас маленькая грудь, радуйтесь этому. Вы выбрали себе именно такое тело, когда решили появиться на свет в этой жизни. Будьте счастливы от того, что вы такая, какая есть.

Я знаю, в моих прежних жизнях у меня было много детей. В этой жизни у меня их нет. Я считаю, что так и должно быть на этот раз. В мире столько брошенных детей, и если мы действительно хотим удовлетворить свой материнский инстинкт, то есть хороший выход — усыновить ребенка. Мы также можем заменить мать другой женщине. Возьмите одинокую, потерявшуюся в жизни женщину под свое крыло и помогите ей взлететь. Спасайте брошенных бездомных животных.

Сейчас также много одиноких матерей, которые растят детей самостоятельно. Это очень трудное дело, и я восхищаюсь каждой женщиной, которая на это решается. Этим женщинам понятно слово «устала».

Но помните, нам не нужно стремиться стать «супер-женщинами» или «идеальными родителями». Усвойте некоторые навыки, прочтите несколько хороших книг по вопросам воспитания детей, их сейчас много издают. Если вы любите своих детей, у них есть прекрасный шанс вырасти и стать вашими лучшими друзьями. Они станут настоящими личностями, самодостаточными и удачливыми в жизни. Самодостаточность обеспечивает душевный покой. Я думаю, лучшее, что мы можем дать нашим детям, — это научить их любить себя, ведь дети всегда подражают взрослым. Ваша жизнь станет лучше, и жизнь ваших детей тоже. (Прочтите прекрасную книгу для родителей «Чего вы действительно желаете своим детям?», написанную доктором Уэйном У. Дайером.) Воспитание детей матерями-одиночками имеет свою положительную сторону. Сейчас женщины имеют возможность вырастить из своих сыновей таких мужчин, о которых они всегда мечтали. Женщины так много жалуются на поведение и привычки мужчин, но ведь сами женщины растят сыновей. Обвинять кого-либо — это бесполезная трата энергии. Это демонстрация бессилия. Если мы хотим видеть рядом с собой добрых и любящих мужчин, которым свойственна чуткость и другие женские черты, то давайте возьмемся за их воспитание с самого детства.

Если вы — одинокая мать, ни в коем случае не позволяйте себе ругать вашего бывшего мужа. Иначе ваши дети научатся тому, что супружеская жизнь — это война. Мать оказывает на ребенка больше влияния, чем кто-либо другой. Матери должны объединиться! Если все женщины будут действовать сообща, мы сможем вырастить *новое поколение* мужчин, обладающих теми достоинствами, о которых мы говорим.

Давайте зададим себе несколько вопросов. Если вы честно на них ответите, ваши ответы могут указать вам новое направление в жизни:

Как мне использовать это время, чтобы сделать свою жизнь как можно лучше?

Чего именно я хочу от мужчины?

Что именно я считаю для себя необходимым получить от мужчины?

Что я могу сделать, чтобы заполнить пустоту в личной жизни? (Не ждите от мужчины, что он станет для вас *всем* на свете. Для него это непосильный груз).

Что могло бы принести мне удовлетворение? Как я могу достичь этого самостоятельно?

Чем я оправдываю перед собой свое одиночество?

Если у меня никогда больше не будет мужчины, разрушу ли я свою жизнь из-за этой потери? (Или создам себе прекрасную жизнь и буду указывать верный путь другим женщинам? Хороший образ — горящий маяк!)

Что я могу сделать в жизни? Какова моя цель? Чему я должна научиться? И чему научить?

Как я могу сотрудничать с жизнью?

Помните, что малейшее позитивное изменение в вашем мышлении может разрешить самую сложную проблему. Если вы правильно ставите вопросы, жизнь обязательно ответит вам.

Найдите в себе внутренние резервы

Вот простой вопрос: «Как я могу реализовать себя в жизни, если рядом со мной нет мужчины?» Многих женщин пугает даже сама постановка вопроса, поэтому нам необходимо полностью осознать свой страх и преодолеть его. Доктор Сьюзан Джефферс посвятила этой теме целую книгу, которая называется «Почувствуйте страх и найдите способ обмануть его». Я также очень рекомендую вам другую книгу этого автора: «Открывая наши сердца мужчинам».

В книге Йона Дженсона и Джулии Кин «Только для женщин: Создавая счастливую плодотворную жизнь» исследуются растущие возможности выбора для женщин, ведущих одинокий образ жизни. Почти каждая женщина в какой-то момент своей жизни остается в одиночестве — будучи молодой девушкой, разведенной женщиной или вдовой. Каждая невеста должна задать себе вопрос: «Хочу ли я самостоятельно растить своих детей?» Точно так же всем замужним женщинам следует спросить себя: «Готова ли я к тому, чтобы жить одной?»

Как говорится в книге «Только для женщин»: «Настало время изменить наши представления о положении женщины «без верного спутника жизни» и рассмотреть это явление в более широком контексте. Возможно, что в истории человеческой эволюции именно одиноким женщинам уготована роль первооткрывателей, с появлением которых на нашей планете начинает возникать новый уклад жизни».

Я считаю, что сегодня каждая женщина — первооткрывательница. Женщины, которые были среди первых американских поселенцев, прокладывали путь в лесу, делая зарубки на деревьях. Они рисковали жизнью. Они знали, что такое одиночество и страх. Они жили в нищете и боролись с трудностями. Им приходилось самим строить жилища и добывать пропитание. Даже если у них были мужья, то они часто и подолгу отсутствовали. Женщинам приходилось самостоятельно обеспечивать себя и своих детей всем необходимым. Они обходились собственными силами и ресурсами. И они заложили основы, на которых строилась эта страна. Сегодняшние женщины-первооткрыватели это мы с вами. Перед нами невероятные возможности для самореализации и утверждения равенства между полами. Мы хотим расти и процветать здесь, на этой земле!

Современные женщины по уровню эмоциональной зрелости находятся на высочайшей точке своего развития. Никогда прежде женщины не были столь совершенны, как теперь. Поэтому нам пора самим определять свою судьбу. Мы получили массу возможностей, ранее недоступных женщинам.

Настало время объединиться с *остальными* женщинами ради того, чтобы сделать нашу жизнь лучше. Это, в свою очередь, улучшит и жизнь мужчин. Когда женщины будут довольны и счастливы, они станут прекрасными полноправными партнерами мужчин в жизни и в работе. Мужчины почувствуют себя гораздо свободнее, общаясь с женщинами на равных. Мы хотим блага и процветания для всех.

Нам нужно создать «Руководство для успеха в жизни» специально для женщин. Это будет не только учебник по выживанию в трудных ситуациях, но и книга, помогающая выработать новую концептуальную модель жизни женщины. Мы хотим поощрить в каждой женщине желание стать лучше. Если мы относимся к кому-то с неодобрением, то это неодобрение так или иначе вернется к нам. И наоборот, если мы вселяем бодрость в других, жизнь будет вселять бодрость в нас всеми возможными способами. Жизнь умеет прощать. Жизнь всего навсего просит нас научиться прощать самих себя и окружающих.

Найти «идеального мужчину» не единственно возможная альтернатива, а *только один* из вариантов выбора в длинном списке имеющихся у нас возможностей. Если вы одиноки, то не откладывайте жизнь *на потом,* до того времени, когда вы найдете своего мужчину. Двигайтесь вперед и налаживайте свою жизнь сейчас. Если вы не будете этого делать, вы можете многое в жизни упустить или упустить *целую* жизнь.

Никто не спорит, что мужчина — это великолепное создание природы, *я люблю мужчин!* Но женщины, которые стремятся быть наравне с мужчинами, проигрывают им в честолюбии и теряют свою оригинальность. Мы не хотим быть *похожими* на кого-то; мы хотим быть самими собой.

В замечательной книге Дж. Л. Форер, которая называется «Что должна знать каждая женщина, прежде чем связываться с мужчинами и с деньгами», есть такие слова: *«Задача женщины —* не соревнование с мужчиной, но утверждение себя как состоявшейся личности *женского* пола, пользующейся *всеми* гражданскими правами и привилегиями в своей стране и помимо этого некоторыми особыми и приятными преимуществами своего положения как женщины».Мы хотим найти в себе скрытые резервы и внутреннюю связь с Космосом. Мы хотим обнаружить в себе нашу Внутреннюю Сущность и реализовать ее. Каждая из нас владеет драгоценным даром мудрости, любви, покоя и радости. И эти сокровища лежат совсем рядом. Чтобы найти их, нам нужно только поглубже заглянуть в собственную душу. И сделать новый выбор. Мы, женщины, привыкли к тому, что у нас ограниченный выбор возможностей. Многие замужние женщины глубоко страдают от одиночества из-за ощущения упущенных возможностей. Они делают то же, что делала когда-то я, а именно: смотрят на мужчину и говорят: «Что я должна думать и как поступать?» Помните, чтобы изменить свою жизнь, мы должны прежде всего мысленно сделать новый выбор. Как только меняется наше мышление, окружающий мир начинает реагировать на нас по-другому.

Пользуйтесь своими сокровищами

Итак, я прошу вас заглянуть в себя и изменить свой образ мыслей. Найдите внутри себя сокровища и воспользуйтесь ими. Сокровища внутри нас — это великолепный природный дар, которым мы можем щедро поделиться с жизнью. Пользуйтесь своими сокровищами *каждый день*.

Относитесь к себе с вниманием и любовью, как к лучшему другу. Раз в неделю назначайте себе свидание и не пропускайте его. Сходите в ресторан или в кино, или в музей, или займитесь спортом, который вам особенно приятен. Оденьтесь нарядно. Поставьте на стол самую лучшую посуду. Наденьте самое красивое нижнее белье. Не жалейте ничего для хорошей компании. Составьте компанию *самой себе*. Не поскупитесь на маску для лица и массаж; ухаживайте за собой. Если у вас мало денег, пусть вам сделает массаж кто-то из друзей.

Будьте благодарны жизни за все. Совершайте наугад добрые поступки. Заплатите за кого-то в автобусе. В общественном туалете подберите с пола бумажные полотенца, вытрите раковину, выбросьте бумагу в мусорное ведро, чтобы следующему посетителю было приятно зайти сюда. Гуляя по набережной или в парке, подбирайте валяющийся мусор. Подарите цветок незнакомому человеку. Поговорите с бездомным. Помолитесь о преступнике. Скажите кому-нибудь добрые слова. Почитайте вслух одинокому старику. Делать добро очень приятно.

Мы рождаемся и умираем в одиночестве. В промежутке между рождением и смертью мы сами выбираем свой путь. Наши творческие возможности безграничны. Мы хотим испытывать радость от осуществления наших потенциальных возможностей. Многим из нас с детства внушали, что мы не способны позаботиться о себе. Как хорошо сознавать, что мы умеем это делать. Говорите себе: «Что бы ни случилось, я знаю, что смогу с этим справиться».

Мы хотим создать в себе богатый внутренний мир. Пусть ваши мысли станут вашими лучшими друзьями. Большинство людей постоянно возвращаются к одним и тем же мыслям. Подсчитано, что ежедневно мы обдумываем в среднем 60 000 мыслей и большинство из них те же, что были вчера и позавчера. Так складывается привычный негативный стереотип мышления. Живите каждый день с новыми мыслями. Пусть эти мысли будут творческими. Придумывайте новые способы решения старых дел. Выработайте крепкую жизненную философию, на которую вы сможете опереться в любых случаях. Моя личная философия такова:

1. Я всегда в безопасности, и Бог хранит меня.
2. Мне открывается истина обо всем, что мне нужно знать.
3. Все, в чем я нуждаюсь, приходит ко мне в нужный день и час.
4. Жизнь — это радость, и она полна любви.
5. Я люблю и любима.
6. Я здорова и полна жизненных сил.
7. Все, что я делаю, приносит мне успех.
8. Я хочу измениться и духовно вырасти.
9. Все уже хорошо в моем мире.

Я часто повторяю эти фразы. Как только у меня что-то не ладится, я произношу их снова и снова. Например, когда мне не по себе, я повторяю: «Я здорова и полна жизненных сил», пока не почувствую себя лучше. Если я иду одна по темной улице, то повторяю про себя: «Я всегда в безопасности, и Бог хранит меня». Эти убеждения вошли в меня настолько прочно, что я могу прибегнуть к ним в любую секунду. Напишите по порядку утверждения, отражающие на сегодняшний день вашу жизненную философию. Вы всегда сможете внести в этот перечень изменения и дополнения. Создайте собственные законы лично для себя и живите по ним уже сейчас. Создайте свой собственный безопасный и надежный мир. Единственная сила, которая могла бы повредить вам или разрушить ваш мир, это ваши собственные мысли и убеждения. А мысли и убеждения можно изменить.

В настоящий момент у вас есть идеальный партнер — это вы сами! Именно такой образ вы себе выбрали, прежде чем появиться на свет для этой жизни. Теперь вы проведете вместе целую жизнь. Наслаждайтесь взаимоотношениями с самой собой. Пусть они будут прекрасны и полны любви. Любите себя. Любите свое тело — вы сами его выбрали, и оно будет с вами до конца жизни. Если вам хочется изменить что-то в собственной личности, измените. Сделайте это с любовью и с улыбкой, смейтесь побольше.

Все это является частью эволюции нашей души. Я верю, что нам повезло и мы вовремя появились на свет. Просыпаясь каждое утро, я благодарю Бога за счастье жить на земле и за все, что происходит в моей жизни. Я верю, что меня ждет *хорошее* будущее.

Аффирмации для женщин

(выберите те аффирмации, которые придают вам силу и уверенность в себе. Ежедневно повторяйте хотя бы одну из них.)

Я постоянно открываю в себе замечательные качества.
Я вижу свою великолепную внутреннюю сущность.
Я мудрая и красивая женщина.
Я любуюсь собой.
Я твердо решила любить себя и радоваться себе.
Я единственная и неповторимая для самой себя.
Я отвечаю за свою жизнь.
Я расширяю свои возможности.
Я свободна и могу реализовать себя как личность.
У меня прекрасная жизнь.
Моя жизнь наполнена любовью.
Любовь в моей жизни начинается с меня самой.
Я распоряжаюсь своей жизнью.
Я — сильная женщина.
Я заслуживаю любви и уважения.
Я никому не принадлежу; я свободна.
Я стремлюсь узнать новое в жизни.
Я твердо стою на ногах.
Я сознаю свою силу и пользуюсь ею.
Мне хорошо быть одной.
Я наслаждаюсь всем, что у меня есть.
Я люблю и ценю себя.
Мне нравятся другие женщины, я их люблю и поддерживаю.
Я полностью удовлетворена своей жизнью.
Я изучаю любовь во всем ее многообразии.
Мне нравится быть женщиной.
Мне нравится, что я живу именно здесь и сейчас.
Я наполняю свою жизнь любовью.
Я воспринимаю жизнь как уникальный дар.
Я ощущаю собственную целостность и совершенство.
Я в безопасности, вокруг меня все хорошо.
Я очень сильная женщина, достойная любви и уважения.

Я хочу увидеть себя во всем великолепии

Я делаю сознательный выбор и исключаю все негативные, разрушительные и страшные мысли и идеи, которые мешают мне реализовать свои великолепные возможности и стать той женщиной, какой мне предназ-

441

начено быть. Сейчас я самостоятельна и независима в выборе решений. Я обеспечиваю себя всем необходимым. Я могу спокойно расти и совершенствоваться. Чем больше я утверждаю себя как личность, тем больше меня любят люди. Я встаю в ряды тех женщин, которые исцеляют остальных женщин. Я призвана осуществить благородную миссию на этой планете. Мое будущее светло и прекрасно. И так оно и есть!

Глава 3

ЗДОРОВОЕ ТЕЛО, ЗДОРОВАЯ ПЛАНЕТА

*Я забочусь о своем драгоценном теле,
обеспечивая его питательными продуктами и большим
количеством физических упражнений.
Я люблю каждую частицу своего тела. Мой организм
всегда знает, как себя лечить.*

Сад исцеления

Я физически ощущаю свою причастность к жизни. Я нахожусь в гармонии с временем года, с погодой, с почвой, со всеми растениями и живыми существами, обитающими на земле, в океане и летающими по воздуху. По-другому и не может быть. Все мы живем на одной земле, дышим одним воздухом и пьем одну воду. Мы тесно связаны между собой, полностью взаимозависимы.

Я особенно ясно чувствую единство с природой, когда любовно возделываю почву в своем саду, сажаю растения и собираю урожай. Я могу взять маленький клочок бросовой необработанной земли и шаг за шагом превратить его в отличный плодородный участок, где будут существовать все формы жизни. Точно так же мы берем отдельную часть нашего сознания, заполненного разрушительными мыслями и стереотипами, и, возделывая его определенным образом, создаем почву для здоровой полноценной жизни. Позитивные мысли и любовь порождают добро и благополучие. Негативные мысли, ненависть и страх способствуют возникновению заболеваний.

Мы можем исцелить наш ум. Мы можем исцелить наши души. Мы можем исцелить нашу землю. Мы можем помочь оздоровить всю планету, чтобы на ней всем нам было радостно и легко жить. Но для этого нам прежде всего надо научиться себя любить. Люди, которые не уважают самих себя, редко относятся с уважением к окружающей среде и даже не чувствуют необходимости заботиться о ней. Пока мы не полюбим природу и не станем жить в согласии с ней, мы не сможем превратить нашу землю в плодоносящий сад. Когда вы увидите в своем саду дождевого червя, знайте, что вы создали природные условия для поддержания жизни.

Земля поистине наша мать, и в наших интересах уберечь ее от гибели. Земле нет дела до процветания человечества. Мать-Земля прекрасно обходилась и без нас задолго до нашего появления на этой планете. Если мы не достигнем с ней взаимной любви, то окончательно погубим себя. Пришло время, когда нам нужно остановить процесс разрушения.

За последние два века так называемого «технического прогресса» мы произвели на земле такие глобальные разрушения, каких она не знала за всю историю цивилизации. Менее чем за 200 лет планете был нанесен больший вред, чем за предыдущие 200 000 лет. Это никак не свидетельствует о правильности выбранного нами пути и о мудрости наших правителей.

Нельзя срубить дерево и полагать, что количество кислорода в атмосфере останется на прежнем уровне. Нельзя сливать в реки и озера химические отходы и думать, что это никак не отразится на нашем здоровье. Нам и нашим детям придется теперь пить загрязненную воду. Нельзя бесконечно выбрасывать в атмосферу ядовитые вещества и полагать, что воздух очистится сам собою. Мать-Земля старается изо всех сил, сопротивляясь разрушительной деятельности человека.

Каждому из нас необходимо установить доверительные отношения с природой. Поговорить с ней. Спросите Мать-Землю: «Как я могу тебе помочь? Как мне получить твое благословение и самому благословить тебя?» Мы хотим любить этот маленький шарик, несущийся в бесконечном пространстве. Это все, что у нас есть. Если не мы, то кто еще позаботится о нем? Где мы будем жить? Мы не имеем права выходить в открытый космос, если мы не можем позаботиться о собственной планете.

Природа обладает разумом, но он существует в другом временном измерении. Его не интересует судьба человечества. Природа — великий учитель для тех, кто умеет прислушиваться к ней. Но что бы люди ни делали, жизнь на земле не прекратится. Природа вечна. А вот человечество вполне может вернуться к первобытному состоянию, если мы не изменим своего образа жизни. Каждый человек, независимо от того, как и где он живет, связан с природой тесными узами. Позаботьтесь о том, чтобы в этих взаимоотношениях присутствовали любовь и поддержка.

Моя философия в отношении питания

Мы снимаем урожай и получаем из него продукты питания. Здоровому человеческому организму подходит простая пища, приготовленная из нескольких ингредиентов. Мне кажется, что мы, американцы, отвыкли от здоровой пищи, пристрастившись к готовым продуктам, съедаемым на ходу. Мы самая ожиревшая и больная нация во всем западном мире. Мы поедаем огромное количество жирной, специально обработанной пищи, в которой полно химических добавок. В ущерб собственному здоровью мы помогаем компаниям — производителям продуктов питания. Наибольшим спросом в супермаркетах пользуются пять видов продуктов: кока-кола, пепси-кола, быстрорастворимые супы фирмы Кэмпбел, плавленый сыр и пиво. В них содержится большое количество сахара и/или соли. Ни один из этих продуктов не полезен для здоровья.

Компании по производству молочной и мясной продукции, не говоря уже о табачной промышленности, настойчиво предлагают свои товары, попутно внушая нам, что чем больше мы потребляем молока и мяса, тем лучше для нас. Тем не менее именно избыточное потребление мясных и молочных продуктов более всего способствует стремительному распространению раковых и сердечных заболеваний в нашей стране. Широкое применение антибиотиков в неразумных дозах приводит к появлению новых, не известных ранее болезней. Антибиотики убивают жизнь! Медики единогласно признают, что у них нет средств лечения этих новых болезней, поэтому они обращаются за помощью к фармацевтическим компаниям, а те мучают животных, испытывая на них свои новые препараты. Целью этих экспериментов является изобретение химического средства, которое только усилит разрушение иммунной системы человеческого организма.

443

В молочной промышленности применяются методы генной инженерии, позволяющие синтезировать гормоны искусственным путем. Сейчас становится опасным для здоровья употреблять в пищу такие молочные продукты как йогурт, сливочное масло, сыр, мороженое, супы-пюре, майонез и все прочие приготовленные на молоке продукты, включая и наши любимые оладьи. Производством гормонов занимаются те же фармацевтические компании. Вам не должно быть безразлично, какое молоко вы покупаете, поэтому узнайте, содержит ли оно искусственно синтезированные гормоны. Спросите об этом продавца, он обязан дать вам ответ.

Выясните, каким мороженым вы кормите своих детей, чтобы оно не оказалось для них ядом замедленного действия. Раньше мороженое делали исключительно из цельного молока, яиц и сахара. Теперь от производителей мороженого не требуют указывать на этикетке все синтетические ингредиенты, входящие в состав данного продукта.

Мое главное правило в еде таково: ешь только то, что растет, и не ешь того, что не растет. Фрукты, овощи, орехи и злаки растут. Сникерсы и кока-кола не растут. Все, что растет естественным образом, питательно для вашего организма. Искусственно произведенные и химически обработанные продукты не могут поддерживать жизнь. И не важно, насколько красиво и заманчиво выглядит картинка на упаковке, в содержимом этой упаковки нет жизни!

Наше тело состоит из живых клеток, а значит, им требуется живая пища, чтобы нормально расти и размножаться. Жизнь уже приготовила для нас все необходимое, чтобы кормить наш организм и оставаться здоровыми. Чем проще будет наша пища, тем лучше.

Мы представляем из себя то, что мы едим, и о чем мы думаем. Что мы даем, то мы и получаем. Хорошо зная об этом, я часто задаю себе вопрос: «Интересно, какова карма у тех предпринимателей, которые намеренно производят продукты питания, вредные для здоровья людей, или у тех производителей сигарет, которые добавляют в табак особые вещества, усиливающие никотинную зависимость у курящих?»

Нам следует обратить внимание на то, что мы даем своему организму! Кто, кроме нас, будет это делать? Мы предотвращаем болезни сознательным отношением к жизни. Некоторые люди рассматривают свое тело как машину, с которой можно обращаться как попало, а затем сдать в ремонт!

Мой путь к исцелению

В середине 70-х врачи обнаружили у меня рак. Именно в это время я стала отдавать себе отчет в том, что в моем сознании бродит множество отрицательных мыслей. К сожалению, кроме этого мой организм был сильно засорен шлаками из-за неправильного питания.

Я понимала, что для моего исцеления необходимо выполнить два условия: избавиться от отрицательных убеждений, которые усиливали мое нездоровое физическое состояние, и одновременно изменить образ жизни и питание, о чем я прежде мало задумывалась.

Я сразу избрала себе метафизический холистический путь исцеления. Я попросила лечащего врача отложить мою операцию на полгода под тем предлогом, что за этот срок я накоплю денег на операцию. Затем я нашла замечательного врача-диетолога, который многому научил меня.

Он прописал мне строгую диету преимущественно из сырых продуктов, и я была так напугана своим диагнозом, что следовала ей буквально в течение шести месяцев. Я поедала брюссельскую капусту и протертую спаржу в огромных количествах, прочищала свою толстую кишку, делала себе кофейные клизмы и занималась рефлексотерапией. Я также много ходила пешком, молилась и занималась интенсивной психотерапией, избавляясь от стереотипов, связанных с детскими обидами. Самое главное заключалось в том, что я повторяла упражнения «на прощение» и училась любить себя. В результате моих занятий я стала понимать правду о своих родителях, представив себе картину их детства. Как только я поняла, какими несчастными детьми они были, я смогла простить им все.

Не скажу точно, что именно исцелило меня, но шесть месяцев спустя врачи были вынуждены признать то, что я уже знала сама: у меня не осталось никаких следов рака!

Здоровое питание

С тех пор я испробовала на себе много различных холистических методик и, сравнивая их между собой, выяснила, какие из них в наибольшей степени соответствуют моему образу жизни. Я узнала, что при всей моей любви к макробиотической пище, ее приготовление отнимает у меня слишком много времени. Я также высоко оценила программу сыроедения, разработанную диетологом Анной Вигмор и другими специалистами. По моему мнению, сырая пища очень вкусна и прекрасно очищает организм. Летом я с удовольствием ем много сырых овощей и фруктов, но в зимнее время мне приходится ограничиваться небольшими количествами, так как я имею склонность мерзнуть.

Прекрасным вариантом здорового питания является метод сочетания продуктов, описанный в книге Харви и Мэрилин Даймонд «Годится для жизни». Эти авторы рекомендуют есть на завтрак только фрукты и избегать одновременного приема в пищу крахмалов и протеинов, т. е. продукты, богатые протеинами, следует сочетать с овощами, а мучные продукты — с фруктами. Для полного переваривания каждой группы продуктов требуются энзимы (ферменты) определенного типа. Когда крахмалистые вещества и протеины поступают в желудок одновременно, в нем начинают вырабатываться разные типы пищеварительных ферментов, взаимоисключающие друг друга, в результате чего пища усваивается лишь частично. Система раздельного питания не только улучшает пищеварение, но и помогает сбросить вес!

Проверив на себе разные системы питания, более или менее подходящие вашему организму, можно разработать собственную индивидуальную диету.

Что касается меня, то результаты моего нового подхода к проблемам питания не замедлили сказаться на всей моей жизни. Когда я начала интересоваться диететикой, меня потянуло на здоровую пищу. Точно так же, стоило мне начать осознавать законы жизни, как у меня появились более здоровые мысли. Сейчас мне уже под семьдесят, но энергии во мне больше, чем было 30 лет назад. Я могу весь день проработать в саду, поднимая 40-фунтовые мешки с компостом. Я знаю, что, почувствовав приближение простуды, я легко от нее избавлюсь. Если случится так, что я переусердствую в еде и выпивке на вечеринке, то на следующий день я точно знаю, что мне нужно съесть, чтобы восстановить свою энергию. В общем, я веду более здоровую и счастливую жизнь!

Последите за своей диетой

Наш организм выходит из равновесия, когда его перекармливают специально обработанными продуктами и стимуляторами. Пшеничная мука и сахар не полезны для здоровья, то же самое относится к мясным и молочным продуктам, если потреблять их чрезмерно. Все они нагружают организм, отравляя его токсинами. На физиологическом уровне артрит — это болезнь токсического происхождения: организм страдает от избытка кислот. Первым шагом на пути к выздоровлению является диета, богатая злаками, овощами и свежими фруктами.

Кроме того, вам действительно нужно обратить внимание на то, что вы едите и как вы себя чувствуете после еды. Так, например, если через час после ленча вас тянет ко сну, это очевидный признак того, что вы съели что-то неподходящее. Начните записывать, какие виды пищи придают вам бодрость и энергию, и ешьте побольше таких продуктов. Проследите, какие продукты снижают ваш тонус, и исключите их из своего рациона.

Если вы страдаете различными аллергиями, то я первым делом задам вам вопрос на метафизическом уровне, а именно: «На что у вас аллергия?» На уровне физическом вы скорее всего захотите обратиться к хорошему врачу-диетологу. Если вы не знаете, где его найти, я бы предложила вам зайти в ближайший магазин здоровой пищи и посоветоваться с сотрудниками. Они всегда знают, где расположен местный Центр здорового питания. Я заранее считаю хорошим специалистом того врача, который может рекомендовать мне диету, соответствующую моим индивидуальным особенностям, а не стандартную диету для всех и каждого.

Я нахожу, что коровье молоко не полезно для организма и его можно заменять соевым молоком, которое все чаще продается в супермаркетах. Поскольку мой организм не совсем хорошо усваивает соевые продукты, я использую рисовое молоко под названием «Райс Дрим». Его можно пить просто так или готовить на нем разные блюда, особенно хорошо получаются десерты из молока с запахом ванили. Я часто заправляю этим молоком хлопья для завтрака (иногда я заменяю молоко яблочным соком).

Я считаю, что пост и голодание являются прекрасным средством очищения. Один или два дня на фруктовых или овощных соках или отварах с содержанием калия произведут чудесное действие на организм, однако я думаю, что более длительное голодание можно проводить **только под наблюдением опытных специалистов в этой области.**

Если вы решили начать с соковой диеты (или просто хотите всегда иметь свежий вкусный сок), то заведите в доме соковыжималку. Мне лично нравится «Чэмпион Джусер». Это большая, мощная и долговечная машина. Насколько я знаю, это единственный тип соковыжималки, в которой можно измельчить замороженные фрукты так, чтобы они по вкусу напоминали мороженое или шербет. Ее также легко мыть. Главная хитрость в отношении соковыжималок заключается в том, что их надо мыть немедленно после использования. Промойте свою машину *перед* тем, как выпить сок. Если вы не сделаете этого сразу, остатки продуктов застрянут в отверстиях и прилипнут, отмыть их будет очень трудно. Существуют также соковыжималки с центрифугой, в которых хорошо обрабатывать небольшие количества фруктов и овощей. Однако их трудно мыть, и они не рассчитаны на приготовление большого количества сока.

Как только выдается такая возможность, я провожу один день в неделю лежа в постели. Я отдыхаю, читаю или пишу за компьютером. В этот день я ем мало, иногда только пью жидкость. На следующий день я чувствую себя обновленной, полной энергии. Это проявление моей любви к себе.

Да, время от времени я позволяю себе немного мяса. Хотя я предпочитаю питаться овощами, я не являюсь вегетарианкой в полном смысле слова. Моему организму требуется мясо один-два раза в неделю, но я стараюсь есть или новозеландскую баранину, или говядину (не выращенную на гормонах), или телятину (бывшую на свежем выгуле), иногда я ем цыпленка или рыбу.

Я также постепенно сократила употребление сахара и чаще всего обхожусь без него совсем. Когда я готовлю дома, я использую продукт под названием ФРУТСОРС, натуральный растительный заменитель сахара. Лично я никогда не употребляю искусственные заменители сахара, которые вы видели на столиках в ресторанах. Если вы прочтете этикетки на них, то узнаете, что этот продукт вреден для здоровья.

Как справиться с нездоровым аппетитом

Пристрастие к определенным типам еды всегда свидетельствует о каком-то нарушении баланса в вашем организме. Как раз на эту тему доктор наук Дорис Верту написала книгу, которая называется «Вам постоянно хочется вкусненького: что это означает и как с этим справиться». Стараясь восполнить недостаток каких-то веществ, ваш организм настойчиво требует определенной еды. Например, избыток протеина может спровоцировать постоянную потребность в сладостях, а недостаток магния вызывает страсть к шоколаду. Сбалансированная диета с большим количеством свежих овощей, фруктов и злаков поможет нормализовать ваши вкусовые ощущения, и вы почувствуете, что страстное желание поесть «вкусненького» начнет отступать.

Некоторые люди обнаруживают, что им больше всего хочется чего-нибудь жирного и калорийного. Вы, вероятно, уже много знаете из последних сообщений в прессе о «жирных граммах» и о том, что избыточный жир вызывает закупорку артерий, болезни сердца и, разумеется, увеличение веса. К сожалению, большинство из нас с детства приучены к высококалорийной диете, поэтому нам так трудно перейти на простую пищу. Мы думаем, что жирная еда — это нормально и вкусно. Хорошо поджаренный двойной гамбургер насыщен жирами и солью. Тем не менее после трехдневного голодания на соковой диете простая пища кажется очень вкусной. Итак, если вы испытываете пристрастие к жирным продуктам, попробуйте одну из этих аффирмаций:

Мне нравится простая натуральная пища.

Еда, полезная моему организму, очень вкусна.

Я люблю быть здоровой и энергичной.

Возможно, первую неделю будет трудно продержаться на низкокалорийной диете, но по мере того как вы будете питаться овощами, фруктами и злаками с минимальным количеством приправ, ваши вкусовые ощущения начнут меняться. Приучайте себя к заменителям соли. Существует такой продукт как «Вег-Сол», в котором совсем мало соли и много овощных добавок. Также пользуются популярностью приправы «Веджит» и «Миссис Дэш». Хорошая вещь «Спайк», хотя в ней содержатся дрожжи. Но, пользуясь этими заменителями, не забывайте приучать себя понемногу уменьшать дозу, делайте это каждый день, пока не научитесь получать удовольствие от натурального вкуса пищи. Полезно включить в свой рацион морские водоросли, их выпускают в гранулах под названием «Морские Приправы».

Исцеление от болезней, связанных с питанием

В письмах, которые я получаю отовсюду, люди постоянно задают вопросы о каких-то конкретных продуктах питания или о вещах, так или иначе связанных с правильным питанием. Поэтому я хочу поделиться с вами моими соображениями по этому поводу, но только имейте в виду, что я высказываю свое личное мнение.

Анорексия

Я считаю, что одной из причин анорексии (потери аппетита) является ненависть к себе в чистом виде, которая сопровождается чувством незащищенности и внутренним дискомфортом. Бывает так, что в детстве люди начинают думать, что с ними что-то не так, и пытаются найти этому объяснение, обвиняя себя в различных недостатках, например: «Будь я стройной, то я могла бы любить и была бы красивее и умнее», и тому подобное. Тем, кто страдает от анорексии, необходимо признать тот факт, что с ними все в порядке и они действительно могут любить и, самое главное, должны любить себя.

Булимия

Причины заболевания булимией очень схожи с теми, которые вызывают анорексию, и тоже носят ментальный характер. Отличие заключается в том, что при анорексии больной безнадежно стремится похудеть, а при булимии пытается сохранить фигуру любой ценой. Человек, страдающий булимией, запихивает в себя свои чувства, а затем искусственно вызывает рвоту, чтобы избавиться от них. В обоих случаях речь идет о маленьком ребенке, который находится внутри нас и которому отчаянно не хватает любви. Людям, страдающим булимией или анорексией, необходимо понять, что только они сами могут дать любовь и одобрение ребенку внутри себя. Самоуважение и высокая самооценка исходят изнутри и не имеют никакого отношения к нашей внешности.

Одним из лучших способов лечения обеих этих болезней является групповая психотерапия, направленная на внушение любви к самому себе. Это создает идеальную обстановку для того, чтобы обнаружить в себе ложные убеждения и понять, что другие люди действительно нас любят и принимают такими, какие мы есть. Когда мы учимся себя любить, мы автоматически начинаем заботиться о себе и выбирать ту пищу, которая нам наиболее полезна. Сама по себе здоровая питательная пища не поможет несчастному внутреннему ребенку поверить в то, что его любят.

Переедание

Я уверена, что мы набираем вес потому, что наш организм отравлен токсинами. Мы слишком долго запихивали в себя все что попало. Нет никакого смысла садиться на жестокую диету для похудения, потому что, ограничив себя на время, вы затем быстро наберете свой прежний вес. Лучшее решение проблемы — это стремление к здоровой жизни и привычка к правильному питанию. Уже одно это поможет избавиться от лишнего веса. И если вы будете продолжать есть здоровую пищу, ваш вес будет постоянным. (Книга Дорин Вирту «Как сбросить килограммы боли» будет полезна тем, кто хочет разорвать замкнутый круг обид, стресса и обжорства.)

Строгие диеты являются разновидностью ненависти к себе. В них не отражается любовь к самому себе, и они не приводят к коренным изменениям в жизни. Если вы по-настоящему себя любите, то диета не нужна: изменения происходят автоматически. Книга Сондры Рей «Единственная диета, которую я знаю» научит вас, как избавиться от отрицательного образа мыслей во время диеты.

Если ваши дети питаются чем попало и страдают от ожирения, подайте им хороший пример. Не держите дома вредных продуктов и учитесь правильному питанию вместе с детьми. Пусть они выбирают себе то, что им нравится, из числа тех продуктов, которые им полезны. Проверьте, как различные продукты влияют на ваше здоровье и на здоровье детей. Сделайте так, чтобы ваш новый подход к питанию стал поучительным и интересным экспериментом. Пусть ваши дети каждую неделю проводят с вами урок правильного питания.

Уважайте своих детей и помните, что это вы, родители, покупаете в дом продукты и следите за тем, чем питается ваша семья. Однако чрезмерная полнота детей обычно связана с такой психической проблемой, как чувство незащищенности. Постарайтесь понять, в чем причина такого сильного беспокойства у ваших детей, что для защиты от него им нужен лишний вес. Может, вы слишком строги к ним? Где прервалась связь между вами? Полнота у детей обычно имеет гораздо более глубокие причины, чем переедание.

Конечно, здесь нельзя не сказать, что развитие сети ресторанов типа закусочных и бистро принесло огромный вред здоровью наших детей. У нас сейчас много нездоровых растолстевших детей, но еще хуже то, что в перспективе они станут взрослыми, которые будут считать нормальным потребление высококалорийной непитательной пищи. Неудивительно, что вся нация страдает от ожирения. Среди населения нашей страны 56 миллионов людей с избыточным весом. Потребление продуктов с высоким содержанием жира и сахара способствует тому, что у детей развивается гиперактивность, подростки неуправляемы, и многие американцы оказываются в тюрьмах. Поэтому нам не нужны диеты: нам просто нужно вернуться к натуральной здоровой пище.

Гипогликемия

Люди, которые страдают от гипогликемии (диабета), часто чувствуют усталость от жизни; им кажется, что они не в силах справиться со своими проблемами. В этом обычно присутствует момент жалости к себе, выражаемый общей фразой: «Что я могу с этим поделать?!»

Люди, находящиеся в таком состоянии, должны принимать пищу постоянно и небольшими порциями. Им необходимо поддерживать уровень сахара в крови, чтобы сохранять энергию. Тем не менее им категорически нельзя сладкого, потому что от этого уровень сахара в крови может резко повыситься, а затем так же резко упасть, в результате чего человек впадает в коматозное состояние. В этом случае лучше всего питаться злаками, потому что они регулируют и удерживают постоянный уровень сахара в крови в течение долгого времени. Съев на завтрак кашу из натурального зерна без сахара, вы достаточно поддержите свои силы до следующего приема пищи во время ленча. Кроме того диабетикам можно посоветовать постоянно носить с собой немного диетической еды, чтобы перекусить в течение дня. Хорошо подходят для этого сырые овощи, орехи, сухари, соевый сыр и т.п. Не стоит ограничиваться сухофруктами, они слишком концентрированны и сладки. Разумеется, квалифицированный диетолог даст вам наиболее подходящие рекомендации.

Зависимость от никотина

Я начала курить в 15 лет, и это продолжалось долгие годы. В то время мне хотелось выглядеть взрослой и загадочной. Я считала, что сигареты помогают мне успокаивать нервы, но все было как раз наоборот, от них я нервничала еще больше. Курение стало для меня способом внутренней эмоциональной защиты. Я быстро привыкла, как и большинство людей, и мне потребовалось время, чтобы навсегда отказаться от курения.

Сигареты психологически заменяют нам многие вещи. С помощью дыма мы подсознательно устанавливаем дистанцию между собой и другими, мы меньше нуждаемся в общении, легче управляем своими чувствами или даже контролируем свой вес. Не важно, отчего человек начинает курить, но, если он начал, у него возникает зависимость, которую очень трудно преодолеть. Сейчас табачные производители добавляют в сигареты особые вещества, усиливающие зависимость от курения.

Курильщики, принимающие решение избавиться от этой привычки, прибегают к различным способам. Им не обязательно вести свою борьбу в одиночестве. Самое главное — это твердое желание бросить курить. Если вы действительно хотите это сделать, то акупунктура поможет вам избавиться от потребности в никотине. Существуют также различные гомеопатические средства, например Smoking Withdrawal Relief, выпускаемый фирмой «Натра-Био», или чай Никостоп — производитель фирма «Кристал Стар». Можно также жевать корешок лакрицы. Зайдите в ближайший магазин здорового питания и узнайте, какие еще средства вам могут там предложить.

В книге «Альтернативная медицина», выпущенной специалистами из группы Бертона Гольдберга, рекомендуются солевые ванны. Растворите в воде полфунта соли Эпсома, это помогает вывести через поры кожи никотин и смолу. После ванны примите душ и вытритесь насухо белым полотенцем. Вы будете поражены, обнаружив на полотенце коричневатые следы — остатки никотина, выделившегося через кожу.

У меня есть отличная идея для всех курящих и некурящих — разослать письма во все компании, производящие сигареты, с требованием прекратить выпуск сигарет со специальными добавками, усиливающими зависимость от курения. Это очень жестокая практика, показывающая желание компаний нажить деньги за счет здоровья потребителей. Если правительство не собирается принимать запретительные меры, это должны сделать сами люди.

Простуды и лихорадки

С метафизической точки зрения любая простуда связана с умственной перегрузкой. Часто неспособность принимать четкие решения сопровождается беспорядком в мыслях и одновременным нагромождением множества дел и проектов.

На уровне физиологическом простуда объясняется чрезмерным потреблением ненатуральных продуктов питания, которые перегружают наши сосуды. Иногда говорят, что простуду надо лечить едой, а лихорадку — голодом, однако правильнее было бы сказать: «Если вы много едите, вы будете простужаться, и тогда вам *придется поголодать*, чтобы согнать температуру». Таким образом, правильным решением в этом случае является диета. Сократите свой рацион, в нем должно быть больше свежих овощей, фруктов и злаков. Откажитесь совсем от тяжелой мясной пищи и готовых обработанных продуктов. И, разумеется, ешьте поменьше молочных продуктов. Молоко создает в организме слизь. Потребление молочных продуктов усугубляет различные проблемы со слухом, а также плохо влияет на состояние легких.

Простуда является естественным природным сигналом о том, что организм нуждается в отдыхе. Он переутомлен от стресса и от еды. Если при симптомах простуды мы сразу бросаемся в аптеку покупать новейшие патентованные лекарства, значит, мы не позволяем своему организму проявить его природный ум. Мы должны прислушиваться к себе и понимать сигналы, подаваемые нашим организмом. Наше тело любит нас и хочет, чтобы мы были здоровы.

Меня каждый раз передергивает, когда я вижу по телевизору очередную рекламу нового лекарства, благодаря которому вы мгновенно поправитесь и вернетесь на работу. Жить по такому принципу все равно что погонять кнутом уставшую лошадь, заставляя ее работать еще больше. Во-первых, это не помогает, а во-вторых, это крайнее проявление нелюбви. При таком отношении к организму он долго не продержится.

Обычно лихорадка и высокая температура свидетельствуют о сильном внутреннем гневе. Физиологически лихорадка объясняется тем, что организм сжигает в себе токсины. Это способ самоочищения.

Мы так долго и упорно подавляли в себе мысли и эмоции, в частности, используя для этого лекарства, что теперь порой не понимаем своих истинных мыслей и чувств. Мы не знаем, больны мы или здоровы.

Кандидозы

Кандидозами часто страдают люди, сильно разочарованные, сердитые и неудовлетворенные своей личной и профессиональной жизнью. Поскольку они никому не доверяют, то часто бывают очень требовательными во взаимоотношениях с другими. Они стремятся только получать, ничего не давая взамен. Когда-то в прошлом они поняли, что не могут доверять самым близким людям. Теперь они не могут доверять самим себе.

По определению, данному в книге «Исцеление здоровыми методами» врачом-натуропатом Линдой Ректор-Пейдж, — «Кандидоз — это состояние внутреннего дисбаланса, а не микробная инфекция или болезнь. Возбудителем кандидоза являются штаммы дрожжей, обнаруживаемые обычно в желудочно-кишечном тракте и в области гениталий и мочевыводящих путей. В целом эти штаммы безобидны, однако при сниженном иммунитете они способны быстро размножаться, питаясь сахарами и углеводами. Они выбрасывают в кровь токсины, что грозит проблемами с далеко идущими последствиями. Усталость и стресс усугубляют состояние организма, в котором и так уже нарушено равновесие». Я настоятельно рекомендую вам прочесть «Исцеление здоровыми методами», а заодно и вторую книгу этого автора «Кулинарные советы для исцеления здоровыми методами».

Для лечения кандидоза диетологи рекомендуют по крайней мере на два месяца полностью отказаться от потребления сахара и его искусственных заменителей, хлеба, дрожжевых и молочных продуктов, фруктов, чая, кофе, уксуса и табака. В случае кандидоза действительно требуется помощь квалифицированного врача-диетолога.

Менопауза

Я считаю, что менопауза является нормальным естественным периодом в жизни. Ее нельзя рассматривать как заболевание. Во время ежемесячной менструации организм освобождается от материала, который был приготовлен для зачатия ребенка. Одновременно наружу выбрасывается большое количество токсинов. Если мы питаемся нездоровой пищей или хотя бы придерживаемся стандартного американского набора готовых продуктов, в которых 20 процентов сахара и 37 процентов жира, в нашем организме постоянно накапливаются токсины. Их количество так велико, что вряд ли мы можем это игнорировать.

Если к моменту наступления менопаузы в организме скопилось много токсинов, процесс менопаузы будет протекать с осложнениями. Значит, чем больше мы заботимся изо дня в день о своем теле, тем легче пройдет период менопаузы. Насколько трудным или легким он будет, зависит от нашего отношения к себе на протяжении всей предшествующей сознательной жизни. Чаще всего тяжело переносят менопаузу те женщины, которые долгое время плохо питались и отрицательно воспринимали самих себя.

В начале века средняя продолжительность жизни составляла 49 лет. В то время менопауза не была проблемой. К моменту ее наступления жизнь уже была на исходе. Сейчас, когда люди живут в среднем до 80-ти лет, эту тему нельзя оставлять без внимания. Все больше современных женщин предпочитают активно и ответственно заниматься своим здоровьем, вести гармоничную жизнь и хотят, чтобы такие возрастные изменения, как менопауза, происходили для них естественно и незаметно, с минимальным дискомфортом. Мы не всегда оказываемся готовыми к переменам в жизни. Когда речь идет о вещах, глубоко засевших в подсознании, многие из нас не в силах достичь того высокого уровня ответственности и обязательности, который необходим для того, чтобы привести в равновесие наши мысли и тело. Нам требуется помощь извне, от врачей или откуда-то еще, пока мы не почувствуем в себе достаточной готовности и уверенности для того, чтобы противостоять собственным внутренним убеждениям, влияющим на наше здоровье и благополучие. В нашем патриархальном обществе принято считать, что женщина, не способная осуществлять свои репродуктивные функции, приносит мало пользы либо вообще бесполезна. Поэтому неудивительно, что многие женщины так боятся и внутренне сопротивляются наступлению менопаузы. Гормональная терапия с применением эстрогена не решает этих проблем. Мы можем исцелиться только изменив наше восприятие сознательным усилием воли.

Я глубоко убеждена, что женщинам необходимо реально представлять себе все варианты решения этой проблемы. Советую всем прочитать книгу Сандры Куни «Индустрия менопаузы в медицине, построенная на эксплуатации женщин». Автор наглядно показывает, что до начала 60-х годов врачи мало занимались вопросами менопаузы. Женщинам говорили, что это чисто психическое явление. В конце концов, сам Фрейд считал менопаузу невротическим состоянием.

Нью-йоркский гинеколог доктор Роберт Уилсон основал частный фонд на средства, полученные от фармакологических компаний. С выходом его книги «Вечная женственность» в 1966 году началась широкая реклама применения эстрогена, начиная с подросткового возраста и до глубокой старости, как средства спасения женщин от «разрушения заживо» при менопаузе. В настоящее время эта пропаганда поставлена на коммерческую основу и проблемы менопаузы превратились в выгодный товар. Фармацевтические компании распространяют идею о том, что менопауза является болезнью, и успешно рекламируют средства для ее лечения.

По мнению Сандры Кони, «ни в одной другой области медицины сексизм не проявляется столь явно, как здесь. Новый взгляд на менопаузу как на болезнь внедряется намеренно с целью манипулирования общественным сознанием. Современная медицина не помогает женщине стать сильной и самостоятельной, вместо этого она превращает здоровых женщин в пациенток».

Я нисколько не отрицаю тот факт, что некоторым женщинам приносит пользу гормональная терапия по «методу замещения гормонов». Но многие врачи заранее заявляют, что всем женщинам необходимо проводить гормональную терапию от начала менопаузы и до самой смерти. Я считаю это аморальным и унизительным по отношению к женщинам в расцвете жизни. По существу стремление к достижению гармонии тела и ума делает необязательным применение лекарственного лечения с его побочными эффектами, ослабляющими природные силы организма.

Из собственного опыта могу сказать, что, когда у меня впервые случился прилив крови, я обратилась к моему другу, практикующему гомеопату. Он дал мне одну дозу гомеопатического средства, которое навсегда избавило меня от приливов. Мне сильно повезло, что этот врач так хорошо меня знал. Сейчас диетологи используют многие виды растений, которые действуют очень эффективно в этот период жизни женщины. Существуют также растительные вещества, заменяющие эстроген. Поговорите об этом с вашим диетологом.

Помните, что современные женщины выступают в роли первооткрывателей, перед которыми стоит задача изменить старые негативные стереотипы и убеждения для того, чтобы наши дочери и внучки никогда не страдали от менопаузы.

Чистая прозрачная вода. Наряду с кислородом вода является важнейшим условием нашего здоровья. Ничто не может ее заменить. Вода не только утоляет жажду, но и очищает тело. Каждый раз, когда вам захочется перекусить, выпивайте большой стакан воды, и вы принесете пользу своему организму. Наше тело на 75 процентов состоит из воды. Вода необходима каждой клетке, чтобы она могла функционировать. Я рекомендую вам научиться пить помногу, с одним единственным исключением: не пейте воду во время еды, так как она разбавляет желудочный сок и питательные вещества из пищи усваиваются хуже.

К сожалению, человечество мало дорожит своим драгоценным достоянием и загрязняет воду промышленными отходами. Вода в городских водопроводах большей частью не пригодна для питья, так как ее обрабатывают химическими веществами. В результате многие из нас перешли на бутилированную воду. В большинстве супермаркетов и даже в хозяйственных магазинах сейчас продается вода в бутылках. Я лично предпочитаю покупать во время путешествий воду из артезианских скважин. Дома у меня стоит водопроводный фильтр, очищающий всю поступающую воду, включая воду для душа. Раковина на кухне оборудована дополнительным фильтром, чтобы вода для питья проходила двойную очистку. Из всех фильтров мне больше всего нравится марка «Мульти-Пур Уотер Фильтр».

Здесь у нас, в Южной Калифорнии, случаются периоды засухи. Во время последнего засушливого сезона я послала в местную газету письмо со следующим предложением: «Будьте разумны и берегите воду!»

За долгие годы мы так привыкли бездумно пользоваться водой, щедро текущей к нам, что теперь, когда нас призывают сократить индивидуальное пользование водой на 50 процентов в период острого водного кризиса, мы не знаем, как быть. В связи с этим я предлагаю придерживаться нескольких правил «здравого смысла», которые совсем нетрудно усвоить.

1. По возможности используйте каждую каплю воды дважды. Не допускайте, чтобы вода утекала в раковину. Соберите ее для вторичного использования.

2. Мойте зелень и овощи для салата в тазу. Используйте эту воду для полива комнатных растений.

453

3. Когда вы меняете воду в собачьей миске, вылейте ее на какое-нибудь растение.

4. Перейдите на пользование экологически чистыми, нетоксичными моющими средствами, чтобы можно было использовать оставшуюся воду для растений, не нанося им вреда.

5. Пусть ваша посудомоечная машина пока отдохнет, начните снова мыть посуду руками. Вы сэкономите воду и электроэнергию. Пользуйтесь двумя тазами: одним для мытья, другим — для споласкивания. Воду от споласкивания ни в коем случае не выливайте в раковину.

6. Меняя воду из-под цветов в вазах, полейте ею комнатные растения. Они очень любят такую воду, в ней много питательных веществ.

7. Когда вы чистите зубы или умываетесь, поставьте в раковину тазик и соберите воду, для того чтобы полить растения на улице.

8. Около дверей моей кухни и ванной я держу два больших мусорных бака, куда сливаю всю лишнюю воду, которая остается после мытья посуды, ополаскивания и т. д.

9. Установите ограничитель воды на бачке в туалете. Необязательно спускать воду каждый раз, когда вы туда заходите.

10. Установите наверху душа кнопку для экономного использования воды. Облейтесь один раз, нажмите на кнопку, чтобы вода не текла, пока вы намыливаетесь, затем быстро сполоснитесь под душем.

11. Поставьте в дýше затычку и собирайте использованную воду. Вычерпывайте ее ведром и поливайте растения.

12. Возможно, вы к этому не привыкли, но вы с легкостью можете помыться в нескольких граммах воды. Собирайте воду после мытья и используйте ее в саду. Если у вас нет собственного сада, поливайте каждый день дерево под окном вашей квартиры, и вы спасете его от засухи. Выберите себе любимое дерево и регулярно поливайте его водой, которая иначе утекла бы в канализацию.

13. Прежде чем включить стиральную машину, убедитесь, что она загружена полностью.

14. Поставьте во дворе бочку для сбора дождевой воды.

15. Подумайте, как повторно использовать вашу «техническую воду». Пусть слесарь подсоединит водопроводные трубы у вас в доме таким образом, чтобы вся использованная вода из кухни и ванной могла стекать в сад.

16. Включите детей в игру и устройте семейный конкурс, кто сэкономит за день больше воды.

17. Обложите соломой корни растений в саду, тогда им потребуется меньше воды для полива.

И все же, несмотря на эти методы, часть сада может погибнуть от засухи. Помните, это только временная мера. Когда снова пойдут дожди, мы сможем сделать новые посадки.

Не забывайте также, что на планете есть еще много таких мест, где люди таскают ведрами воду из единственного колодца. Хотя теперь такое трудно представить, но будьте благодарны за то, что вода достается вам так легко. Благословляйте воду каждый раз, когда вы пользуетесь ею. Благодарите судьбу за все, что у вас есть.

Радость движения

Физические упражнения очень полезны для организма. Делайте любые движения, которые приносят вам удовольствие. Не важно, катаетесь ли вы на велосипеде, играете ли в теннис, или занимаетесь волейболом, плаванием, спортивной ходьбой, прыжками с трамплина, бегом трусцой, прыгаете через скакалку или просто играете с собакой. Движение жизненно необходимо для поддержки здоровья. Если мы совсем не занимаемся физкультурой, наши кости ослабевают; чтобы быть сильными, им необходимо движение. Мы стали жить дольше, и мы хотим легко двигаться, бегать и прыгать до последнего дня своей жизни.

Дважды в неделю я посещаю тренажерный зал, а также много работаю в саду, занимаясь тяжелым физическим трудом, который укрепляет тело. За всю свою жизнь я занималась разными видами движения: танцами в джазовом стиле, аэробикой, гимнастикой, йогой, упражнениями на трапеции и просто танцами. Теперь в нашем тренажерном зале мы больше работаем с эспандерами, чем со штангами, это надолго укрепляет мышцы. Такая форма упражнений очень хорошо подходит для моего тела. Кроме того, я регулярно хожу пешком, получая огромное удовольствие от прогулок по красивым окрестностям, которых много в Южной Калифорнии.

Если вы решили всерьез заняться физкультурой, то начинайте понемногу, для начала просто погуляйте вокруг дома после ужина. Тренируйте себя на выносливость: можете ходить побыстрей и на большее расстояние, пока не начнете проходить милю в быстром темпе. Вы будете удивлены, какие перемены произойдут в вашем теле и в мыслях, когда вы начнете заботиться о себе таким образом. Помните: все, что вы делаете для себя, это проявление любви или ненависти к себе. Физические упражнения — это проявление любви к себе. А любовь к себе — ключ к успеху в любой области вашей жизни.

В книге «Исцеление здоровыми методами» предлагается «одноминутное» упражнение для тех, у кого нет времени на занятия физкультурой в полном объеме. Просто лягте на пол. Затем встаньте на ноги, все равно каким способом. Лягте опять на пол. Повторяйте упражнение в течение одной минуты. Таким образом вы тренируете мышцы, легкие и кровеносную систему.

В книге Гарольда Блумфильда и Роберта Купера «Власть пяти» приводится много двух-пятиминутных упражнений, которые вы можете делать в течение дня. Например такое: напрягите низ живота; медленно выдыхайте до того предела, где вы обычно заканчиваете выдох; продолжайте с усилием выдыхать *весь* воздух до конца, напрягая нижние мышцы живота. Доведите ежедневное число упражнений до десяти. Делайте однодва упражнения при любой возможности, где бы вы ни находились.

Мое любимое «одноминутное» упражнение, которое я делаю, когда спешу: подпрыгнуть на месте 100 раз подряд. Это быстро, легко и приятно.

Как видите, существует много способов для того чтобы тело было гибким и не «заржавело». Двигайтесь и получайте от этого удовольствие.

Загорать или не загорать

Я знаю, что сейчас ведется много споров о том, полезно или вредно солнце. Да, с помощью солнечных лучей мы усваиваем через кожу витамин *D*. Да, я согласна, что неразумно жариться на солнцепеке целыми часами. Тем не менее человек существует на этой планете миллионы лет, и Бог распорядился так, что наше тело приспособлено к солнечным лучам. В тех районах земли, где солнце особенно жаркое, природа дала людям кожу с более темным пигментом. Коренные африканцы находятся на солнце целыми днями и не заболевают раком кожи. К сожалению, живя в современном обществе, мы настолько далеко отошли от естественных видов пищи, предназначенных для нас природой, что наш организм далеко не в порядке, это касается и наших взаимоотношений с солнцем.

Кроме того, вследствие чрезвычайно сильного загрязнения окружающей среды человеком происходит разрушение озонового слоя в атмосфере

Земли. Вместо того чтобы попытаться решить эту проблему и воспринимать воздух как бесценное достояние, мы снова в который раз прибегаем к помощи фармацевтической промышленности, и она создает солнцезащитные лосьоны и кремы. Сейчас нам советуют обязательно наносить на кожу эти химические средства перед каждым выходом на улицу. Нас даже предупреждают, чтобы мы смазывали этими искусственными веществами кожу детей и младенцев. Лично я считаю этот бум большим надувательством и пропагандой, затеянной в интересах фармацевтических компаний.

В «Исцелении здоровыми методами» сообщается о новом исследовании, где высказано предположение о том, что сами по себе солнцезащитные средства, возможно, способствуют развитию меланомы, поскольку они не позволяют коже вырабатывать витамин D. Нет никаких подтверждений тому, что солнцезащитные средства предотвращают рак, они только предотвращают солнечные ожоги. В исследовании также утверждается, что рост заболеваний меланомой прямо пропорционален увеличению продажи и использования солнцезащитных средств. Самый высокий в мире уровень заболевания меланомой наблюдается в районе Квинсленда в Австралии. Именно здесь впервые врачи настойчиво рекомендовали населению пользоваться солнцезащитными средствами.

Загорайте в меру. Чересчур долгое пребывание на открытом солнце убыстряет старение кожи, поэтому не злоупотребляйте этим. Также будьте осторожны, когда вы наносите на кожу различные химические средства, так как кожа поглощает их полностью.

Любите свое тело

Если вы внимательно прислушаетесь к сигналам, подаваемым вашим организмом, вы будете давать ему ту пищу, в которой он нуждается, делать физические упражнения и любить свое тело. Я верю в то, что мы сами создаем в себе так называемые «болезни». Тело, как и все в жизни, является отражением ваших мыслей и внутренних убеждений. Тело постоянно говорит с вами, если только вы прислушиваетесь к нему. Каждая клетка тела отзывается на любую вашу мысль, на любое произносимое вами слово.

Забота о своем теле — это проявление любви. Чем больше вы узнаете о полезном питании, тем больше вы начнете замечать, как на вас действует та или иная пища. Вы поймете, какая еда придает вам максимум энергии и сил. После этого вы будете придерживаться определенного рациона.

Я не верю в то, что болезни неизбежны и мы все должны умереть на больничной койке, — это не тот путь, который нам надлежит пройти, прежде чем мы покинем эту удивительную планету. Я считаю, что мы можем позаботиться о себе и сохранить здоровье на долгие годы.

Нам нужно с любовью и благоговением относиться к прекрасным храмам, в которых мы обитаем. Одним из наиболее вредных веществ для нашего организма является алюминий. Исследования показывают непосредственную связь между влиянием алюминия и болезнью Альцгеймера. Запомните, что алюминий присутствует не только в дезодорантах, баночном пиве и других напитках, но также в фольге и в кухонной посуде, которой вы пользуетесь. Я подозреваю, что алюминий входит в состав веществ, применяемых в производстве освежителей для рта и сухих смесей для кексов. Все эти продукты и предметы ядовиты. Неужели вы захотите кормить отравой собственное тело, которое вы любите?

Я считаю, что самое главное для тела — это помнить о том, что вы его любите. Почаще смотрите в зеркало себе в глаза. Говорите себе, что вы чудесно выглядите. Посылайте себе положительную информацию всякий раз, как увидите собственное отражение. Просто любите себя. Для этого не надо ждать, пока вам удастся похудеть, или накачать мышцы, или снизить уровень холестерина в крови. Любите себя уже сейчас. Потому что вы заслуживаете того, чтобы всегда чувствовать себя прекрасно.

Вы великолепны!

Аффирмации, выражающие любовь к своему телу

Я люблю свое тело.
Мое тело любит быть здоровым.
В моем сердце сосредоточена любовь.
В моей крови есть жизненная сила.
Каждая клетка моего тела любима.
Все мои органы работают отлично.
Я смотрю на все с любовью.
Я слушаю с пониманием и сочувствием.
Я легко и непринужденно двигаюсь.
Мои ноги постоянно танцуют.
Я благословляю пищу, которую ем.
Мой любимый напиток — это вода.
Я умею заботиться о себе.
Я здорова, как никогда прежде.
Я восхищаюсь моим чудесным телом.

Я исцелилась. Я здорова и невредима

Я прощаю себя за то, что в прошлом недостаточно хорошо относилась к своему телу. Я старалась, как могла, в меру своего понимания и тех знаний, которыми я тогда располагала. Теперь я достаточно люблю себя, чтобы брать от жизни все самое лучшее, что она предлагает. Я обеспечиваю свой организм всем необходимым для его здоровья. Я с удовольствием ем полезную пищу. Я пью много чистой воды. Я постоянно ищу новые приятные способы физических упражнений. Я люблю каждую внешнюю и внутреннюю часть своего тела. Теперь я выбираю для себя спокойные гармоничные мысли, которые создают внутреннюю атмосферу гармонии и любви, полезную для клеток моего организма. Я живу в полном согласии с окружающим миром. Мое тело — мой добрый друг, и я люблю его и забочусь о нем. Я хорошо питаюсь и ухаживаю за собой. Я хорошо отдыхаю. Я спокойно сплю. Я просыпаюсь с радостью. Жизнь хороша, и мне нравится жить. И так оно и есть!

Глава 4

ВЗАИМООТНОШЕНИЯ В ВАШЕЙ ЖИЗНИ

Наши взаимоотношения с другими — это зеркало нас самих.

Самые главные взаимоотношения

Из всех моих взаимоотношений самые длительные — это мои взаимоотношения с самой собой. Все прочие взаимоотношения приходят и уходят. Даже браки, которые длятся, «пока смерть не разлучит нас», когда-нибудь

457

кончаются. Единственный человек, который навсегда со мной, — это я сама. Мои взаимоотношения с собой продолжаются вечно. Как же я отношусь к себе? Просыпаюсь ли я по утрам с радостью, что я здесь? Хорошо ли мне наедине с собой? Нравятся ли мне мои мысли? Смеюсь ли я сама с собой? Люблю ли я свое тело? Довольна ли я собой?

Если у меня недостаточно хорошие отношения с собой, как у меня могут возникнуть хорошие отношения с кем-то еще? Если я не люблю сама себя, то я буду вечно искать кого-то другого, кто сделает мою жизнь полной и счастливой и исполнит мои мечты.

Как создавать здоровые взаимоотношения

Нуждаться в ком-либо — это верный способ вовлечь себя в неудачные взаимоотношения. В книге доктора Уэйна Дайера приводятся следующие слова: «Если в процессе взаимоотношений двух людей они становятся одним целым, то в конечном счете от каждого из них остается одна половина». Если вы ожидаете, что кто-то другой «наладит» вашу жизнь или станет вашей «лучшей половиной», вы заведомо обрекаете себя на неудачу. Прежде чем вступать в другие взаимоотношения, вам нужно быть по-настоящему счастливой и довольной собой. Вы хотите быть достаточно счастливой, чтобы не нуждаться в других взаимоотношениях в поисках счастья.

Аналогичная ситуация возникает и в том случае, если вы находитесь во взаимоотношениях с человеком, который не любит себя. Ему невозможно по-настоящему угодить. Вам никогда не удастся быть «достаточно хорошим» для человека неуверенного, неудовлетворенного, ревнивого, обидчивого и ненавидящего себя. Мы слишком часто спотыкаемся на том, что стараемся быть достаточно хорошими для партнеров, которые не умеют принимать нашу любовь, потому что не любят себя такими, какие они есть. Жизнь — это зеркало. То, к чему мы прибегаем в жизни, есть прямое отражение наших качеств и наших убеждений в отношении себя и других. Мнение о нас окружающих диктуется их собственным ограниченным видением жизни. Мы должны понять, что жизнь любит нас всегда и вне всяких условностей.

Ревнивые люди очень неуверенны в себе; они не ценят себя. Они не верят в то, что достойны уважения. Ревность по сути равна самопризнанию, выраженному в словах: «Я недостаточно хороша, я недостойна любви, поэтому я знаю, что мой партнер готов обмануть меня и бросить ради кого-то другого». Это вызывает гнев и обвинения. Если вы живете с ревнивым человеком, это означает, что вы отказываете себе в возможности иметь настоящие взаимоотношения, основанные на любви.

То же самое происходит с людьми, которые привыкли оскорблять других. Обычно они вырастают в тех семьях, где оскорбления считались нормой жизни, поэтому они просто продолжают придерживаться этой модели семейных отношений. Либо они проклинают весь мир и своих партнеров за то, что у тех отсутствует самоуважение. Люди подобного типа никогда не откажутся от своих грубых привычек, если их не лечить. В них почти наверняка присутствует глубокая обида на одного из родителей. Прощение — вот главное, чего не хватает этим людям. Они должны понять и разобраться в собственных стереотипах и захотеть их изменить.

Влияние родителей

Все мои взаимоотношения с людьми основаны на том, каковы были мои взаимоотношения с родителями. Когда я впервые это поняла, то испытала шок. Много лет назад я посещала семинар под названием «Как научиться любви во взаимоотношениях», который проводила Сондра Рей. Когда выяснилось, что мы будем работать над взаимоотношениями со своими родителями, я сначала испугалась. Но к концу занятий я поняла, что причиной моих постоянных проблем в личных отношениях является мое трудное детство. Те оскорбления, которым подвергались мы с моей матерью, чувство заброшенности и отсутствие любви в детстве — все это наложилось на мои взрослые взаимоотношения с людьми. Неудивительно, что я привлекала к себе мужчин грубого типа, неудивительно, что они всегда бросали меня, неудивительно, что я всегда чувствовала себя нелюбимой и лишней, неудивительно, что на работе мне всегда попадались начальники, которых я боялась. Я просто жила по тем правилам, которые усвоила в детстве. Этот семинар оказался очень важным для меня. Я в значительной мере освободилась от старых обид и научилась прощать. У меня намного улучшились отношения с собой. С той поры я перестала нравиться мужчинам грубого типа.

Итак, вместо того чтобы впустую говорить себе: «Все мужчины одинаково плохие» или «Все женщины одинаково плохие», давайте разберемся в тех взаимоотношениях, которые были у нас с нашими родителями, или в отношениях наших родителей между собой.

Например, что вас не устраивает в ваших нынешних отношениях с мужчинами или женщинами? Подумайте, как бы вы заполнили пропуски в следующих строках:

Он никогда _____

Он всегда _____

Она никогда _____

Она всегда _____

Мужчины не _____

Женщины не _____

Именно так поступали с вами ваша мать или отец? Ваша мать относилась к вашему отцу подобным образом? Или это похоже на то, как ваш отец относился к вашей матери? Как проявлялась любовь в вашей семье, когда вы были ребенком?

Возможно, вам придется вернуться в собственное детство и разобраться в ваших взаимоотношениях с родителями, для того чтобы растворить в себе глубоко укоренившийся страх перед любыми взаимоотношениями. Спросите себя: «От чего мне нужно отказаться ради моих взаимоотношений с кем-то? Каким образом я теряю себя, когда нахожусь во взаимоотношениях с кем-то? Какие впечатления детства создали во мне убеждение в том, что взаимоотношения всегда причиняют боль?»

Утвердитесь в любви к себе

Возможно, что вам очень трудно устанавливать дистанцию во взаимоотношениях, и другие люди этим пользуются. Может быть, вы невольно посылаете им сигнал: «Я не ценю и не уважаю себя. Меня можно оскорблять и пользоваться мною». Но с этим нужно покончить раз и навсегда. С сегодняшнего дня начните утверждаться в любви и уважении к себе.

Почаще смотритесь в зеркало и говорите себе: «Я тебя люблю». Как это ни просто звучит, это очень сильное средство исцеления. По мере того как вы будете укрепляться в любви к себе, эта любовь и уважение начнут отражаться на ваших взаимоотношениях с окружающими.

Может быть, вам стоит присоединиться к какой-нибудь группе анонимной психологической поддержки для людей с аналогичными проблемами. Занятия в группе очень полезны, они помогут вам установить границы в ваших взаимоотношениях и развить в себе самоуважение. Проверьте по телефонному справочнику, где в вашем городе проводятся подобные занятия.

Меня радует тот факт, что групповая психологическая терапия становится явлением повседневной жизни — люди собираются вместе, обсуждают схожие проблемы, стараются найти решения. Когда вы разговариваете с участниками этих групп, вы понимаете, что несмотря на все имеющиеся у них проблемы, эти люди работают над повышением качества своей жизни.

Я считаю, что в наших взаимоотношениях с другими людьми существуют зоны душевного комфорта. Они формируются в раннем детстве. Если наши родители относились к нам с любовью и уважением, мы ассоциируем понятие любви именно с таким отношением. Но если наши родители не смогли окружить нас в детстве любовью и уважением, а это бывает сплошь и рядом со многими из нас, мы учимся находить утешение в другом. Пытаясь осуществить внутреннюю потребность быть любимыми и чувствовать, что о нас заботятся, мы позволяем другим третировать себя, принимая такие взаимоотношения за любовь. Эта модель отношений становится для нас привычной, потому что она сформировалась еще в детстве и теперь мы бессознательно используем ее в наших взаимоотношениях с людьми.

Убежденность в том, что дурное обхождение равнозначно любви, в равной степени свойственно мужчинам и женщинам. Но я думаю, что это искаженное представление чаще встречается у женщин, поскольку в силу культурных традиций от женщины требуется быть чувствительной и ранимой, а значит, ей легче смириться с неблагоприятными обстоятельствами. Тем не менее сейчас ситуация меняется, и все больше мужчин начинают чувствовать свою уязвимость. Книга Робина Норвуда «Женщины, которые слишком любят» прекрасно раскрывает тему человеческих взаимоотношений. Я также рекомендую альбом аудиокассет «Как установить правильные взаимоотношения», выпущенный Барбарой Де Анжелис. Всем нам подходит аффирмация: *«Я открываю свое сердце навстречу любви и свободна от страхов».*

Самое главное — это работать над собой. Если вы хотите изменить характер своего партнера, это означает, что вы пытаетесь скрыто манипулировать им (или ею) и получить над ним власть. Это также может быть проявлением самодовольства, поскольку вы считаете себя лучше своего партнера. Позвольте вашим партнерам самим решать, какими они хотят быть. Поощряйте их в стремлении познать собственную внутреннюю сущность, обрести самоуважение, принять и полюбить себя такими, какие они есть.

Найти любовь

Если вы ищете себе партнера, я предлагаю вам составить список тех качеств, которые вы хотели бы видеть в этом человеке. Не ограничивайтесь описаниями типа: «высокий красивый брюнет» или «умная хорошенькая блондинка». Перечислите *все* качества, которые вам нравятся. Затем посмотрите на свой список и скажите, сколькими из этих качеств обладаете *вы*. Хотите ли вы развить в себе те качества, которых вам не хватает? Теперь спросите себя, какие именно ваши внутренние свойства и убеждения могут помешать вам привлечь к себе внимание этого человека. Готовы ли вы изменить эти убеждения?

Вы все еще продолжаете в глубине души верить, что не способны любить или недостойны любви? Вы отталкиваете любовь по привычке или в силу какого-то убеждения? Говорит ли вам внутренний голос: «Я не хочу такого брака, как у моих родителей, а следовательно, я не могу влюбиться»?

Возможно, вы испытываете чувство отчужденности. Нам очень трудно ощущать свою связь с другими, когда мы в значительной степени утратили связь с собой. В этом случае вам действительно пора всерьез заняться собой и делать это прямо сейчас. Подружитесь с самими собой. Выясните, что вам нравится, что вы любите делать, ухаживайте за собой и всячески балуйте. Мы так часто надеемся на других, ища в них любви и поддержки, но все, что они могут сделать, есть только отражение нашего отношения к себе.

Какими, по вашему мнению, должны быть близкие отношения, которых вы заслуживаете? Когда мы полностью полагаемся на свои чувства, мы никогда не достигаем того, чего действительно хотим; обычно это означает, что согласно нашей системе убеждений мы «не заслуживаем» любви. Неужели вы действительно убеждены в том, что не можете иметь то, что по-настоящему хотите? Эта мысленная установка не должна больше вами руководить. Вы можете изменить ее уже сейчас.

Запишите на отдельных листах бумаги по порядку следующее: «Что я думаю о мужчинах», и далее — о женщинах, о любви, о супружестве, об обязанностях, о верности, о доверии, о детях. Эти записи наглядно покажут вам те отрицательные убеждения, которые вам необходимо изменить. Возможно, вы будете изумлены, увидев, какие мысли скрываются в вашем сознании. Избавьтесь от них, и вы с радостью обнаружите, что ваши взаимоотношения с людьми начнут складываться по-другому.

Интересно отметить, что, по словам многих психологов, большинство людей, которые приходят к ним на прием, обязательно задают как минимум один из трех вопросов. Эти вопросы повторяются постоянно: «Как мне наладить взаимоотношения?», «Как мне избавиться от взаимоотношений?», «Как мне улучшить свои финансовые дела?»

Если вы действительно стремитесь разорвать взаимоотношения с кем-то, то воспользуйтесь очень сильным способом: благословение с любовью. Утверждайте: *«Я благословляю тебя своей любовью и отпускаю тебя. Мы оба свободны»*. Повторяйте эти слова почаще. Затем четко определите, чего вы действительно хотите во взаимоотношениях. Запишите это, если нужно. Одновременно продолжайте работать над собой, утверждаясь в любви к себе. Любите и принимайте других людей полностью, какие они есть. По мере того как будут меняться ваши внутренние убеждения, вы обнаружите, что в вашей жизни совершенно непроизвольно происходит следующее: другие люди будут либо соответствовать вашим желаниям, либо совсем исчезнут из вашей жизни. Причем расставание с ними будет проходить гладко и безболезненно. Всегда начинайте с любви и принятия самого себя... и все остальное изменится. Используйте аффирмацию: *«Теперь я начинаю понимать, какой я замечательный человек. Я люблю себя и радуюсь себе»*.

Для того чтобы вступить в новые взаимоотношения, очень важно решительно разобраться со старыми. Если вы постоянно думаете и говорите о своей прошлой любви, вы еще не свободны и не готовы для новой любви. Иногда мы обожествляем прошлую любовь, чтобы защитить свои чувства и не быть уязвимыми. В книге Марианны Уильямсон «Возвращение к любви» замечательно показан чуткий внутренний барометр, определяющий наш выбор решений. Автор утверждает, что во всех наших взаимодействиях с другими людьми мы либо «движемся в направлении любви, либо удаляемся от нее». В идеале, чтобы быть счастливыми, мы хотим принимать такие решения в жизни, которые ведут нас в направлении любви.

Работая над устранением препятствий, стоящих между вами и вашими взаимоотношениями, относитесь к себе так же нежно и романтически, как это мог бы делать ваш любовник. Восхищайтесь своей необыкновенностью. Ухаживайте за собой. Оказывайте себе небольшие знаки внимания и любви. Покупайте себе цветы, красивые вещи и любимые духи, чтобы доставить себе удовольствие. Жизнь всегда является отражением наших внутренних чувств. Благодаря вашим усилившимся романтическим настроениям и внутреннему ощущению любви, вы станете гораздо интереснее и обязательно привлечете к себе именно того, кто вам нужен. Но самое главное это то, что роман с этим человеком не помешает вам оставаться самостоятельной личностью.

Конец взаимоотношений

Закончившийся роман часто причиняет нам сильную боль. Мы без конца упрекаем и наказываем себя. Мы думаем, что сами виноваты в том, что партнер хочет уйти от нас, и эта мысль часто приводит нас в глубокое отчаяние. Однако причина совсем не в том, что мы недостаточно хороши. Любые взаимоотношения являются жизненным опытом, который учит. Какую-то часть жизни мы проводим вдвоем с кем-то. Пока это возможно, мы делим с этим человеком общую энергию и все остальное. В совместной жизни мы оба учимся, насколько можем. Затем наступает время расставания. Это нормально и естественно.

Не цепляйтесь за отжившую любовь только ради того, чтобы избежать горечи расставания. Не терпите физическое и моральное унижение от партнера только потому, что боитесь остаться в одиночестве. Вы никогда не сможете жить полной жизнью, если будете цепляться за прошлое. Когда мы позволяем себе мириться с неуважительным отношением к себе, мы тем самым говорим: «Я не достойна любви, поэтому мне приходится терпеть такое отношение к себе. Я не вынесу одиночества (я не могу быть только с самой собой) и я знаю, что никогда не найду себе другого человека». Эти отрицательные аффирмации сбивают вас с толку. Вместо этого прислушайтесь к сигналам.

Когда любовные отношения заканчиваются, жизнь дает вам шанс получить новый опыт. Наступает время, когда стоит вспомнить все хорошее, что было между вами и вашим партнером, и почувствовать глубокую благодарность за все, что происходило в вашей жизни и позволило вам чему-то научиться. После этого вы сможете освободиться от этих отношений и сделать новый шаг вперед. В этот период нужно относиться к себе с нежностью и пониманием. Это не крушение всей вашей жизни, а начало ее нового этапа. При условии, что вы будете себя любить, этот новый этап может быть гораздо лучше того, который вы только что завершили.

Аффирмации для взаимоотношений в вашей жизни

Я родилась затем, чтобы узнать, что на свете есть только любовь. Я начинаю сознавать, какой я замечательный человек. Я люблю себя и радуюсь себе.

Я — прекрасное творение Господа Бога. Он бесконечно любит меня, и я принимаю эту любовь.

Я открыта и готова к прекрасным взаимоотношениям, основанным на любви.

Мои добрые мысли помогают мне создавать взаимоотношения, полные любви и поддержки.

Мое сердце открыто для любви.

Это безопасно — выражать свою любовь.

Я живу со всеми в ладу.

Я всюду приношу с собой смех и радость.

Меня любят люди, и я люблю людей.

Я нахожусь в гармонии с жизнью.

У меня всегда замечательные партнеры.

Я чувствую себя в безопасности, потому что меня защищает любовь к себе.

У меня гармоничные взаимоотношения с жизнью.

Жизнь любит меня, и я чувствую себя в безопасности

Всех людей в моей жизни я окружаю любовью, все равно, мужчины они или женщины. Я включаю в этот круг своих друзей, близких, коллег и всех, кого я встречала в прошлом. Я утверждаю, что с каждым из них у меня прекрасные гармоничные взаимоотношения, основанные на взаимном уважении и любви. Я живу достойной жизнью, спокойно и радостно. Я расширяю круг своей любви, чтобы охватить всю планету, и приумноженная многократно любовь возвращается обратно ко мне. Моя любовь безусловна, она распространяется и на меня, потому что я знаю, что достойна любви. Я люблю и ценю себя. И так оно и есть!

Глава 5

ЛЮБИТЕ СВОЮ РАБОТУ

Я люблю всякую работу, которую делаю.

Моя первая работа

Когда я впервые ушла из дома, я узнала, что в аптеке есть место продавщицы содовой воды. Я помню, как хозяин аптеки предупреждал меня, что работа тяжелая и мне придется много заниматься уборкой. Он спросил, справлюсь ли я с ней. Конечно, я ответила «да», потому что очень хотела работать. Я помню, как в конце первого рабочего дня подумала: «И это он называет тяжелой работой? Это просто ерунда по сравнению с тем, что я каждый день делала дома».

Я проработала в аптеке только две недели, потому что родители нашли меня и заставили вернуться домой. Хозяин пожалел, что я ухожу, потому что работала я очень хорошо. В следующий раз я устроилась официанткой в маленькое кафе. Там было еще несколько официанток, и в первый же день они заставили меня перемыть всю грязную посуду в баре. Я была настолько наивной и не от мира сего, что взяла все чаевые со стойки и положила себе в карман, решив, что они предназначались для меня. К концу рабочего дня официантки спохватились и налетели на меня, требуя свои чаевые. Я страшно смутилась. Такое начало новой работы не предвещало ничего хорошего. Я недолго продержалась на этом месте.

В то время я была настолько простодушна и неопытна, что совершенно не умела вести себя на людях. Когда я впервые в жизни попала в ресторан, то так перепугалась, что выбежала на улицу в слезах. Дома я делала самую тяжелую работу, но ничего не умела и не знала об окружающей жизни.

Из-за собственного невежества и недостатка самоуважения я могла претендовать только на низко оплачиваемые должности и сменила много подобных мест, работая в аптеках, в дешевых магазинах, на складах универмагов. И хотя моей мечтой было стать кинозвездой или танцовщицей, я совершенно не представляла себе, что нужно делать, чтобы достичь этого. Любая более или менее приличная работа казалась мне нереальной. Я была настолько необразованна, что даже работа секретарши была мне не по силам.

И вот однажды жизнь сделала неожиданный поворот; должно быть, я была готова к нему. В то время я работала в Чикаго, получая 28 долларов в неделю. Не помню, как это получилось, но в один прекрасный день я зашла в балетную студию Артура Мюррея, и какой-то ловкач всучил мне абонемент на курс занятий стоимостью в 500 долларов. Вечером дома я никак не могла поверить в то, что натворила. Я была в ужасе. На следующий день после работы я отправилась в студию и честно призналась, что у меня совсем нет денег. В ответ мне было сказано: «Но раз вы подписали контракт, вы должны нам заплатить. Кстати, мы как раз ищем секретаршу для работы в приемной. Как вы думаете, вы могли бы делать эту работу?»

Мне предложили зарплату на 10 долларов в неделю больше, чем на прежнем месте. Это была большая студия, там работало около 40 преподавателей. Мы работали с 10 утра до 10 вечера и всегда обедали вместе. Через два дня я обнаружила, что вполне справляюсь с составлением расписания занятий, оформлением оплаты и всеми прочими обязанностями. Я легко вошла в новую колею, обрела уверенность и работала с огромным удовольствием. С этого момента в моей жизни наступил перелом.

После работы в студии Артура Мюррея я переехала в Нью-Йорк и стала манекенщицей. Но и тогда я не обрела подлинного чувства собственного достоинства и самоуважения, пока не начала работать над собой, освобождаясь от старых, усвоенных в детстве отрицательных убеждений. В те далекие годы я понятия не имела, как можно изменить свою жизнь. Теперь я знаю, что все начинается с внутренней работы над собой. Независимо от того, как сильно мы увязли в своих проблемах, всегда есть возможность изменить жизнь к лучшему.

Благословите свою работу

Возможно, вас «заела» работа, или вы ее ненавидите, или считаете, что тратите свое время зря только ради получения зарплаты. Тогда вы, безусловно, можете изменить ситуацию в лучшую сторону. Предложенные мною идеи могут показаться глупыми или примитивными, но я знаю, что они действительно помогают. На моих глазах множество людей улучшили свои дела на работе.

Попробуйте воспользоваться наиболее действенным способом для изменения сложившейся ситуации: *благословением с любовью*. Неважно, какая у вас работа и что вы о ней думаете, благословите ее! Произнесите буквально следующее: *«Я люблю и благословляю мою работу»*.

Не останавливайтесь на этом. Благословите абсолютно все, что связано с вашей работой: здание, лифты, комнаты и оборудование, ваш письменный стол или стойку, за которой вы работаете, все предметы и механизмы, которыми вы пользуетесь, людей, с которыми вы работаете, и людей, для которых вы работаете. Этот метод творит чудеса.

Если у вас на работе возникают сложности в общении с каким-то конкретным человеком, подумайте, как изменить ситуацию. Используйте аффирмацию: *«У меня на работе прекрасные взаимоотношения со всеми, включая ....»*. Повторяйте эту аффирмацию каждый раз, когда вспоминаете об этом человеке. Вы будете поражены, насколько это изменит ситуацию к лучшему. Решение проблемы может прийти к вам совершенно неожиданно. Повторяйте эти слова, а дальше Вселенная придет вам на помощь и подскажет, как следует поступать в данном случае.

Если вы хотите благополучно перейти на новую работу, добавьте к предыдущей аффирмации следующие слова: «Я освобождаю эту работу с любовью для того, кто придет сюда вместо меня и будет с удовольствием здесь работать». Эта работа была необходимой вехой на вашем пути. В свое время она полностью соответствовала вашей самооценке. Теперь вы выросли из нее и должны двигаться дальше в поисках лучшего. Сейчас у вас должна быть такая аффирмация: *«Я знаю, что есть люди, которые ищут именно то, что я могу им предложить. Сейчас я принимаю ту работу, которая позволяет мне полностью реализовать мои творческие способности и приносит мне удовлетворение. Каждый день я иду на работу с радостью. Меня ценят мои коллеги и те люди, для которых я работаю. Я работаю в светлом красивом и просторном здании, где присутствует дух энтузиазма. Оно расположено в прекрасном месте. Я много зарабатываю и очень благодарен за это»*.

Если вы ненавидите свою нынешнюю работу, чувство ненависти будет и дальше сопровождать вас. Даже найдя себе новую хорошую работу, вы очень скоро поймете, что ненавидите ее точно так же, как и прежнюю. Все чувства, которые вы сейчас испытываете, вы возьмете с собой на новое место. Если вы живете в постоянном недовольстве, это ощущение будет преследовать вас повсюду. Вы должны изменить свое сознание уже сейчас, и положительные результаты не заставят себя ждать. И тогда новая работа принесет вам успех и вы будете ценить ее и радоваться, что она у вас есть.

Итак, если вы ненавидите ту работу, которая у вас есть, вашей аффирмацией должны быть слова: *«Я всегда люблю ту работу, которой занимаюсь. Я нахожу себе самую лучшую работу. Меня везде ценят по достоинству»*. Постоянно повторяя эти слова, вы создаете для себя новые правила жизни. Вселенная обязательно ответит вам в том же ключе. Жизнь всегда найдет наиболее подходящие пути, чтобы принести вам добро, если вы сами позволите ей это сделать.

Делайте то, что любите

Если вас воспитали в убеждении, что вы должны «тяжким трудом» зарабатывать себе на хлеб, вам пора отказаться от этой идеи. Используйте аффирмацию: *«Работа для меня это удовольствие и развлечение»*, или *«Мне нравится любая моя работа»*. Продолжайте повторять эту аффирмацию, пока ваше сознание не изменится. Занимайтесь тем, что вы любите, и деньги придут к вам. Любите то, что вы делаете, и деньги придут к вам. Вы имеете право на то, чтобы зарабатывать деньги, получая от этого удовольствие. Заниматься приятной для себя деятельностью — ваша обязанность перед жизнью. Как только вы найдете себе дело по душе, жизнь обязательно укажет вам путь к процветанию и изобилию. Почти всегда такая деятельность приятна и похожа на игру. Внутренний голос никогда не говорит нам «ты должен». Игра является смыслом жизни. Когда работа превращается в игру, она становится приятной и плодотворной. Отрицательное отношение к работе отравляет организм.

Если вас уволили с работы, постарайтесь как можно быстрей справиться с неприятными переживаниями по этому поводу. Они не принесут в вашу жизнь ничего хорошего. Почаще утверждайте: *«Я благословляю моего бывшего начальника. Все, что случилось, было к лучшему. Теперь я двигаюсь в правильном направлении, и меня ждет только самое хорошее. Я спокойна и все в порядке».* Затем используйте эту аффирмацию для создания новой работы для себя.

Важно не то, какие события случаются с нами в жизни, а то, как мы справляемся с ними. Если жизнь посылает вам лимоны, приготовьте из них лимонад. Если лимоны окажутся гнилыми, выньте из них косточки и посадите в землю, и у вас вырастут новые лимоны. Или используйте их в качестве органического удобрения.

Иногда бывает так, что, приблизившись к осуществлению своей мечты, мы в последний момент отступаем, потому что боимся получить то, чего действительно хотим. Как ни трудно в это поверить, но мы поступаем так из ложного чувства самозащиты. Нам очень страшно решиться на серьезный шаг в жизни, получить идеальную работу, начать зарабатывать большие деньги. А что, если у меня не получится? А вдруг я им не понравлюсь? А что, если мне там будет плохо?

Эти вопросы отражают ту часть вашего я, которая очень боится исполнения ваших желаний. Причиной внутренних страхов часто бывает ребенок, который находится в каждом из нас. В этот момент нужно относиться к себе особенно заботливо и терпеливо. Успокойте ребенка внутри себя, любите его, и пусть он почувствует себя в безопасности. В этом вам может помочь прекрасная книга Лючии Капачионе «Исцеление ребенка внутри себя». В книге поэтапно описана методика избавления от внутренних страхов. Не забывайте почаще повторять: *«Вся Вселенная покровительствует мне».*

Ваши мысли помогут вам создать прекрасную работу

Не зацикливайтесь на мысли о том, что работу найти трудно. Быть может, это утверждение и справедливо для большой группы людей, но совсем не обязательно, чтобы оно распространялось на вас. Вам нужна только одна работа. Ясное и свободное от предрассудков сознание укажет вам верный путь. Слишком много людей склонны поддаваться общему страху. Как только меняется экономическая ситуация, масса людей немедленно реагирует на это и начинает постоянно говорить и рассуждать об отрицательных сторонах этих изменений. То, о чем вы рассуждаете и что принимаете в своем сознании как данность, становится реальностью.

Когда вы слышите об отрицательных тенденциях в бизнесе или в экономике в целом, немедленно утверждайте: *«Может быть для кого-то это и так, но только не для меня. Я всегда процветаю, независимо от того, где я нахожусь и что происходит вокруг».* Думая и произнося вслух эти слова, вы создаете себе реальное будущее. Отнеситесь очень внимательно к тому, как вы говорите о своих финансовых делах. Вы всегда можете выбрать одно из двух: думать ли вам о своем будущем процветании или о бедности. Последите за собой в течение ближайшей недели, и вы поймете, как вы рассуждаете о деньгах, о работе, о карьере, об экономике, о сбережениях и о пенсии. Прислушайтесь к себе. Убедитесь в том, что ваши собственные слова не принесут вам бедности ни теперь, ни в будущем.

Нечестность, в любом ее проявлении, так же способствует мысленному настрою на бедность. Многие люди считают нормальным и естественным уносить из офиса домой скрепки и разные прочие мелочи. Они забывают или просто не знают об одной закономерности: все, что вы *берете* от жизни, она *возьмет* у вас. Занимаясь даже мелким воровством, вы тем самым утверждаете, что не можете позволить себе купить эти вещи, а значит, вы и впредь будете испытывать нужду в деньгах.

Жизнь всегда возьмет у вас больше, чем взяли вы. Вы можете стащить скрепки и пропустить важный телефонный звонок. Вы можете взять деньги и потерять хорошие отношения. Последнее в моей жизни сознательное воровство я совершила в 1976 году: я стащила почтовую марку и тут же потеряла чек на 300 долларов, который мне отправили по почте. Мне дорого обошелся этот урок, но в конечном счете он того стоил. Поэтому, если вас всерьез беспокоит проблема денег, подумайте, может быть, вы сами препятствуете их поступлению. Если вы утащили с работы кучу всякого добра, верните все назад. Пока вы этого не сделаете, вы никогда не достигнете финансового благополучия.

Жизнь щедро дает нам все необходимое для нормального существования. Когда мы осознаем это и включаем эту идею в свою систему убеждений, наша жизнь становится более благополучной и изобильной.

Возможно, вы подумываете о создании собственного бизнеса, вам импонирует идея быть хозяином самому себе и получать все доходы. Это прекрасно, если только вы обладаете подходящим характером. Но не торопитесь уходить с работы и пускаться в одиночное плавание до тех пор, пока не взвесите все «за» и «против». Хватит ли у вас стимула для работы, если никому, кроме вас, это не нужно? Готовы ли вы работать по 10-12 часов в день, как это, возможно, потребуется в первый год? Новое дело требует от владельца полной самоотдачи, пока не появится прибыль на то, чтобы нанять штат сотрудников. Мне долгое время пришлось работать по 10 часов в день без выходных.

Я всегда советую начинать новое дело, не уходя с основной работы. Работайте над своим проектом в свободное время по вечерам и в выходные дни, пока не убедитесь в том, что это именно то, чем вы хотите заниматься. Прежде чем отказываться от регулярной зарплаты, убедитесь, что ваш бизнес дает прибыль, на которую вы сможете прожить. Моя издательская деятельность начиналась с одной книги и одной магнитофонной пленки. Кабинетом мне служила спальня, а моим помощником была 90-летняя мать. Мы ночами упаковывали книги и кассеты и рассылали их по адресам. Только через два года работы появились деньги на то, чтобы нанять помощника. В качестве дополнительного занятия все это было хорошо, но потребовалось много времени, чтобы издательство «Хей Хаус» стало настоящим бизнесом.

Итак, если вы почувствовали в себе желание начать самостоятельный бизнес, используйте следующую аффирмацию: *«Если это предприятие послужит мне во благо, пусть оно развивается легко и без особых усилий».* Обращайте внимание на сигналы извне. Если вы постоянно сталкиваетесь с препятствиями и задержками, знайте, что ваше время еще не наступило. Если все получается легко и непроизвольно, занимайтесь этим дальше, но для начала только в свободное время. Расширить свою деятельность вы всегда сможете, но отступать назад иногда бывает трудно.

Если вы обеспокоены своими отношениями с начальниками, коллегами, клиентами, или вас не устраивает рабочее помещение, здание или какие-то стороны вашего нового бизнеса, помните, что правила, по которым развивается ваша карьера, устанавливаете вы сами. Измените свои убеждения, и вы измените ситуацию на вашей работе.

Помните: *вам* решать, какую работу вы хотите иметь. Создавайте позитивные аффирмации, чтобы достигнуть своей цели. Почаще произносите эти аффирмации. Вы *можете* получить ту работу, которую вы хотите!

Аффирмации для улучшения ситуации на работе:

Я всегда работаю с теми, кто уважает меня и хорошо платит.
У меня всегда прекрасные начальники.
У меня хорошие отношения со всеми коллегами, и мы работаем в атмосфере взаимного уважения.
На работе меня любят.
Я всегда привлекаю самых лучших клиентов, и мне приятно их обслуживать.
Мне нравится мое рабочее место.
Мне нравится, что на работе меня окружают красивые вещи.
Я люблю ходить на работу; мне нравится этот район: он красивый и безопасный.
Мне легко найти себе работу.
В нужный момент для меня всегда находится подходящая работа.
Я всегда работаю со стопроцентной отдачей, и это очень ценится.
Я легко делаю корьеру.
Мой доход постоянно растет.
Мой бизнес развивается, превосходя все мои ожидания.
У меня так много деловых проектов, что я не успеваю всем заниматься.
Работы хватает всем, включая меня.
Моя работа приносит мне удовлетворение.
Я счастлив, что у меня есть эта работа.
У меня отличная карьера.

Я чувствую себя безопасно в деловом мире

Я знаю, что мои мысли непосредственно влияют на ситуацию с работой, поэтому я сознательно выбираю свои мысли. Мои мысли создают положительный настрой и поддерживают меня. Я предпочитаю думать о процветании, поэтому я процветаю. Я предпочитаю гармоничные мысли, поэтому я работаю в гармоничной атмосфере. Мне нравится вставать по утрам с мыслью о том, что сегодня мне предстоит важная работа. Моя работа захватывает меня и приносит мне чувство глубокого удовлетворения. Я горжусь тем, что я делаю эту работу. У меня *всегда* есть работа, и я всегда занят делом. Жизнь хороша. И так оно и есть!

Глава 6

ТЕЛО... РАЗУМ... ДУХ!

*Я двигаюсь вперед по пути духовного развития
размеренным шагом.*

Доверяйте своей внутренней мудрости

Где-то в глубине нашего существа скрыты источники бесконечной любви, радости, покоя и мудрости. Они есть у каждого, это несомненно. Но как часто мы прикасаемся к этим сокровищам внутри нас? Делаем ли мы это ежедневно? От случая к случаю? Или вообще не подозреваем, что обладаем этими сокровищами?

Закройте на мгновение глаза и погрузитесь в себя. Место, где находятся ваши сокровища, совсем близко — на расстоянии одного вздоха. Идите к источнику бесконечной любви. Почувствуйте эту любовь. Наполнитесь ею, пусть она охватит вас целиком. Идите к источнику бесконечной радости. Почувствуйте эту радость и наполнитесь ею. Теперь идите к источнику бесконечного покоя. Почувствуйте этот покой, наполнитесь им. Теперь идите к источнику бесконечной мудрости, он соединяет вас со всей мудростью Вселенной — с ее прошлым, настоящим и будущим. Доверьтесь этой мудрости. Проникнитесь ею. Когда со следующим вдохом вы вернетесь обратно, к своему обычному состоянию, сохраните в себе то знание и то чувство, которые вы только что получили. И много-много раз сегодня, завтра и каждый день до конца жизни напоминайте себе о сокровищах, которые всегда с вами, — на расстоянии одного вдоха.

Эти сокровища жизненно необходимы для вашего благополучия, они являются частью вашей духовной связи с миром. Тело, разум, дух — на всех трех уровнях нам необходима гармония. Здоровое тело, светлый разум и хорошая прочная духовная связь с миром — вот что нужно для нашего уравновешенного гармоничного существования.

Одно из главных преимуществ, которые дает прочная духовная связь, это возможность вести прекрасную полноценную творческую жизнь. Мы автоматически сбросим с себя тот тяжкий груз проблем, который обременяет большинство людей.

Нам больше не нужно будет ничего бояться или испытывать чувство стыда и вины. Ощущая свое полное единство с жизнью, мы перестанем злиться и ненавидеть, мы освободимся от предрассудков и от необходимости судить других. Как только мы воссоединимся с исцеляющей силой Вселенной, мы перестанем болеть. И я думаю, что мы сможем остановить процесс старения. Нас старят заботы, они снижают наш моральный дух.

Мы можем изменить мир

Если каждый из читателей этой книги возьмет себе за правило ежедневно обращаться к сокровищам внутри себя, мы сможем изменить мир в буквальном смысле слова. Люди, которые живут по правде, изменяют мир. А правда жизни заключается в том, что мы полны любви. Эта любовь безусловна и не ограничена ничем. Мы полны невероятной радости. Мы полны безмятежным покоем. Мы соединены с бесконечной мудростью.

Важно, чтобы мы знали это и использовали в жизни! Сегодня мы мысленно готовимся к завтрашнему дню. Из наших мыслей, слов и убеждений формируется наше завтра. Каждое утро, встав перед зеркалом, говорите себе: «*Я полон безусловной любви, и я выражаю ее сегодня. Я полон радости, и я выражаю ее сегодня. Я полон покоя, и сегодня я делюсь им с другими. Я полон бесконечной мудрости, и я обращаюсь к ней сегодня. И в этом вся правда обо мне*». Это дает мощный заряд на целый день! Вы можете попробовать.

Помните, для осуществления нашей духовной связи мы не нуждаемся в посреднике, будь то церковь или гуру, или даже религия. Мы легко можем молиться и медитировать самостоятельно. Церковь, различные верования и религии хороши, если они поддерживают личность. Но нам важно знать, что все мы напрямую связаны с главным источником жизни. Если мы сознательно поддерживаем эту связь, с нами происходят удивительные вещи.

Все дело в том, каким образом мы поддерживаем или вновь восстанавливаем связь с жизнью, ибо она присутствует в нас изначально, с самого нашего рождения. Быть может, наши родители утратили свою связь с жизнью и внушили нам, что мы одиноки и потеряны в этом мире. Быть может, родители наших родителей избрали ту религию, которая помогала священнослужителям, но не обычным людям. Согласно некоторым вероучениям все мы «рождены в грехе и ничтожны как черви в земле». Так же существуют религии, которые провозглашают порочность женщины и/или некоторых других категорий и групп людей. Следуя этим догмам, мы забываем о том, что по сути своей мы являемся божественными и великолепными воплощениями Жизни.

Мы всегда стремимся к духовному росту и совершенству, ищем возможности исцеления и наиболее полного выражения своей сущности. Иногда очень трудно распознать, какими путями наши души ведут нас к совершенству. У каждой личности, в облике которой мы участвуем в жизни на Земле, есть определенные желания и потребности. Мы боимся своих ожиданий, сопротивляемся им, иногда сердимся, если они не осуществляются немедленно в форме материальных достижений. Именно в такие моменты более чем когда-либо мы должны крепко верить, что в нашей жизни присутствует Высшая Сила, которая устроит все для нашего блага, если только мы будем открыты и готовы к изменениям и духовному росту.

Наилучшие возможности для духовного роста часто появляются в самые трудные моменты жизни, когда наша личность как бы испытывается на прочность. Это самое подходящее время для того, чтобы еще больше утвердиться в любви и доверии к самому себе. Утешит вас это или нет, но знайте, что многие люди переживают в своей жизни подобные моменты неудач и разочарований. Мы живем в эпоху глобальных изменений. Сейчас как никогда прежде мы должны быть особенно любящими и терпеливыми по отношению к себе. Не сопротивляйтесь и не упускайте любой возможности для духовного роста. В наши трудные времена важно проявлять как можно больше благодарности и благословлять жизнь.

Боль всегда свидетельствует о внутреннем сопротивлении. Все мы так упорно сопротивляемся переменам внутри себя, потому что не слишком доверяем жизни, а ведь в конечном счете Она безошибочно направляет нас туда, где нам следует быть, и дает нам пережить именно то, что необходимо для нашего дальнейшего внутреннего роста и полной реализации наших удивительных потенциальных возможностей. Мы находимся в непрекращающемся процессе совершенствования.

Каждое происходящее в нашей жизни событие является всего лишь опытом познания. Полученный опыт нельзя отождествлять с личностью или с ее самооценкой. Мы не хотим ограничиваться рамками собственного жизненного опыта. Например, мы не хотим говорить о себе: «Я — неудачник», предпочитая другую формулировку: «Я пережил неудачу, но сейчас восстанавливаю силы». Мы духовно развиваемся, когда просто начинаем по-другому смотреть на вещи.

Жизнь — это процесс учения. Мы родились для того, чтобы учиться и духовно расти. Незнание не есть преступление. Незнание — это либо невежество, либо отсутствие понимания. Поэтому мы не хотим осуждать ни себя, ни других за то, что чего-то не знаем. Жизнь всегда будет сложнее, чем это доступно нашему пониманию. Мы постоянно учимся, духовно растем и углубляем свои познания. И все же мы никогда не будем знать все.

Погружение в себя помогает найти ответы на вопросы, которые волнуют нас в данный момент жизни. Когда мы ищем поддержки или даже взываем о помощи, нам отвечает наше внутреннее «я».

Воссоединение посредством медитации

Прикоснувшись к сокровищам внутри себя, можно найти путь к источнику жизни. Ибо в вашей душе есть ответы на все вопросы, которые вы способны задать. Вам доступна мудрость всех времен — прошлого, настоящего и будущего. Источник жизни знает обо всем Некоторые называют этот процесс воссоединения *медитацией*.

Медитация очень простая вещь, хотя это не все понимают. Многие люди опасаются медитировать, потому что усматривают в этом нечто странное, жуткое или имеющее отношение к оккультизму. Мы часто боимся того, чего не понимаем. Другие жалуются, что не могут медитировать по той причине, что постоянно о чем-то думают. Но думать — это природное свойство человека; вам никогда не удастся полностью отключить свой ум. Регулярные занятия медитацией помогут прояснить и успокоить ум. Медитация — это способ избавиться от суеты в мыслях и выйти на более глубокие уровни сознания, соединиться с внутренней мудростью.

Мы заслуживаем того, чтобы ежедневно находить время для уединения, общаться со своим внутренним «я» и прислушиваться к тому, что подсказывает нам внутренний голос. Если мы этого не делаем, значит мы живем, реализуя только 5 — 10 процентов отпущенных нам возможностей.

Существует много способов обучения медитации. Об этом написаны всевозможные книги и учебные пособия. Можно просто немного посидеть в тишине с закрытыми глазами. Если вы только учитесь медитировать, вы можете воспользоваться следующими приемами:

Сидите спокойно. Закройте глаза, сделайте глубокий вдох, расслабьтесь и сконцентрируйте внимание на своем дыхании. Следите за тем, как вы дышите. Не пытайтесь дышать каким-то особенным образом. Просто прислушайтесь к своему дыханию. Через несколько минут вы заметите, что ваше дыхание будет замедляться. Это правильно и естественно, так как ваше тело постепенно расслабляется.

Часто помогает метод счета дыхания. Когда вы делаете вдох, считайте в уме: «один», а когда делаете выдох, считайте: «два» и так до десяти. Затем начните считать снова. Через какое-то время вы, возможно, поймаете себя на том, что думаете о футбольном матче или о необходимых покупках. Все правильно. Как только вы заметите, что прекратили считать, просто начните счет заново. Несколько раз подряд блуждающие в вашем уме мысли будут уводить вас в сторону. Каждый раз спокойно возвращайтесь к началу и возобновляйте счет. Вот, собственно, и все.

Эта простая медитация успокаивает ум и тело и помогает установить связь с нашей внутренней мудростью. Положительные результаты начинают сказываться постепенно. Чем чаще вы медитируете и чем дольше продолжается медитация, тем лучше. Вы обнаружите, что в повседневной жизни, занимаясь своими обычными делами, вы стали вести себя гораздо спокойнее. А если возникает критическая ситуация, вы справляетесь с ней достаточно хладнокровно.

Обычно я советую всем начинать с 5-минутной медитации со счетом вдохов и выдохов, как вам будет угодно. Медитируйте ежедневно в течение одной-двух недель. Затем можно увеличить количество медитаций: 5 минут утром после пробуждения и 5 минут — ранним вечером. Может быть, вы попробуете медитировать сразу после работы или приходя домой поздним вечером. Тело и ум любят порядок и режим. Ваши занятия будут более эффективными, если вы сможете организовать свой распорядок так, чтобы заниматься ежедневно примерно в одно и то же время.

В первый месяц занятий не ждите никаких особенных результатов. Просто продолжайте практиковаться. Ваши тело и ум приспосабливаются к новому ритму, к новому ощущению покоя. Может быть, поначалу вам будет трудно сидеть неподвижно, и, если вы заметите, что постоянно поглядываете на часы, поставьте таймер. Через несколько дней ваше тело привыкнет к 5-минутному расслаблению, и таймер уже не понадобится. Относитесь к себе мягко и бережно, пока вы осваиваете приемы медитации. Что бы вы ни делали, *вы не делаете ничего плохого*. Вы приобретаете новый навык. С каждым разом вам будет легче и легче. Спустя недолгое время, медитация станет потребностью для вашего организма.

Идеальное время для медитации — 20 минут утром и 20 минут ранним вечером. Не расстраивайтесь, если вам не удастся сразу придерживаться этого ритма. Занимайтесь столько, сколько можете. Пусть лучше это будет по 5 минут *каждый день*, чем по 20 минут раз в неделю.

Многие люди используют мантры. Это может быть санскритское слово «ом» или «ху», либо какое-нибудь приятное слово, например «любовь» или «мир», либо сочетание двух слов. Вместо того чтобы считать до десяти, произносите мантру (или слово) при вдохе и выдохе. Вы можете выбрать себе мантру из двух или трех слов, например «Я есть», или «Бог есть», или «Я есть любовь» или «Все хорошо». Произносите одно или два слова при вдохе, а последнее — при выдохе. Гарольд Бенсон, автор книги «Релаксация», советовал своим ученикам использовать при медитации слово «один», и они добивались отличных результатов.

Как видите, важно не слово или способ медитации, а неподвижная поза и спокойное дыхание.

Широко распространен метод так называемой Трансцендентной Медитации, или ТМ. Программа занятий ТМ дает вам простую мантру и некоторые практические рекомендации. Однако этот курс занятий стоит довольно дорого. Если вам хочется потратить деньги, пожалуйста, вокруг полно желающих получить их от вас. Но учтите, что самостоятельно вы тоже можете достичь огромных успехов.

На многих курсах обучения по системе йоги в начале и в конце занятия проводится небольшая медитация. Эти курсы стоят совсем недорого, и там вы можете обучиться комплексам упражнений на растяжку мышц, что очень полезно для тела. Я уверена, что в любом местном Центре здорового питания или в магазине здоровой пищи вы найдете сразу несколько объявлений о курсах обучения медитации или йоги.

В таких христианских объединениях, как «Религиозная Наука», часто практикуют обучение медитации. В группах для пожилых людей и даже в некоторых больницах проводятся занятия медитацией. Если· вы наведаетесь в ближайшие книжные лавки или библиотеки, вы обнаружите множество самых разных книг по медитации — среди них есть и более сложные и относительно простые.

Такие оздоровительные программы, как «Программа Здоровое Сердце» доктора Дина Орниша и «Программа для тела, разума и души» (автор — доктор Дирак Чопра), также включают в себя медитацию как важную часть процесса оздоровления.

Но независимо от того, как вы учитесь медитировать и с какого метода вы начинаете, со временем вы выработаете собственный способ медитации. Ваша внутренняя мудрость и интеллект будут незаметно корректировать процесс вашего обучения, пока не приведут вас к оптимальному варианту.

О себе могу сказать, что я начала медитировать много лет назад, используя для этого мантру. Сначала я была так сильно зажата и напугана, что каждый раз медитация вызывала у меня головную боль. Так продолжалось три недели. Как только мое тело и ум начали расслабляться (быть может, впервые за всю мою жизнь), головные боли прекратились. С тех пор я медитирую постоянно. За эти годы я успела позаниматься на многих курсах обучения медитации и могу сказать, что все практикуемые методы несколько различаются между собой. Каждый метод имеет свои преимущества, хотя не каждый подойдет лично вам.

Как и во всем остальном в жизни, ищите тот метод медитации, который наиболее эффективен для вас. Вы можете выбирать и пробовать различные методы годами. И я уверена, что вы так и сделаете.

Запомните, медитация — это всего лишь способ приобщиться к той внутренней силе, которая направляет нас во всех наших делах. Эта направляющая сила всегда присутствует в нас, и нам легче сознательно соединиться с нею, когда мы сидим неподвижно и вслушиваемся в себя.

Как я медитирую

Время от времени мои привычки меняются. В данный период я всегда медитирую утром — это для меня лучший способ начинать день. Я часто медитирую в дневное время, но не всегда. Утреннюю медитацию я обычно выполняю, сидя в кровати. Я закрываю глаза и сосредоточиваюсь на своем дыхании. Затем я тихо говорю себе: «Что мне нужно знать?» или «Как хорошо начинается день». Затем я погружаюсь в тишину и просто существую. Иногда я замечаю свое дыхание, иногда нет. Иногда я замечаю у себя какие-то мысли и тогда просто наблюдаю за ними со стороны. Я могу отмечать про себя: «Вот это тревожная мысль», или «Это деловая мысль», или «Это мысль о любви». Я просто пропускаю эти мысли через себя, не задерживаясь на них.

Проходит минут 20 — 30 и я интуитивно чувствую, что пора заканчивать медитацию. Тогда я делаю глубокий вдох. После этого я перехожу к молитве, которую произношу вслух. Моя молитва может быть примерно такой:

Во Вселенной есть одна Бесконечная Сила, и Она здесь, со мной. Я не одинока, не покинута и не беспомощна. Я заодно с той Силой, которая сотворила меня. Если у меня есть хоть какое-то сомнение в том, что это правда, я устраняю это сомнение раз и навсегда. Я знаю, что сама являюсь Божественным и Прекрасным Воплощением Жизни. Я существую вместе с Бесконечной Мудростью, Любовью и Творчеством. Я полна жизненных сил и энергии. Я люблю и любима. Я спокойна. Сегодняшний день — великолепное отражение Жизни. Все, что мне предстоит сегодня, принесет мне радость и любовь. Я боготворю и благословляю мое тело, моих домашних животных, мой дом, мою работу и всех и каждого, с кем я увижусь сегодня. Это прекрасный день, и я радуюсь ему! И так оно и есть!*

Затем я открываю глаза, встаю постели и радостно начинаю свой день.

Духовные аффирмации

Возможно, вы еще не научились ощущать свою внутреннюю связь. Что ж, в этом тоже могут помочь аффирмации. Вы можете каждый день повторять их все подряд или выбрать одну или две из них, пока не выработаете в себе спокойствие и внутреннее понимание.

Я обладаю сильной духовной связью.
Я ощущаю свое единство со всей жизнью.
Я верю, что Бог милостив.
Жизнь поддерживает меня в любой ситуации.
Я полностью доверяю Жизни.
В моем сердце бьется Сила, сотворившая мир.
Меня всегда направляет божественная рука.
Мой личный ангел хранит меня.
Меня всегда защищает Божественная Сила.
Жизнь / Бог любит меня.
Где бы я ни оказался, я беспокоен.

Глава 7

ВЕЛИКОЛЕПНАЯ СТАРОСТЬ

*Сколько бы вам было лет,
если бы вы не знали, сколько вам лет?*

Доктор Уэйн У. Дайер

Мои убеждения о старости

За многие поколения мы привыкли судить о своем возрасте по количеству прожитых нами лет и позволять, чтобы наше самочувствие и поведение находились в зависимости от этих цифр. Все, что мы принимаем в своем сознании, становится нашей реальностью — это относится к любой области жизни. Что ж, пора изменить наши представления о старости. Когда я вижу слабых, больных, испуганных стариков, я говорю себе: «Так не должно быть». Многие из нас узнали, что, изменив образ мыслей, мы можем изменить свою жизнь. Поэтому я знаю, что мы можем научиться стареть, оставаясь при этом здоровыми и пюлными сил.

Мне скоро исполнится 68 лет, а я сильная, здоровая женщина. Во многих отношениях теперь я чувствую себя моложе, чем в возрасте 30 или

40 лет, потому что на меня уже не давит необходимость соответствовать определенным стандартам, навязываемым общественным мнением. Я свободна и делаю то, что хочу. Я больше не ищу ни у кого одобрения, и меня не волнует, кто что обо мне скажет. Я стала гораздо чаще доставлять себе удовольствия. Можно сказать, впервые в жизни я ставлю себя на первое место. И мне приятно это сознавать.

Было время, когда я позволяла, чтобы средства массовой информации и так называемые авторитетные лица диктовали мне, как себя вести, какую одежду носить и какие продукты покупать. Тогда я искренне верила, что не буду «на уровне», если не стану пользоваться теми продуктами, которые рекламируются. В один прекрасный день я поняла, что пользуясь всеми этими продуктами, я остаюсь «на уровне» ровно один день. На следующий день нужно было начинать все снова. Я помню, как часами сидела перед зеркалом и выщипывала себе брови, чтобы выглядеть «на уровне». Как же глупо я себя вела тогда.

Мудрая старость

Отчасти мудрость — это понимание того, что для нас хорошо и во что нам нужно верить, и освобождение от всего лишнего. Я не имею в виду, что человеку не нужно узнавать новое. Мы хотим постоянно учиться и развиваться. Я имею в виду, что важно уметь отличать истинную потребность от ложной, являющейся результатом рекламного надувательства, и принимать самостоятельные решения. Имейте собственное суждение обо всем, в том числе о том, что рассказано в этой книге. Хотя я считаю, что в моих идеях много полезного, вы имеете полное право отрицать любую из них. Только используйте то, что наиболее приемлемо для вас.

К сожалению, мы с малых лет находимся под воздействием телевидения, бомбардирующего нас рекламой и навязывающего нам дурацкие представления о жизни. Реклама товаров нацелена на детей как на потенциальных потребителей, которые выпрашивают у родителей деньги на сладости и игрушки. Нам указывают, чего мы должны хотеть и чем обладать. Очень немногие родители объясняют своим детям, какая липа вся эта телевизионная реклама и как много в ней вранья и преувеличений. Большинство родителей не могут этого сделать по той причине, что они тоже выросли на этой телевизионной чепухе.

Таким образом, становясь взрослыми, мы превращаемся в бездумных потребителей, покупающих все, что нам ни предложат. «Они» же диктуют нам, что мы должны делать. И мы верим всему, что слышим от авторитетных людей и читаем в прессе. В детском возрасте это простительно, но взрослый человек должен ко всему относиться разумно и критически. Если что-то кажется нам бессмысленным и не способствующим нашему высшему благу, нам это не подходит. Мудрость заключается в умении иногда говорить людям «нет» и отказываться от того, что не приносит нам пользы. Мудрость — это способность разобраться в системе собственных убеждений и в своих взаимоотношениях и убедиться в том, что все наши поступки и жизненные установки содействуют нашему благу.

Почему я покупаю этот продукт? Почему я работаю на этом месте? Почему у меня именно такие друзья? Почему я выбираю для себя эту религию? Почему я живу здесь? Почему я так отношусь к себе? Почему у меня такие взгляды на жизнь? Почему я так отношусь к мужчинам (или к женщинам)? Почему я боюсь взрослеть или, наоборот, хочу поскорее стать старше? Почему я голосую так, а не иначе?

Вызывают ли у вас положительные чувства ваши собственные ответы на эти вопросы? Поступаете ли вы определенным образом только по той причине, что привыкли так делать, или ваши родители научили вас поступать именно так?

Что вы говорите своим детям о старости? Какой пример вы им подаете? Видят ли они перед собой энергичную личность, которая радуется каждому дню и с оптимизмом смотрит в будущее? Или вы представляете собой несчастное испуганное существо, боящееся старости, болезней и одиночества? *Наши дети учатся у нас!* И внуки тоже. Какое представление о старости вы хотите помочь им создать?

Научитесь любить себя такими, какие вы есть, и вы сделаете шаг вперед и будете ценить каждое мгновение жизни. если хотите на собственном примере научить своих детей жить радостно и счастливо до самого последнего дня.

Учитесь любить свое тело

Ребенок, который не уверен в себе, будет искать причину, чтобы возненавидеть свое тело. Поддаваясь мощному воздействию рекламы, мы часто убеждаем себя в том, что наше тело недостаточно красиво. Нам хочется быть стройными блондинками с длинными ногами, потрясающей улыбкой и прочими достоинствами, список которых бесконечен. Но не многие из нас имеют внешность, соответствующую современным стандартам красоты.

Мы создали культ обожествления молодости, который лишь усиливает наши переживания по поводу внешности, не говоря уже о страхе перед морщинами. Мы с отвращением замечаем каждое новое изменение на собственном лице и в фигуре. Как жаль! Как непозволительно плохо мы к себе относимся. И в то же время это только мысль, а мысль можно изменить. Со временем мы усваиваем определенное представление о себе и о собственном теле. Наше убеждение о неизбежной старости в сочетании с чувством ненависти к себе, свойственном многим людям, породило идею о том, что продолжительность жизни человека менее 100 лет. Сейчас мы исследуем и открываем в себе те мысли, чувства, отношения, убеждения, намерения, слова и поступки, которые позволяют нам прожить долгую здоровую жизнь.

Мне бы хотелось, чтобы каждый человек научился любить себя и восхищаться тем, какой он есть, внутри и снаружи. Если вас раздражает какая-то деталь собственной внешности, спросите себя, почему это происходит? Откуда вы взяли это суждение? Вам кто-нибудь сказал, что у вас недостаточно прямой нос? Кто сказал вам, что у вас слишком большой размер ноги или слишком маленькая грудь? Каким стандартам вы стремитесь соответствовать? Принимая подобные суждения, вы отравляете свое тело гневом и ненавистью. Самое печальное, что клетки нашего тела не могут хорошо функционировать, если они окружены ненавистью.

Это то же самое, как если бы вы каждый день ходили на работу, а ваш начальник ненавидел бы вас. Вы бы постоянно чувствовали себя неуютно и не могли бы нормально работать. Однако, если вы работаете в атмосфере любви и одобрения, ваши творческие способности неожиданно проявляются в полную силу. Клетки вашего тела реагируют на то, как вы относитесь к ним. Каждая мысль вызывает в нашем организме определенную химическую реакцию. Мы можем воздействовать на наши клетки либо исцеляюще, либо создавать в них ядовитые реакции. Я заметила, что заболевшие люди часто направляют свой гнев на ту часть тела, которая у них болит. И каков результат? Процесс выздоровления затягивается.

Вы теперь понимаете, насколько важны для нашего благополучия постоянная любовь, восхищение собой и сознание того, что мы — великолепные создания природы. Наше тело (наш кожаный мешок, как говорят китайцы) или костюм, который мы выбрали себе и носим всю жизнь, обладает чудесными свойствами. Оно идеально подходит нам. Оно подчиняется внутреннему разуму, который заставляет биться наше сердце, вдыхает в нас жизнь и знает, как залечить рану или сломанную кость. Наше тело устроено чудесным образом. Если мы станем уважать и ценить каждую его клеточку, наше здоровье намного улучшится.

Если какая-то часть вашего тела доставляет вам огорчения, на протяжении месяца систематически посылайте ей свою любовь. В буквальном смысле слова говорите своему телу, что любите его. Вы можете даже извиниться, что ненавидели его в прошлом. Это упражнение выглядит примитивным, но оно помогает. Любите себя внутри и снаружи.

Любовь к себе, которую вы создаете сейчас, останется при вас на всю оставшуюся жизнь. Мы можем научиться любить себя так же, как когда-то научились себя ненавидеть. Для этого нужно только желание и немного практики.

Для меня гораздо важнее чувствовать себя бодрой и энергичной, чем думать о каждой новой морщинке на лице. Не так давно я встретила Элен Браун, редактора журнала «Космополитен», она посмотрела спектакль Ларри Кинга и постоянно повторяла: «Старость — это ужасно! Это так ужасно! Я ненавижу стареть!» И я невольно подумала: «Какая негативная аффирмация. Вместо этого нужно повторять: *Я люблю свой зрелый возраст. Это лучшие годы моей жизни*».

Освобождение от болезни

Долгое время люди не подозревали о том, что их мысли и действия имеют непосредственное отношение к их здоровью. Теперь даже традиционная медицина начинает признавать наличие связи между телом и умом. Автор популярной книги «Тело без возраста» доктор Дипак Чопра был приглашен в «Шарп Хоспитал», крупнейший на Западном побережье медицинский центр, для организации своей клиники. Доктор Дин Орниш, специализирующийся на холистических методах лечения заболеваний сердца, получил финансовую поддержку Объединенной Страховой Компании штата Омаха. Эта огромная корпорация направляет сейчас своих клиентов на профилактическое лечение под его руководством. Они подсчитали, что недельное пребывание пациентов в клинике д-ра Орниша обходится корпорации гораздо дешевле, чем стоимость хирургических операций.

Операции на сердце очень дороги: от 50 000 до 80 000 долларов каждая. Но многие люди не понимают, что такая операция только избавляет от закупорки артерий и является временным выходом из положения, если при этом не изменить образ мыслей и диету. Мы можем сделать это в первую очередь, избежав таким образом боли, страданий и расходов. Мы хотим любить свое тело и заботиться о нем. Только лекарствами и хирургическими способами здоровью не поможешь.

Мне представляется, что в ближайшем будущем по всей стране будут открываться многочисленные клиники, использующие прогрессивные холистические методы, а страховые компании будут с готовностью оплачивать такое лечение своим клиентам. В наиболее выигрышном положении окажутся те, кто научился заботиться о собственном здоровье. Они поймут, что значит быть по-настоящему здоровым человеком. Я предвижу, что врачи начнут обучать своих пациентов навыкам здоровой жизни, вместо того чтобы выписывать лекарства от болезней и направлять на операции, как они делают это сейчас. У нас есть много программ по борьбе с болезнями, но очень мало программ, направленных на укрепление здоровья. Нас всегда учили, как справиться с болезнью, а не как быть здоровыми. Я верю, что очень скоро альтернативная медицина объединится с современной научной медициной с ее технологиями и создаст настоящие оздоровительные программы для всех нас.

На мой взгляд, медицина должна заниматься профилактикой здоровья, а не только лечением заболеваний и помощью в критических случаях. Планомерная забота о здоровье должна включать в себя обучение. Людей надо учить, как быть здоровыми. Каждый может усвоить принципы связи между разумом и телом, научиться правильно питаться, заниматься физическими упражнениями, использовать растения и витамины. Мы все могли бы найти и другие естественные пути для оздоровления нации.

В 1993 году газета «USA Today» опубликовала данные о том, что 34 % населения США, или 80 млн. людей так или иначе прибегают к альтернативным методам лечения, включая хиропрактику (мануальную терапию). По имеющимся данным, американцы 250 млн. раз посещали специалистов в области нетрадиционной медицины. Количество этих посещений свидетельствует о том, что официальная медицина более не отвечает потребностям людей. Я думаю, что таких посещений было бы гораздо больше, если бы страховые компании согласились их оплачивать.

Мы создали систему, согласно которой общепринятым способом лечения заболеваний считается применение ядов и лечение отдельных частей организма, а естественные способы исцеления считаются неестественными. Когда-нибудь страховые компании поймут, что им гораздо легче оплачивать лечение акупунктурой или диетическим питанием, чем посещение врача в больнице, тем более что первое часто бывает более эффективным.

Настало время, когда нам надо перестать надеяться на медицинскую и фармацевтическую промышленность. Нам морочат голову новейшими достижениями медицины, применение которых стоит больших денег и зачастую разрушает наше здоровье. Пора нам всем, и особенно пожилым людям, научиться руководить своим телом и создавать себе хорошее здоровье, таким образом мы спасем миллионы жизней и сэкономим миллиарды долларов.

Знаете ли вы, что 50 % банкротств происходит по причине оплаты больничных счетов и что среднестатистический гражданин, который попадает в больницу со смертельным заболеванием, за последние 10 дней пребывания там теряет все сбережения, накопленные им за всю жизнь? Нам, несомненно, следует внести изменения в существующую практику охраны здоровья!

Мы можем управлять своим телом

Большинство людей в нашем обществе привыкли воспринимать старость и старческие болезни как само собой разумеющееся. Так более не должно продолжаться. На данном этапе своего развития мы можем сами контролировать состояние своего организма. Расширяя знания о правильном питании, мы придем к пониманию того, что наше здоровье, самочувствие и внешний вид в большой степени зависят от того, что мы едим. Мы будем гораздо более критичны в отношении рекламируемых продуктов, отвергая попытки производителей навязать нам то, что не полезно и не нужно.

При поддержке со стороны пожилых людей можно было бы развернуть целую образовательную программу заботы о здоровье. Если бы мы создали соответствующую организацию по охране здоровья, наподобие Американской Ассоциации Пенсионеров, насчитывающей 30 млн. членов, мы добились бы огромных положительных изменений. Однако мы не можем ждать, пока они примкнут к нашему движению. Мы должны узнать как можно больше, чтобы самостоятельно заботиться о своем здоровье уже сейчас.

До тех пор, пока мы не объясним людям, что они несут большую ответственность за собственное здоровье, увеличение продолжительности жизни не будет иметь смысла. Я хочу помочь всем людям войти в пожилой возраст здоровыми и энергичными.

Страх ограничивает наши возможности

Я часто замечаю в глазах пожилых людей страх: они боятся перемен, нищеты, болезней, старческой беспомощности, одиночества, но сильнее всего — страх смерти. Я действительно верю в то, что страх вовсе не обязателен. Нас научили бояться. Чувство страха запрограммировано в нас. Это только привычный образ мышления, и его можно изменить. У множества пожилых людей преобладает отрицательный образ мышления, и поэтому они недовольны своей жизнью.

Крайне важно не забывать о том, что все наши мысли и слова становятся нашим жизненным реальным опытом. Исходя из этого, будем внимательно относиться к своим мыслям и привычным высказываниям, чтобы создавать себе ту жизнь, о которой мы мечтаем. Мы можем мечтательно говорить: «О, как бы мне хотелось получить то-то и то-то» или «Как бы я хотел стать тем-то и тем-то, если бы я мог...», но в этом случае мы употребляем совсем не те слова и мысли, которые могли бы превратить наши желания в действительность. Напротив, мы прибегаем ко всевозможным отрицательным мыслям и потом удивляемся, почему наша жизнь не складывается так, как мы хотим. Как я уже отмечала ранее, мы ежедневно обдумываем примерно 60 000 мыслей и большинство из них те же самые, что были у нас вчера и позавчера! Чтобы преодолеть эту привычку, я каждое утро говорю себе: *«Я по-новому понимаю жизнь. Теперь я обдумываю мысли, которых у меня никогда прежде не было. Это новые творческие мысли».*

Следовательно, если вас пугают мысли о каких-то переменах в жизни, вы можете сказать: *«Я нахожусь в согласии с вечно меняющимся характером жизни, и я всегда в безопасности».* Если вы боитесь бедности, попробуйте говорить: *«Со мной всегда Вселенская Сила изобилия. Я обеспечен всем необходимым и более того».* Если вы боитесь заболеть, вы можете утверждать: *«Я являюсь воплощением здоровья и жизненных сил, и я радуюсь своему здоровью».* Если вы боитесь старческой немощи, говорите: *«Со мной вся мудрость и знание Вселенной, и у меня всегда острый и ясный ум».* От страха одиночества: *«Я вместе со всеми и с каждым в отдельности на этой планете, и я постоянно отдаю и получаю любовь».* Если вы боитесь провести остаток своих дней в доме престарелых, утверждайте: *«Я всегда живу в своем собственном доме и прекрасно забочусь о себе».* От страха смерти: *«Я приветствую каждый этап своей жизни и знаю, что, покидая эту планету, мы открываем дверь в прекрасную следующую жизнь».*

Этими утверждениями вы подготовите свой ум для дальнейшей более счастливой жизни. Если вы повторяете аффирмации каждый раз, когда у вас возникают страхи, со временем эти утверждения станут для вас истиной. Как только вы по-настоящему поверите в них, вы увидите, что ваша жизнь не только улучшится, но также изменится ваше отношение к будущему. Это есть непрерывный процесс развития и преобразования.

Еще одна замечательная аффирмация: «Я здоров и благополучен независимо от обстоятельств».

Как находить и использовать сокровища внутри себя

Я хочу помочь вам создать мысленный образ идеальной старости, помочь вам осознать, что эти годы могут стать наградой за всю предшествующую жизнь. Неважно, сколько вам лет, знайте, что ваше будущее всегда прекрасно. Отнеситесь к старости как к драгоценному времени своей жизни. Вы можете стать одним из представителей Великолепной Старости.

Многие из вас сейчас переходят в категорию старых людей, и настало время посмотреть на жизнь с другой точки зрения. Вам не обязательно жить в старости так, как жили ваши родители. Вы и я можем изменить устоявшиеся правила. Когда мы двигаемся навстречу нашему будущему, зная о сокровищах внутри себя и пользуясь ими, впереди нас ждет только хорошее. Мы можем знать, утверждать и истинно верить в то, что все происходящее с нами в жизни делается во благо и на радость нам.

Вместо того чтобы просто стареть, сдаваться и умирать, давайте внесем свой огромный вклад в жизнь. У нас есть время, есть знания и есть мудрость для того, чтобы на деле доказать миру свою любовь и силу. Современное общество сталкивается сейчас со многими проблемами глобального характера, которые требуют нашего внимания.

Мы хотим заново пересмотреть свое отношение к разным возрастным этапам нашей жизни. Недавно в одном из крупнейших университетов было проведено весьма интересное исследование на тему среднего возраста. Ученые установили, что процесс старения в организме начинается с того времени, когда вы решаете для себя, что вы достигли среднего возраста. Как видите, тело послушно принимает то, что подсказывает ему разум. Значит, вместо того чтобы ориентироваться на средний возраст 45 — 50 лет, мы легко можем принять за новый средний возраст 75-летний рубеж. Организм с готовностью воспримет это убеждение.

Когда мы говорим: «*У меня осталось мало времени*», мы стареем и укорачиваем себе жизнь. Вместо этого мы должны говорить: «*У меня более чем достаточно времени, места и энергии для того, чтобы заняться важными делами*».

С момента зарождения человечества и на протяжении его истории продолжительность жизни увеличивалась. Первые люди на земле не доживали и до 20 лет, впоследствии средняя продолжительность жизни стала достигать 30, затем 40 и более лет. Даже на рубеже двадцатого века 50-летний человек считался старым. В 1900 году средняя продолжительность жизни составляла 47 лет. Теперь мы считаем нормальным, если человек доживает до 80-летнего возраста. Почему же мы не можем совершить количественный скачок в нашем сознании и установить новый возрастной предел — 120 или 150 лет?!

Разумеется, для такой долгой жизни нам необходимы здоровье, любовь, сочувствие и принятие новых убеждений. Когда я говорю, что мы можем жить до 120 лет, большинство моих слушателей восклицают: «О нет! Я не хочу столько лет мучиться от болезней и нищеты». Почему у нас в уме сразу возникает стандартное отрицание? Мы не должны ассоциировать старость с бедностью, болезнями, одиночеством и смертью. Если сейчас мы часто наблюдаем вокруг себя подобные картины, то причина в том, что мы сами создали их из наших прошлых убеждений.

Мы всегда можем изменить нашу систему убеждений. Когда-то люди верили, что Земля плоская как блин. Сейчас мы знаем, что это неправда. Я знаю, что мы можем изменить наши мысли и принять новые идеи как норму. Мы можем жить долго и быть здоровыми, любящими, богатыми, мудрыми и счастливыми.

Да, нам обязательно потребуется изменить наши нынешние убеждения. Нам потребуется внести изменения в социальную структуру общества: в пенсионное обеспечение, в систему страхования и здравоохранение. Но все это *возможно* сделать.

Я хочу вселить в вас надежду и воодушевить, чтобы вы захотели научиться исцелять себя, а это в дальнейшем поможет нам исцелить все наше общество. Настало время вернуть старшее поколение на его законное почетное место. Как старшие мы заслуживаем признания и уважения. Но прежде всего нам нужно выработать в себе самоуважение и чувство собственного достоинства. Это нельзя получить извне. Это можно только сознательно развивать в себе самом.

Начните жить заново

Вы достаточно сильны, чтобы неузнаваемо изменить свою жизнь и стать другим человеком. Вы можете пройти путь от болезни к здоровью, от одиночества к любви. Вы можете уйти от бедности и почувствовать себя защищенным и удовлетворенным. Вы можете избавиться от чувства вины и стыда и обрести уверенность в себе и любовь к себе. Вы можете избавиться от чувства собственной никчемности и ощутить себя сильной творческой личностью. Вы *можете* сделать годы вашей старости прекрасной порой жизни!

В этот поздний период жизни мы можем полностью реализовать все свои возможности. Я с нетерпением жду, когда наступит это время. Присоединяйтесь ко мне. Давайте организуем движение под названием «Великолепная Старость» и внесем свой драгоценный вклад в развитие общества.

Когда я начинала мою работу по исцелению, моей главной целью было научить людей любить себя, избавляться от обид, прощать, освобождаться от старых ограниченных убеждений и установок. Это было замечательно и, как свидетельствуют многие из вас, помогло вам значительно улучшить качество своей жизни. Такая индивидуальная работа с людьми по-прежнему крайне полезна, и ее следует продолжать до тех пор, пока каждый человек на планете не начнет жить здоровой, счастливой, полнокровной жизнью.

Сейчас настало время, когда мы готовы применить эти идеи ко всему обществу в целом. Донести их до массового сознания. Помочь улучшить качество жизни каждого члена общества. Нашей наградой будет спокойный, живущий по законам любви мир, в котором мы, старшее поколение, сможем оставлять двери незапертыми, безопасно прогуливаться по ночам и знать, что соседи всегда примут нас, поддержат и помогут в случае необходимости.

Мы можем изменить систему своих убеждений. Но чтобы сделать это, мы как представители Великолепной Старости должны освободить свое сознание от комплекса «жертвы». Пока мы относимся к себе как к злополучным и беспомощным индивидуумам, пока мы ждем, что правительство «наладит» наши дела, мы никогда не добьемся успеха как социальная группа. Однако, стоит нам объединиться и выступить с конструктивными решениями наших проблем, мы станем реальной силой и сможем изменить нашу нацию и весь мир в лучшую сторону.

Несколько слов в адрес сорокалетних

Я хочу обратиться к вам, родившимся в пятидесятых, которым сейчас уже исполнилось сорок лет.

Какими вы хотите видеть себя в зрелом возрасте? Какой вы хотите видеть повзрослевшую Америку? Все, что мы создаем для себя, мы создаем для нашей страны. В ближайшие десятилетия на земле окажется больше долгожителей, чем было когда-либо в истории. Хотим ли мы продолжать все по-старому? Или мы готовы совершить огромный скачок в собственном сознании и создать абсолютно новый стиль жизни для пожилых людей?

Мы просто не можем ждать, когда наше правительство займется нашими нуждами и изменит ситуацию. Политики в Вашингтоне играют в свои особые игры и урезают финансирование. Поэтому нам нужно обратиться за помощью к самим себе, найти в себе сокровища и поделиться нашей мудростью и любовью со всеми остальными.

Я обращаюсь к тем, кто родился в сороковых и пятидесятых, и к более молодым: я призываю всех вас присоединиться ко мне и двигаться от «моего» поколения к «нашему» поколению. Смешно сказать, но существует отдельная группа под названием «Организация Молодых Президентов», представляющая молодых лидеров от бизнеса и молодых общественных деятелей. Большинство из них работают на износ и убивают себя, потому что не находят времени углубиться в себя и прикоснуться к собственной внутренней мудрости. Они уже заработали кучу денег и теперь удивленно задают себе вопрос: «Неужели это все?» Чтобы пройти по пути от «меня» к «нам», им нужно направить свои усилия в другую сторону и послужить обществу и стране. Почему? Потому что они являются идеальной группой людей, которые могут стать лидерами «Великолепной Старости»!

Каждому из нас, включая наших политиков, необходимо ежедневно находить время, чтобы посидеть в тишине. Если мы не успеваем побыть наедине с собой и не приобщаемся к внутренней мудрости, мы не можем принимать единственно правильных решений. Это граничит с самонадеянностью: брать на себя ответственность за других и не находить времени для самоуглубления, не прислушиваться к внутреннему разуму.

Я представляю себе будущий мир, в котором Великолепные Лидеры «Великолепной Старости» смогут работать рука об руку, чтобы исцелить Америку. Отцы и матери Великолепных Лидеров вполне могут оказаться представителями «Великолепной Старости». Мы можем работать сообща, обсуждать и осуществлять планы, которые помогут нашему обществу функционировать более продуктивно. Эти планы могут успешно применяться как в бизнесе, так и во многих других сферах: в здравоохранении, в искусстве и т. д. В любом возрасте у нас есть простор для полезной деятельности!

Верните себе силу

Я очень ясно ощущаю, что наше общество относится к старым людям как к ненужному балласту, хотя на самом деле они могут быть прекрасными наставниками и помочь преобразовать наш мир. В прошлые времена старики пользовались огромным уважением за их заслуги и знания, но мы забыли об этом, создав всеобщий культ молодости, которому мы поклоняемся. Какая это ошибка! Молодость прекрасна, но молодые тоже становятся старыми. Нам всем необходимо заботиться о том, чтобы наша старость была спокойной и благополучной.

По астрологическим понятиям человек, не достигший 29-летнего возраста, не обладает достаточным жизненным опытом. В астрологической карте показано, что планета-учитель Сатурн совершает свой полный цикл за 29 лет. Только пройдя через все 12 жизненных сфер, вы сможете применить полученные знания в своей реальной жизни.

Нам, старшему поколению, нужно вновь научиться играть, радоваться, смеяться и быть детьми, если мы этого хотим. Мы не заслуживаем того, чтобы нас выбрасывали на обочину жизни, оставляя нас чахнуть и умирать. И никто не будет обращаться с нами подобным образом, если мы сами этого не позволим. Старые люди должны вернуться и активно участвовать в жизни, передавая свои знания молодому поколению. Старики часто говорят: «Ах, если бы я мог начать все сначала...» Но вы можете это сделать! Вы можете выступить вперед, взять на себя роль лидера, снова стать полноценным членом общества и тем самым способствовать обновлению и усовершенствованию мира.

Если ваш родственник или вы сами посещаете местный клуб, где собираются старые люди, то вместо того чтобы говорить о своих болезнях, говорите о том, как вы можете объединить усилия для конкретной помощи людям в вашем городе. Что вы можете сделать, чтобы улучшить жизнь каждого человека? Пусть ваш вклад будет сколь угодно скромным, но он не пропадет зря. Если все старые люди внесут свой вклад в общее дело, мы сможем улучшить жизнь в нашей стране.

Активно действуя во всех слоях общества, мы увидим, что наша мудрость постепенно проникает повсюду, преображая нашу страну, делая ее добрее и лучше. Итак, я призываю вас: выступайте смелее, громче заявляйте о себе, действуйте активно и *живите*! У вас есть возможность вернуть свою былую силу и создать то наследство, которое вы с гордостью сможете передать внукам и правнукам.

Я страстно желаю, чтобы все старые люди вдохновились моими идеями и внесли свой вклад в исцеление нашей страны. Люди старшего возраста, ваше поколение может радикально изменить жизнь общества! Вы способны это сделать! И *сейчас* настало ваше время действовать.

Мы должны перестать следовать за лидерами, которые ведут нас неверной дорогой. Мы должны перестать верить в то, что жадность и эгоизм принесут нам пользу в жизни. Прежде всего мы должны любить самих себя и проявлять сочувствие к себе. Тогда мы сможем поделиться своей любовью и сочувствием с каждым существом на планете. Этот мир принадлежит *нам,* и в наших силах сделать его райски прекрасным.

Идея глобального исцеления (или исцеления планеты) логично вытекает из осознания того, что наше взаимодействие с окружающим миром зеркально отражает особенности и характер нашей внутренней энергии. Для успешного исцеления нам важно полностью осознать нашу причастность и взаимосвязь с жизнью в целом и начать проецировать положительную исцеляющую энергию на окружающий нас мир. Многие из нас удерживают энергию, замыкаясь на себе, и не знают, какой исцеляющей силой она обладает, если ее отдавать и делиться ею с другими. Исцеление — это непрерывный процесс. И если мы будем сидеть и ждать, пока нас «исцелят», чтобы потом начать делить свою любовь с другими, то мы можем никогда не дождаться такой возможности.

На что я надеюсь для нашей страны

У меня нет готовых ответов на все вопросы, но я призываю и прошу вас, обладающих знаниями, опытом и возможностями, проявить себя и помочь исцелить нашу планету.

Мы старимся под грузом собственных забот. Но если каждый из нас сделает хоть что-то полезное для других, мы сможем добиться громадных изменений. Например, один зубной врач в Лос-Анджелесе начал бесплатно лечить бездомных. Он сказал так: «Если бы каждый лос-анджелесский дантист согласился поработать бесплатно один час в неделю, то все бездомные в городе получили бы медицинскую помощь».

Нас часто подавляет количество собственных проблем, но если бы каждый из нас смог уделить хоть чуточку времени вопросам, касающимся нас всех, то многие частные проблемы были бы разрешены. Многие старые люди находятся в том возрасте, когда им нечего терять. Им не грозит потерять работу или дом, так как их финансовое положение устойчиво и незыблемо. Они могут оказать помощь таким же старым, но неимущим людям. Я уверена, что многих старых состоятельных американцев можно было бы убедить пожертвовать часть своих денег бедным, если бы мы нашли наглядный способ, как оказать им за это почет и выразить общественное признание.

Это правда, что многие наши нынешние проблемы были созданы теми богатыми старыми людьми моего поколения, которые в свое время возглавляли крупные компании и служили их алчным интересам. Они успели наглядно убедиться в последствиях, которые явились результатом эгоизма и страсти к наживе со стороны большого бизнеса и отдельных индивидуумов. Но сейчас эти люди могут сыграть более важную социальную роль и помочь исцелить Америку. Они по-прежнему могут оставаться «крупными шишками», но выступая в ином качестве. Им ничего не стоит пожертвовать миллион-другой ради возрождения нашего общества.

Я глубоко верю в то, что мы сможем помолодеть, если каждый из нас примет участие в деле исцеления нашей страны. Мы можем «омолодиться». Я знаю, что такое возможно. Может быть, мы достигнем успеха в «омоложении» спустя три поколения, когда это станет нормальным и естественным явлением, но пионерами этого движения может стать нынешнее старшее поколение. О процессе омоложения пишут книги уже сейчас. Виржиния Эссен в своей работе «Новые клетки, новые тела, новые жизни» высказывает ряд оригинальных идей, о которых стоит подумать. Я знаю, что омоложение возможно; просто нужно найти способ, как его осуществлять.

Нынешние сорокалетние могут заранее подумать о том, какими они хотели бы видеть себя ближе к старости и как они хотят послужить обществу. Представители более младших поколений могут изменить свое отношение к старым людям и решить для себя, какими они хотят быть, когда достигнут этого возраста.

В школе детей всегда спрашивают: «Что ты хочешь делать, когда вырастешь?» Дети учатся строить планы на будущее. Нам следует задавать себе аналогичные вопросы и планировать собственную старость. Какими мы хотим быть, когда постареем? Я хочу быть одной из представительниц Великолепной Старости и всеми силами помогать обществу. Мэгги Кюн, возглавляющая группу активисток «Серые Пантеры», недавно сказала: «Я хочу умереть в аэропорту с портфелем в руке, успев закончить очередную мою работу».

Подумайте над такими вопросами: «Как вы можете послужить обществу? Что вы сделаете ради исцеления Америки? Что вы хотите оставить в наследство своим внукам?» Эти важные вопросы мы должны задавать себе после двадцати, тридцати и сорока лет. Позднее, когда мы вступим в возраст 60 — 70 лет, перед нами по-прежнему будут неограниченные возможности. Кто-то недавно сказал мне: «Я поняла, что старею, когда мне перестали говорить, что впереди у меня целая жизнь».

Но у вас действительно впереди «целая жизнь». К чему вы еще собираетесь готовить себя — к «целой смерти»? Разумеется, нет! Сейчас самое время жить в полную силу, сознавать собственную ценность, гордиться званием «Великолепная Старость».

Я глубоко уважаю всех тех, кто отваживается идти вперед и нести идеи, изложенные мной в этой книге. Конечно, на своем пути мы можем встретить сопротивление и некоторые трудности. Ну и пусть! Ведь мы — пожилые, и мы непобедимы!

Аффирмации для Великолепной Старости

Вы можете повторять эти аффирмации утром, когда просыпаетесь, и вечером перед сном.

Я молода и прекрасна в любом возрасте.
Я помогаю обществу действенными и продуктивными способами.
Я несу ответственность за мое финансовое положение, за мое здоровье и за мое будущее.
Я пользуюсь уважением всех, кто меня знает.
Я почитаю и уважаю детей и взрослых в моей жизни.
Я почитаю и уважаю всех старых людей в моей жизни.
Каждый мой день наполнен смыслом.
Каждый день я обдумываю новые и разные мысли.
Вся моя жизнь — это великолепное приключение.
Я готова открыто встретить любые события, которые предлагает мне жизнь.
Моя семья оказывает мне поддержку, и я поддерживаю мою семью.
Меня ничто не ограничивает.
Впереди у меня целая жизнь.
Я отстаиваю свое мнение, и меня слышат общественные лидеры.
Я нахожу время, чтобы поиграть с ребенком внутри меня.
Я медитирую, хожу на прогулки, любуюсь природой: я люблю проводить время в одиночестве.
Я часто смеюсь; я не держу в голове задних мыслей.
Я думаю о том, как помочь исцелить планету, и осуществляю задуманное.
Мне принадлежит все время в этом мире.

Мои поздние драгоценные годы

Я с радостью провожаю каждый уходящий год. Мои знания расширяются, и я полагаюсь на свою мудрость. Я чувствую, как ангелы охраняют каждый мой шаг. Поздние годы моей жизни драгоценны для меня. Я знаю, как жить. Я знаю, как оставаться молодой и здоровой. Мой организм постоянно обновляется. Я полна жизненных сил, здоровья, энергии и оптимизма и останусь такой до последнего дня. Меня не тревожит мой возраст. Я создаю такие взаимоотношения, которые хочу иметь. Я создаю себе необходимое финансовое благополучие. Я знаю, как стать победителем. Мои поздние годы *драгоценны* для меня, и я становлюсь представительницей Великолепной Старости. Я, как могу, вношу свой вклад в жизнь и знаю, что со мной отныне и навсегда пребудет любовь, радость, покой и бесконечная мудрость. И так оно и есть!

Глава 8

СМЕРТЬ И УМИРАНИЕ: ПЕРЕХОД НАШЕЙ ДУШИ

*«Мы приходим на эту планету,
чтобы усвоить определенные уроки,
а затем уходим дальше...»*

Смерть — это естественная часть Жизни

С тех пор как я начала вести работу с людьми, зараженными спидом, перед моими глазами прошли сотни смертей. Близкое общение с умирающими дало мне возможность по-другому подойти к пониманию смерти. Прежде я думала, что смерть — это страшное испытание. Теперь я знаю, что это нормальная естественная часть жизни. Я предпочитаю воспринимать смерть как «уход с этой планеты».

Я верю в то, что каждый из нас приходит на эту планету, чтобы узнать что-то свое. После того как мы усвоим положенные нам уроки, мы покидаем этот мир. Иногда урок жизни бывает кратким. Может быть, нам было необходимо испытать аборт, и мы даже не успели появиться на свет. Может быть, так было предрешено между нашей душой и душами наших родителей, чтобы уроком любви и сочувствия стала детская смерть. Возможно, нам нужно было прожить только несколько дней или несколько месяцев и покинуть этот мир в младенческом возрасте.

Некоторые люди используют болезнь как способ покинуть эту планету. Они создают себе жизнь, которую им кажется невозможным исправить, и потому они предпочитают уйти сейчас и начать жизнь заново в другой раз. Некоторые выбирают себе уход при трагических обстоятельствах — это может быть автокатастрофа или крушение самолета.

Мы знаем конкретные случаи исцеления от самых страшных болезней, созданных человеком. И все-таки многие люди пользуются этим способом, когда настает их время уходить. Смерть от болезни является общепринятым способом ухода.

Я верю, что душа сама выбирает, когда и каким способом нам следует покинуть этот мир, и в любом случае это происходит в идеально соответствующем промежутке времени и пространства. Наша душа позволяет нам покинуть мир тем способом, который является для нас наилучшим в данное время. Когда мы смотрим на жизнь в более широкой перспективе, мы не в состоянии судить, какой способ ухода единственно возможен для нас.

Преодоление страха смерти

Я давно замечаю, что люди, склонные к гневу, обидчивости и горьким сожалениям, умирают наиболее мучительно. Их кончина чаще всего сопровождается борьбой, страхом и переживанием вины. Те же, кто смог обрести в себе внутреннюю гармонию и понять необходимость прощения и самопрощения, умирают спокойными и умиротворенными. С другой стороны, более всего страшатся приближения смерти те, кому с детства говорили о «геенне огненной».

Если вы испытываете страх перед уходом с этой планеты, я советую вам прочитать одну из книг, где показан опыт людей, побывавших на грани жизни и смерти. «Жизнь после жизни» д-ра Реймонда Моуди и «Спасенный светом» Дениона Бредли — обе эти книги вдохновенно и ярко описывают то, как близкое знакомство человека со смертью может полностью перевернуть его восприятие жизни, а также навсегда избавить от страха смерти.

Итак, мы уже говорили о том, как важно разобраться в наших убеждениях в отношении различных аспектов жизни. Не менее важно ясно представлять, какие мы себе выбираем убеждения о смерти. Многие религии запугивают нас ужасными картинами смерти и загробной жизни, пытаясь таким образом повлиять на наше поведение и заставить жить по установленным ими правилам. Я считаю, что крайне бессовестно говорить кому-либо, что ему предстоит вечно гореть в адском огне. Такого рода разговоры являются откровенным манипулированием чувствами людей. Не слушайте тех, кто торгует страхом.

Итак, я предлагаю вам составить еще один перечень под названием: «Что я думаю о смерти». Перечислите все, что придет вам в голову. Ничего, если некоторые мысли покажутся вам глупыми: они существуют в вашем подсознании. Если у вас много идей отрицательного свойства, работайте над своими убеждениями, чтобы их изменить. Медитируйте, занимайтесь самообразованием, читайте книги и учитесь создавать в себе положительные и полезные убеждения о жизни после смерти.

То, во что мы верим, становится нашей реальностью. Если вы верите в ад, то вы, возможно, попадете туда ненадолго, пока не опомнитесь и не измените свое сознание. Я действительно верю, что рай и ад являются состояниями нашего ума и мы можем испытать и то и другое, живя здесь, на земле.

Страх смерти мешает жить. Пока мы не примиримся с мыслью о смерти, мы не сможем по-настоящему начать жить.

Время жить и время умирать

В жизни каждого человека наступает момент, когда он (или она) должен *сейчас* принять факт собственной смерти. Я думаю, что нам необходимо спокойно относиться к тому, когда именно мы умрем. Мы хотим научиться принимать смерть, позволить себе пройти через этот новый для нас опыт, ощущая вместо страха душевный покой и интерес к неизведанному.

Обычно люди резко отрицательно относятся к самоубийцам, и мои взгляды на этот вопрос не раз подвергались критике. Я считаю, что очень глупо лишать себя жизни по причине любовной неудачи, банкротства или какой-нибудь еще жизненной коллизии. Мы упускаем возможность научиться чему-то и духовно вырасти. И если мы отказываемся получить свой урок в этот раз, в будущей жизни мы столкнемся с этой проблемой снова.

Вспомните, сколько раз вы попадали в беду и не знали, как из нее выбраться. И тем не менее вы сумели это сделать и продолжать жить дальше. Вы нашли какое-то решение. А что, если бы вы тогда покончили с собой? Только посмотрите, сколько прекрасного в жизни вы бы упустили.

Но есть и другая сторона вопроса. В жизни некоторых людей наступает период страданий от сильной бессмысленной физической боли, которую невозможно облегчить. Они так глубоко погружаются в свою мучительную болезнь, что после какого-то момента они уже бесповоротно обречены на смерть. Я много раз видела, как это происходит во время болезни, которая называется СПИДом. Разве я имею право осудить человека за то, что в этих обстоятельствах он решает покончить с собой? Я считаю, что д-р Джек Кеворкян, которого называют Доктор Смерти, глубоко сочувствует безнадежно больным людям и помогает им достойно окончить свою жизнь.

Далее я привожу строки, написанные мною для моего близкого друга, умиравшего в полном сознании. В тот момент мои слова были для него большим утешением. Много раз днем и ночью он «принимал позу максимального спокойствия». Я так же прибегала к этим словам, общаясь со многими другими умирающими...

Мы всегда в безопасности

Мы всегда в безопасности.
Это только перемена в жизни.
С того момента, как мы родились,
мы готовили себя к тому, чтобы вновь
оказаться в Объятиях Света.
Прими позу Максимального Спокойствия.
Тебя окружают ангелы
и сопровождают каждый твой шаг.
Любой твой выбор
будет для тебя правильным.
Все произойдет само собой
в самый совершенный момент времени.
Настало время для Радости.
Ты на пути Домой.
Как и все мы.

Думая о собственной кончине, я часто представляю ее как

КОНЕЦ ПЬЕСЫ.

В финале опускается занавес.
Смолкают аплодисменты.
Я иду в мою гримерную и снимаю грим.
На полу лежит костюм моего персонажа.
Эта роль уже не моя.
Раздевшись, я иду к двери за кулисами.
Я открываю дверь и вижу перед собой улыбающееся лицо.
Это новый Режиссер.
Он держит в руке новую пьесу и новый костюм.
Я безумно рада видеть моих преданных поклонников
и любимых мною людей, которые ждут меня.
Раздаются оглушительные восторженные аплодисменты.
Меня приветствуют с такой любовью, как никогда прежде.
Моя новая роль обещает быть потрясающей.
Я знаю: Жизнь всегда хороша.
Где бы я ни была — все уже хорошо.
Я спокойно иду.
Увидимся позже.
До встречи, пока.

Я также воспринимаю жизнь как кино

В каждой нашей жизни
Мы всегда приходим в середине сеанса
И всегда уходим в середине сеанса.
Не бывает хороших времен,
Не бывает плохих времен.
Бывает только наше время.
Душа делает свой выбор задолго до того, как мы приходим сюда.
Мы приходим, чтобы усвоить свой урок.
Мы приходим, чтобы любить себя.
Неважно, что «они» делают или говорят,
Мы пришли сюда, чтобы любить
Самих себя и других.
Когда мы получаем свой урок любви,
Мы можем с радостью уйти.
Нет никакой необходимости страдать или испытывать боль.
Мы знаем, что возьмем всю эту любовь с собой
в свою следующую жизнь,
где мы решим воплотиться в новом образе.
И что бы с нами не происходило,
Любовь останется с нами.

Туннель любви

Наш Последний Выход там,
где Освобождение, Любовь и Покой.
Мы освобождаемся и легко идем через туннель к выходу.
В конце этого туннеля мы найдем
Только Любовь.
Такой Любви мы еще не встречали никогда.
Полная, всеобъемлющая, безусловная Любовь
И глубокий внутренний Покой.
Вот они — все, кого мы любили когда-то,
Ждут нас и приветствуют.
Они любят нас и указывают нам путь.
Мы никогда больше не будем одиноки.

Наступает время великой Радости.
Время с любовью оглянуться
На свою прошлую жизнь и на себя в ней
Только для того, чтобы стать мудрее.

Слезы — это тоже прекрасно!
Слезы — это река Жизни.
Мы всегда плачем, когда переживаем
Самые волнующие моменты.

Счастливого вознесения!
Ты знаешь, что я скоро присоединюсь к тебе.
И покажется, что прошло одно мгновение,
Как взмах ресниц.

Я помню последние слова моего друга ко мне: «Мы уже прощаемся?» И я ответила: «В этой жизни — да».

Вот некоторые мои мысли по поводу смерти и угасания. Теперь сформулируйте собственные мысли. Главное, чтобы они приносили утешение и говорили о любви.

Суть жизни всегда с нами

Я с легкостью освобождаюсь от прошлого и полностью доверяюсь жизни. Я закрываю дверь перед прошлой болью и обидами и прощаю всех, включая себя. Я вижу перед собой бурный поток. Я беру весь свой прошлый опыт, все старые обиды и разочарования, опускаю их в воду и смотрю, как они начинают растворяться и уплывать вниз по течению, пока окончательно не исчезнут из виду. Я свободна, и все, кто был в моем прошлом, тоже свободны. Я готова идти вперед к новым приключениям, которые ждут меня. Время, отпущенное на жизнь, приходит и уходит, но я остаюсь вечно. Я жива и полна сил независимо от того, в каком измерении я существую и что со мной происходит. Меня окружает Любовь, отныне и навсегда. И это именно так!

ЛЮБИТЕ СЕБЯ И ЛЮБИТЕ СВОЮ ЖИЗНЬ!

101 МЫСЛЬ
ДЛЯ УКРЕПЛЕНИЯ ЖИЗНЕННОЙ СИЛЫ

Мысли, которые к нам приходят, и слова, которые мы произносим, постоянно формируют наш мир и все то, что мы испытываем в жизни. Многие из нас привыкли мыслить отрицательными категориями и не осознают того вреда, который сами себе причиняют. Тем не менее, никогда не поздно отказаться от этой привычки, потому что мы всегда можем изменить свой образ мыслей. По мере того как мы учимся последовательно выбирать себе положительные мысли, старые, отрицательные, растворяются навсегда.

Поэтому, когда вы будете читать приведенные ниже мысли для укрепления силы, пусть эти аффирмации и идеи проникнут в глубину вашего сознания. Вы подсознательно выберете из них те, которые наиболее важны для вас в данный момент. Этот процесс можно сравнить с удобрением почвы вашего ума. Впитывая эти понятия путем повторения, вы будете постепенно обогащать ту основу, на которой произрастает ваш сад жизни. Все, что вы посадите в своем саду, даст обильные всходы. Я уже сейчас вижу, как вы становитесь здоровыми и энергичными, вы окружены красотой и изяществом, вам сопутствуют любовь и процветание, ваша жизнь наполнена радостью и весельем. Вы идете по прекрасному пути совершенствования и духовного роста. Счастливого путешествия!

1. МОЕ ИСЦЕЛЕНИЕ УЖЕ НАЧАЛОСЬ

Ваш организм знает, как себя исцелить. Избавьтесь от всякого вредного мусора. Начинайте любить свой организм. Давайте ему питательную пищу и напитки. Ухаживайте за ним. Уважайте его. Создайте вокруг себя благоприятную атмосферу. Позвольте себе исцелиться.

Мое исцеление начинается с готовности и желания прощать. Волна любви поднимается из глубины моего сердца, омывая и исцеляя каждую частицу моего тела. Я знаю, что заслуживаю исцеления.

2. Я ДОВЕРЯЮ МОЕЙ ВНУТРЕННЕЙ МУДРОСТИ

У каждого из нас внутри есть точка, которая прочно связывает нас с бесконечной мудростью Вселенной. Здесь находятся ответы на все вопросы, которые мы когда-либо себе задаем. Научитесь доверять своему внутреннему голосу.

Занимаясь повседневными делами, я прислушиваюсь к своему внутреннему голосу. Моя интуиция всегда со мной. Я доверию ее присутствию, и я спокойна.

3. Я ХОЧУ ПРОСТИТЬ

Мы не можем быть свободными, если находимся в плену собственных обид и убеждены в собственной правоте. Даже если мы не знаем, как прощать, мы можем захотеть это сделать. Вселенная ответит на наше желание и поможет нам найти верный путь к прощению.

Прощение себя и других освобождает меня от прошлого. В прощении заключается решение почти всех проблем. Прощение — это дар самому себе. Я прощаю, и значит, делаю себя свободной.

4. Я ПОЛНОСТЬЮ ВЫРАЖАЮ СЕБЯ ВО ВСЕМ, ЧТО Я ДЕЛАЮ

Каждый день неповторим, мы никогда не сможем прожить его заново, поэтому мы должны наслаждаться мгновениями Жизни. Во всем, что мы делаем, есть своя глубина и смысл.

Мне дорого каждое мгновение дня, потому что я подчиняюсь моим высшим инстинктам и прислушиваюсь к своему сердцу. Я нахожусь в полном согласии с окружающим миром.

5. Я ДОВЕРЯЮ ТЕЧЕНИЮ ЖИЗНИ

Мы учимся законам Жизни. Это похоже на то, как вы изучаете компьютер. Сначала вы обучаетесь простейшим основным операциям — как его включить и выключить, как ввести информацию, обработать ее и распечатать документ. И на этом уровне ваших знаний компьютер кажется вам чудом. Но он способен сделать для вас массу других вещей, если вы изучите его получше. То же самое происходит с Жизнью. Чем больше мы узнаем о ней, тем больше чудес Она творит для нас.

В плавном течении Жизни есть свой ритм, и я подчиняюсь ему. Жизнь поддерживает меня и приносит мне только добро и положительный опыт. Я доверяю Жизни и знаю, что Она несет мне высшее благо.

6. У МЕНЯ ПРЕКРАСНОЕ ЖИЛИЩЕ

Наше жилище всегда свидетельствует о состоянии нашего ума в данный момент времени. Если мы ненавидим то место, где мы живем сейчас, то, куда бы мы не переехали, мы в конце концов возненавидим и новое жилище. Благословите свой дом. Будьте благодарны за то, что он обеспечивает ваши потребности. Перед тем как уехать, скажите своему дому, что следом за вами здесь поселятся замечательные люди. Покидайте свое прежнее жилище с любовью, и на новом месте вы ощутите любовь. Присматривая себе новый дом, я решила, что куплю только тот, где жили влюбленные. И конечно, я нашла себе именно такой дом. Мой дом пронизан ощущением любви.

Я знаю, что живу в замечательном месте. Мой дом полностью отвечает моим потребностям и желаниям. Он расположен в красивой местности и обходится мне совсем недорого.

7. Я МОГУ ОСВОБОДИТЬСЯ ОТ ПРОШЛОГО И ВСЕХ ПРОСТИТЬ

Может быть, мы не хотим отпускать от себя свои старые обиды, но если мы постоянно помним о них, это МЕШАЕТ нам жить. Когда я освобождаюсь от прошлого, моя теперешняя жизнь становится богаче и счастливее.

Я освобождаю себя от прошлого и прощаю всех, кто причинил мне боль. Они свободны, и я свободна и готова идти вперед и радоваться жизни.

8. ТОЧКА СИЛЫ ВСЕГДА В НАСТОЯЩЕМ МОМЕНТЕ

Неважно, как долго существует та или иная ваша проблема, с этого момента вы можете все изменить. Потому что, как только вы меняете свое мышление, ваша жизнь тоже меняется.

Прошлое ушло навсегда, и оно больше не властно надо мной. Я могу стать свободной прямо сейчас. Мои сегодняшние мысли создают мое будущее. Я несу ответственность за все. Сейчас я возвращаю себе силу. Я спокойна и свободна.

9. Я СПОКОЙНА, ЭТО ВСЕГО ЛИШЬ ИЗМЕНЕНИЕ

То, во что мы верим, становится нашей реальной жизнью. Чем больше мы доверяем жизни, тем больше жизнь вознаграждает нас.

Я сжигаю мосты и ухожу от прошлого радостно и легко. Все, что было раньше, обогащает мой новый жизненный опыт. Моя жизнь становится лучше и лучше.

10. Я ХОЧУ ИЗМЕНИТЬСЯ

Мы все хотим, чтобы наша жизнь изменилась и изменились люди вокруг нас. Но в окружающем мире ничего не переменится, пока мы не захотим изменить себя. Мы часто цепляемся за те привычки и убеждения, которые не могут принести нам ничего хорошего.

Я хочу освободиться от старых отрицательных убеждений. Это всего лишь мысли, которые мешают мне жить. Мои новые положительные мысли помогают мне реализоваться как личности.

11. ЭТО ВСЕГО ЛИШЬ МЫСЛЬ, А МЫСЛЬ МОЖНО ИЗМЕНИТЬ

Самые страшные ситуации, проигрываемые в нашем сознании, есть всего лишь мысли. Мы легко можем отказаться от привычки запугивать себя. Вы хотите, чтобы мысли стали вашими лучшими друзьями, чтобы они благотворно влияли на вашу жизнь и формировали ее. Это мысли успокаивающие, приятные, дружелюбные, веселые. Мысли, приносящие любовь, мудрость, душевный подъем.

Я не ограничиваюсь мыслями о прошлом. Я внимательно отбираю свои мысли. Я постоянно изучаю жизнь со всех сторон и стараюсь по-новому смотреть на мир. Я хочу меняться и духовно расти.

12. КАЖДАЯ МЫСЛЬ СОЗДАЕТ МОЕ БУДУЩЕЕ

Я постоянно слежу за своими мыслями. Я чувствую себя пастухом, а мысли — это мои овцы. Если какая-нибудь из них отбивается от стада, я ласково водворяю ее на место. Если я замечаю, что неприятная, недобрая мысль приблизилась ко мне, я немедленно сознательно заменяю ее на добрую и приятную. Вселенная постоянно слышит и отвечает на мои мысли. Я содержу свои мысли в порядке и чистоте, насколько могу.

Вселенная полностью поддерживает каждую мысль, которую я выбираю и в которую я верю. Я могу думать о чем угодно; мой выбор неограничен. Я выбираю равновесие, гармонию и покой и живу соответственно этому настрою.

13. НИКТО НЕ ВИНОВАТ

Поставьте себя на место другого человека, и вы поймете, почему он ведет себя именно так, а не иначе. Мы все рождаемся прелестными маленькими детьми, мы изначально открыты и доверчивы к жизни, в нас заложено чувство собственного достоинства. Если мы перестали быть такими, значит, в какой-то момент нашей жизни кто-то научил нас думать и поступать наоборот. Мы можем отказаться от всего отрицательного, чему нас научили.

Я освобождаюсь от потребности обвинять себя и других. Мы все стараемся как можно лучше использовать тот опыт и знания, которые у нас есть.

14. Я ОСВОБОЖДАЮСЬ ОТ ВСЕХ ОЖИДАНИЙ

Когда мы ничего особенного не ждем, у нас не может быть разочарований. Но если мы себя любим и знаем, что впереди у нас только хорошее, то не так важно, что произойдет с нами, потому что это пойдет нам на пользу.

Я иду по жизни свободно и с удовольствием. Я люблю себя. Я знаю, что на каждом повороте меня ждет только хорошее.

15. Я ПРЕКРАСНО ВИЖУ

Нежелание «видеть» некоторые аспекты жизни затуманивает наше зрение. Это нежелание видеть зачастую является одним из способов самозащиты. Проблемы со зрением не решаются с помощью врачей. Они только прописывают очки с более сильными диоптриями. Плохое питание также способствует ухудшению зрения.

Я освобождаюсь от всего в прошлом, что мешает мне хорошо видеть. Я вижу совершенство жизни. Я с готовностью прощаю. Я вдыхаю любовь в свое зрение и смотрю на мир с сочувствием и пониманием. Мое четкое внутренне видение отражается на состоянии моего зрения.

16. Я ЧУВСТВУЮ СЕБЯ В БЕЗОПАСНОСТИ ВО ВСЕЛЕННОЙ, И ЖИЗНЬ ДАРИТ МНЕ ЛЮБОВЬ И ПОДДЕРЖКУ

Я ношу эту аффирмацию в своем бумажнике. Всякий раз когда я открываю его, я читаю: «Я чувствую себя спокойно во Вселенной, и сама жизнь дарит мне любовь и поддержку». Это служит мне постоянным напоминанием о том, что действительно важно для меня в жизни.

Я вдыхаю жизнь во всей ее полноте и богатстве. Я с радостью наблюдаю, как щедро жизнь поддерживает меня и дает мне больше, чем я могу себе представить.

17. МОЯ ЖИЗНЬ КАК ЗЕРКАЛО

Каждый человек, которого я встречаю в жизни, отражает часть меня самой. Люди, которых я люблю, отражают лучшие мои качества. Люди, которых я не люблю, отражают ту часть меня, которая нуждается в исцелении. Каждое переживаемое мною событие дает мне возможность развиваться и исцеляться.

Мои качества зеркально отражаются в людях, которых я встречаю в жизни. Это позволяет мне духовно расти и внутренне изменяться.

18. Я УРАВНОВЕШИВАЮ В СЕБЕ МУЖСКИЕ И ЖЕНСКИЕ СВОЙСТВА

В нас заключено мужское и женское свойство. Когда обе эти стороны находятся в равновесии, наша личность является цельной и совершенной. Супермену всегда недостает интуитивного начала. А слабая хрупкая женщина не может реализовать сильную, интеллектуальную сторону своей личности. Нам необходимо сочетать в себе и то, и другое.

Мужские и женские свойства во мне уравновешены и гармонично дополняют друг друга. Я спокойна, и у меня все хорошо.

19. СВОБОДА — ЭТО ПРАВО, ДАННОЕ МНЕ СВЫШЕ

Мы пришли на эту планету, обладая абсолютным правом выбора. Мы постоянно делаем мысленный выбор. Никакие другие люди не могут думать за нас, если мы этого не позволим. Только мы сами распоряжаемся своими мыслями. Мы абсолютно свободны в выборе мыслей. Наши мысли и убеждения могут неузнаваемо изменить обстоятельства нашей жизни.

Я свободен выбирать себе замечательные мысли. Я переступаю через все прошлые ограничения и внутренне освобождаюсь. Я становлюсь той личностью, которой мне предназначено быть.

20. Я ОСВОБОЖДАЮСЬ ОТ ВСЕХ СТРАХОВ И СОМНЕНИЙ

Страхи и сомнения мешают нам получить то хорошее в нашей жизни, что мы хотим. Избавьтесь от них.

Сейчас я сознательно освобождаюсь от всех разрушающих страхов и сомнений. Я принимаю себя такой, какая я есть, и создаю в себе внутреннюю гармонию. Меня любят, и я чувствую себя защищенной.

21. МЕНЯ ОХРАНЯЕТ БОЖЕСТВЕННАЯ МУДРОСТЬ

Многие из нас не догадываются, что в нас есть внутренняя мудрость, которая всегда на нашей стороне. Мы не обращаем внимания на интуицию, а потом удивляемся, почему жизнь не складывается, как надо. Научитесь прислушиваться к своему внутреннему голосу. Вы совершенно точно знаете, что вам делать.

В моей повседневной жизни меня направляет интуиция, которая помогает мне делать правильный выбор. Божественный Разум постоянно руководит мной в достижении моих целей. Я спокойна.

22. Я ЛЮБЛЮ ЖИЗНЬ

Просыпаясь каждое утро, я готовлюсь встретить еще один прекрасный день — день, который больше не повторится. Этот день принесет мне что-то особенное. Я счастлива, что живу.

Мне от рождения дано право жить свободной полноценной жизнью. Я даю жизни то, что я хочу получить от нее. Я счастлива, что живу. Я люблю жизнь!

23. Я ЛЮБЛЮ МОЕ ТЕЛО

Мне так радостно жить в моем прекрасном теле. Оно дано мне, чтобы служить мне до конца моей жизни, и я любовно за ним ухаживаю и забочусь о нем. Мое тело драгоценно для меня. Я люблю каждый его дюйм, снаружи и внутри, то, что я вижу, и то, что невидимо, каждый мой орган и каждую железу, каждый мускул и кость, каждую его клетку. Мое тело отвечает на мою заботу и дарит мне здоровье и бодрость.

На спокойствие моего ума мое тело отвечает прекрасным здоровьем.

24. Я ПРЕВРАЩАЮ ЛЮБУЮ СИТУАЦИЮ В НОВУЮ ВОЗМОЖНОСТЬ

Когда я сталкиваюсь с какой-то проблемой, а проблемы бывают у всех, я немедленно говорю себе: «Из этой ситуации получится только хорошее. Проблема легко разрешится ко всеобщему благу. Со мной все хорошо, и я спокойна». Я повторяю это утверждение снова и снова. Оно помогает мне сохранить спокойствие и позволяет Вселенной найти наилучшее решение.

Меня поражает, насколько быстро проблема разрешается тем способом, который устраивает всех.

Каждая проблема имеет решение. Все, с чем я сталкиваюсь в жизни, дает мне возможность учиться и развиваться. Я в безопасности.

25. Я СПОКОЙНА

Где-то в глубине моего существа находится источник бесконечного покоя. Он глубок и безмятежен, как озеро в горах. Никто и ничто, никакой внешний хаос не может затронуть меня, когда я здесь. В этом месте я спокойна. Я ясно мыслю. Я получаю идеи свыше. Мне так спокойно и хорошо.

Меня охватывает божественный покой и гармония. Я испытываю сочувствие, понимание и любовь ко всем людям, включая себя.

26. Я ЛЕГКО ПРИСПОСАБЛИВАЮСЬ

Жизнь постоянно меняется. Под ветром перемен чаще всего ломаются те из нас, у кого косное и негибкое мышление. Но те, кто гнется, подобно ивовым ветвям, легко адаптируются к новым условиям. Если мы сопротивляемся переменам, жизнь проходит мимо, оставляя нас позади. Гибкость ума, так же как и гибкость тела, позволяет чувствовать себя более комфортно в жизни.

Я открыта и восприимчива к любым изменениям. Каждое мгновение жизни дает мне новую прекрасную возможность реализовать себя как личность. Я плыву по течению жизни легко и без усилий.

27. СЕЙЧАС НА МЕНЯ НЕ ДЕЙСТВУЮТ СТРАХИ И ОГРАНИЧЕННОСТЬ ДРУГИХ ЛЮДЕЙ

Я не верю в страхи и ограниченные убеждения, которые были присущи моим родителям. Я не верю даже в собственные страхи и ограниченные убеждения. Это всего лишь фальшивые мысли, которые долго блуждали в моем сознании. Я легко могу их стереть, как вытирают грязное окно. Тогда сквозь чистое стекло моего ума я отчетливо увижу все отрицательные мысли, мешающие мне жить, и приму решение изменить их.

Я сама мысленно создаю все, что превращается в мой жизненный опыт. Я обладаю неограниченной способностью создавать добро в своей жизни.

28. Я ЗАСЛУЖИВАЮ ЛЮБВИ

Многие из нас привыкли думать, что любовь не бывает безусловной. Следовательно, мы верим в то, что любовь необходимо заслужить. Мы считаем, что для того, чтобы стать привлекательными, нам нужна либо престижная работа, либо хорошие взаимоотношения, либо идеальная фигура. Это чепуха. Ведь нам не приходится доказывать свое право на то, чтобы дышать воздухом. Мы просто дышим и существуем, какими нас создал Господь. То же самое можно сказать о праве любить и быть любимыми. Сам факт нашего существования означает, что мы заслуживаем любви.

Мне не нужно стараться заслужить любовь. Я привлекательна, потому что существую на свете. Любовь других является отражением моей любви к себе.

29. У МЕНЯ ТВОРЧЕСКИЕ МЫСЛИ

Я научилась любить свои мысли; они мои лучшие друзья.

Я говорю «Вон!» любой отрицательной мысли, которая приходит мне в голову. Никто и ничто не может повлиять на мои мысли, только я распоряжаюсь ими. Я создаю реальные события и людей в своей жизни.

30. МЕНЯ УСТРАИВАЕТ МОЙ ПОЛ

Я знаю, что во многих предыдущих жизнях моя сексуальная принадлежность была различной. Я была мужчиной и женщиной, лесбиянкой и гомосексуалистом. Иногда общество одобряло мою сексуальную ориентацию, иногда нет. Это всегда давало мне поучительный жизненный опыт, то же происходит и теперь, в этой жизни. И все же я знаю, что моя душа не имеет пола.

Мне нравится мой пол и мое тело. Мое тело идеально подходит мне в этой жизни. Я отношусь к себе с любовью и сочувствием.

31. МЕНЯ УСТРАИВАЕТ МОЙ ВОЗРАСТ

Я всегда живу в настоящем. Конечно, количество моих лет со временем увеличивается. Но я сама выбираю, чувствовать мне себя молодой или старой. Есть 20-летние старики, а есть люди, которые молоды в возрасте 90 лет. Я знаю, что пришла на эту планету, чтобы прожить Жизнь на всех возрастных этапах, и любой возраст хорош по-своему. Переход из одного возраста в следующий происходит плавно и легко, когда я сама захочу этого. Я поддерживаю свой разум в здоровом и счастливом состоянии, и мое тело послушно следует за ним. Я всегда довольна своим возрастом и радостно смотрю в будущее.

В каждом возрасте есть свои особые радости и переживания. Мой возраст всегда идеально соответствует моей жизни.

32. ПРОШЛОЕ УШЛО НАВСЕГДА

Я не могу вернуться в прошлое, я только могу мысленно проиграть заново вчерашний день, если захочу. Но возвращение во вчерашний день отнимает драгоценные мгновения дня сегодняшнего — и их уже невозможно будет вернуть. Поэтому я отпускаю от себя прошлое и полностью сосредоточиваю внимание на настоящем. Каждое мгновение неповторимо, и я радуюсь ему.

Наступает новый день. Такого дня у меня никогда еще не было. Я живу в настоящем и радуюсь каждому мгновению.

33. Я ОСВОБОЖДАЮСЬ ОТ КРИТИЦИЗМА

Сильнее других ненавидят себя люди самоуверенные, считающие себя в праве осуждать других. Поскольку они сопротивляются переменам в самих себе, то вечно ищут виноватых вокруг себя. Они во всем замечают плохое. Поскольку они настроены столь критично, то притягивают к себе различные объекты для критики. Одно из важнейших решений, которое мы можем принять для собственного духовного роста, это полностью избавиться от критицизма — нельзя критиковать других, а главное, нельзя критиковать себя. Мы всегда можем выбирать между добрыми, недобрыми и нейтральными мыслями. Чем больше у нас добрых и приятных мыслей, тем больше доброты и любви мы привлекаем в свою жизнь.

Я отдаю только то, что хотела бы получить обратно. Мои любовь и понимание других людей отражаются на их отношении ко мне в каждом моменте жизни.

34. Я НИКОГО НЕ УДЕРЖИВАЮ ВОЗЛЕ СЕБЯ

Я знаю, что каждый человек наделен свыше интуицией и внутренней мудростью. Поэтому мне не нужно вмешиваться в чужую Жизнь. Я живу не затем, чтобы контролировать других. Я живу затем, чтобы исцелить мою собственную Жизнь. Разные люди появляются в моей Жизни именно тогда, когда это нужно. Мы проводим вместе столько времени, сколько нам предназначено, и расстаемся именно тогда, когда нужно. Я с любовью отпускаю от себя других людей.

Я освобождаю других, чтобы они жили так, как считают нужным, и я свободна создавать себе ту Жизнь, которая нужна мне.

35. Я ПРЕДСТАВЛЯЮ СЕБЕ, КАКИМИ БЫЛИ В ДЕТСТВЕ МОИ РОДИТЕЛИ И КАК ИМ НЕ ХВАТАЛО ЛЮБВИ

Когда у нас возникают проблемы с родителями, мы часто забываем, что они тоже были когда-то маленькими невинными детьми. Кто научил их причинять боль другим? Как мы можем помочь им исцелить их боль? Мы все нуждаемся в любви и в исцелении.

Я с сочувствием отношусь к детству моих родителей и жалею их. Теперь я знаю, что выбрала себе именно этих родителей, потому что они были идеальны для меня. Благодаря им я научилась в жизни тому, чему должна была научиться. Я прощаю их все и освобождаю их, и освобождаюсь сама.

36. Я ВОСХИЩАЮСЬ МОИМ ДОМОМ

Если вы любите и цените свой дом, он сам излучает любовь. Даже если вы задержитесь здесь ненадолго, обязательно вложите в него свою любовь. Если у вас есть гараж, проявите любовь и к нему тоже, наведите в нем чистоту и порядок. Повесьте на стену картину или какую-нибудь красивую вещь, чтобы она радовала ваш взор при входе в дом.

Я благословляю мой дом. Я люблю каждый его уголок, и мой дом с благодарностью отвечает мне теплом и удобством. Мне хорошо и спокойно здесь жить.

37. КОГДА Я ГОВОРЮ ЖИЗНИ «ДА», ЖИЗНЬ ТОЖЕ ГОВОРИТ МНЕ «ДА»

Жизнь всегда говорила вам «да», даже когда вы создавали нечто отрицательное. Теперь, когда вы узнали об этом законе жизни, вы можете создавать себе только хорошее будущее.

Жизнь отражает каждую нашу мысль. Если я мыслю положительными категориями, Жизнь приносит мне только положительный опыт.

38. В ЖИЗНИ ТАК МНОГО ВСЕГО, ЧТО ХВАТИТ НА ВСЕХ, ВКЛЮЧАЯ МЕНЯ

На этой планете достаточно пищи, чтобы накормить всех. Конечно, есть люди, которые голодают, но это происходит не из-за недостатка еды, а из-за недостатка любви. На свете так много денег и богатых людей, гораздо больше, чем мы думаем. Если разделить все деньги поровну, то уже через месяц окажется, что богатые стали еще богаче, а бедные снова стали бедными. Ибо богатство — это особая психология, оно тесно связано с сознательным самоутверждением личности. На нашей планете живет несколько миллиардов людей, но тем не менее вы слышите, что многие люди жалуются на одиночество. Любовь не может найти нас, если мы сами не сделаем шаг ей навстречу. Поэтому, когда я утверждаю, что заслуживаю только хорошего, я получаю от жизни все, что мне нужно, и в наиболее подходящий для этого момент времени.

Океан Жизни щедро одаривает нас всем. Все мои потребности и желания осуществляются прежде, чем я попрошу. Со всех сторон ко мне приходит только добро.

39. В МОЕМ МИРЕ ВСЕ ХОРОШО

Моя жизнь всегда складывалась правильно, только я об этом не знала. Я не понимала, что все отрицательные события, происходившие в моей жизни, были реальным отражением моих собственных убеждений. Теперь я знаю об этом и могу сознательно программировать свои мысли таким образом, чтобы моя жизнь была успешной и счастливой во всех отношениях.

Все в моей жизни складывается успешно отныне и навсегда.

40. МОЯ РАБОТА ПРИНОСИТ МНЕ УДОВЛЕТВОРЕНИЕ

Когда мы научимся любить то, что мы делаем, Жизнь позаботится о том, чтобы мы всегда находили себе интересную творческую работу. Когда вы готовы сделать новый шаг в жизни мысленно и эмоционально, Жизнь сама подтолкнет вас к нему. Старайтесь максимально реализовать свои возможности уже сегодня.

Я делаю то, что люблю, и люблю то, что я делаю. Я знаю, что всегда работаю там, где нужно, и с теми людьми, с которыми нужно. Я знаю, что получаю те жизненные уроки, которые мне необходимы.

41. ЖИЗНЬ ПОДДЕРЖИВАЕТ МЕНЯ

Когда вы следуете законам Жизни, Жизнь щедро вознаграждает вас.

Жизнь создала меня для того, чтобы я могла достичь совершенства. Я доверяю Жизни, и Она поддерживает меня на всем моем пути. Я в безопасности под защитой Жизни.

42. МОЕ БУДУЩЕЕ ВЕЛИКОЛЕПНО

Наши сегодняшние мысли всегда отражаются на нашем будущем. Мысли, которые к нам приходят, и слова, которые мы произносим, буквально создают наше будущее. Поэтому, чем прекраснее будут ваши мысли, тем прекраснее ваше будущее.

Я живу в светлом мире безграничной любви и радости. У меня все хорошо.

43. Я ОТКРЫВАЮ НОВЫЕ ДВЕРИ В ЖИЗНЬ

Я прохожу по коридору Жизни, по обеим сторонам которого находятся двери. За каждой дверью меня ждут новые события. Чем больше я очищу свой ум от отрицательных установок, тем легче мне находить те двери, за которыми меня ждут только хорошие события. Если я мыслю положительными категориями, Жизнь предлагает мне самое лучшее, что у нее есть.

Я радуюсь всему, что имею, и знаю, что впереди у меня всегда свежие, новые впечатления и переживания. Я приветствую все новое и принимаю его. Я верю в то, что Жизнь прекрасна.

44. Я ЗАЯВЛЯЮ О СОБСТВЕННОЙ СИЛЕ И С ЛЮБОВЬЮ СОЗДАЮ СВОЮ РЕАЛЬНУЮ ЖИЗНЬ

Никто не может сделать это за вас. Только вы сами можете давать себе мысленные установки. Если вы отдадите свою силу другим, вы останетесь ни с чем. Когда вы заявляете о собственной силе, она принадлежит вам. Пользуйтесь ею благоразумно и мудро.

Я прошу о мудрости и понимании, чтобы я могла осознанно и с любовью строить свой собственный мир и свою жизнь в нем.

45. СЕЙЧАС Я СОЗДАЮ СЕБЕ НОВУЮ ПРЕКРАСНУЮ РАБОТУ

Благословите вашу теперешнюю работу и с любовью отпустите ее от себя, передав тому, кто придет на ваше место. Знайте, что вы переходите на новый уровень жизни. Пусть ваши утверждения о новой работе будут ясными и положительными. Знайте, что вы заслуживаете всего самого лучшего.

Я с открытой душой воспринимаю мою новую прекрасную работу, в которой реализуются мои творческие способности и таланты. Я люблю людей, с которыми и для которых я работаю. Мне нравится местоположение моей новой работы и то, что она дает мне хороший заработок.

46. ВСЕ, К ЧЕМУ Я ПРИКАСАЮСЬ, ПРИНОСИТ МНЕ УСПЕХ

Перед нами всегда есть выбор, о чем думать — о бедности или о процветании. Когда мы мысленно представляем себе нехватку средств и будущие лишения, именно это нам предстоит пережить в реальности. При таком образе мыслей вы никогда и ни при каких обстоятельствах не сможете преуспеть в жизни. Для того чтобы достичь успеха, вам нужно постоянно думать о процветании и изобилии.

Теперь я по-новому осознаю, что такое успех. Я знаю, что могу достичь успеха, если твердо решу это сделать. Я вхожу в Круг Победителей. На каждом шагу мне представляются блестящие возможности. Успех и процветание сопутствуют мне во всем.

47. Я ОТКРЫТА И ВОСПРИИМЧИВА К НОВЫМ СПОСОБАМ ПОЛУЧЕНИЯ ДОХОДА

Когда мы открыты и восприимчивы к новому, Жизнь обязательно найдет для нас много способов получения дохода. Если мы будем знать и утверждать, что заслуживаем только хорошего, в едином бесконечном источнике щедрости откроются новые каналы. Мы часто ограничиваемся каким-то постоянным источником дохода, поверив в то, что он единственно возможный, тем самым закрывая себе другие пути. Освободив свое сознание от ограниченных представлений, мы открываем для себя неисчерпаемые источники благополучия.

Теперь я пользуюсь самыми разными источниками дохода, со всех сторон я получаю добро, ожидаю я этого или нет. Меня ничто не ограничивает, и я принимаю все, что приходит ко мне из неограниченного источника самыми различными путями. Это превосходит мои самые смелые мечты.

48. Я ЗАСЛУЖИВАЮ САМОГО ЛУЧШЕГО, И СЕЙЧАС Я ПРИНИМАЮ САМОЕ ЛУЧШЕЕ

Единственное, что мешает нам получать все хорошее от жизни, это наше убеждение в том, что мы этого не заслуживаем. Когда-то в детстве мы усвоили это убеждение и поверили в него. Настало время избавиться от этого убеждения.

У меня есть все данные, на умственном и на эмоциональном уровне, для того, чтобы процветать и радоваться жизни. Я заслуживаю всего самого лучшего по праву рождения. Я заявляю о своем праве.

49. ЖИЗНЬ ПРОСТА И ЛЕГКА

Законы Жизни просты и даже слишком просты для тех людей, которые хотят бороться и все усложнять. «То, что вы отдаете, возвращается к вам назад. То, что вы думаете о Жизни и о себе самом, становится реальностью вашей жизни». Вот так все просто.

Все, что мне нужно знать в каждый конкретный момент, открывается мне. Я доверяю себе и доверяю Жизни. Все уже хорошо.

50. Я ГОТОВА К ЛЮБОЙ СИТУАЦИИ

Знайте, что вы способны на гораздо большее, чем вы думаете. Вас хранит и защищает Высшая Сила. Вы связаны с Бесконечной Мудростью. Вы никогда не бываете одиноки. У вас есть все, что вам нужно. Конечно, вы готовы к любой ситуации.

Я заодно с Силой и Мудростью Вселенной. Я заявляю о своей Силе, и мне легко постоять за себя.

51. Я С ЛЮБОВЬЮ ПРИСЛУШИВАЮСЬ К СИГНАЛАМ, КОТОРЫЕ ПОСЫЛАЕТ МОЕ ТЕЛО

Вместо того чтобы тратить деньги на лекарства, при первых же признаках недомогания сядьте спокойно, закройте глаза, вздохните глубоко несколько раз, углубитесь в себя и спросите: «Что мне нужно знать?» Потому что ваш организм старается вам что-то сказать. Если вы немедленно бросаетесь к врачу, это значит, что вы просто говорите своему организму: «Заткнись!» Пожалуйста, прислушивайтесь к своему организму, он любит вас.

Мой организм всегда стремится быть максимально здоровым. Мой организм хочет быть совершенным и здоровым. Я помогаю ему в этом и становлюсь здоровой и невредимой.

52. Я ВЫРАЖАЮ СВОЮ ТВОРЧЕСКУЮ СУЩНОСТЬ

В каждом из нас скрыта неповторимая творческая индивидуальность. Находя время для творческих занятий, неважно, в чем они выражаются, вы проявляете любовь к себе. Если мы думаем, что слишком заняты, чтобы уделить время творчеству, мы упускаем очень важную возможность для самореализации.

Я обладаю уникальными творческими способностями и выражаю их теми способами, которые наиболее полно удовлетворяют меня. Мое творчество всегда пользуется спросом.

53. Я НАХОЖУСЬ В ПРОЦЕССЕ ПОЛОЖИТЕЛЬНЫХ ИЗМЕНЕНИЙ

Мы всегда находимся в процессе изменений. Раньше со мной происходили многие отрицательные изменения; теперь я научилась освобождаться от старых ненужных стереотипов, мои изменения положительны.

Я раскрываюсь как полноценная личность. Ко мне может прийти только добро. Теперь я являюсь воплощением здоровья, счастья, процветания и спокойствия ума.

54. Я ПРИНИМАЮ МОЮ УНИКАЛЬНОСТЬ

Не бывает двух одинаковых снежинок или двух одинаковых ромашек. Каждый человек уникален по своим способностям и талантам. Мы ограничиваем себя, когда стараемся быть похожими на кого-то другого. Радуйтесь своей уникальности.

Мы не должны состязаться или сравнивать себя с другими, потому что все мы разные и такими нас создал Бог. Я особенная и замечательная. Я люблю себя.

55. ВСЕ МОИ ВЗАИМООТНОШЕНИЯ ГАРМОНИЧНЫ

Я всегда вижу вокруг себя гармонию. Я готова всячески способствовать созданию гармонии. Жизнь доставляет мне радость.

Создав гармонию в своем разуме и в сердце, мы обнаружим ее в нашей жизни. Внутреннее создает внешнее. Всегда.

56. Я НЕ БОЮСЬ ЗАГЛЯНУТЬ В СЕБЯ

Мы часто боимся заглянуть в себя, так как ожидаем увидеть нечто ужасное. Но что бы «они» нам ни говорили, мы обнаружим в себе только чудесного маленького ребенка, которому нужна наша любовь.

Преодолев чужие мнения и убеждения, я нахожу в себе великолепное существо — мудрое и прекрасное. Я люблю то, что вижу в себе.

57. МЕНЯ ПОВСЮДУ ЖДЕТ ЛЮБОВЬ

То, что мы отдаем, возвращается к нам в многократном размере. Лучший способ получить любовь — это отдавать ее. Любовь может выражаться в принятии и поддержке, в сочувствии, в доброте и нежности. Я непременно хочу жить в мире, обладающем этими качествами.

Любовь есть повсюду, и я люблю и способна любить. Любящие люди окружают меня в жизни, и мне легко выразить свою любовь к другим.

58. КОГДА Я ЛЮБЛЮ И ПРИНИМАЮ СЕБЯ, МНЕ ЛЕГЧЕ ЛЮБИТЬ ДРУГИХ

Мы не можем по-настоящему полюбить других, пока не полюбим самих себя. Иначе то, что мы называем любовью, на самом деле является взаимозависимостью, или привычкой, или потребностью в другом человеке. Никто никогда не сможет полюбить вас, как вы хотите, если вы не любите себя. Вы будете постоянно задавать своему партнеру вопрос типа: «Ты действительно меня любишь?» Невозможно удовлетворить того, кто сам себя не любит. Вы обречены на недовольство и ревность. Поэтому научитесь любить себя, и у вас будет приятная жизнь.

Мое сердце открыто. Я позволяю моей любви изливаться без помех. Я люблю саму себя. Я люблю других, и они любят меня.

59. Я ПРЕКРАСНА, И МЕНЯ ВСЕ ЛЮБЯТ

Я часто использую эту аффирмацию, когда гуляю пешком по городу. И хотя я произношу слова про себя, многие люди отвечают мне улыбками. Попробуйте сделать то же самое. Эта аффирмация может придать вам сил, когда вы поправляетесь после болезни.

Я открыта и приветлива со всеми, и меня очень любят. Любовь окружает и защищает меня.

60. Я ЛЮБЛЮ И ОДОБРЯЮ СЕБЯ

Самоодобрение приносит только пользу. Мы не говорим здесь о тще-славии или гордыне, потому что это тоже проявления страха. Любовь к себе означает восхищение чудом существования собственной личности. Уважай-те и цените себя, вы этого достойны. Любите себя такой, какая вы есть!

Я одобряю все, что делаю. Я достаточно хороша такая, как есть. Я говорю сама за себя. Я прошу то, что хочу получить. Я заявляю о своей силе.

61. Я РЕШИТЕЛЬНЫЙ ЧЕЛОВЕК

Не бойтесь принимать решения. Принимайте их ответственно. Если ваше решение окажется неверным, примите другое решение. Если вам нужно найти решение, научитесь углубляться в себя, делайте короткую медита-цию. Все ответы есть в вашей душе. Постоянно тренируйтесь, погружаясь в себя, и вы обретете крепкую постоянную связь со своей внутренней мудростью.

Я доверяю своей внутренней мудрости и с легкостью принимаю решения.

62. Я ВСЕГДА В БЕЗОПАСНОСТИ, КОГДА Я ПУТЕШЕСТВУЮ

Сознательно выработайте в себе ощущение безопасности, и оно будет сопровождать вас везде — каким бы видом транспорта вы ни восполь-зовались.

Независимо от того, какой вид транспорта я выбираю, я чувствую себя в полной безопасности.

63. МОЙ УРОВЕНЬ ПОНИМАНИЯ ПОСТОЯННО РАСТЕТ

Чем больше мы понимаем в жизни, тем больше перед нами открывает-ся чудес. Люди, которые ведут ограниченную жизнь, воспринимают все очень ограниченно. Для них существует только черное и белое, «да» или «нет», и, как правило, их восприятие обусловлено внутренним страхом или чувством вины. Позвольте себе расширить рамки понимания, и у вас выработается другой, более проникновенный взгляд на жизнь.

Я каждый день прошу у Высшей Силы дать мне способность более глубокого понимания жизни и помочь мне выйти за рамки предубеждений.

64. ТЕПЕРЬ Я ПРИНИМАЮ ИДЕАЛЬНОГО ПАРТНЕРА

Напишите на листе бумаги те качества, которые вы хотите видеть в своем идеальном партнере, и убедитесь в том, что вы сами тоже облада-ете этими качествами. Возможно, вам придется что-то изменить в себе, прежде чем в вашей жизни появится соответствующий человек.

Божественная Любовь направляет меня и помогает сохранить взаимо-отношения с моим идеальным партнером.

65. Я В БЕЗОПАСНОСТИ СЕЙЧАС И НАВСЕГДА

Наша система убеждений всегда становится очевидной из нашего жизненного опыта. Создавая в себя убеждение о безопасности и защищеннос-ти, мы ощущаем это и в реальной жизни. Положительные аффирмации создают Жизнь.

Я сама и все, что у меня есть, находится в безопасности. Я чувствую свою защищенность и живу в безопасном мире.

66. ИСЦЕЛЕНИЕ МИРА ПРОИСХОДИТ СЕЙЧАС

Каждый из нас вносит свой вклад либо во всемирный хаос, либо в об-
щую гармонию. Любая недобрая, неприятная, отрицательная мысль, страх
и предубеждение содействуют созданию атмосферы, которая грозит зем-
летрясениями, наводнениями, засухами, войнами и прочими бедствиями.
С другой стороны, каждая добрая мысль, выражающая любовь и поддерж-
ку, помогает создать атмосферу всеобщего благоденствия и исцеления.
Решайте сами, что вас больше устраивает и чему вы хотите содейство-
вать.

Я каждый день представляю себе наш мир спокойным, единым и ис-
целенным. Я вижу, что каждый человек сыт, одет и имеет крышу над
головой.

67. Я БЛАГОСЛОВЛЯЮ НАШЕ ПРАВИТЕЛЬСТВО

Наше убеждение о плохом правительстве делает его именно таким.
Ежедневно произносите положительные аффирмации, касающиеся прави-
тельства.

Я утверждаю, что в нашем правительстве только честные и достойные
люди, которые действительно работают на благо общества.

68. Я ЛЮБЛЮ СВОЮ СЕМЬЮ

Я свидетельница тому, как сотни семей смогли воссоединиться, благо-
даря ежедневному повторению этой аффирмации в течение трех или четы-
рех месяцев. Когда мы отдаляемся от своей семьи, мы часто становимся
источником отрицательной энергии, которая возвращается к нам обратно.
Эта аффирмация останавливает выброс отрицательной энергии и помогает
выйти наружу чувству любви.

У меня любящая, гармоничная, веселая, здоровая семья; мы превос-
ходно общаемся между собой.

69. МОИ ДЕТИ ЗАЩИЩЕНЫ БОЖЕСТВЕННОЙ СИЛОЙ

Мы все опасаемся за своих детей, и они часто дают нам поводы
для беспокойства. Мы хотим, чтобы наши дети чувствовали себя свободно
и защищенно в той атмосфере, которой мы мысленно их окружаем. Всегда
повторяйте положительные аффирмации, когда ваши дети находятся вдали
от вас.

В каждом из моих детей постоянно присутствует Божественная Мудрость, и они веселы, здоровы и невредимы, куда бы они ни отправились.

70. Я ЛЮБЛЮ ВСЕ СУЩЕСТВА, СОЗДАННЫЕ БОГОМ, — ВСЕХ ЖИ-ВОТНЫХ, БОЛЬШИХ И МАЛЕНЬКИХ

Каждое живое существо, будь то насекомое, птица или рыба, имеет
свое особое место в Жизни. Они так же необходимы, как и все мы.

Я легко и с любовью общаюсь со всеми живыми существами и знаю,
что они заслуживают нашей любви и защиты.

71. Я ЛЮБЛЮ РОЖАТЬ

Все девять месяцев беременности разговаривайте и общайтесь со своим
будущим ребенком. Готовьтесь к родам, как к приятному легкому пережива-
нию для вас обоих. Опишите своему ребенку процесс родов в наиболее
положительном свете, чтобы вы могли помогать и поддерживать друг

друга в этот момент. Нерожденные дети любят, когда матери им поют, они также любят слушать музыку.

Чудо рождения есть нормальный и естественный процесс, и я переживаю его легко, без усилий и с любовью.

72. Я ЛЮБЛЮ МОЕГО РЕБЕНКА

Я верю, что на уровне общения наших душ мы выбираем себе родителей и мы выбираем себе детей. Наши дети становятся нашими учителями. Мы многому можем у них научиться. Но самым главным должен стать урок взаимной любви.

Мой ребенок и я любим друг друга. У нас радостные, спокойные взаимоотношения. Мы — счастливая семья.

73. У МЕНЯ ГИБКОЕ ТЕЛО

Гибкость и живость моего ума придает гибкость моему телу. Единственное, что держит нас в скованном состоянии, это страх. Когда мы наверняка знаем, что защищены свыше и находимся в безопасности, мы можем расслабиться и свободно плыть по течению жизни. Обязательно включите в свой распорядок время для танцев.

Исцеляющая энергия постоянно растекается по всем органам моего тела, по всем моим суставам и клеткам. Я двигаюсь легко и без усилий.

74. Я ЗНАЮ

Несколько раз в день остановитесь и скажите себе: «Я знаю!» Затем глубоко вдохните, и вы заметите, что теперь вы знаете немного больше. Впереди у вас еще много интересного.

Я постоянно расширяю свои познания о себе, о своем организме, о своей жизни. Моя осведомленность придает мне силу, чтобы брать на себя ответственность за все.

75. Я ЛЮБЛЮ ФИЗИЧЕСКИЕ УПРАЖНЕНИЯ

Я собираюсь прожить долго и хочу бегать, танцевать и сохранять гибкость до последнего дня своей жизни. Когда я занимаюсь физическими упражнениями, мои кости становятся крепче. Я нашла множество различных способов, как получать удовольствие от движения. Движение сохраняет нам жизнь.

Физические упражнения помогают мне оставаться молодой и здоровой. Мои мышцы любят двигаться. Я бодра и подвижна.

76. ПРОЦВЕТАНИЕ — ЭТО ПРАВО, ДАННОЕ МНЕ СВЫШЕ

Большинство людей довольно раздраженно реагируют на утверждение, что НЕТ НИЧЕГО ЛЕГЧЕ, ЧЕМ ПОЛУЧАТЬ ДЕНЬГИ. Но это правда. Хотя прежде всего мы должны освободиться от наших отрицательных реакций и от отрицательных убеждений на этот счет. Я обнаружила, что мне легче провести семинар на тему сексуальных отношений, чем на тему денег. Люди начинают невероятно сердиться, когда кто-то покушается на их убеждения о деньгах. Чем больше человек заинтересован в деньгах, тем сильнее он борется за свои ограниченные стереотипы. Какое ваше отрицательное убеждение в отношении денег мешает вам их иметь?

Я заслуживаю процветания и с готовностью принимаю то, что так щедро дарует мне жизнь. Я отдаю и получаю деньги с радостью и удовольствием.

77. Я СОЕДИНЕНА С БОЖЕСТВЕННОЙ МУДРОСТЬЮ

На каждый вопрос всегда находится ответ. Каждая проблема имеет свое решение. Мы никогда в Жизни не бываем одиноки, потеряны или покинуты, ибо Бесконечная Мудрость постоянно направляет наш путь. Научитесь доверять ей, и вы всю жизнь будете чувствовать себя в безопасности.

Каждый день я погружаюсь в себя, чтобы ощутить связь с мудростью Вселенной. Она постоянно направляет меня и ведет теми путями, которые приносят мне высшее благо и величайшую радость.

78. СЕГОДНЯ Я СМОТРЮ НА ЖИЗНЬ НОВЫМИ ГЛАЗАМИ

Деревенские люди, приезжающие ненадолго в город, всегда помогают мне взглянуть на окружающий мир другими глазами. Мы полагаем, что уже все видели, и упускаем массу вещей, которые существуют рядом с нами. Во время утренних медитаций я прошу дать мне сегодня возможность больше увидеть и понять. Мой мир несравненно шире, чем мне кажется.

Я хочу увидеть Жизнь по-другому, новыми глазами, чтобы замечать те вещи, которые я раньше не замечала. Новый мир ждет, когда я сумею посмотреть на него по-новому.

79. Я ЖИВУ В НОГУ СО ВРЕМЕНЕМ

Каждый из нас достаточно умен и сообразителен, чтобы понимать и пользоваться всеми новейшими занятными электронными чудесами, которые заполонили нашу жизнь. И если у нас возникают трудности с установкой программ на видеомагнитофоне или на компьютере, нам достаточно спросить об этом любого ребенка. Современные дети умеют обращаться с электроникой. И как было давно сказано: «И малые дети поведут их за собой».

Я открыта и восприимчива ко всему новому в Жизни. Я хочу разбираться в видеотехнике, компьютерах и прочих чудесных электронных устройствах.

80. Я СОХРАНЯЮ СВОЙ ИДЕАЛЬНЫЙ ВЕС

Ненатуральная и слишком калорийная пища способствует нашему нездоровому состоянию и излишнему весу. Когда мы начинаем стремиться к здоровью и перестаем есть мясо, молочные продукты, сахар и животные жиры, наше тело автоматически включается в процесс оздоровления и обретает оптимальный вес. Тело, которое отравлено токсинами, склонно к ожирению. Здоровое тело сохраняет свой идеальный вес. Поэтому, как только мы освобождаем свой разум от вредных отравляющих мыслей, наше тело приобретает здоровье и красоту.

Мой разум и тело находятся в гармоничном равновесии. Я легко и без усилий достигаю своего идеального веса и поддерживаю его.

81. Я В ОТЛИЧНОЙ ФОРМЕ

Было время, когда мы все ели только натуральную здоровую пищу. Теперь нам приходится с осторожностью выбирать среди специально обработанных рафинированных продуктов и находить себе здоровую простую пищу. Я поняла, что чем проще мой рацион, тем лучше здоровье. Давайте своему организму пищу, которая растет в природе, и вы тоже будете расти.

Я с любовью забочусь о своем теле. Я ем здоровую пищу. Я пью полезные напитки. Мое тело отвечает мне тем, что всегда находится в отличной форме.

82. МОИ ЖИВОТНЫЕ ЗДОРОВЫ И СЧАСТЛИВЫ

У меня есть шесть замечательных домашних животных, и я никогда не даю им консервированный или искусственно обработанный корм. Их здоровье так же важно, как и мое. Мы все прекрасно заботимся о себе.

Я с удовольствием общаюсь с моими животными, и они дают мне понять, как я могу сделать их счастливыми (на ментальном уровне и с помощью физических действий). Мы прекрасно уживаемся вместе. Я нахожусь в полной гармонии с Жизнью.

83. Я ЗНАЮ СЕКРЕТ ВЫРАЩИВАНИЯ РАСТЕНИЙ

Я люблю землю, и земля любит меня. Я стараюсь как могу, чтобы сделать ее богаче и плодороднее.

Каждое растение, к которому я ласково прикасаюсь, отвечает мне взаимностью и вырастает во всей своей красоте. Мои комнатные растения счастливы. Цветы необычайно красивы. Вкусные фрукты и овощи вырастают в изобилии. Я нахожусь в гармонии с природой.

84. СЕГОДНЯ ДЕНЬ ВЕЛИКОГО ИСЦЕЛЕНИЯ

Точно так же, как мы мысленно создаем в себе болезнь, наш разум может создавать здоровье. Клетки нашего тела постоянно реагируют на настроение нашего ума. Как и люди, они лучше всего работают в атмосфере любви и счастья. Поэтому наполните вашу жизнь радостью, и вы будете счастливы и здоровы.

Я подключаюсь к целительной энергии Вселенной, чтобы исцелить себя и тех людей вокруг меня, которые готовы исцелиться. Я знаю, что мой разум является мощным инструментом исцеления.

85. Я ЛЮБЛЮ И УВАЖАЮ СТАРЫХ ЛЮДЕЙ В МОЕЙ ЖИЗНИ

То, как мы сегодня относимся к старым людям, показывает, как будут относиться к нам, когда мы постареем. Я верю в то, что наши поздние годы могут быть драгоценными для нас и мы все можем стать представителями Великолепной Старости и жить полноценной, общественно полезной Жизнью.

Я отношусь к старым людям с величайшей любовью и уважением, ибо я знаю, что они являются источником знаний, опыта и правды.

86. ЗА РУЛЕМ МОЕЙ МАШИНЫ Я В ПОЛНОЙ БЕЗОПАСНОСТИ

Я всегда посылаю свою любовь сердитым автомобилистам, попадающимся мне на дороге. Я понимаю: они не осознают, что они с собой делают. Злость создает опасные ситуации. Я уже давно перестала злиться на плохих водителей. Я не собираюсь портить себе день из-за того, что кто-то не умеет ездить. Я люблю и благословляю свою машину и дорогу, по которой я еду. И потому что я делаю это, мне редко встречаются злые водители. Они собираются в других местах, чтобы причинять неприятности таким же злым водителям, как они сами. Я езжу так, чтобы никому не мешать, и почти всегда приезжаю вовремя, независимо от интенсивности дорожного движения. Наше сознание сопровождает нас повсюду: куда вы, туда и ваш разум. Мы мысленно притягиваем те или иные жизненные ситуации.

Когда я за рулем моей машины, я чувствую себя совершенно безопасно, свободно и удобно. Я благословляю своей любовью всех водителей, встречающихся мне на дороге.

87. МУЗЫКА ОБОГАЩАЕТ МОЮ ЖИЗНЬ

Мы все любим танцевать под разную музыку, и нас привлекают разные музыкальные стили. Кому-то нравится музыка, воспринимаемая другими как чудовищный шум. У меня есть подруга, которая заводит музыку для медитации в саду, для своих деревьев, от чего ее соседи приходят в ярость.

Я наполняю свою жизнь гармоничной и бодрой музыкой, которая обогащает мое тело и душу. Она дает мне творческие импульсы и вдохновляет меня.

88. Я ЗНАЮ, КАК УСПОКОИТЬ СВОИ МЫСЛИ

Время, проведенное в одиночестве, и погружение в себя дают нам возможность обновить наши духовные силы. Наедине с собой мы получаем всю необходимую нам информацию.

Я заслуживаю покоя и отдыха, когда мне нужно, и я создаю в своей жизни некое пространство, куда я могу уйти, если нужно. Мне спокойно в моем уединении.

89. МОЯ ЛЮБОВЬ К СЕБЕ ОТРАЖАЕТСЯ НА МОЕЙ ВНЕШНОСТИ

Наше отношение к себе отражается на том, как выглядит наша одежда, наша машина и наш дом. Беспорядочные мысли будут создавать беспорядок вокруг нас. Как только мы вносим спокойствие и гармонию в свой разум, наш внешний вид и окружающие нас предметы автоматически преображаются и выглядят приятно и гармонично.

Каждое утро я тщательно привожу себя в порядок и ношу одежду, которая отражает мою любовь и восхищение жизнью. Я прекрасна внешне и внутренне.

90. ВСЕ ВРЕМЯ В МИРЕ ПРИНАДЛЕЖИТ МНЕ

Время растягивается и сжимается в зависимости от того, сколько мне его требуется. Время — мой слуга, и я мудро пользуюсь его услугами. У меня все в порядке, сейчас и всегда.

У меня достаточно времени на все мои сегодняшние дела. Я сильный человек, потому что я предпочитаю жить настоящим.

91. Я ДАЮ СЕБЕ ОТДОХНУТЬ ОТ РАБОТЫ

Мы работаем наиболее продуктивно, если устраиваем себе короткие передышки. Пятиминутный перерыв каждые два часа обостряет наш ум. Длительный отдых также благотворно влияет на наше тело и состояние ума. Трудоголики, которые никогда не отдыхают или не позволяют себе поиграть, становятся очень напряженными людьми. Общение с ними редко бывает приятным. Ребенку, который живет в нас, хочется поиграть. Если ребенок внутри нас несчастен, мы тоже несчастны.

Я планирую для себя каникулы, чтобы отдохнуть умственно и физически. Я не выхожу за рамки своего бюджета и всегда прекрасно провожу время. Я возвращаюсь на работу отдохнувшей и посвежевшей.

92. МЕНЯ ЛЮБЯТ ДЕТИ

Мы должны общаться с людьми всех поколений. В домах престарелых и там, где живут одни пенсионеры, не хватает детского смеха. Общение с детьми позволяет нам внутренне оставаться молодыми. Маленькому ребенку внутри нас хочется играть с другими детьми.

Дети любят меня и чувствуют себя в безопасности около меня. Я не удерживаю их возле себя и предоставляю им свободу. Присутствие детей восхищает и воодушевляет меня.

93. МОИ СНЫ — ЭТО ИСТОЧНИК МУДРОСТИ

Я всегда ложусь спать с приятными мыслями, чтобы заложить основу для той работы, которую проделывает во сне мой мозг. Приятные мысли приносят приятные ответы на мои вопросы.

Я знаю, что во сне ко мне могут прийти ответы на многие мои вопросы о Жизни. Когда я просыпаюсь утром, я хорошо помню, что мне снилось.

94. Я ОКРУЖАЮ СЕБЯ ПОЛОЖИТЕЛЬНЫМИ ЛЮДЬМИ

Когда мы позволяем отрицательным людям вторгаться в нашу жизнь, нам гораздо трудней сохранять в себе положительный настрой. Поэтому не поддавайтесь влиянию людей с отрицательными стереотипами мышления. Внимательно выбирайте себе друзей.

Мои друзья и родственники излучают любовь и положительную энергию, и я отвечаю им тем же. Я знаю, что могу освободиться от людей, которые не поддерживают меня в жизни.

95. Я С ЛЮБОВЬЮ УПРАВЛЯЮ СВОИМИ ФИНАНСАМИ

Каждый чек, который вы оплачиваете, свидетельствует о том, что кто-то верит в вашу способность заработать деньги. Поэтому вдохните немного любви во все свои финансовые операции, включая операции с ценными бумагами. Когда вы платите налоги, думайте о том, что вы вносите плату за проживание в стране.

Я подписываю чеки и оплачиваю счета с благодарностью и любовью. На моем банковском счете всегда достаточно денег, чтобы я смогла обеспечить себя самым необходимым и позволить себе некоторые излишества.

96. Я ЛЮБЛЮ РЕБЕНКА, КОТОРЫЙ ЖИВЕТ ВО МНЕ

Ежедневное общение с ребенком внутри себя (которым мы были когда-то), способствует нашему благополучию. Не реже одного раза в неделю берите этого ребенка за ручку и проводите с ним немного времени. Занимайтесь вместе своими любимыми делами, вспомните, что вам нравилось делать в детстве.

Ребенок внутри меня умеет играть, любить и удивляться. Если я поддерживаю в себе это маленькое существо, оно находит путь к моему сердцу и обогащает мою жизнь.

97. Я ПРОШУ О ПОМОЩИ, КОГДА ОНА МНЕ НЕОБХОДИМА

Просите, и дано будет. Вселенная готова помочь мне и с улыбкой ждет, когда я попрошу об этом.

Мне легко попросить о помощи, когда я нуждаюсь в этом. Я чувствую себя в безопасности во время перемен, так как знаю, что все перемены в жизни естественны и закономерны. Я готова принять любовь и поддержку от других.

98. ПРАЗДНИКИ — ВРЕМЯ ЛЮБВИ И РАДОСТИ

Приятно обмениваться подарками, но еще прекраснее дарить друг другу любовь.

Я всегда с радостью отмечаю праздники в кругу моей семьи и друзей. Мы много смеемся и благодарим судьбу за все, что дает нам Жизнь.

99. Я ТЕРПЕЛИВА И ДОБРА КО ВСЕМ, КОГО ВСТРЕЧАЮ КАЖДЫЙ ДЕНЬ

Постарайтесь поблагодарить каждого, кого вы встретите сегодня. Вы с радостью поймете, как много значит ваша благодарность для этих людей. Вы получите больше, чем вы даете.

Я улыбаюсь и посылаю приятные мысли продавцам в магазинах, официантам, полицейским и всем прочим случайным людям, которых встречаю за день. В моем мире все хорошо.

100. Я УМЕЮ СОПЕРЕЖИВАТЬ

Когда к вам приходит друг с какой-нибудь своей проблемой, это не означает, что он обязательно хочет, чтобы вы решили ее. Возможно, ему просто хочется выговориться перед близким человеком. Умение выслушать очень ценится в дружбе.

Я настраиваюсь в лад мыслям и чувствам других людей. Я даю советы и поддерживаю своих друзей, когда они меня об этом просят. Бывает так, что я просто с сочувствием выслушиваю человека.

101. МНЕ НЕБЕЗРАЗЛИЧНА МОЯ ПЛАНЕТА

Мы все можем научиться любить Землю. Наша прекрасная Земля обеспечивает нас всем необходимым, и мы должны всегда чтить ее. Хорошо каждый день произносить короткую молитву во славу Земли. Здоровье нашей планеты очень важно для нас. Если мы не позаботимся о нашей планете, то где мы будем жить потом?

Я люблю и благословляю эту планету. Я ухаживаю за растениями. Я добра ко всем живым существам. Я не загрязняю воздух. Я ем натуральную пищу и пользуюсь натуральными продуктами. Я испытываю глубокую благодарность и ценю данную мне Жизнь. Я вношу свой вклад во всеобщую гармонию, единство и исцеление. Я знаю, что мир и покой начинается с меня. Я люблю мою Жизнь. Я люблю мой мир.

Спасибо вам за то, что вы позволили мне поделиться с вами моими идеями!

И так оно и есть!

ВЛАСТЬ ЖЕНЩИНЫ

EMPOWERING WOMEN

ВВЕДЕНИЕ

Во-первых, помните, пожалуйста, о том, что все учителя всего лишь ступени лестницы, ведущей вас к самосовершенствованию. Это касается и меня. Я не целительница; я не могу излечить вас. Я лишь стараюсь придать вам веру в себя, делясь некоторыми своими идеями. Вы должны учиться у разных людей и прочесть много книг, ибо одна система не может охватить всего. Жизнь слишком необъятна и разнообразна, чтобы мы могли понять ее до конца. Жизнь постоянно изменяется и совершенствуется, переходя на новые уровни существования. Воспользуйтесь теми знаниями, что даст вам эта книга. Впитайте их и обращайтесь к новым книгам, к новым учителям. Постоянно расширяйте и углубляйте ваше видение жизни.

Всех женщин, включая вас и меня, стыдили и винили с самого детства. Наши мысли и поступки были запрограммированы нашими родителями и обществом — мы должны думать и действовать как женщины, со всеми вытекающими отсюда правилами, запретами, ограничениями. Некоторые женщины довольствуются такой участью, но многие стараются изменить свою жизнь.

Жизнь состоит из множества этапов, ступеней и периодов эволюции. И сейчас мы находимся на пороге удивительных изменений. Не так давно женщины были полностью зависимы от мужских прихотей и убеждений. За нас решали что нам делать, когда и как. Еще маленькой девочкой я привыкла следовать за мужчиной, смотреть на него снизу-вверх и спрашивать ежеминутно: «Я правильно поступаю?» Меня никто этому не учил, но так вела себя моя мать, и я, наблюдая за ней, помимо своей воли перенимала ее поведение. Моя мать была приучена во всем повиноваться мужчине, поэтому она воспринимала оскорбление и унижение как должное. И я с детства привыкла к подобному обращению. Это превосходный пример того, что мы постигаем мир, наблюдая за жизнью наших родителей, копируя их поведение и принимая их убеждения.

Мне понадобилось долгое время, чтобы осознать, что такое поведение ненормально, что я заслуживаю другого к себе отношения. Постепенно менялись мои внутренние убеждения — мое сознание — я стала вырабатывать в себе уверенность и самоуважение. Вместе с тем менялось и мое поведение и мир вокруг меня. Я перестала быть привлекательной целью для властных, деспотичных мужчин. Уверенность в себе и самоуважение — самые ценные вещи из сокровищницы женской души. Если нам недостает этих качеств, нужно воспитывать их в себе. Женщина с высокой самооценкой не попадет в недостойное ее рабское, зависимое положение. Лишь те из нас, кто считает себя «никудышными и никчемными», могут допустить, чтобы другие господствовали над ними.

Сегодня я хочу своей работой помочь всем женщинам полностью реализовать свои возможности, найти для себя место в этом мире, установить равенство между полами. Я хочу, чтобы вы поняли — каждая из вас способна любить, уважать себя, способна самоутвердиться и занять достойное ее положение в обществе. Никоим образом я не хочу задеть или умалить достоинство мужчин. Просто я считаю, что «равенство между полами» принесет только пользу и женщинам, и мужчинам.

Продолжая читать эту книгу и работать с ней, помните, — ваши убеждения будут меняться постепенно, для этого требуется время. Как долго будет продолжаться этот процесс? Вы можете спросить: «Сколько же времени понадобится мне, чтобы понять и принять новые идеи и убеждения?» Для каждого человека по-разному. Поэтому не ограничивайте себя, пусть ваш прогресс займет столько времени, сколько требуется. Просто продолжайте работать, прилагая усилия, и Вселенная, с ее бесконечными знаниями, сама выведет вас на верную тропу. Шаг за шагом, миг за мигом, день за днем продвигайтесь в нужном направлении и в конце концов вы достигнете своей цели.

Глава 1

С ЧЕГО НАЧАТЬ:
НАМ НУЖНО МНОГОЕ УЗНАТЬ
И МНОГОМУ НАУЧИТЬСЯ

Хочу привести один пример, прекрасно иллюстрирующий, в каком положении находились женщины всего несколько десятилетий назад. Вот отрывок из школьного учебника 1950 года по ведению домашнего хозяйства:

1. Как приготовить ужин. Спланируйте заранее, какое блюдо вы подадите сегодня к столу. Приготовив к приходу супруга вкусный ужин, вы дадите ему понять, что постоянно думаете и заботитесь о нем. Придя домой после рабочего дня, мужчины испытывают голод, так что хорошо накрытый стол должен стать неотъемлемой частью вашего теплого приветствия.

2. Приведите себя в порядок. За 15 минут до его прихода присядьте и отдохните, чтобы выглядеть освеженной. Подправьте макияж, вплетите в волосы яркую ленту, улыбнитесь ему. Целый день он был в окружении усталых, утомленных людей. Постарайтесь быть веселой и жизнерадостной. Пусть интересный вечер придет на смену его тяжелого трудового дня.

3. Наведите порядок и приберитесь в квартире. До прихода вашего супруга еще раз пройдите по всей квартире. Уберите учебники, игрушки, бумаги и так далее. Потом протрите пыль. Вашему мужу будет приятно видеть, что вы содержите дом в чистоте и порядке. Это будет приятно и вам самой!

4. Приведите в порядок детей. Уделите несколько минут, чтобы умыть детей, вымыть им руки (если они еще слишком малы, чтобы справиться самостоятельно), причесать их и, если необходимо, переодеть в чистую, опрятную одежду. Дети — ваше маленькое сокровище, и мужчине будет приятно, что они встречают его вместе с вами.

5. В доме не должно быть шума. К его приходу приглушите радио, телевизор, выключите воду, сушку и другие бытовые приборы. Попросите детей вести себя потише и не шуметь. Встречайте мужа теплой улыбкой, его приход доставляет вам радость и счастье.

6. Чего нельзя делать. Не встречайте вашего супруга жалобами, огорчениями и проблемами. Не жалуйтесь, если он опоздал. Это пустяки по сравнению с тем, что ему пришлось вынести в течение дня. Пусть ему будет удобно. Усадите его в мягкое кресло, предложите, чтобы он прилег ненадолго. Приготовьте ему напиток — горячий или холодный. Взбейте и положите ему под голову подушку, снимите с него обувь. Говорите тихим, мягким, спокойным, приятным голосом. Пусть он немного отдохнет и расслабится.

7. Выслушайте его. Вам нужно столько рассказать ему, просто поговорить и посоветоваться, но сейчас не время для этого. Сначала выслушайте его.

8. Пусть вечер принадлежит ему. Никогда не жалуйтесь, если он не приглашает вас вечером в ресторан или на танцы. Постарайтесь понять, что целый день он находился под давлением, он устал, напряжен. Ему необходимо отдохнуть и расслабиться в спокойной домашней обстановке.

В вышеперечисленных правилах нет ничего плохого, ЕСЛИ ТОЛЬКО это действительно то, чего хотите вы сами. Но только подумайте, что все молодые женщины в то время были запрограммированы полностью жертвовать собой ради того, чтобы доставить удовольствие своим мужьям. Так должна была вести себя «порядочная женщина». Очень удобно для мужчины, а для женщины? Современной женщине необходимо переосмыслить свою жизнь. Мы можем как бы заново создать себя, подвергая пересмотру казалось бы даже самые обычные вещи, такие, например, как готовка, уборка, стирка, хождение по магазинам, вождение машины, уход за детьми. Всю жизнь мы занимались рутиной, действуя бездумно, как автоматы. Теперь пришло время поразмыслить о нашей жизни. Неужели вы не хотите чего-то изменить, внести что-то новое в свой быт, а не продолжать вместо этого из года в год двигаться по замкнутому кругу?

Все это, однако, отнюдь не должно унижать мужчин. Нападки на мужчин так же недопустимы, как и притеснение женщин. Ни к чему хорошему это не приведет. Такое поведение лишь поставит нас в тупик, в то время как нам необходимо найти выход. Обвиняя самих себя, мужчин или общество во всех наших бедах и несчастьях, мы не продвинемся ни на йоту. Обвинениями ничего не изменишь, они только лишают нас сил и решимости действовать. Лучшее, что мы можем сделать, это перестать видеть в себе жертв и направить наши совместные усилия на поиски компромисса. Если вы уважаете себя, вас будут уважать и другие.

Я понимаю, что и мужчинам приходится сталкиваться со многими трудностями и препятствиями, что они, так же как и мы, женщины, погрязли в рутине и испытывают неимоверное давление. Они несут свой не менее тяжкий крест. С самого детства мальчиков учат быть сдержанными, не плакать, не показывать своих чувств, не проявлять эмоций. По моему мнению, это самая настоящая пытка, истязание детей, насилие над их личностью. Не удивительно, что вырастая, мужчины выплескивают всю ту злость, что в них копилась с детства. К тому же мужчины часто сожалеют о несложившихся отношениях с отцом. Если хотите увидеть, как плачет мужчина, поговорите с ним о его отце. Его слова будут переполнены грусти и тоски. Как сильно мальчики хотят услышать от отцов, что их любят и гордятся ими, как много невысказанного остается в детстве, которое уже нельзя изменить!

Нам постоянно внушали, что «порядочная» женщина должна отречься от своих интересов во имя интересов окружающих. Должна жертвовать собой, ставить себя ниже других. Долгие годы мы жили, действуя, как от нас того ожидали. Мы были тем, что из нас лепили, а не тем, чем мы являемся на *самом деле*. Мы боялись принять себя такими, какие мы есть. Многие женщины живут, затая обиду, так как вынуждены «служить» другим, хотя вовсе не обязаны этого делать. Не удивительно, что большинство женщин находится на грани полного изнеможения. Работающим женщинам, как правило, приходится трудиться сразу на двух работах, одна из которых начинается по прибытии домой — хозяйка должна заботиться о доме и о семье. В своем самопожертвовании не забывайте, что жертвой становитесь именно вы. Неужели, чтобы немного отдохнуть, мы должны серьезно заболеть? Я лично считаю, что многие женские недуги происходят именно отсюда. Болезнь — зачастую единственная причина, по которой женщина может позволить себе оторваться от дел. Только лежа в кровати, не в состоянии пошевелиться, женщина скажет «нет» домашним заботам.

Мы должны понять — донести до нашего сознания — что женщина не раба и не прислуга, а полноправный член общества. Существует миф о том, что душа женщины ниже души мужчины. Но ведь это же нонсенс! Все души равны — у души нет пола, она может переселиться как в тело мужчины, так и в тело женщины. Мы должны научиться ценить наши жизни и возможности, раскрывающиеся перед нами, точно так же, как жизни других людей. Я знаю, например, что на заре феминизма в женщинах было столько ярости, накопившейся за годы унижений и притеснений, что они обвиняли мужчин во всех смертных грехах. Злость их была вполне понятна. Женщинам необходимо было «выпустить пар» — это было своего рода терапией. Например, если вы идете к психотерапевту, чтобы избавиться от проблем, связанных с вашим детством, вам, в первую очередь, необходимо выговориться, освободить эмоции.

Со временем все приходит в норму, уравновешивается, и мы уже не кидаемся из крайности в крайность. Сейчас женщины находятся именно в таком положении. Мы освободились от гнева, чувства вины, мы больше не считаем себя безвольными жертвами. Настало время познать свои силы и в открытую заявить о них обществу. Пришла пора воплотить в жизнь наши мысли и построить мир равенства и справедливости, к которому мы долгое время стремились.

Когда мы, женщины, научимся заботиться о себе, уважать и ценить себя, жизнь для всех людей на Земле, включая и мужчин, я уверена, изменится к лучшему. Между полами установится взаимное уважение и любовь. Мужчины и женщины будут жить в мире и согласии. Мы должны понять, что места под солнцем хватит для всех, если только мы научимся ценить друг друга и заботиться друг о друге. Я верю, нам под силу создать мир, где мы сможем полностью отдаться любви и счастью, где каждый будет чувствовать себя нужным и полезным.

Долгое время женщины боролись за право строить свою жизнь согласно собственным устремлениям. Сейчас перед нами открыто множество путей, нам доступно множество возможностей реализовать свой потенциал. Да, пока еще не до конца исчезло неравенство. Женщинам все еще трудно, а порой даже невозможно добиться равного с мужчиной положения. Мы боремся за свои права с существующим законодательством. Законы писались мужчинами и для мужчин. Суд до сих пор говорит о том, как «поступил бы здравомыслящий мужчина», даже слушая дело об изнасиловании!

Женщинам необходимо настаивать на изменении существующих законов, с тем чтобы они в равной мере отстаивали права обоих полов. Нам необходимо начать кампанию в защиту женских прав. Мы, женщины, обладаем громадной коллективной мощью, и сообща сможем добиться своего. Если нам напомнят об этой силе, мы приведем ее в действие. Объединенные усилия всех женщин, направленные в одно русло, заставят уважать нас, считаться с нами. Семьдесят пять лет назад женщины проводили кампанию за право голосовать. Сегодня женщины могут выставлять свою кандидатуру на выборах.

Я предлагаю женщинам идти в политику. Политика для нас — открытая область, здесь мы можем и должны бороться за свои права. Здесь не существует ограничений корпоративного мира. Если мы хотим формировать собственные правительства, писать собственные законы, обеспечивающие поддержку всем женщинам, нам необходимо внедряться в область политики. Начать можно с малого, с самых низов. Мы можем войти в политические круги прямо сейчас — для этого не нужно готовиться всю жизнь. Политическая карьера — прекрасное положение для любой из нас.

Знаете ли вы, что в 1953 году Элеанора Рузвельт добилась утверждения Конгрессом законопроекта о том, что в каждом доме должны быть туалет и ванная? Большинство мужчин — членов Конгресса возражали против принятия этого билля. «Если в каждом доме будут удобства, мы не сможем отличить бедного от богатого!» — говорили они. Сегодня у каждого из нас есть дома ванная и туалет, и мы воспринимаем это как должное, забывая о том, что одна сильная женщина противостояла всему Конгрессу, чтобы провести этот законопроект. Объединившись, мы, женщины, свернем горы и создадим лучший мир.

Мы не должны забывать о том, что долго шли к своей цели. В колониальные времена мужчина был царем и богом. Любое неповиновение со стороны жены, ребенка и слуги наказывалось плетью. В 1950-е годы ни одна порядочная женщина не могла позволить себе насладиться сексом. Да, мы многое оставили позади и сейчас стоим на пороге великих изменений. Многое у нас впереди, нам нужно упорно работать и учиться, стремясь к достижению своей цели. Перед нами открываются новые рубежи, новые источники свободы, из которых мы должны черпать, не боясь изменений. Женщина может постоять за себя, даже если рядом с ней нет мужчины.

Глава 2

ЖЕНЩИНЫ И РЕКЛАМА

Мир рекламы нацелен на женщину. Рекламодатели пользуются недостатком у нас уверенности в себе, чтобы заставить покупать их продукцию. Подтекст большинства реклам таков: «Вы плохо выглядите... чтобы выглядеть лучше, вы должны купить наш товар». Мы позволяем использовать себя, так как постоянно ощущаем собственную неполноценность. Мы закомплексованы и все время пытаемся исправить свои мнимые недостатки. Пора перестать покупаться на эти дешевые трюки, заставляющие нас испытывать унижение.

Чаще всего объектом рекламы становится женское тело. Мы не принимаем свое тело таким, какое оно есть, общество и реклама вбили нам в голову, что мы «некрасивы». Не удивительно, что мы не любим свое тело и зачастую стесняемся его. Найдется ли женщина, которая не отыщет в своем теле изъяна? Сколько усилий положено, чтобы смириться с формой наших носов или бедер! Интересно, в каком именно возрасте приходит это неприятие собственного тела? Ведь маленькие дети никогда не испытывают чувства неполноценности и не рыдают по поводу неправильных черт лица!

Девочки-подростки особенно уязвимы для рекламы, бомбардирующей их со всех сторон. В них вызывают неуверенность в себе, утверждая, что лишь купив определенный продукт они станут привлекательны и желанны. Вот почему именно девушки, как социальная группа, более других страдают от недостатка самоуважения. Это чувство неполноценности культивируют и укрепляют, чтобы и дальше использовать в своих целях. Реклама сигарет зачастую направлена на девочек-подростков, так как человек с низкой самооценкой легко поддается чужому влиянию и остается зависимым на всю жизнь. Этого и добиваются рекламодатели — создать пожизненную клиентуру. Разве мы можем позволить им так поступать с нашими детьми?

Как-то я услышала от одной трехгодовалой девчушки: «Я не буду носить это платье, в нем я выгляжу толстой». Десятилетние девочки все поголовно сидят на диете. В наших школах широко распространены анорексия и булимия[1]. Что мы делаем с нашими детьми? Если у вас есть дети, объясните им, каким образом рекламодатели хотят использовать их неопытность в своих целях. Обсуждайте вместе с ними рекламные ролики. Пусть они поймут, на что нацелена та или иная реклама. Учите их с самого детства жить, руководствуясь собственным, осмысленным выбором. Лучше, если они вовсе не допустят ошибок, чем станут учиться на них.

Вы не обращали внимание, что в большинстве женских журналов наравне с новейшими диетами печатают и рецепты жирных блюд на последних страницах того же номера? Каково послание на подсознательном уровне? Полнейте, садитесь на диету, полнейте, садитесь на диету... Не удивительно, что женщины бросаются из крайности в крайность — то голодают, чтобы похудеть, то объедаются сладостями. Нельзя жить, покупая все рекламируемые продукты, нельзя делать все то, что предлагает вам реклама. В следующий раз, увидев рекламу в журнале или по телевизору, отнеситесь к ней с осторожностью. Каково послание этой рекламы на подсознательном уровне? Вас хотят лишить уверенности в себе, заставить почувствовать себя «второсортной»? Не заманивают ли вас в свои сети, выставив в качестве приманки несуществующий идеал, мечту? Реклама не будет властна над вами, если вы задумаетесь о ее настоящей цели. Реклама подобного рода — еще одно средство для того, чтобы контролировать и использовать женщин. Мы должны употребить все наши силы для того, чтобы вернуть самоуважение и уверенность в себе.

Если бы только, увидев рекламу, унижающую женское достоинство, в журнале или по телевизору, вместо того, чтобы вздыхать: «Почему у меня нет такой красивой фигуры», или критически оглядывать себя в зеркало, женщина села к столу, и написала компании: «Как вы смеете так унижать меня? Я никогда в жизни не куплю вашу продукцию!» Если бы мы не стесняясь писали компаниям, чья реклама умаляет наше чувство собственного достоинства, и покупали продукцию компаний, своей рекламой поддерживающих женщин, реклама начала бы меняться.

Мы покупаем множество ненужных вещей лишь потому, что обладание ими ненадолго возвращает нам веру в себя. «Если бы только у меня была эта вещь», — говорим мы, — «все было бы прекрасно». Но потом вновь возвращаются прежние страхи: «Я недостаточно красива, недостаточно привлекательна». Нам необходимо осознать одну простую вещь — мы, женщины, красивы и привлекательны уже будучи такими, какие мы ЕСТЬ.

Соберите своих подруг и полистайте вместе с ними пару журналов, обратив внимание на рекламу. Обсудите статьи, попытайтесь понять, какое послание на подсознательном уровне содержит реклама. Женщинам пора открыть глаза, внимательно прислушаться. Что скрывается за рекламным роликом, показанным по телевизору, о чем пишут между строк в модном журнале? Каким образом рекламодатели пытаются контролировать наши мысли и поступки?

Давайте-ка задумаемся над этим!

---

[1] Анорексия — потеря аппетита, отказ от еды. Булимия — постоянное чувство голода, сопровождаемое гипераппетитом.

Глава 3

ПОЗИТИВНЫЕ АФФИРМАЦИИ

Как многие из вас наверное уже знают, я считаю, что наши мысли, слова и убеждения имеют на нас очень большое влияние. Они формируют ход нашей жизни. Создается такое впечатление, что Вселенная прислушивается к нашим мыслям и словам, и отвечает нам. Эта связь дает нам возможность вводить в нашу жизнь позитивные изменения, посредством силы наших мыслей и слов. Мы не можем изменить прошлое — наше рождение, наши детские годы, но мы можем изменить настоящее и повлиять на будущее. Эта концепция придает нам силы, дарит нам свободу. То, во что мы верим, воплощается в действительность. Я считаю, что это надлежащий подход к любой проблеме — стоит нам изменить свое мышление, и жизнь соответствующим образом отвечает на эти изменения.

Мы все, как правило, живем прошлым, руководствуясь устоявшимися убеждениями, привычными мыслями. Прошлое вторгается в наше настоящее и влияет на будущее. Изменяя свое мышление, свое видение жизни сегодня, мы имеем возможность корректировать грядущее. Начиная думать по-новому, мы можем и не сразу заметить позитивные результаты, но это не значит, что их нет. Сегодняшние мысли и слова, без сомнения, формируют наше завтра. Работая сегодня над своими мыслями и убеждениями, над своим сознанием, вы можете сами создать ваш завтрашний день.

Многие часто задают мне такой вопрос: «Как мое мышление может быть позитивным, если я постоянно подвергаюсь негативному воздействию других людей?» Если я нахожусь в окружении негативно мыслящих, я защищаюсь от их влияния, повторяя про себя: «Если вы так считаете, то это не значит, что и я должна думать так же». Иногда я даже говорю эту фразу вслух. Это простое утверждение позволяет окружающим высказывать свои, сколь угодно негативные мысли, в то время как я продолжаю придерживаться позитивных убеждений. Но все же, я попросту стараюсь избегать общения с такими людьми. Спросите себя, ПОЧЕМУ вы постоянно окружены негативно мыслящими? Помните, мы не в состоянии изменить других людей, и весь мир вокруг нас, но мы можем измениться сами. Почувствовав произошедшую с нами перемену, окружающие станут откликаться на нее. Самое главное — внести позитивное в наше мышление, в наше сознание. Не важно, что вы — занятой человек, или что вам приходится много работать. Что бы мы ни делали, мы все равно продолжаем думать, и на наши мысли можем повлиять только мы сами, и никто другой.

Я хочу, чтобы вы записали новое слово в свой словарь — *нейропептиды*. Этот термин, впервые введенный Кэндэйсом Пертом в его работе, посвященной исследованию функций мозга, обозначает «химические курьеры». Стоит нам что-либо сказать, или подумать о чем-то, и они начинают свое путешествие по нашему организму. Выделяющиеся под влиянием негативных эмоций — раздражения, злости — химические вещества угнетают нашу иммунную систему. Когда же наши мысли полны любви, спокойствия, мира и счастья, нейропептиды несут другие химические вещества, усиливающие сопротивляемость нашего организма. Наука подтвердила всеобщее убеждение о том, что существует связь между разумом и телом. Эта связь никогда не ослабевает. Ваши мысли накладывают отпечаток на тело, на каждую его клеточку.

Каждое мгновение мы делаем подсознательный выбор между позитивными и негативными мыслями. Эти мысли оказывают влияние на наш организм. Одна мысль, конечно, не имеет такого большого значения, однако, за день в нашем сознании появляется около шестидесяти тысяч мыслей, имеющих кумулятивный, совокупный эффект. Отрицательные эмоции отравляют наши тела. Наука подтверждает, что поддаваясь негативным мыслям, мы истощаем свою иммунную систему и можем заболеть.

Долгое время я не могла понять смысл выражения: «Мы — едины; мы все созданы равными». Я не видела в этом смысла, прекрасно осознавая, что есть люди бедные, и люди богатые, красивые и некрасивые, умные и глупые, здоровые и больные. Существует множество рас, религий и жизненных позиций. Между людьми так много различий. Разве правильно утверждать, что мы все созданы равными?

Сейчас я наконец понимаю, что это значит. Я очень признательна писателю и лектору Кэролин Мисс, она во многом помогла мне разобраться в этом вопросе. Видите ли, наши мысли и слова влияют *одинаково* на каждого из нас. Действие нейропептидов, химических курьеров, путешествующих по нашим телам, под действием мыслей и слов *одинаково,* независимо от расы, религии и цвета кожи. Негативная мысль оказывает одинаково вредное воздействие как на американца, так и на китайца, или итальянца. Раздражение отравляет организм человека будь он христианином, иудеем или мусульманином. Нейропептиды, выделяющиеся при мыслительном процессе человека, действуют одинаково в теле мужчины, женщины, ребенка, юного или пожилого, гомосексуалиста или гетеросексуалиста.

Прощение и любовь оказывают одинаковое лечебное действие на жителей разных стран. Любой из нас, кто хочет излечиться от недугов, терзающих тело, должен сначала очистить свой разум. Мы должны заучить эти уроки прощения и любви — на пути к самосовершенствованию этого не удастся избежать. Вы не хотите этого принять, сопротивляетесь, оставаясь ожесточенными? Или вы стремитесь научиться любить и прощать себя и окружающих? Вы хотите влиться в богатый и разнообразный мир? Он ждет вас. Уроки, которые преподает нам сама жизнь, одинаково важны для каждого из нас. Мы едины. Мы созданы равными. *Любовь способна исцелить нас!* (Тем из вас, кто готов работать на более глубоком духовном уровне, я рекомендую книгу «Анатомия духа: семь ступеней силы и исцеления», автор которой доктор философских наук Кэролин Мисс. Там вы найдете поистине уникальную информацию.)

Итак, о чем вы сейчас думаете? Какие химические вещества разносят нейропептиды по вашему телу? Ваши мысли отравляют или исцеляют вас?

Мы сами порой заключаем себя в темницу самодовольства, самодостаточности, нежелания идти на компромисс, забывая о том, что обвиняя других, мы ничего не сумеем изменить. Обвинения приносят куда больше вреда обвинителю, нежели обвиняемому. Нейропептиды, несущие такие мысли по организму, медленно отравляют каждую клетку нашего тела.

Пусть вам также станет понятно, что наше «внутреннее Я», наше ЭГО, пытается держать нас в подчинении. Голос ЭГО нашептывает нам «попробовать еще кусочек, выпить еще глоток, выкурить еще одну сигарету, сделать это еще раз». Но мы — это не только наши тела, не только наши мысли, не только наше «внутреннее Я». МЫ владеем нашими телами, нашими мыслями, а не наоборот. Человек с сильной волей, уважающий себя и ценящий по достоинству, никогда не поддастся голосу своего ЭГО. В каждом из нас есть скрытые способности и возможности.

А сейчас я хочу чтобы вы встали и подошли к зеркалу. Книгу возьмите с собой. Посмотрите себе в глаза и скажите вслух: *«Я люблю себя, и я начинаю с настоящего момента вносить позитивные изменения в свою жизнь.*

День за днем я буду улучшать свою жизнь. Я уверена в себе и заслуживаю счастья». Повторите эту фразу три-четыре раза. В промежутках делайте глубокие вдохи. Обратите внимание на мысли, возникающие в вашем сознании в то время, как вы повторяете эту позитивную аффирмацию. Такое упражнение уже знакомо вам. Теперь вы можете признать присутствие в вашем сознании негативных мыслей, но у вас хватит сил противостоять им. Я хочу, чтобы каждый раз, проходя мимо зеркала, вы смотрели себе в глаза и говорили что-нибудь приятное, несущее положительный заряд. Если вы спешите, то просто бросьте на ходу: «Я люблю себя». Это простое упражнение изменит вашу жизнь к лучшему. Если не верите мне, попробуйте и убедитесь сами!

Ответы лежат в нас самих

Нам необходимо постоянно помнить — наши мысли воплощаются в жизнь. Поэтому, уделяя должное внимание мыслям и словам, мы имеем возможность строить нашу жизнь, согласно с собственными устремлениями. Очень часто мы тоскливо думаем про себя: «Как бы мне хотелось...», или: «Как жаль, что...», но почти никогда не используем позитивные слова и мысли, помогающие нашим желаниям воплотиться в действительность. Вместо этого, мы даем реализоваться негативному. Думая о самом худшем, мы удивляемся, почему живем совсем не так, как нам того хотелось бы.

Мы должны постараться заглянуть в себя, использовать свои внутренние ресурсы и установить связь со Вселенной — основным источником нашей силы и знаний. Нам необходимо обратиться к неисчерпаемым возможностям нашего разума. Каждый из нас обладает огромными запасами мудрости, спокойствия, любви и радости. И за всем этим не нужно далеко ходить. Я действительно считаю, что в каждом из нас есть бесконечный кладезь спокойствия, радости, любви и мудрости. Когда я говорю, что за всем этим не нужно далеко ходить, я имею в виду, что установить связь с нашими внутренними ресурсами довольно просто. Достаточно закрыть глаза, сделать глубокий вдох и произнести: *«Сейчас я отправлюсь внутрь себя, туда, где обрету мудрость и знания. Ответы на мои вопросы лежат во мне самом».*

Мы можем получить ответ на любой интересующий нас вопрос. Нам только необходимо определенное время, чтобы установить связь с подсознанием. В этом и заключается ценность и важность медитации. Она успокаивает нас, и мы можем слышать голос нашей внутренней мудрости. Эта наша собственная внутренняя мудрость и есть прямой канал связи между разумом и Вселенной. Нам нет нужды далеко ходить за ответами. Дайте возможность проявиться вашей внутренней мудрости, и ответы сами придут к вам. Как мы можем этого достичь? Выделите время, сядьте, расслабьтесь, успокойтесь, уйдите в себя — к источнику мира и любви, глубокому и спокойному как горное озеро. Медитация дарит нам радость, возможность черпать из бездонного колодца мудрости и любви, находящегося внутри нас. Эта сокровищница принадлежит нам, мы можем и должны пользоваться ее ресурсами.

Пришла пора новых решений, изменений в нашей жизни, пора познать глубину нашей неисследованной, скрытой силы. Наша сила должна работать на нас. Мы, женщины, зачастую запрограммированы принимать свои ограниченные возможности. Большинство замужних женщин чувствует себя очень одинокими, потому что лишены выбора. У них не осталось никаких шансов на успех, так как они во всем привыкли полагаться на мужчину. Мужья все решают за них, и женщины обращаются за ответами к мужчинам, а не внутрь себя. Чтобы внести позитивные изменения в свою жизнь, нам в первую очередь необходимо сформировать новое мышление. Как только мы начнем думать иначе, мир вокруг нас начнет меняться к лучшему.

Я хочу, чтобы вы обратились внутрь себя и были готовы принять новые идеи. Установите связь с вашей внутренней мудростью и используйте ее дары. Погружаясь в себя, мы творим свою жизнь, видя мир через призму доброты, любви, спокойствия и счастья. Черпайте знания из колодца вашей внутренней мудрости, контактируйте с ним каждый день.

Чтобы прислушаться к голосу нашей внутренней мудрости нам необходимо время. Каждый день выделяйте время для медитации — без этого вы не сможете поддерживать постоянную связь с бездонным колодцем знаний. Самое главное — посидеть немного в тишине, уйдя в себя. Никто не знает лучше наших желаний, устремлений, нашей жизни, чем мы сами. Прислушайтесь к себе. Голос вашей внутренней мудрости подскажет необходимые вам ответы.

Творите себя, свою жизнь! Пусть ваши мысли станут вашими лучшими друзьями. Большинство из нас зацикливается на одной мысли, забывая, что в среднем за день у нас в голове появляется около шестидесяти тысяч мыслей. Больше половины из них — те же самые мысли, что посещали нас вчера, и позавчера, и несколько дней назад. Наш разум может быть источником негативных явлений, или позитивных изменений в нашей жизни. Очищайте свой разум, заполняйте его новыми, творческими мыслями. Находите ко всему свежий подход.

Наше сознание можно сравнить с садом. Точно так же, как разбивая сад вокруг дома, мы подготавливаем почву, нам необходимо подготовить сознание к принятию ростков позитивных мыслей. Нам нужно выполоть сорняки, убрать камни и сор. Потом мы удобряем почву и хорошенько поливаем ее. В хорошей почве ростки быстро приживутся, потянутся вверх и вскоре подарят нам прекрасные цветы и сочные плоды. Так же мы должны культивировать и свой разум. Вырвите с корнем все негативные мысли и убеждения, посадите семена новых, свежих мыслей. Ухаживайте за ними с любовью и заботой, и семена позитивных аффирмаций дадут ростки. Твердо решив, чего вы хотите добиться в жизни, идите к своей цели, преодолевая все препятствия.

Превозмогая страх

Из-за воспитания, которое получает большинство женщин, у нас совершенно не развито чувство собственного достоинства и уважения к себе. Нас приучают заботиться о других, забывая о собственных нуждах. Мы боимся остаться одни. Боимся потерять чувство защищенности. Нас заставили поверить, что мы не сможем позаботиться о себе сами. Женщин учат заботиться только о других. Перед лицом развода большинство женщин приходят в панику, особенно если у них есть маленькие дети. Их мучает вопрос: «Как я смогу справиться одна, без помощи мужчины?»

Именно страх перед самостоятельностью и независимостью отталкивает нас от развода или от смены рабочего места. Многие женщины просто не верят в себя, не верят, что смогут сами позаботиться о себе.

Для многих женщин их жизненный успех становится проблемой — они боятся его. Они считают себя недостойными успеха, благополучия, счастья. Ставя себя ниже других, трудно понять, что заслуживаешь чего-то большего. Многие женщины боятся зарабатывать больше, чем мужчины, преуспевать там, где мужчины терпят поражение.

Как нам превозмочь наш страх перед одиночеством или успехом? Существует две стороны медали. Мы должны научиться больше доверять жизни. Жизнь сама поддержит нас, наставит, направит нас на правильный путь, ЕСЛИ мы позволим ей помочь нам. Если нами с детства помыкали, и мы выросли с чувством вины и сознанием собственной неполноценности, то будем чувствовать себя «недостойными». Если с детства мы привыкли считать жизнь трудной и полной угроз, мы не умеем расслабляться, отдыхать, «плыть по течению», позволять жизни заботиться о нас. Мы читаем газеты или видим все эти преступления по телевизору и верим, что жизнь старается свести с нами счеты. Но все мы живем по законам собственного мышления: то, во что мы верим, воплощается в действительность. То, во что верят другие, не имеет к нам никого отношения — нам ни к чему жить по чужим законам. Поддаваясь отрицательному воздействию окружающих, мы позволяем негативным суждениям воплотиться в действительность, и наша жизнь переполняется неудачами.

Однако, учась любить себя, изменяя свое сознание, вырабатывая самоуважение, мы позволяем жизни помочь нам, подарить нам много прекрасного. Может быть такой подход вам покажется упрощенным. Но самая распространенная наша ошибка — привычка все усложнять и сгущать краски. Нам необходимо расслабиться и подумать: «Жизнь заботится обо мне, она хранит меня», — и тогда жизнь сама подскажет нам верное решение. Старайтесь подмечать «счастливые случайности» в вашей жизни. Когда перед вашей машиной на перекрестке загорается зеленый свет, когда вы неожиданно получаете нужную вещь или информацию именно в тот момент, когда нуждаетесь в ней, скажите «СПАСИБО!» Вселенная любит благодарных людей. Чем чаще вы благодарите жизнь, тем большим жизнь одарит вас в ответ на вашу благодарность.

Я безоговорочно верю в то, что я защищена от всех невзгод, что жизнь готовит мне только хорошее, что я хранима ею. Я уверена, что заслуживаю этого. Много лет я усердно занималась, чтобы достичь сознания своей полноценности. Я освободилась от негативных мыслей и убеждений. Я начинала свой путь ожесточенной, боязливой, несчастной и измученной женщиной. Сейчас я полна сил и уверенности в себе, я без страха наслаждаюсь богатством и разнообразием этого мира. Вы сможете достичь всего того, чего достигла я, при условии, что захотите изменить свое мышление, свое видение жизни.

Рядом с каждым из нас постоянно находятся два ангела-хранителя. Эти ангелы поддержат вас в трудную минуту и наставят на правильный путь, стоит вам попросить их о помощи. Они очень любят нас и ждут только нашего приглашения, чтобы явиться. Научитесь общаться с вашими ангелами-хранителями, и вас покинет чувство одиночества. Некоторые женщины могут видеть своих ангелов-хранителей, другие улавливают их присутствие, или слышат их голоса, часто знают даже их имена. Я называю своих ангелов «ребятами». Они всегда приходят вместе, я чувствую их как «пару». Когда я сталкиваюсь с проблемой, то, чтобы найти решение, обращаюсь к своим ангелам-хранителям. «Ребята, я не знаю что делать, помогите мне». Когда в моей жизни происходит что-то хорошее, какое-то «счастливое совпадение», я тут же откликаюсь: «Спасибо, ребята, вы молодцы и здорово помогли мне. Я очень ценю вашу поддержку». Ангелы любят благодарность и признательность. Пользуйтесь их помощью — ведь именно для этого они находятся подле вас. Ангелы любят творить добро, быть полезными.

Чтобы научиться вызывать своих ангелов-хранителей, для начала просто посидите в тишине с закрытыми глазами, несколько раз глубоко вдохните и постарайтесь почувствовать их присутствие — они здесь, прямо за вашими плечами — справа и слева. Почувствуйте их заботу и любовь. Попросите их явиться вам. Позвольте им заботиться о вас. Попросите их помочь с какой-нибудь проблемой, или найти ответ на волнующий вас вопрос. Вы можете тотчас же почувствовать установившуюся с ними связь, но может быть вам потребуется время, чтобы научиться вызывать своих ангелов-хранителей. Будьте уверены в одном: они рядом с вами, они любят вас. Под их постоянной защитой вам ничто не угрожает. Вам нечего бояться.

Наши убеждения

Теперь давайте подумаем, как нам избавиться от негативных убеждений или изменить их. Во-первых, мы должны признаться в существовании у себя негативных убеждений. Большинство из нас не имеет ни малейшего представления о настоящей природе собственных верований. Как только мы «отделим зерна от плевел», то есть позитивные суждения от негативных, мы сможем бороться с властью последних — избавиться от них или изменить.

Самый быстрый путь узнать побольше о своих убеждениях — это составить их список. Возьмите несколько больших листов бумаги. Сверху каждого листа напишите заголовок: мои убеждения касательно: (мужчин, работы, денег, замужества, любви, здоровья, старения, смерти) и так далее. Занесите в этот список все, что считаете важным для себя. Для каждого пункта вашего списка используйте отдельный листок бумаги. Затем, начинайте записывать свои мысли по каждому из перечисленных предметов. Конечно для выполнения такого упражнения требуется довольно много времени — не минута и даже не .час. Можете уделять вашему списку по нескольку минут в день. Записывайте любую мысль, пришедшую вам в голову, какой бы глупой, пустой и абсурдной она вам не показалась. Просто внесите ее в свой список. Эти убеждения — ваши внутренние, подсознательные законы, согласно которым вы строите свою жизнь. Вы должны распознать негативные мысли, без этого вам не удастся добиться изменений к лучшему. Самопознание открывает дорогу к самосовершенствованию. Вы МОЖЕТЕ вести полноценную жизнь, реализовать свой потенциал. Ваши мечты станут реальностью.

Когда листок мало-помалу заполнится, еще раз перечитайте все, что вы записали. Отметьте галочкой все позитивные, творческие мысли. Это убеждения, которые нам надо сохранить и использовать в дальнейшем. Другим цветом выделите все негативные, вредные для вашей жизни мысли. Их вам необходимо изменить, а от некоторых избавиться вовсе.

Прочтите каждое негативное высказывание и спросите себя: «Хочу ли я продолжать руководствоваться данными принципами? Хочу ли я отказаться от этого убеждения?» Если вы стремитесь к новизне и переменам, то составьте новый список. Каждую негативную аффирмацию (все наши убеждения являются аффирмациями) превратите в полезное для жизни утверждение. Например, фраза: «Мои отношения с мужчинами — сплошная катастрофа» превратится в аффирмацию «Мужчины любят и уважают меня». «Я ни к чему не пригодна» замените на «Я сильная и уверенная в себе женщина». «Я не знаю, как найти приличную работу» — «Жизнь предоставляет мне любую прекрасную работу на выбор». «Я постоянно болею» превратится в утверждение «Я сильная, здоровая, энергичная женщина». Эти примеры я взяла из своего собственного списка. Вы тоже можете подобным образом превратить все свои отрицательные убеждения в позитивные законы своей жизни. Ваша судьба — в ваших руках. Мостите дороги, по которым идете. Превращайте все негативное в положительное. Каждый день прочитывайте вслух список своих позитивных аффирмаций. Делайте это перед зеркалом — так изменения скорее войдут в вашу жизнь. Произносите аффирмации глядя себе в глаза. Зеркала обладают поистине удивительными свойствами.

Аффирмации — новое направление жизни

Аффирмации должны всегда быть в настоящем времени. Говорите «У меня есть...» или «Я — такая-то...» вместо «У меня будет» или «Я хочу быть(стать) такой-то...» Если аффирмации произносятся в будущем времени, то их результаты так и остаются «где-то в будущем» за пределами нашей жизни.

Зачастую у нас не остается времени на себя, потому что мы слишком заняты, и наши графики чрезвычайно плотны. Выделить время для работы над собой, для упражнений по медитации необходимо. Лучше всего заниматься вдвоем с подругой, или создать небольшую группу. Найдите время утром или вечером, и один день в неделю обязательно посвящайте медитации. Вместе с вашими подругами составьте списки аффирмаций. Помогите друг другу дополнить списки позитивных убеждений. Полезно будет всем вместе обсудить эту книгу и поработать над ней. Несколько недель коллективной работы могут сотворить с вами настоящее чудо. Делитесь друг с другом новыми идеями и свежими мыслями, перенимайте опыт, учитесь вместе. Все, что вам необходимо для подобной коллективной работы, это блокнот, зеркало и открытое, любящее сердце. Я гарантирую, что вы глубже поймете и лучше осознаете самих себя, независимо от того, будете ли вы заниматься в группе или самостоятельно. Вы сможете значительно улучшить свою жизнь.

Задайте сами себе следующие вопросы (если вы постараетесь ответить на них честно и прямо, это подскажет вам верный путь в жизни):

Как я могу изменить свою жизнь, улучшить ее, воспользоваться всеми ее дарами?

Чего конкретно я ожидаю от своего супруга?

Чего мне действительно хотелось бы получить от супруга?

Как мне добиться того, чего я хочу? (Не возлагайте все на своего партнера. Ваши отношения касаются вас обоих, для одного это — непосильная задача.)

Как мне сделать свою жизнь полнее, реализовать себя? Что мне необходимо для этого?

Что я стану делать, если останусь одна?

Если я останусь одна на всю оставшуюся жизнь, буду ли страдать от потери? Или смогу жить полноценной жизнью, показав пример другим одиноким женщинам, став для них маяком, указывающим путь в темноте?

Чему жизнь научила меня? Чему мне еще предстоит научиться?

Что мне надо сделать, чтобы жить в гармонии с окружающим миром?

Всем нам пора разработать свою собственную жизненную философию и свои законы — утверждения — по которым мы живем. Создать свои убеждения, которые поддерживали бы нас и дарили нам новые силы. Вот какие персональные законы разработала я за время работы над собой:

Я постоянно нахожусь под защитой неба, и со мной не может случиться ничего плохого.

Я знаю все, что мне необходимо знать.
Я получаю своевременно все, в чем нуждаюсь.
Моя жизнь полна радости и любви.
Я люблю и любима.
Я здорова, энергична и полна сил.
Все, что со мной происходит — только к лучшему.
Я радуюсь переменам и новизне.
В моем мире все прекрасно.

Я часто повторяю эти утверждения. Я начинаю с них свой день и возвращаюсь к ним вечером. Если у меня что-то не ладится, я снова и снова проговариваю их. Например, когда я чувствую себя неважно, я повторяю: «Я здорова, энергична и полна сил» до тех пор, пока не почувствую себя лучше. Идя по темноте, я проговариваю аффирмацию: «Я постоянно нахожусь под защитой неба, и со мной не может случиться ничего плохого». Эти убеждения стали частью меня самой, я настолько сроднилась с ними, что не задумываясь обращаюсь к ним в трудную минуту. Предлагаю и вам составить список подобных убеждений, отвечающих вашему сегодняшнему видению мира. Вы всегда сможете внести в него исправления или добавления. Создайте свои собственные персональные законы. Создайте свой собственный защищенный мир. Единственное, что может причинить вам вред или помешать исполнению ваших планов — это ваши собственные негативные мысли. Но эти мысли и убеждения можно изменить.

Как и у любого из нас, у меня есть свои собственные проблемы и трудности. Но я научилась справляться с кризисными ситуациями. Как только передо мной встает какая-то проблема, я тут же говорю себе:

«Все хорошо. Что бы ни случилось, все к лучшему. Ситуация обернется для меня удачей. Я в безопасности».

Или:

«Все хорошо. Что бы ни случилось, все к лучшему. Все обернется как нельзя лучше для всех нас. Все мы в безопасности».

Я повторяю подобные аффирмации снова и снова, иногда двадцать минут без перерыва. Проходит немного времени и ситуация проясняется или я начинаю видеть все в ином свете: либо я нахожу решение, либо обстоятельства меняются в лучшую сторону, либо раздается телефонный звонок, и мне сообщают что все в порядке. Не поддаваясь панике, охватившей нас при создавшемся положении, мы можем все трезво взвесить и оценить. Иногда намного полезнее поддаться обстоятельствам, чем пытаться что-либо изменить.

Такой подход и мои аффирмации всегда приходят мне на выручку. Я абстрагируюсь от проблемы и смотрю на ситуацию со стороны. Я «блокирую» свое сознание, предоставляя Вселенной подсказать мне решение. Я использовала аффирмации, попадая в пробки на дороге, задерживаясь в аэропорту, ссорясь с друзьями, болея и испытывая трудности на работе. Стоит научиться порой плыть по течению, а не бороться из последних сил с каждым препятствием. Используйте этот новый подход к проблемам и увидите, что их в вашей жизни станет значительно меньше.

Наше развитие, рост и обучение способствуют эволюции души. Получая новую информацию, новые знания, мы расширяем и углубляем свое видение мира. Наше понимание жизни постоянно меняется. Сейчас мы изучили и используем лишь десять процентов нашего разума. Девяносто процентов — огромный потенциал — нам только предстоит изучить. Жизнь необъятна и интересна, и я рада, что живу именно сейчас. Каждое утро я начинаю с принесения благодарности Вселенной за то, что она подарила мне еще один прекрасный, удивительный день. Каждое утро я посвящаю этому пять — десять минут. Я приношу благодарность за хороший сон, за мое тело, мой дом, моих питомцев, друзей, за материальные вещи, которыми я обладаю, за все, что ждет меня днем. В заключение я всегда прошу жизнь дать мне больше знаний, больше понимания, чтобы мои горизонты постоянно расширялись. Чем больше мы видим, чем больше знаем, тем проще становится наша жизнь. Я верю, меня ждет светлое будущее.

Помните: аффирмации — это позитивные утверждения, которые произносятся с целью запрограммировать разум на принятие нового, изменений в жизни. Выберите аффирмации, которые придадут вам сил и уверенности в себе. Каждый день повторяйте, по крайней мере, некоторые из нижеследующих:

Аффирмации для женщин

Я сильная женщина и заявляю о своей силе.
Я нахожу в себе много прекрасного.
У меня замечательная душа.
Я умная и красивая женщина.
Я люблю себя.
Я хочу быть самой собой, любить себя такой, какая я есть.
Я независима.
Я сама забочусь о себе.
Я расширяю свои возможности.
Я могу жить как хочу, могу стать такой, какой хочу.
У меня отличная жизнь.
Моя жизнь полна любви.
Любовь в моей жизни начинается с меня самой.
Я распоряжаюсь собой и своей жизнью.
Я энергичная женщина.
Я достойна любви и уважения.
Я ни от кого не завишу, я свободна.
Я хочу научиться жить по-новому.
Я могу постоять за себя.
Я принимаю и использую свои силы.
Я не страшусь одиночества.
Я довольна своим местом в жизни.
Я наслаждаюсь жизнью.
Я люблю, уважаю и поддерживаю других женщин.
Я живу полноценной жизнью.
Я иду по пути любви.
Мне нравится быть женщиной.
Я рада, что живу в данном месте и в данное время.
Я наполняю свою жизнь любовью.
Я принимаю дары своего времени.
Я полностью удовлетворена собой.
У меня есть все необходимое.
Я не боюсь своего развития.
В моем мире все хорошо, и мне ничто не угрожает.

Лечебная медитация

Я верю, что я замечательная женщина. Я очищаю свой разум и свою жизнь от всех негативных, разрушительных, пугающих мыслей и убеждений, которые препятствуют мне быть той чудесной женщиной, которой я являюсь на самом деле. Я могу постоять за себя, позаботиться о себе, я независима. Я самостоятельно принимаю решения. У меня есть все необходимое. Я не боюсь своего развития. Я раскрываюсь, нахожу в себе новые силы, реализую свои возможности. Окружающие любят меня. Я поддерживаю других женщин, помогаю им. Я приношу добро всей планете. Мое будущее полно света, счастья, мира и красоты.

Так оно и есть!

Помните: даже небольшое позитивное изменение в вашем сознании ведет, возможно, к разрешению серьезных проблем вашей жизни. Обращайтесь с волнующими вас вопросами к жизни, и она сама подскажет вам нужные ответы!

Существует множество возможностей для того, чтобы внести в свою жизнь изменения. Мы можем, к примеру, пересмотреть законы своего бытия. Не пытайтесь понять, что не в порядке с вашей жизнью, приглядитесь к барьерам, которые вы сами поставили у себя на пути к прогрессу. Таким образом, без самобичевания мы уничтожим все препятствия и изменим свою жизнь. Многие из этих барьеров перегородили наш путь еще в детстве. Подспудно мы понимали, что должны жить по другим законам, но перенимали устои быта наших родителей. Раз усвоив таким образом чужие мысли, сегодня мы должны избавиться от них. Нам необходимо научиться любить и ценить себя. Нам предстоит выработать несколько основных, довольно существенных убеждений:

1. Не критикуйте себя

Это глупое и бесполезное занятие, не несущее ничего позитивного. Перестаньте критиковать себя, снимите с себя этот груз. Не критикуйте так же и окружающих, как правило недостатки, которые мы видим в них — отражение наших собственных ошибок. Негативное отношение к окружающим, зачастую, провоцирует неприятности в нашей жизни. Только мы одни вправе судить себя — ни другие люди, ни жизнь, ни бог, ни Вселенная.

Я люблю себя, я довольна собой.

2. Не запугивайте себя

Пора покончить со страхами. Часто мы своими мыслями доводим себя до отчаяния. Нам в голову не может прийти две мысли одновременно. Поэтому давайте мыслить позитивными аффирмациями. Тогда наши мысли сами изменят нашу жизнь к лучшему. Если поймаете себя на том, что снова забиваете свою голову пустыми страхами, немедленно произнесите:

Я не стану больше пугать себя. Я живу полноценной жизнью. Я чудесная, замечательная женщина. Моя жизнь свободна от страха.

3. Уделяйте больше внимания отношениям с самой собой

Мы придаем слишком много значения отношениям с окружающими, забывая о себе. Мы вспоминаем о себе лишь время от времени. Пора позаботиться о себе и об отношениях с самой собой. Любите себя такой, какая вы есть. Не забывайте о своем сердце и о своей душе.

Мой самый лучший друг — я сама.

4. Обращайтесь к себе с любовью

Уважайте и цените себя. Любя себя, вы становитесь более открытой, доступной для любви окружающих вас людей. Следуя законам любви, фокусируйтесь на желаемом, вместо того, чтобы концентрироваться на нежелательном. Фокусируйтесь на любви к себе.

В этот миг я очень люблю себя.

5. Заботьтесь о своем теле

Ваше тело священное вместилище души. Если вы хотите прожить долгую, полноценную жизнь, начните заботиться о своем теле прямо сейчас. Вы должны хорошо выглядеть и, что еще важнее, прекрасно себя чувствовать — ваша энергия должна бить ключом. Диета, правильное питание, физические упражнения играют немаловажную роль. Вы должны держать себя в форме, сделать свое тело гибким, выносливым и здоровым. Таким оно и должно оставаться до вашего последнего дня на планете.

Я здорова, счастлива, энергична.

6. Обучайтесь

Очень часто мы жалуемся на то, что не знаем многих вещей — того, этого, не знаем, что делать, как поступить. Но ведь у всех нас достаточно ума и сообразительности и мы способны учиться. Можно научиться всему — для этого существуют книги, курсы, кассеты. Они есть везде и доступны всем. Если у вас не так много денег, пойдите в библиотеку. Найдите или создайте группу, которая занималась бы самостоятельно. Я знаю, что я буду постигать новое до самого последнего дня.

Я обучаюсь и развиваюсь.

7. Обеспечьте свое будущее

Каждая женщина имеет право на личные средства. Это мы должны твердо знать. Собственные деньги развивают наше самоуважение, придают нам чувство уверенности. Начать можно и с небольшой суммы. Важно продолжать копить, откладывать деньги, и в этом вам очень помогут аффирмации.

Я постоянно увеличиваю свой доход. Чтобы я не делала, чтобы не случилось, все происходит мне на благо.

8. Раскрывайте свои творческие возможности

Творчески можно подойти к любому делу — начиная от выпечки пирогов и заканчивая проектированием небоскребов. Найдите время для самовыражения. Если у вас есть дети и времени на все не хватает, попросите подругу посидеть с вашими детьми. Чередуйтесь — последите за ее малышами. И у вас появится свободное время. Вам обеим оно очень необходимо. Творите! Вы это можете. Аффирмация:

Я всегда нахожу время на творчество и самовыражение.

9. Сделайте радость, любовь и счастье центром своей жизни

Радость и счастье есть внутри каждого из нас. Установите связь с тем тайником своей души, где бьет этот освежающий ключ. Стройте свою жизнь по законам радости, любви и счастья. Если мы счастливы, то повышается наш творческий потенциал, мы становимся открыты новым свежим мыслям и идеям, мы можем радоваться каждому пустяку. Используйте следующие аффирмации:

Я полна радости, я счастлива.

10. Будьте честны: держите слово

Для того, чтобы уважать и ценить себя, необходимо быть честной. Учитесь держать свое слово. Не обещайте опрометчиво того, чего не в состоянии выполнить — тем более самой себе. Не давайте себе слово, что завтра же сядете на диету, или что с завтрашнего дня будете каждое утро начинать с зарядки, если только не уверены на все сто процентов, что выполните обещанное. Вы должны верить себе.

11. Установите прочную духовную связь с жизнью

Эта особая связь может быть связана с нашими религиозными убеждениями, а может не иметь с ними ничего общего. У детей нет выбора — им передают по наследству религию предков. Но став взрослыми, мы сами в состоянии выбрать себе верование и духовную тропу. Каждый из нас должен время от времени уединяться, оставаться в одиночестве, чтобы побеседовать с самим собой. Ваши отношения с вашей внутренней сущностью — важнейшая часть жизни. Найдите время для того, чтобы посидеть в тишине и прислушаться к голосу вашей внутренней мудрости.

В своих духовных убеждениях я нахожу поддержку, они направляют и поддерживают меня.

Повторяйте данные аффирмации, изменяйте и дополняйте их. Пусть они прочно войдут в ваше сознание, помогая ему расти. Пусть они станут неотъемлемой частью вашей жизни!

Глава 4

ВАШИ ОТНОШЕНИЯ
С... САМОЙ СОБОЙ

На тему как наладить отношения с мужчиной, или найти идеального спутника жизни уже написано достаточно книг. В этой главе я не стану подробно рассматривать вопросы, о которых было сказано достаточно. Вместо этого, я хотела бы остановиться на самых важных отношениях в вашей жизни — отношениях с *самой собой*.

Многие женщины задают себе один и тот же вопрос: «Как я могу вести полноценную жизнь без мужчины?» Этот вопрос пугает многих женщин. Нам необходимо признаться себе в своих страхах и перешагнуть через них. Составьте список всех ваших страхов (Я боюсь...), проанализируйте получившееся и постарайтесь избавиться от всего, что вас пугает. Не пытайтесь бороться со своими страхами — это только усилит их. Прибегните к медитации, и ее сильный, светлый очищающий поток унесет все ваши страхи. Вы увидите ваши страхи в новом свете — превратите их в позитивные аффирмации. «Я боюсь, что меня никто никогда не полюбит» превращается в «По крайней мере, один человек точно любит меня, он очень сильно любит меня. Этот человек — я сама». Если мы сами отказываем себе в любви, то как можем требовать, чтобы нас любили другие. Не желайте того, чего в данный момент не можете получить, чему нет пока места в вашей жизни. Не теряйте времени даром — учитесь быть нежной и ласковой с *самой собой*. Дайте почувствовать своему телу, сердцу, своей душе, что такое *любовь*. Относитесь к себе с любовью, которой ждете от мужчины.

В жизни каждой женщины найдется момент, в который она одинока — молоденькая девушка, разведенная женщина, вдова. Я считаю, что ВСЕМ женщинам (даже тем, у которых в данный момент в личной жизни нет проблем) необходимо задать себе один вопрос: «Готова ли к жизни в одиночестве?» Находясь в постоянной зависимости от других людей, которые заботятся о нас, опекают нас, мы не даем выхода своим внутренним силам. Даже когда рядом с нами есть мужчина, готовый поддержать в трудную минуту, нам необходимо порой побыть наедине с самой собой — подумать о том, какие мы на самом деле, поставить перед собой новые цели, попытаться что-то изменить в себе. Время, потраченное на себя, окупится сторицей. Ваши отношения с самой собой не менее важны, чем отношения с окружающими. Ваши мысли должны стать вашими лучшими друзьями.

Сегодня перед незамужней женщиной открыт целый мир. Ее способности и устремления могут возвысить ее над миром. Она должна научиться уважать себя, и тогда она сможет много путешествовать, заниматься интересным делом, зарабатывать деньги, заводить новых друзей. Уверенная в себе женщина может позволить себе сексуальные отношения, и добиться любви, если она того захочет. Сегодня женщина имеет право родить ребенка без мужа — общество не отвернется от нее. Посмотрите на многих знаменитых и известных всему миру женщин — актрис и политических деятелей. У современной женщины должен быть свой собственный стиль жизни.

Многих женщин ждут недолгие отношения с мужчинами — встречи и расставания. Они, быть может, проживут в одиночестве всю оставшуюся жизнь. В настоящий момент в Соединенных Штатах Америки проживают около 122 миллионов мужчин и 129 миллионов женщин. Разница составляет 7 миллионов, — но во многих странах, например во Франции, эта разница еще больше. В мире все больше одиноких женщин. Но не следует рассматривать эту статистику как трагедию. Наоборот, посмотрим на нее, как на счастливую возможность женского развития. Вы же знаете, как это часто бывает в жизни — мы не хотим ничего менять до тех пор, пока нас что-либо не заставит измениться. Например, сами бы вы никогда не ушли с работы, даже которую ненавидите — но потом вас увольняют. Жизнь делает за нас выбор, который мы бы никогда не сделали сами. Женщины долгое время пренебрегали возможностью внести в свою жизнь позитивные изменения, очистить от страхов свое сознание, и теперь жизнь подталкивает их к новой черте.

В каждом из нас живет любовь

Большинство женщин способно лишь на слезы и вздохи, если рядом с ними нет мужчины. Это печальный факт. Мы не должны чувствовать свою неполноценность или ущербность из-за того, что рядом с нами нет мужчины. «Ища любовь» мы тем самым признаем, что в нашей жизни нет любви. Но в каждом из нас живет любовь. Никто никогда не полюбит нас так, как мы сами. Наша любовь никогда не оставит нас, мы никогда не разлюбим себя, наша собственная любовь не ослабеет. Нам необходимо прекратить любовь там, где ее нет. Потребность в партнере становится нездоровой привычкой — расставшись с одним мужчиной, мы тут же начинаем подыскивать ему замену. Это говорит о зависимых, тягостных отношениях с противоположным полом. Наш постоянный поиск говорит о том, что мы все время чувствуем свою неполноценность. Как и пристрастие к чему-либо другому, это очень вредно. Мы все время задаемся вопросом: «Что со мной не так?»

Женщины очень часто боятся «привыкнуть к постоянному поиску спутника», а так же ощущают себя «недостойными». Мы положили столько сил и потратили уйму времени, чтобы найти хоть кого-то, что потенциально согласны на зависимое положение, позволяем помыкать собой, оскорблять чувство собственного достоинства, и способны удовлетворяться малым. Но мы достойны лучшего, мы заслуживаем уважения. Нам ни к чему приносить себя в жертву.

Мы причиняем себе много боли и страданий, мы чувствуем себя одинокими и несчастными. Но этот выбор в нашей жизни делаем мы сами, и пришла пора сделать «новый выбор», который позволит нам наконец зажить счастливо. Нужно помнить о том, что нас программировали на такое поведение. Но все это осталось в прошлом. Мы должны помнить так же и о том, что завтра придет новый день, который принесет с собой новые возможности и новые силы. Чтобы строить свое будущее, мы должны сделать свой выбор уже сегодня. Мы должны изменить свои взгляды, убеждения, мысли. Необходимо начать эти изменения прямо сейчас — перед нами откроются новые горизонты, неведомые дали. Одиночество — это дар неба!

Зачастую нам просто необходимо побыть одним. Все больше и больше женщин, которые остались одни (их бросили мужья, они развелись или овдовели), сегодня способны сами позаботиться о себе и предпочитают не вступать во второй брак. Замужество — обычай, от которого изначально выигрывают мужчины. Женщина в результате брака, теряет свою независимость и попадает буквально в кабалу. Нас, женщин, учили приносить себя в жертву браку, поэтому мужчины охотно принимают подобные жертвоприношения. Чем потерять независимость, многие женщины предпочитают сегодня остаться одинокими. Их более не прельщает перспектива подчиняться и угождать мужчинам.

Существует старинная пословица, которая гласит: «На плечах женщины лежит небесный свод». Пора подтвердить слова древней мудрости. Однако обвинениями, плачем, слезами, гневом, своей жертвенностью и покорностью мы ничего не добьемся. Мы сами отдаем свою силу мужчинам и системе. Мужчина — это зеркало, в котором мы видим отражение своей сущности. Очень часто мы ищем у других любви и заботы, в то время, как все, что они могут дать — это отражение наших отношений с самими собой. Для того, чтобы двигаться вперед, ввысь, нам необходимо наладить эти отношения. Свою работу я хотела бы сконцентрировать по большей части на том, чтобы помочь женщинам «принять и использовать» собственную силу. Эта сила должна быть направлена только на позитивное.

Нам необходимо ясно понять и усвоить, что любовь в нашей жизни начинается с нас самих. Мы слишком часто ищем «мистера Хорошего», на которого можно свалить проблемы. И мы находим его — в отце, приятеле, муже. Пора вам самой стать «мисс Хорошей». И даже если рядом с вами не будет «мистера Хорошего», он вам не понадобится — вы сможете постоять за себя. Мы сами заботимся о себе, и такая жизнь нам нравится.

Итак, даже если в данный момент у вас никого нет, это не значит, что вы обречены на одиночество. Думайте об этом периоде вашей жизни, как о даре судьбы, о возможности осуществить все ваши планы и воплотить все ваши мечты. Я, например, даже и не смела надеяться на счастливую жизнь — ни маленькой девочкой, ни молодой женщиной. Любите себя, и позвольте жизни направить вас по верному пути. Вам по плечу любые препятствия, любые преграды. Мы можем лететь ввысь!

Глава 5

ДЕТИ, РОДИТЕЛЬСКИЕ ОБЯЗАННОСТИ И САМОУВАЖЕНИЕ

В этой главе я хочу сказать пару слов о детях и родительской заботе. Я уверена, что в прошлых жизнях у меня были дети, много детей, но в этой жизни у меня их нет. Я принимаю это как необходимость моего настоящего существования. На этот раз Вселенная наполнила мою жизнь множеством интересных событий, и я стала «матерью» для миллионов людей — я подарила им новую жизнь.

Прошу вас, не верьте распространенному убеждению, что женщина, не ставшая матерью, неполноценна. Быть может это и так для большинства женщин, но не для всех из нас. Общество принуждает женщин заводить детей — это прекрасный способ держать женщину в подчинении. Я считаю, что на все есть свои причины. Если вам не предначертано стать матерью, значит вы предназначены для иных целей. Если вы все же хотите иметь детей и переживаете из-за того, что у вас их нет, постарайтесь перешагнуть свое горе, чтобы двигаться дальше. Страдание не может и не должно длиться вечно. Скажите себе:

«Я знаю, все в моей жизни ведет меня к счастью. Я чувствую себя полностью удовлетворенной своей жизнью. Все к лучшему».

В этом мире так много беспризорных, брошенных детей-сирот. Если ваш материнский инстинкт настоятельно требует выхода, пролейте вашу заботу и тепло на этих несчастных. Но мы можем помогать не только детям, но и другим женщинам — потерянным, угнетенным — мы можем окружить их пониманием, помочь «расправить крылья и полететь». Мы можем заботиться о животных. У меня, например, четыре собаки и два кролика. Всех своих питомцев я забрала из приютов для животных. У каждого создания природы своя жизнь, полная тревог, волнений и несчастий. Любовь и ласка могут сотворить чудеса с любым существом — будь то человек или животное. Нам по силам внести и свой маленький вклад в дело любви и мира.

Сейчас развивается целая индустрия, «продающая» способность иметь детей. В это дело вложены миллиарды долларов, и «продукты» клиник пользуются все большим спросом. В этой индустрии практически отсутствуют запреты и ограничения. Вы не должны истязать свое тело, отворачиваясь от самой жизни, от естественного хода событий. «Ребенок из пробирки» стал новым — очень выгодным, но так же и очень пагубным для общества способом зарабатывать деньги. Если вы можете иметь ребенка, у вас обязательно появится малыш. Если же вы не предназначены для того, чтобы стать матерью, найдите другой смысл в своей жизни. Примите это как должное, на то есть свои причины — ваша жизнь полна других, не менее важных забот.

Лично я сама считаю недопустимым прибегать к новым методикам — мы еще слишком мало знаем об этих разработках и экспериментах в области искусственного оплодотворения. Доктора используют наши тела для своих опытов с лабораторными препаратами — я не хочу, чтобы мой ребенок стал плодом такого медицинского эксперимента на живом организме. Я считаю, что это опасно. Сейчас в печати уже начинают появляться статьи, рассказывающие об ужасных последствиях этих «дорогих» во всех смыслах опытов. Одна женщина, заплатив огромные деньги, прошла лечение 40 раз, но не только не забеременела, но и заразилась СПИДом. У одного из ее доноров было это заболевание. Я читала о парах, которые закладывали все свое имущество, чтобы заплатить за лечение, которое не принесло никаких результатов. Подумайте сто раз, прежде чем прибегнуть к помощи современной науки и медицины. Прочитайте все доступные материалы по данному вопросу, не только брошюры, которые вам предложат в клинике. Отдавайте себе отчет в своих действиях.

Вопрос об аборте в нашей культуре имеет очень большое значение. Это нелегкий вопрос. В Китае, например, женщину принуждают делать аборты, чтобы не увеличивалось население. В нашем обществе аборт рассматривают как морально окрашенный, и даже политический акт, в то время как в Китае это простая необходимость. Кампании, выступающие за запрещение абортов, считают, что женщин надо держать в узде. Женщина должна рожать детей и служить мужу. Детородная функция женского организма стала политическим вопросом. Решиться на аборт для женщины не так просто. Рождение ребенка я почитаю за высшее благо и за высшую радость, но никогда не осужу женщину, пошедшую на операцию от отчаяния и безвыходности.

От народных индейских целителей Северной Байи[1] и Мексики я слышала о травах, предотвращающих беременность. Их отвар принимается дважды и дает полный контроль в течение восьми месяцев без каких-либо побочных эффектов. Я всегда считала, что в природе найдется необходимое

---

[1] Территория на севере полуострова Калифорния в северо-западной Мексике.

целебное или профилактическое средство. Нам необходимо постичь тайны природы и их использовать. Наиболее «цивилизованные», развитые народы далеки от природы, и обращаются за помощью к химикатам и хирургии.

Я надеюсь, что скоро придет время, когда мы осмысленно и обдуманно будем подходить к вопросу о беременности и ее прерывании. Я считаю, что мозг обладает достаточным контролем над нашим телом. Поэтому наше сознание способно «принять» или «отвергнуть» беременность и подать соответствующую команду телу. К сожалению, сейчас мы еще не умеем использовать до конца возможности своего ·организма. Ученые утверждают, что человек изучил и использует только 10 процентов функций мозга. Сегодня мы даже не можем представить себе всю силу, скрытую в оставшихся 90 процентах. Но я уверена, придет день, когда человек разрушит барьеры своего сознания и освободит заключенный в темнице разума нескончаемый источник мощи.

С раннего возраста учите своих детей любви

Многие матери-одиночки выбиваются из сил, растя своих детей без помощи мужа. Это действительно очень тяжело, и я восхищаюсь всеми женщинами, которым удается справляться с этой нелегкой задачей. Матери-одиночки не понаслышке знают, что такое усталость. При нынешнем проценте разводов, каждая женщина, прежде чем выйти замуж и родить ребенка, должна спросить себя: «Хочу ли я и смогу ли растить своих детей одна, без помощи мужа?» Сложно представить себе, какой это тяжелый труд — вырастить и воспитать ребенка. И в одиночку многим женщинам это просто не под силу. Общество должно уделять больше внимания этой проблеме, проявлять больше заботы о работающих женщинах, в одиночку воспитывающих детей. Необходимо создать законы, защищающие детей и женщин.

Будучи матерью, вам совсем необязательно становиться «супер-женщиной». Нам не нужно быть «совершенными родителями». Для того, чтобы приобрести новые для вас навыки воспитания детей, достаточно прочитать несколько интересных и полезных книг, таких, например, как книга Вейн Дайер «Чего вы действительно хотите для своих детей?» Если вы любящий родитель, то у ваших детей есть все шансы вырасти прекрасными людьми, вашими друзьями. Они вырастут уверенными в себе и удачливыми. Внутренний стержень, уверенность в себе приносит умиротворение и спокойствие. Я полагаю, лучшее, что мы можем сделать для своих детей — это в первую очередь научиться любить самих себя, так как дети учатся на примере взрослых. Если ваша жизнь изменится к лучшему, то и у ваших детей будет все хорошо. Ваше самоуважение принесет уверенность в себе и спокойствие для всей семьи.

В том, чтобы в одиночку растить ребенка, даже есть свои преимущества. Сегодня у женщин есть возможность вырастить своих сыновей настоящими мужчинами, прекрасными мужьями. Поведение мужчин и их отношение так часто не устраивают женщин, а тем не менее, именно женщины растят мужчин. Если мы хотим, чтобы наши мужчины были добрыми, любящими, ласковыми, понимающими женщин, то матери должны воспитывать в сыновьях эти качества. Чего именно вы хотите от мужчины, от мужа? Я предлагаю составить список, чтобы четко понять, чего же вы *действительно* хотите. Учите своего сына быть таким, каким вы хотели бы видеть мужчину. Жена вашего сына будет вам благодарна, в вашей семье — между вашим сыном, невесткой и вами — установятся дружеские, теплые отношения.

Если вы мать-одиночка, никогда не отзывайтесь о вашем бывшем муже плохо при ребенке. Ваш ребенок научится думать, что семья — это война, и когда он вырастет, то превратит свой брак в поле военных действий. Влияние матери на ребенка очень сильно. Матери — объединяйтесь! Если мы, женщины, объединим свои усилия, то мужчины следующего поколения вырастут такими, какими мы хотим их видеть.

Я бы очень хотела дожить до того дня, когда самоуважение и самооценка станут обязательными предметами в наших школах. Воспитывайте силу духа в детях — из них вырастут уверенные в себе, сильные люди. Каждый день я получаю письма от педагогов, применявших в школах мои методы и добившихся удивительных результатов. Я рада, что эти методы помогают детям. Эти дисциплины преподаются обычно лишь в течение одного учебного года, но даже за столь короткий срок учителям удается привить детям позитивные мысли.

Научите своих дочерей любить и уважать себя, и когда они вырастут, то не позволят унижать себя или использовать. А наши сыновья научатся уважать всех окружающих, включая женщин. Ни один малыш не был рожден властным и безжалостным, и ни одна малышка не появилась на свет слабой, униженной жертвой. Такому поведению наши дети *учатся*. Они перенимают его у родителей, у окружающих взрослых. Если мы хотим, чтобы в нашем обществе ко всем обращались с уважением и любовью, то нашей обязанностью является воспитывать детей сердечными и гуманными. Только тогда в отношениях между полами наступит полное взаимопонимание и согласие. Если вы мать, то послужите примером для своих детей. Обучите их аффирмациям и работе с зеркалом. Дети обожают зеркала. Поработайте все вместе перед зеркалом. Придумайте друг другу аффирмации. Помогите друг другу создать позитивные мысли и идеи. Когда к аффирмациям обращаются всей семьей, они особенно эффективны. Объясните своим детям, почему так важно, какие у них мысли — хорошие, или плохие. Дети поймут, что от них самих зависит их жизнь, настроение. Они — создатели, помогающие изменить мир, пользуясь силами и возможностями, которые сама жизнь дарит им.

Зачастую родители боятся показать свои чувства. В каждой семье существует масса невысказанных упреков, проблем, которые необходимо обсудить. Дети очень чувствительны к любой неискренности, фальши. Но они, наблюдая за родителями, перенимают их поведение. Родители ужасаются поступкам своих детей, не понимая, что их поведение — зеркальное отражение их собственных поступков. В подростковом возрасте чувства детей особенно уязвимы, поэтому мы часто слышим о «трудном переходном периоде». Родители обвиняют во всем детей, вместо того, чтобы задуматься о своем к ним отношении. Вглядитесь в поступки своих детей, и вы наверняка увидите в них отражение своих скрытых чувств. Справившись с собственными проблемами, освободившись от отрицательных эмоций, вы наверняка обнаружите чудесную перемену, произошедшую с вашими детьми.

Зачастую мы сваливаем все свои беды на других, не замечая, что причина их скрывается в нас самих. Если поступки наших детей или окружающих людей раздражают нас, заставляют злиться, мы никогда не виним в этом себя, выплескиваем свой гнев на других. Но окружающие нас люди тут не причем. Их поступки отражают *наши собственные* скрытые убеждения, подавленные, затаившиеся внутри нас негативные мысли и чувства. Такое «зеркало» дает нам возможность увидеть все отрицательное и избавиться от него. В следующий раз, сильно рассердившись на кого-либо, постарайтесь не поддаваться гневу. Вместо этого спросите себя: «Что я могу вынести для себя из этой ситуации? Напоминает ли мне эта неприятность какой-нибудь эпизод моего детства? Не пытаюсь ли я повторить чужую ошибку? Могу ли я простить себя и тех, кто причинил мне в детстве боль? Или я стану мстить за обиду, причиняя боль другим?»

Наши дети, друзья, окружающие люди часто показывают нам те наши подавленные чувства, которые мы боимся выпустить наружу, к которым не хотим возвращаться. Вместо того, чтобы встретиться с негативными убеждениями лицом к лицу и побороть их, мы поворачиваемся к ним спиной и бежим от неприятных ощущений.

Глава 6

ВАШЕ КРЕПКОЕ ЗДОРОВЬЕ — В ВАШИХ СОБСТВЕННЫХ РУКАХ

Нам, женщинам, необходимо понимать, что существует множество альтернативных путей оздоровления организма. Мы не должны полностью полагаться на различные лекарственные препараты. Телевизионная реклама не дает нам всей необходимой информации. Пилюли, купленные с лотков, лишь маскируют симптомы, но не избавляют нас от болезней. Если мы станем придерживаться только устаревших взглядов, использовать лишь традиционные методы лечения, то нам сложно будет адаптироваться в новых, современных условиях — у нас на это не хватит ни сил, ни духу.

Медицина и фармацевтическая индустрия отнимают у женщин силы — пора покончить с этим. Нас сбивали с толку использованием высоких технологий — очень дорогих и, зачастую, неэффективных, или даже ухудшающих наше здоровье. Пришло время взять контроль над вашим телом в свои собственные руки (наше физическое и ментальное состояние зависит от нас самих), тем самым мы сохраним миллионы жизней, сэкономив при этом биллионы долларов. Если мы на самом деле осознаем связь между нашим телом и разумом, то проблемы со здоровьем уйдут в прошлое.

В любом местном магазине или аптеке вы найдете множество брошюр, рассказывающих о различных путях сохранения и восстановления здоровья. Чем больше вы узнаете о себе, о своем организме, об окружающем мире, тем сильнее, увереннее в себе вы станете. Я настоятельно рекомендую вам прочесть книгу «Женское тело, женская мудрость», написанную Кристианой Нортрап. Доктор медицинских наук, знаменитый врач, практикующий нетрадиционные методы лечения, она стала моим наставником. Я также советую вам вступить в ряды ее организации во всемирной сети — «Мудрость здоровья». Следите за ежемесячными публикациями, и вы научитесь распознавать различные симптомы и заботиться о своем здоровье. В «Мудрости здоровья» вы найдете статьи, касающиеся новейших разработок и последних исследований в области женского здоровья.

Важность диеты

Правильное питание играет огромную роль в поддержании здоровья нашего организма. Во многом, мы — то, что мы едим. Вот, что я думаю о еде: если она выращена, можно употреблять ее в пищу, если же нет — она не пригодна к употреблению. Фрукты, овощи, орехи и зерно дает нам земля. Кока-кола или йогурт не растут. Я считаю, что прилавки, забитые полуфабрикатами, подрывают наше здоровье. Знаете ли вы, например, что самыми популярными продуктами в супермаркетах являются Кока-кола, Пепси-кола, суп в пакетах, плавленный сыр и пиво? Вся эта еда не имеет пищевой ценности, она наполнена солью, сахаром, и является причиной многих заболеваний. Старайтесь получить как можно больше информации о правильном питании — это очень важно для вашего здоровья. Не смотрите на красивую картинку на упаковке — полуфабрикаты вредны для организма.

Нам необходимо много трудиться сейчас, чтобы сотворить прекрасное будущее для следующих поколений женщин. Мы должны быть сильными, гибкими и здоровыми, чтобы справиться с этой нелегкой задачей. Когда вы видите пожилую женщину, слабую, больную, обессиленную, перед вашими глазами — результат неправильного питания, недостатка физических упражнений и накапливающихся долгими годами негативных мыслей и убеждений. Но все может быть иначе. Мы, женщины, должны научиться правильно заботиться о своих великолепных телах, чтобы достичь зрелого возраста в прекрасной форме, полными сил и здоровья. Недавно я была на приеме у врача-терапевта. Он сказал мне, что для моего возраста я нахожусь в отличной физической форме. Он считал, что семидесятилетняя женщина должна выглядеть дряхлой старухой. Меня это очень поразило!

Клетки вашего тела живые, и им необходима натуральная пища, чтобы расти и делиться. Свежие продукты должны обязательно присутствовать в нашей диете. Жизнь может дать нам все необходимое, для того чтобы мы могли правильно питаться и чувствовать себя здоровыми. Чем проще мы едим, тем здоровее мы будем. Нужно уделять должное внимание вопросам диеты и употреблять в пищу хорошие продукты. Мы сами должны заботиться о своем организме. Многих заболеваний можно было бы избежать, придерживаясь правильной диеты. Если через час после еды вас тянет ко сну, значит какой-то продукт вызвал аллергическую реакцию. Следите за тем, что вы употребляете в пищу. Питайтесь полноценно — энергетически ценными продуктами.

Старайтесь есть как можно больше фруктов и овощей, но не покупайте их в супермаркетах. Из ежемесячника доктора Эндрю Вейл я узнала, что больше всего пестицидов содержится во фруктах и овощах, продающихся в супермаркетах. Вот список наиболее опасных для организма продуктов: клубника, сладкий перец, шпинат, выращенная в США черешня, персики, мексиканские дыни-канталупки, зелень, яблоки, абрикосы, зеленые бобы, чилийский виноград и огурцы.

Не верьте специалистам мясо-молочных комбинатов, рассказывающим о пользе животной пищи. Их интересует только прибыль, там не заботятся о нашем здоровье. Для женского тела очень вредно употребление мяса и молочных продуктов в больших количествах. Сократив потребление этих продуктов, или вовсе исключив их из вашего рациона, вы избавитесь от проявлений предменструального синдрома и сможете улучшить свое физическое состояние во время менструаций. Кофеин и сахар — еще два врага, причиняющих большой вред женскому организму. Учитесь правильно питаться. Вы почувствуете себя лучше, у вас заметно прибавится сил и энергии. Восстановите свое здоровье. Изучайте свой организм. Если вы будете заботиться о себе, употребляя здоровую пищу, то вам не придется сидеть на диете, чтобы сбросить или набрать вес.

О пользе физических упражнений

С помощью физических упражнений можно поддерживать себя в прекрасной форме. Упражнения жизненно необходимы для нашего здоровья. Если мы вовсе не делаем физических упражнений, наши кости ослабевают, а они должны оставаться прочными. Для того чтобы вести активный образ жизни — бегать, прыгать, танцевать, просто двигаться с легкостью, нам необходимо тренировать свое тело с помощью упражнений. Нескольких активных движений будет достаточно. Все, что вы делаете для себя — это либо акт любви по отношению к самой себе, либо акт ненависти. Любя себя, вы достигнете всяческих успехов в жизни, а физическое упражнение — это ключ к любви и здоровью.

Отличное коротенькое упражнение — просто подпрыгнуть примерно 100 раз подряд. Это упражнение достаточно легкое, не займет у вас много времени, но уверяю вас, ваше самочувствие значительно улучшится. Потанцуйте под быструю музыку, пробегите пару кругов вокруг дома.

Купите себе небольшой батут и попрыгайте на нем. Это приятное, легкое упражнение — прыжки очищают лимфодренажную систему, укрепляют кости и сердечную мышцу. Изобретателю мини-батута сейчас уже 80 лет, он до сих пор находится в хорошей физической форме и делится с окружающими новыми идеями, касающимися старения, здоровья и физических упражнений. Никогда не верьте, что вы недостаточно молоды для того, чтобы заниматься спортом.

Несколько мыслей о курении

Перестать курить — вот лучшее, что вы можете сделать для своего здоровья. Курильщик, даже если ему посчастливится и он не войдет в число 400 000 человек, ежегодно умирающих от заболеваний, связанных с табакокурением, каждой сигаретой укорачивает свою жизнь и ухудшает здоровье. Начиная от дисфункции яичников, рака легких, и заканчивая болезнями сердца и остеопорозом[1], сигареты увеличивают риск заболевания.

Зависимость, вредная привычка или отказ от курения — выбирайте сами. Очень негативно сказывается курение на здоровье беременных женщин и на развитии плода. Из соображений красоты женщина должна отказаться от сигареты. Курение увеличивает поры, создает морщины вокруг рта, ускоряет процесс старения кожи. От курящей женщины пахнет как от грязной пепельницы. Если вы решили бросить курить, то есть много способов добиться положительного результата. В аптеке вам предложат различные продукты, восстанавливающие баланс вашего тела. Акупунктура (иглоукалывание), гипноз, традиционная китайская медицина помогут вам избавиться от вредной привычки. Любите, берегите свой организм — ваше тело всю жизнь будет служить вам верой и правдой. Удаление вредных веществ, ядов, отравляющих наше тело — акт любви по отношению к самим себе.

Климактерический период — естественно и нормально

Я считаю, что климактерический период — нормальный, естественный жизненный процесс. Не следует считать его болезнью. Каждый месяц во время менструации наше тело покидает постель, приготовленная для неза-

---

[1] (От греч. *osteo* — кость и *porosis* — пористый) — болезнь, возникающая из-за недостатка кальция и других минеральных веществ, при которой кости становятся пористыми, ломкими и теряют эластичность.

чатого малыша. В тоже самое время из нашего тела выходит множество токсичных веществ. Если мы едим консервированные продукты или даже питаемся полуфабрикатами по стандартной диете — 20 процентов сахаров и 37 процентов жира — мы постоянно отравляем свой организм таким количеством токсинов, которое он не в состоянии удалить все до конца.

Если к началу климактерического периода в нашем теле накопилось много токсичных веществ, то процесс будет более неприятным. Таким образом, чем лучше вы заботитесь о своем теле, тем легче и незаметнее станет ваш климактерический период. Тяжелый или легкий у вас климактерический период — это зависит от того, как вы чувствуете себя и как заботитесь о себе начиная с наступления половой зрелости. Женщины, плохо переносящие климактерический период, как правило, плохо питаются и совсем не ценят себя.

В 1900-е годы продолжительность жизни составляла всего около 49 лет. В те дни на климактерический период не обращали особого внимания. К наступлению климактерического периода жизнь была уже прожита. Сегодня мы живем более 80 лет, средняя продолжительность жизни постепенно приближается к 90 годам, поэтому климактерический период стал в наши дни серьезной проблемой. Все больше и больше женщин сегодня хотят принимать более активное участие в жизни общества, для этого им необходимо лучше заботиться о своем здоровье. Женщины хотят войти в гармонию со своими телами, позволить процессам, протекающим внутри нас, происходить более естественно, не причиняя неудобств и не лишая женщин определенных возможностей. Ранее такой «проблемой дня» для женщин были дети, сейчас мы живем в век, когда такой проблемой становится климактерический период. Это породило повышенный интерес к воздействию климактерического периода на жизнь женщины. Подсчитано, что приблизительно 60 миллионов женщин в Америке пересекут этот важный рубеж гормональных и физиологических изменений к 2000 году.

Коренные американские жители — индейские женщины — не испытывают климактерического периода, они менструируют до конца жизни. Менструальный цикл у индейцев считался признаком здоровья. Северная Байя отстает от современного мира лет на 100, и местные женщины продолжают менструировать до глубокой старости. Им не знакомо такое понятие, как климактерический период. Менструальный цикл считался признаком мудрости, которую искали индейские женщины. В прошлом для индейской женщины было вполне нормальным родить ребенка в 60 лет. Конечно, сейчас такое случается все реже и реже — с ходом времени ухудшается питание, подрываются здоровье и жизненные силы. Я уверена, что изучая другие искусные культуры по всему миру, мы найдем более естественные и эффективные пути преодоления климактерического периода. Я слышала мнение, что одной из причин, по которой японские женщины не испытывают «приливов», является факт, что они едят много продуктов из соевых бобов. Эстрогенотерапия пугает меня. Большинство информации мы получаем от фармацевтических компаний, которые заинтересованы в продаже различных химических препаратов, и потому необъективны. Я согласна с тем, что такая терапия подходит для многих женщин, но не для всех. Я не считаю, что «массовая эстрогенотерапия для всех женщин от полового созревания до могилы», по совету докторов — это такая уж хорошая идея. «Премарин», например, очень популярный сейчас препарат, изготавливается из мочи беременных кобыл. Как может такая микстура помочь женскому организму? Мудрая природа создала наши тела способными правильно функционировать до самого последнего дня, наш организм — способным к самоисцелению, а нас — к долгой, здоровой жизни. Мы должны верить природе, прислушиваться к голосу нашей внутренней мудрости. Не надо придавать чересчур большого значения заявлениям о том, что с наступлением климакса тело женщины одолеют всевозможные болезни.

Хотелось бы увидеть результаты исследований, посвященных здоровью женщин, только что прошедших климактерический период. Многие женщины сохраняют свое здоровье на долгие годы. Я, например, во время своего климактерического периода пережила «прилив» всего лишь однажды. Выпитая мною гомеопатическая микстура избавила меня от всех неприятных симптомов.

Прогестерон часто намного более эффективен для нас, чем эстроген. Зачастую, когда мы полагаем, что в нашем организме нехватка эстрогена, на самом деле, это нехватка прогестерона. Натуральный прогестерон, содержащийся в диком мексиканском ямсе, также стимулирует формирование костных тканей. Под его воздействием клетки остеобласты начинают строить новую кость. Помните: кость — это живая ткань, и она может быть восстановлена. Натуральный прогестерон продается в аптеках в виде крема. Этот крем втирается в кожу, впитывается в ткань и быстро поглощается. Прогестерон не имеет побочных эффектов, присущих синтетическому эстрогену. Также прогестерон помогает избежать проявлений ПМС и неприятных симптомов, сопровождающих климактерический период.

Я не оспариваю тот факт, что многим женщинам помогает гормонотерапия. Однако многие медицинские учреждения утверждают, что гормонотерапия *необходима всем женщинам* с наступления климактерического периода и до самой смерти. Я считаю, что такие заявления унижают достоинство пожилых женщин. В конечном итоге, я полагаю, что стремление к гармонии и балансу в нашем теле и разуме, может сделать ненужным прием различных химических, синтетических препаратов, обладающих вредными побочными эффектами.

Все мы в течение жизни проходим разные стадии готовности к чему-либо и желания сделать это. Для многих из нас уровень ответственности и готовности, необходимый для того, чтобы привести в гармонию свое тело и свой разум, слишком высок, когда дело касается закоснелых убеждений. Нам необходима медицинская помощь, консультации психотерапевтов, для того чтобы почувствовать в себе желание и готовность совершить что-либо, отражающееся на нашем здоровье (поверить в собственную полноценность, например). Слишком распространено в нашем обществе убеждение, что женщина, не способная иметь детей, не достойна уважения. Не удивительно поэтому, что многие женщины страшатся наступления климактерического периода и пытаются оттянуть его. Эстрогенотерапия не поможет вам поверить в себя. На это способны только вы сами — ваш разум и ваше сердце.

Я повторяю: климактерический период не заболевание, при котором необходимо лечение. Это нормальный, естественный процесс. Однако, наступление климактерического периода у женщин, многие организации сейчас успешно используют в собственных целях. Почти вся информация, касающаяся этого важного в жизни женщины момента, исходит от фармацевтических компаний. Очень важно, чтобы сами женщины собирали необходимую информацию, касающуюся их жизни и здоровья. Пожалуйста, прочитайте сами и посоветуйте прочитать своим знакомым книгу «Индустрия климактерического периода: как медицинские организации используют женщин в своих целях». Автор этой книги Сандра Кони. В этой книге рассказывается, что до 1960-х годов врачей не слишком занимал климактерический период. Женщинам говорили, что все зависит от их сознания. Вот одна цитата из этой книги: «Ни одна другая область медицины так не эксплуатирует женское здоровье и сексуальность, как область, связанная с наступлением у женщин климактерического периода. Новый подход к климактерическому периоду как к заболеванию социально контролируется. Современная медицина не делает женщину сильнее, не учит ее управлять своей жизнью. Она делает из всех женщин пациенток».

Существует множество трав, используемых диетологами, и множество различных гомеопатических препаратов, которые могут помочь женщине, проходящей через этот нелегкий период. Существуют также различные натуральные компоненты, способные заменить эстроген и восполнить его нехватку. Сходите на консультацию к специалистам, поговорите об этом с диетологом. Помните, современные женщины — первопроходцы. Нам предстоит расчистить дорогу для своих дочерей, внучек, правнучек. Вырвать с корнем негативные убеждения из своих умов, с тем, чтобы женщины будущего не узнали страданий, связанных в нашем сознании с климактерическим периодом. Мы научимся планировать наступление климактерического периода, как планируем сейчас наступление беременности.

Во время вашей ежедневной медитации, на забудьте передать любовь всем частям своего тела, особенно органам половой системы. Поблагодарите их за то, что они вам так хорошо служат. Скажите им, что вы сделаете все от вас зависящее, чтобы они оставались здоровыми. Развивайте отношения любви с этой частью вашего тела. Уважение, которое вы дарите своему телу, укрепит весь ваш организм. Спросите свою матку, свои яичники, чего они ждут от вас. Вместе с ними спланируйте ваш климакс как легкий переходный период — быстрый и безболезненный как для ваших органов, так и для вашего сознания. Любовь излечивает. Любовь к своему телу помогает сделать ваш организм здоровым.

Пластическая хирургия: причины для ее применения

В пластических операциях нет ничего плохого, если только вы решились на такой шаг по достаточно веской причине. Нужно отчетливо осознавать, что пластическая хирургия не избавит нас от эмоциональных проблем, не прибавит нам любви и уважения к себе, не спасет наш брак. Очень часто мы прибегаем к косметическим операциям, потому что чувствуем собственную неполноценность. Но косметическая хирургия не излечит вас от ваших собственных негативных убеждений. Сделав пластическую операцию, вы не избавитесь от проблем. Когда я смотрю на всю эту рекламу косметической хирургии, то ясно вижу скрывающуюся за рекламой индустрию, существующую за счет недостатка самоуважения у женщин.

Я встречала немало исполненных ненависти к себе женщин, которые шли на операцию только из-за желания вернуть былую красоту. Ненависть и презрение застилали им глаза, поэтому после операции они стали выглядеть еще хуже, чем до нее. Я помню одну очень симпатичную девчушку, в которой совсем не было самолюбви и самоуважения. Ей казалось, что будь ее нос другой формы, все было бы в порядке. Она настаивала на операции, но причины, толкнувшие ее на операционный стол, были неправильными. Теперь ее нос больше похож на свинячий пятачок. Ее проблема скрывается в ней самой, а совсем не форме ее носа.

Нельзя использовать пластическую хирургию для того, чтобы повысить свою самооценку. Вы никогда не достигнете желаемого результата. Для вас наступит временное улучшение, но вскоре закоренелые чувства неполноценности и ущербности вернутся к вам. Вы начнете думать: «Ну, может быть если удалить еще пару морщинок...» и так может повторяться без конца. На днях кто-то рассказал мне о новой пластической операции по подтяжке кожи на локтях, которая с возрастом сморщивается и обвисает. И я подумала: «Боже мой, почему бы просто не носить чуть более длинные рукава? Куда все это приведет нас?» Но средства массовой информации ведут непрерывную пропаганду. Реклама хочет сделать из всех нас кукол, сохраняющих внешность девочки-подростка — без аппетита, без морщинки и без лишней складки на животе. Но нельзя во всем обвинять только рекламодателей, в конце концов *именно мы* покупаем их продукцию. Я полагаю, что как только женщины выработают в себе более высокую самооценку и перестанут верит всему тому, о чем печатают в модных журналах, реклама изменится.

Не позволяйте врачам ставить эксперименты на вашем теле. Используя искусственные методы, для того чтобы заставить наш организм вести себя так, как ему не предназначено природой, мы напрашиваемся на неприятности. Не играйте с матерью природой. Вспомните, например, сколько проблем возникает у женщин с имплантантами груди. Если у вас маленькая грудь, посылайте ей радость и любовь. Это, в сочетании с позитивными аффирмациями, помогло многим женщинам увеличить объем груди. Любите свое тело, ему нравится чувствовать вашу любовь. Я также верю в то, что мы сами выбираем себе телесную оболочку перед очередной реинкарнацией. Радуйтесь тому, что вы такая, какая есть. Что важнее всего, не коверкайте свое тело, чтобы угодить другому. Если люди не любят вас такой, какая вы есть, то они не станут любить вас, даже если вы пожертвуете для этого своим телом.

Итак, если вы решили сделать небольшую подтяжку, или изменить форму носа, то подумайте о причинах, толкнувших вас на этот шаг. Дарите любовь своему телу до, во время и после операции. Вот несколько необходимых аффирмаций:

У меня отличный хирург, который прекрасно знает свое дело.
Процедура проходит быстро и легко, все идет как надо.
Врач радуется, глядя на то, как быстро я выздоравливаю.
Я очень довольна результатами.
Все хорошо, я в полной безопасности.

Рак груди: что это такое?

Я обратила внимание на одну особенность, касающуюся практически всех женщин с раком груди. Эти женщины как правило абсолютно неспособны сказать «нет». Грудь воплощает питание, поддержку. И женщины, страдающие этим заболеванием, поддерживают всех вокруг, кроме самих себя. Им очень сложно отказать кому-либо. Зачастую в семьях, где они росли, дисциплина поддерживалась с помощью постоянных обвинений и манипуляции. И вот девочки выросли, но продолжают отдавать, делая все, о чем бы ни попросили их окружающие. Эти женщины полностью отрекаются от себя, отвечая «да» и выполняя ненавистные для них поручения. Они отдают и отдают, до тех пор, пока у них совсем не останется сил.

По началу, вам сложно будет сказать «нет», так как окружающие вас люди привыкли к вашей безотказности. Услышав «нет» вместо привычного «да», они придут в ярость. Вы должны быть готовы к такой реакции. Каждой из тех, кто учится отказывать, придется на некоторое время смириться с гневом окружающих. Самое сложное — настоять на своем и научиться говорить «нет». Но потом, не вздумайте сделать поблажки. Как только вы дадите слабинку и скажете «да», из вас вновь начнут тянуть соки. Не старайтесь смягчить свой отказ извинениями. Вступив с вами в спор, из вас постараются вытащить согласие. Просто ответьте «Нет, я не могу сделать этого». «Нет, я не буду делать этого». «Нет, больше я не хочу делать это». Любое короткое утверждение и вполне определенный отказ. Ваш оппонент конечно же впадет в ярость. Будьте готовы к этому и знайте — его ярость не имеет отношения к вашим чувствам. Это *его, а не ваши* проблемы. Помните об одном: *когда я говорю тебе «нет», я говорю «да» самой себе*. Повторяйте эту аффирмацию про себя, и она поддержит вас в трудную минуту. Пару раз получив от вас отказ, окружающие поймут, что в вас произошли изменения, и перестанут докучать своими просьбами.

Очень трудно бывает сказать свое первое «нет». Помню, как мне пришлось попотеть, когда я впервые смогла постоять за себя. Мне казалось, что земля уходит из-под ног, что я теряю весь мир. Но это был не конец света, просто мой мир изменился, а я приобрела самоуважение. Поймите, вам необходимо пройти через это. Окружающие безусловно будут злиться на вас за то, что вы перестали отдавать сверх меры. Они будут давить на вас, называть эгоистом. Знайте, их слова продиктованы злостью — ведь вы отказываетесь делать, чего хочется *им*. Вот и все. Только не забывайте о том, что говоря им «нет», себе вы говорите «да». Этим вы разрешите свои внутренние противоречия.

Я знакома с одной женщиной, которая ушла из семьи. Она решила какое-то время пожить отдельно. Теперь ее мужу некого винить за возникающие проблемы. Женщина сняла с себя «ответственность за все». Сейчас ее мужу приходится учиться по-другому смотреть на мир. Двое ее взрослых сыновей начали уважать ее, так как она смогла постоять за себя и делает сейчас то, чего хочется *ей*. Интересно следить за тем, как меняются отношения в семье. Женщине очень сложно было решиться на такой шаг, но она это сделала, и вся ее жизнь изменилась к лучшему. В жизни каждой женщины наступает день, когда она должна спросить себя: «Что же на самом деле лучше для *меня*?» Для многих женщин это абсолютно новый вопрос. Энн Лэндерс предлагает всем женщинам, страшащимся расставания или развода, задать себе следующий вопрос: «Что лучше для меня, если я уйду или если я останусь?»

Необходимо заботиться о своем сердце

В то время как четыре процента женщин умирают от рака груди, смерть 36 процентов наступает от сердечных заболеваний. Мы очень часто слышим об опасности рака молочной железы, но практически ничего — о проблемах, связанных с сердечными заболеваниями. Однако больше всего женщин умирает именно от болезней сердца. Женщины также более мужчин подвержены риску умереть от осложнений после операции на сердце.

Очень важно заботиться о своем сердце. Пища с высоким содержанием жиров вредна для всех нас. Обилие жирной пищи, отсутствие физических упражнений и курение неминуемо приведут к сердечно-сосудистым заболеваниям. Однако со всем этим можно справиться. Сердечный приступ — результат нашей долгой войны против собственного сердца.

С эмоциональной стороны, сердце и кровь представляют собой любовь и радость, нашу самую первую связь с семьей. В семьях женщины с сердечно-сосудистыми заболеваниями существуют, как правило, неразрешенные конфликты, которые отнимают радость и любовь. Такие женщины боятся впустить в свою жизнь любовь, поэтому радость и счастье никогда не наполнят их сердца. Поток жизни не может вливаться энергией в наши сердца, если они закрыты для любви.

Эмоциональной причиной многих заболеваний становится проблема прощения. Духовные уроки прощения трудно даются многим из нас. Тем не менее, эти уроки необходимо усвоить, без них не наступит полного выздоровления. Каждый из нас проходил через потери, предательства, оскорбления. Признаком духовной зрелости и мудрости является умение забывать неприятное и прощать его виновников. Что сделано, то сделано, это осталось в прошлом. Забывая о неприятном, мы разрываем цепи, сковывающие нас с прошлым, и даем себе шанс жить и творить свой мир в настоящем. До тех пор, пока мы не научимся прощать, прошлое не отпустит нас, и нам никогда не стать здоровыми, счастливыми, благополучными. Все это имеет величайшее значение для всех нас, это наш самый сложный духовный урок — научиться прощать, любить себя и жить настоящим. Это излечивает сердца.

Посидите в тишине, приложите обе руки к сердцу. Посылайте ему любовь, позвольте себе почувствовать любовь к вам вашего сердца. Оно начало свой бой еще до того, как вы появились на свет, и будет вам верным спутником до последнего удара. Загляните в свое сердце — не скопилось ли там слишком много ненависти и горечи? Промойте его прощением и пониманием. Любите каждого члена своей семьи и умейте прощать. Почувствуйте, как любовь и спокойствие наполняют ваше сердце. Ваше сердце — любовь, а кровь в ваших венах — радость. Ваше сердце с любовью омывает ваше тело радостью. Все в порядке, и вы в безопасности.

Глава 7

НЕМНОГО О СЕКСУАЛЬНОСТИ

Я бы хотела вкратце высказать несколько своих идей, касающихся сексуальности, и поговорить о происходящих в этой области изменениях. Нам необходимо разобраться с этим вопросом. В нашем обществе существует слишком много сексуальных запретов и обвинений. Помните: неважно, какая у вас сексуальная ориентация, главное, что это устраивает вас. Отношения, какими бы они ни были, касаются обоих полов, всех нас. Поэтому неважно, гомосексуал ли вы или гетеросексуал. Даже современная наука признает, что сексуальность и сексуальная ориентация — это нечто врожденное, а не приобретенное. Мы невольны в своем выборе. Представьте себе, что будучи гетеросексуалом, вы принуждены стать лесбиянкой. Как бы вы себя чувствовали? Это было бы невозможно. Точно также чувствуют себя лесбиянки, которых заставляют вести себя как гетеросексуалов. Лично я считаю, что мы должны просить прощения у наших сестер-лесбиянок за все те унижения, которым общество подвергает их. Так поступают только животные, изгоняя из стада одного из его членов. Мы не должны унижаться и унижать других из-за несогласия в таком простом и естественном вопросе, как сексуальность. Этот социальный предрассудок вычеркивает многое из нашей жизни. Любите себя такими, какие вы есть. Господь никогда не делает ошибок.

Сегодня многие пожилые женщины, никогда бы не позволившие себе ничего подобного в прошлом, начинают вести более свободную, веселую жизнь, и завязывают интимные отношения с другими женщинами. Если вы вспомните о том, что женщин в этой возрастной группе куда больше мужчин, все станет понятным. Почему мы должны обрекать себя на одиночество, когда вокруг столько невостребованной, ждущей нас любви? Интимные отношения с женщиной могут открыть нам такие глубины чувственности, о которых мы никогда даже и не мечтали. Женщины могут быть куда более любящими и заботливыми, чем могут позволить себе мужчины. Также женщины терпимо относятся к изменениям, происходящим с нашими телами по мере того, как мы стареем.

Многие из вас могут не знать, что в Викторианскую эпоху миры женщин и мужчин (дела, политика, воспитание детей) были настолько обособленны, что женщины зачастую обращались к особам своего пола в поисках близкой дружбы. Множество страниц дневника женщины могли быть исписаны подробностями отношений с подругой, и вдруг вы обнаруживаете коротенькую запись: «Прошлым вечером я согласилась выйти замуж за мистера С.». Романтические отношения также были обычным делом для молодых людей среднего класса. Никто не считал это проявлением гомосексуальности. Даже самого термина не существовало до конца 19 века. Это было время расцвета проституции: в Нью-Йорке на одну проститутку приходилось 64 мужчины, а в Саванне, штат Джорджия, — 39 мужчин.

Итак, вот что я хочу сказать: незазорно принять любовь в каждом ее проявлении. Мода на любовь меняется от страны к стране и от века к веку. В определенный момент существуют какие-то общепринятые нормы и правила, но со временем они изменятся. Природа предоставляет нам выбор, и мы можем воспользоваться им, если пожелаем. Если наше сердце дарит окружающим любовь, если мы хотим другим людям только добра, то мы свободны в своем выборе. Некоторые из нас могут вообще отказаться от секса — в этом нет ничего дурного. Давайте оставим предубеждения и обвинения, давайте принимать любовь. Принимая и даря любовь, мы совершенствуем свои души и излучаем положительную энергию.

Глава 8

НЕ БОЙТЕСЬ ГОВОРИТЬ В ОТКРЫТУЮ О СЕКСУАЛЬНОМ ОСКОРБЛЕНИИ

Как часто вы становились объектом сексуальных унижений и оскорблений и сносили их молча? Как часто вы вините саму себя в том, что мужчина перешел все границы? «О, может быть это моя вина. Может быть я просто все преувеличила. В этом нет ничего такого уж страшного. Я знаю множество куда более неприятных вещей».

Я уверена, что нет такой женщины, которую бы не оскорбили словесно; или которую бы хоть раз не ущипнули, не схватили руками мужчины, которым никто не давал на это никакого права. Но, несмотря на унижение, мы молчим. Пора научиться говорить в открытую и суметь постоять за себя. Если мы не сделаем этого, то никогда уже не сможем остановить такую дикость.

Недавно в моем собственном доме произошел один весьма неприятный случай. В течение четырех лет со мной жила одна супружеская пара, которую я наняла для ухода за моим домом и моими домашними животными. Они отлично выполняли свои обязанности, все так хорошо начиналось, и я была очень довольна работой супругов-англичан. Прошло некоторое время, и я стала замечать некоторые неприятные детали. В основном это касалось мужчины. Это были пустяки, мелочи, и я поначалу не придавала им значения. Это было моей большой ошибкой. Мужчина стал лениться и почти всю работу свалил на плечи своей жены. Он, казалось, забыл, что дом принадлежит мне и что я плачу ему жалование. Он стал вести себя в моем доме как хозяин. Он стал фамильярничать, как будто был моим близким другом. Все эти мелочи копились, и со временем его недостойное поведение стало невыносимым. Частично вина за это лежит на мне, так как я своим попустительством позволила ему перейти границы. Я стала бояться делать ему замечания. Я приучилась ходить на цыпочках, чтобы не дай бог не побеспокоить *его,* чтобы не испортить *ему* настроение.

На следующий день после моего семидесятилетия (это был замечательный праздник) я с ужасом узнала, что на дне рождения он позволял себе вольности по отношению ко многим моим подругам. Поговорив с женщинами, я обнаружила, что это длится уже более года. *И ни одна из них ничего мне не сказала.* Теперь, когда вся правда выплыла наружу, на меня обрушилась масса малоприятных сведений о поведении моего работника. Он выбрал себе несколько жертв среди других моих служащих и долгое время домогался их. Оказалось, что когда меня не было в городе, он даже набросился на мою секретаршу в моем собственном доме! Я пришла в ужас. Как такое могло произойти с подругами и служащими Луизы Хей?! Почему они сразу не рассказали мне о происходящем? Они были напуганы, смущены — у каждой нашлась причина для молчания. Вы и сами хорошо знаете, какие бывают отговорки, так как наверняка не раз придумывали их. Я вспомнила о том, что попадая в такую ситуацию, в которой оказались мои подруги, я и сама хотела лишь избавиться от неприятных воспоминаний, переживая молча. Смогла ли я хоть раз дать отпор своему обидчику, позвать служащего общественного порядка?

Я также узнала, что этот мужчина — мой служащий — оскорблял свою жену и что она все это время прятала от меня синяки. Только подумайте, как часто мы позволяем мужчинам оскорблять нашу честь и достоинство и оставаться при этом абсолютно безнаказанными? Наш страх заставляет нас подчиняться мужчинам, быть покорными, молча сносить обиды. Поверьте, после разговора с подругами и служащими, мне стало очень тяжело на сердце. А ведь это была только вершина айсберга. Я прошу извинения у всех женщин, присутствовавших на юбилее моего семидесятилетия, за недостойное поведение моего работника.

Даже моя ближайшая подруга, у которой нет от меня никаких секретов, женщина с высокой самооценкой, всегда сохраняющая достоинство, и та не сказала мне ни слова о происходящем. При сексуальном оскорблении, ее первой реакцией было отмолчаться и не поднимать шума.

В любом случае, мой работник на этот раз зашел слишком далеко, и если раньше я терпела его выходки, то теперь настало время для принятия серьезного решения. Я собрала группу поддержки, так как понимала, что в одиночку ничего не добьюсь ни от него, ни от его жены. Если бы я не была полностью уверена в правдивости слов моих подруг, то поддалась бы на его обман — такое убедительное представление он разыграл, доказывая свою невиновность. Когда он понял, что его спектакль нисколько не убедил меня, то сбросил маску и показал свое истинное лицо. Он стал хамить и грубить мне. Однако, чувствуя поддержку подруг, я взяла телефонную трубку, и прямо заявила ему, что набрать 911 не составит труда. Я потребовала, чтобы к утру их уже не было в моем доме. Хотя мои ладони были мокрыми от пота, а в горле стоял комок, я все же чувствовала свою силу. Нелегко мне было противостоять здоровенному раздраженному мужчине. Несмотря на сочувствие, и даже сострадание, которое во мне вызывала его жена, я понимала, что она будет выгораживать своего мужа, либо все отрицая, либо сваливая вину на жертв его наглости и распутства. Очень часто жены таких мужчин становятся на их сторону, все отрицая и виня других женщин. В конечном итоге они ушли, разыграв оскорбленную невинность. Через три с половиной часа они упаковали вещи и покинули мой дом.

Одна моя подруга позвонила мне на следующий день. Ее мучили мысли о том, что возможно она преувеличила происшедшее, ошиблась и своими словами лишила человека работы. В конце-то концов, кто мы такие? Всего-навсего «девчонки». Имеем ли мы право высказывать собственное мнение? Что ж, вполне вероятно мы все придумали. Достаточно мужчине заявить о своей правоте, и слово женщины ставится под сомнение. *Наша* честь и *наше* чувство собственного достоинства оскорблены, и мы же считаем себя в чем-то виноватыми. Стереотипы мешают женщинам освободиться. Мы привыкли считать себя «вторым сортом», наше поведение постоянно контролировалось. И всю жизнь мы позволяем оскорблять и унижать нас. В прошлом, слово, произнесенное женщиной не вовремя, могло стоить ей жизни. Даже сегодня, в Афганистане, за супружескую неверность забрасывают камнями до смерти. Но этот закон распространяется только на женщин — мужчинам измены прощаются.

Как только я осознала, *что именно* происходит в моем доме, то постаралась разрешить сложившуюся неприятную ситуацию. Потом я позвонила психотерапевту и записалась на прием. Хотя в прошлом я уже проходила курсы терапии, но какая-то часть моего «внутреннего эго» все еще поощряет недостойное поведение со стороны мужчин — если не по отношению ко мне самой, то, как оказалось, по отношению к моему дому. Я делаю все, чтобы избавиться от еще остающихся во мне негативных отголосков прошлого.

Мой врач-терапевт задала мне вопрос о ненависти, испытываемой в детстве к грубияну-отчиму. «Я не помню ненависти, только страх», — таким был мой ответ.

Потом она спросила: «Неужели вы ни разу не испытывали ненависти, желания отплатить ему той же монетой?» Она никогда не сможет понять, что чувствует оскорбленная, униженная девочка. Ежедневные побои и издевательства заменяли мне воспитание. Я боюсь даже представить, что сделали бы со мной, попытайся я *отомстить*. Нет, я не помню ненависти, только страх. Страх и террор.

Повиновение и беспрекословное подчинение в меня вбили с детства, и я едва не потеряла надежду на лучшее. Девочки, которых с детства воспитывали кулаком, вырастают в женщин. Но внутри каждая из них остается маленьким запуганным ребенком. Такое нередко случается даже в самых крепких, порядочных семьях. Унижение и оскорбление маленьких девочек считается чем-то само-собой разумеющимся. С раннего возраста — еще со школы, а возможно и раньше — девочек необходимо приучать *говорить* обо всех случаях сексуального оскорбления. Если женщины хотят создать для себя мир, где бы мы чувствовали себя в безопасности, то должны сменить свои стереотипы. Порой это трудно, но тем не менее необходимо. Уволив своего наглого и грубого работника, я поступила так, как никогда бы не смогла поступить, будучи ребенком. *Я постояла за себя.*

На своем рабочем месте я создала спокойствие, уверенность и гармонию. Все мои служащие счастливы работать под моим началом и повсюду говорят о том, что очень приятно иметь дело с Луизой Хей.

Бывший организатор профсоюзов недавно сказал мне, что никогда не видел таких счастливых складских рабочих. Но вот у себя дома я позволила сложиться весьма неприятной ситуации, так как не придала должного значения тревожным симптомам и по той или иной причине не захотела поднимать шума.

В какой-то мере я даже рада, что со мной произошел этот неприятный случай. Теперь я не побоюсь высказаться вслух. Я буду говорить от имени *всех* женщин, со *всеми* женщинами. Я буду говорить, потому что если я промолчу, то и другие не скажут ни слова. Всех мужчин мы считаем непререкаемыми авторитетами, а всех женщин — жертвами. Так нас воспитали, с сознанием того, что мы ничего не в силах изменить. Нас постоянно оскорбляли, унижали, отнимали у нас честь и достоинство. Мы боролись за наши права, и мы победили в этой борьбе, но до сих пор боимся высказаться, когда дело касается сексуальных оскорблений. Нас так долго держали в подчинении, что сейчас нам надо быть очень бдительными и не позволять мужчинам преступать определенные границы. Нас приучили заботиться о мужчинах — об отцах, о друзьях, о начальниках, о мужьях. Мы долгое время жили по установленным мужчинами правилам и теперь считаем это естественным и нормальным. Приучайтесь «звонить во все колокола», если вас оскорбили. Мы продолжаем молчать, испытывая неловкость и стыд, а ведь это не нам должно быть стыдно. Множество женщин подвергается насилию над личностью, множество детей растет в такой обстановке. Как нам бороться с подобным отношением к женщине? В первую очередь, мы должны осознать, что *можем* это прекратить — если не будем молчать. Женщины позволили мужчинам перейти границы — во власти женщин не допустить этого. Если бы женщины своим молчанием не попустительствовали поведению мужчин, они не посмели бы оскорблять нас. Мы не должны больше позволять так поступать с нами.

Мы должны научиться говорить «нет», если хотим, чтобы мужчины почувствовали происшедшие внутри нас перемены. Тогда они поймут, что им не все дозволено. Наше молчание наносит огромный вред всем женщинам. Вот уже 25 лет, как женщины вступили в борьбу за свои права, а все еще нередко мы подвергаемся сексуальным оскорблениям со стороны мужчин — словесным или физическим. Это считается чем-то естественным в офисах, на рабочих местах. Мы, женщины, должны бороться с этими пережитками потребительского к себе отношения. Нельзя позволять окружающим оскорблять и унижать нас. Давайте расскажем правду, давайте раскроем наши тайны — все, что мы держали в себе. Открыто заговорив о происходящем, мы пресечем подобное поведение. Отношение к нам мужчин изменится, когда они поймут, что им не остаться безнаказанными. Не потакайте мужчинам, это бесчестит вас, бесчестит *всех* женщин. Сегодня у нас есть права, мы имеем возможность постоять за себя и должны ею воспользоваться. Чем больше женщин не побоится высказаться, тем меньше места для лжи останется в нашем обществе.

Нам необходимо поставить поведение мужчин в определенные рамки. Нам необходимо добиться уважения к себе. Что нужно сделать для этого? В первую очередь, мы должны четко представлять себе, чего мы *хотим*, а чего *не хотим*. Иногда мы просто не замечаем угрожающих симптомов, и следующая за ними развязка становится для нас неожиданной и шокирующей. Сексуальные оскорбления имеют продуманный мужчинами сценарий. Наши действия контролируются, нами манипулируют. И мы молчим. Молчим, потому что боимся потерять работу. Не хотим мутить воду, потому что боимся ряби. Мы молчим даже тогда, когда мужчины, занимаясь с нами любовью, не надевают презерватива. Мы *хотим* сказать им, да и не просто сказать, а закричать во весь голос: «Я уважаю себя, я не позволю тебе подвергать меня риску. Надень презерватив — или проваливай!» Но разве мы произносим эти слова вслух? Если и да, то очень редко — из-за страха, неловкости, стыда.

Мы молчим, как скот, который ведут на бойню. Мы стыдимся высказаться вслух. Мы боимся кругов на воде, которые оставляет брошенный камень. Над нами смеются, унижают, оскорбляют, из нас делают виновников происходящего. Мы привыкли молча сносить обиды. «Молчите, не поднимайте шума», — говорят нам, и мы позволяем и дальше оскорблять нас.

Нам, женщинам, необходимо уравнять силы. Насилие и сексуальное оскорбление — вот две сферы, где женщины наиболее уязвимы. Нам необходимо научиться здраво подходить к подобным ситуациям, быть очень точными и бдительными, а не слабыми беззащитными жертвами. Не следует превращаться в злобных сучек, огрызающихся на каждого проходящего мужчину. Мы женщины, нуждающиеся в любви и защите, но тем не менее, с неженской силой отстаивающие свои права.

Нам необходимо повысить свою самооценку и научиться говорить «нет». Нужно внимательно следить за всем происходящим вокруг нас, чтобы не пропустить угрожающих симптомов. Присмотритесь к отношению мужчины, обратите внимание на тревожащие вас мелочи, дайте ему понять, что не потерпите непристойного поведения. Зовите на помощь, держите ситуацию под своим контролем. Мужчины, чувствуя свою безнаказанность, будут с каждым разом позволять себе все больше и больше. Необходимо в корне пресекать любые вольности, не давая им развиться в действительно серьезную проблему. Мужчина преступил границы дозволенного — немедленно скажите ему, что не потерпите этого впредь. Будьте готовы к тому, что он станет все отрицать. Мужчины умеют оправдываться: «Кто? Я? Да я бы себе никогда не позволил ничего подобного! Никогда в жизни!» Некоторые мужчины действуют так быстро, уверенно — настоящие профессионалы. Принимая их извинения, мы, тем самым, потакаем их поведению. Потом мы уже не в силах что-либо изменить. Промолчав, мы отдаем им свою силу. Пора раскрыть свои тайны, заговорить о том, о чем мы так долго молчали. Мы привыкли ходить на цыпочках, покрывать виновников, заботиться о них. Пришла пора наконец-то позаботиться и о себе.

Я не могу ответить на все вопросы, но я, по крайней мере, не побоюсь высказаться вслух. В каждом своем публичном выступлении я обязательно коснусь этой темы. Я буду убеждать женщин действовать, бороться, говорить, кричать, и, если придется, устраивать мужчинам неприятности — они этого заслуживают. Все вместе мы сможем справиться с этой проблемой уже в своем поколении. Мы можем избавить своих дочерей от сексуальных оскорблений.

Пора женщинам научиться ценить и уважать себя. Необходимо уметь защититься, постоять за себя и свои права. Точно так же, как мы готовы к немедленным действиям по сигналу тревоги, мы должны тотчас же реагировать на сигналы сексуального оскорбления. Всем женщинам необходимо повышать самооценку, развивать самоуважение и учиться любить себя. Без этого мы никогда не сможем добиться к себе уважения и любви со стороны окружающих.

Надо научиться устанавливать энергетический барьер — мысленный щит, под защитой которого мы будем чувствовать себя в безопасности. Для этого необходимо представить себя в какой-то конкретной ситуации — дома, на работе, на улице. Подумайте, какие сферы вашей жизни остались незащищенными. Обещайте себе исправить это. Мысленно представьте, как бы вам хотелось действовать в определенной ситуации — ваши мысли в нужный момент материализуются. Повторяйте про себя аффирмации. Это поможет вам начать новую жизнь. Улучшая свой мир, мы изменяем будущее, на своем примере учим своих дочерей.

Чтение специальной литературы поможет вам понять, чего вы ждете от жизни. Вы сможете постоять за себя, научитесь бороться, а не просто «плыть по течению». Повторяйте про себя, как бы вы хотели видеть какую-либо ситуацию и свою роль в ней. Когда у нас есть хорошо продуманный, хорошо спланированный план действий, то мы чувствуем свою силу. Необходимо осознать, что повышая самооценку, относясь к себе с любовь и уважением, мы мобилизуем силы для борьбы. Мы не должны делать чего-то такого, чего мы не хотим.

Мы должны дать понять окружающим людям, какого отношения к себе ждем с их стороны. Нам необходимо научиться говорить «нет» каждый раз, когда нас пытаются оскорбить. «Вы должны уважать меня, если хотите и дальше со мной общаться», — вот те слова, которые мы должны сказать мужчинам. Они должны понять, что наше дружелюбие не причина для вседозволенности. Когда жених в ночь накануне свадьбы спит с подружкой невесты или с ее сестрой, то это самое настоящее оскорбление для всех нас. Мужчина играет с женщинами в царя горы.

Не попадитесь на крючок ловеласа. Будем умными и хитрыми. Этакие женские угодники используют женщин и потом бросают их на произвол судьбы и на посмешище другим мужчинам. От женщин часто можно услышать: «О, но он такой милашка». Но это не причина для недостойного поведения. Мы оборачиваемся им вслед, дарим их восхищением, а они — просто юбочники, оскорбляющие и унижающие женщин. В мужчинах мы должны чтить положительные черты характера, а не потакать их наглости и распутству. Где будет «милашка», когда нам придется в одиночку растить его детей?

Злость ко всем женщинам зачастую рождается от плохих отношений с матерью. Не завязывайте отношений и уж тем более не выходите замуж за мужчину, ненавидящего свою мать, потому что со временем вся его ненависть выплеснется на вас. Если он проходит лечение у психотерапевта, тогда еще не все потеряно, если же нет — то он навсегда возненавидит всех женщин. До тех пор, пока мы своим молчанием одобряем поведение мужчин, они не перестанут унижать и оскорблять нас. Мужчина будет так вести себя дома с женой, в семье с матерью, на работе, на улице, в обществе, — отнимая у женщин их силу и будущее.

Я советую вам прочитать книгу Дженифер Кобэрн «Верните свою силу: реакция женщины на сексуальное оскорбление на рабочем месте» и книгу Миры Киршенбаум «Слишком хорошо, чтобы уйти, слишком плохо, чтобы остаться: руководство шаг за шагом поможет вам принять решение — продолжать отношения, или порвать их». Это две очень сильные книги, в которых вы найдете много полезных советов.

Как я уже отмечала раньше, я понимаю, что мужчинам тоже нелегко в этой жизни, но это не значит, что я позволю им унижать меня. И больше никогда я не стану молчать. Я сделаю все от меня зависящее, чтобы помочь женщинам!

Аффирмации

Меня ценят по достоинству.
Ко мне относятся с уважением.
Я сильная.

Я поддерживаю других женщин.
Я не боюсь постоять за себя.
Я не стесняюсь высказаться.
По отношению ко мне существуют
определенные границы,
которые окружающие не переходят.
Со мной считаются.
Я не боюсь неприятностей, если без этого не обойтись.
Я чувствую поддержку подруг.
Я цельная личность.
Чем больше я раскрываюсь, тем увереннее себя чувствую.
У меня высокая самооценка.
Своим примером я помогаю другим
женщинам.
У меня прочный энергетический щит.
Мужчины относятся ко мне с уважением.
Я возвращаю свою силу.
Я люблю и уважаю себя.

Глава 9

ЗОЛОТАЯ ПОРА

Достаточно разговоров о жизни молодых, об их культуре, моде, проблемах! Пора помочь пожилым женщинам изменить свою жизнь, занять достойное положение в обществе, найти себя. Я хотела бы, чтобы все женщины поняли, что с возрастом они станут мудрее, научатся любить, ценить и уважать себя и окружающих, и найдут свое место в жизни. Я не хочу умалить молодежь, но надеюсь на равноценность и взаимоуважение обоих поколений.

Большинство пожилых женщин сегодня — бедные, одинокие, запуганные и обреченные существа, «доживающие свой век». Мне обидно смотреть на них. Старость может пройти совсем по другому. Общественное мнение, навязанное нам за всю нашу жизнь, негативные убеждения, внедрившиеся в наше сознание, мешают нам достойно провести нашу старость. Нас заставили поверить в то, что с возрастом мы становимся хилыми, дряхлыми, больными. Пора понять, что это не так. Да, мы все когда-нибудь постареем и умрем, но это не значит, что мы станем хилыми, дряхлыми и больными.

Не надо бояться старости. Пришла пора отвергнуть общепринятые убеждения — они не для нас. В наших силах изменить негативные аспекты жизни в пожилом возрасте. Я считаю, что вторая половина нашей жизни может стать ее лучшей половиной. Если вы готовы к тому, чтобы изменить свое мышление и принять новые идеи, то пожилые годы станут «сокровищницей» вашей жизни. Если вы хотите и в старости быть здоровыми и счастливыми, то все в ваших руках. Мы стремимся не только к долголетию, мы хотим, чтобы наша старость была такой же полной и насыщенной, как и наши молодые годы. Каждый год — это пустой лист бумаги, и нам самим писать на этом листе.

Раньше наша жизнь была очень коротка. Ее продолжительность составляла сначала всего лишь пару десятков лет, потом 30 лет, чуть позже —

сорок. В начале нашего века пятидесятилетняя женщина считалась долгожительницей. В 1900 году средняя продолжительность жизни составляла 47 лет. Сейчас же мы живем по 80 — 90 лет. Почему бы нам не дать себе установку на более долгую жизнь? До 120 или, скажем, до 150 лет?

На самом деле это не так уж и сложно. В последующих поколениях более долгая жизнь становится естественным, нормальным явлением. Я думаю, что скоро 75 лет будет считаться средним возрастом. Несколько лет назад в одном университете проводились исследования, связанные со старением. Исследователи обнаружили, что средний возраст (какую бы цифру мы не назвали) — это возраст, в котором в нашем организме начинается процесс старения. Так как наше физическое состояние зависит от нашего сознания, то тело подчиняется разуму. Вместо того, чтобы принимать 45 — 50 лет за средний возраст, давайте увеличим эту цифру до 75 лет. Наш организм охотно откликнется на новую умственную установку. Средний возраст сдвинется, отодвинув нашу старость.

В центре демографических исследований в Дураме, Северная Каролина, ученые пришли к выводу, что при современных темпах увеличения средней продолжительности жизни, она вскоре достигнет 130 лет. В 1960 году число доживших до ста лет составляло всего лишь 3500 человек. В 1995 — уже 54000. Это быстрорастущая возрастная группа. Исследования доказали, что нет точной возрастной отметки, на которой обрывалась бы человеческая жизнь. Жизнь не имеет границ. Кроме того, исследователи выяснили, что среди долгожителей большинство — женщины.

Многие поколения женщин позволяли цифрам, обозначающим года, руководить своей жизнью — диктовать манеру поведения, состояние здоровья. Старение — это жизненный процесс, неотъемлемая часть нашего существования. Наши негативные убеждения, связанные с пожилым возрастом, воплощаются в жизнь. Так давайте же изменим свои убеждения! Я уверена, что принимая новые идеи, мы встретим старость здоровыми, энергичными и счастливыми.

Мне сейчас 70 лет, но я полна сил и здоровья. Во многом, я чувствую себя даже моложе, чем когда мне было 30 или 40 лет. Многие запреты и ограничения общества не распространяются на пожилых людей, поэтому сейчас я вздохнула с облегчением. Я вольна делать все, что мне вздумается. Мне не нужно для этого, чтобы мои поступки кто-то одобрил — я больше не боюсь общественного мнения. Я получаю от жизни гораздо больше, чем раньше. Я иду по жизни с высоко поднятой головой, потому что с возрастом мою жизнь покинули многие заботы и проблемы. Меня больше не угнетает чей-то оценивающий или осуждающий взгляд. Короче говоря, впервые в жизни я ставлю на первое место *себя* и *свои* интересы. И это на самом деле здорово!

Когда я говорю о долгой жизни, многие женщины приходят в ужас: «К чему все эти лишние годы одиночества и болезней?» Ну не удивительно ли, что как только в нашу жизнь входят новые идеи, наше сознание тут же создает свои барьеры и преграды на их пути? Незачем готовить себя к бедности, болезням, одиночеству и смерти на больничной койке. Если именно эти явления окружают нас, то лишь благодаря закоснелым негативным убеждениям прошлого. Наши сегодняшние мысли и верования создают завтрашний день. Мы всегда можем поменять свои убеждения. Когда-то люди верили в то, что Земля — плоская, мы же сейчас можем только посмеяться над этим.

Как я уже говорила раньше, наша жизнь проходит множество этапов развития. Сейчас перед нами открылись новые рубежи. Женщины, рожденные в период с 1946 по 1964 годы тоже стояли на пороге важных изменений в сознании. Сегодня многие пятидесятилетние женщины находятся в отличной физической форме. Мужчины не отстают от них — нашему президенту Биллу Клинтону уже за пятьдесят, но он выглядит гораздо моложе. Большинство женщин и мужчин, живущих сегодня, достигнут 90 лет. Сегодня, когда мы знаем, что у жизни нет границ, и продолжительность нашей жизни зависит от нас самих, мы должны быстро принять новые идеи о старении и воплотить их.

С изменением продолжительности жизни придется многое изменить в структуре общества, например пенсию, страховку, медицину. Но эти изменения возможно произвести. Да, это период серьезных изменений для всех нас. Невозможно улучшить жизнь, продолжая жить по старому. Пора привыкать к новым идеям, новому мышлению и новому стилю жизни.

Даже дома сейчас очень быстро выходят из моды, так как они перестали отвечать современным потребностям и не соответствуют желаниям людей. Нам необходима новая архитектура, новые дома. Дома престарелых, со всеми их процедурами и правилами, и пансионаты для пожилых людей отрезают их от общества. Где дети и внуки? Где радость и смех? Я считаю, что пожилым людям необходимо общение. Дома для двух семей, каждая из которых живет собственной жизнью, но бок о бок друг с другом — неплохой выход. Дома для четырех семей, где две семьи живут на верхнем этаже и сдают нижние комнаты, получая тем самым дополнительный источник дохода — тоже хороший вариант. Это поможет сблизиться взрослым и детям. Возясь с детьми, пожилые люди сами дольше остаются молодыми, дети же в свою очередь набираются ума-разума от старшего поколения. Живя если и не вместе, то хотя бы рядом друг с другом, мы сможем принести большую пользу обществу.

Последнюю пару лет из-за моего «возраста» я получала множество писем от различных организаций для пожилых людей, приглашавших меня переселиться к ним. Каждое такое письмо уведомляло, что в самом общежитии или рядом с ним имеется центр медицинского обслуживания. Составители брошюр использовали фразы типа «вы сможете воспользоваться услугами опытных сиделок», «предлагаем медицинское обслуживание», «круглосуточный центр медицинского обслуживания», «медицинские обследования и ежедневные осмотры». Между строк я читала: «КОГДА вы заболеете, мы поможем вам. ЕСЛИ вам станет плохо, мы будем рядом». Таким образом пожилым людям внушают, что они ОБЯЗАТЕЛЬНО заболеют.

Хотелось бы увидеть дом для престарелых, где бы располагался центр нетрадиционной медицины. Вместо докторов и сиделок там смогли бы предложить методы определения заболеваний по линиям руки или сетчатке глаза, иглоукалывание, гомеопатию и методы традиционной японской медицины, лечебные травы, массаж, йогу, оздоровительный центр, спортзал. Вот в таком центре для пожилых людей мы могли бы вести здоровую, энергичную жизнь, и не бояться приближающейся старости. Из такого центра не пришлось бы рассылать пригласительные письма, люди записывались бы в очередь, чтобы попасть туда. Такими я хотела бы видеть центры будущего.

Боготворя молодость, мы еще хуже начинаем относиться к своим стареющим телам, боимся каждой новой морщинки на лице. К каждой перемене в нашем организме мы привыкли относиться с презрением. Разве мы заслуживаем такого отношения к себе? Однако, наше негативное отношение — это наши мысли, а их мы можем изменить. То, как мы видим свое тело, свое лицо — это приобретенные, навязанные нам идеи. Нам необходимо отбросить ложные убеждения и научиться любить и ценить свой организм, свое тело — вместилище нашей души.

Молоденькая девушка почти наверняка найдет причину, чтобы с презрением относиться к своей внешности. На самом же деле ее проблема не имеет к внешности ни малейшего отношения. Находясь под постоянным давлением рекламы, мы начинаем верить, что мы недостаточно красивы, недостаточно стройны, недостаточно высоки. Если бы только я была блондинкой, если бы только мой нос был чуточку поменьше (или побольше), если бы у меня ослепительная улыбка... И так далее. Даже когда мы были молоды, далеко не все из нас могли похвастаться соответствием стандартам красоты.

С возрастом это чувство неполноценности не только не исчезает, но наоборот возрастает и усиливается. Как сказала Дорин Виртью «мы умудряемся сравнить *свои* внутренние чувства с *их* внешностью». Это значит, что мы сопоставляем свое *отношение* к собственной внешности с внешностью других женщин. Это чувство внутренней неудовлетворенности собой не излечит ни новомодный макияж, ни стильная одежда, ни дорогая обувь, ни элегантные прически. Работа с аффирмациями, помогающими нам изменить как сознательный так и подсознательный уровни мышления, намного эффективнее. Повторяйте аффирмации типа: «Я красива уже такой, какой меня создала природа». «Мне ничего не надо менять в своей внешности». «Я обожаю свою внешность».

Для нас жизненно-необходимо любить и ценить себя. Если что-то в вашей внешности очень сильно не устраивает вас, то постоянно посылайте любовь этой части своего тела. Говорите своему телу, что вы его любите. Извинитесь перед ним за свою прошлую ненависть. Все это кажется слишком простым, но это на самом деле достаточно эффективный метод. Мы должны любить свое тело в любом возрасте, но это становится особенно необходимым, когда мы начинаем стареть.

Кароль Хансен в своем замечательном аудиокурсе «Упростите свою жизнь» советует всем женщинам посвящать ежедневно пять минут на массаж тела с лосьоном, во время которого необходимо говорить о своей любви каждой части тела и благодарить ее за то, что она так здорово служит вам. Доктор Дипак Чопра (автор книги «Нестареющее тело, безграничный разум») предлагает массировать тело с головы до пят перед душем, используя для этого кунжутное масло. На любовь все (и люди и вещи) ответят вам любовью. Любовь, которую вы подарите себе, останется с вами до конца жизни. Точно так же, как мы научились ненавидеть свое тело, мы должны научиться любить его. Для этого необходимо только желание и немного практики. Иногда, для того чтобы принять новые мысли и идеи, нам необходимо расчистить для них место, избавившись от негативных убеждений. Точно также мы иногда выкидываем старый ненужный хлам, скопившийся за долгие годы. Множество пожилых людей привыкли хранить старье, им жаль с ним расстаться. Если в вашем доме накопились вышедшие из употребления вещи, которыми никто не пользуется, выкиньте их. Отдайте бездомным, или тем, кому эта вещь действительно пригодится, устройте благотворительный аукцион. Обновите свою жизнь, начните сначала, очистив от старого хлама свой дом и свое сознание. Вперед — к новой жизни.

Вас ждет светлое будущее

Годы летят, но это не значит, что наша жизнь автоматически ухудшается со временем. Моя жизнь, любой ее аспект, развивается только в нужном мне направлении. Многое в моей жизни устраивает меня сейчас даже больше, чем в молодости. Моя юность омрачалась постоянными страхами, сейчас же я спокойна и уверена в себе.

Я и вправду считаю, что мы можем избавиться от своих страхов. Их, как и предубеждения, внедрили в наше сознание. Нас запрограммировали на страх. Но его, как и любое негативное убеждение, можно искоренить. Негативное мышление так распространено среди женщин пожилого возраста, что в результате они начинают видеть свою жизнь в черном цвете.

Я хочу помочь вам составить правильное представление о старости, понять, что пожилые годы могут стать лучшими годами вашей жизни. Знайте, что вас ждет светлое будущее, назависимо от вашего возраста. Нанизывайте года на нить вашей жизни, как драгоценные камни. Вы можете стать *Леди совершенство*, не важно, сколько вам лет. Знайте, вы можете быть сильной, здоровой, энергичной, принимать активное участие в жизни общества.

Посидите в тишине, загляните внутрь себя. Припомните все счастливые моменты вашей жизни, и пусть радость наполнит все ваше существо. Припомните все случаи жизни, когда вы были на высоте, когда вы гордились собой, даже если эти эпизоды довольно незначительны. Пусть радость и уверенность, пришедшие с воспоминаниями, не покинут вас. Теперь мысленно перенеситесь на десять лет вперед. Какой вы стали, чем вы занимаетесь? Как вы выглядите, как чувствуете себя? Не покинула ли радость вашу жизнь? А теперь загляните еще на 20 лет вперед. Что вы видите? Вы по-прежнему энергичны, вы не потеряли интереса к жизни? Вы видите себя в окружении любящих друзей? Вы ощущаете себя полноценным членом общества? Что вы получаете от жизни, и что даете взамен? Вы должны представить себе образ вашего будущего и воссоздать его в дальнейшем. Наполните этот образ здоровьем, радостью, светом. Вы сами можете создать свое будущее таким, в котором бы вам хотелось жить.

Никогда не предавайтесь мыслям о том, что вы слишком стары для мечтаний и устремлений. Новые цели, новые надежды и мечты делают нас моложе, придают жизни смысл. Живите полной жизнью и позабудьте о прошлом.

Моя собственная жизнь приобрела смысл лишь когда мне стукнуло 40. В пятьдесят я начала печататься, но в первый год прибыль от моей кампании составила всего-навсего 42 доллара. В 55 я открыла для себя компьютерный мир. Поначалу компьютеры пугали меня, но я пошла на курсы и преодолела свой страх. Сейчас у меня три персональных компьютера и ноут-бук, без которого я не отправляюсь в дорогу. В возрасте 60 лет я занялась садоводством. В тот же период времени меня привлекла живопись, и я стала посещать занятия детского художественного кружка. Сейчас мне 70, и с каждым годом я все больше раскрываю свой творческий потенциал, моя жизнь становится полнее и интереснее. Я пишу, выступаю с лекциями, рисую. Я очень много читаю и постоянно расширяю свой кругозор. Я стала владелицей большого издательского дома. Я все так же занимаюсь садоводством, выращивая в своем саду овощи и фрукты. Плоды моего сада и огорода составляют значительную часть моего рациона. Я люблю людей и обожаю вечеринки, у меня много друзей, я часто путешествую и раз в неделю хожу на занятия художественного кружка. Моя жизнь полна интересных событий, а мой возраст продолжает преподносить мне приятные сюрпризы.

Многие из вас, как и я, уже отметили свое семидесятилетие. В этом возрасте пора пересмотреть свои взгляды на жизнь. Свои пожилые годы мы можем провести совсем не так, как наши родители несколько десятилетий назад. Мы с вами можем жить по-своему, по-новому. Мы можем изменить все существующие правила. Используя свои внутренние ресурсы, мы можем смело шагать в будущее — нас впереди ждет только хорошее. Мы должны знать — что бы ни случилось, все происходит к нашему высочайшему благу и несет с собой радость и счастье. Мы должны верить — что бы не сделали, все правильно.

Вместо того, чтобы стареть в одиночестве и нищете, мучиться от сознания собственной бесполезности и умереть, давайте научимся брать от жизни лучшее и отдавать еще больше ей взамен. У нас есть необходимые знания, у нас достаточно времени, сил и ума, чтобы создать мир любви и красоты. Сегодня в обществе происходят важные перемены. Существует множество проблем, носящих глобальный характер, которые необходимо разрешить. Давайте используем свои силы и знания, чтобы помочь нашей планете. Должна быть причина, по которой человеческая жизнь удлинилась. Для чего природа отвела нам это дополнительное время? В чем состоит наша задача, наш долг перед Вселенной? Никчемное существование быстро надоедает. Нам необходимо действовать.

Если вы сами, ваши подруги или просто знакомые приходят в центры для пожилых людей не для того, чтобы жаловаться на самочувствие, соберитесь вместе и подумайте, как бы вы могли изменит свою жизнь. Что вы можете сделать, чтобы всем вокруг жилось лучше? Ваш личный маленький вклад имеет огромное значение. Если каждый сделает хотя бы немного, жизнь значительно изменится к лучшему.

Принимая более активное участие во всех сферах общественной жизни, мы поделимся с окружающими своими знаниями, своим теплом и заботой. Наш мир наполнится добротой, лаской и любовью. Я заклинаю вас: шагайте вперед, общайтесь с другими людьми, действуйте, живите! Перед вами множество способов использовать свои силы. Пусть вами гордятся ваши дети, внуки и правнуки, и пусть память о вас переживет много поколений.

Детям в школе очень часто задают такой вопрос: «Что вы будете делать, когда станете взрослыми?» Их учат планировать свое будущее. Нужно использовать этот подход и точно также планировать свою старость. Что вы будете делать, когда постареете? Я постараюсь сделать максимальный вклад в жизнь общества и улучшить свой мир. Мэгги Кун, глава группы активистов, под названием «Серые пантеры», говорила: «Я хочу умереть в аэропорту с чемоданчиком в руке, возвращаясь домой после отлично выполненной работы».

Не важно в каком возрасте — 14, 40 или 80 лет — мы всю жизнь от рождения движемся к смерти. Все наши мысли, поступки, слова, готовят нас к следующему шагу в будущее. Мы должны жить с целью и умереть не напрасно. Задайте себе следующий вопрос: *«Как* я буду стареть?» Оглядитесь вокруг себя. Есть женщины, которые принимают года с великолепным достоинством, есть женщины, сгибающиеся под тяжестью лет. В чем же дело? Хотите ли вы приложить усилия, чтобы и в старости оставаться здоровой, счастливой, энергичной и активной женщиной?

Следующий вопрос: *«Как* я хочу умереть?» Мы довольно много рассуждаем обо всех других аспектах нашей жизни, но очень редко задумываемся о смерти, а если и вспоминаем о ней, то со страхом. Независимо от того, как ваши родители покинули этот мир, вы сможете с легкостью уйти из жизни. Как вы готовитесь к смерти? Вы хотите умереть в больничной койке, больной и беспомощной, утыканной иглами и напичканной лекарствами? Или в свой последний день на планете вы предпочли бы повеселиться с друзьями, прилечь вздремнуть и не проснуться? Я безусловно предпочитаю второй вариант, и готовлю себя к такому концу. Если вы сейчас не можете думать о смерти спокойно, без страха, то ваше видение всегда можно изменить. Нужно воспринимать уход из мира как легкую, приятную перемену состояния.

Планетарное или глобальное исцеление приходит только с сознанием того, что наш внутренний мир — отражение нашего жизненного опыта. Важной частью любого процесса, а тем более процесса исцеления, является связь с жизнью. Нам необходимо установить энергетический канал между своим существом и вселенной, научиться отдавать жизни часть своей позитивной исцеляющей энергии. Если энергия «застаивается», это вредно для нашего организма — мы должны делиться друг с другом. Процесс исцеления нельзя прерывать. Начните делиться своей энергией, дарите любовь уже сейчас, не дожидаясь полного выздоровления. Иначе вы заблокируете канал целительной энергии, которой жизнь питает вас.

Фразы типа «О, я слишком стара, чтобы браться за такое» останутся в прошлом. Пожилые люди научатся «браться» за все те вещи, которые по мнению окружающих им не по силам. «Слишком старыми» люди будут чувствовать себя лишь незадолго до смерти. До последнего дня мы будем оставаться активными, полными жизненной энергии.

В Далласе я познакомилась с группой женщин в возрасте от 62 до 80 лет. Они занимались каратэ. И не только для собственного удовольствия — они выступали со своей программой под названием «Стальные магнолии». Их группа ездит по домам для престарелых, на собственном примере демонстрируя, что каратэ может стать спортом для пожилых людей. Эти женщины могут защитить себя в любой ситуации.

Путешествуя по стране, я узнала, что существуют группы женщин, занимающихся игрой на бирже. И делают они это весьма успешно. Такая группа в Иллинойсе даже выпустила книгу — «Справочник для женщин: во что вкладывать денежные средства». Это издание разошлось тиражом в 300 000 экземпляров.

Недавние исследования, проведенные в Пенсильвании, показали, что комплексы упражнений по снижению веса оказывают омолаживающее действие на организм пожилых людей в возрасте 80 — 90 лет. Под воздействием физических нагрузок укрепляют одряхлевшие за годы бездействия мышцы. Немощность, зачастую связываемая с пожилым возрастом, на самом деле является результатом отсутствия необходимых упражнений. Люди в возрасте 90 лет могут, по крайней мере, утроить свою физическую силу и выносливость менее чем за 2 месяца. Активные упражнения также оказывают стимулирующее воздействие на работу мозга.

Мозг атрофируется и погибает, только когда мы перестаем пользоваться им. До тех пор, пока мы тренируем свой мозг различными умственными упражнениями, пока не угасает наш интерес к жизни, разум не подведет нас. Если мозг не получает необходимой нагрузки, его клетки постепенно отмирают, наша жизнь становится серой и скучной. Люди, не утруждающие себя элементарными физическими упражнениями и постоянно жалующиеся на недуги, влачат жалкое существование.

Все исследования, касающиеся состояния здоровья пожилых людей, проводились фармацевтическими компаниями. Ученые делали акцент на болезнях, на плохом самочувствии, выясняя какие лекарственные препараты нужны престарелым. Для таких исследований нет необходимости, когда дело касается здоровых, счастливых, энергичных и активных пожилых людей. Они живут полной жизнью и получают от нее максимум удовольствия. Мы должны понять, как им удается сохранять бодрость и здоровье, чтобы самим последовать их примеру. К сожалению, фармацевтические компании не получают ни копейки от здоровых людей, поэтому им не выгодно тратить деньги на подобные исследования.

Неважно сколько нам лет, неважно какие проблемы омрачают наше существование, мы можем изменить свою жизнь к лучшему. И начать надо прямо сейчас. Начав с любви и уважения к самим себе, мы научимся любить и ценить других людей. С каждым днем прибавляя чуточку любви к себе, мы все больше раскрываемся для любви окружающих, учимся принимать ее. Законы любви требуют, чтобы мы фокусировали свое внимание на *наших* желаниях. Думайте о позитивном, не поддавайтесь отрицательным мыслям. Концентрируйтесь на любви к себе. Используйте аффирмацию: *«В это мгновение я очень люблю себя».*

Если мы хотим, чтобы нас уважали и ценили, когда мы постареем, то должны так же уважать и ценить других пожилых людей. То, как мы сейчас относимся к старикам, станет в будущем отношением к нам самим. Необходимо прислушиваться не только к словам всех пожилых людей, но особенно следовать мудрым советам здоровых, энергичных женщин старшего поколения. Мы можем многому от них научиться. Эти женщины дарят окружающим свои знания, свою энергию, свою любовь. Жизнь для них — дорога к самосовершенствованию. Вместо того чтобы стареть, они лишь становятся более зрелыми и более мудрыми.

Я настоятельно рекомендую вам прочесть книгу Гейл Шихи «Новые пути: планирование жизни». В этой книге говорится о новых возможностях, открывающихся перед нами, о способах изменить свою жизнь. Я была очень тронута искренностью автора, желающего помочь всем нам исполнить свои заветные мечты. Неважно, что вы еще очень молоды, вы должны начинать готовить себя к долгой жизни и радостной, светлой старости уже сейчас.

Аффирмации помогут вам внести в свое сознание позитивные изменения. Аффирмации — это все наши мысли и слова, и когда мы говорим об «использовании аффирмаций», то подразумеваем создание позитивных убеждений, которые перепрограммируют наше сознание и помогают нам принять новые, свежие идеи. Выберите аффирмации, которые помогут вам и в пожилые годы сохранить здоровье, бодрость, радость жизни. Повторяйте их каждый день — утром и вечером. Чтобы не произошло в течение дня, пусть он начнется и закончится позитивной нотой.

Аффирмации для женщин в возрасте

Впереди у меня целая жизнь.
Я молода и красива... в любом возрасте.
Я вношу большой вклад в жизнь общества.
Я несу ответственность за свое благосостояние, здоровье, будущее.
Все окружающие меня люди относятся ко мне с уважением.
Я уважаю и ценю детей и взрослых.
Каждый новый день я встречаю энергичной и радостной женщиной.
Я беру от жизни все самое лучшее.
Я меня крепкий здоровый сон.
Каждый день меня посещают новые, свежие мысли.
Моя жизнь интересна и полна приятных неожиданностей и приключений.
Я принимаю все, что жизнь преподносит мне в подарок.
Моя семья поддерживает меня, а я помогаю своей семье.
В моей жизни нет преград.
Я не боюсь высказываться; к моему мнению прислушиваются.
У меня есть время для работы над собой.
Я медитирую, гуляю, любуюсь природой; я люблю побыть в одиночестве.
Радость и смех являются неотъемлемой частью моей жизни.
Я помогаю своей планете.
Я вношу в жизнь гармонию.
Пожилые годы — лучшие годы моей жизни.

Лечебная медитация

Я радуюсь каждому году своей жизни. Мои знания все увеличиваются, я нахожусь в постоянном контакте со своей внутренней мудростью. Я нахожусь под защитой своих ангелов-хранителей. Я знаю, как хочу жить. Я знаю, как оставаться молодой и здоровой. Мое тело омолаживается. До своего последнего дня я бодра, энергична, активна, весела, счастлива. Я радуюсь своему возрасту. Окружающие относятся ко мне так, как я этого хочу. Я процветаю. Я знаю, как добиться успеха во всем. Пожилые годы — лучшие годы моей жизни. В обмен на жизненную энергию, я делюсь своей любовью, радостью, своим спокойствием и бесконечной мудростью.

И так оно и есть!

Глава 10

ОБЕСПЕЧЕННОЕ БУДУЩЕЕ

Всю жизнь женщин опекают мужчины. Нам часто повторяют, чтобы мы «не забивали свои маленькие симпатичные головки мыслями о деньгах». Об этом позаботится мужчина, будь то отец или муж. Поэтому мы так боимся остаться одни — боимся развода, боимся овдоветь. Наши «маленькие симпатичные головки» способны успешно справляться с денежными вопросами и разрешать материальные проблемы. Не зря в школе девочки почти всегда лучше мальчиков успевают по математике.

Сегодня женщинам пора знать больше о банковских системах, о денежных операциях и об инвестициях. Нам это вполне по силам. Каждая женщина сегодня должна и может быть материально независима, но нас редко учат как правильно обращаться с деньгами. Такой предмет не входит в школьную программу. Традиционно считается, что мужчина должен заботиться о деньгах, а женщина — приглядывать за детьми и заниматься домом. Однако, многие женщины гораздо лучше мужчин справляются с заботами о материальном благополучии. Мужчинам же иной раз лучше удается работа по дому. «Финансы — не женское дело» — подобными, типично мужскими заявлениями, наше поведение пытаются контролировать.

Многие женщины боятся уже одного понятия «финансы» только потому, что оно обозначает новый, незнакомый аспект жизни. Я считаю, что нам пора отказаться от традиционных взглядов на женский ум и способности. Нам только кажется, что мы ни к чему не пригодны, на самом же деле мы умны, сообразительны и способны учиться. Мы можем ходить на курсы, слушать аудиокассеты, читать книги, создавать исследовательские группы. Получив достаточно информации о деньгах и мире финансов, мы перестанем бояться этой сферы общественной жизни.

Здесь, в Сан-Диего созданы некоммерческие группы, такие например, как «Институт финансов для женщин», «Консультационный центр потребителей» и другие, предлагающие бесплатные курсы. Подобные курсы созданы и при многих университетах и колледжах, занятия проводятся по вечерам и выходным, без ущерба для вашей работы. Посещая такого рода учебные классы, женщины смогут научиться обращаться с деньгами. Это, в свою очередь, придаст нам уверенности в себе. Я уверена, что вы сможете найти такие курсы и в своем районе, и советую вам посещать их.

Все женщины должны разбираться в деньгах, финансах, инвестициях. Даже если вы счастливы в браке, удовлетворены своей ролью домашней хозяйки, обожаете возиться с детьми и заниматься по дому, вам все равно необходимо быть в курсе материальных вопросов. Что, если ваш муж, не дай бог, умрет или уйдет от вас, оставив с детьми на руках? Вам самой придется позаботиться о себе. Не ждите, пока попадете в неприятности, учитесь сейчас. Знания — сила. Если вы будете во всеоружии, это придаст вам уверенности в любой ситуации.

Начав копить деньги, откладывая небольшие суммы, мы создаем свое благосостояние. Приятно видеть, как наши сбережения увеличиваются день за днем. От простого накопления можно перейти к вложениям. Ваши деньги станут работать на вас, тогда как раньше вы работали на них. Вот уже некоторое время я повторяю аффирмацию: «Мой доход постоянно увеличивается, я выигрываю во всем». Для меня это стало персональным законом, как может стать и для вас. Это поможет вам изменить отношение к деньгам. Я знаю это по собственному опыту, потому что когда-то была бедной как церковная мышь. За всю мою жизнь у меня не было ни копейки за душой, я никогда не думала, что смогу скопить денег. Я боялась, что никогда не выберусь из нищеты. Но потом мое отношение к деньгам изменилось, и теперь я считаю себя материально-обеспеченной женщиной. Я стала по другому смотреть на мир, на саму себя. Постепенно изменилось мое сознание, и вместе с тем значительно улучшилась моя жизнь.

Я росла в период депрессии. Денег моя семья не видела практически никогда. Горячей воды не было, а готовили мы в печурке, для которой приходилось собирать хворост. Холодильник был неслыханной роскошью. Правительство проводило кампанию по поддержке малоимущих, и мой отец получил работу. Тех денег, что он зарабатывал едва хватало на то, чтобы сводить концы с концами. Помню, как была счастлива, когда наконец смогла устроиться в дешевый магазинчик. В то время мое сознание начало меняться. Я работала в магазине и еще подрабатывала в ресторанчике. Я не гнушалась грязной работы, так как считала, что не заслуживаю другого. Понадобилось много времени, прежде чем я смогла избавиться от негативных убеждений. Я поняла, что существует множество других возможностей для людей с просветленным мышлением, с новым, свежим взглядом на жизнь. Вселенная предлагает нам все самое лучшее, просто мы *сами* порой боимся принять ее дары. А ведь нам стоит лишь протянуть руку, чтобы взять их. До тех пор, пока мы не усвоим, что *способны* добиться успеха, *заслуживаем* его, мы будем прозябать в нищете. Лишь когда наше сознание изменится, мы позволим себе принять дары Вселенной.

Женщины привыкли говорить: «Я хочу денег». «Мне нужны деньги». Но мы и палец о палец не ударим для того, чтобы воплотить эти слова в жизнь, наоборот, делаем все, чтобы этого не случилось. Очень сложно изменить сознание именно тогда, когда это касается денежного вопроса. Людей всегда злит, если их пытаются в чем-то разуверить, тем более, когда пытаются разрушить их представление о благополучии. Женщины, нуждающиеся в деньгах, как правило мысленно «зациклены» на бедности. Они приходят в ярость, если их убеждения ставятся под сомнение. Мы можем избавиться от барьеров в своем сознании, но чем больше для этого приходится менять, тем тяжелее нам отказаться от старых убеждений. Мы становимся боязливыми и подозрительными.

Составьте список своих убеждений — «Мои мысли насчет денег». Записывайте все, что приходит на ум, припомните все, что слышали в детстве касательно денег, работы, благосостояния. Поразмыслите о своем отношении к деньгам. Вы их ненавидите? Относитесь к ним с презрением? Случается, что вы сминаете бумажные деньги? Вам когда-нибудь приходилось любоваться десятидолларовым чеком? Радуетесь ли вы своему счету? Не приходило ли вам в голову поблагодарить телефонную компанию за оказанные услуги и за то, что вам предоставлено право оплатить их? Вы благодарны жизни, когда получаете деньги, или всегда жалуетесь, что их слишком мало? Задумайтесь о своем отношении к деньгам! Возможно, вы удивитесь своим подсознательным убеждениям.

Когда я стала зарабатывать, то денег хватало не только на еду — еще оставалась небольшая сумма. И я испытывала... жгучий стыд! Да, мне было стыдно. Я старалась избавиться от этих «лишних» денег, тратила по пустякам, лишь бы только вернуться к своему обычному состоянию безденежья. Копить мне даже в голову не приходило, настолько это шло вразрез с моими представлениями о благосостоянии. На подсознательном уровне я пыталась отделаться от этой экстра-суммы. Долгое время потребовалось, пока я наконец осознала, что могу зарабатывать деньги, тратить их в свое удовольствие и немного откладывать на будущее.

Женщины должны понять, что в нашей жизни ничего не изменится до тех пор, пока мы не произведем надлежащих перемен в своем сознании. Когда мы начнем мыслить по-другому, то по праву будем получать от жизни все самое лучшее. Позитивные аффирмации — это вклады, которые мы вносим на свой счет в банк вселенной. Процентами по этому вкладу является наше процветание и благосостояние. Не чувствуйте себя виноватыми, наполняя свою жизнь позитивной энергией. Вы заслуживаете всего наилучшего! Вы заработали благополучие, и вам не придется расплачиваться за него. Вы собственным трудом добились успеха.

Когда увеличиваются ваши доходы, когда вы находите себе хорошо оплачиваемую работу, когда у вас появляются деньги, знайте, вы уже заслужили все это правильным мышлением. Радуйтесь наступившим в вашей жизни переменам. Используйте аффирмацию: «Я заслуживаю всего наилучшего. Я добиваюсь всего, чего хочу. Это моя собственная заслуга». Но не забывайте о благодарности, скажите спасибо жизни. Как я уже говорила, Вселенная не забывает нашей признательности.

Не ломайте понапрасну голову над вопросом, почему вы процветаете, когда другие женщины прозябают в нищете. В нашу жизнь может воплотиться только то, к чему мы подготовили свое сознание. Все мы можем внести в свою судьбу позитивные изменения, если откроем свой разум для новых идей. Если ваш дух дремлет, то в ваших силах его разбудить. Всегда есть возможности осуществить задуманное — наше дело не упустить свой шанс. Учитель сможет передать свои знания, только когда ученик будет готов принять их — ни раньше, ни позже.

Я верю, что постепенно, шаг за шагом, мы можем прийти к намеченной цели. Постоянно повторяйте Вселенной: «Я этого стою, я заслуживаю этого, я готова это принять». Я считаю, что вселенная дарит нам около 10 — 20 процентов всех наших доходов. Откладывайте эти деньги. Они не предназначены для повседневных нужд. Копите эти деньги — их можно потратить только на серьезную вещь, такую, например, как покупка дома или открытие собственного дела. Знайте, что эти средства нельзя тратить по пустякам. Пускай с небольшой суммы — главное начать откладывать на будущее. Не бросайте деньги на ветер, и сами увидите, как быстро начнут увеличиваться ваши доходы. Создавая свое благосостояние, вы тем самым заботитесь о будущем, а это — проявление любви по отношению к самой себе.

В церквях мы не жалеем нескольких монет, делая небольшие пожертвования во славу божию. Но мы сами — частица Господа, частица вселенной. Жертвуйте самим себе, как жертвуете своему творцу. Начинайте откладывать понемногу уже сейчас, не дожидаясь увеличения доходов. С подобными мыслями, вы никогда не заработаете достаточно, чтобы начать копить. Нужно укрепиться и не трогать эти 10 — 20 процентов. Поймите, что эти деньги — неприкосновенный запас, и вы научитесь укладываться в оставшиеся 80 процентов. Вот увидите, как улучшится ваша жизнь, если вы научитесь экономить. Ваш небольшой резерв средств станет своего рода «притягивающим» деньги магнитом.

Глава 11

ЖЕНЩИНА НА ЗАЩИТЕ ЖЕНЩИНЫ

Коллективная работа над этой книгой предоставит вам прекрасную возможность избавиться от множества негативных убеждений, укоренившихся в вашем разуме. Выполняйте различные упражнения, используйте аффирмации для того, чтобы изменить свое сознание, наслаждайтесь наступившими в жизни переменами и, что самое главное, делитесь своим опытом с другими женщинами. Коллективная энергия поможет вам лучше осмыслить полученную информацию и усвоить новые идеи.

Вы не обязательно должны быть идеалом, чтобы подавать пример другим женщинам, однако вам *необходимо* использовать новые идеи и принципы в своей жизни, стремиться разделить их с другими женщинами. С открытым сердцем, вы должны уметь выслушивать окружающих. Коллективная работа развивает как лидера группы, так и остальных ее членов. Сознание того, что «ваши подопечные» учатся и развиваются, принесет вам как лидеру чувство радости и гордости. В группе лечебные и другие процессы пройдут быстрее и легче. Помните о том, что нашей главной задачей на планете является с любовью относиться к себе и окружающим.

Работа над книгой может проходить в спокойной домашней обстановке — когда несколько подруг просто собираются вместе хотя бы раз в неделю. Темами обсуждения могут стать главы этой книги. Не обязательно следовать оглавлению — обсуждайте прочитанное в любом порядке. Для совместной работы вы можете использовать так же и другие мои книги: «Вы можете улучшить свою жизнь и Жизнь!», «Вспоминая о путешествии».

Работа в группе не означает, что вы собираетесь вместе для того, чтобы жаловаться друг другу на свою жизнь. Наоборот, пусть группа станет для вас ступенью к прогрессу. Не обсуждайте то плохое, что произошло в вашей жизни, и не пытайтесь выяснить, кому пришлось еще хуже — это не поможет вам. Коллектив должен стать поддержкой для позитивных изменений, как шест для виноградной лозы.

Общие рекомендации

Одной из самых главных ваших задач является ВЫЯВИТЬ свои убеждения, понять, ВО ЧТО вы на самом деле верите. Это снимет шоры с ваших глаз. Возьмите несколько листов бумаги и озаглавьте каждый: «Мои убеждения насчет...»

Мужчин	Работы
Женщин	Денег
Себя самой	Благополучия
Различных отношений	Денежных вложений
Моих обязанностей	Здоровья
Замужества	Старения
Семьи	Смерти
Детей	

Эти списки помогут вам выявить подсознательные законы вашей жизни. До тех пор, пока мы не признаем существование в нашем сознании негативных убеждений и не выявим их, жизнь не изменится к лучшему.

По мере заполнения, дополняйте ваши списки и перечитывайте их. Пометьте звездочкой каждое позитивное утверждение — оно станет для вас поддержкой. Все положительные мысли вам надо будет сохранить и развить.

Галочкой пометьте все негативные, разрушительные убеждения, стоящие на вашем пути к самосовершенствованию. Эти отрицательные мысли, препятствующие вашему развитию, необходимо искоренить и перепрограммировать в своем сознании.

Добавьте что-нибудь свое к списку, помимо предложенного мной. Одну тему можно отрабатывать целую неделю, давая возможность высказаться каждой участнице обсуждения.

Вот несколько предложений для тех, кто хочет создать рабочую группу:

1. Выберите спокойное место, располагающую к откровенным разговорам обстановку. Необходимо добиться честности. Пообещайте друг-другу, что все услышанное останется при вас. Не бойтесь делиться самым сокровенным. Группа должна стать местом, где сбрасываются все маски. Все мы люди, и никто из нас не совершенен. Вы собираетесь вместе для того, чтобы сделать свою жизнь лучше, научиться чему-то новому друг от друга. Местом встреч может стать ваша гостиная, конференц-зал или церковь.

2. Научитесь принимать и понимать своих подруг, не осуждайте их. Не пытайтесь учить друг друга жизни. Вместе найдите способ изменить свои мысли. Высказывайте свои предложения по поводу той или иной проблемы. Почувствовав осуждение, люди сразу же замыкаются в себе, прячутся в «защитный панцирь молчания».

3. Перед каждой встречей, вам необходимо сконцентрироваться. Используйте аффирмации: «Мой дух направляет мои мысли, слова и поступки во время обсуждения», «Как лидер группы, я доверяю своей внутренней мудрости». Если во время обсуждения произойдет какой-то неприятный инцидент, сделайте глубокий вдох и повторите про себя позитивную аффирмацию.

4. Перед тем, как начинать занятия в группе, предложите ее членам соблюдать следующие правила:

Не опаздывайте!
Посещайте каждую встречу, так как очень важна непрерывность позитивных процессов.
Слушайте внимательно, уважайте друг друга.
Не перебивайте говорящего.
Пообещайте друг другу, что все услышанное останется при вас. Очень важно, чтобы все чувствовали себя раскованно и не стеснялись делиться самым сокровенным.
Говорите по существу.
Говорите «Я почувствовала...», а не «Они заставили меня почувствовать...»
Цените время, предоставьте каждому возможность высказаться.

5. Очень важно, чтобы у каждого участника обсуждения было время выговориться. Если в группе слишком много человек, пускай они разобьются на группки поменьше — пять-шесть человек смогут поделиться друг с другом своими мыслями, чувствами и идеями.

6. В вашей группе наверняка найдется чересчур разговорчивая женщина, нежелающая выслушивать других. Это тревожный симптом. Людьми, старающимися захватить лидерство, как правило, движет их собственный страх. Они считают себя в чем-то ущемленными, таким людям кажется, что им уделяют недостаточно внимания. Лучшим решением проблемы будет поговорить с такой женщиной наедине после занятий.

Обратитесь к ней со словами: «Я очень рада, что вы многим хотите поделиться с группой, но меня волнуют другие участники обсуждения, которые пока еще не так открыты и не так свободны в общении, как вы. Они могут почувствовать себя лишними. В следующий раз, не забывайте, пожалуйста, об остальных. Пусть сначала выскажутся они, хорошо? Спасибо». Было бы совсем неплохо, если бы вы нашли для этой женщины какое-нибудь подходящее занятие, попросили бы ее в чем-либо вам помочь.

7. **Практическая работа** — самый сложный и самый важный метод обучения. На каждом занятии уделяйте время упражнениям с зеркалом, медитации со своим «внутренним ребенком», упражнениям по образцу «Я должна...», и другим видам практической работы.

8. **Будьте гибки.** Будьте готовы менять свои планы — работая в группе, вы не всегда сможете успеть все то, что задумали. Так как всем руководит божественное провидение, научитесь доверять ему и плыть по течению!

9. **Постоянно следите за собой** и своими реакциями. Если вы вдруг почувствуете беспричинное беспокойство, сделайте несколько глубоких вздохов, расслабьтесь, произнесите про себя позитивную аффирмацию.

10. **Не спорьте с тем,** кто упрямо не хочет расставаться со своими заблуждениями. Не позволяйте себе впадать в депрессию, переживая за других. Как лидер группы вы должны научиться в любых обстоятельствах рассуждать трезво и действовать разумно. Знайте, что исцелиться может каждый, независимо от внешних обстоятельств. Правда заключается в том, что наш дух сильнее болезней, финансовых провалов и неудач в личных отношениях, и может преодолеть все препятствия!

11. **Развивайте чувство юмора!** Смех пожет вам найти новое, свежее решение проблемы. Он оказывает очищающее действие на наши души.

12. **Готовьтесь к тому,** что на встречах будут выплескиваться сильные эмоции. Это неминуемо, когда речь идет о самом сокровенном. Очень важно, чтобы вы могли управлять гневом, яростью, отчаянием, скорбью; умели помочь высвободить отрицательные эмоции. Вы можете неожиданно обнаружить, что боитесь проявления чужих чувств. В таком случае, я советовала бы вам обратиться к надежному психотерапевту и выяснить причины вашего страха.

13. **После каждой встречи,** подойдите к зеркалу и скажите сами себе, что все шло как по маслу. Это необходимо, особенно если вам никогда раньше не приходилось руководить учебной группой.

14. **Начинайте и заканчиваете** каждую встречу группы с концентрирующей медитации. Она может быть совсем несложной — просто закройте глаза и сделайте глубокий вдох. Помолчите несколько мгновений. Пусть все возьмутся за руки. Почувствуйте энергию, исходящую от руки соседки. Напомните собравшимся, что надежды и стремления коллектива совпадают с мечтами каждого члена группы. Каждая из женщин стремится к здоровью, благополучию. Все ждут любви и стараются реализовать свой творческий потенциал. После напомните присутствующим, что во время занятия все, в том числе и вы сами, усвоили новые позитивные идеи, которые помогут улучшить нашу жизнь. Все хорошо, и мы все в безопасности.

15. **Каждая группа индивидуальна,** поэтому занятия могут проходить по-разному. Настраивайтесь на энергию группы и настроение каждой встречи.

16. Для занятий вам понадобятся:

магнитофон и записи с медитациями и легкой успокаивающей музыкой;

маленькое карманное зеркало (а также желательно зеркало в полный рост);

бумага и ручки;

коробки с тряпьем;

свечи или ароматические палочки (на выбор) для создания интимной обстановки.

17. Попросите всех членов группы приносить на занятия блокнот и карманное зеркальце. На занятия можно взять с собой подушку под спину и мягкую игрушку (так будет легче расслабиться во время медитации).

ЗАКЛЮЧЕНИЕ

Нам порой кажется, что жизнь полна проблем. Однако все проблемы можно отнести к четырем основным аспектам. Это любовь, здоровье, благополучие и самовыражение. Несмотря на кажущееся обилие неприятностей, мы можем избавиться от них, улучшив основные четыре аспекта своей жизни, основным из которых является любовь. Если мы любим себя, то нам легко дарить любовь окружающим и принимать ответные чувства. Это, в свою очередь, улучшит наши отношения с людьми и условия работы. Любовь к себе — ключ к здоровью. Любовь к жизни — энергетический канал, связывающий нас со вселенной. Любовь к себе, к окружающим, к жизни — способ самовыражения.

Все мы — первопроходцы!

Я считаю, что всем женщинам сегодня досталась нелегкая доля первопроходцев. Женщинам-первопроходцам когда-то приходилось рисковать на каждом шагу, прокладывая путь для тех, кто пойдет вслед за ними. Они не страшились одиночества, вели жизнь, полную опасностей и тревог. Они сами строили жилье и добывали пищу. Они во всем полагались только на себя, потому что их мужчины редко бывали дома. Женщины сами заботились о себе и о своих детях. Они осваивали новые земли и разрабатывали их природные ресурсы. Мужчинам в одиночку никогда бы не удалось сделать нашу страну такой, какая она есть сейчас, — если бы не поддержка и помощь их отважных спутниц.

Сегодня нам с вами быть первопроходцами. Перед нами открылись невероятные возможности. В наших силах изменить мир, достичь равенства между полами. Мы можем занять достойное женщин положение в обществе. Жизнь неспроста подводит нас к новым рубежам. Сегодня мы свободны и независимы в своем выборе. Используя возможности, которые предоставляет нам жизнь, мы сможем изменить наш мир. Мы узнаем о жизни все больше нового, двигаясь к неоткрытым берегам будущего. Сколько невиданного, небывалого ждет нас там? Берите свой компас и вперед! Нам еще многому предстоит научиться, многое предстоит узнать. Мы станем прокладывать дорогу и составлять карты этих неизведанных берегов.

На нашем жизненном пути только две заданные точки — рождение и смерть — дорогу, по которой идти, выбираем мы сами. Наши возможности безграничны. Чтобы стать такими, какими мы действительно являемся — умными, смелыми, прекрасными людьми, — мы должны реализовать все свои возможности. Многих из нас воспитали беспомощными, не способными позаботиться о себе. Но это не так. МЫ МОЖЕМ ВСЕ. Скажите себе: «Что бы ни случилось, я знаю, что делать, как исправить ситуацию».

Сегодня мы, женщины, как никогда сильны. Все в наших руках. Настало время изменить жизнь, судьбу, будущее всех женщин. То новое, что мы внесем в мир, распространится в пространстве и во времени. У вселенной множество возможностей, о которых мы даже не подозреваем, но они будут открыты нам, когда придет пора. Возможно все и всегда — пришла пора доказать это. Женщины должны объединяться, поддерживать друг-друга. Это принесет только пользу и женщинам, и мужчинам. Мы, женщины, — счастливые, довольные собой и своей жизнью, — станем великолепными партнерами мужчинам на работе и на досуге. А мужчинам... мужчинам будет куда приятнее общаться с нами на равных!

Объединяйтесь, предлагайте друг другу помощь и поддержку на пути к самосовершенствованию. Пора прекратить бессмысленную борьбу с мужчинами или за мужчин. У нас, женщин, другое предназначение. Мы должны обрести силу и передать ее нашим дочерям и дочерям их дочерей. Женщинам никогда больше не придется пройти через все те унижения и оскорбления, от которых страдали наши матери, и с которыми порой приходится еще сталкиваться нам самим. Завоюем независимость, свободу и уважение для всех женщин, пойдем, взявшись за руки, к неоткрытым берегам будущего!

Любите себя, любите жизнь!

ЧЕРЕЗ МЕДИТАЦИИ К ЛУЧШЕЙ ЖИЗНИ

MEDITATIONS
TO HEAL YOUR LIFE

ПРЕДИСЛОВИЕ

Идеи, изложенные в этой книге, призваны пробудить нашу собственную творческую мысль, они показывают нам принципиально новые пути решения наших проблем. Мы приходим в этот мир с чистым, ясным разумом, который неразрывно связан с нашей внутренней мудростью, но с годами мы впитываем в себя страхи и предрассудки окружающих нас взрослых. А потому к моменту, когда мы сами становимся взрослыми, в нас уже укореняются стереотипы негативного мышления, о которых мы зачастую даже не подозреваем, и мы строим свою жизнь на основе этих ложных стереотипов.

При чтении этой книги вам, возможно, встретятся утверждения, с которыми вы будете несогласны в силу их несоответствия вашей системе ценностей. Это нормально: вы вовсе не обязаны соглашаться со всем, что я говорю. Но задумайтесь, пожалуйста, над тем, во что вы верите и почему, — именно таким образом мы духовно растем и меняемся.

Ступив на тот путь, которым следую сейчас, я весьма часто подвергала сомнению услышанные мною метафизические идеи. Однако, чем больше я размышляла, сравнивая собственные убеждения с этими новыми идеями, тем яснее сознавала, что многое из того, во что я верю, делает меня несчастной. По мере того, как я избавлялась от старых, негативных стереотипов мышления, моя жизнь менялась в лучшую сторону.

Вы можете начать чтение этой книги с любой страницы, открывайте ее где захотите — именно данное послание будет идеальным для вас в тот момент: оно может либо утвердить вас в вере, либо наоборот, вызвать ваше неприятие. Все это — этапы процесса духовного развития. Вы в безопасности, и ВСЕ ХОРОШО!

Я живу в мире любви и согласия

Я излучаю согласие

Если я хочу, чтобы меня принимали такой, какая я есть, то и мне со своей стороны следует принимать других людей такими, какие они есть. Всем нам хочется, чтобы наши родители принимали нас безоговорочно, и однако сами часто не желаем принимать их такими, какие они есть. Мы должны признавать за собой и другими право быть самими собой. Требовать от других, чтобы они были такими, какими нам хочется, — верх самонадеянности, устанавливать какие бы то ни было критерии можно только для самих себя. Но и тогда мы хотим, чтобы это были не жесткие правила, — скорее, пример для подражания. Чем больше мы сможем практиковаться в самоприятии, тем легче нам будет избавиться от ненужных привычек. Мы с легкостью растем и меняемся в атмосфере любви и уважения.

Я обращаюсь к моей силе и выхожу за рамки всех ограничений

Я прощаю себя и обретаю свободу

Тяжелая зависимость от чего бы то ни было вне меня является болезненным пристрастием. Так, я могу быть наркоманкой и алкоголичкой, безудержно предаваться сексу и быть заядлой курильщицей; или мне может быть свойственно обвинять и судить других людей, часто болеть, оказываться в положении жертвы, быть отвергнутой... Однако я могу все это преодолеть. Болезненное пристрастие — это отказ от своей силы в обмен на какое-нибудь вещество или привычку, но я всегда могу вернуть свою силу. И сейчас, в этот момент, я забираю назад свою силу! Я принимаю решение развивать у себя полезную привычку помнить, что жизнь здесь, в этом мире, — для меня, я хочу простить себя и идти дальше. Во мне живет бессмертных дух, который всегда был со мной, он и сейчас здесь, со мной. Я расслабляюсь и обретаю свободу, я дышу легко, освобождаясь от старых вредных привычек и приобретая новые полезные.

Жизнь любит меня, и я
в безопасности

Я со всеми нахожу общий язык

Взрослеть для меня безопасно. Мне нравится узнавать новое, расти и меняться, и я чувствую себя при этом полностью защищенной, понимая, что перемены — неотъемлемая часть жизни. У меня гибкая натура, и мне легко плыть в потоке жизни. Моему внутреннему «я» присуща последовательность, поэтому я в безопасности в любых обстоятельствах. Когда я была ребенком, я не знала, что сулит мне будущее, и сейчас, начиная свое путешествие во взрослую жизнь, я понимаю, что завтрашний день тоже полон неизвестности. Я выбираю верить, что для меня безопасно взрослеть и нести полную ответственность за свою жизнь. И первый мой шаг на пути взросления — научиться любить себя безусловно, поскольку лишь в этом случае я сумею справиться со всем, что принесет мне будущее.

Я разумно использую мои аффирмации

В начале — слово

Каждая мысль, возникающая в моей голове, и каждая произнесенная мною фраза являются утверждением, которое может быть позитивным или негативным. Позитивные утверждения, или аффирмации, изменяют нашу жизнь в лучшую сторону, тогда как негативные создают отрицательные жизненные ситуации. Из зернышка помидора может вырасти только помидорный куст, из желудя — только дуб, из щенка — только собака. Если мы постоянно повторяем негативные утверждения в отношении себя или своей жизни, то тем самым вновь и вновь создаем негативные жизненные ситуации. Сейчас я избавляюсь от нашей семейной привычки видеть жизнь исключительно в мрачном свете и приобретаю новую привычку — говорить лишь о том хорошем, что мне хотелось бы привнести в свою жизнь. Только в этом случае моя жизнь изменится к лучшему.

Какой бы вызов мне ни бросила судьба,
я знаю, что меня любят

Это тоже пройдет, и в результате мы духовно вырастем и окажемся в выигрыше

Перед нами здесь в буквальном смысле слова неизведанные воды, и каждый, вынужденный плыть по ним, делает для выживания все, что в его силах, на том уровне знания и понимания, какими он обладает в данной точке времени и пространства. Будьте признательны себе за то, что делаете гораздо больше, чем могли предположить. Помните, что от каждой болезни, которую мы спровоцировали у себя, кто-то где-то на этой планете смог полностью излечиться. Исцеление возможно! Неважно, на каком языке вы говорите, — Любовь говорит с каждым из нас сердцем. Ежедневно старайтесь на какое-то время расслабиться и почувствовать, как поток любви устремляется из вашего сердца в руки и ноги, омывает каждый орган вашего тела. Любовь несет исцеление от всех недугов. Любовь открывает все двери! Любовь — это вселенская сила, которая всегда рядом, чтобы помочь нам справиться со всеми нашими проблемами. Откройте свое сердце — позвольте свободно изливаться из него потоку Любви. Ощутите свое единение с Силой, которая создала вас.

Я — главный авторитет в моей жизни

Я сама творю свою жизнь

Ни один человек, место или вещь не имеют надо мной никакой власти, поскольку моим разумом не пользуется никто, кроме меня. Когда я была ребенком, все облеченные властью люди в моей жизни казались мне богами. Сейчас я учусь возвращать свою силу и быть авторитетом для самой себя. Я воспринимаю себя как сильное, ответственное существо. Медитируя по утрам, я устанавливаю связь с моей собственной внутренней мудростью. Обучение в школе жизни начинает приносить нам глубокое удовлетворение лишь тогда, когда мы осознаем, что все в ней являются одновременно учениками и учителями, ибо все мы пришли в этот мир не только для того, чтобы самим чему-нибудь научиться, но и затем, чтобы научить чему-то других. Вслушиваясь в свои мысли, я мягко побуждаю мой разум довериться моей собственной внутренней мудрости. Растите и процветайте, и вверяйте все свои дела на Земле вашему Божественному Источнику. ВСЕ ХОРОШО!

Я убираю все барьеры на своем пути к безграничным возможностям

В моей жизни нет преград!

Двери в познание и мудрость всегда открыты, и я все чаще и чаще решаюсь входить в них. Барьеры, ограничения, препятствия и проблемы — мои личные учителя, которые дают мне шанс оставить позади прошлое и войти в Царство безграничных возможностей. Я люблю упражнять свой ум, мысленно представляя себе наивысшее благо, какое только можно вообразить и которого можно и нужно достичь. И по мере того, как мой разум настраивается на позитивное мышление, все барьеры и ограничения исчезают из моей жизни, и в ней все чаще начинают происходить маленькие чудеса, возникающие словно бы ниоткуда. Время от времени я позволяю себе абсолютно ничего не делать и спокойно сижу, открыв свое сердце Высшей Мудрости. Я учусь в школе жизни, и мне это нравится!

Цветы, как и люди, все по-своему прекрасны и постоянно растут

Красота восторгает и исцеляет меня

Красота окружает нас повсюду: она в каждом цветочке, в ярких солнечных бликах на воде, в спокойной мощи старых деревьев... Природа вызывает восторг в моей душе, она вливает в меня силы и возрождает меня. Я обретаю успокоение, радость и исцеление в самых простых вещах. Любуясь природой, я чувствую, что мне легко с любовью взирать и на себя. Я — частица природы; следовательно, я тоже по-своему прекрасна. Куда бы я ни обратила взор, везде я вижу красоту. Сегодня вся красота жизни находит отклик в моей душе.

Мои счета — подтверждение моей платежеспособности

Я с легкостью плачу
по всем моим счетам

Сила, которая нас создала, все здесь для нас и приготовила — с нашей стороны требуется лишь заслужить и принять это. Все, что мы имеем сейчас, мы приняли сами. Если нам хочется чего-то другого или чего-то большего или меньшего, мы не добьемся этого с помощью жалоб: только развивая свое сознание, сможем мы изменить свою жизнь. Принимайте все ваши счета с любовью и радуйтесь, подписывая чеки, ибо все, что вы отдадите, вернется к вам приумноженным. Начните вырабатывать у себя позитивное отношение к этой проблеме. В сущности, счета — замечательная вещь: они свидетельствуют о том, что кто-то доверяет вам настолько, чтобы выполнить для вас какую-то работу или отпустить вам какой-то товар, не сомневаясь в вашей способности полностью за все расплатиться.

Мое тело для меня — добрый друг,
о котором я с любовью забочусь

Мне нравится мое тело

Мое тело идеально для меня в этот момент, как идеален и мой вес. Меня полностью удовлетворяет мое тело и его размеры. Я прекрасна, и с каждым днем становлюсь все более привлекательной. Мне было невероятно трудно воспринять эту идею, но сейчас ситуация меняется, потому что я отношусь к себе как к горячо любимому человеку. Я учусь устраивать себе небольшие праздники, угощаясь время от времени чем-нибудь вкусным и полезным и доставляя себе маленькие радости. Проявляя любовь к себе даже в самых незначительных вещах, делая то, что мне действительно нравится, будь то спокойный отдых, прогулка на природе или горячая расслабляющая ванна, я питаю себя. Мне нравится заботиться о себе, я верю, что мы должны любить себя и быть самому себе лучшим другом. Я знаю, что мое тело наполняет звездный свет, что вся я искрюсь и сверкаю всегда и везде.

Доверяя высшему разуму оказывать мне содействие в делах, я иду от успеха к успеху

Я делаю то, что мне нравится!

Я доверяю Высшему Разуму руководить моими делами. Независимо от того, есть у меня собственный бизнес или нет его, я являюсь орудием этого Высшего Разума. Существует только Единый Высший Разум, и он блестяще демонстрирует свое присутствие на примере нашей солнечной системы, управляя движением планет по четким, согласованным орбитам на протяжении миллионов лет. И я с радостью принимаю этот Разум в качестве партнера по моим делам, я легко направляю свою энергию на работу с могущественным Разумом. От этого Разума исходят все ответы, все решения, все исцеления, все новые творческие замыслы и идеи, которые превращают мой труд в источник непреходящей радости и позволяют мне добиваться успеха в любом деле.

Я — умелый водитель и дружелюбный пассажир

Я люблю свою машину

Водить машину для меня — приятное и безопасное занятие. Я забочусь о своей машине, а моя машина проявляет заботу обо мне: она всегда готова, когда бы я ни решила отправиться в путь. У меня идеальный механик, который тоже относится с любовью к моей машине. Садясь в автомобиль, я наполняю его любовью, так что любовь всегда путешествует вместе со мной. Я посылаю свою любовь другим водителям на дороге, так как все мы спутники или попутчики друг друга. Любовь летит впереди меня, и любовь приветствует меня в конце моего пути.

Заботьтесь о себе как можно лучше

Я — удивительное существо!

Мое тело — настоящее чудо, как и тела всех тех, кого я люблю. Наше тело знает, что делать в критической ситуации, и знает, как отдыхать и восполнять силы. Мы учимся вслушиваться в то, что говорит нам наше тело, и давать ему все, в чем оно нуждается. Иногда забота о других требует от нас напряжения всех сил, мы и предположить не могли, что это окажется столь трудным. Научитесь просить о помощи! Заботитесь ли вы о ком-нибудь или кто-то проявляет заботу о вас, полюбить себя — самое важное, что вы можете сделать. Когда вы действительно любите и принимаете себя таким(ой), какой(ая) вы есть, вы как бы настраиваетесь на другую волну. Неожиданно вы можете расслабиться, зная в глубине души, что ВСЕ ХОРОШО.

Я изменяю свой образ мыслей с любовью

Изменяя свой образ мыслей, я изменяю свою жизнь

Мы суть Свет. Мы суть Дух. Мы — все мы — удивительные, талантливые существа, и пора нам признать, что наша действительность создается нами самими. Мы созидаем эту действительность с помощью наших мыслей, и если мы хотим изменить ее, нам следует изменить образ наших мыслей. Мы достигаем этого, делая выбор в пользу новых и позитивных мыслей и слов. Я давно поняла, что если изменю свои мысли, моя жизнь тоже изменится. В сущности, изменение нашего мышления означает преодоление наших внутренних барьеров. А избавляясь от внутренних ограничений, мы начинаем осознавать всю бесконечность окружающей нас жизни, начинаем понимать, что уже обладаем совершенством, цельностью и полнотой. И с каждым днем наш путь становится все легче.

Что бы ни случилось в прошлом,
сейчас я позволяю маленькому ребенку внутри меня
расцвести и почувствовать, что его любят

Взрослеть для меня безопасно

Все мы — любимые дети Вселенной, однако на свете существует такая ужасная вещь, как жестокое обращение с детьми. Говорят, 30% жителей нашей страны подвергались в детстве жестокому обращению. Итак, в этом нет ничего нового. Прямо сейчас, в эту минуту, мы принимаем решение позволить себе осознать то, что скрывали за стенами молчания долгие годы. Стены начинают рушиться, и мы меняемся. Осознание — первый шаг на пути перемен. У тех из нас, чье детство было по-настоящему тяжелым, эти стены и броня особенно толстые и крепкие, и однако в каждом из нас за этими стенами живет маленький ребенок, который хочет, чтобы его замечали, любили и принимали таким, какой он есть.

Вы можете учить, но не должны принуждать

Я люблю детей, а дети любят меня

Одной из самых моих больших радостей является открытое, полное любви общение с детьми. Я вникаю в то, что говорят мне они, а они внимательно слушают меня. Дети всегда подражают взрослым, и если ребенок рядом со мной плохо ведет себя, я ищу причину в себе, выявляя свои собственные негативные убеждения. Мне известно, что духовно исцелив себя, я тем самым могу исцелить и ребенка. Я утверждаю, что испытываю к себе безусловную любовь и сознательно желаю избавиться от всех своих негативных убеждений, — иначе говоря, я становлюсь образцом положительной, любящей личности. В результате ребенок рядом со мной начинает любить себя, и его поведение — иногда сразу, иногда постепенно — меняется в лучшую сторону. Я также устанавливаю связь с моим собственным внутренним ребенком, и по мере того, как я обретаю душевный покой, ребенок внутри меня начинает чувствовать, что его любят, что он в безопасности. А вместе с чувством безопасности и любви приходит и желание избавиться от многих стереотипов.

Мой выбор — движение вперед.
Я открыта всему новому

Я выбираю путь познания и духовного развития

Я делаю выбор помнить, что любая проблема может быть решена, как помнить и о том, что мне под силу справиться со своими проблемами. В результате того, что я выбираю подобный взгляд на вещи, моя нынешняя проблема представляется мне чем-то временным — она не более, чем то, над чем я сейчас работаю. Я хороший человек. Я стремлюсь избавиться от чувства жалости к себе, я хочу усвоить этот жизненный урок и открыться всем духовным благам, какие только может предложить мне Вселенная. Я принимаю как должное тот факт, что не смогу решить всех моих проблем. Я полна доверия к жизни и понимания ее. Все, что ни делается, — к лучшему. ВСЕ ХОРОШО!

Любовь позволяет мне видеть все ясно и отчетливо

Я все вижу ясно

Мне ясны мои задачи и моя цель. Моя внутренняя мудрость всегда направляет меня, помогая мне достичь наивысшего блага и наибольшей радости. Я — единое целое с бесконечной жизнью, в которой все обладает совершенством, цельностью и полнотой. Посреди постоянно меняющейся жизни у меня есть твердая опора. Я начинаю видеть хорошее во всех и во всем.

Здесь важно не что-то делать — здесь важно понимать

Общение — это песнь любви

Проникнутые любовью взаимоотношения — одна из величайших радостей в жизни людей. Как мне попасть в этот круг любви? Я проделала огромную внутреннюю работу, прочла множество книг и в результате пришла к пониманию основных законов жизни, один из которых гласит: «Вселенная откликается на все мои слова и мысли, и они возвращаются ко мне в виде жизненного опыта». Поэтому я начинаю просить, а не требовать, и тщательно следить за тем, что я говорю и о чем думаю. Поскольку теперь я позволяю себе только наблюдать, не осуждая и не критикуя, мои отношения с другими людьми значительно улучшаются. Я спрашиваю себя: во что я верю? Что чувствую? Так ли реагирую? Каким образом я смогу привлечь еще больше любви в свою жизнь? И наконец прошу Вселенную: «Научи меня любить».

Я в мире со всей жизнью на земле

Я открываю мое сердце всем людям

Я думаю, что нам пора преодолеть ограниченность нашего мышления и развить в себе космический взгляд на жизнь. Для сообщества человеческих существ на планете Земля открываются сейчас невиданные прежде возможности. Мы вступаем друг с другом в связь на новых уровнях духовности, в душе начинаем понимать, что все мы — единое целое. Мы выбрали это время для нашей инкарнации не случайно: я уверена, что на каком-то глубинном уровне мы сделали выбор принять участие в процессе исцеления нашей планеты. Помните, что каждый раз, когда вы о чем-то думаете, между вами и людьми, думающими так же, как вы, протягиваются невидимые нити. Мы не сможем подняться на новые уровни сознания, если не избавимся от старых суждений, предрассудков, чувства вины и страхов. Но если мы откроем свои сердца безусловной любви к себе и другим, мы сумеем помочь исцелиться всей нашей планете.

С сотворения мира на земле не было другого такого человека, как вы! Никто и ничто не может сравниться с вами

Я ни с кем и ни с чем не сравнима!

Я пришла в этот мир, чтобы научиться безусловной любви к себе и другим. И хотя каждый человек обладает характерными особенностями, такими, например, как рост или вес, которые можно измерить, я представляю собой нечто большее, чем просто мое физическое выражение. Неизмеримая часть меня — это то место, где сосредоточена моя сила. Сравнение себя с другими людьми вызывает у меня либо чувство превосходства, либо чувство неполноценности, мешая мне воспринимать себя такой, какой я являюсь в действительности. Какая бездарная трата времени и энергии! Мы все — уникальные, удивительные создания, не похожие друг на друга. Я погружаюсь внутрь себя и устанавливаю связь с уникальным выражением Единого Бесконечного Разума, каким является наше высшее «я». Все меняется в физическом мире, и, двигаясь в потоке этих перемен, я остаюсь связанной с тем, что находится внутри меня и что сильнее и глубже любого изменения.

Наш образ жизни есть отражение нашего образа мыслей

Моя сила — в моих мыслях

Я есть чистое сознание. Я могу использовать это сознание так, как пожелаю, — выбор здесь всегда остается за мной. Я могу верить в Царство нужды и ограничений, а могу — в Царство Бесконечного Единства, Гармонии и Совершенства. А это уже есть Единое Бесконечное Сознание, воспринимаемое или негативно, или позитивно. У меня всегда полное единение с жизнью, и я свободна ощущать любовь, гармонию, красоту, силу, радость и многое-многое другое. Я есть сознание. Я есть энергия. Мне ничто не угрожает. Я продолжаю учиться и расти духовно, и изменяя свое сознание, изменяю свою жизнь. ВСЕ ХОРОШО.

Единственное, чем вы можете управлять,— это ваши мысли в данный конкретный момент.
Мысль, которая сейчас у вас в голове, находится под вашим полным контролем

Доверяя процессу жизни,
я чувствую себя в полной безопасности

Если происходит что-то, чем, как вам кажется, вы совершенно не управляете, немедленно произнесите положительную аффирмацию. Повторяйте ее снова и снова, пока ситуация не изменится. Если у вас появляется ощущение, что что-то не в порядке, вы можете сказать себе: «Все хорошо, все хорошо, все хорошо». И когда бы у вас ни возникало желание взять все полностью под свой контроль, говорите: «Я доверяю процессу жизни». При землетрясениях и иных катаклизмах вы можете воспользоваться аффирмацией: «Я в ритме и гармонии с землей и ее движением». В этом случае, что бы ни происходило, вы можете не волноваться, так как между вами и потоком жизни будет полная гармония.

Я сознаю сейчас свою способность
к творчеству и отношусь к ней с уважением

Я творю свою жизнь каждый день

Поток созидательной энергии Вселенной течет через меня постоянно, и все, что мне нужно, чтобы приобщиться к ней, — это ЗНАТЬ, что я являюсь ее неотъемлемой частью. Легко узнать творчество, когда оно является в форме картины, романа, кинофильма, новой марки вина или нового дела. Но и я творю свою жизнь каждое мгновение, начиная с самого простого, обычного создания новых клеток в моем теле, с выбора эмоциональной реакции на моих родителей с их старыми стереотипами мышления, с моей нынешней работы, моего счета в банке, начиная с моих взаимоотношений с друзьями и моего истинного отношения к себе. От природы я наделена богатым воображением и использую его, чтобы увидеть, как хорошее входит в мою жизнь и жизнь тех, кто меня окружает. Вместе с моим высшим «я» я творю свою жизнь, и в душе у меня царит мир и покой.

Ребенок внутри нас всегда заслуживает исцеления

Признание собственной самоценности
и самоуважение — священное право каждого из нас

Любой акт насилия совершается тем, кто подвергался в детстве жестокому обращению, или тем, кого когда-то научили ненавидеть. Мы не оправдываем насилия, но нам следует найти иные способы исцеления взрослых, с которыми грубо или жестоко обращались в детстве. Наша сегодняшняя тюремная система лишь делает из заключенных более умелых преступников: наказание не способствует исцелению. Бандиты и убийцы все еще достойны нашей любви. Ведь они тоже были когда-то очаровательными младенцами. Кто научил их относиться к жизни так, как они делают это сейчас? Я уверена, что и заключенным, и тюремщикам не помешали бы курсы по воспитанию чувства собственного достоинства и самоуважения. Мы не сможем перевоспитать преступников, пока они не исцелят свой разум. Боль, которую они носят в себе, как и их система ценностей, нуждается в исцелении. Давайте же пошлем нашу любовь в тюрьмы и исправительные заведения и мысленно представим, как там происходит истинное исцеление.

Овладевая новыми знаниями и навыками,
любовно поддерживайте себя в постоянном процессе
обучения. Всегда будьте готовы прийти себе на помощь

Я хвалю себя за большие и малые достижения

Я — замечательное создание! На протяжении многих лет я постоянно ругала и критиковала себя, полагая, что таким образом смогу изменить свою жизнь в лучшую сторону, но ничего из этого не получилось. Как мне кажется, что когда мы критикуем себя, нам намного труднее измениться и достичь успеха. Я вслушиваюсь в свой внутренний диалог и, обнаружив, что я критикую себя, говоря себе, что я недостаточно хороша или делаю что-то неправильно, я узнаю укоренившиеся стереотипы детства и моментально с любовью обращаюсь к ребенку внутри себя. Вместо того чтобы заниматься самобичеванием, я делаю выбор хвалить и одобрять себя, и знаю, что нахожусь на пути к тому, чтобы полюбить себя такой, какая я есть.

Смерть — это дверь в новую жизнь

Я живу и умираю каждый день

Мы все приходим посреди спектакля жизни, и посреди его же мы все уходим. Каждый — когда пробьет его час. Смерть — не поражение. Умирают и вегетарианцы, и те, кто ест мясо, умирают те, кто богохульствует, и те, кто медитирует, умирают хорошие люди и умирают негодяи... Это нормальный, естественный процесс. Когда закрывается одна дверь — открывается другая: когда закрывается дверь в эту жизнь, открывается дверь, ведущая нас в нашу следующую жизнь, и любовь, которую мы забираем с собой, приветствует нас в нашей следующей жизни. Смерть — это способ освободиться для рождения в следующей фазе бесконечной, вечной жизни. Я знаю, что где бы я ни находилась, я всегда в безопасности, и жизнь любит и полностью поддерживает меня.

Примите решение изменить ваше
нынешнее ограниченное мышление. Вы это можете

Я — решительный человек

Если вы заботитесь о своем физическом здоровье, вы выбираете для еды питательные, полезные для здоровья продукты. Если вы заботитесь о своем духовном и эмоциональном здоровье, вы выбираете мысли, которые способствуют обретению вами прочного внутреннего стержня. Одна случайная мысль значит не так уж много, но мысли, которые вновь и вновь возникают у вас в мозгу, подобны каплям воды. Из этих капель образуется сначала лужа, затем пруд, вслед за ним озеро и наконец океан. Если вы постоянно критикуете себя и думаете о своих недостатках и ограниченных возможностях, ваше сознание тонет в этом море негативности. Постоянные же мысли об Истине, мире и любви выталкивают вас на поверхность, и вы с легкостью плывете в океане жизни. Мысли, которые говорят о вашем полном единении с жизнью, помогают вам принимать правильные решения и придерживаться их.

Я заслуживаю в жизни только лучшего

Я достойна замечательной жизни

Каждый человек заслуживает счастливой, полнокровной жизни. В прошлом я, подобно большинству людей, верила, что заслуживаю очень мало хорошего, — лишь немногие верят, что они заслуживают только всего хорошего. Не ограничивайте хорошее в вашей жизни! Большинство из нас были приучены верить, что хорошее может войти в нашу жизнь, только если мы будем есть свой шпинат, убирать свою комнату, причесываться, чистить обувь, вести себя сдержанно и делать многое другое в том же духе. Однако при всей полезности подобных привычек они не имеют никакого отношения к нашему чувству собственной значимости. Нам следует знать, что мы уже сами по себе достаточно хороши и достойны замечательной жизни, даже ничего в себе не меняя. Я широко раскрываю объятия миру и заявляю ему с любовью, что я заслуживаю и принимаю ВСЕ хорошее в нем!

Я усваиваю и превращаю в истину для себя все лучшее в жизни

Я с легкостью «усваиваю» жизнь

Я великолепно усваиваю и перевариваю опыт жизни, легко избавляясь от всего того, в чем больше не нуждаюсь. Мои клетки и органы прекрасно знают, что́ они должны делать, и я помогаю им в их работе, употребляя в пищу только полезные для здоровья продукты и выбирая исключительно ясные, положительные и полные любви мысли. Каждая часть моего тела выполняет определенную задачу и в ментальном плане: так, мой желудок — это та часть меня, где перевариваются и усваиваются идеи. Когда в моей жизни происходят перемены, мне иногда бывает трудно их переварить, и однако я всегда — даже во время самых глубоких и серьезных перемен — могу предпочесть мысли, возвеличивающие мою истинную вечную сущность. Я — Великолепное Божественное Выражение Жизни.

Я с любовью забочусь о своем здоровье

Болезнь — мой наилучший учитель

Для меня естественно быть здоровой, как естественно проявлять гибкость, легко усваивать новые идеи, смеяться, изменяться и духовно расти. Болезнь есть результат нашего сопротивления, нежелания плыть с потоком жизни и неумения прощать. Я смотрю на болезнь как на своего личного учителя, который приходит, дабы помочь мне лучше понять себя. Болезнь преподает нам урок, и усвоив его, я поднимаюсь на следующую ступень в своем исцелении. Каждый человек на планете принимает непосредственное участие в исцелении собственной жизни в какой-то ее сфере. Я забочусь о здоровье своего тела, своего разума и своего духа, создавая вокруг себя атмосферу любви. Это мое тело и мой разум, и хозяин над ними я!

Мне нравится то, чем я занимаюсь

Я легко и уверенно шагаю по жизни!

Я воспринимаю свою жизнь как удивительное приключение, в котором меня на каждом шагу ждут счастливые открытия и чудеса. Наше отношение к тому, что мы делаем, может быть бесконечно разнообразным: мы радуемся, когда проделали громадную работу, и радуемся, сделав очень мало. Даже если мы вообще ничего не сделали, мы и тогда радуемся! Что бы мы ни делали, на данный момент это идеально. В сущности, нет ничего такого, что мы обязаны делать. Какие-то вещи нам, вероятно, лучше все-таки сделать... и однако у нас всегда есть выбор. Жизнь — это приключение, и Вселенная всегда на нашей стороне!

Когда я медитирую, я сажусь и спрашиваю:
«Что мне нужно знать?» И в какой-то момент в течение
дня ко мне приходит ответ

Во всем присутствует Божественный порядок

Я совершенно определенно знаю, что существует сила, которая гораздо
могущественнее меня самой. Поток ее проходит сквозь меня постоянно,
и в любой момент я могу открыться ей и получить все, что мне нужно. То
же самое относится и к каждому из нас. Все мы рано или поздно узнаем, что
безопасно заглядывать в глубь себя, безопасно избавляться от нашего
ограниченного взгляда на жизнь. Если что-то в нашей жизни идет не так,
как нам бы хотелось, это совсем не означает, что мы плохие или поступаем
неверно, — это лишь сигнал о том, что Божественное Руководство нас
переориентирует. И когда это происходит, найдите какое-нибудь спокойное
местечко, где вы могли бы расслабиться, и обратитесь к своему внутреннему Высшему Разуму. Произнесите аффирмацию, утверждая, что источник
мудрости неиссякаем и доступен вам, — и все, что надлежит знать, откроется вам в нужное время и в нужном месте.

Мои сны полны любви и радости

Моя постель — безопасное место

Пожалуйста, перед сном никогда не слушайте последние известия и не
смотрите их по телевизору. Нередко они представляют собой перечень
катастроф и несчастий, в результате чего ваш сон может стать настоящим
кошмаром. Во сне происходит большая работа по очистке нашего сознания.
Вы также можете попросить перед сном помощи в каком-то своем начина-
нии, и часто к утру у вас будет готовый ответ. Перед сном занимайтесь
только тем, что помогает вам успокоиться; при этом можно использовать
следующие аффирмации: Каждый уголок в моем мире является безопасным
местом. Даже в ночной тьме, когда я сплю, мне ничто не угрожает. Я знаю,
что завтрашний день сам о себе позаботится. Мои сны полны радости.
Я просыпаюсь, чувствуя себя в полной безопасности. Я люблю просыпаться. Если, проснувшись, я помню свой сон, я прошу его объяснить мне себя.
Ежедневная тренировка ваших ментальных способностей может начинаться
еще до того, как вы откроете глаза. Все еще лежа под одеялом, мысленно
поблагодарите за свою уютную постель и все свои остальные многочисленные блага.

Я с любовью прохожу через все возрасты своей жизни

Я радуюсь каждому году своей жизни

В начале века средняя продолжительность жизни была 49 лет, а сегодня она составляет почти 85. Завтра она может быть 125. Пора нам изменить свое представление о пожилом возрасте! Отныне мы не приемлем убеждения, что должны умирать от болезней, испытывая страх и чувство одиночества в преклонные годы. Пора нам взять на себя ответственность за собственное здоровье и превратить дома для престарелых в анахронизм. Контролируя свои мысли, мы сделаем преклонные годы самым замечательным временем своей жизни. Я представляю себя энергичной, полной жизни, здоровой и вносящей достойный вклад в жизнь общества до своего последнего часа. Я в мире со своим возрастом. Вступая сейчас в самый замечательный период своей жизни, я ясно вижу, какой великолепной старушкой я стану. Я иду впереди, показывая другим, как научиться чувствовать себя здоровым и полным жизни в любом возрасте. Каждый из нас способен внести посильный вклад в жизнь общества и сделать этот мир лучше ради наших детей.

Мне не нужно выбиваться из сил на работе, чтобы иметь хороший доход

Мои мысли всегда позитивны

Мое высшее «я» работает на меня, и я работаю на свое высшее «я». Какой удивительной, яркой, тонкой, сильной и прекрасной энергией является мой внутренний дух! Он благословляет меня работой, в которой я могу проявить все свои творческие способности. Каждый новый день моей жизни непохож на другой. Преодолев в себе страх остаться без средств к существованию, я вдруг осознаю, что сыта, одета, имею крышу над головой и окружена любовью, которая приносит мне глубокую радость и удовлетворение. Я утверждаю, что ни мне, ни остальным нет никакой необходимости выбиваться из сил на работе, чтобы иметь хорошие деньги. Я заслуживаю хорошего заработка и без того, чтобы с боем пробивать себе дорогу в ожесточенной конкурентной борьбе. Я следую своим высшим побуждениям и неизменно прислушиваюсь к голосу сердца во всем, что делаю.

Любовь к себе дает вам дополнительную энергию для более быстрого решения всех ваших проблем

Я есть энергия

Я высвобождаю свою энергию, делая то, что мне нравится. Осознавая присутствие в моей жизни энергии любви, я растворяю старые обиды, которые ослабляли меня. Чувствуя усталость, я отдыхаю. Время от времени я даже позволяю себе вообще ничего не делать. Сегодня я излучаю мир и покой. Смех, пение и танцы — мои естественные, нормальные и спонтанные способы самовыражения. Я знаю, что я — часть грандиозного Божественного Замысла. Я создаю в себе пространство для мыслей, полных любви, оптимизма и радости, которые укореняются, пускают ростки и расцветают. Я питаю их своим позитивным отношением к жизни.

Я смотрю на все с любовью

Самопознание — это то, чем я занимаюсь 24 часа в сутки

Каждое утро я пробуждаюсь навстречу любви. Мне нравится развивать свой интеллект и вести себя так, будто я уже достигла Совершенства, Цельности и Полноты прямо здесь и сейчас. По мере того как я избавляюсь от убеждения, что должна работать до изнеможения, чтобы чего-то добиться в жизни, мое сердце открывается и становится восприимчивым ко всему хорошему. Я знаю, что все, в чем я нуждаюсь и чего желаю, само придет ко мне в нужное время и в нужном месте. Я ощущаю в душе мир и покой, зная, что Вселенная на моей стороне. Я устанавливаю связь между моим сознанием и моим высшим «я» и радостно шагаю по жизни, не сомневаясь, что впереди меня ждут приятные неожиданности и счастливые открытия.

Благословляйте процветание другого человека и знайте, что в мире всего в достатке

Процветание других людей — зеркальное отражение моего собственного благосостояния

Мое сознание обусловливает мое процветание. Единый Бесконечный Разум всегда говорит мне «да», и я говорю «да» всему хорошему. Достопочтенный Айк, известный нью-йоркский евангелист, вспоминает, что в бытность свою бедным проповедником он, проходя мимо хороших ресторанов, прекрасных особняков и роскошных автомобилей, говорил вслух: «Это для меня, это для меня». Я вслух радуюсь, видя изобилие, и мысленно создаю для него пространство в своей жизни. А моя благодарность за то, что я уже имею, способствует росту моего благосостояния. Подобным образом мы можем также улучшить свое здоровье и развить свои таланты и способности. Я узнаю процветание везде и радуюсь ему!

Расширяя свой внутренний кругозор, я с легкостью выхожу за рамки всех ограничений

Жизнь легка и полна свободы

Как далеко мы готовы пойти в расширении горизонтов своего мышления? Вы должны понять, что в сущности жизнь легка и полна свободы, а вот мысли наши могут быть несвободными, ограниченными, постыдными и не очень добрыми. Если мы решим отказаться от некоторых стереотипов ограниченного мышления и научиться чему-то новому, тогда мы сможем духовно вырасти и измениться. Но может быть, все это нам уже известно? К сожалению, если вы убеждены, что все знаете, у вас не возникает потребности в духовном росте, и в вашу жизнь не может войти что-то новое. Вы действительно согласны с тем, что существуют Высшая Сила и Высший Разум, более могущественные, чем вы? Или вы уверены, что все ограничивается вашей особой? Если так, то вы несомненно живете в страхе. Ежели вы сознаете, что в этой Вселенной существуют Высшая Сила и Высший Разум, которые гораздо могущественнее и мудрее вас и действуют на вашей стороне, тогда вы сможете войти в ментальное пространство, где жизнь течет легко и свободно.

Безусловная любовь — это просто любовь
без всяких условий

Будьте самими собой

Я люблю себя в этот момент именно такой, какая я есть. Говоря себе это, я чувствую, как расслабляются мышцы моего живота, а из шеи и спины медленно уходит напряжение. В прошлом я отказывалась любить и принимать себя такой, какая я есть, полагая, что должна подождать до того времени, когда похудею, или когда у меня будет работа, возлюбленный, деньги, и так далее в том же духе. Со временем я похудела и у меня появились деньги, но я по-прежнему себя не любила. Тогда я составила новый перечень того, чего должна добиться. Сегодня я выбрасываю свой список условий! Этот момент обладает невероятной силой. Я позволяю себе быть самой собой и наслаждаюсь этим чувством!

Я выбрала себе идеальных родителей в этой жизни

Моя семья включает в себя всех живущих

Я окружаю любовью всю свою семью — и тех, кто жив, и тех, кто уже умер. Я утверждаю в ней замечательные, гармоничные взаимоотношения, которые важны для всех нас. Я преисполнена благодарности за то, что являюсь нитью в вечной ткани жизни, которая объединяет нас всех. Те, кто жил до меня, делали все возможное на своем уровне знаний и понимания, и еще неродившиеся дети, столкнувшись с новыми проблемами, также сделают все, что будет в их силах, на своем уровне знаний и понимания. С каждым днем я все яснее вижу свою цель, которая, в сущности, заключается в том, чтобы выйти за рамки старых семейных канонов и осознать разлитую в мире Божественную Гармонию. Семейные встречи для меня — это возможность научиться проявлять терпимость и сострадание.

Я чувствую себя в полной безопасности везде в этой вселенной

Мне ничто не угрожает

В любой момент у меня есть возможность сделать выбор между любовью и страхом. В те мгновения, когда я испытываю страх, я вспоминаю солнце: оно светит всегда, хотя и может на какое-то время скрыться за облаками. Подобно солнцу, Единая Бесконечная Сила постоянно озаряет меня своим светом, хотя и может на какое-то время скрыться за мрачными тучами моих негативных мыслей. Я делаю выбор всегда помнить о Свете. Озаряемая Светом, я чувствую себя в полной безопасности, и когда приходят страхи, я смотрю на них как на скользящие по небу облака, которым позволяю плыть дальше. Я не тождественна моим страхам, мне не нужно постоянно быть настороже, чтобы чувствовать себя в безопасности. Я знаю, что происходящее у нас в сердцах очень важно, поэтому начинаю свой день с того, что вступаю в мысленный контакт со своим сердцем. Когда я чего-то боюсь, я открываю свое сердце и позволяю любви, изливающейся из него, растопить страх.

Я никогда не чувствую себя потерянной или одинокой, или покинутой, поскольку обитаю в Божественном Разуме

Существует лишь Единый Бесконечный Разум

Когда я испытываю чувство потерянности или не могу найти какую-то нужную мне вещь, я не впадаю в панику, а погружаюсь в себя, вступая в контакт с моим высшим «я», которое знает, что никогда ничего не теряется в Божественном Разуме. Этот Разум везде, он присутствует во всем, что меня окружает: он в том, что я ищу, он во мне здесь и сейчас. Я верю, что в нужное время и в нужном месте этот Единый Разум позволит мне найти то, что я ищу. У меня никогда не бывает безвыходных ситуаций. Несколько раз в течение дня я выхожу за рамки ограничивающих представлений о своей личности и напоминаю себе, кем я в действительности являюсь — Великолепным Божественным Выражением Жизни, созданным Любящим Бесконечным Разумом.

**Мы создаем свои собственные чувства
при помощи мыслей, которые выбираем.
Наш выбор определяет нашу действительность**

Чувства — это
материализованные в нашем теле мысли

Мы лечим лишь то, что болит, поэтому должны дать волю эмоциям, чтобы найти источник боли. Многие люди осуждают себя за открытое проявление чувств, чувствуют, что «не должны» сердиться, и однако продолжают испытывать гнев. Они пытаются совладать со своими эмоциями. Существует множество способов освободиться от отрицательных эмоций: вы можете изо всех сил колотить по подушке, кричать во весь голос в машине с закрытыми окнами, бегать, играть в теннис. Вы также можете высказать все, что у вас наболело, перед зеркалом: представьте, что перед вами стоит тот, кто вызвал ваш гнев, обидел вас или внушает вам страх. Посмотрите в зеркало и скажите ему, что вы действительно чувствуете. Позвольте своим чувствам выплеснуться наружу, и затем скажите, например, следующее: «О'кей, с этим покончено. Я освобождаю и отпускаю тебя. А теперь я спрашиваю себя, какое из моих убеждений вызвало, как мне кажется, этот всплеск эмоций? Какое убеждение мне следует изменить, чтобы не реагировать все время таким образом?» Мы живем в удивительное время. Будьте внимательны и добры к себе, усваивая ваши уроки и идя вперед по жизни.

У меня нет никаких проблем с деньгами

Состояние экономики
не имеет для меня никакого значения

Я позволяю моим доходам постоянно расти вне зависимости от того, что пишут газеты и говорят экономисты. Я выхожу за рамки своего нынешнего дохода и не обращаю никакого внимания на экономические прогнозы. Я с легкостью преодолеваю уровень доходов моих родителей, не слушая людей, которые говорят мне, как далеко я могу пойти и что я могу себе позволить. Мое сознание в отношении денег расширяется и вбирает в себя новые идеи — новые способы добиться того, чтобы моя жизнь была полнокровной, яркой, обеспеченной и прекрасной. Я обладаю многими талантами и способностями и с радостью отдаю их на службу всем людям. Я избавляюсь от какого бы то ни было чувства неполноценности и поднимаюсь на совершенно иной уровень восприятия денежных проблем.

Любовь — единственное, что мне нужно, чтобы в моей жизни все было в порядке

Любовь к себе — моя волшебная палочка

С каждым днем мне все легче смотреть в свои глаза в зеркале и говорить себе: «Я люблю тебя именно такой, какая ты есть». Моя жизнь улучшается без всяких усилий с моей стороны. В прошлом я постоянно решала какие-то проблемы, касающиеся моих отношений с людьми, моего счета в банке, моих разногласий с боссом, моего здоровья и моих творческих способностей... Но в один прекрасный день в жизнь мою вошло волшебство. Когда мне удалось действительно полюбить себя, полюбить каждую частичку своего тела, в моей жизни начали происходить чудеса: все проблемы, казалось, растворились, и мне не нужно было ничего улаживать. Отныне главное для меня — не решение проблем, а любовь к себе и вера, что Вселенная даст мне все, что нужно, и все, чего я желаю.

Пища — наш истинный друг, и я благодарна всему тому, что питает меня ценой своей жизни

Я люблю здоровую пищу

Вкусная, здоровая пища доставляет мне огромное удовольствие, независимо от того, принимаю я ее дома, в ресторане, на природе или на работе во время обеденного перерыва. Я люблю себя, поэтому обращаю внимание на то, что я ем и как себя после этого чувствую. Пища — топливо для нашего организма, которое необходимо ему для для выработки энергии. Мы все очень разные, и я не могу давать вам каких-либо советов в отношении питания, не зная особенностей вашего организма. Постарайтесь сами определить, в какого рода топливе нуждается ваш организм, чтобы быть оптимально здоровым и энергичным. Иногда нам могут доставить удовольствие и обработанные, и готовые к употреблению продукты, однако многие люди полагают, к сожалению, что вполне нормально питаться исключительно полуфабрикатами, пирожными и кока-колой, хотя во всем этом очень мало полезных для здоровья веществ. Изучение основ правильного питания — по-настоящему увлекательное занятие, вызывающее мгновенное желание применить полученные знания на практике. Мне нравится готовить и употреблять в пищу вкусные, полезные для здоровья и натуральные продукты.

Прощение — это инструмент исцеления, который всегда со мной

Я выбираю прощение

Мне нравится ощущение свободы, которое я испытываю, сбрасывая с себя тяжелые одежды критики, страха, вины, негодования и стыда. Теперь я умею прощать себя и других. Прощение особождает всех нас. Я желаю похоронить все свои старые обиды. Отныне я отказываюсь жить в прошлом. Я прощаю себя за то, что так долго таила в себе все эти давние обиды, как прощаю и за то, что не знала, как любить себя и других. Каждый человек несет ответственность за свои поступки, и все, что от него исходит, жизнь возвращает ему назад. Следовательно, мне совсем не нужно кого бы то ни было наказывать. Все мы, включая меня, живем по законам нашего собственного сознания. Я занимаюсь моим личным делом, очищая свой разум от всего того, что мешает мне прощать, и позволяю любви войти. И тогда я исцеляюсь.

Я выбираю мысли, которые поддерживают и питают меня

Я всегда свободна в выборе того, что думать

Моими мыслями не управляет никто, кроме меня, и поэтому ни один человек, место или вещь не имеют надо мной никакой власти, если только я сама не решу ее отдать. Я совершенно свободна в выборе того, что думать. Вместо того, чтобы жаловаться и злиться на себя и других людей, я выбираю позитивный взгляд на жизнь. Разумеется, я могу сетовать на то, что у меня чего-то нет, выражая таким образом свое отношение к ситуации, но мои сетования ничего в ней не изменят. Если я люблю себя и оказываюсь вдруг в негативной ситуации, я могу сказать, например, следующее: «Я хочу освободиться от стереотипа в моем сознании, который способствовал возникновению этой ситуации». Все мы в прошлом не раз делали негативный выбор, однако это вовсе не означает, что мы плохие или что мы теперь должны всю жизнь придерживаться этого негативного выбора. Мы всегда можем сделать выбор освободиться от своих заблуждений.

Я с радостью приношу свои дары жизни,
и жизнь с любовью приносит свои дары мне

Мне нравится делать и получать подарки

Благодарность и признательность подобны мощным магнитам, ежеминутно притягивающим чудеса. Если кто-то говорит мне комплимент, я улыбаюсь и благодарю. Комплименты — дары процветания. Я научилась принимать их с благодарностью. Сегодняшний день — священный дар Жизни,
и я широко раскрываю свои объятия, чтобы получить все блага, которые
Вселенная предлагает мне в этот день. Я могу это сделать в любой час дня
и ночи. Я знаю, что в жизни бывают моменты, когда Вселенная щедро
одаривает меня, а я не могу ничего дать ей взамен. Я могу назвать многих
людей, которые очень помогли мне в то время, когда у меня не было ни
малейшей возможности с ними расплатиться. Впоследствии у меня появилась возможность помочь другим, и так оно обычно и происходит
в жизни. Я расслабляюсь и радуюсь изобилию здесь и сейчас.

Моя цель — любить себя сегодня больше, чем вчера

Моя цель — любить
каждый настоящий момент

Я вкладываю любовь во все, чем занимаюсь, будь то поход на рынок,
работа, кругосветное путешествие или просто домашние дела. Одна из
наших целей в жизни — помочь исцелить мир, поэтому мы начинаем
с исцеления самих себя. Центр нашего мира всегда там, где мы, наши
мысли расходятся от нас в разные стороны как круги по воде. Когда мы
создаем в себе гармонию, выбирая исключительно гармоничные мысли,
наша энергия уходит от нас в мир, воздействуя на людей, обстоятельства
и вещи. Эти вибрации ощущаются ими и вызывают доброжелательный
отклик. Так давайте же постараемся добиться того, чтобы излучать только
гармонию и любовь!

Я выбираю свою собственную концепцию милосердного, любящего Бога

Нас всех создала одна сила

У меня хватит сил сделать выбор видеть все в истинном свете. Мой выбор — смотреть на все так, как это делает Бог: глазами любви. Поскольку суть Бога заключается в том, что Он вездесущ, всемогущ и всеведущ, я твердо знаю: все, что есть во Вселенной,— это любовь Бога. Божественная Любовь окружает меня, живет во мне и идет впереди меня, расчищая мне путь. Я — любимое дитя Вселенной, и Вселенная с любовью заботится обо мне сейчас и всегда. Когда мне что-нибудь нужно, я обращаюсь за помощью к Силе, создавшей меня. Я высказываю свою просьбу и заранее благодарю, зная, что в нужное время и в нужном месте моя просьба будет исполнена.

Я делюсь только хорошими новостями

Я общительный человек

Осознав однажды, какой вред приносят сплетни всем, кто их передает и слушает, я решила перестать сплетничать и в результате на протяжении почти трех недель не знала, о чем мне говорить. Я поняла, что мне лучше говорить только хорошее о своих знакомых, тогда, в соответствии с законом жизни, и они будут говорить обо мне только хорошее. И теперь положительные вибрации сопровождают и приветствуют меня везде, куда бы я ни шла. Я люблю беседовать с людьми неспешно, внимательно слушая то, что они мне говорят, и меня несказанно радует, когда мои слова вселяют в них бодрость и поднимают настроение. Все, что мы даем, мы получаем назад. Зная это, я тщательно выбираю слова. Если я слышу историю, негативную по содержанию, я никому ее не передаю. Когда же я слышу позитивную по содержанию историю, я пересказываю ее всем.

**Я ценю свою свободу, а потому никогда
не обвиняю ни себя, ни других**

Я люблю себя такой, какая я есть

Это хорошая аффирмация для освобождения от чувства вины. В детстве я только и слышала: «Не будь такой», «Не говори так», «Нет, нет и нет!» В своем стремлении заставить меня хорошо себя вести родители манипулировали мной, вызывая во мне чувство вины. Религия также прибегает к этому средству, чтобы держать в повиновении верующих, утверждая даже, что их ждет геенна огненная в случае непослушания. Я прощаю церковь и церковные власти, я делаю выбор простить своих родителей и простить себя. Все мы жили под тяжким бременем вины, считая по той или иной причине, что мы «недостаточно хорошие». Это новый день! Давайте же вернем свою силу! Я начинаю с того, что заявляю о безусловной любви к себе и самоприятии.

**Я хороша именно такая,
какая я есть в этот самый момент**

Я одобряю в себе все

Одним из стереотипов мышления, способствующих возникновению головной боли, является потребность в самобичевании. Когда в следующий раз у вас разболится голова, вы можете спросить себя: «Откуда у меня это чувство недовольства собой? Что такого я мог сделать, из-за чего чувствую себя сейчас таким пришибленным?» Я научилась прислушиваться к своему внутреннему диалогу, и теперь, когда у меня возникают негативные мысли о том, что я недостаточно хороша или делаю что-то неправильно, я тут же обращаюсь со словами любви к себе и к ребенку внутри меня. Вместо того, чтобы заниматься самобичеванием, я выбираю мысли, полные любви и самоодобрения, которые питают меня. Когда я сознаю, что что-то гнетет меня, я не обвиняю в этом себя, а ищу иные способы избавиться от чувства угнетенности. Я одобряю себя.

Как и я, мое тело спокойно, здорово и счастливо

Хорошее здоровье — мое священное право

Я открыта и восприимчива ко всем несущим исцеление энергиям во Вселенной. Я знаю, что каждая клетка в моем теле умна и знает, как себя исцелить. Мое тело всегда стремится к идеальному здоровью, и сейчас я убираю все преграды на пути к его исцелению. Я изучаю основы правильного питания и даю моему телу только хорошую, здоровую пищу. Я слежу за тем, что думаю, и позволяю себе лишь здоровые, позитивные мысли. Я отпускаю от себя, стираю и уничтожаю все мысли, несущие заряд ненависти, зависти, гнева, страха, жалости к себе, стыда и чувства вины. Я прощаю всех тех, кто когда-то обидел меня. Я прощаю и себя за причиненные другим обиды и за то, что так мало любила себя в прошлом. Я люблю свое тело. Я посылаю эту любовь в каждый орган, мускул, в каждую косточку и частичку, наполняю любовью каждую его клетку. Я благодарна своему телу за все то прекрасное здоровье, какое было у меня в прошлом. Я принимаю исцеление и хорошее здоровье здесь и сейчас.

Любовь к себе и другим позволяет мне полностью реализовать свои возможности

Я всегда стремлюсь к своему высшему благу

Энергия, создавшая меня, является той же самой силой, с которой я взаимодействую, творя свою жизнь, и эта сила хочет лишь того, чтобы я выразила и испытала свое высшее благо. Я делаю все, что в моих силах, чтобы мое истинное «я» приобрело жизненно важное значение и я могла передать ему контроль над всем. Действуя таким образом, я по-настоящему люблю себя. В результате передо мной открываются бóльшие возможности, и в мою жизнь входят свобода, радость и совершенно удивительные ежедневные чудеса. Мое высшее благо включает в себя и высшее благо для других. Это поистине акт любви.

Я от души радуюсь праздникам

Каждый день — праздник

Религиозные и гражданские праздники — это время общения с друзьями и размышлений о жизни. В праздники я неизменно следую своему внутреннему голосу, зная, что нахожусь в нужном месте, в нужное время и делаю то, что мне нужно. Я весело провожу время на вечеринках и праздниках. Я знаю, как развлекаться, отдавая себе отчет в своих действиях и чувствуя себя в безопасности, в один и тот же вечер. Есть время смеяться и время благодарить за мои многие блага. Я устанавливаю связь со своим внутренним ребенком и мы — только вдвоем! — делаем что-то вместе. Покупая подарки, я с легкостью нахожу то, что мне нужно, и за цену, которую могу себе позволить. Моим подаркам радуются все.

В моем внутреннем доме, как и в моем внешнем доме, всегда царят мир и красота

Моя душа — это мой дом

Я дома в моей собственной душе. Моя душа всегда со мной, где бы я ни жила. Начиная любить себя, мы осознаем, что сами обеспечиваем себя безопасным и уютным жилищем. Мы начинаем чувствовать себя как дома в нашем собственном теле. Наши дома отражают наши мысли и представления о том, чего мы заслуживаем. Если ваш дом выглядит так, словно здесь был настоящий погром, и вы в шоке, не зная, за что первым делом браться, начните с уборки одного из углов в одной из комнат. Точно так же, приступая к очистке своего разума, начните с изменения одной мысли, и в конечном счете вы приведете в порядок все. Убираясь в доме, напоминайте себе, что вы также занимаетесь и очисткой своего сознания.

Я регулярно «раскладываю все по полочкам» в своем сознании

Обычные домашние дела для меня — настоящее развлечение

Я превращаю свою работу по дому в настояшее развлечение. Я начинаю уборку в любом месте и играючи прохожу через все комнаты, выбрасывая мусор, вытирая пыль и доводя до блеска вещи, которыми дорожу. У нас всех есть целый ряд убеждений, и мы продолжаем возвращаться к ним снова и снова, как к удобному старому креслу, в котором привыкли читать. Наши жизненные ситуации всегда являются отражением наших убеждений. Некоторые из этих убеждений создают замечательные ситуации, а некоторые могут уподобиться старому креслу, с которым мы никак не можем заставить себя расстаться. Я знаю, что действительно могу избавиться от своих старых убеждений и выбрать новые, которые значительно улучшат качество моей жизни. Это как уборка квартиры: мне ведь приходится периодически убирать в своем доме, иначе я просто не смогу в нем жить. И мне совсем не нужно при этом выбиваться из сил — достаточно лишь поддерживать чистоту. Физически и ментально я наполняю комнаты своего дома любовью.

Я люблю смеяться

Я шучу весьма осторожно

У нашего подсознания нет чувства юмора. Если я смеюсь над собой или высказываю в свой адрес какое-нибудь унизительное замечание, думая, что это не имеет никакого значения, я только обманываю себя, поскольку мое подсознание воспринимает мои слова всерьез и в соответствии с ними творит мою судьбу. Закон, который гласит: «Все, что я отдаю, я получаю обратно», продолжает действовать и тогда, когда я смеюсь над другими людьми, делая, в частности, унизительные замечания в отношении их национальности. Осознав это, я научилась проявлять свое чувство юмора с умом и любовью. В жизни так много причин для смеха и веселья, что нет никакой необходимости оскорблять чье-то достоинство ради того, чтобы посмеяться. Даже когда мы шутим и веселимся, мы способствуем тому, чтобы наш мир стал местом, где царит любовь и где безопасно жить.

Я делюсь своей энергией и знаниями со всей жизнью

Все, что нам нужно, находится здесь

Я вижу, как закрываются двери за голодом, нищетой и страданием; я вижу, как открываются новые двери перед справедливым распределением всех ресурсов земли. На этой планете царит несказанное изобилие, и еды здесь более чем достаточно, чтобы досыта накормить каждого из нас. И однако люди умирают с голоду... Проблема заключается не в недостатке пищи — она в недостатке любви. Она в сознании, которое верит в неизбежность нужды, и в людях, которые убеждены, что не заслуживают в своей жизни ничего хорошего. Мы должны помогать в развитии сознания всех людей на планете. Накормить кого-то один раз — хорошо, но завтра он вновь будет голодным. Но если мы научим его, как самому ловить рыбу, он сможет обеспечивать себя пропитанием до конца своих дней.

Мои мысли поддерживают и укрепляют мою иммунную систему

Мое тело обладает мудростью

С каждым днем мне все легче давать себе хорошую дозу безусловной любви. Я уверена: все душевные и физические болезни зависят от моих убеждений. Верю ли я, что «жизнь — жестокая штука и мне в ней всегда достается наихудшее» или что «я все равно никчемный человек, так какая разница?» Если я придерживаюсь подобных убеждений, это ослабляет мою иммунную систему (которая реагирует на мои мысли и чувства) и делает ее беззащитной перед любым «вирусом» или «микробом», находящимся поблизости. Но если я верю, что «жизнь полна радости, я любима и все мои потребности удовлетворяются», моя иммунная система ощущает поддержку и мое тело с большей легкостью побеждает болезнь.

Работа над собой всегда способствует улучшению нашей жизни

Каждый день я стараюсь услышать хотя бы одну новую идею, которая может помочь мне улучшить мою жизнь

Я — обыкновенное человеческое существо с необычайно сложной структурой убеждений. Я учусь любить себя, понимая, что любая из моих личных проблем — всего лишь внешнее проявление одной главной проблемы: недостаточной любви к себе. Работая над собой, расширяя горизонты своего мышления и изменяясь, я проявляю неизменное терпение и всячески себя поддерживаю. По мере того как я достигаю внутренней гармонии, заметно улучшается и моя жизнь. Необходимо понять, что совсем не обязательно считать себя плохим человеком, чтобы принять решение измениться. Долгое время я была уверена: думать о том, чтобы измениться, нужно только в том случае, если ты плохой человек или делаешь что-то неправильно. Я считала недовольство собой главным основанием для принятия решения измениться. Но это не так! Когда я люблю и одобряю себя, мне легче добиться позитивных изменений, к которым я стремлюсь. В конечном счете стремление стать лучше совершенно естественно!

По мере того как меняется мое представление о доходах, мое финансовое положение улучшается

Я с любовью благословляю свой доход и вижу, как он растет

Мой доход идеален для меня. С каждым днем я люблю себя чуть больше, и в результате начинаю понимать, что открыта новым источникам дохода. Процветание приходит к нам во многих формах и из многих источников, оно ничем не ограничено. Некоторые ограничивают свои доходы, заявляя, что их доход фиксированный. Но кто его фиксировал? Другие полагают, что недостойны зарабатывать больше своего отца или жить лучше, чем жили их родители. Я люблю своих родителей, но это не мешает мне иметь больший доход, чем был у них. Существует Единая Бесконечная Вселенная, и от нее приходят к нам все наши доходы. Мой нынешний доход отражает мое убеждение и мою уверенность в том, что я заслуживаю таких доходов. Если я чего-то не получаю, значит, где-то на глубинном внутреннем уровне я не позволяю себе это принять. Я позволяю процветанию войти в мою жизнь!

Я — индивидуальное выражение жизни

Я — свет в мире

Я следую за своей внутренней звездой и сверкаю и сияю по-своему, не так, как другие. Я — замечательное существо! Я обладаю прекрасной душой, здоровым телом и индивидуальностью. Однако главное во мне — моя душа. Это вечная часть меня, она всегда была и всегда пребудет. Моя душа жила во многих индивидуумах и будет жить еще во многих других. Мою душу нельзя ранить или убить, и жизненный опыт — каким бы он ни был — только обогащает ее. Жизнь включает в себя многое такое, чего я не могу себе даже представить, мне никогда не узнать ответов на все вопросы. Однако чем больше я позволяю себе проникать в суть жизненных процессов, тем бо́льшую силу и власть над ними приобретаю и могу использовать.

Я превратила свои уроки в настоящее развлечение

Я желаю учиться

Я учусь искать любовь, которая всегда скрыта в каждом уроке. Все мы находимся здесь, чтобы чему-то научиться. Я узнаю о связи между своими мыслями и своей жизнью и делаю все, что в моих силах, на своем уровне знаний и понимания. Усвоение урока зависит от желания измениться. Мое высшее духовное «я» неизменно и вечно, поэтому меняется, в сущности, только мое временное, человеческое эго. Мне с детства внушали, что измениться невероятно трудно, и сейчас я знаю, что могу сделать выбор: продолжать в это верить или поверить в то, что измениться легко. Я могу сопротивляться, отвергать, злиться и воздвигать стены, но в конечном счете, несмотря ни на что, я усвою свой урок. Желание учиться способствует этому.

Новые, чудесные переживания входят сейчас
в мою жизнь. Я в безопасности

Я замечаю все хорошее в жизни

Я знаю, что в любом моменте и любом обстоятельстве есть что-то хорошее и что можно найти хоть крупицу хорошего даже в самой тяжелой ситуации. Потеря работы или утрата дорогих мне людей или здоровья ввергает меня прямо-таки в панический страх. И однако я знаю, что природа не терпит пустоты: когда что-то исчезает, на его место приходит другое. Поэтому я делаю глубокий вдох — или шесть вдохов — и верю, что жизнь всегда позаботится о том, что мне нужно. Я учусь доверять ей. Жизнь меня любит и никогда меня не подведет. Сейчас происходит только то, что способствует моему высшему благу.

Я радуюсь своей любви и делюсь ею со всеми

Я излучаю любовь

В самой глубине моего существа находится неиссякаемый источник любви. Я никогда не смогу исчерпать его полностью в этой жизни, поэтому у меня нет никакой необходимости проявлять скупость. Я могу быть щедрой в своей любви. А любовь заразительна. Когда я делюсь любовью, она возвращается ко мне многократно умноженной. Чем больше любви я отдаю, тем больше ее у меня становится. Я пришла в этот мир, чтобы дарить любовь. Любовь переполняет меня. Даже если я буду делиться любовью всю жизнь, она все еще будет переполнять мое сердце, когда для меня настанет час покинуть эту землю. Если я хочу, чтобы в моей жизни было больше любви, я должна щедро ее дарить.
Любовь существует, как существую и я.

**Я чувствую, что меня мудро направляют
во всех моих финансовых делах**

Сознательное принятие процветания
выгодно всем

Я радуюсь тому, что достигла в своей жизни момента, когда могу позволить себе сделать крупную покупку. В этот момент я испытываю волнение, хотя обычно, отправляясь за покупками, я чувствую себя совершенно спокойной. Когда дело касается большой суммы денег, я открываю свое сердце и позволяю потоку любви омыть каждый аспект сделки. Покупка дорогой техники, автомобиля и даже дома проходит гладко для меня, как и для продавцов, банкиров, бухгалтеров и всех остальных людей, имеющих отношение к сделке. С бумагами также не возникает никаких осложнений. Я радуюсь, что мудрое распоряжение большими суммами моих собственных денег для меня совершенно естественно. Я фиксирую настоящий момент, следуя голосу своего сердца и позволяя потоку изобилия омыть каждую клетку в моем теле.

**Мое высшее «я» невосприимчиво
к манипуляциям и чувству вины**

Мое высшее «я» ведет меня по жизни

Я здесь не для того, чтобы угождать другим людям или строить свою жизнь в соответствии с их желаниями. Я здесь для того, чтобы научиться безусловной любви к себе и другим. Никто не может манипулировать мной без моего согласия. Если я не знаю, какая я на самом деле, я чувствую склонность быть такой, какой кто-то желает меня видеть; следовательно, я заинтересована в том, чтобы узнать, какой я являюсь в действительности. У меня нет никакой необходимости подстраиваться к кому бы то ни было, как нет и необходимости манипулировать другими в стремлении добиться того, чтобы они подстраивались ко мне. Если я чувствую, что кто-то пытается манипулировать мной, я связываюсь с ребенком внутри меня и заверяю его, что я его люблю и что вместе мы все преодолеем. Я обращаюсь сейчас к моему высшему «я» и принимаю его любовь и мудрость.

Я дорожу временем, которое посвящаю медитации

Мудрость, которую я ищу, внутри меня

По крайней мере один раз в день я устраиваюсь в каком-нибудь спокойном месте и погружаюсь в глубь себя, чтобы установить связь со своей внутренней мудростью и знанием. Эту мудрость и знание отделяет от меня лишь одно мгновение. Все ответы на все вопросы, которые я когда-либо задам, находятся здесь, ожидая меня. Занятие медитацией доставляет мне огромную радость. Я сажусь, делаю несколько глубоких вздохов, расслабляюсь и отправляюсь в то место внутри себя, где царят мир и покой. Спустя несколько мгновений я возвращаюсь в настоящий момент, чувствуя себя отдохнувшей, обновленной и готовой ко всему, что может преподнести мне жизнь. Кадый день является для меня новым, приносящим радость приключением, потому что я делаю выбор слушать голос моей собственной внутренней мудрости. Эта мудрость всегда мне доступна, она исходит от той субстанции, которая находится за пределами этой вселенной, где существуют время, пространство и изменения. Медитируя, я устанавливаю связь с не подверженной изменениям частью себя, которая находится глубоко в центре моего существа. Здесь я — энергия. Я — свет. Я — уже готовый ответ. Я — вечная Сущность, живущая здесь и сейчас.

В том, что касается денег, я всегда процветаю

Деньги любят меня и сами идут мне в руки, как любимый щенок

Деньги — это только средство обмена, форма отдачи и получения. Я отдаю жизни, и жизнь приносит мне изобилие во всех его многообразных формах, включая деньги. У меня нет страхов в отношении денег. Я с удовольствием распоряжаюсь деньгами, которые получаю. Часть из них я откладываю, часть трачу. Я избавляюсь от мыслей о долге, вине и от всех своих остальных негативных убеждений, свойственных мышлению бедности. Денег у меня всегда в достатке. Открыть кредит для меня не представляет никакой трудности. Я плачу по своим счетам с любовью и признаю свой истинный Источник.

Деньги могут стать для меня лучшим другом

Деньги заработать легче всего

Это утверждение обычно вызывает у нас гнев, особенно если нас одолевают денежные заботы. Наши убеждения в отношении денег настолько глубоко укоренились в нас, что разговор о них неизменно вызывает бурный всплеск эмоций. Намного легче изменить наши убеждения в отношении секса, чем в отношении денег,— мы приходим в настоящую ярость, когда кто-то подвергает сомнению наши стереотипы мышления в этой области. Осознайте свое истинное отношение к деньгам. Посмотрите в зеркало и скажите себе: «Моим самым большим страхом в отношении денег является_____», после чего расслабьтесь и позвольте своим чувствам подняться на поверхность. Может быть, вы услышите: «Я не способен позаботиться о себе», или «Я стану таким же бедным, каким был мой отец», или «Я буду голодать и превращусь в побирушку», или «Я просто не верю в свои силы». Вслушайтесь в то, что скажет вам ваш внутренний голос, и запишите это на бумаге. Возможно, после этого вы воскликнете: «Кто бы мог подумать, что я в такое верю! Неудивительно, что мне никак не удается добиться процветания, к которому я так стремлюсь!» Попытайтесь понять, какое из ваших убеждений блокирует поток денег к вам, после чего начните изменять свои негативные стереотипы мышления. Вместо того чтобы думать, что «я буду голодать», я могу начать любить себя и позволить прийти ко мне новым мыслям, таким, например, как: «Мне ничто не угрожает во Вселенной. Все, в чем я нуждаюсь, я всегда получаю. Сейчас я позволяю себе зарабатывать хорошие деньги».

Я смиряюсь с уходом из жизни дорогих мне людей

Я терпеливо переношу свою боль

Когда умирает кто-то из дорогих мне людей, траур длится по крайней мере год. Особенно тяжело я переживаю свою утрату в дни праздников, которые прежде я всегда отмечала с этим человеком. Я даю себе время и пространство для того, чтобы смириться со своей утратой, понимая, что это естественный, нормальный процесс. Я очень бережно отношусь к себе в это время, я позволяю себе изжить свое горе. Через год горечь утраты притупляется: я сознаю, что не могу никого никогда потерять, поскольку никто никогда мне не принадлежал. И спустя какое-то время, которое покажется мне мгновением, я воссоединяюсь с этой душой. Я чувствую, что меня окружает любовь, и я окружаю любовью дорогих мне умерших, где бы они ни находились. Деревья, животные, реки и даже звезды рождаются и умирают. Все — в нужное время и в нужном месте. И я не исключение.

Каждый момент — это новая исходная точка

Мне нравится мой новый образ мыслей

Избавляясь от наших старых стереотипов мышления и учась думать по-новому, мы нередко колеблемся между старым и новым и испытываем сомнения и неуверенность. Будьте терпеливы с собой в течение всего переходного периода: критика в свой адрес только затрудняет процесс изменений. Лучше хвалить себя за любое, даже самое малое достижение. Все, что вы говорите или думаете, является утверждением. Будьте чрезвычайно внимательны к своим словам и мыслям; вы можете обнаружить, что многие из них негативны. Немало людей предпочитают видеть все вокруг в черном свете. Так, они могут сказать в дождливый день: «Какой ужасный день!» Но он совсем не ужасный, а просто сырой. Иногда для того, чтобы день казался нам прекрасным, достаточно лишь чуть изменить нашу точку зрения. Стремитесь избавиться от своих старых негативных взглядов и увидеть все вокруг в новом, позитивном свете.

Я распространяю только хорошие новости

Я мысленно представляю себе
позитивные сообщения
в средствах массовой информации

Мы постоянно читаем сообщения о несчастиях и катастрофах; наше сознание буквально затопил поток плохих новостей. Уверена, если вы регулярно читаете и слушаете новости, вас не покидает страх. Я давно бросила читать газеты: если я должна узнать какую-то новость, кто-нибудь непременно ее мне сообщит. Поскольку средства массовой информации заинтересованы в продаже своего товара, они раскапывают самые ужасные сюжеты, чтобы завладеть нашим вниманием. Мне бы хотелось, чтобы всем новостям был объявлен бойкот до тех пор, пока количество хороших новостей в сообщениях средств массовой информации не достигнет по крайней мере 75 процентов. Это помогло бы нам всем обрести более позитивный взгляд на жизнь. Для начала можно было бы обратиться в газеты, журналы и на телевидение с просьбой печатать и передавать побольше хороших новостей. Вместе мы можем представить себе, как что-то становится хорошей новостью, и можем услышать мольбу о любви, скрытую в каждом негативном сообщении.

Я с любовью забочусь о своем теле сейчас

Я питаю себя любовью

Я достаточно люблю себя, чтобы питаться всем самым лучшим, что только может предложить мне жизнь. Я изучаю основы здорового питания, потому что я — бесценное создание и желаю заботиться о себе наилучшим образом. Мое тело особенное и непохожее на тела других людей, поэтому я пытаюсь понять, что́ мое тело усваивает лучше всего. Я обращаю внимание на то, что ем и пью, и всякий раз отмечаю про себя, от какой еды или напитка мне делается плохо. Если спустя час после приема пищи меня клонит в сон, я понимаю, что та еда, которую я съела, не слишком полезна моему организму в это время. Я ищу продукты, которые наполняют меня энергией, я с любовью и благодарностью благословляю все, что ем. Меня питают и обо мне заботятся, и я чувствую себя счастливой, здоровой и полной энергии.

Я выбираю мысли, позволяющие мне чувствовать себя комфортно в старости

Сейчас — мой лучший возраст

Каждый год нашей жизни — особенный и бесценный, и наполнен своими чудесами. Старость так же уникальна, как детство, и однако мы боимся ее. Мы воспринимаем свое старение как нечто ужасное. Но ведь это совершенно естественный и нормальный процесс! Мы создали культуру, в основе которой лежит культ молодости, и это пагубно отражается на всех нас. Я хочу дожить до глубокой старости. Единственная альтернатива — покинуть эту планету. Если я состарилась, то это совсем не означает, что я должна болеть, быть дряхлой и немощной. Чтобы покинуть эту планету, мне совсем не обязательно быть прикованной к больничной койке или страдать в одном из домов для престарелых. Когда придет время мне уйти, я сделаю это со всей мягкостью — возможно, прилягу отдохнуть и во сне мирно отойду.

Говорила ли вам ваша мать, какой(ая) вы замечательный(ая)?

Я живу в настоящем моменте

Убеждения, вынесенные мной из детства, прежде полностью управляли моей жизнью. Критикуя себя, я почти слышала слова, которые говорили мне когда-то родители, ругая и наказывая меня. Я словно вновь и вновь прокручивала старые пленки... Большинство людей постоянно прокручивают в себе подобные пленки с записями критических замечаний своих родителей. Прослушивание всех этих пленок заняло бы, уверена, не менее 25 000 часов. Многие из подобных записей содержат огромное количество негативных утверждений, критических замечаний и приказов. Сейчас я делаю выбор стереть старые записи и записать новые позитивные утверждения. Я вслушиваюсь в свои мысли, и если какая-то из них вызывает у меня ощущение дискомфорта, я ее тут же заменяю. Перепишите все старые утверждения! Вам совсем не обязательно вновь и вновь слушать все это старье — просто перепишите все заново. Я знаю, что обладаю способностями, я знаю, что заслуживаю любви. Я действительно верю, что достойна замечательной жизни! Я пришла в этот мир с определенной целью, и у меня достаточно сил для того, чтобы заменить старые записи. Эти старые негативные утверждения не являются истинным отражением моего существа.

Я аккуратный и дисциплинированный человек

Все, что мне нужно, всегда у меня под рукой

Я с удовольствием раскладываю все свои вещи, чтобы без труда отыскать любую из них, когда она мне понадобится. Все — от звезд на небе до одежды у меня в шкафу и бумаг на моем столе — находится там, где ему и надлежит быть, согласно Порядку, определенному Божественным Правом. Мне нравится установленный мной порядок моих ежедневных занятий, которые укрепляют мое тело и расширяют горизонты моего мышления. Я убеждаюсь, что благодаря четкому распорядку дня у меня есть время для творчества и усвоения новых идей. К тому же мои занятия не подчинены какому-то жесткому регламенту, они чрезвычайно интересны и эффективны, помогая мне делать то, ради чего я пришла в этот мир. Я — часть Божественного Замысла. Все находится в идеальном порядке.

Любовь всегда растворяет боль

Я отказываюсь от критики
и выбираю путь прощения

Мое высшее «я» показывает мне, как исключить боль из моей жизни. Я учусь реагировать на боль как на сигнал будильника, который заставляет меня открыть глаза и осознать мою внутреннюю мудрость. Чувствуя боль, я сразу же начинаю работать над собой. Я часто заменяю слово «боль» на слово «ощущение». Мое тело испытывает множество «ощущений». Замена всего лишь одного слова другим помогает мне настроить свое сознание на исцеление, и в результате я выздоравливаю намного быстрее. Я знаю, что даже небольшое изменение в образе моих мыслей влечет за собой изменения и в моем теле в том же направлении. Я люблю свое тело и свой разум, и я благодарна тому, что они так тесно взаимосвязаны.

Родители — замечательные люди

Они тоже были когда-то детьми

Для меня сейчас настало время быть самостоятельной, самой заботиться о себе и самой решать собственные проблемы, дать себе то, чего не могли дать мне мои родители. Чем больше я узнаю о их детстве, тем яснее понимаю причину ограниченности их взглядов: никто не учил их быть родителями. Они следовали в своей жизни стереотипам поведения своих родителей. С проблемами в наших взаимоотношениях с родителями мы сталкиваемся ежедневно, и лучшее, что мы можем сделать,— это любить их такими, какие они есть, и утверждать, что они тоже любят нас такими, какие мы есть. Я никогда не виню родителей в своих проблемах — я благословляю своих родителей и даю им свободу жить так, как им нравится.

Все хорошо. У меня есть все, что мне сейчас нужно

Я располагаю временем в избытке

Испытывая нетерпение, я знаю, что оно вызвано моим нежеланием тратить время на усвоение урока, к которому мне нужно приступить в данный момент. Я хочу немедленного результата, чувствуя, что «даже немедленное удовлетворение недостаточно быстро», как сказал кто-то однажды. Всегда есть что-то, что нужно учить, что-то, что нужно знать. Проявлять терпение — значит, находиться в мире с процессом жизни, знать, что все происходит в нужное время и в нужном месте. Если я не достигаю совершенства сейчас, значит мне нужно узнать или сделать что-то еще. Нетерпение не ускоряет этого процесса, оно лишь приводит к ненужной трате времени. Поэтому я делаю несколько глубоких вздохов, погружаюсь внутрь себя и спрашиваю: «Что мне нужно знать?» И затем терпеливо жду, когда ко мне придет помощь, которая всегда рядом.

Я выбираю мирный образ жизни

Мир на планете начинается с мира в моей душе

Если я хочу жить в спокойном мире, мне прежде всего нужно самой стать спокойным, уравновешенным человеком. Независимо от того, как ведут себя остальные, я всегда сохраняю спокойствие. Я провозглашаю мир посреди хаоса и безумия. Я окружаю все трудные ситуации любовью, утверждая мир и согласие. Я посылаю мысли о мире во все горячие точки планеты. Если я хочу, чтобы жизнь на нашей планете стала лучше, мне следует начать с изменения собственного взгляда на жизнь. Сейчас я желаю видеть жизнь в самом позитивном свете. Я знаю, что мир на нашей планете начинается с моих собственных мыслей. Если у меня неизменно мирные мысли, то между мной и сходно мыслящими людьми протягиваются незримые нити, и все вместе мы сможем добиться мира и процветания на нашей планете.

Все в моей жизни в порядке на очень глубоком уровне

Во вселенной царит Совершенный Порядок

Все — и звезды, и луна, и солнце — движется по своим орбитам согласно Совершенному Порядку, определенному Божественным Правом. В их движении есть упорядоченность, ритм и цель. Я — частица Вселенной; следовательно, в моей жизни, я знаю, тоже есть упорядоченность, ритм и цель. Иногда мне может казаться, что моя жизнь пребывает в полном хаосе, и однако в глубине этого хаоса, я знаю, сокрыт Божественный Порядок. По мере того как я привожу в порядок свои мысли и усваиваю свои уроки, хаос исчезает и порядок возвращается. Я верю, что все в моей жизни действительно идет согласно Совершенному Порядку, определенному Божественным Правом. В моем мире ВСЕ ХОРОШО!

В каждом из нас присутствует высшее духовное начало, и оно прекрасно

Я обладаю совершенством, цельностью и полнотой

Ни один маленький ребенок никогда не скажет: «У меня слишком широкие бедра» или «Мой нос слишком большой». Дети знают, что они совершенны, и все мы тоже когда-то были такими: мы воспринимали свое совершенство как нечто нормальное и естественное. Однако с годами мы утратили свою уверенность и начали добиваться совершенства. Но мы не можем стать тем, чем уже являемся! Мы можем это только принять. С нами все в полном порядке, поэтому наше стремление к совершенству лишь вызывало стрессы и чувство неудовлетворенности. Так давайте же еще раз выскажем свое утверждение и понимание того, что каждый из нас — Божественное Великолепное Выражение Жизни и что в нашем мире действительно ВСЕ ХОРОШО!

Я вижу нашу планету исцеленной
и достигшей всеобщего единства. Каждый здесь сыт,
одет, имеет крышу над головой и счастлив

Я утверждаю позитивное решение любой проблемы
к высшему благу всех заинтересованных сторон

На своем индивидуальном уровне я могу сделать очень много хорошего для нашей планеты. Время от времени я могу работать на какое-нибудь общее дело, вкладывая в него свою физическую энергию или помогая деньгами. Иногда я могу также прибегать к силе своих мыслей, чтобы исцелить планету. Если я слышу о какой-нибудь всемирной катастрофе или актах бессмысленной жестокости, я обращаюсь к своему разуму и использую его силу позитивным образом. Я знаю, что если пошлю мысли, полные гнева, это не поможет исцелению, поэтому я немедленно окружаю каждую конкретную ситуацию любовью и утверждаю, что этот опыт принесет только пользу. Я посылаю позитивную энергию и совершаю визуализацию, мысленно представляя, что инцидент разрешается быстро и к наивысшему благу всех заинтересованных сторон. Я благословляю виновных с любовью и утверждаю, что та их часть, где живут любовь и сострадание, дает о себе знать, и они тоже исцеляются. Только исцелившись и достигнув единства, мы будем жить в здоровом мире.

Я люблю эту планету

Я ценю прекрасный мир, в котором живу

Земля — наша мудрая и любящая мать, она дает нам все, что мы только можем пожелать. О всех наших нуждах здесь уже позаботились: у нас есть вода, пища, воздух и дружеское общение, у нас есть самые разнообразные животные, растения, птицы и рыбы, и нас окружает несказанная красота. В последние годы мы варварски обращаемся с нашей планетой, истощаем наши бесценные естественные богатства. И если мы и впредь будем заваливать нашу планету мусором, то очень скоро не сможем на ней жить. Я взяла на себя обязательство с любовью заботиться об этом мире и улучшать качество жизни в нем. Мои мысли неизменно чисты и полны любви и заботы. Я всегда делаю что-то полезное, когда могу. Занимаясь, например, садоводством, я изготовляю компост из отходов растительного происхождения и с его помощью улучшаю качество почвы. Это моя планета, и я делаю все, что в моих силах, чтобы жизнь на ней стала лучше. Каждый день я провожу какое-то время, сидя в тихом уголке и представляя себе как можно более ярко мирную планету. Я представляю, как окружающая среда становится чистой и здоровой, я представляю, как правительства всех стран работают сообща, стремясь сбалансировать свои бюджеты и справедливо распределить денежные ресурсы. Я вижу, как все люди на планете открывают свои сердца и разум и работают вместе над созданием мира, в котором мы сможем без всяких опасений любить друг друга. Это возможно! И первый шаг должна сделать я.

Источник силы — в настоящем моменте.
Требуйте назад свою силу

Я принимаю свою силу

Вы обладаете способностью улучшить качество своей жизни, и вам следует об этом знать. Довольно часто нам кажется, что мы беспомощны, но это не так: мы обладаем силой, и сила эта — в нашем разуме. Считаете ли вы себя жертвой? Или, возможно, вы постоянно ругаете себя или вините других во всех своих несчастьях? А может, вы полагаете, что бессильны изменить свою жизнь к лучшему? Если все обстоит таким образом, то это может означать только одно: вы отдали свою силу. Ваш разум — мощный инструмент. Потребуйте назад и сознательно используйте свою силу. Вы обладаете возможностью сделать выбор и добиваться в своей жизни всех благ. Признайте, что вы постоянно связаны с Единой Силой и Разумом, создавшим вас. Почувствуйте и используйте эту поддержку! Она здесь.

Все мы — единое целое

Любовь глубже различий

Особой энергией на нашей планете является любовь. Каждый день я сажусь в каком-нибудь тихом уголке и открываю свое сердце и разум, чтобы ощутить родство со всеми людьми. Независимо от того, где я родилась или выросла, независимо от того, какого цвета у меня кожа или в какой вере меня воспитали, все и вся на нашей планете связаны с Единой Силой, благодаря которой и удовлетворяются все наши потребности. Я открыто, тепло и с любовью общаюсь с любым членом моей земной семьи. В ней есть те, кто смотрит на жизнь совершенно по-другому; есть люди моложе и старше меня, есть представители сексуальных меньшинств и те, чья кожа имеет иной цвет. Я — член земного сообщества. Разница в наших мнениях замечательна, и их разнообразие не является поводом для того, чтобы становиться на чью-либо сторону и развязывать войну. Растворяя в себе предрассудки, я тем самым благословляю нашу планету. Сегодня мое сердце открывается еще шире благодаря моему участию в работе по созданию мира, в котором все мы сможем без опасений любить друг друга.

Мое сознание настроено на процветание

У меня всегда есть то, что мне нужно

Я унаследовала огромное богатство — любовь в моем собственном сердце. Чем больше я делюсь этим богатством с другими, тем богаче становлюсь сама. Процветание для меня начинается с момента, когда я чувствую, что довольна собой. И не имеет никакого значения, сколько у меня денег! Если я недовольна собой, никакие деньги не принесут мне настоящей радости. Мой дом, автомобиль, одежда, друзья и счет в банке — всего лишь отражение моих мыслей о себе, и где бы я ни находилась и что бы ни происходило, я всегда могу изменить свои мысли. Настоящее процветание не ограничивается только деньгами: это состояние ума. Мой разум открыт процветанию. Один раз в день я широко развожу руки в стороны и говорю: «Я открыта и восприимчива ко всем благам и изобилию во Вселенной!»

Я пришла в этот мир,
чтобы исполнить свое предназначение

Моя цель — научиться безусловной любви

Благодаря тому, что я живу именно в это время, у меня есть уникальная возможность исследовать и понять Вселенную и себя. В определенном смысле наше «я» — новая неисследованная территория. Я уже довольно хорошо узнала свое физическое, ограниченное «я», и постепенно начинаю узнавать свое безграничное духовное «я». Моя цель становится мне с каждым мгновением все яснее по мере того, как я обретаю душевное равновесие и внутреннее осознание, что я гораздо больше своих личностных характеристик, проблем, страхов и болезней. Я — дух, свет, энергия и любовь, и я обладаю силой прожить свою жизнь с целью и смыслом. И даже если мне кажется, что я могла бы сделать что-то лучше, я знаю: я все равно все делаю хорошо. Я люблю себя и безмерно благодарна за то, что я здесь.

Все, с чем я сталкиваюсь,
обогащает мою жизнь и делает ее полнее

Я принимаю в себе все

Жизнь священна. Я храню в своем сердце каждое из своих «я» — младенца, ребенка, юную девушку, взрослую женщину и мое будущее «я». Любую неловкость, ошибку, обиду и боль я принимаю как часть своей жизни. Моя жизнь включает в себя каждый успех и каждую неудачу, каждую ошибку и каждое истинное озарение, и все это представляет ценность в том или ином плане, о чем мне нет никакой необходимости задумываться. Иногда горькие аспекты моей жизни помогают другим людям понять и собственную боль. Когда другие люди приходят ко мне со своей болью, я испытываю к ним сострадание. Сейчас я распространяю это сострадание и на себя. Я расслабляюсь, зная, что все могу в себе принять.

Я сам(а) себе лучшая компания

Я создаю в себе обширное пространство для любви

Дружеские отношения с другими людьми прекрасны, как прекрасен и брак, но, к сожалению, все они непостоянны, и рано или поздно прекращаются. Единственный человек, который никогда меня не покинет, — я сама. Мои отношения с собой вечны, поэтому мой лучший друг — это я сама. Каждый день я трачу некоторое время на установление связи со своей душой. Я устраиваюсь где-нибудь в тихом уголке и чувствую, как поток моей любви к себе проходит через все мое тело, растворяя страхи и чувство вины. Я буквально ощущаю, как любовь омывает каждую клетку в моем теле. Я знаю, что постоянно связана со Вселенной, любовь которой ко мне и другим безусловна. Эта любящая нас без всяких условий Вселенная и есть та Сила, которая создала меня, и она всегда здесь, со мной. Создавая в себе безопасное пространство для любви, я привлекаю в свою жизнь любящих меня людей и полные любви события. Пора мне полностью избавиться от своих старых негативных представлений о том, какими должны быть взаимоотношения!

Все мои новые привычки
способствуют улучшению моей жизни

Я отпускаю от себя
потребность быть совершенной

Когда я начинаю избавляться от какого-нибудь старого стереотипа, меня нередко охватывает страх. Я учусь узнавать в своих страхах посланцев того, что находится в самой глубине меня и жаждет любви. Я прошу Вселенную помочь мне освободиться от страха и позволяю себе подняться на новый уровень понимания. Я учусь относиться с любовью к своим негативным привычкам и убеждениям. В прошлом я просто говорила: «Я хочу от этого избавиться». Сейчас я понимаю, что сама создала все свои привычки, чтобы чего-то добиться. Поэтому я с любовью отпускаю от себя свои старые привычки и нахожу иные способы добиться того, что мне нужно.

В основе моего учения лежит любовь

Я связана с силой, создавшей меня

Я спокойна и чувствую себя в полной безопасности, зная, что я связана с Единым Бесконечным Разумом, Вечной Силой, создавшей меня и всю жизнь во Вселенной. Я ощущаю в себе эту силу. Каждый нерв, каждая клетка осознает эту силу как благо. Подлинная сущность моего существа всегда связана с Силой, создавшей меня, что бы мне ни говорила та или иная религия. Спаситель моей жизни находится во мне. Принимая себя и зная, что я достаточно хороша, я открываюсь исцеляющей силе своей собственной любви. Любовь Вселенной окружает меня и живет во мне. Я достойна этой любви. Поток любви проходит сейчас через мою жизнь. Найдите концепцию Бога, которая будет поддерживать вас!

Я отпускаю и прощаю

Я отпускаю от себя потребность постоянно испытывать недовольство

Дети открыто выражают свое негодование, однако с годами мы учимся подавлять в себе гневное чувство, и постепенно оно перерастает в чувство обиды. Обида поселяется в нашем теле и начинает буквально пожирать нас. В прошлом и я, подобно многим, жила в тюрьме своего праведного негодования. Я полагала, что имею полное право негодовать на «них» за все то, что «они» мне сделали. Мне потребовалось немало времени, чтобы понять: лелеяние в себе гнева и обиды приносит мне больше вреда, чем причина, вызвавшая мое негодование. Отказываясь прощать, я наносила вред самой себе. Дверь в мое сердце была запечатана, и я была неспособна любить. Я поняла, что прощение не означает потворствование негативному поведению других. Освободившись от чувства негодования, я выпустила себя из тюрьмы. Дверь в мое сердце распахнута, и я увидела, что свободна. Я прощаю, отпускаю и лечу свободная как птица!

Я — ответственная сила в своем мире

Мне нравится отвечать за все в своей жизни

Когда мы впервые слышим, что несем ответственность за все в своей жизни, мы воспринимаем эти слова как порицание и испытываем чувство вины. Однако здесь нет никакой вины: осознание того, что мы несем ответственность за все в своей жизни, является бесценным подарком, ибо та самая сила, которая помогает нам создавать наши жизненные ситуации, может и изменить их. Из людей, бессильных что-либо изменить в своей жизни, мы превращаемся в людей, способных воздействовать на свою жизнь позитивным образом. Научившись продуктивно использовать свои мысли, мы становимся достаточно сильными, чтобы нести ответственность за свою жизнь, производить в ней изменения и улучшать ее.

У меня развито чувство собственного достоинства, и я в безопасности

Я слишком люблю себя, чтобы заниматься сексом, когда он небезопасен

На протяжении сотен, если не тысяч, лет все бремя безопасного секса несли на себя женщины. Если женщина не соблюдала мер предосторожности в своей сексуальной жизни, она рисковала подхватить какую-нибудь из весьма распространенных в прежние времена инфекционных болезней, а также забеременеть. Сегодня и мужчины, в особенности представители сексуальных меньшинств, начинают понимать, чем может грозить несоблюдение мер предосторожности в сексе. Тело в пылу страсти не слушает разум, который дает ему детальные инструкции по обеспечению безопасности. Что вы говорите своему партнеру, когда он отказывается пользоваться кондомом? Ваши слова всегда зависят от того, насколько сильно в вас развито чувство собственного достоинства. Если ваше чувство любви к себе и самоуважения развито достаточно сильно, вы откажетесь заниматься сексом, который небезопасен. Если же вы не слишком высокого мнения о себе, вы скорее всего «сдадитесь», надеясь, что все обойдется. Как велика ваша любовь к себе? Сколько унижений вы готовы вытерпеть? Все меньше и меньше — по мере того, как растет ваша любовь к себе. Люди, которые любят и уважают себя, никогда не станут унижать ни себя, ни других.

Моим миром правит любовь

Моя любовь всесильна

Я отношусь к себе как к кому-то очень любимому мною. В моей жизни случаются разнообразные события и что-то все время меняется, и только моя любовь к себе остается неизменной. Любовь к себе совсем не означает, что ты тщеславен и себялюбив. Тщеславные и себялюбивые люди полны ненависти к себе, скрытой под тонким слоем того, что можно выразить одной фразой: «Я лучше тебя». Любовь к себе — это просто оценка по достоинству чуда своего собственного бытия. Если я по-настоящему люблю себя, я не смогу обидеть себя, как не смогу обидеть и другого человека. Мое решение проблемы мира во всем мире — безусловная любовь. Она начинается с любви к себе и самоприятия. Я больше не жду того момента, когда стану совершенной, чтобы любить себя, я принимаю себя такой, какая я есть, прямо здесь и прямо сейчас.

Я люблю свои мысли

Мой внутренний диалог полон любви и доброты

Мне предназначено сыграть на этой планете уникальную роль, и у меня есть все, что нужно, чтобы справиться с этой задачей. Мысли, которые возникают у меня в голове, и слова, которые я произношу, обладают невероятной силой. Я в восторге от того, чего достигаю с их помощью! Замечательно начинать каждое утро с медитации, молитвы или проговаривания аффирмаций в течение десяти минут. И я достигаю лучших результатов, если проявляю последовательность в течение всего дня. Я помню, что именно то, что я думаю в каждый данный момент, и создает мою жизнь. Источник силы всегда здесь и сейчас. Я задерживаю на мгновение мысль, которая возникла у меня сейчас, и спрашиваю себя, хочу ли я, чтобы эта мысль творила мое будущее?

Я — совершенное существо как в физическом, так и в сексуальном, умственном и духовном отношении

Я в мире со своей сексуальностью

Я верю, что каждый из нас перед тем, как вновь родиться, выбирает сам свою родину, цвет кожи, пол и родителей, наиболее подходящих для выполнения задачи, которую он поставил перед собой в этой жизни. Мне кажется, что перед очередным рождением я выбираю себе другой пол. Иногда я мужчина, иногда — женщина, иногда я гетеросексуальна, иногда гомосексуальна. У каждой формы сексуальности свои области реализации возможностей и свои проблемы. Иногда общество одобряет мою сексуальную ориентацию, иногда нет. И однако я есть я — обладающее совершенством, цельностью и полнотой существо. У моей души нет пола, сексуальность присуща только моей личности. Я люблю и ценю каждую часть моего тела, включая гениталии.

Когда мы готовы духовно развиваться, это происходит самым удивительным образом

Я хочу измениться

Моему духовному росту содействуют самые неожиданные обстоятельства. Это может быть случайная встреча или какое-нибудь происшествие, болезнь или смерть дорогого мне человека... Что-то внутри меня побуждает меня обратить внимание на то, что я думаю и говорю, или вообще не дает мне жить по-старому. У каждого человека все это происходит по-своему. Я духовно расту, когда беру на себя всю ответственность за то, что происходит в моей жизни. Это дает мне внутреннюю силу изменить в себе то, что нужно. Духовно растет лишь тот, кто готов отказаться от роли жертвы, простить и войти в новую жизнь. Но такое не происходит в одну ночь, это долгий процесс. Любовь к себе открывает двери, и желание измениться действительно помогает.

Вы не можете заставить духовные законы действовать в соответствии с вашим старым образом мышления. Вы должны научиться новому языку, и, когда вы это сделаете, в вашу жизнь войдет волшебство

Законы энергии действуют всегда

У меня наилучшие средства защиты под солнцем: знание универсальных законов и любовь, с которой я применяю их во всех областях своей жизни. Изучение духовных законов очень похоже на изучение того, как пользоваться компьютером или видеомагнитофоном. Когда в душе моей царят мир и покой и я терпеливо, шаг за шагом, изучаю принципы работы компьютера, все идет прекрасно: компьютер работает, и это похоже почти на волшебство. Но если я не готовлюсь основательно и не следую законам, по которым компьютер работает, в точности, тогда или вообще ничего не происходит, или он не производит нужных мне операций. Компьютер не уступает мне ни дюйма. Я могу впасть в отчаяние, а он все так же будет терпеливо ждать, пока я образумлюсь и выучу законы, по которым он действует, и только потом он подарит мне волшебство. Но для этого мне нужно поработать! То же самое я должна делать, и изучая духовные законы.

Я сознательно устанавливаю связь
с моим подсознанием

Мои послания подсознанию полны любви

Мое подсознание — это банк данных, в котором регистрируется все, что я думаю и говорю. Если я ввожу в него негативную информацию, я получаю негативный же результат, если позитивную — результат также будет позитивным. Я делаю сознательный выбор направлять ему только позитивные, радостные и полные любви послания, которые создают в моей жизни позитивные ситуации. Сейчас я освобождаюсь от всех ограничивающих меня мыслей, идей и убеждений. Я перепрограммирую свое подсознание с помощью новых убеждений, благодаря которым в моей жизни начинают происходить самые удивительные и радостные события.

Чтобы добиться успеха, вы должны верить в то,
что вам во всем сопутствует удача,
и никогда не считать себя неудачником

Я настроена на успех

Во мне уже присутствуют все компоненты успеха, подобно тому, как в маленьком желуде уже заключен целый дуб. Я определяю себе цели, которые вполне достижимы для меня на моем нынешнем уровне знаний и понимания. Я хвалю и поощряю себя за каждое, даже маленькое достижение, я делаю выбор извлекать урок из каждой ситуации и не расстраиваюсь, совершая ошибки в процессе учебы. Благодаря этому я иду от успеха к успеху, и с каждым днем мне все легче видеть жизнь в новом свете. Когда передо мной маячит призрак неудачи, я больше не убегаю от него: скорее я признаю это как урок, который мне необходимо усвоить. Я не даю неудаче никакой власти над собой. Во всей этой Вселенной существует лишь Единая Сила, и эта Сила достигает стопроцентного успеха во всем, что делает. Она создала меня; следовательно, я уже являюсь прекрасным и удачливым существом!

Я расслабляюсь, зная,
что Жизнь всегда поддерживает меня

Меня поддерживает Жизнь

Я не одинока и не покинута во Вселенной: вся Жизнь поддерживает меня в каждый момент, и днем, и ночью. Все, что мне нужно для полнокровной жизни, уже дано мне: воздуха мне хватит до конца моих дней, пища здесь имеется в изобилии, и здесь живут миллионы людей, с которыми я могу общаться. Меня поддерживают во всем. Каждая мысль, которая у меня возникает, находит отражение в моей жизни. Жизнь всегда говорит мне «да», и мне только нужно принять все это изобилие и поддержку с радостью, удовольствием и благодарностью. Я убираю сейчас из своего сознания все стереотипы или убеждения, мешающие предназначенному мне благу войти в мою жизнь. Меня любит и поддерживает сама Жизнь.

Вместе мы делаем квантовые скачки в сознании

Помощь ждет меня везде,
куда бы я ни обратила свой взор

«Группы поддержки» — новое социальное явление. Группы поддержки существуют для совместной работы над любой проблемой, с которой мы как отдельные лица можем столкнуться. У нас есть группы «помоги себе сам», группы личного духовного развития и 12 программ «шаг за шагом». Все эти группы поддержки приносят гораздо больше пользы, чем сидение в компании в баре. Мы узнаем, что нам совсем не обязательно решать свои проблемы в одиночку: мы можем установить контакт с группой людей, которые сходно с нами мыслят и имеют те же проблемы, и мы можем вместе работать, стараясь найти позитивные решения. Мы заботимся друг о друге и поддерживаем друг друга, понимая, что таким образом сообща узнаем, как оставлять в прошлом наши обиды и боль. Мы не занимаемся тем, что сидим и жалуемся на судьбу, то и дело причитая: «Ну не ужасно ли это?!» Мы учимся прощать и идти дальше по жизни, не думая о прошлом. Я поддерживаю вас, вы поддерживаете меня, и вместе мы исцеляемся!

626

Мои врачи довольны тем, что я так быстро поправляюсь

Выздоровление — безопасный процесс

Когда мне требуется помощь врача, я всегда выбираю такого, у которого мягкие, нежные руки, позитивное отношение к жизни и любящее сердце. К моим решениям в отношении моего лечения с уважением прислушиваются, и я действительно чувствую себя членом единой команды, целью которой является мое исцеление. Я знаю, что истинная исцеляющая сила находится во мне, и я доверяю ей, позволяя направлять меня на моем пути к выздоровлению. Я создаю вокруг себя атмосферу любви и понимания по мере того, как успокаиваюсь и сосредоточиваюсь на прекрасном в своей жизни. Я знаю, что через врачей на меня оказывает воздействие Мудрость Вселенной, поэтому расслабляюсь и принимаю их нежную заботу, проходя через данную ситуацию. Каждая рука, что прикасается к моему телу, несет мне исцеление.

Мои мысли помогают мне чувствовать себя
в безопасности

Я мягко побуждаю свой разум
отмечать все прекрасное в жизни

Я шагаю по этой планете с чувством полной безопасности, зная, что постоянно связана с безграничной и благожелательной Вселенной. В прошлом мне всегда слышались во тьме ночи какие-то страшные звуки, я боялась неизвестности, а во тьме моего разума постоянно возникали пугающие мысли. Вновь и вновь я прокручивала в мозгу давние страхи своего детства и вся сжималась от ужаса. Но сейчас, в этот момент, я могу сделать выбор отпустить от себя все эти страхи и использовать свой разум для того, чтобы представить себе мысленно, как происходит что-то хорошее. Я выбираю позитивную, яркую картину и держу ее под рукой, чтобы использовать в те моменты, когда я захочу прекратить терзать себя собственными мыслями. Я контролирую свои мысли, и отказываюсь позволять пугающим мыслям завладеть мной. Я прошу Универсальную Любовь помочь мне решить все мои проблемы. Мне ничего не угрожает. ВСЕ ХОРОШО.

«Возлюби ближнего своего, как самого себя».
Нередко мы склонны забывать о последних трех словах

Как мне научиться большему состраданию

Мы живем в эпоху невиданного могущества человека и являемся, несомненно, передовым отрядом тех сил, которые готовы помочь нам спасти нашу планету. Мы достигли сейчас той точки в своем развитии, когда перед нами стоит выбор: погибнуть или исцелить нашу планету. И выбор этот зависит не от «них», а от каждого из нас индивидуально, ибо есть только «мы», мир не делится на «нас» и «их». Каждое утро, просыпаясь, я говорю себе: «Помоги мне исцелить планету сегодня! Я могу любить себя сильнее. Я могу быть менее предвзятой в своих оценках и менее критичной. Я могу быть и более сострадательной». Существует так много возможностей оказать помощь! Я могу пропустить на дороге другие автомобили, я могу проявить терпение в очереди у кассы в магазине самообслуживания, я могу послать открытки с выражением поддержки деятелям, проявляющим сострадание, я могу, наконец, послать свою любовь в горячие точки планеты. Мы все едины в Истине, поэтому для нас возможно подняться над соперничеством, сравнением себя с другими и осуждением. Я могу, например, вырезать из газет и журналов юмористические рисунки и карикатуры и посылать их вместе с моими отчетами... Сострадание — одна из высших форм любви. Я оглядываюсь вокруг, и каждый, кого я вижу, включая меня, достоин любви.

Мои мысли — нити в полотне моей жизни

Мои мысли — мои лучшие друзья

В прошлом я боялась своих мыслей, поскольку они вызывали у меня чувство дискомфорта. Я думала, что не имею над ними никакой власти. А потом я узнала, что мои мысли в буквальном смысле слова создают мою жизнь и что я могу выбрать любую мысль, какую пожелаю. По мере того как я училась контролировать свои мысли и мягко направлять их туда, куда мне было нужно, моя жизнь постепенно улучшалась. Сейчас я знаю, что никто, кроме меня, не властен над моими мыслями. Мысли, которые я выбираю, создают мою жизнь. Если у меня вдруг возникает какая-нибудь негативная мысль, я позволяю ей плыть дальше, как плывет облако по небу в летний день. Я делаю выбор освободиться от гневных, критических и осуждающих мыслей. Я делаю выбор в пользу мыслей о любви, мире, радости и о том, чем я могу помочь в исцелении планеты. Мои мысли стали моими друзьями, и я радуюсь им.

Я никогда не тороплюсь, поскольку времени у меня более чем достаточно — целая жизнь

У меня уйма времени

От меня зависит, каким быть времени. Если я делаю выбор чувствовать, что ничего не успеваю, время начинает лететь, и мне его не хватает. Если же я предпочитаю думать, что времени у меня более чем достаточно на все дела, какие я задумала, время замедляет свой бег, и я делаю все, что задумала. Если я попадаю в пробку на дороге, я сразу же проговариваю аффирмацию, утверждая, что мы, водители, делаем все возможное, чтобы доехать к пункту своего назначения как можно скорее. Я делаю глубокий вздох и благословляю всех водителей на дороге любовью. Я знаю, что прибуду в пункт своего назначения в идеальное время. Когда мы способны увидеть совершенство во всяком опыте жизни, мы никогда никуда не торопимся, и ничто нигде нас не задерживает. Мы в нужном месте в нужное время, и ВСЕ ХОРОШО!

Переходный период для меня — самое чудесное время в моей жизни, и я наслаждаюсь каждым его мгновением

Я хочу измениться

Мы живем в переходный период. Это время, когда мы избавляемся от старых предубеждений и учимся думать по-новому. Одиночество, гнев, замкнутость, страх и боль — все они являются частью синдрома старого страха, и в сущности именно от него мы и хотим избавиться прежде всего. Мы хотим уйти от страха и прийти к любви. В эре Рыб мы искали свое спасение в других людях, теперь же, когда мы вступаем в эру Водолея, люди начинают сознавать, что обладают достаточной силой, чтобы самим себя спасти. В результате мы становимся свободными, и это прекрасно! Некоторые люди испытывают страх, поскольку полагают, что подобная независимость подразумевает слишком тяжелую ответственность. В действительности же она говорит о том, что мы обладаем способностью воспринимать жизнь не с точки зрения жертвы, а как люди, которых трудности только закаляют. Чудесно сознавать, что ты можешь ни от кого не зависеть, и знать, что ты обладаешь громадными способностями и можешь изменить свою жизнь позитивным образом!

Вкладывайте любовь в каждую свою поездку.
Любовь движется во всех направлениях,
и, следовательно, куда бы вы ни ехали, она везде вас ждет

В любой поездке
я сохраняю полное спокойствие

Всякий раз в течение дня, когда я чувствую усталость, я тут же присаживаюсь на мгновение, где бы я ни находилась, делаю несколько глубоких вздохов и снимаю с себя напряжение. Мои внутренние духовные поиски и деятельность в физическом мире ведут меня от открытия к открытию, давая возможность приобретать все новый и новый опыт. ВСЕ ХОРОШО! Весь без исключения транспорт — самолеты, поезда, автобусы, легковые машины, грузовики, суда, сани, скейтборды, велосипеды — совершенно безопасен. Я ментально готовлюсь к каждой поездке путем осознания того, что я всегда в полной безопасности. Я складываю свои вещи так, чтобы они всегда были у меня под рукой, что позволяет мне чувствовать себя собранной и организованной, и радостно продвигаюсь вперед к пункту моего назначения.

Мы верим, что сможем сделать следующий вдох.
Давайте же поверим, что и остальное
мы тоже сможем сделать!

Я верю в себя

Мир — это произведение искусства, и я тоже. Если я хочу внести свой позитивный вклад в это непрерывное созидание, мне нужно довериться процессу жизни. Когда у меня возникают какие-нибудь трудности, я уверенно погружаюсь внутрь себя и нахожу свой якорь спасения в Истине и любви. Я прошу Вселенную направить меня и благополучно прохожу через грозы и бури и периоды ясной, солнечной погоды на своем пути по жизни. Моя задача состоит в том, чтобы оставаться в настоящем моменте и выбирать ясные, простые позитивные мысли и слова. Я знаю, что нет никакой необходимости пытаться всему найти объяснение, да это и невозможно сделать. Я также знаю, что родилась с прекрасной и доверчивой душой. Я выбираю этот момент, чтобы в полной мере оценить таинственный и невидимый процесс жизни, выражением которой я являюсь.

Попробуйте одобрять в себе все в течение одного дня и посмотрите, что из этого выйдет

Любовь, которая исходит от меня, и есть та любовь, которая ко мне приходит

Если я люблю и принимаю себя такой, какая я есть, прямо здесь и сейчас, я нахожу, что мне легче принять таким же образом и вас. Когда я ограничиваю какими-то условиями свою любовь к себе и другим, тогда я не люблю свободно. «Я полюблю тебя, если...» — это не любовь, это контроль. Я учусь избавляться от своей потребности контролировать других людей и даю им свободу быть такими, какие они есть. Я вижу, с каким трудом все мы продвигаемся вперед, учимся создавать мир и покой внутри себя, делаем все, что в наших силах, на том уровне понимания, знания и осознания, какого достигли на данный момент. Благодаря тому, что все большее число нас открывают свое сознание работе на уровне безусловной любви, мы подключаемся к новому источнику духовной энергии, который находится здесь для нас. Я вижу, как покров благожелательности окутывает нашу планету и помогает нам трансформировать наше сознание, заменяя чувство страха любовью.

Чем больше я понимаю, тем шире границы моего мира

Я постоянно стремлюсь к большему пониманию

Я — способная ученица. С каждым днем я все больше осознаю присутствие Священной Мудрости внутри меня. Я рада тому, что вижу, и чрезвычайно благодарна за все то хорошее, что у меня есть. Жизнь для меня — учеба. Каждый день я распахиваю свой разум и сердце, как это делает ребенок, и открываю для себя новые идеи, новых людей, новые точки зрения и новые пути понимания того, что происходит вокруг и внутри меня. Мой человеческий ум не всегда может понять все сразу, понимание явно требует большой любви и терпения. Мои новые ментальные способности действительно помогают мне чувствовать себя более уверенной и не бояться перемен в этой поразительной школе жизни здесь, на планете Земля.

Уникальность исключает
как соперничество, так и сравнение

Я уникальна, и так же уникальны все мы

На уровне Духа все мы — единое целое. И однако мое лицо представляет собой уникальное и отличное от других выражение лика Господня. Мы с вами и не должны походить друг на друга! В то время как многие люди живут постоянно с оглядкой на соседа, я могу сделать выбор следовать желаниям моего собственного сердца и позволить соседям думать обо мне все, что им заблагорассудится. У меня есть определенные достоинства, и мне совсем не нужно доказывать кому бы то ни было собственную ценность. Я делаю выбор заботиться о себе и любить себя как Великолепное Божественное Выражение Жизни, чем я в действительности и являюсь. Быть мной — восхитительное приключение! Я следую за своей внутренней звездой, светясь и искрясь по-своему, уникально. Я люблю жизнь!

Любовь всегда растворяет насилие

Я верю в силу любви

Любовь сильнее насилия. Любовь обитает в сердце каждого человеческого существа на этой земле. Где бы ни совершалось насилие, любовь сразу же заявляет о себе, страстно желая, чтобы ее голос был услышан. Я учусь слышать этот молчаливый крик в каждом сообщении об акте насилия. Я верю в силу своего разума. С его помощью я разбиваю оковы своей зависимости от старых негативных убеждений, и передо мной открываются новые позитивные возможности. Многих людей никогда не учили, что они могут использовать свой разум в качестве созидательного инструмента, и в результате они живут под гнетом убеждений, приобретенных ими в детстве. Убеждения человека обладают огромной силой: люди сражаются и убивают друг друга, чтобы оправдать и защитить свои убеждения. И однако наши убеждения — это только мысли, а мысли всегда можно изменить. Я люблю себя, поэтому никогда не позволяю себе как мысленно, так и вслух критиковать и осуждать себя и других. Я люблю себя, поэтому отпускаю от себя все критические мысли; я люблю себя, поэтому отказываюсь играть роль жертвы или насильника, когда бы мне ни представлялась подобная возможность. Я прощаю себя и прощаю остальных.

Сейчас я требую назад свою женскую силу

Мудрые женщины не предаются унынию

Сто лет назад одинокая женщина могла быть только прислугой в чьем-либо доме, обычно работавшей лишь за стол и крышу над головой. У нее не было никаких прав или влияния на события, и ей приходилось мириться с таким положением вещей. В те времена женщина действительно не могла обойтись без мужчины, если желала иметь полноценную жизнь. Даже еще пятьдесят лет назад выбор у незамужней женщины был ограниченным, узким. Сегодня же перед незамужней американкой открыт весь мир: она может подняться по служебной лестнице так высоко, как ей позволяют ее способности и вера в себя; она может путешествовать, выбирать работу, зарабатывать хорошие деньги, иметь много друзей и ставить себя необычайно высоко. Разумеется, ей предстоит еще многому научиться... Но женщины давно уже стремятся взять назад свою силу. Сейчас, когда на свете больше одиноких женщин, чем одиноких мужчин, у нас появились новые возможности для роста. Давайте же воспользуемся всеми нашими возможностями! Если в данный момент у вас в жизни нет главного мужчины, будьте сами своей главной женщиной.

Я сознаю силу своих слов

Я уважаю свой разум и свою речь

Я обращаю внимание на свои слова и тщательно их выбираю, стремясь создавать в своей жизни только прекрасные ситуации. В детстве меня учили выбирать слова в соответствии с правилами грамматики. Однако, повзрослев, я обнаружила, что грамматические правила постоянно меняются, и то, что когда-то считалось неправильным, теперь считается правильным, и наоборот. Грамматика не принимает во внимание значение слова и то, как оно влияет на мою жизнь. С помощью своих мыслей и слов я буквально созидаю свою жизнь, подобно тому, как горшечник из глины создает миску, вазу, обеденную тарелку и чайник для заварки. Я — те слова, которые думаю и говорю. Я прекрасна. Я умна. Я полна любви и доброты. К моим словам в мире относятся с уважением.

Я там, где я есть, потому что мне нужно здесь чему-то научиться

Мое сердце светится от гордости, когда я думаю о своей работе

Я люблю просыпаться по утрам, зная, что меня ждет сегодня важная работа. Моя работа требует от меня отдачи всех моих сил, позволяя в то же время полностью проявить мои творческие способности. Каждый день я начинаю с того, что благословляю с любовью свою нынешнюю ситуацию. Я знаю, что проделанная мной за день работа — всего лишь шаг на моем пути, и что я там, где я есть, благодаря достигнутому мной уровню мышления. Если я недовольна тем, где я есть, я устанавливаю связь с Божественной Мудростью в самой глубине моего естества, где постоянно открываются новые возможности. Здесь у меня всегда есть работа, и я всегда добиваюсь в ней результатов. Я помню, что в моем теле 24 часа в сутки трудятся миллионы клеток, делая замечательную работу. Как они занимаются своим делом, так и я занимаюсь своим, оказывая помощь всем, кто в ней нуждается. Когда я работаю с людьми, моя высшая сила оказывает на них воздействие через меня.

Сознание собственной значимости позволяет мне чувствовать себя комфортно

Я могу это сделать!

Чем сильнее я люблю и принимаю себя такой, какая я есть, тем больше я ощущаю себя достойным человеком. Сознание собственной значимости позволяет мне чувствовать себя более комфортно. По правде говоря, я чувствую себя просто прекрасно! Я позволяю хорошему войти в мою жизнь, я начинаю видеть возможности там, где никогда прежде их не видела. Я позволяю жизни вести меня в новом и интересном направлении, я позволяю своему разуму развиваться в большей степени, чем, как я полагала, это было возможно. Мои возможности становятся безграничными, и жизнь неожиданно приобретает необычайный интерес для меня. Я сознаю, что у меня есть право на то, чтобы моя жизнь была такой, какой я хочу. Возможно, мне нужно кое-что изменить в себе, избавиться от какого-нибудь старого убеждения, отпустить от себя старые ограничивающие идеи... Но я могу это сделать! ДА! Я достойный человек. Я заслуживаю ВСЕГО ХОРОШЕГО!

СЕРДЕЧНЫЕ
МЫСЛИ

HEART
THOUGHTS

ВВЕДЕНИЕ

Эта книга представляет собой сочетание медитаций (размышлений), духовных исследований и отрывков из моих лекций, сфокусированных на аспектах нашего повседневного опыта и предназначенных направлять нас и помогать нам в тех случаях, когда мы испытываем затруднения.

Когда мы чувствуем себя жертвами, то стремимся изолировать себя от окружающих. Мы испытываем боль и страх и всегда ищем кого-то другого, кто бы спас нас, что-то сделал за нас. Теперь мы получаем возможность раскрыть наши способности взаимодействовать с жизнью, научиться вести себя не как жертвы, а как сильные личности. Мы обнаружим: когда мы вступаем в связь с тем, что я называю внутренним «Я», то можем вносить свой вклад в улучшение качества нашей жизни. Как чудесно знать, что мы не зависим ни от кого другого, а обладаем огромными возможностями вносить позитивные изменения в нашу жизнь. Это изумительно освобождающее чувство.

Некоторых может испугать эта новая свобода, поскольку, вероятно, она покажется ответственностью. Но ответственность означает всего лишь то, что мы способны отвечать на то, что нам преподносит жизнь. Мы идем в новый век и в новый порядок. Пора нам освободиться от старых убеждений и старых привычек. Пока мы продолжаем изучать и претворять в жизнь новые убеждения и новые нормы поведения, мы гармонично вносим свой вклад в новый порядок мира.

Проявите терпение. С того момента, как вы решитесь на перемены, до тех пор, пока вы получите результат, вероятно, вы будете колебаться между старым и новым. Не сердитесь на себя. Вы хотите создать свой новый мир, а не наказать себя. Возможно, вы решите обратиться к этой книге как раз во время колебаний между старым и новым. Возможно, вы захотите пользоваться этими медитациями и исследованиями ежедневно, пока не сформируете в себе уверенность в вашей способности добиваться перемен.

Это время пробуждения. Знайте, что вы всегда защищены. Вероятно, вначале вы не будете испытывать чувство безопасности, но затем вы поймете, что жизнь всегда готова помочь вам. Поняв это, можно спокойно и безопасно двигаться от старого порядка к новому.

Я люблю вас.

Луиза Л. Хей

Чем больше мы думаем о том, чего не хотим,
тем больше мы это получаем.

Я — «да» личность

Я знаю, что составляю единое целое с Жизнью. Я окружен(а) и пропитан(а) Неиссякаемой Мудростью. Поэтому я всецело полагаюсь на всестороннюю позитивную поддержку Вселенной. Я создан(а) Жизнью, и эта планета дарована мне для удовлетворения всех моих потребностей. Все, что мне может понадобиться, уже ждет меня здесь. На этой планете больше пищи, чем я мог(ла) бы съесть. На ней больше денег, чем я когда-либо мог(ла) бы потратить. На ней больше людей, чем я смог(ла) бы когда-либо встретить. На ней больше любви, чем я мог(ла) бы испытать. На ней больше радости, чем я мог(ла) бы себе вообразить. Этот мир имеет все, что мне необходимо и что я могу пожелать. Это все мое, я могу этим обладать и использовать. Единый бесконечный разум, единый бесконечный интеллект всегда говорит мне «да». Не имеет значения, какие убеждения или мысли я выбираю, Вселенная всегда говорит мне «да». Я не трачу попусту время на негативные мысли или негативные темы. Я с осторожностью выбираю свои «да». Мой выбор: видеть себя и Жизнь самым позитивным образом. Поэтому я говорю «да» благоприятной возможности и успеху. Я говорю «да» всему хорошему. Я — «да» личность, живущая в «да» мире, Вселенная говорит мне «да», и я радуюсь этому. Я благодарен(на) и счастлив(а) потому, что составляю одно целое с Мудростью Вселенной и меня поддерживает Сила Вселенной. Благодарю тебя, Господи, за все, что дано мне для наслаждения здесь и сейчас.

Посмотрите в зеркало и скажите:
«Я люблю и одобряю себя именно такой (таким),
какая (какой) я есть». Какие мысли приходят вам в голову?
Отметьте, что вы чувствуете.
Возможно, в этом заключается ваша проблема.

Я одобряю все в себе

Главное в исцелении или построении себя заключается в том, чтобы принять и одобрить все в себе, каждую из многих составляющих своей личности. Сколько раз нам это удавалось и сколько раз не удавалось. Временами мы испытывали страх, и были времена, когда мы испытывали любовь. Временами мы бывали очень глупы, а временами — умны и сообразительны. Были времена, когда мы терпели поражение, но мы бывали и победителями. Все это части нас самих. Большинство наших проблем происходит от того, что мы отвергаем какие-то части самих себя — не любим себя всецело и безусловно. Давайте не оглядываться на прошлую жизнь со стыдом. Взгляните на прошлое как на богатство и полноту Жизни. Без этого богатства, без этой полноты мы не были бы здесь сегодня. Когда мы принимаем себя полностью, мы становимся целостными и здоровыми.

Если вы не любите себя полностью, абсолютно,
то где-то на вашем пути вы этому не научились.
Вы можете изменить свое отношение к себе.
Проявите доброту к себе сейчас.

Я принимаю все, что создала (создал) для себя

Я люблю и одобряю себя именно такой (таким), какая (какой) я есть.
Я поддерживаю себя, доверяю себе и одобряю себя безоговорочно. Я могу
купаться в любви своего сердца. Я кладу руку на сердце и чувствую любовь,
хранящуюся там. Я знаю, что в моем сердце достаточно места, чтобы
принять меня здесь и сейчас. Я принимаю и одобряю мое тело, мой вес, мой
рост, мою внешность, мою сексуальность и мой опыт. Я принимаю все, что
создала (создал) для себя. Мое прошлое и мое настоящее. Я готова (готов)
ко всему, что несет будущее. Я божественное, чудесное выражение Жизни,
и я заслуживаю самого хорошего. Я принимаю это сейчас. Я принимаю
чудеса. Я принимаю исцеление. Я принимаю целостность. И самое главное,
я одобряю себя. Я бесценна (бесценен), и я дорожу тем, кто я есть. И так
оно и есть!

Мы создаем ситуации, а затем выпускаем власть из рук,
виня других за наши поражения. Ни один человек,
ни одно место, ни одна вещь не имеют над нами власти.
Мы сами — единственные творцы наших мыслей.

Я позитивно выражаю свои чувства

Обычно, когда происходит несчастный случай и вы единственный постра-
давший, вы подсознательно вините себя и, вероятно, ищете наказания.
Вы считаете, что не имеете права высказаться в свою защиту, и в вас
накапливается подавляемая враждебность. Если вы причиняете кому-то
страдания, то часто это проявление невыраженного гнева. Таким образом
вы изливаете свой гнев. Внутри вас всегда происходит больше того, что
вы выражаете. Несчастный случай — это больше, чем несчастный случай.
Когда он происходит, посмотрите внутрь себя, поймите себя, а затем
с любовью благословите другого человека и освободитесь от всего этого
опыта.

В тот момент, когда вы произносите аффирмации,
вы освобождаетесь от роли жертвы.
Вы уже не беспомощны.
Вы признаете свою собственную силу.

Я делаю следующий шаг к своему исцелению

Аффирмация — точка отсчета. Она открывает путь. Вы говорите своему подсознанию: «Я принимаю ответственность на себя. Я сознаю, что могу изменить что-то». Если вы будете постоянно повторять эту аффирмацию, то вы либо освободитесь от негативного опыта, и аффирмация претворится в жизнь, либо вы откроете для себя новый путь. Или вас осенит блестящая идея, или друг заглянет к вам и скажет: «А это ты пробовал(а)?» Вас приведут к следующему шагу, который поможет в вашем исцелении.

Аффирмации дают вашему
подсознанию материал для работы в данный момент.

Я открыт(а) и восприимчив(а)

Если мы пользуемся аффирмациями для создания хорошего в своей жизни, а какая-то часть нас не верит, что мы достойны хорошего, мы не достигнем результата. Мы непременно подойдем к моменту, когда скажем себе: «Аффирмации не работают». И это не имеет ничего общего с аффирмациями, это просто говорит о том, что мы не верим в то, что заслуживаем хорошего.

Мы должны осознать, во что именно мы верим.

Внутри меня есть ответы на мои вопросы, и я с легкостью осознаю их

Если вы произносите ваши аффирмации перед зеркалом, всегда держите наготове блокнот и карандаш, чтобы записать негативные послания, приходящие вам в голову во время произнесения аффирмаций. Не надо обдумывать эту информацию сразу. Позже вы присядете и, имея перед собой список негативных ответов, начнете понимать, почему не имеете того, что, как сказали, желаете. Если вы не осознаете эти негативные послания, будет очень трудно изменить их.

Гнев — защитный механизм.
Вы обороняетесь, потому что напуганы.

Я с легкостью освобождаюсь от прошлого и доверяю процессу жизни

Гнев — нормальный, естественный процесс. Обычно вы снова и снова сердитесь по одной и той же причине. Когда вы сердитесь, то чувствуете, что не имеете права выражать свой гнев, и вы его подавляете. Подавляемый гнев имеет тенденцию поселяться в самой любимой части вашего тела и проявляться через болезнь. Поэтому, ради исцеления, позвольте своим истинным чувствам выйти наружу. Если вы не можете излить гнев на человека, который его вызвал, подойдите к зеркалу и поговорите с этим человеком. Выскажите ему или им все: «Я злюсь на тебя. Я боюсь. Я расстроен(а). Ты причиняешь мне боль». Продолжайте говорить так, пока ваш гнев не иссякнет. Затем глубоко вдохните, посмотрите в зеркало и спросите: «В чем же причина всего этого? Что я могу сделать, чтобы изменить ситуацию?» Если вы сможете поверить, что ваше поведение порождено вашей внутренней системой убеждений, вам больше не придется повторять это упражнение.

Самое плохое, что мы можем делать,
это сердиться на самих себя. Гнев лишь
ограничивает нас.

Я свободна (свободен) быть самой собой

Не подавляйте ваш гнев и не позволяйте ему селиться в вашем теле. Когда вы расстраиваетесь, давайте своим чувствам физический выход. Существует несколько позитивных способов излить эти чувства. Вы можете закрыть окна в машине и визжать. Вы можете колотить свою постель или подушки. Вы можете шумно выражать свои чувства и говорить все, что хотите сказать. Можете кричать в подушку. Можете бегать или играть, например, в теннис, чтобы помочь освободиться энергии. Колотите постель или подушки по меньшей мере раз в неделю, испытываете вы гнев или нет, просто для того, чтобы освободиться от физического напряжения, накопившегося в вашем теле.

Если мы будем ждать, пока не станем совершенными,
и только тогда полюбим себя,
мы впустую потратим свою жизнь.
Мы уже совершенны — здесь и сейчас.

Я совершенна (совершенен)
именно такая (такой), какая (какой) я есть

Я не слишком хороша (хорош) и не слишком плоха (плох). Мне не надо никому ничего доказывать. Я пришла (пришел) к пониманию того, что я — совершенное выражение единства Жизни. В бесконечности Жизни я была (был) множеством личностей, каждая из которых прекрасно подходила к той особенной жизни. Я довольна (доволен) быть тем, кто и что я есть в данное время. Я не желаю быть похожей на кого-то другого, ибо не такое проявление я выбираю на этот раз. В следующий раз я буду другой (другим). Я совершенна (совершенен) такая (такой), какая (какой) я есть, прямо здесь и прямо сейчас. Я самодостаточна (самодостаточен). Я составляю единое целое с жизнью. Нет нужды бороться, чтобы стать лучше. Все, что мне необходимо — это любить себя сегодня больше, чем вчера, и относиться к себе как к очень любимому человеку. Нежно любя себя, я расцвету счастьем и красотой так, что едва смогу этому поверить. Любовь — вот то, в чем нуждаются люди, чтобы реализовать свои силы и достичь своего величия. Учась все больше любить себя, я учусь больше любить других. Вместе мы с любовью создаем еще более красивый мир. Мы все исцелены, и планета также исцелена. Я с радостью осознаю свое совершенство и совершенство Жизни. И так оно и есть!

Жизнь очень проста.
Каждый из нас создает собственный опыт
своим образом мыслей и чувствами.
Наша вера в себя и жизнь становится реальностью.

Я создаю для себя чудесные новые убеждения

Вот некоторые из убеждений, которые я создала для себя и в действенности которых удостоверилась:

Я всегда защищена.

Все, что мне необходимо знать, открыто мне.

Все, в чем я нуждаюсь, приходит ко мне в нужный момент, в нужном месте и в нужной последовательности.

Жизнь радостна и полна любви.

Я добиваюсь успеха во всех своих начинаниях.

Я готова изменяться и расти.

Все хорошо в моем мире.

Обратите внимание на то, что вы думаете в данный момент.
Хотите ли вы, чтобы эта мысль создавала ваше будущее?
Эта мысль негативна или позитивна?
Просто отметьте ее и осознайте.

Я чувствую всю полноту возможностей, которыми обладаю

Что означает для вас эта совокупность возможностей? Представьте себе их безграничность. Поднимитесь над всеми ограничениями, которые мы сами себе устанавливаем. Позвольте своему разуму возвыситься над тем, что, вероятно, вы считали для себя достижимым: «Это нельзя сделать». «Это не сработает». «Этого недостаточно». «Это мешает». Или как часто вы пользовались следующими ограничениями? «Я не могу это сделать, потому что я женщина». «Я не могу это сделать, потому что я мужчина». «У меня неподходящее образование». Вы держитесь за эти ограничения, потому что они важны для вас. Но ограничения не позволяют вам выразить себя и использовать все ваши возможности. Каждый раз, как вы говорите «я не могу», вы ограничиваете себя. Хотите ли вы подняться над своими убеждениями сегодня?

Если вы работаете там, где есть любовь, радость и смех и где вас ценят, отдавайте работе все свои силы.

Вы обнаружите в себе больше талантов и способностей, чем могли когда-либо вообразить.

Наша работа — божественная идея

Наша работа — божественная идея единого Разума, созданная Божественной любовью, осуществляемая и поддерживаемая любовью. Каждый работник привлечен силой любви, ибо это его и ее божественно верное место здесь, в этой точке времени и пространства. Божественная гармония пронизывает нас всех, и мы плывем по жизни вместе, созидательно и радостно. Божественно правильная деятельность руководит каждым аспектом нашей работы. Божественный интеллект создает наши результаты и заслуги. Божественная любовь приводит к нам тех, кому мы можем помочь, что мы с любовью и делаем. Мы освобождаемся от старых стереотипов, перестаем жаловаться или осуждать, ибо знаем, что именно наше сознание создает наши обстоятельства в деловом мире. Мы знаем и заявляем, что можем успешно выполнять нашу работу согласно божественным принципам, и мы с любовью пользуемся нашими умственными способностями, чтобы жить и более полно наслаждаться нашей жизнью. Мы отказываемся от всех ограничений, накладываемых мнением других людей. Божественный Разум — наш консультант в работе, именно он планирует для нас все, о чем мы еще и не мечтали. Наши жизни наполнены любовью и счастьем, потому что наша работа — божественная идея. И так оно и есть!

Радуйтесь успехам других людей, потому что всего хватит всем.

Наша работа успешна

Мы составляем единое целое с Вселенским Разумом, и потому вся мудрость и знание в нашем распоряжении здесь и сейчас. При Божественном руководстве наш бизнес процветает и расширяется. Отныне мы выбираем освобождение от любых негативных мыслей об ограничении денежных поступлений. Думая о больших суммах денег, текущих на наш банковский счет, и принимая эту мысль, мы открываем наше сознание навстречу качественному скачку в нашем процветании. Мы имеем много денег, чтобы пользоваться, тратить и делиться. Закон процветания сохраняет непрерывный и изобильный поток денег. Он оплачивает наши счета и приносит нам все необходимое и еще больше. Каждый из нас процветает на своем месте. Отныне по собственному выбору мы становимся живыми примерами сознания процветания. В нас царит мир и покой, мы защищены. С радостью и благодарностью мы смотрим, как постоянно расширяется и все больше процветает наше дело. Процветает сверх наших самых смелых ожиданий. Мы с любовью благословляем это дело. И так оно и есть!

Торговая реклама очень многих продуктов основана на том,
что вас убеждают: вы недостаточно хороши,
если не пользуетесь данным продуктом. Послания
об ограничениях исходят из очень многих мест.
Не имеет значения то, что говорят другие люди.
Важно только то, как мы реагируем и какие убеждения
выбираем для себя.

Этот бизнес — божественный бизнес

Мы — партнеры божественного интеллекта. Мы не интересуемся негативными аспектами внешнего делового мира, так как они не имеют к нам никакого отношения. Мы ожидаем положительных результатов, и мы получаем положительные результаты. Мы привлекаем к себе только тех в деловом мире, кто работает на высшем уровне честности. Все, что мы делаем, делается самым позитивным образом. Мы постоянно достигаем успеха во всех наших проектах. Все те, с кем мы так или иначе ведем дела, также счастливы и успешны и восхищены тем, что работают с нами. Мы постоянно благодарим за возможности, предоставленные нам для того, чтобы помогать этой планете и каждому человеку на ней. Мы обращаемся внутрь себя и вступаем в контакт с нашим высшим интеллектом, и всегда получаем оптимальное руководство для достижения наилучших результатов в интересах всех, имеющих отношение к данному делу. Все наше оборудование прекрасно работает. Мы все здоровы и счастливы. Все гармонично и течет согласно Божественному порядку. Все хорошо. Мы знаем, что это правда для нас. И так оно и есть!

Чтобы изменить вашу жизнь, вы должны
измениться внутренне. Просто удивительно, как Вселенная
начинает помогать вам, как только вы готовы измениться.
Вселенная приносит вам все, в чем вы нуждаетесь.

Я легко могу все изменять

Когда мы начинаем работать над собой, то иногда, перед улучшением, дела начинают .идти хуже. Не расстраивайтесь, если так случится, это только начало процесса. Распутываются старые узлы. Просто плывите по течению. Необходимы время и усилия, чтобы научиться тому, чему мы должны научиться. Не требуйте мгновенных перемен. Нетерпение только мешает учению. Это означает, что вы хотите достичь цели, не пройдя весь процесс. Позвольте себе идти шаг за шагом. И по мере продвижения вам будет все легче и легче.

Скажите: «Я готов(а) измениться». Вы колеблетесь?
Вы чувствуете, что это неправда?
Какие убеждения вам мешают? Помните,
что это всего лишь мысль, а мысль можно изменить.

Когда закрывается одна дверь, открывается другая

Жизнь — это ряд закрывающихся и открывающихся дверей. Мы идем из комнаты в комнату, получая различный опыт. Многие из нас хотели бы закрыть некоторые двери, ведущие к старым негативным стереотипам, старым вещам и идеям, уже бесполезным для нас. Многие из нас уже открывают новые двери и находят удивительный новый опыт — иногда познавательный, а иногда занимательный. Все это часть жизни, и нам необходимо знать, что мы действительно в безопасности. Это только изменение. С самой первой двери, которую мы открываем, появляясь на этой планете, до самой последней двери, которую мы открываем, когда оставляем эту планету, мы защищены. Это только изменение. Мы в мире и согласии с нашим внутренним «Я». Мы видим себя защищенными и любимыми. И так оно и есть!

Спокойная, решительная настойчивость и постоянство
в выборе ваших мыслей заставят изменения проявиться
быстро и легко.

Я готов(а) измениться

Сплетите пальцы в «замок». Большой палец какой руки оказался сверху? Теперь разожмите ладони и снова сложите так, чтобы сверху оказался большой палец другой руки. Что вы ощущаете? Вы чувствуете себя по-другому? Может быть, вам только кажется, что что-то неправильно. Снова разожмите ладони и сожмите их, как в первый раз, потом — как во второй, и снова — как в первый. Уже кажется не так «неправильно»? То же самое происходит, когда вы учитесь чему-то новому. Вам необходимо немного практики. Вы можете сделать что-то в первый раз и сказать: «Нет, это неправильно», и никогда больше не повторять это, и вернуться к тому, что вам удобно. Если вы готовы немного попрактиковаться, вы обнаружите, что можете сделать что-то новое. Когда на карту поставлено нечто столь важное, как любовь к себе, действительно стоит немного попрактиковаться.

Когда мы готовы создавать позитивные перемены
в наших жизнях, мы привлекаем на помощь все,
в чем нуждаемся.

Я готов(а) меняться и расти

Я готов(а) изучать новое, потому что не знаю всего. Я готов(а) освободиться от старых концепций, когда они перестают работать на меня. Я готов(а)
оглянуться вокруг и сказать: «Я не хочу больше это делать». Я знаю, что
могу стать бо́льшим, чем я есть. Не лучшей личностью, потому что это
означает, что я недостаточно хорош(а), я просто могу стать бо́льшим, чем
я есть. Рост и изменения увлекательны даже в том случае, если при этом мне
придется взглянуть на некоторые болезненные вещи внутри меня.

В этот момент важен только ваш выбор: только то,
что вы думаете и говорите, во что верите именно сейчас.
Эти мысли и слова создадут ваше будущее. Ваши мысли
формируют опыт завтрашнего дня, следующей недели,
следующего месяца и следующего года.

Это всего лишь мысль, а мысль можно изменить

Сколько раз вы отказывались от позитивных мыслей о себе? Ну, с тем же
успехом теперь можете отказаться от негативных мыслей о себе. Люди
говорят: «Я не могу перестать думать об этом». Нет, можете. Вы должны
принять решение, что именно это вы собираетесь теперь делать. Вам не
надо бороться с вашими мыслями, когда вы хотите что-то менять. Услышав внутренний негативный голос, можете сказать: «Благодарю за заботу». Вы не тратите силы на борьбу с негативной мыслью, но и не отрицаете
ее. Вы говорите: «Ладно, благодарю за заботу, только я собираюсь делать
кое-что другое. Я больше не куплюсь на это, я хочу создать другой образ
мыслей». Не сражайтесь с вашими мыслями. Признайте их и идите дальше.

Ваши родители делали все, что могли,
в рамках их собственного понимания и осведомленности.
Они не могли научить вас тому, чего сами не знали.
Если ваши родители не любили самих себя,
они никоим образом не могли научить вас любить себя.

Я создаю свое будущее сейчас

Не имеет значения, каким было ваше раннее детство — самым хорошим или самым плохим, — вы и только вы контролируете теперь свою жизнь. Вы можете тратить время, обвиняя ваших родителей или ваше прежнее окружение, но все это ведет лишь к тому, что оставляет вас в рамках стереотипа жертвы. Это никогда не даст вам того добра, которого, по вашим словам, вы хотите. Мысли этого момента формируют ваше будущее. Эти мысли могут создать жизнь, полную отрицания и боли, или жизнь, полную безграничной радости. Какую жизнь вы выбираете?

Дети всегда делают то, что делаем мы.
Вы могли бы разобраться в себе и найти то, что мешает
вам любить себя, а затем с готовностью освободиться
отэтого. Вы станете замечательным примером для своих
детей.

Я прекрасно нахожу общий язык
со своими детьми

Жизненно важно сохранять открытыми каналы связи с детьми, особенно с подростками. Что обычно происходит, когда дети начинают рассказывать о чем-нибудь? Им снова и снова повторяют: «Не говори это. Не делай то. Не чувствуй это. Не будь таким. Не проявляй этого. Не, не, не!» И дети замыкаются. Они перестают общаться. Несколько лет спустя, когда они взрослеют, родители начинают говорить: «Мои дети никогда не звонят мне». Почему они не звонят? Потому что в какой-то момент были оборваны линии связи.

Начинайте слушать то, что вы говорите.
Не говорите ничего такого, чего бы вы не хотели
для себя в жизни.

Все, что я делаю,
я делаю по собственному выбору

Уберите из своего словаря выражение «должна (должен)» — и из речи, и из мыслей. Этим вы освободитесь от самодавления. Вы можете создать очень сильное давление словами: «Я должна (должен) вставать. Я должна (должен) делать это. Я должна (должен), я должна (должен)». Вместо этого начинайте говорить: «Я выбираю...» Это откроет совершенно новые перспективы в вашей жизни. Все, что вы делаете, — это ваш выбор. Может, вам так не кажется, но так оно и есть!

Каждый из нас решает воплотиться на этой планете
в особых точках пространства и времени. Мы избрали
свой приход сюда, чтобы выучить индивидуальный урок,
который поднимет нас на новый уровень нашего
духовного развития.

Пропустите через себя энергию любви

Оглянитесь назад и вспомните лучшее Рождество своего детства. Напрягите память и вспомните его очень отчетливо. Вспомните зрительные образы, запахи, вкусы, прикосновения и людей, которые там были. Вы помните что-нибудь из того, что делали тогда? Если вдруг в вашем детстве никогда не было чудесного Рождества, создайте его. Сотворите точно такое Рождество, какое хотели бы иметь. И когда вы будете думать об этом особом Рождестве, вы заметите, что ваше сердце раскрывается. Вероятно, самым чудесным в том особенном Рождестве была присутствовавшая в нем любовь. Пропустите через себя энергию этой любви сейчас. Примите в свое сердце всех людей, которых вы знаете и любите. Знайте, что вы можете нести с собой это особое чувство Рождественской любви и духа всегда и повсюду, не только в Рождество. Вы любовь. Вы дух. Вы свет. Вы энергия. И так оно и есть.

Любовь к себе и одобрение себя создают внутри вас
пространство безопасности.
Вера в себя и свою достойность,
одобрение себя организуют мышление, привлекают
взаимоотношения, более полные любви, приносят
новую работу и даже нормализуют вес вашего тела.

Этот день — день совершенства

Каждый момент моей жизни целостен, полон и совершенен. Бог ничего не оставляет незавершенным. Я составляю единое целое с бесконечной силой, бесконечным Разумом, бесконечной деятельностью и бесконечным единством. Я пробуждаюсь с чувством удовлетворенности, понимая, что я завершу все, что предприму сегодня. Каждый вдох полон и приводит к совершенству. Каждая сцена, которую я вижу, внутренне совершенна. Каждое слово, произнесенное мной, полно и завершено. Каждое дело, за которое я берусь, или любая часть этого дела завершена к моему полному удовлетворению. Я не сражаюсь в одиночку на пустынных просторах жизни. Я освобождаюсь от веры в борьбу и сопротивление. Я знаю и утверждаю, что составляю единое целое с бесконечной силой, и потому мой путь становится легким и ровным. Я принимаю помощь от множества моих невидимых друзей, всегда готовых вести и направлять меня, как только я позволяю им помогать мне. Все в моей жизни и работе легко и без усилий становится на свое место. Телефонные переговоры проведены вовремя. Письма получены, и написаны ответы. Проекты осуществляются. Другие люди сотрудничают со мной. Все происходит вовремя и в совершенном Божественном порядке. Все завершено, и я чувствую себя хорошо. Этот день — день совершенства. Я заявляю, что это так. Мой мир могущественен, и я заявляю об этом и верю в то, что это так. И так оно и есть.

Знайте, что вы — чистое сознание. Вы не одиноки,
не затеряны, не покинуты.
Вы — единое целое со всей Жизнью.

Вы — чистый Дух

Загляните в самый центр своего существа, и вы увидите ту часть себя, которая является чистым духом. Чистым светом. Чистой энергией. Визуализируйте, как одно за другим отпадают все ваши ограничения, пока вы не станете защищенными, исцеленными и целостными. Знайте: что бы ни происходило в вашей жизни, какие бы трудности ни встречались на вашем пути, в самом центре вашего существа вы защищены и целостны. Вы всегда будете. Жизнь за жизнью, вы — сияющий дух, прекрасный свет. Иногда вы приходите на эту планету и скрываете свой свет, прячете его. Но свет всегда есть. Когда вы освобождаетесь от ограничений и признаете истинную красоту вашего существа, вы ослепительно сияете. Вы любовь. Вы энергия. Вы дух. Вы ярко сияющий Дух любви. Позвольте вашему свету сиять.

Каждый раз, когда вы судите или критикуете, вы посылаете во Вселенную то, что обязательно вернется к вам.

Я люблю быть собой

Вы можете представить себе, как чудесно было бы прожить свою жизнь, не подвергаясь никакой критике? Разве не чудесно было бы чувствовать себя совершенно свободно, совершенно комфортно? Вы вставали бы по утрам, зная, что вам предстоит чудесный день, потому что все вас любят и никто не собирается критиковать или осуждать вас. Вы чувствовали бы себя просто великолепно. И знаете что? Вы можете сами обеспечить себе все это. Вы можете сами создать себе такой замечательный жизненный опыт, какой только можно вообразить. Вы можете просыпаться по утрам, с восторгом ощущая себя и чувствуя радость расстилающегося перед вами дня.

Люди, которые любят осуждать и критиковать,
часто навлекают на себя
очень много критики, потому что критика — их стереотип.
Очень часто они испытывают необходимость
все время быть совершенными.
Вы знаете кого-нибудь на этой планете,
кто был бы абсолютным совершенством?

Я люблю и одобряю себя именно такой (таким), какая (какой) я есть

У всех нас есть такие сферы нашей жизни, которые мы считаем неприемлемыми и недостойными любви. Если мы по-настоящему разгневаны на эти стороны своей личности, мы часто ругаем себя. Мы используем алкоголь, наркотики, сигареты, мы переедаем и все такое. Мы калечим себя. Самый страшный способ обращения с самим собой, способ, который наносит самый большой ущерб — это самокритика. Нам необходимо прекратить любую критику самих себя. Как только мы отучимся критиковать себя, просто удивительно, как скоро мы перестанем критиковать других людей. Это происходит потому, что другие люди — это наше отражение, и то, что мы видим в любом другом человеке, мы видим в самих себе. Когда мы жалуемся на другого человека, в действительности мы жалуемся на самих себя. Когда мы искренне любим и одобряем себя, не на что жаловаться. Мы не можем обидеть себя, и мы не можем обидеть другого человека. Давайте поклянемся, что больше никогда и ни за что не будем критиковать себя.

Некоторые из наших убеждений никогда
не соответствовали действительности.
Это были чужие страхи.
Дайте себе шанс исследовать свои мысли.
Измените негативные мысли. Вы достойны этого.

Я достойна (достоин) хорошего в моей жизни

Иногда, если внутренний голос говорит нам, что мы не имеем права быть счастливыми, или если мы создаем хорошее в своей жизни, не изменив этих прежних посланий внутреннего голоса, мы обязательно создадим угрозу нашему счастью. Если мы не верим в то, что заслуживаем хорошего, мы лишаем себя опоры. Иногда мы обижаем себя или у нас возникают проблемы физического характера: падения или несчастные случаи. Давайте начнем верить, что достойны всего хорошего, предлагаемого нам Жизнью.

Мы, как очень маленькие дети, обучаемся нашим
системам убеждений. Затем мы идем по жизни, создавая
опыт, соответствующий нашим убеждениям.

Я заслуживаю радости

Многие из вас верят в то, что заслуживают жизни в атмосфере «недостаточно хорош (хороша)». Начните произносить аффирмации, утверждая, что на самом деле вы достойны и готовы подняться над ограничениями, установленными вашими родителями и вашим ранним детством. Посмотрите в зеркало и скажите себе: «Я заслуживаю всех благ. Я заслуживаю процветания. Я заслуживаю радости. Я заслуживаю любви». Широко распахните объятия и скажите: «Я открыт(а) и восприимчив(а). Я замечателен (замечательна). Я заслуживаю всех благ. Я принимаю».

Куда бы вы ни пошли и кого бы вы ни встретили,
вы всегда найдете ожидающую вас вашу собственную
любовь.

Я следую дорогой правильной деятельности

В бесконечности Жизни, где я существую, все совершенно, целостно и завершено. Понимая, что я составляю единое целое с Источником и следую дорогой правильной деятельности, я всегда соответствую обстоятельствам. Я выбираю мысли, ориентированные на мое высшее благо и величайшую радость. Качество моей жизни отражает то состояние, в котором я хочу быть в настоящее время. Я люблю жизнь. Я люблю себя. Я всегда в безопасности. Все хорошо в моем мире.

Роза всегда прекрасна, всегда совершенна
и всегда изменчива. Так же устроены и мы.
Мы всегда совершенны, в любом месте своей жизни.

Я всегда нахожусь в правильном месте

Звезды и планеты находятся на своих совершенных орбитах и в Божественно правильном порядке, то же можно сказать и обо мне. Небеса совершенны, и я совершенна (совершенен). Своим ограниченным человеческим разумом я могу не понимать всего, что происходит, однако я знаю, что на космическом уровне я должна (должен) находиться в правильном месте, в правильное время и делать правильные вещи. Я выбираю позитивные мысли. Этот положительный опыт — первый шаг к новому знанию и триумфу.

Просите помощи. Скажите жизни, чего вы хотите,
и позвольте этому случиться.

Все, что мне нужно, приходит ко мне в идеальное время и в идеальной последовательности

Произнесение аффирмаций, составление списков желаний, создание системы ценностей, визуализация, записи в дневнике — все это можно сравнить с посещением ресторана. Официант принимает ваш заказ и идет на кухню, чтобы передать его шеф-повару. Вы сидите за столиком и ничего не предпринимаете для выполнения этого заказа, поскольку предполагаете, что ваша еда готовится. Вы не спрашиваете официанта каждые две секунды: «Уже готово? Как готовят еду? Что они там сейчас делают?» Вы заказываете и знаете, что вам подадут еду. Это очень похоже на то, что я называю космической кухней. Вы делаете заказ в космической кухне Вселенной и знаете, что им займутся. Ваш заказ будет выполнен в нужное время, в нужном месте и в нужной последовательности.

Освободитесь от эмоциональной зависимости от прошлых убеждений, чтобы они не могли повредить вам в настоящем. Если вы будете жить полно в настоящем моменте, прошлое не сможет повредить вам, каким бы оно ни было.

Я всегда в безопасности

Когда вы подавляете ваши чувства, вы сеете в себе панику, опустошаете себя. Любите себя так, чтобы позволить себе переживать ваши чувства. Такие пристрастия, как алкоголь, маскируют чувства, и вы перестаете чувствовать. Позвольте вашим чувствам выйти на поверхность. Возможно, придется пережить кое-что из прошлого. Используйте некоторые аффирмации, чтобы этот процесс шел легко, спокойно, комфортно. Утверждайте, что вы готовы прочувствовать свои истинные эмоции, и, самое важное, не переставайте говорить себе, что вы в безопасности.

Существуют люди, которые ищут именно то, что вы можете предложить, и вы обязательно встретитесь на шахматной доске жизни.

Я счастлив(а) на своем рабочем месте

Моя работа — Божественное выражение. Я счастлив(а) на этом рабочем месте. Я благодарю за каждую возможность продемонстрировать силу божественного интеллекта, работающего через меня. Каждый раз, как я встречаюсь с проблемой, я знаю, что она дана мне Богом, моим работодателем, и я успокаиваю свой разум, обращаюсь внутрь себя и жду, пока мой разум наполнится разъяснениями. Я радостно принимаю эти благословенные откровения и знаю, что достоин (достойна) справедливого вознаграждения за хорошо выполненную работу. Я щедро вознагражден(а) за эту прекрасную работу. Мои сотрудники — все человечество — поддерживающие, любящие, бодрые, полные энтузиазма и могучие работники в сфере духовного развития. И не имеет значения, понимают они это или нет. Я вижу их как совершенные выражения единого Разума, усердно привлекающего их к их трудовой деятельности. Работая на этого невидимого, однако всегда присутствующего Главнокомандующего, Высшего Председателя Правления, я знаю, что моя творческая деятельность ведет к финансовому процветанию, ибо труд, выражающий Бога, всегда вознаграждается. И так оно и есть!

Почувствуйте упругость вашей походки. Обратите внимание на сияние ваших глаз. Вот он — свет вашей личности. Востребуйте его!

Я здоров(а) и полон (полна) энергии

Я знаю и заявляю, что мое тело — дружелюбная среда обитания. Я уважаю свое тело и хорошо обращаюсь с ним. Я связан(а) с энергией Вселенной и пропускаю ее через себя. Я обладаю чудесной энергией. Я ослепителен (ослепительна) и полон (полна) жизни. Я живу!

Представьте образ того, что вы действительно любите: цветов, радуги, песни, вида спорта. Пусть этот образ будет с вами в те моменты, когда вы начинаете испытывать страх.

Я нахожусь в гармонии с природой

Я это знаю и утверждаю для себя. Я люблю и одобряю себя. Все хорошо в моем мире. Я вдыхаю драгоценное изобильное дыхание жизни и позволяю своему телу, разуму и чувствам расслабиться. Нет необходимости бояться. Я в гармонии со всей Жизнью: солнцем, ветрами, дождем, землей и движением земли. Сила, перемещающая землю — мой друг. Я в мире со стихиями. Силы природы — мои друзья. Я гибка (гибок) и восприимчива (восприимчив). Я всегда защищена (защищен) и в безопасности. Я знаю: ничто не может причинить мне вред. Я сплю, просыпаюсь и двигаюсь в полной безопасности. Не только я защищена (защищен), но и мои друзья, семья и все, кого я люблю, также защищены. Я доверяю силе, создавшей меня, защищать меня всегда и при всех обстоятельствах. Мы создаем нашу собственную реальность, и я создаю для себя реальность единства и безопасности. Там, где я, — всегда островок безопасности. Я в безопасности, это всего лишь изменение. Я люблю и одобряю себя. Я доверяю себе. Все хорошо в моем мире.

Сегодня — очень волнующее время вашей жизни.
Вы участвуете в изумительном приключении,
и этот особенный процесс никогда больше
не повторится для вас.

Я бесконечно путешествую по вечности

В бесконечности Жизни все совершенно, целостно и завершено. Жизненный цикл также совершенен, целостен и завершен. Есть время начала, время роста, время существования, время увядания или истощения и время окончания. Все это — части совершенства Жизни. Мы ощущаем нормальность и естественность этого цикла, и, хотя иногда он печалит нас, принимаем его и его ритмы. Иногда этот цикл неожиданно прерывается в середине. Мы потрясены и чувствуем угрозу. Кто-то умирает очень молодым, или что-то разбивается вдребезги. Часто мысли, создающие боль, напоминают нам о нашей смертности — и у нашего цикла есть конец. Проживем ли мы весь цикл, или нас также ждет преждевременный конец? Жизнь всегда меняется. Нет начала и нет конца, только непрерывное циклическое повторение и переработка материи и опыта. Жизнь никогда не останавливается, не затухает, ибо каждое мгновение — всегда новое и свежее. Каждый конец — это новое начало.

Все ответы на все вопросы, которые вы собираетесь задать, находятся здесь, внутри вас. Каждый раз, когда вы говорите: «Я не знаю», вы закрываете дверь к вашей собственной мудрости.

Я вдыхаю любовь и отдаюсь течению жизни

Вы расширяетесь или сжимаетесь? Когда вы расширяете круг своих мыслей, убеждений, всего, что окружает вас, любовь течет свободно. Когда вы сжимаетесь, вы воздвигаете стены и отгораживаетесь. Если вы напуганы, или вам угрожают, или вы чувствуете что-то неправильное, начинайте дышать. Дыхание раскрывает вас. Оно выпрямляет ваш позвоночник. Оно раскрывает вашу грудь. Оно дает вашему сердцу возможность расширяться. Дыханием вы разрушаете барьеры и начинаете раскрываться. Это — начальная точка. Вместо того, чтобы впадать в панику, глубоко вздохните несколько раз и спросите себя: «Я хочу сжиматься или я хочу расширяться?»

Это новый день. Заново начинайте предъявлять права на все блага и создавать все хорошее.

Я выражаю свое истинное «я»

Я вижу себя осознающей свое единство с присутствием и силой Бога. Я всегда сознаю силу Бога в себе как источник всех моих желаний. Я вижу себя уверенно призывающей это присутствие для удовлетворения всех моих потребностей. Я безоговорочно люблю все выражения Бога, понимая их истину. Я иду по жизни в счастливом содружестве с моим Божественным «Я» и радостно выражаю доброту, которой являюсь. Моя мудрость и понимание моральной силы увеличиваются, и я с каждым днем все более полно выражаю внутреннюю красоту и силу моего истинного «Я». Божественный порядок всегда присутствует в моем жизненном опыте, и у меня достаточно времени, чтобы сделать свой выбор. Я выражаю мудрость, понимание и любовь во всех взаимоотношениях с другими людьми, и Бог руководит моими словами. Я вижу, как полно выражение моего духовного богатства — богатства, которое я использую на благо в моем мире. Я вижу, как выражается созидательная энергия Духа в моей работе; я легко, с глубоким пониманием и мудростью пишу и произношу слова правды. Интересные, возвышающие мысли текут через мое сознание и радостно выражаются, и я следую за полученными идеями, полностью претворяя их в жизнь. И так оно и есть.

Ваше неотъемлемое право с рождения — самовыражаться удовлетворяющими вас способами.

Я свободно самовыражаюсь

Я действительно счастлива (счастлив). Я обладаю чудесными возможностями быть собой и выражать свое «Я». Я красота и радость признания и выражения Вселенной. Я окружаю себя Божественной честностью и справедливостью. Я знаю о существовании Божественно правильной деятельности, и каков бы ни был результат, он совершенен для меня и всех, к кому он имеет отношение. Я составляю единое целое с той самой силой, что создала меня. Я чудесна (чудесен). Я наслаждаюсь самим фактом своего существования. Я принимаю его таковым и одобряю. Я говорю: пусть будет так, и знаю, что все хорошо в моем чудесном, чудесном мире прямо здесь и прямо сейчас. И так оно и есть.

Если вы хотите любви и одобрения от членов вашей семьи, вы должны любить и одобрять их.

Я с любовью благословляю свою семью

Не у каждого есть такая особенная семья, какая есть у меня, и не у всех есть дополнительная возможность открыть свои сердца так, как открывает их моя семья. Нас не ограничивают ни общественные предрассудки, ни мнение соседей. Мы гораздо выше всего этого. Мы семья, возникшая из любви, и мы с гордостью одобряем каждого уникального члена нашей семьи. Я особенная (особенный), и я достойна (достоин) любви. Я люблю и одобряю каждого члена моей чудесной семьи, и они, в свою очередь, любят и обожают меня. Я в безопасности. Все хорошо в моем мире.

Как вы относитесь к пожилым людям? То, что вы отдаете сейчас, вы обретете, когда станете старше.

Я с любовью сочувствую моему отцу

Если у вас существуют какие-либо «проблемы» с вашим отцом, поразмышляйте и поговорите с ним, чтобы ответить на все накопившиеся вопросы. Простите его или простите себя. Скажите ему, что вы его любите. Наведите порядок в своей душе, чтобы обрести чувства, более достойные вас.

Иногда, когда все в нашей жизни замечательно, возникает тревога, что случится нечто плохое и отнимет у нас все хорошее. Я называю это преходящей тревогой. Тревога — это страх и неверие в себя. Просто признайте ее как нечто сопутствующее нашим огорчениям, поблагодарите за участие и отпустите.

Я всегда прекрасно защищена (защищен)

Помните, что, когда к вам приходит пугающая мысль, она пытается защитить вас. Разве не в этом суть страха? Когда вы пугаетесь, количество адреналина в крови резко увеличивается, чтобы защитить вас от опасности. Скажите страху: «Я ценю то, что ты хочешь помочь мне». Затем произнесите аффирмацию именно об этом страхе. Признайте и поблагодарите этот страх, но не придавайте ему особого значения.

Нам не обязательно знать, как прощать.
Все, что требуется, — это желание простить.
Вселенная позаботится о том, как это сделать.

Я прощаю весь прошлый опыт

Когда произносится слово «прощение», о ком вы вспоминаете? Кто тот человек или опыт, который, как вы чувствуете, вам никогда не забыть, никогда не простить? Что заставляет вас держаться за прошлое? Когда вы отказываетесь прощать, вы держитесь за прошлое и делаете для себя невозможной жизнь в настоящем. Но только когда вы живете в настоящем, вы можете создавать ваше будущее. Прощение — ваш дар самим себе. Оно освобождает вас от прошлого опыта и прошлых взаимоотношений. Прощение позволяет вам жить в настоящем. Когда вы прощаете себя и прощаете других, вы по-настоящему освобождаетесь. С прощением приходит потрясающее ощущение свободы. Часто вам необходимо простить себя за то, что вы миритесь с болезненным жизненным опытом и недостаточно любите себя, чтобы освободиться от этого опыта. Поэтому любите себя, прощайте себя, прощайте других и живите настоящим. Осознайте старую горечь и старую боль просто для того, чтобы сбросить ее с ваших плеч и отпустить, и ваше сердце широко распахнется. Когда вы купаетесь в любви, вы всегда в безопасности. Простите всех. Простите себя. Простите весь прошлый опыт. Вы свободны.

Чем больше мы ненавидим и виним себя, тем меньше
успеха в нашей жизни. Чем меньше мы виним себя,
тем лучше наша жизнь — на всех уровнях.

Я свободна (свободен)

Я чистый дух и свет, и энергия. Я вижу себя свободной (свободным). Я свободна (свободен) в своих мыслях. Я свободна (свободен) в своих чувствах. Я свободна (свободен) в своих взаимоотношениях. Я свободна (свободен) в своем теле. Я чувствую себя свободной (свободным) в жизни. Я позволяю себе вступить в контакт с той частью меня, что является безупречным и совершенно свободным духом. Я отпускаю все мои ограничения и чисто человеческие страхи. Я больше не чувствую себя загнанной (загнанным) в угол. Когда я вступаю в контакт с тем чистым светом внутри меня, я понимаю, что становлюсь чем-то гораздо большим, чем моя индивидуальность, или мои проблемы, или моя болезнь. Чем больше я контактирую с этой частью меня, тем больше освобождаюсь во всех сферах моей жизни. Я могу по собственному выбору стать той частью моей личности, что совершенно свободна. Если я могу стать свободной (свободным) в одной сфере, я могу быть свободной (свободным) во многих сферах. Я хочу быть свободной (свободным). Тот чистый дух знает, как вести и направлять меня наилучшим для меня образом. Я доверяю этой духовной части меня и знаю, что свободной (свободным) быть безопасно. Я свободна (свободен) в моей любви к себе. Я позволяю моей любви к себе течь как можно свободнее. Безопасно быть свободной (свободным). Я личность, и я свободна (свободен). И так оно и есть.

Счастье — это хорошее самочувствие.

Я могу делать то, что хочу

Теперь я взрослая (взрослый)! Я могу делать все, что хочу. И когда я делаю то, что хочу делать, со мной происходят замечательные вещи. Я берегу себя, говоря «нет» другим. Оберегая себя, я нахожу больше радости в своем мире. Мне дозволено веселиться. Чем больше я радуюсь, тем больше окружающие любят меня. Я люблю и одобряю себя. Я чувствую себя хорошо. Все хорошо в моем полном веселья мире.

Мы совершаем бесконечное путешествие
через вечность. Мы живем одну жизнь за другой.
Что мы не выполнили в одной жизни, мы осуществим в другой.

Смерти нет

Невозможно отнять у нас нашу душу, так как это вечная часть нас. Никакие доводы и доказательства не могут отнять нашу душу. Никакая болезнь не может забрать нашу душу. Никакие потери взаимоотношений не могут отнять нашу душу. И смерть не может отнять нашу душу, ибо она вечна. Эта часть нас живет вечно. Все люди, которых мы считаем оставившими эту планету, все еще находятся здесь, в абсолютной субстанции и абсолютном духе. Они всегда были, они есть теперь, и они всегда будут. Истина состоит в том, что мы больше не установим связи с их физическими телами, но когда мы оставим свои тела, наши души соединятся. Нет потери. Нет смерти. Есть только циклические превращения энергии — изменение формы. Когда мы соединяемся с нашими душами, мы возвышаемся над всеми мелочами и ограничениями. Наш разум так велик. Наш дух, наша душа, самая суть того, кем мы являемся, всегда защищена, всегда в безопасности и всегда жива. И так оно и есть.

Трагедия может обернуться величайшим благом,
если мы осознаем ее на более высоком уровне.

Я позволяю сиять свету моей любви

Если мы можем увидеть свет во тьме, когда нам больно, или мы боимся, или скорбим, то мы не чувствуем себя такими одинокими. Давайте подумаем об этом свете как о сиянии чьей-то любви. Эта любовь согревает и утешает нас. Мы все знаем людей, ушедших от нас. Осознайте их сияние и позвольте свету их любви окружить и утешить нас. Каждый из нас обладает неограниченными запасами любви. Чем больше мы отдаем любви, тем больше ее получаем. Да, иногда чувствовать больно, но, слава Богу, мы можем чувствовать. Пусть ваши сердца излучают любовь. Будьте спокойны. И так оно и есть.

Почувствуйте, как раскрывается ваше сердце,
и поймите, что в нем достаточно места для вас.

Я люблю себя безо всяких оговорок

Если ваше детство было полно страха и борьбы и если теперь вы мысленно казните себя за это, то вы продолжаете так же казнить и вашего внутреннего ребенка. Вашему внутреннему ребенку некуда деваться. Любите себя теперь так сильно, чтобы подняться над ограничениями ваших родителей. Они не знали другого способа обращаться с вами. Вы долгое время были хорошим маленьким ребенком, делали именно то, чему вас учили мамочка и папочка. Пришло время повзрослеть и принимать взрослые решения, чтобы поддерживать и лелеять себя.

Вина никогда не улучшает самочувствие
и не исправляет ситуацию. Перестаньте испытывать
чувство вины. Освободите себя из собственной тюрьмы.

Я прощаю себя за все, что делаю неправильно

Очень многие из вас живут под тяжким грузом вины. Вы всегда чувствуете себя плохо. Вы чувствуете, что делаете все неправильно. Вы все время извиняетесь. Вы не прощаете себя за то, что сделали в прошлом. Вы манипулируете другими людьми, как когда-то манипулировали вами. Чувство вины ничего не решает. Если вы действительно совершили в прошлом что-то, о чем сожалеете, прекратите сожалеть! Если вы можете исправить то, что причинили другим, сделайте это. Если нет, не повторяйте то, что сделали. Вина выглядит, как наказание, а наказание создает боль. Простите себя и простите других. Покиньте тюрьму, в которую сами себя заключили.

Все в вашей жизни: любой опыт,
любые взаимоотношения — зеркало вашего стереотипа
мышления.

Я гармоничный человек

Я центр божественного Разума, совершенный, целостный и безупречный. Все мои дела Божественно направляются в верное русло и приводятся к совершенным результатам. Все, что я делаю, говорю или думаю, находится в гармонии с истиной. В моей жизни и занятиях царит совершенная и постоянная правильная деятельность. Мне безопасно меняться. Я освобождаю все мысли или вибрации о замешательстве, хаосе, дисгармонии, пренебрежении, недоверии. Эти мысли полностью устранены из моего сознания. Я гармонично связан(а) с каждым из тех, кого встречаю на жизненном пути. Люди любят работать со мной, любят мое общество. Выражаемые мной мысли, чувства и идеи легко понимаются и приветствуются другими людьми. Я любящий, веселый человек, и все любят меня. Я в безопасности. Меня везде радостно встречают. Все хорошо в моем мире, и жизнь постоянно улучшается.

Найдите в вашем сердце затаившиеся несправедливости, простите и отпустите.

Я нахожусь в центре истины и покоя

В любом месте, где я нахожусь, существуют только дух, Бог, бесконечное добро, бесконечная мудрость, бесконечная гармония и любовь. Иначе не может быть. Двойственности нет. Поэтому именно здесь и сейчас на моем рабочем месте я заявляю и подтверждаю, что существуют только бесконечная гармония, мудрость и любовь. Нет проблем, не имеющих решений. Нет вопросов без ответов. Теперь я выбираю возвышение над проблемой для поисков Божественно правильного решения любого кажущегося несоответствия в истинно гармоничной атмосфере этого дела. Мы желаем учиться и выходить за рамки этого кажущегося несоответствия и беспорядка. Мы освобождаемся от чувства вины и обращаемся к поискам истины. Мы также готовы освободиться от любого стереотипа сознания, который, возможно, привнесли в эту ситуацию. Мы выбираем знание истины, и истина освобождает нас. Божественная мудрость, божественная гармония и божественная любовь безраздельно господствуют внутри меня и вокруг меня, внутри и вокруг каждого человека в этом офисе. Этот бизнес — божественный бизнес, и Бог теперь направляет нас и руководит всеми нашими действиями. От своего лица и лица всех, работающих здесь, я выступаю за мир, безопасность, гармонию, глубокое чувство любви к самим себе и радостное желание любить других. Мы живем в истине и радости.

Исцеление означает целостность, одобрение себя полностью, а не только тех сторон нашей личности, которые нам нравятся.

Я могу исцелять себя на всех уровнях

Это время сострадания и время исцеления. Обратитесь внутрь себя и свяжитесь с той частью себя, которая знает путь к исцелению. Это возможно. Знайте, что вы находитесь в процессе исцеления. Пора обнаружить ваши целительные способности — яркие и сильные. Вы невероятно способны. Так что будьте готовы подниматься на новый уровень и находить в себе возможности и способности, о которых вы даже не подозревали; не лечить болезнь, а по-настоящему исцелять себя на всех возможных уровнях. Вы дух, и, будучи духом, свободны спасти себя... и мир. И так оно и есть.

Болезнь порождается непрощением. Прощение не имеет ничего общего с попустительством. Очень часто вам необходимо простить именно того человека, которого труднее всего простить. Я обнаружила, что прощение и освобождение от чувства обиды помогает излечиться даже от рака.

Я притягиваю к себе чудеса

Незнакомое и нежданное добро приходит ко мне сегодня. Я гораздо выше правил и инструкций — ограничений и ограниченности. Я изменяю мое сознание, и происходят чудеса. В каждом медицинском учреждении появляется все больше врачей, которым открылся духовный путь. Теперь я привлекаю к себе этих людей повсюду. Моя душевная атмосфера любви и одобрения — магнит для маленьких чудес в каждое мгновение дня. Где нахожусь я, там целительная атмосфера, благословляющая и приносящая мир всем. И так оно и есть.

Если мы не совершим внутренних изменений, болезнь или вернется, или породит другую болезнь.

Я позволяю всему своему существу вибрировать светом

Посмотрите глубоко в себя, в самый центр вашего сердца, и найдите тот крохотный, яркий, многоцветный свет. Какой это прекрасный свет. Это самый центр вашей любви и целительной энергии. Наблюдайте, как этот крохотный огонек начинает пульсировать и расти, пока не наполнит все ваше сердце. Позвольте ему охватить ваше тело от макушки до кончиков пальцев ног. Теперь вы сияете этим прекрасным разноцветным светом. Это ваша любовь и целительная энергия. Позвольте вашему телу вибрировать в унисон с этим светом. Вы даже можете сказать себе: «С каждым вдохом я становлюсь все здоровее и здоровее». Почувствуйте, как этот свет исцеляет ваше тело от болезни. Позвольте этому свету излучаться из вас в вашу комнату, в ваш мир и ваше особое место в этом мире. Вы увидите все целостным. Вы важны. Вы имеете значение. Имеет значение то, что вы делаете с любовью в сердце. Вы действительно очень важны. И так оно и есть.

Каждая болезнь преподносит нам урок.

Мои руки — исцеляющие руки

Наложение рук нормально и естественно. Это очень древний способ. Вы знаете, что, когда ваше тело болит, первым делом вы кладете ладонь на больное место, чтобы почувствовать себя лучше. Поэтому позвольте себе обрести энергию. Глубоко вдохните и освободитесь от напряжения или страха, или гнева, или боли, и позвольте любви хлынуть из вашего сердца. Позвольте вашему сердцу открыться, чтобы принять любовь в ваше тело. Ваше тело точно знает, что делать с этой целительной энергией и как ее использовать. Видите, как свет любви исходит из вашего сердца: прекрасный, прекрасный свет. Позвольте этой любви вашего сердца проникнуть в руки, затем в ладони. Это свет пронизывает все ваше существо сочувствием, пониманием и любовью. Вы увидите себя целостной(ым) и исцеленной(ым). Ваши руки могущественны. Вы заслуживаете любви. Вы заслуживаете покоя. Вы заслуживаете чувства безопасности. Вы заслуживаете заботы. Позвольте себе получать. И так оно и есть.

Нам необходимо делать гораздо больше,
чем просто лечить симптомы. Нам необходимо избавиться
от причины болезни. Обратитесь внутрь себя, войдите
туда, где начался процесс болезни.

Каждая рука,
касающаяся меня, — целительная рука

Я драгоценное существо и любим(а) Вселенной. Когда я увеличиваю свою любовь к себе, также поступает и зеркало Вселенной, еще более щедро усиливая эту любовь. Я знаю, что сила Вселенной повсюду, в каждом человеке, месте и вещи. Эта любящая целительная сила пронизывает профессию врача и находится в каждой руке, касающейся моего тела. К процессу своего исцеления я притягиваю только высоко развитые личности. Мое присутствие помогает проявляться духовным целительным качествам каждого врача. Работая вместе со мной, врачи и медсестры удивляются своим целительным способностям.

Тело, как и все остальное в жизни, — зеркало ваших
внутренних мыслей и убеждений. Каждая клетка
отвечает на каждую вашу мысль и каждое слово,
произнесенное вами.

Я прислушиваюсь к посланиям моего тела

В этом мире перемен я выбираю гибкость во всех сферах. Я с готовностью
меняю себя и свои убеждения для улучшения качества моей жизни и моего
мира. Мое тело любит меня, как бы я с ним ни обращалась. Мое тело
поддерживает связь со мной, и теперь я прислушиваюсь к его посланиям.
Я готова получать эти послания. Я обращаю на них внимание и вношу
необходимые поправки. Я на всех уровнях даю моему телу то, в чем оно
нуждается для достижения оптимального здоровья. Я призываю свою
внутреннюю силу всегда, когда нуждаюсь в ней. И так оно и есть.

Хорошее здоровье выражается в том, что вы не устаете,
обладаете хорошим аппетитом, легко засыпаете
и просыпаетесь, у вас хорошая память,
хорошее настроение, вы точны в мыслях и поступках,
вы честны, скромны, благодарны и любящи.
Насколько вы здоровы?

Мое тело, разум и душа — здоровая команда

Тело всегда разговаривает с вами. Что вы делаете, когда получаете послание от тела в виде небольшой боли? Обычно вы бежите к врачу или в аптеку
и принимаете какую-нибудь таблетку. То есть, вы говорите телу: «Заткнись!
Я не хочу тебя слышать. Не болтай со мной!» Это не любовь к вашему телу.
Когда вы почувствуете первую боль или что-то покажется чуть-чуть неправильным, сядьте, закройте глаза и очень тихо спросите себя: «Что мне
необходимо понять?» Несколько минут вслушивайтесь в ответ. Он может
быть таким простым, как «поспи немного». Или он может быть более
сложным. Если вы хотите, чтобы ваше тело долго и хорошо работало на
вас, вам необходимо стать частью целительной команды, включающей
тело, разум и душу.

Некоторые люди не умеют говорить «нет». Единственный способ отказа, который они знают, — это болезнь.

Я принимаю то, что наиболее полезно для меня

Если бы я швырнула в вас горячей картофелиной, что бы вы с ней сделали? Вы бы поймали ее? Стали бы вы держать ее в руке, пока она обжигала бы вас? И вообще, зачем вам ловить ее? Почему бы просто не уклониться? Всегда есть возможность отказаться от чего угодно, даже от подарка. Вы понимаете это?

Если вы хотите переехать в другой дом, поблагодарите ваш нынешний дом за то, чем он был для вас.
Будьте признательны ему. Не говорите: «О, я ненавижу это место», потому что тогда вы не сможете полюбить то, что найдете. Любите то место, где находитесь, и вы сможете открыть для себя чудесное новое место.

Мой дом — мирное убежище

Посмотрите на ваш дом. Это то место, в котором вы действительно очень хотели бы жить? Он удобен и полон радости, или тесен, грязен и всегда неприятен? Если он вам не нравится, вы никогда не сможете наслаждаться им. Ваш дом — ваше отражение. В каком он состоянии? Пойдите-ка и вычистите шкафы и холодильник. Выньте из шкафов все, что вы долго не носили, и продайте или отдайте, или сожгите. Избавьтесь от всего этого, чтобы освободить место новому. Делая это, скажите: «Я очищаю все уголки своего разума». Сделайте то же самое с холодильником. Уберите всю давно хранящуюся еду и объедки. Люди, захламляющие свои шкафы и холодильники, захламляют и свой мозг. Сделайте свой дом чудесным местом для жизни.

Деньги — энергия; деньги — мера услуг.

Деньги — форма и содержание. Деньги имеют только тот смысл, который мы вкладываем в них и в который верим. Мы очень большое значение придаем деньгам, но в действительности мы верим, что деньги — это мера того, что мы заслуживаем.

Мой доход постоянно увеличивается

Самый быстрый способ увеличить ваши доходы — это проделать умственную работу. Что вы можете сделать, чтобы помочь себе? Вы можете выбрать: привлекать или отвергать деньги и другие формы процветания. Жалобы никогда не срабатывают. У вас есть космический духовный банковский счет, и вы можете положить на этот счет позитивные аффирмации и верить, что вы достойны. Или вы можете это не делать. Произносите аффирмацию: «Мой доход постоянно увеличивается. Я достойна (достоин) процветания».

Вы можете зря тратить свое время, жалуясь и ворча на то, что не получилось, или на то, что вы недостаточно хороши, а можете проводить время, думая о радостном жизненном опыте. Любовь к себе и веселые, счастливые мысли — самый быстрый способ создания чудесной жизни.

Я обладаю безграничным потенциалом

В бесконечности нашей Жизни все совершенно, целостно и полно. Мы радуемся, понимая, что составляем одно целое с силой, создавшей нас. Эта сила любит все свои создания, включая нас. Мы любимые дети Вселенной, нам дано все. Мы высшая форма жизни на этой планете и снабжены всем, что необходимо для любого жизненного опыта. Наш разум всегда связан с единым бесконечным Разумом, следовательно, если мы верим в это, все знание и мудрость — к нашим услугам. Мы верим: мы создадим для себя только то, что послужит нашему высшему благу, величайшей радости и будет совершенным для нашего духовного роста и эволюции. Мы любим себя такими, какие мы есть. Особенно мы восхищаемся инкарнацией, которую сами избрали для себя в этот период жизни. Мы знаем, что все время можем менять наши индивидуальности и даже наши тела ради лучшего выражения наших величайших потенциалов. Мы счастливы в нашей бесконечности и знаем, что перед нами расстилается вся совокупность возможностей во всех сферах. Мы абсолютно верим в Единую Силу и мы знаем, что все хорошо в нашем мире. И так оно и есть!

Обнаруживая в себе и освобождая старые негативные послания, будьте нежны и добры с вашим внутренним ребенком и утешайте его. Скажите: «Все мои изменения удобны, легки и радостны».

Я всецело люблю себя в настоящем

Любовь — самый большой ластик. Любовь стирает даже самые глубокие отпечатки, потому что любовь глубже всего существующего. Если отпечаток вашего детства очень яркий, и вы постоянно говорите: «Это все их вина. Я не могу измениться», вы остаетесь в тупике. Вам необходимо много работать с зеркалом. Смотрите на свое отражение в зеркале, любите себя с головы до ног. Одетыми и раздетыми. Смотрите в свои глаза и любите себя и своего внутреннего ребенка.

Каждый из нас всегда работает с трехлетним ребенком внутри нас. Большинство из нас, к несчастью,
все время кричат на этого ребенка, а потом удивляются, почему наши жизни не удаются.

Я с любовью обнимаю моего внутреннего ребенка

Любите вашего внутреннего ребенка. Это испуганный ребенок. Обиженный ребенок. Ребенок, не знающий, что делать. Будьте рядом с этим ребенком. Обнимайте его и любите его, и делайте все возможное, чтобы заботиться о его потребностях. Обязательно дайте понять вашему внутреннему ребенку: что бы ни случилось, вы всегда будете рядом с ним. Вы никогда не отвернетесь от него и не сбежите. Вы всегда будете любить этого ребенка.

Вы не можете выучить урок,
предназначенный жизнью другим людям.
Они должны выполнить эту работу сами, и они выполнят
ее, когда будут к ней готовы.

Каждый день я узнаю что-то новое

Мы заставляем детей запоминать даты сражений. Разве не чудесно было бы вместо этого учить их думать, любить себя, устанавливать хорошие взаимоотношения, быть мудрыми родителями, обращаться с деньгами, быть здоровыми. Очень немногих из нас научили справляться с этими разнообразными аспектами нашей жизни. Если бы мы все получили эти знания, мы бы вели себя по-другому.

Если у вас есть какая-либо привычка, спросите себя,
как она служит вам? Что она вам дает? Что случится,
если вы освободитесь от этой привычки? Очень часто
люди говорят: «Моя жизнь могла бы быть лучше».
Почему вы считаете, что не заслуживаете лучшей жизни?

Я освобождаюсь от потребности
в таком состоянии моей жизни

Мы создаем привычки и стереотипы, потому что каким-то образом они служат нам. Иногда мы кого-то наказываем, иногда кого-то любим. Просто удивительно, какое количество болезней создается оттого, что мы хотим наказать одного из родителей, или оттого, что любим его. «У меня будет диабет, точно как у папочки, потому что я люблю моего папочку». Это не всегда происходит сознательно, но если мы обратимся внутрь себя, мы найдем такой стереотип. Мы часто создаем негативность потому, что не знаем, как вести себя в какой-то сфере нашей жизни. Необходимо спросить себя: «О чем я сожалею?» «На кого я сержусь?» «Чего я пытаюсь избежать?» «Как это может спасти меня?» Если мы не готовы отпустить что-то, то, что бы мы ни предпринимали, это не сработает. Когда мы готовы отпустить, просто удивительно, как незаметнейшее событие может помочь нам освободиться.

671

В вас живут не только личные убеждения,
но и убеждения семьи и общества. Идеи заразительны.

Я достаточно хороша (хорош)

Если в вас живет любое мнение, говорящее: «Ты не можешь иметь это» или «Ты не достаточно хороша (хорош)», подумайте так: «Я готова (готов) отпустить это мнение. Я не хочу больше в это верить». Пожалуйста, не сражайтесь. Это не тяжкий труд. Вы просто изменяете мысль. Вы рождены, чтобы наслаждаться жизнью. Утверждайте, что теперь вы готовы и хотите открыться изобилию и процветанию, ожидающим вас повсюду. Заявите себе об этом мысленно здесь и сейчас: «Я заслуживаю процветания. Я заслуживаю хорошего». То, что вы заявили, уже выполнено в сознании, а теперь станет претворяться в вашем жизненном опыте. И так оно и есть.

Если вы очень негативная личность, критикующая себя
и всех остальных, если вы видите жизнь в самом
негативном свете, тогда пришла пора оглядеться вокруг
и стать любящим человеком.
Вам необходимо проявить терпение к себе.
Не сердитесь на себя за то, что это происходит
недостаточно быстро.

Я заявляю о богатстве и полноте моей жизни

Теперь я выбираю освобождение от ограничивающих убеждений, мешавших мне получать желаемые блага. Я заявляю, что все негативные стереотипы моего сознания сейчас очищаются, стираются и отпускаются. Мое сознание наполняется теперь бодрыми, позитивными, любящими мысленными стереотипами, вносящими вклад в мое здоровье, благосостояние и взаимоотношения, полные любви. Теперь я освобождаю все негативные стереотипы мышления, вызывавшие страх потери, страх темноты, страх беды, страх бедности, боли, одиночества, самоуничижения по любой причине, собственной недооценки, любого бремени, любых потерь и тому подобного вздора, возможно, таящегося в каком-то темном уголке моего сознания. Теперь я свободна (свободен) позволить себе принять все добро жизни, заявленное мною. Теперь я провозглашаю для себя богатство и полноту жизни во всем ее изобилии, неограниченную любовь, процветание, здоровье души и тела, неиссякаемые творческие способности, мир и покой. Все это я заслуживаю и готова (готов) теперь принять на постоянной основе. Я сотворец с единой бесконечной общностью Жизни, и потому все возможности открыты мне, и я радуюсь этому. И так оно и есть!

Все, что происходит вне нас, —
всего лишь зеркало нашего образа мыслей.

Я доверяю моему внутреннему разуму

Существует единый интеллект. Он везде, он всегда присутствует. Этот интеллект находится внутри вас и всего, что вы ждете от жизни. Если вы заблудились или что-то потеряли, не думайте: «Я оказалась (оказался) не в том месте» или «Я не найду выход». Прекратите. Знайте, что интеллект, находящийся в вас, и интеллект, обитающий в том, что вы ищете, соединят вас. Ничто не теряется навсегда в божественном Разуме. Доверяйте вашему внутреннему интеллекту.

Одно из вознаграждений любви — хорошее
самочувствие.

Моя любовь бесконечна

Мы иногда забываем, как много любви в этом мире и как много любви в наших сердцах. Иногда мы думаем, что ее недостаточно или очень мало. Поэтому мы припрятываем то, что имеем, или боимся отпустить. Мы боимся дать выход нашей любви. Но те из нас, кто готов учиться, познает, что, чем больше любви мы позволяем себе излучать, тем больше ее остается в нас и тем больше мы получаем назад. Любовь бесконечна во времени и пространстве. На самом деле, любовь — самая мощная из всех существующих целительная сила. Без любви мы вообще не смогли бы выжить. Если младенцы не получают любви и привязанности, они лишаются сил и умирают. Большинство из нас думает, что может выжить без любви, но это не так. Любовь к самим себе — та сила, что исцеляет нас. Любите себя как можно сильнее и отдавайте любовь.

По меньшей мере, три раза в день широко разводите руки и говорите: «Я готов(а) принять любовь. Безопасно для меня принимать любовь».

Я достойна (достоин) любви

Вы не должны зарабатывать любовь точно так же, как не должны зарабатывать право на дыхание. Вы имеете право дышать потому, что существуете. Вы имеете право быть любимыми потому, что существуете. Вот и все, что необходимо знать. Вы достойны вашей собственной любви. Не позволяйте негативным мнениям ваших родителей или общества или распространенным предрассудкам заставлять вас думать, что вы недостаточно хороши. Реальность вашего существования состоит в том, что вы достойны любви. Примите эту мысль и осознайте ее. Когда вам это удастся, вы обнаружите, что окружающие относятся к вам, как к достойному любви человеку.

Каждый раз, когда вы медитируете, каждый раз, когда вы занимаетесь визуализацией ради исцеления, каждый раз, когда вы что-то произносите для исцеления всей планеты, вы вступаете в контакт с людьми, которые делают то же самое. Вы связаны с людьми всей планеты, которые думают так же, как и вы.

Я помогаю создавать мир, в котором безопасно любить друг друга

Это моя мечта помогает создавать мир, в котором нам безопасно любить друг друга; мир, в котором нас любят и одобряют такими, какие мы есть. Именно этого мы хотели, когда были детьми — чтобы нас любили и одобряли такими, какие мы есть. Мы хотели, чтобы нас любили именно тогда, а не когда мы станем выше или умнее, или красивее, или похожими на кузенов, или братьев и сестер, или соседей. Только, чтобы нас любили и одобряли точно такими, какие мы есть. Мы взрослеем и желаем того же самого — чтобы нас любили и одобряли такими, какие мы есть здесь и сейчас. Но мы не получим этой любви и одобрения от других, пока не сможем дать себе этого сами. Когда мы научимся любить себя, нам станет легче любить других людей. Когда мы любим себя, мы не обижаем себя и не обижаем других. Мы освобождаемся ото всех предрассудков и мнений о том, что кто-то недостаточно хорош. Когда мы осознаем, как невероятно мы все красивы, мы находим путь к всемирному покою, к миру, где безопасно любить друг друга.

Если вы считаете, что поступили неправильно,
вы находите способ наказать себя.

Я поднимаюсь над всеми ограничениями

Каждый опыт, включая и так называемые «ошибки», — шаг на жизненном пути. Любите себя за все ваши ошибки. Они очень полезны вам. Они очень многому научили вас. Это способ вашего обучения. Будьте готовы прекратить наказывать себя за ваши ошибки. Любите себя за вашу готовность учиться и расти.

Найдите хорошую группу поддержки, особенно
если не хотите делать что-то самосоятельно.
Там помогут вам расти.

Я имею право на ту жизнь, которую хочу

Какие взаимоотношения вы хотели бы иметь со своей матерью? Превратите ваш ответ в аффирмацию и начинайте произносить ее. Затем вы можете поговорить с матерью. Если она продолжает давить на вас, вы не можете объяснить ей свои чувства. Вы имеете право на свою собственную жизнь. Вы имеете право быть взрослой (взрослым). Вероятно, это будет нелегко. Решите, что вам необходимо. Ваша мать, возможно, не одобрит, но не вините ее за это. Скажите ей, что вам нужно. Спросите ее: «Как нам преодолеть наши разногласия?» Скажите ей: «Я хочу любить тебя, я хочу, чтобы у нас были прекрасные отношения, и мне необходимо быть самой собой (самим собой)».

Мысль — «Я плохой человек» вызывает негативное чувство. А если у вас нет такой мысли, то нет и этого чувства. Измените эту мысль, и это чувство исчезнет.

Сейчас я готов(а) видеть только свое великолепие

Сейчас это мой выбор — исключить из разума и жизни все негативные, разрушительные, полные страха идеи и мысли. Я больше не прислушиваюсь к вредным мыслям и не вступаю в подобные разговоры. Сегодня никто не может причинить мне вред, потому что я отказываюсь верить в то, что мне могут его причинить. Я отказываюсь поддаваться разрушительным чувствам, какими бы оправданными они ни казались. Я возвышаюсь надо всем, что пытается расердить или напугать меня. Разрушительные силы не имеют надо мной власти. Чувство вины не меняет прошлого. Я думаю и говорю только о том, что хочу изменить в моей жизни. Я прекрасно подхожу для всего, что мне необходимо делать. Я составляю единое целое с силой, создавшей меня. Я в безопасности. Все хорошо в моем мире.

Идите за радостью. Пусть вашим девизом на этот год станут слова: «Идите за радостью!» Вот она, жизнь! Наслаждайтесь ею сегодня!

Этот год я посвящаю умственному труду
для изменений

Многие из вас первое января каждого года начинают с новогодних решений, но ваша решимость быстро иссякает, поскольку вы не меняетесь внутренне. До тех пор пока вы не совершите внутренние изменения и не будете готовы к умственному труду, не произойдут никакие внешние изменения. Единственное, что вы должны изменить — это мысль, всего лишь мысль. Даже мысль о ненависти к себе — только ненависть к тому, что вы о себе думаете. Что позитивное вы можете сделать для себя в этом году? Что из того, что вы не сделали в прошлом году, вы хотели бы сделать для себя в этом году? Что из того, за что вы так цеплялись в прошлом году, вы хотели бы отпустить в этом году? Что бы вы хотели изменить в вашей жизни? Готовы ли вы к труду, который принесет эти изменения?

Наблюдайте за тем, что происходит в вашей жизни,
и знайте, что ваш жизненный опыт — это не вы сами.

Я замечаю, что происходит внутри меня

Что вам необходимо сделать, чтобы добраться до того пространства, где вы могли бы стать самым счастливым и сильным человеком в мире? Хорошо поработав над собой, вы поймете важный закон: то, что вы думаете и говорите, выходит из вас. Вселенная реагирует и возвращает отданное вами. Теперь понаблюдайте за собой. Наблюдайте за собой без осуждения и без критики. Вероятно, это один из важнейших барьеров, которые вам придется преодолеть. Просто посмотрите объективно на себя и все, что вас окружает. Просто отметьте, что все это из себя представляет, без всяких комментариев. Просто наблюдайте. Как только вы обеспечите себе пространство, в которое сможете войти, и начнете замечать, что происходит, как вы себя чувствуете, как реагируете, во что верите, вы выйдете из того пространства, в котором находитесь, намного более открытыми.

Мы можем или разрушить нашу планету или исцелить ее.
Все зависит от каждого из нас. Каждый день садитесь
и посылайте любящую исцеляющую энергию планете.
Очень многое зависит от нашего мышления.

Я связан(а) со всей жизнью

Я дух, свет, энергия, вибрация, цвет и любовь. Я представляю собой гораздо большее, чем полагаю. Я связан(а) с каждым человеком на этой планете и со всей жизнью. Я вижу себя здоровым(ой), целостным(ой), живущим(ей) в обществе, где все любят друг друга и в котором мне безопасно быть самим собой (самой собой). Я визуализирую это для себя и всех нас, ибо настало время исцеления и создания целостности. Я часть этого целого. Я един(а) со всей жизнью. И так оно и есть.

Наш духовный рост часто приходит к нам
совершенно неожиданным образом.

Я открываю новые двери в жизнь

Вы стоите в коридоре Жизни, за вами закрылось так много дверей, и за ними осталось то, что вы больше не делаете, не говорите, не думаете, не переживаете. Перед вами простирается длинный коридор с дверями, за каждой из которых открывается новый жизненный опыт. Так вы уходите от прошлого. По мере вашего продвижения вперед, вы видите себя открывающим различные двери в чудесную жизнь, которую вам хотелось бы прожить. Доверьтесь вашему внутреннему руководителю, ведущему вас и направляющему вас наилучшим для вас образом, и верьте, что ваш духовный рост непрерывен. Не имеет значения, какая дверь открывается, а какая закрывается, вы всегда защищены. Вы вечны. Вы будете вечно идти от опыта к опыту. Визуализируйте, как вы открываете двери к радости, миру, исцелению, процветанию и любви. Двери к взаимопониманию, сочувствию и прощению. Двери к свободе. Двери к пониманию своей достойности и ценности. Двери к любви к себе. Все здесь перед вами. Какую дверь вы откроете первой? Помните, что вы в безопасности, это только изменение.

Страх происходит от вашего неверия в то, что процесс
жизни доступен вам. В следующий раз, когда вы
почувствуете страх, скажите: «Я верю в то,
что процесс жизни позаботится обо мне».

Весь мой жизненный опыт правилен для меня

Мы проходили в разные двери с самого момента нашего рождения. Рождение было большой дверью и большим изменением. Мы пришли на эту планету, чтобы жить именно в это время. Мы выбрали наших родителей и с тех пор прошли через множество дверей. В нас есть все, чтобы прожить эту жизнь полно и богато. Мы обладаем всей мудростью. Мы обладаем всем знанием. Мы обладаем всеми способностями и всеми талантами. Мы обладаем всей необходимой любовью и чувствами. Жизнь всегда поддерживает нас и заботится о нас, и нам необходимо знать это и верить в это. Двери постоянно закрываются и постоянно открываются, и если мы остаемся сконцентрированными на самих себе, мы всегда защищены, через какую бы дверь мы ни проходили. Даже когда мы проходим через последнюю дверь на этой планете, это не конец. Это начало другого, нового приключения. Поэтому давайте поймем, что мы всегда в безопасности. И в изменениях нет ничего страшного. Сегодня — новый день. У нас будет много новых чудесных впечатлений. Мы любимы. Мы защищены. И так оно и есть.

Не суетитесь и не пытайтесь исцелить всех ваших друзей. Выполните вашу собственную мысленную работу и исцелите себя. Это принесет окружающим больше хорошего, чем что-либо другое.

Я позволяю другим людям быть самими собой

Мы не можем заставить других людей меняться. Мы можем предложить им позитивную духовную атмосферу, в которой у них будет возможность измениться, если они пожелают. Но мы не можем сделать это для или за других людей. Каждому человеку предназначено выучить его или ее собственные уроки, и если мы что-то сделаем за других, им просто придется делать это заново, поскольку они сами не выполнили необходимое. Все, что мы можем делать, это любить их. Позволить им быть самими собой. Знать, что истина всегда живет в них и что они могут измениться в любой момент, как только захотят.

Если у нас есть какая-то непреодолимая негативная привычка в любой сфере, давайте не будем думать плохо о себе. Давайте поймем, что в нашем сознании существует какая-то необходимость в этой привычке, иначе ее просто не было бы.

Я защищена (защищен) и в безопасности в моем мире

Излишний вес всегда означает защиту. Когда вы чувствуете себя неуверенно или испуганы, вы защищаетесь. Большинство из вас очень много времени проводит, сердясь на себя за то, что вы толстые, и вы испытываете чувство вины из-за каждого съеденного куска. Вес не имеет никакого отношения к еде. В вашей жизни происходит что-то, из-за чего вы не чувствуете себя в безопасности. Вы можете бороться с жиром двадцать лет и все же быть толстыми, потому что вы не докопались до причины. Если у вас избыточный вес, отложите эту проблему и работайте над первопричиной, выраженной словами: «Мне необходима защита», «Я в опасности». Не сердитесь, когда ваш вес увеличивается, потому что клетки нашего тела реагируют на наш образ мыслей. Когда исчезает необходимость в защите или когда вы начинаете чувствовать себя в безопасности, жир тает сам собой. Начинайте говорить: «Я привыкла (привык) к своей проблеме с весом». Вы начнете раскачивать стереотип. Ваш сегодняшний выбор мыслей начинает создавать ваше новое будущее завтрашнего дня.

Рабы привычек обычно бегут от самих себя
и пользуются какой-либо из дурных привычек
(сигареты, алкоголь, наркотики), чтобы заполнить
свое внутреннее пространство.

Я готов(а) освободиться от моих страхов

Если у вас избыточный вес, вы можете собрать в кулак всю силу воли и дисциплину, какие только есть в мире, и испробовать всевозможные диеты. Возможно, вы действительно сильны и способны не съесть ни крошки из того, что не следует есть. К несчастью, как только вы расслабляетесь, вес снова возвращается. Это происходит оттого, что вы не работали с истинной причиной. Вы работали лишь с внешним эффектом. Реальная проблема с вашим весом обычно заключается в страхе, который создает жир для защиты. Вы можете бороться с жиром всю вашу жизнь и никогда не достигнете желаемого результата. Вероятно, до самой смерти вы будете продолжать верить, что недостаточно хороши потому, что не похудели. Однако ваше чувство безопасности может быть обеспечено более положительным образом, и тогда излишек веса исчезнет сам собой. Говорите: «Я готов(а) освободиться от своей проблемы с весом. Я готов(а) освободиться от страха. Я готов(а) освободиться от потребности в этой защите. Я в безопасности».

Когда мы взрослеем, то склонны воспроизводить
эмоциональную обстановку нашего детства.
Мы склонны воспроизводить взаимоотношения
с нашими матерями и отцами или отношения между ними.

Я принимаю свои собственные решения

Многие из вас участвуют в игре «борьба за власть» со своими родителями. Родители оказывают на вас очень сильное давление. Если вы хотите перестать играть в эту игру, именно вам придется прекратить ее. Пора вам повзрослеть и решить, чего вы хотите. Вы можете начать называть ваших родителей по имени. Установите отношения «взрослый — взрослый», а не «мать (отец) — ребенок».

Это безопасно — смотреть внутрь себя. Каждый раз, как вы все глубже заглядываете в себя, вы находите там невероятно прекрасные сокровища.

Я — в центре покоя

Внешний мир не трогает меня. Я властвую над собой. Я охраняю внутренний мир, который в себе создала. Я делаю то, что мне необходимо, чтобы сохранить покой своего внутреннего мира. Мой внутренний покой жизненно важен для моего здоровья и хорошего самочувствия. Я обращаюсь внутрь себя и нахожу пространство, в котором обитают тишина и безмятежность. Я могу видеть это пространство, как тихий, глубокий пруд, окруженный зеленой травой и высокими молчаливыми деревьями. Я могу чувствовать его, как белые большие, ласкающие облака, на которых можно лежать. Я могу слышать его, как успокаивающую восхитительную музыку. Какое бы восприятие моего внутреннего мира я ни выбрала, я обретаю покой. Я существую в этом средоточии покоя. Я чистота и спокойствие центра моего творческого процесса. В покое я творю. В покое я живу и получаю жизненный опыт. Я спокойна (спокоен) в своем внешнем мире потому, что остаюсь в покое своего внутреннего мира. Другие могут жить в разногласиях и хаосе, но меня это не трогает, ибо я заявляю о своем покое. Вокруг меня может царить безумие, но я спокойна (спокоен). Вселенная — это великий порядок и мир, и я отражаю это в каждый момент своей жизни. Звездам и планетам не надо беспокоиться или бояться для того, чтобы двигаться по своим божественным орбитам. Никакие хаотичные мысли не мешают моему мирному существованию в жизни. Я выбираю выражение покоя, ибо покой — это я. И так оно и есть.

Начинайте слушать то, что вы говорите.
Если вы слышите, что пользуетесь негативными
или ограничивающими словами, измените их.

Я говорю и думаю позитивно

Если бы вы могли понять силу ваших слов, вы бы осторожнее их выбирали. Вы постоянно говорили бы положительными аффирмациями. Вселенная всегда отвечает «да», что бы вы ни сказали, и не имеет значения, верите вы в свои слова или нет. Если вы выбираете веру в то, что вы не очень хороши, ваша жизнь никогда не будет хорошей, вы никогда не получите желаемого, Вселенная ответит, и вы не получите ничего хорошего. Как только вы начинаете меняться, как только вы готовы принести хорошее в вашу жизнь, Вселенная ответит добром.

Каждый из нас делает все, что может,
в этот самый момент. Если бы наше знание было шире,
если бы мы обладали большим пониманием,
мы бы сделали это по-другому.

Я всегда абсолютно соответствую обстоятельствам

Хвалите себя и говорите себе, как вы чудесны. Не причиняйте себе вред. Когда вы делаете что-то новое, не казните себя за то, что в первый раз вы не сделали это, как профессионал. Практикуйтесь. Учитесь делать это лучше. В следующий раз, когда вы будете делать что-то новое или незнакомое, что-то, чему вы только учитесь, помогите себе. Не говорите себе, что вы ошибаетесь; скажите себе, что вы делаете правильно. Похвалите себя. Поддержите себя, чтобы в следующий раз чувствовать себя действительно хорошо и уверенно. С каждым разом у вас будет получаться все лучше, лучше и лучше. Скоро вы обретете какое-то новое умение.

Я могу дать множество хороших советов
и множество чудесных новых идей, но только вы держите
силу в своих руках. Вы можете принять мои советы
и идеи или можете не принять. Сила в ваших руках.

Я постоянно получаю поразительные дары

Учитесь принимать процветание, а не выменивать его. Если друг дарит вам подарок или приглашает вас на ленч, вы не должны немедленно расплачиваться. Позвольте этому человеку сделать вам подарок. Примите его с радостью и удовольствием. Вы можете никогда и не делать ответного подарка этому человеку. Вы можете подарить что-то кому-то другому. Если кто-то дарит вам подарок, которым вы не можете или не хотите пользоваться, скажите: «Я принимаю с радостью, удовольствием и благодарностью» и передайте это кому-нибудь другому.

Мы все учителя и студенты. Спросите себя:
«Зачем я пришла (пришел) сюда? Чему научиться?
И чему научить?»

Все мои взаимоотношения находятся в кругу любви

Поместите свою семью — всех живых и ушедших от вас — в круг любви. Включите в этот круг любви ваших друзей, любимых, супругов, всех ваших сотрудников, всех людей из вашего прошлого и всех, кого бы вы хотели простить, но не знаете, как это сделать. Утверждайте, что у вас чудесные гармоничные отношения с каждым человеком, которого вы уважаете и любите и который уважает и любит вас. Знайте, что вы можете жить с достоинством, миром и радостью. Позвольте этому кругу любви охватить всю планету и позвольте вашему сердцу открыться, чтобы внутри вас появилось пространство безоговорочной любви. Вы достойны любви. Вы прекрасны. Вы сильны. Вы открываете себя ко всему хорошему. И так оно и есть.

Расслабьтесь и наслаждайтесь жизнью.
Знайте: все, что вам необходимо знать, открыто вам
в идеальное время, в идеальном месте и в идеальной
последовательности.

Я спокойна (спокоен)

Сегодня я — новая личность. Я расслабляюсь и освобождаю свои мысли от любого ощущения давления. Ни один человек, ни одно место, ни одна вещь не могут ни раздражать, ни обижать меня. Я спокойна (спокоен). Я свободная личность, живущая в мире, который является отражением моей собственной любви и понимания. Я ни с чем не борюсь. Я выступаю за все, что улучшит качество моей жизни. Я использую мои слова и мысли как орудия для формирования моего будущего. Я часто выражаю благодарность и ищу то, за что могу благодарить. Я расслаблена (расслаблен). Я живу мирной жизнью.

Сделайте глубокий вдох и освободитесь
от сопротивления.

Я готова (готов) освободиться от потребности в этом состоянии

Неважно, как долго ваши негативные убеждения гнездились в вашем подсознании, отныне утверждайте, что вы свободны от них. Прямо сейчас утверждайте, что вы готовы освободить причины, стереотипы вашего подсознания, создавшие все негативные условия вашей жизни. Утверждайте, что теперь вы готовы освободиться от потребности в этих условиях. Знайте, что они исчезают, растворяются, возвращаются в небытие, откуда и приходили. Старый мусор больше не имеет над вами власти. Вы свободны! И так оно и есть.

Как часто вы погружаетесь во вчерашний духовный мусор для создания завтрашнего жизненного опыта? Вам необходимо периодически проводить умственную чистку и выкидывать старый мусор или те вещи, которые больше не подходят вам или не устраивают вас. Отныне вы хотите совершенствовать лишь позитивные, хорошие, приятные, поддерживающие вас идеи и чаще пользоваться ими.

Я с легкостью освобождаю прошлое и доверяю процессу жизни

Закройте дверь за старыми болезненными воспоминаниями. Закройте дверь за старыми обидами, старым лицемерным непрощением. Возможно, в вашем прошлом случилось что-то, полное боли и обиды, что-то, что трудно простить или даже вспоминать. Спросите себя: «Сколько еще времени хочу я держаться за это? Сколько времени хочу страдать из-за того, что случилось в прошлом?» Теперь представьте себе реку, возьмите этот старый жизненный опыт, эту боль, эту обиду, это непрощение и бросьте весь этот случай в реку. Смотрите, как все это начинает растворяться и уплывать вниз по течению, пока полностью не растворится и не исчезнет. Вы обладаете способностью отпускать. Вы свободны. И так оно и есть.

Больше всего мы сопротивляемся тому, чему нам необходимо научиться. Если вы все время говорите: «Я не могу» или «Я не буду», вероятно, именно этот урок наиболее важен для вас.

Я замечательная (замечательный) и чувствую себя великолепно

Перепрограммирование ваших негативных убеждений — очень сильное средство. Хороший способ перепрограммирования — записать на магнитную пленку ваш собственный голос. Ваш голос очень много значит для вас. Запишите на пленку ваши аффирмации и слушайте их. Это принесет вам большую пользу. Если вы хотите иметь еще более мощное средство, попросите вашу мать записать на пленку эти аффирмации. Можете представить себе: вы засыпаете, слушая голос вашей матери, говорящей, как вы замечательны, как сильно она любит вас, как она гордится вами и знает, как много вы можете достичь в этом мире?

Обида, критика, вина и страх происходят оттого, что мы обвиняем других и не берем на себя ответственность за наш собственный жизненный опыт.

Мой стимул — любовь

Освободите глубоко затаенные горечь и обиду. Утверждайте, что вы абсолютно готовы искренне простить всех. Если вы думаете о ком-то, кто, вероятно, причинил вам вред каким-либо образом в какой-либо момент вашей жизни, благословите этого человека с любовью и освободите его. И освободите эту мысль. Никто не может забрать у вас то, что по праву принадлежит вам. Все, что принадлежит вам, всегда к вам возвращается в Божественно правильном порядке. Если что-то не возвращается к вам, значит, это не должно возвратиться. Примите это с миром. Растворение обиды очень важно. Доверяйте себе. Вы в безопасности. Ваш стимул — любовь.

Играть роль жертвы очень удобно, потому что всегда можно переложить вину на кого-то другого. Вам придется стоять на собственных ногах и принимать ответственность на себя.

Я обладаю силой, чтобы совершать изменения

Есть разница между выражениями «принимаю на себя ответственность» и «вина лежит на мне». Когда мы говорим об ответственности, на самом деле мы имеем в виду обладание силой. Когда мы говорим о вине, мы говорим о неправильных действиях. Ответственность — дар, потому что она дает вам силу совершать изменения. К несчастью, некоторые люди предпочитают интерпретировать ответственность как виновность. Обычно эти люди так или иначе воспринимают все события как «путешествие виноватого», потому что это еще один способ оставаться в рамках жертвы. На определенном уровне быть жертвой чудесно, так как ответственность лежит на всех остальных и у нас нет возможности изменить что-либо. Когда люди настаивают на своем чувстве вины, мы мало что можем с этим сделать. Либо они принимают информацию со стороны, либо нет. Мы не отвечаем за их чувство вины.

Мы никогда ни с кем не сведем счеты (не расквитаемся). Месть не срабатывает, так как то, что вы отдаете, возвращается к вам.

Я освобождаю все старые обиды и прощаю себя

Когда вы с горечью и гневом цепляетесь за прошлое и не позволяете себе жить настоящим моментом, вы тратите попусту сегодняшний день. Если вы давно держитесь за горечь и недовольство, необходимо простить себя, а не другого человека. Если вы держитесь за старые обиды, вы наказываете себя здесь и сейчас. Часто вы сами сажаете себя в тюрьму лицемерного негодования. Что вы хотите: быть правым или быть счастливым? Простите себя и перестаньте себя наказывать.

Поверьте, что изменить мысль или стереотип мышления достаточно легко.

У меня всегда есть выбор

Большинство из нас имеют очень глупые представления о том, кто мы такие, и придерживаются множества строгих правил насчет того, как следует прожить жизнь. Давайте навсегда удалим из нашего словаря слова «следовало бы». «Следовало бы» — слова, которые превращают нас в заключенных. Каждый раз, как мы используем слова «следовало бы», мы ставим себя в положение виноватых или виним кого-то другого. На самом деле мы говорим «недостаточно хороши». Что можно было бы исключить из вашего списка, где все начинается со слов «следовало бы»? Замените «следовало бы» на «можно бы». «Можно бы» позволяет вам осознать, что у вас есть выбор, а выбор — это свобода. Нам необходимо понять: все, что мы делаем в жизни, делается по выбору. В действительности не существует ничего, что мы должны делать. У нас всегда есть выбор.

Мы используем лишь десять процентов нашего мозга. А зачем же нужны остальные девяносто процентов? Подумайте об этом. Насколько больше мы можем узнать?

Я преодолеваю свои проблемы и сплю спокойно

Сон — это время самовосстановления и погружения в события дня. Наши тела восстанавливаются, освежаются и обновляются. Наш разум переходит в мир сновидений, в котором решаются дневные проблемы. Мы готовимся к новому наступающему дню. Входя в состояние сна, мы хотим взять с собой позитивные мысли — мысли, которые создадут чудесный новый день и чудесное новое будущее. Поэтому, если вы испытываете гнев или полны упреков, отпустите их. Если вы испытываете негодование или страх, отпустите их. Если вы испытываете ревность или ярость, отпустите их. Если в уголках вашего разума затаилось чувство вины или потребность в наказании, отпустите их. Погружаясь в сон, чувствуйте только покой души и тела.

Мы сами создаем привычки и проблемы, удовлетворяя этим какие-то свои потребности. Если мы находим позитивный способ удовлетворить эти потребности, мы разрешаем данную проблему.

У каждой проблемы есть решение

Для каждой проблемы я нахожу решение. Я не ограничен(а) моим человеческим мышлением, так как я связан(а) со всей Вселенской Мудростью и Знанием. Я выхожу из полного любви пространства моего сердца и знаю, что любовь открывает все двери. Бесконечная сила всегда готова помочь мне встретить и преодолеть любой кризис, любое испытание в моей жизни. Я знаю, что где-то в мире уже положительно разрешена каждая проблема. Поэтому я знаю, что так будет и со мной. Я окутываюсь коконом любви, и я в безопасности. Все хорошо в моем мире.

Каждый раз, как вы слышите о какой-то неизлечимой болезни, осознайте, что это неправда. Знайте, что существует более могущественная сила, чем болезнь.

Бесконечный дух вечен

Солнце сияет всегда. Даже если наплывают облака и на некоторое время заслоняют солнце, оно все равно всегда сияет. Солнце никогда не прекращает сиять. Даже когда земля поворачивается и кажется, что солнце заходит, на самом деле оно никогда не перестает сиять. Те же рассуждения справедливы для бесконечной силы и бесконечного духа. Он всегда здесь, всегда дает нам свет. Мы можем заслонить его присутствие облаками негативного мышления, но тот дух, та сила, та целительная энергия всегда с нами.

Чтобы перепрограммировать подсознание, вам необходимо расслабить тело. Освободитесь от напряжения. Отпустите эмоции. Войдите в состояние открытости и восприимчивости. Вы всегда контролируете ситуацию. Вы всегда в безопасности.

Моя жизнь — радость

Ваше подсознание не может отличить правду от лжи, правильное от неправильного. У вас никогда не должно возникать желание сказать о себе нечто вроде: «Ох, ну и старая же я дура», потому что подсознание немедленно ухватится за эту мысль, и, повторив ее несколько раз, вы начнете себя чувствовать именно так. Не подшучивайте над собой, не осуждайте себя, не отзывайтесь о жизни пренебрежительно, потому что таким образом вы не создадите для себя хорошую жизнь.

Когда в нашу жизнь приходит добро, а мы отрицаем его словами: «Я в это не верю», мы в буквальном смысле отталкиваем от себя хорошее.

Я позволяю себе только позитивные мысли

Представьте, что мысли похожи на капельки воды. Когда вы все время думаете об одном и том же, вы создаете невероятное количество воды. Сначала — маленькую лужицу, затем — пруд. Вы снова и снова повторяете те же мысли, и вот у вас уже озеро, а в конце концов и океан. Если ваши мысли негативны, вы можете утонуть в море вашей собственной негативности. Если ваши мысли позитивны, вы можете плыть по океану жизни.

Работа, которую вы проводите над собой, не цель. Это процесс, процесс жизни. Наслаждайтесь этим процессом.

Я нахожусь здесь в правильное время

Мы все совершаем бесконечное путешествие сквозь вечность, и время, которое мы проводим на этой равнине деятельности — всего лишь краткое мгновение. Мы выбираем свой приход на эту планету, чтобы усваивать определенные уроки и работать над своим духовным ростом, расширять нашу способность любить. Для прихода и ухода не может быть правильного или неправильного времени. Мы всегда приходим в середине кинофильма и уходим в середине кинофильма, Мы уходим, когда именно наше задание окончено. Мы приходим учиться больше любить себя и делиться этой любовью со всеми, кто нас окружает. Мы приходим открывать наши сердца на гораздо более высоком уровне. Наша способность любить — единственное, что мы забираем с собой, уходя. Если вы уйдете сегодня, сколько вы смогли бы взять с собой?

Если вы не доверяете другим людям, это происходит потому, что вы не заботитесь о себе. Вы не поддерживаете себя. Вы не помогаете себе.
Когда вы действительно начнете заботиться о себе, вы станете доверять себе, а когда вы начнете доверять себе, вы будете доверять другим людям.

Я связана (связан) с высшей силой

Теперь пришло время узнать о вашей собственной силе и о том, на что вы способны. Что вы можете отпустить? Что вы можете взрастить в себе? Что вы можете создать заново? Мудрость и разум Вселенной — в вашем распоряжении. Жизнь с вами, чтобы поддерживать вас. Если вы пугаетесь, думайте о вашем дыхании и осознавайте каждый вдох и выдох. Ваше дыхание — самая ценная субстанция вашей жизни, данная вам так щедро и свободно. Вашего дыхания вам хватит на всю вашу жизнь. Если эта самая ценная субстанция дана вам так свободно, что вы даже не думаете о ней, как же вы можете не верить, что жизнь снабдит вас всем, в чем вы нуждаетесь?

Вы становитесь своим лучшим другом — человеком, который приносит вам больше всего радости.

Я люблю и одобряю себя прямо сейчас

Многие из вас не готовы полюбить себя до тех пор, пока вы не похудеете, не получите новую работу, не найдете возлюбленного, не получите то, не получите это. И таким образом вы всегда откладываете свою любовь к себе на будущее. Что происходит, когда вы получаете новую работу, или возлюбленного, или худеете, и все еще не любите себя? Вы просто составляете следующий список и снова отдаляете свою любовь к себе. Единственный момент, когда вы можете начать любить себя такими, какие вы есть, это настоящий момент. Безусловная любовь — это любовь без всяких ожиданий. Это одобрение того, что есть.

Мы находимся на грани пробуждения нового сознания для всей планеты. Как далеко вы готовы раздвинуть горизонты вашего мышления?

Я составляю единое целое со всеми на этой планете

Я не верю в существование двух сил: добра и зла. Я думаю, что существует единый бесконечный дух и люди, обладающие всеми возможностями пользоваться разумом и мудростью, и всем, что им дано. Когда вы говорите о НИХ, вы всегда говорите о НАС, потому что мы — люди, мы — правительство, мы — церкви, и мы — планета. Место начала перемен находится именно там, где находимся мы. Я думаю, слишком легко сказать: «Это дьявол», «Это они». На самом деле это всегда МЫ!

Повзрослев, мы начинаем беспокоиться о том,
что думают наши соседи. Мы говорим себе: «Одобрят ли
они меня?» Всё и вся уникально и различно,
и предназначено быть таким. Если мы похожи на других
людей, то не выражаем нашу собственную уникальность.

Я представляю собой совершенно уникальное создание

Вы — не ваш отец. Вы — не ваша мать. Вы — не один из ваших родственников. Вы — не один из ваших учителей в школе. Вы — не ограничения вашего раннего религиозного воспитания. Вы особенны и уникальны, вы обладаете вашим собственным набором талантов и способностей. Никто не может делать что-то так, как можете делать это вы. Нет соревнования и нет сравнения. Вы достойны вашей собственной любви и вашего собственного одобрения. Вы замечательное создание. Вы свободны. Признайте это как вашу новую правду. И так оно и есть.

Если вы собираетесь слушать других людей,
слушайте победителей. Слушайте людей, знающих,
что они делают, и проявляющих то, что они знают.

Я создан (а) победителем

Научившись любить себя, мы становимся сильными. Наша любовь к себе поднимает нас с уровня жертв на уровень победителей. Наша любовь к себе привлекает к нам чудесный жизненный опыт. Люди, хорошо себя чувствующие, естественно привлекательны, потому что обладают замечательнейшей аурой. Они всегда побеждают в Жизни. Мы можем захотеть научиться любить себя. Мы тоже можем быть победителями.

В действительности медитация просто успокаивает вас настолько, чтобы вы могли вступить в контактс вашей внутренней мудростью.

Я следую за моей внутренней мудростью

Выйдете из того чудесного любящего места в вашем сердце. Оставайтесь сосредоточенными и любите себя такими, какие вы есть, и знайте, что вы действительно божественное, замечательное выражение Жизни. Не имеет значения то, что происходит там, снаружи, вы сосредоточены. Вы имеете право на ваши чувства. Вы имеете право на ваши мнения. Вы просто такие, какие есть. Вы работаете над любовью к себе. Вы работаете над раскрытием вашего сердца. Вы работаете, чтобы делать то, что правильно для вас, и вступаете в контакт с вашим внутренним голосом. Ваша внутренняя мудрость знает ответы на все ваши вопросы. Иногда страшно делать все это, так как ваши внутренние ответы могут очень отличаться от того, что хотят от вас ваши друзья. Однако вы внутренне сознаете, что для вас это правильно. И если вы последуете за этой внутренней мудростью, вы будете в мире с вашим внутренним «Я». Поддержите себя в правильном для вас выборе. Когда вы сомневаетесь, спросите себя: «Выхожу ли я из любящего пространства сердца? Полно ли это решение любви ко мне? Правильно ли это для меня сейчас?» Возможно, решение, которое вы принимаете сейчас, в какой-то более поздний момент — через день, неделю или месяц — уже не будет правильным выбором, и тогда вы сможете изменить его. Каждое мгновение спрашивайте: «Правильно ли это для меня?» И отвечайте: «Я люблю себя, и я делаю правильный выбор».

Промедление, откладывание со дня на день — просто еще одна форма сопротивления.

Я работаю над карьерой,
которой по-настоящему наслаждаюсь

Что вы думаете о вашей работе? Думаете ли вы о ней как о тяжелой и нудной работе, которую вы *должны* выполнять? Или видите ее как нечто, что вы действительно любите делать и наслаждаетесь этим? Начинайте использовать аффирмации о том, что вы делаете нечто, очень вас удовлетворяющее. Вы получаете удовольствие от вашей работы. Вы связаны с творчеством Вселенной и позволяете этому творчеству протекать через вас и реализовываться самым удовлетворительным образом. Произносите эти аффирмации каждый раз, как вас посещают негативные мысли о вашей работе.

Всё в нашей жизни — наше зеркальное отражение.
Когда что-то неприятное происходит вне нас,
необходимо заглянуть внутрь себя и спросить: «Каким
образом я создаю это? Какая часть меня верит в то,
что я заслуживаю этот опыт?»

Я обладаю совершенным пространством

Я вижу себя на своем рабочем месте, и я полна благодарности. Я вижу
совершенное пространство и оборудование для отправления почты и гру-
зов, прекрасно распланированные рабочие помещения, абсолютно подходящие по размерам залы для собраний. Все необходимое оборудование
находится на своем месте, а персонал — сообщество гармоничных, преданных делу людей. В офисах царит красота, порядок и мир. Я счастлива
участвовать в работе, помогающей духовному росту, исцелению и большей
гармонии нашего мира. Я вижу, как открытые, восприимчивые души при-
тягиваются к деятельности, организованной моей работой. Я благодарна
за постоянную изобильную поддержку этому делу. И так оно и есть.

Если вы выберете убеждение: «Все всегда помогают мне» то обнаружите, что, где бы в вашей жизни вы ни находились, люди помогают вам.

Каждый человек является частью гармоничного целого

Каждый из нас является божественной идеей, гармонично выражающейся через единый Разум. Мы пришли сюда вместе, потому что существует нечто, чему нам необходимо научиться друг от друга. В нашем совместном существовании есть цель. Нет необходимости сражаться с этой целью или винить в происходящем кого-то другого. Нам безопасно работать над любовью к себе, чтобы получать пользу и расти в этой жизни. Мы выбираем совместную работу, чтобы привносить гармонию в ежедневный бизнес и все другие сферы нашей жизни. Все, что мы делаем, основано на единственной правде — правде нашего бытия и правде Жизни. Божественно правильная деятельность направляет нас в каждое мгновение дня. Мы всегда произносим правильное слово в правильное время и всегда правильно поступаем. Каждый человек — часть гармоничного целого. Когда люди радостно работают вместе, поддерживают и одобряют друг друга, реализуясь продуктивно и совершенно, Божественно сливаются энергии. Мы достигаем успеха во всех сферах нашей работы и жизни. Мы здоровы, счастливы, любящи, радостны, уважаемы, созидательны, нас поддерживают, мы в мире с самими собой и друг с другом. Это отношение любовно освобождается в единый Разум, выполняющий работу, и ясно проявляет ее результаты в наших жизнях. Пусть так будет, и так оно и есть. Это реальность!

В век Водолея мы учимся обращаться внутрь себя,
чтобы найти нашего спасителя. Мы — сила,
которую мы ищем. Каждый из нас полностью связан
со Вселенной и с жизнью.

Этот мир — наш рай на земле

Я вижу сообщество высоко духовных душ, которые приходят вместе, чтобы совместно пользоваться, усиливать и излучать свои энергии в мир — каждый свободен идти своим собственным курсом и объединяться для лучшего выполнения индивидуальных целей. Я вижу, как нас ведут к формированию нового рая на земле, ведут вместе со всеми, кто также желает доказать себе и другим, что это возможно сейчас. Мы живем вместе гармонично, с миром и любовью, выражая Бога в наших жизнях и нашем образе жизни. Мы создаем мир, в котором самая важная деятельность — обеспечение духовного роста, и деятельность эта индивидуальна. Вполне достаточно времени и возможностей для нашего творческого выражения в любой избранной сфере. Не надо надрываться и тревожиться, чтобы зарабатывать деньги. Все, что нам необходимо, мы сможем выразить через внутреннюю силу. Образование станет процессом воспоминания того, что мы уже знаем и теперь отчетливо осознаем. Нет никаких болезней, ни бедности, ни преступлений, ни обмана. Мир будущего начинается сейчас, прямо здесь, со всеми нами. И так оно и есть.

ЦВЕТА
И ЧИСЛА

COLORS &
NUMBERS

Всем ярким созданиям на этой прекрасной планете посвящается. Вы прекрасны, как и я. Давайте любить и ценить нашу собственную уникальность и уникальность друг друга. Давайте наполним наши дни цветом и радостью.

ПРЕДИСЛОВИЕ

Эта книга предлагает занимательный способ объединить в вашей повседневной жизни цвета, числа, аффирмации и духовные идеалы. Существует множество взглядов на смысл чисел, и один из них, изложенный в книге «Цвета и числа», достоин вашего внимания и размышлений. По моему мнению, особенно ценно здесь то, как Луиза Хей использует аффирмации для создания ежедневного настроения. Я лично получил удовольствие от ее творческой, свежей и увлекательной концепции. Читайте эту книгу и наслаждайтесь вашей жизнью.

Кристофер Гибсон,
лектор и консультант по метафизике.
Санта Моника, Калифорния

ПЕРВЫЙ ВЗГЛЯД НА ЦВЕТА И ЧИСЛА

Номер	Цвета	Драгоценные камни и металлы	Ключевые слова
1	красный	рубин	начинания
2	оранжевый	лунный камень	сотрудничество
3	желтый	топаз	радость
4	зеленый	изумруд / нефрит	практичность
5	голубой	бирюза / аквамарин	изменение
6	синий	сапфир лазурит	ответственность
7	пурпурный/фиолетовый	аметист	вера
8	бежевый (коричневый), розовый	бриллиант	успех
9	все пастельные цвета	опалы / золото	завершение
11/2	черный/белый или жемчужно-серый	серебро	интуиция
22/4	коралловый/ красновато-коричневый, желтовато-коричневый	коралл	величие

ЦВЕТА И ЧИСЛА

Изучение цвета завораживает. Мы окружены цветом всю нашу жизнь. Даже так называемая бесцветность имеет цвет. Трудно представить себе мир без цвета.

Когда мы думаем о цвете, то прежде всего вспоминаем природу. Мы с нетерпением ждем первых нежных ростков, подтверждающих приход весны. Вид крокусов, внезапно появляющихся из оттаявшей почвы, согревает наши сердца. Пышность и сочность зелени и цветов середины лета позволяет нам почувствовать щедрость земли. Затем начинается потрясающий осенний спектакль в желтых, оранжевых и красных тонах. Заканчивается осень, и приходит зима, покрывая белым снежным одеялом землю, оставляя серыми стволы и ветви деревьев. Мы снова ждем наступления весны.

А сколько раз за свою жизнь наблюдаем мы закаты и рассветы, восхищаясь невероятной игрой цвета? Восход солнца в пустыне вызывает в наших сердцах благоговейный трепет. От рассвета и до глубокой ночи сквозь блистающий красками день и сквозь сумерки мы наслаждаемся тысячами оттенков цвета и света. Когда мы находим время поднять глаза к синему небу, то чувствуем мир и покой открытого космоса. Цвета выполняют уже не просто декоративную функцию, они оказывают на нас более сильное воздействие.

Цвет — неотъемлемая часть нашей жизни. Однако большинство из нас остается в глубоком неведении относительно того, какую пользу может принести сознательное использование цвета. Каждый цвет излучает свою собственную энергию, которую мы можем использовать для улучшения нашей жизни.

Изучение чисел уходит корнями в глубокую древность, и всегда было уважаемым занятием. Греческий философ Пифагор, которого часто называют отцом нумерологии (наука о магических числах), считал, что числа и количественные соотношения являются сущностью вещей, «первоосновой мира». Даже в эпоху Ренессанса (Возрождения. В Италии XIV—XVI вв., в других европейских странах XV—XVI вв. — *Прим. пер.*) архитекторы использовали при возведении церквей мистические числовые системы, веря, что таким образом усиливают Божественное присутствие внутри священных стен.

Все цвета и числа имеют свой особый смысл и в этой книге рассматриваются вместе, поскольку, как учит нас нумерология, каждому числу соответствует определенный цвет; каждый месяц и каждый день меняются вибрации, а с изменением числовых вибраций меняются цвета.

Существует множество возможностей взаимодействия с Жизнью. Осознанное использование наших личных чисел и цветов — один из путей облегчить течение дней. Эта книга показывает нам еще один способ внедрить гармонию цветов и чисел в нашу повседневную жизнь. Числа и цвета, наполняющие наши дни, полезны для формирования нашей жизненной позиции, поскольку могут стать базисом наших аффирмаций и наших самооценок, что и является истинной целью этой книги.

Кажется, что все вокруг нас пронумеровано: улицы и дома, телефоны и банковские счета, электрические бытовые приборы, карточки социального обеспечения и кредитные карточки, бумажные деньги, рабочие и праздничные дни в календарях. Однако самыми личными нашими номерами являются наш возраст и дата рождения.

Цвет также встречается нам повсюду. Мы все едим пищу и носим одежду, многие из нас носят украшения из драгоценных металлов и камней. Мы украшаем наши жилища, выбирая цвета стен и мебели, ковров и портьер. Наши средства передвижения и наши рабочие места также имеют цвета. Когда мы ежедневно сознательно выбираем цвета, драгоценности, пищу и одежду, сочетающиеся с нашими персональными вибрациями, мы усиливаем нашу способность взаимодействовать с внешним течением жизни. Наше здоровье и наше разумное отношение к самим себе может быть определено цветами, которые мы носим.

Мужчины и женщины, молодые и пожилые, активные или малоподвижные — все откроют для себя значение введения цветов и чисел в свои жизни. Каков бы ни был ваш образ жизни, где бы вы ни жили, использование цвета в вашей жизни постоянно, и числа существуют повсюду.

Все цвета хороши, и в разное время мы чувствуем себя более комфортабельно с разными цветами. Наша повседневная жизнь может быть улучшена, если мы окружим себя цветами, наиболее гармонирующими с нашими персональными вибрациями в данный день. Именно изучение чисел открывает нам наши дневные, месячные и годовые вибрации. Когда мы выбираем цвет, соответствующий этим особенным вибрациям, и обращаем внимание на то, что говорит нам данное число, мы настраиваемся на одну волну с Жизнью.

Как вы увидите далее, каждый прожитый вами день (личный день) имеет цвет, вибрации которого совпадают с числом этого дня. Каждый день также имеет драгоценный камень, резонирующий на эти цвет и число. Драгоценные камни, как цвета, имеют вибрации, то есть, если их носить, могут усилить желаемое настроение. Для каждого личного дня существует и ключевая фраза, создающая его атмосферу.

Для каждого личного дня я добавила аффирмацию. Я призываю вас сосредоточиться на этих положительных идеях. Я люблю произносить их по утрам, как только просыпаюсь, готовясь к новому радостному, увлекательному, познавательному дню.

Каждый из нас имеет собственные числовые вибрации и собственные цветовые вибрации. Некоторые из этих чисел — такие, как наш день рождения — постоянны. У нас также есть временные персональные цвета, меняющиеся с изменением календарных дат. Осознанно окружая себя нашими персональными цветами, мы добиваемся большей гармонии с космическими силами.

Для тех, кто хочет более глубоко познакомиться с данным предметом, существует много хороших книг. А теперь давайте исследуем один из аспектов данной темы: изучение чисел для определения цвета в нашей повседневной жизни. В следующей главе я объясняю методы, применяемые для вычисления вибраций вашего личного года, вибраций вашего личного месяца и вибраций вашего личного дня.

РАСЧЕТ ВАШЕГО ЛИЧНОГО ГОДА, МЕСЯЦА И ДНЯ

Во-первых, существует вибрация Универсального года (текущего года). Эта вибрация оказывает влияние на всех. Мы находим число, которое соответствует ей, складывая четыре цифры текущего года. Например, год 1998 рассчитывается сложением $1+9+9+8=27$. В нумерологии мы продолжаем редуцировать (сокращать) числа до получения единственной цифры; таким образом, мы складываем $7+2=9$, то есть 1998 год является Универсальным годом № 9.

ЛИЧНЫЙ ГОД

Приведенный выше пример используйте для вычисления вашей вибрации личного года. Прибавьте ваш собственный месяц и день рождения к текущему универсальному году.

Если вы родились 23 октября, то сложите:

10 (октябрь — десятый месяц)
23 (день)
 9 (Универсальный год, 1998)
——
42     $4+2=6$

1998 = 6 — это номер вашего личного года

ЛИЧНЫЙ МЕСЯЦ

Чтобы найти вашу вибрацию личного месяца на текущий месяц, добавьте ваш личный год к календарному месяцу. Используем приведенный выше пример. Если число вашего личного года — 6, а текущий месяц — апрель, следует считать так: 6 (Личный год) $+4$ (апрель) $=10$. (Помните, что двузначные числа уменьшаем до одной цифры.) Ваша вибрация личного месяца будет 1.

 6 (Личный год)
 4 (календарный месяц — апрель)
——
10     $1+0=1$

Апрель 1998 = 1 — это номер вашего личного месяца

ЛИЧНЫЙ ДЕНЬ

Чтобы найти вашу вибрацию личного дня, прибавьте ваш личный месяц к календарному дню.

Используем вышеприведенный пример с апрелем 1998 г. Если это для вас 1 — личный месяц, а сегодня 1 апреля, прибавьте номер личного месяца к календарному дню:

Для 1 апреля 1998 г. складываем:
1 (Личный месяц, как сказано выше)
1 (календарный день: 1 апреля)
——
2

1 апреля 1998 г. = 2 — это номер вашего личного дня.

Как только вы определили номер вашего личного дня, каждый следующий день нумеруется последовательно от #1 до #9. После #9 личного дня вы возвращаетесь к #1 личному дню. Эта процедура продолжается до конца месяца. Когда вы вступаете в новый личный месяц, вы начинаете счет сначала.

Если ваши вычисления Персональных вибраций дали вам 11 или 22, не редуцируйте эти числа до 2 или 4. Числа 11 и 22 считаются Господствующими числами. Они указывают на то, что в этот период вам предоставлена возможность действовать на более высокой вибрации. В это время вы находитесь в большей гармонии с универсальными законами, действующими в вашем мире и во всем мире в целом. Записывайте их как «11/2» или «22/4», чтобы напоминать себе: вы имеете выбор остаться на 2 или подняться к 11, или с 4 достичь 22. Например, цифра 2 следует за лидером, 11 — лидер: 4 работает на личность, 22 работает на сообщество.

Полезно знать, что, каким бы ни был личный год, первый личный месяц будет иметь следующий номер. Например, январь #8 личного года будет #9 личным месяцем. Первый день #9 личного месяца будет #1 личным днем.

ДНИ ДВОЙНОЙ И ТРОЙНОЙ ИНТЕНСИВНОСТИ

9-й, 18-й и 27-й Личные дни каждого календарного месяца будут иметь те же номера, что и личный месяц. Например, в 6 личном месяце 9-е, 18-е и 27-е будут 6-ми личными днями. Это дни двойной интенсивности, которые желательно отметить звездочкой в вашем календаре. В дни Двойной интенсивности окружающая энергия будет усилена вдвое, то есть у вас есть еще большая возможность использовать эту энергию для вашей пользы и развития.

Сентябрь всегда является особым месяцем. Число месяца сентября всегда имеет то же число, что и ваш личный год. Таким образом, 9-е, 18-е и 27-е сентября всегда имеют тройную интенсивность. Например, в 6-ом личном году сентябрь будет для вас 6-ым личным месяцем, и весь месяц будет усилен. В сентябре 9-е, 18-е и 27-е также будут 6-ми личными днями тройной интенсивности. Вы можете также отметить эти дни звездочкой в вашем календаре, возможно, другим цветом, чтобы указать утроенную энергию этих дней.

ПОЛЕЗНЫЕ СОВЕТЫ

Последние два месяца календарного года всегда имеют те же Персональные числа месяцев, что и начальные два месяца следующего календарного года. Однако годовые персональные вибрации будут разными. В 6-ом личном году ноябрь будет 8-ым личным месяцем, а декабрь будет 9-ым личным месяцем. В следующие два месяца следующего календарного года (который будет вашим 7-ым личным годом), январь будет 8-ым личным месяцем, а февраль будет 9-ым личным месяцем. Числа будут теми же, но годовые персональные вибрации будут другими, поскольку вы теперь находитесь в 7-ом личном году.

Конечно, вы можете делать что угодно в любой день, однако, если вы воспользуетесь особой энергией, которую предоставляет данный день, вы почувствуете большую гармонию с жизнью. Если идет снег, не в ваших интересах выходить на улицу в шортах и босиком. Вам будет гораздо удобнее, если вы оденетесь соответственно снежной погоде. Так и с жизнью. Существует время, когда определенные поступки и деятельность более уместны и удобны, чем другие. В некоторые дни вы просто чувствуете, что правильно поступите, если пойдете в магазин или в банк, в другие, возможно, правильно вымыть полы. Вы настраиваетесь на те энергии, что всегда окружают вас и вашу жизнь. Эта книга предлагает способ сознательно настраиваться на эти энергии.

В нумерологии черный цвет используется редко. В 11/2 дни можно носить черное в комбинации с белым, хотя я лично чувствую, что жемчужно-серый цвет и серебро являются более энергичными в эти дни. Черное — это отсутствие цвета, а за многие годы консультирования я обнаружила, что люди, которые часто или всегда носят черное, редко бывают счастливыми. Черный цвет имеет тенденцию ограничивать и подавлять настроение. Если у вас есть эмоциональные проблемы и/или вы часто носите черное, я бы предложила вам воздержаться от черного цвета в течение месяца и посмотреть, не станете ли вы бодрее. Возможно, вы даже найдете больше радости в жизни!

Если вы впервые пользуетесь этими идеями, вероятно, вам понадобится некоторое время, чтобы создать гардероб, включающий все цвета одежды на все времена года. А пока используйте то, что есть у вас под рукой. Не обязательно вся одежда должна быть необходимого цвета. Прекрасно подойдет просто шарф или пояс, или носовой платок, или даже цветное белье. Иногда для напоминания о цветовых вибрациях дня достаточно носить цветную ручку или поставить в вазу несколько цветков. Подарите любимому или другу что-нибудь цветное, соответствующее его или ее личному дню.

Пища, которую мы едим, также имеет цвет. Цвет пищи имеет такое же значение, как цвет вашей одежды. Например, в красный # 1 личный день красные яблоки, помидоры или свекла могут воздействовать на нас и подпитать нас энергией. (Таблица цветов продуктов на стр. 719 подскажет вам другие идеи.)

Входя в новый личный год, вы можете купить для дома что-нибудь, что будет напоминать вам соответствующий цвет весь год. Вы можете купить новое легкое покрывало на постель или покрасить стены вашей любимой комнаты в приятный оттенок цвета вашего личного года. Можно купить себе кольцо или кулон. Если вы собираетесь покупать новую машину, вибрации вашего личного года могут повлиять на выбор цвета. Используйте свое воображение, чтобы внести полные значения цвета в вашу жизнь. Ваше воображение отражает ваше представление о себе и любовь, которую вы развиваете к себе.

Когда вы сомневаетесь — если у вас нет подходящего цвета для вашего личного дня — вы всегда можете использовать цвет вашего личного месяца или личного года. Число и цвет вашего личного года — это как бы музыкальное сопровождение всего, что вы будете делать в этом году.

Попробуйте, это интересно! Посмотрите, что произойдет.

ПОЛЬЗОВАНИЕ
ВАШИМИ ЧИСЛАМИ

Теперь, когда вы рассчитали ваши собственные текущие личные год, месяц и день, обратитесь к разделу, объясняющему ваш личный год. Прочитайте указания для вашего личного года и то, что этот год означает для вас. Персональный год является фоном для вашего личного дня. Каждый день, просыпаясь, обращайтесь к разделу, соответствующему числу вашего личного дня. Затем обдумывайте предлагаемые мною идеи и аффирмации, которые помогут вам добиться наибольших успехов в ваш личный день. Указания для личного дня необходимо использовать в сочетании с указаниями личного месяца и личного года. Указания на личный месяц те же, что и на личный год с таким же числом, поэтому, чтобы найти указания на ваш личный месяц, придется вернуться к разделу личного года. Я предпочитаю концентрироваться на сегодня и таким образом пользоваться указаниями для личного дня и личного года больше, чем для личного месяца.

ЛИЧНЫЙ ГОД

1-й Личный год:

Цвет:	**Драгоценность:**
КРАСНЫЙ	РУБИН

Ключевое слово:

НАЧИНАНИЯ

Это год для новых начинаний, новых стартов, новых идей, для всего нового. Это время посадки, высеивания семян. Семена, посаженные в этом году, окажут влияние на последующие восемь лет. Помните, семена не всходят за одну ночь. Сначала они должны прорасти и пустить корни. Только тогда они дадут ростки. Дайте возможность своим идеям пустить корни. Продумайте, чего вы хотите от этого девятилетнего цикла, и начинайте работать над этим планом сейчас. Будьте самими собой и решительно идите вперед. Возьмите власть в свои руки. Положитесь на себя, а не на партнерство или союзы. В этот год наиболее влиятельны независимость и самостоятельность. Проведите подготовительную работу сейчас. Не теряйте времени, не останавливайтесь. Это ваш год для возделывания почвы и прокладывания нового пути.

«Я ДЕЛАЮ ПЕРВЫЕ ШАГИ
И НАЧИНАЮ НОВЫЕ СМЕЛЫЕ ДЕЛА»

2-й Личный год:

Цвет: Драгоценность:
ОРАНЖЕВЫЙ   **ЛУННЫЙ КАМЕНЬ**

Ключевое слово:
ТЕРПЕНИЕ

Семена, которые вы посадили в прошлом году, находятся в почве и готовы прорасти. Этот год заслуживает отдыха и тишины. Убедитесь, что вы ими обеспечены. Учитесь и накапливайте знание. Практикуйтесь в дипломатии и тактичности. Совместная работа в команде больше всего подходит этому году. Сотрудничество прежде всего. Ничего не форсируйте в этом году. Будьте терпеливы и ждите. То, что правильно, придет к вам. Обращайте внимание на детали. Собирайте то, что вам необходимо. Ищите скрытый смысл. Возможность представится. Думайте, планируйте, сохраняйте душевный покой. Будьте спокойны и ждите. Это очень благоприятный год для любви, взаимоотношений и партнерства.

«Я ДОВЕРЯЮ ТЕЧЕНИЮ ЖИЗНИ, РАЗВИВАЮЩЕЙСЯ В СООТВЕТСТВИИ С БОЖЕСТВЕННЫМ ПОРЯДКОМ!»

3-й Личный год:

Цвет: Драгоценность:
ЖЕЛТЫЙ   **ТОПАЗ**

Ключевое слово:
РАДОСТЬ

Этот личный год для радости. То, что вы посеяли два года назад, начинает претворяться в жизнь. Верьте в себя. Семена начинают пускать корни. Рождение очевидно. Все хорошо, и вы чувствуете это. Любовь повсюду. Это время для друзей и для того, чтобы делать то, чем вы наслаждаетесь. Развлекайтесь и ходите на встречи и вечеринки. Уезжайте на праздники и в отпуск. Влияние этого года — общественное и художественное. Как можно больше самовыражайтесь в творчестве. Смейтесь и улыбайтесь, пойте и танцуйте, освещайте своей радостью все вокруг вас. Ваш год будет полон радости.

«Я ЛЮБЛЮ ЖИЗНЬ И РАДОСТЬ ЖИЗНИ!»

4-й Личный год:

Цвет:
ЗЕЛЕНЫЙ

Драгоценности:
ИЗУМРУД / НЕФРИТ

Ключевое слово:
ПРАКТИЧНЫЙ

Теперь пора вернуться к работе. Семена дают ростки. Займитесь прополкой. Будьте производительны и организованы. Стройте ваш фундамент. Занимайтесь делами и следуйте вашему графику. Проведите инвентаризацию. Приведите вашу жизнь в порядок и уделите внимание деталям. Опирайтесь на самодисциплину и избегайте лени. Делайте все охотно, и у вас будет вся необходимая вам энергия. Хорошенько позаботьтесь о вашем здоровье. Вы строите свое будущее, так что отнеситесь к этому творчески. Разрешите проблемы этого года. Чем больше вы потратите усилий, тем большее вас ожидает вознаграждение. Результаты будут прекрасными.

«Я ИСПОЛЬЗУЮ ВСЕ ВОЗМОЖНОСТИ, И У МЕНЯ ВСЕ ПОЛУЧИТСЯ!»

5-й Личный год:

Цвет:
ГОЛУБОЙ

Драгоценности:
БИРЮЗА / АКВАМАРИН

Ключевое слово:
ИЗМЕНЕНИЕ

В воздухе веют свобода и перемены. Урожай созревает. После всей работы предыдущего года вы заслуживаете отдыха. Пусть этот личный год станет годом перемен. Сделайте решительный шаг вперед. Нарушьте заведенный распорядок. Освободитесь от старых идей. Сделайте что-нибудь необычное. Измениетесь. Освободитесь и живите по-новому. Это прекрасный год для изучения нового языка или начала жизни в новом месте. Создавайте перемены — в себе, в вашем доме, в вашем образе жизни, в вашей работе. Только убедитесь, что эти изменения не вредят другим людям. Общайтесь с как можно большим числом людей. Ищите приятные сюрпризы. Однако не теряйте бдительность. Будьте активны, но не беспокойны. Этот год может доставить много радости.

«Я ПРИНИМАЮ ОТВЕТСТВЕННОСТЬ С ЛЮБОВЬЮ И РАДОСТЬЮ!»

6-й Личный год:

Цвет:
СИНИЙ

Драгоценности:
**ЖЕМЧУГ / САПФИР
ЛЯПИС-ЛАЗУРЬ**

Ключевое слово:
ОТВЕТСТВЕННОСТЬ

Пришло время для дома и семьи, друзей и знакомых. У вас множество планов. Сделайте дом центром своей жизни. Будьте ответственны, честны и справедливы. Принимайте свои обязанности с готовностью и желанием. Позаботьтесь обо всем, что принадлежит вам, о людях, вещах и местах, где вы бываете. Этот год — лучший для вступления в брак. Это лучший год для переезда в новый дом. Сделайте музыку частью своей жизни. Чаще оставайтесь дома по вечерам. Установите для себя новые правила поведения и придерживайтесь их. Заканчивайте все, что начинаете. Привнесите ритм и гармонию в свою жизнь. Все, что вы делаете для других, принесет пользу и вам. Станьте советчиком. Предлагайте свою помощь везде, где только можете. Этот год вы можете посвятить себе. Год, несущий чувство глубокого удовлетворения.

«Я ПРИНИМАЮ СВОИ ОБЯЗАННОСТИ С ЛЮБОВЬЮ И РАДОСТЬЮ!»

7-й Личный год:

Цвета:
**ПУРПУРНЫЙ/
ФИОЛЕТОВЫЙ**

Драгоценность:
АМЕТИСТ

Ключевое слово:
ВЕРА

Это духовный год. Плод только начинает появляться на стебле, и мы должны верить, что он созреет. Уделите время размышлениям, учебе и самоанализу. Проводите много времени в одиночестве, и пользуйтесь этим временем творчески. Анализируйте свои мысли и поступки. Что бы вы хотели изменить в себе? Число «7» всегда открывает то, что обычно мы не замечаем. Продумайте свою жизнь. Этот год — для внутреннего роста и подготовки. Не лезьте вон из кожи и не пытайтесь форсировать события; пусть все само приходит к вам. Постарайтесь, по возможности, освободить свою деловую жизнь. Медитируйте, занимайтесь самоанализом. Оставьте на время общественную жизнь. Можете путешествовать, чтобы узнать больше о себе. Это духовный год, следуйте его влиянию. Позвольте расти своей душе.

«Я НАСЛАЖДАЮСЬ ДУХОВНЫМИ ПОИСКАМИ И НАХОЖУ ОТВЕТЫ НА МНОГИЕ ВОПРОСЫ!»

8-й Личный год:

Цвета: Драгоценность:
БЕЖЕВЫЙ   **БРИЛЛИАНТ**
КОРИЧНЕВЫЙ / РОЗОВЫЙ

Ключевое слово:
УСПЕХ

Это успешный год. Время сбора урожая. То, что вы посадили восемь лет назад, теперь готово. Отнесите ваши плоды на рынок. Бизнес и все материальные вещи теперь ваши. Приложите немного усилий, и вы достигните многого. Идите за тем, чего желаете. Будьте руководителем, администратором, организатором. Будьте квалифицированы и деловиты. Будьте уверены в себе. Будьте честны и справедливы во всех ваших делах. Вы можете достичь очень многого. Надейтесь на неожиданные деньги. Год благоприятен для деловых поездок. Это год — для достижений. Смело в путь!

«МНЕ СОПУТСТВУЕТ УДАЧА, Я ПРЕУСПЕВАЮ В СВОЕМ МИРЕ!»

9-й Личный год:

Цвета: Драгоценности:
ВСЕ ПАСТЕЛЬНЫЕ   **ОПАЛЫ / ЗОЛОТО**
ЦВЕТА

Ключевое слово:
ЗАВЕРШЕНИЕ

Это время завершения и осуществления. Сад завершил этот цикл, однако продолжает приносить некоторые плоды. Это год весеннего очищения. Загляните в углы. Просмотрите все и выбросьте то, что стало бесполезным для вашей жизни — людей, места, идеи и вещи. Дайте уйти тому, что кончилось. Не держитесь за это. Многое уйдет из вашей жизни в этом году. Благословите и отпустите. Вы освобождаете место для нового следующего года. Вокруг вас много счастья. Это год завершений. Не начинайте ничего нового. Не ищите сейчас новых любовных связей; они не будут долговечными. Наслаждайтесь художественной стороной жизни. Поезжайте в дальнее путешествие и узнайте других. Уступайте. Давайте другим. Будьте терпимы, сострадательны, великодушны. Любовь должна быть разделена со всеми. По-настоящему осознайте родство всех, живущих на этой планете. Старый цикл закрывается. Готовьтесь к новому циклу, начинающемуся в следующем году.

«Я УДОВЛЕТВОРЕНА, СОВЕРШЕННА, РЕАЛИЗОВАННА!»

11/2 Личный год:

Цвета:
ЧЕРНЫЙ / БЕЛЫЙ
или ЖЕМЧУЖНО-СЕРЫЙ

Драгоценность:
СЕРЕБРО

Ключевое слово:
ИНТУИЦИЯ

11/2 — Господствующее число. Поднимитесь над повседневной рутиной. Сверкайте, как звезда. Установите себе новые критерии на духовном уровне. Больше исследуйте духовную и метафизическую сторону жизни. Универсальная любовь важнее личной любви в этом году. Таинственное будет больше интересовать вас. Это не деловой год, хотя у вас появится много плодотворных идей на будущее. Живите достойно ваших идеалов. Готовьте себя. Слава и почет придут к вам в этом году. Сейчас время для внутреннего роста, раздумий и разъяснений.

«Я СЛУШАЮ ВНУТРЕННИЙ ГОЛОС РАЗУМА!»

22/4 Личный год:

Цвета:
КОРАЛЛОВЫЙ /
КРАСНОВАТО-КОРИЧНЕВЫЙ
ЖЕЛТОВАТО-КОРИЧНЕВЫЙ

Драгоценность:
КОРАЛЛ

Ключевое слово:
ВЕЛИЧИЕ

22/4 — Господствующее число. Высшие достижения ждут вас, если вы подниметесь над 4. Общество нуждается в вас. Если вы работаете только для себя, вы упустите все преимущества этого года. Если вы работаете над большими планами на благо многих, ваши проекты будут успешными. Это возможность для могущественного года, полного великих проектов. Постройте что-то стоящее. Используйте все свои умственные способности. Не часто вам выпадает такой год. Известность и власть могут стать вашими.

«Я РАБОТАЮ НА БЛАГО ПЛАНЕТЫ, И Я СЧАСТЛИВ!»

ЛИЧНЫЙ ДЕНЬ

1-й Личный день:

Цвет:
КРАСНЫЙ

Драгоценность:
РУБИН

ВРЕМЯ НАЧИНАНИЙ

Будьте независимы. Делайте то, что хотите делать. Следуйте за событиями. Посещайте новые места. Встречайтесь с новыми людьми. Испытывайте новые идеи. Начинайте новую работу. Будьте активны. Прекрасный день для первого свидания. Вы обнаружите, что сегодня мужчины важны в вашей жизни. Будьте сегодня лидером. Доверяйте себе и своей интуиции. Будьте оригинальной и творческой личностью. Будьте честолюбивы. Чувствуйте свою силу и власть. Будьте смелы. Гнев, упрямство, нетерпение или тревога могут разрушить ваши возможности. Ищите новое.

«Я ОТКРЫВАЮ НОВЫЕ ВРАТА В ЖИЗНЬ!»

Сегодня я доверяю бесконечному разуму во мне вести и направлять меня в новые сферы жизни. Я не боюсь этого пути, доверяя течению Жизни. В этом пути Жизнь поддерживает меня на каждом шагу. Я сыта, одета, у меня есть дом и меня любят — и это полностью удовлетворяет меня. Я встречаю новое с открытыми объятиями, понимая, что все скоро станет знакомым. Я знаю, что мои друзья и любимые когда-то были чужими для меня. Я радушно встречаю новых людей в моей жизни. Сегодня — прекрасный новый день для меня.

2-й Личный день:

Цвет:
ОРАНЖЕВЫЙ

Драгоценность:
ЛУННЫЙ КАМЕНЬ

СОТРУДНИЧЕСТВО

Будьте спокойны. Это время соглашаться с другими. Делайте больше своей доли. Будьте терпеливы, выдержаны и дипломатичны. Время восприимчивости. Собирайте то, что вам необходимо. Ищите что-то старомодное. Наблюдайте, слушайте и думайте. Ведите себя так, чтобы другим было легко с вами, и понимайте их чувства. Создавайте гармонию. Получайте удовольствие в компании подруг. Расслабьтесь, будьте добры и милы. Ждите.

«Я ДОБРА И ВНИМАТЕЛЬНА К ДРУГИМ!»

Вчера я сажала растения в саду Жизни. Сегодня я терпеливо жду пробуждения семян. У меня есть время для всех, и я внимательна ко всем вокруг меня. Я с радостью помогаю всем, кому могу помочь, снимая груз забот с других. То, что я отдаю, приумноженным возвращается ко мне. Я собираю для себя все, что понадобится в будущем. Это день гармонии, чуткости, любви, мира.

3-й Личный день:

Цвет: Драгоценность:
ЖЕЛТЫЙ   ТОПАЗ

ВРЕМЯ ВЕЧЕРИНОК

Смейтесь, развлекайтесь. Все люди важны. Это общественный день. Пойте, танцуйте и играйте. Самовыражайтесь. Любите всех. Сегодня — истинная радость жизни. Выглядите красивой. Чувствуйте себя красивой. Выражайте радость, которую чувствуете, излучайте ее. Благословляйте всех и все. Позвольте вашим творческим способностям свободно выражать себя. Лучший день для покупок. Это день людей. Любите их всех.

«Я ИЗЛУЧАЮ РАДОСТЬ И ДЕЛЮСЬ ЕЮ С ДРУГИМИ!»

Радость течет по моим венам и выражается в каждой клетке моего существа. Я знаю, что мои семена прорастают, и это время радоваться. Я жизнерадостна, я нахожусь в гармонии с жизнью. Моя жизнь — праздник, которым я делюсь со всеми, кого знаю. Я полна творческих сил и свободно делюсь ими. Я прекрасна, и все любят меня. Все хорошо в моем мире, и я делюсь этим чувством с другими людьми.

4-й Личный день:

Цвет: Драгоценности:
ЗЕЛЕНЫЙ   ИЗУМРУД / НЕФРИТ

ВРЕМЯ РАБОТАТЬ

Время рано вставать. Выполните все домашние обязанности. У вас сегодня очень много энергии. Осуществите свои планы. Заплатите по счетам. Напишите письма, которые откладывали. Сбалансируйте свой бюджет. Уберите дом. Вымойте машину. Будьте организованы и надежны. Отремонтируйте все неисправное. Сегодняшний труд не пропадет. Проверьте свое здоровье. Приготовьте все к завтрашнему дню.

«Я ОРГАНИЗОВАНА И РАБОТАЮ ПЛОДОТВОРНО!»

Первые нежные ростки пробиваются сквозь землю, и придется поработать. Я с радостью выдергиваю сорняки отрицания из моего сознания. Силы Вселенной поддерживают меня в этих усилиях, и энергия моя бесконечна. Я все делаю легко и быстро. Я строю надежный фундамент завтрашнего дня. Я здорова телом, разумом и духом.

713

5-й Личный день:

Цвет:
ГОЛУБОЙ

Драгоценности:
БИРЮЗА / АКВАМАРИН

ПЕРЕМЕНА И СЮРПРИЗ

Выглядите как можно лучше. Принарядитесь как следует. Выйдите из дома и ищите новое. Положительные перемены витают в воздухе. Сегодня вы свободны. Ждите приятный сюрприз. Сделайте что-нибудь новое. Будьте гибкими. Измените заведенный порядок. Рекламируйте себя и свои товары. Взгляните на жизнь по-другому. Что-нибудь отдайте. Продайте что-нибудь. Лучший день для стрижки или хирургической операции. Сегодня вы почувствуете себя свободной.

«Я ПРИВЕТСТВУЮ ПЕРЕМЕНЫ И НАСЛАЖДАЮСЬ НОВИЗНОЙ!»

Урожай хорошо растет и сам заботится о себе, впитывает солнечный свет жизни и соки земли. Я свободно позволяю себе новый жизненный опыт. Я жду чудесный, восхитительный сюрприз, который принесет мне большую пользу. Я выгляжу замечательно и чувствую себя замечательно. Вот я, Мир, открытая и восприимчивая ко всему хорошему, и приму это с радостью, удовольствием и благодарностью.

6-й Личный день:

Цвет:
СИНИЙ

Драгоценности:
САПФИР / ЛАЗУРИТ

ВРЕМЯ УРЕГУЛИРОВАНИЯ

Посмотрите на свой дом. Возможно ли сделать его более удобным? А как насчет вас самих? Могли бы вы стать элегантнее? Пересмотрите вашу диету. Не нуждается ли она в поправках? Подумайте о своей личности. Нельзя ли быть повеселее? Просмотрите свои обязанности. Вы суете свой нос в дела других людей? Если да, то перестаньте. Вы должны что-нибудь? Тогда пора отдать долг. Останьтесь дома. Наполните ваш день музыкой. Если возможно, не путешествуйте. Если вам нужно что-то написать, перенесите на другой день. Этот день благоприятен для групповой работы. Чудесный день для переезда в новый дом.

«МОЙ ДОМ — СПОКОЙНОЕ УБЕЖИЩЕ!»

Мои растения цветут, они красивы, и радостно смотреть на них. Они украшают мой дом, и я с нежностью ращу их. Этой обязанностью я наслаждаюсь. Я легко вношу улучшения в мой дом там, где это необходимо. Мой дом — удобный приют для меня и других людей. Я открываю мой дом и приветствую гостей музыкой и любовью. Я воспринимаю их как любящую семью.

7-й Личный день:

Цвета:
**ПУРПУРНЫЙ/
ФИОЛЕТОВЫЙ**

Драгоценность:
АМЕТИСТ

ПОСМОТРИТЕ НА СЕБЯ

Побудьте одни хотя бы часть дня. Будьте спокойны. Читайте. Думайте. Прислушайтесь к своей душе. Оставьте мирские дела. Если вы сегодня погонитесь за деньгами, они ускользнут от вас. Если вы будете спокойно ждать, все само придет к вам. Изучайте что-нибудь из религии или науки. Если вы станете читать Библию, то выберите в этот день главу 6 от Матфея. Займитесь вашими растениями. Отправьтесь на длительную прогулку или поездку за город. Число «7» всегда что-то открывает. Медитируйте. Будьте открыты.

«Я СМОТРЮ В СЕБЯ И ПОЛУЧАЮ ОТВЕТЫ!»

Плод еще мал, однако я верю, что Вселенная готовит для меня огромный урожай. Поэтому молча и неторопливо я вхожу внутрь себя, чтобы прикоснуться к собственной внутренней мудрости. Я с любовью гляжу на природу и ее красоту, и я обновляюсь. Я доверяю Жизни заботу обо мне. Я знаю: все, что мне необходимо, всегда будет у меня. Сила, поддерживающая мое дыхание, обеспечит все остальное так же легко и свободно.

8-й Личный день:

Цвета:
**БЕЖЕВЫЙ/
КОРИЧНЕВЫЙ / РОЗОВЫЙ**

Драгоценность:
БРИЛЛИАНТ

УСПЕШНЫЙ БИЗНЕС

Честолюбие пробуждается в вас. Это время успеха. Выглядите преуспевающе и ведите себя соответственно. Прекрасный день для бизнеса. Будьте руководителем. Организовывайте и преобразовывайте. Используйте здравый смысл. Оплатите ваши счета. Сделайте всю финансовую и юридическую работу. Лучший день для подписания договоров и контрактов. Сходите в гимнастический зал или на медосмотр. В этот день вы часто получаете неожиданные деньги. Помогите кому-то, менее удачливому. Теперь успех уже в ваших руках.

«Я ВСЕСИЛЬНА И УДАЧЛИВА!»

Щедрый урожай собран и готов отправиться на рынок. Я руковожу своей жизнью и делами. Меня ведет здравый смысл, поскольку я все время связана с универсальным разумом. С таким партнером, как Вселенная, я иду от успеха к успеху. Я доброжелательный и любящий правитель созданного мной царства. Чем больше я помогаю другим, тем больше я расту и процветаю. Там, где я, побеждают все.

9-й Личный день:

Цвета:
ВСЕ ПАСТЕЛЬНЫЕ ЦВЕТА

Драгоценности:
ОПАЛЫ / ЗОЛОТО

ЧЕЛОВЕЧЕСТВО

Весь мир — ваша семья. Будьте гуманны. Помогите всем, кому можете помочь. Будьте добры и щедры. Никаких начинаний сегодня; закончите все дела. Это не время для первого свидания: отношения не будут долговечными. Никаких покупок, если это не подарок. Если чем-то из своих вещей вы не пользуетесь, отдайте или продайте. Освободитесь от всего, что больше не служит вам: вещей, идей, привычек, отношений. Пользуйтесь вашими творческими талантами. Прекрасный день для публичного выступления. То, что вы отдаете, вернется к вам, поэтому отдавайте только лучшее. Закройте эту главу; завтра вы начнете новую.

«Я СОСТАВЛЯЮ ОДНО ЦЕЛОЕ С ЖИЗНЬЮ. ВЕСЬ МИР — МОЯ СЕМЬЯ!»

Работа сделана, цикл завершен. Все чисто. Я освобождаю и отпускаю; я с радостью отдаю все, в чем больше не нуждаюсь. Я щедра ко всем попутчикам на этой планете, так как они — мои братья и сестры. Я прощаю и забываю. Я свободна. Я с радостью отдаю все, чем обладаю физически и духовно. Я все понимаю, и я полностью реализована и удовлетворена. Все хорошо в моем мире.

11/2 Личный день:

Цвета:
ЧЕРНЫЙ / БЕЛЫЙ
или ЖЕМЧУЖНО-СЕРЫЙ

Драгоценность:
СЕРЕБРО

СЛЕДУЙТЕ ЗА ВАШЕЙ ЗВЕЗДОЙ

11/2 — Господствующее число. Оставьте позади весь меркантилизм (торгашеский дух). Сегодняшние вибрации прекрасно настроены и высоко духовны. Ваша интуиция сильна. Ничего не форсируйте (не ускоряйте). Будьте молчаливы. Сохраняйте душевное спокойствие. Предоставьте дню идти своим чередом и ждите. Не читайте. Думайте. Не спорьте; вы не выиграете в споре. И в любом случае, это не ваша вина. Будьте светом Вселенной для человечества. Сегодня вас может посетить вдохновение, или вы вдохновите других.

«Я СЛЕДУЮ ЗА СВОЕЙ ДУХОВНОЙ ЗВЕЗДОЙ!»

Я напрямую получаю мудрость и знание от высшего источника. Когда я смотрю внутрь себя, я нахожу там ответы на все свои вопросы. На каждый вопрос отвечает мое собственное вдохновение. Я вдохновляю других. Я — сияющий пример любви и света. Сегодня я сияю спокойно и мирно.

22/4 Личный день:

Цвета:
КОРАЛЛОВЫЙ или
КРАСНОВАТО-КОРИЧНЕВЫЙ
ЖЕЛТОВАТО-КОРИЧНЕВЫЙ

Драгоценность:
КОРАЛЛ

ОТДАЙТЕ ЧАСТЬ СЕБЯ

22/4 — Господствующее число. Забудьте о себе и своих интересах. Что делаете сегодня, должно быть на благо всех. Работайте для общины или для всего общества. Любые ваши планы должны быть обширными и в высших интересах всех. Принесите пользу другим. Это принесет удачу вам.

«Я С РАДОСТЬЮ БЛАГОСЛОВЛЯЮ ВСЕОБЩЕЕ ПРОЦВЕТАНИЕ И СОДЕЙСТВУЮ ЕМУ!»

Для меня радость и удовольствие делиться всем, что я имею, и всем, что я есть, со всеми на этой планете. Я щедро отдаю свои таланты, способности и ресурсы. Мое представление о мире расширяется, и я работаю в высших интересах всех, кого это касается. Я составляю единое целое с Вселенной сейчас и навсегда.

Ваш личный календарь

ПРИМЕР: Если сентябрь — ваш 2-й личный месяц, тогда октябрь — 3-й.

	пон.	втор.	среда	четв.	пятн.	суб.	воскр.	
1998 с е н т я б р ь		1 / 3	2 / 4	3 / 5	4 / 6	5 / 7	6 / 8	ваш 2-й
	7 / 9	8 / 1	9 / *11/2*	10 / 3	11 / 4	12 / 5	13 / 6	личный
	14 / 7	15 / 8	16 / 9	17 / 1	18 / *2*	19 / 3	20 / 22/4	месяц
	21 / 5	22 / 6	23 / 7	24 / 8	25 / 9	26 / 1	27 / *11/2*	
	28 / 3	29 / 4	30 / 5					

	пон.	втор.	среда	четв.	пятн.	суб.	воскр.	
1998 о к т я б р ь				1 / 4	2 / 5	3 / 6	4 / 7	ваш 3-й
	5 / 8	6 / 9	7 / 1	8 / 11/2	9 / *3*	10 / 4	11 / 5	личный
	12 / 6	13 / 7	14 / 8	15 / 9	16 / 1	17 / 2	18 / *3*	месяц
	19 / 22/4	20 / 5	21 / 6	22 / 7	23 / 8	24 / 9	25 / 1	
	26 / 11/2	27 / *3*	28 / 4	29 / 5	30 / 6	31 / 7		

ЦВЕТА В ПИЩЕ

Красный — Яблоки, свекла, красная капуста, вишни, редис, малина, клубника, помидоры, арбуз, красное мясо.

Оранжевый — Абрикосы, канталупа (мускусная дыня), морковь, манго, апельсины, хурма, тыква, нектарины (гладкий персик), мандарины.

Желтый — Бананы, кукуруза, яйца, грейпфруты, лимоны, растительное масло, персики, ананасы, сыр, ямс (батат, сладкий картофель).

Зеленый — Спаржа, артишок, авокадо, все салаты-латуки, зеленые овощи, груши.

Голубой — Черника, голубика, логанова ягода (гибрид малины с ежевикой), некоторые сорта винограда, синие сливы.

Синий — Используйте все голубые и фиолетовые продукты.

Фиолетовый — Ежевика, черная смородина, баклажан, темный виноград, фиолетовые сливы, красная водоросль.

101 МЫСЛЬ, НЕСУЩАЯ СИЛУ

101 POWER THOUGHTS

Мысли, которые мы держим в голове, и слова, которые мы произносим, постоянно формируют наш мир и опыт. У многих из нас укоренилась привычка негативного мышления, и мы не осознаем ущерба, который наносим самим себе.

Эта книга предоставляет вам возможность каждый день выбирать мысль, которая поможет положительно формировать вашу жизнь. Случайный выбор часто показывает вам именно то, что лучше всего сработает сегодня!

МОЕ ИСЦЕЛЕНИЕ УЖЕ ПРОИСХОДИТ

Моя готовность прощать начинает процесс моего исцеления. Я позволяю любви моего сердца омывать, очищать и исцелять каждую частицу моего тела. Я знаю, что достойна (достоин) исцеления.

Я ДОВЕРЯЮ СВОЕЙ ВНУТРЕННЕЙ МУДРОСТИ

Когда я занимаюсь повседневными делами, я прислушиваюсь к своему внутреннему голосу. Моя интуиция всегда на моей стороне. Я доверяю ей, она всегда внутри меня. Я спокойна (спокоен).

Я ГОТОВА (ГОТОВ) ПРОЩАТЬ

Прощение себя и других людей освобождает меня от прошлого. Прощение — решение почти всех проблем. Прощение — мой дар себе. Я прощаю и освобождаюсь.

Я ГЛУБОКО УДОВЛЕТВОРЕНА ВСЕМ, ЧТО Я ДЕЛАЮ

Каждый момент дня для меня особенный, так как я следую своим высшим инстинктам и прислушиваюсь к своему сердцу. Я спокойна (спокоен) в своем мире и своих делах.

Я ДОВЕРЯЮ ТЕЧЕНИЮ ЖИЗНИ

Жизнь течет плавно и ритмично, и я ее часть. Жизнь поддерживает меня и приносит мне только хороший и положительный опыт. Я верю в то, что течение жизни принесет мне высшее благо.

У МЕНЯ ИДЕАЛЬНОЕ ЖИЗНЕННОЕ ПРОСТРАНСТВО

Я вижу себя, живущей (живущим) в чудесном доме. Он осуществляет все мои желания и удовлетворяет все мои потребности. Он прекрасно расположен и стоит столько, сколько я легко могу себе позволить заплатить.

Я МОГУ ОСВОБОДИТЬСЯ ОТ ПРОШЛОГО И ПРОСТИТЬ ВСЕХ

Я освобождаю себя и всех в моей жизни от старых обид. Они свободны, и я свободна (свободен) идти дальше к новому прекрасному опыту.

СИЛА ВСЕГДА СОСРЕДОТОЧЕНА В НАСТОЯЩЕМ МОМЕНТЕ

Прошлое предано забвению и не имеет надо мной никакой власти. Я могу стать свободной (свободным) прямо в это мгновение. Сегодняшние мысли создают мое будущее. Я все контролирую и возвращаю себе свою силу. Я спокойна (спокоен) и свободна (свободен).

Я СПОКОЙНА (СПОКОЕН), ЭТО ПРОСТО ИЗМЕНЕНИЕ

Я преодолеваю все препятствия с радостью и легкостью. Прожитое развивается в замечательный новый опыт. Моя жизнь становится все лучше и лучше.

Я ХОЧУ ИЗМЕНИТЬСЯ

Я хочу освободиться от старых негативных убеждений. То, что преграждает мне путь — всего лишь мысли. Мои новые мысли позитивны и созидательны.

ЭТО ВСЕГО ЛИШЬ МЫСЛЬ, А МЫСЛЬ МОЖНО ИЗМЕНИТЬ

Я не ограничена (не ограничен) мыслями о прошлом. Я тщательно выбираю свои мысли. Ко мне постоянно приходит новое понимание, и я учусь по-новому смотреть на мой мир. Я хочу меняться и развиваться.

КАЖДАЯ МОЯ МЫСЛЬ СОЗДАЕТ МОЕ БУДУЩЕЕ

Вселенная полностью поддерживает каждую мысль, которую я выбираю и в которую верю. Я обладаю неограниченным выбором своих мыслей. Я выбираю равновесие, гармонию и покой, и я выражаю их в своей жизни.

НИКАКИХ УПРЕКОВ

Я освобождаюсь от стремления обвинять кого бы то ни было, включая себя. Мы все стараемся как можно лучше пользоваться своим знанием, пониманием и осведомленностью.

Я ОТПУСКАЮ ВСЕ ОЖИДАНИЯ

Я плыву по жизни легко и с любовью. Я люблю себя. Я знаю, что на каждом повороте жизни меня ждет только хорошее.

Я ВИЖУ ЯСНО

Я с готовностью прощаю. Я вдыхаю любовь в мое зрение и смотрю на все с сочувствием и пониманием. Мое ясное понимание отражается в моем видении мира.

Я ЧУВСТВУЮ СЕБЯ СПОКОЙНО, ВО ВСЕЛЕННОЙ, И ЖИЗНЬ ЛЮБИТ И ПОДДЕРЖИВАЕТ МЕНЯ

Я вдыхаю полноту и богатство жизни. Я с радостью наблюдаю, как щедро жизнь поддерживает меня и дает мне гораздо больше добра, чем я могу себе представить.

МОЯ ЖИЗНЬ — ЗЕРКАЛО

Люди в моей жизни на самом деле являются моим отражением. Это дает мне возможность расти и меняться.

Я УРАВНОВЕШИВАЮ В СЕБЕ МУЖСКОЕ И ЖЕНСКОЕ НАЧАЛО

Мужское и женское начало моего существа находятся в совершенном равновесии и гармонии. Я спокойна (спокоен), и все хорошо.

СВОБОДА — МОЕ БОЖЕСТВЕННОЕ ПРАВО

Я свободна (свободен) в своем мышлении и могу выбирать только хорошие мысли. Я поднимаюсь над ограничениями прошлого и обретаю свободу. Теперь я становлюсь всем тем, для чего была (был) создана (создан).

Я ОТБРАСЫВАЮ ВСЕ СТРАХИ И СОМНЕНИЯ

Теперь мой выбор: освободить себя от всех разрушительных страхов и сомнений. Я принимаю себя и создаю мир в своей душе и сердце. Я любима (любим) и защищена (защищен).

БОЖЕСТВЕННЫЙ РАЗУМ РУКОВОДИТ МНОЙ

Весь этот день мне помогают делать верный выбор. Божественный разум постоянно руководит мной в достижении моих целей. Я спокойна (спокоен).

Я ЛЮБЛЮ ЖИЗНЬ

Мое неотъемлемое право с рождения — жить полно и свободно. Я даю жизни именно то, что хочу получить от жизни. Я счастлива (счастлив), что я живу. Я люблю жизнь!

Я ЛЮБЛЮ МОЕ ТЕЛО

Я создаю мир в моей душе, и мое тело отражает мой душевный покой в виде безупречного здоровья.

КАЖДУЮ ЧАСТИЦУ СВОЕГО ОПЫТА Я ПРЕВРАЩАЮ В ВОЗМОЖНОСТЬ

Каждая проблема имеет решение. Весь мой опыт предоставляет мне возможности учиться и расти. Я спокойна (спокоен).

Я СПОКОЙНА (СПОКОЕН)

Божественный покой и гармония окружают меня и обитают во мне. Я чувствую терпимость, сочувствие и любовь ко всем людям, включая себя.

Я ЛЕГКО ПРИСПОСАБЛИВАЮСЬ

Я открыта (открыт) для всего нового и переменчивого. Каждое мгновение предоставляет новую чудесную возможность приблизиться к тому, кто я есть. Я плыву по течению жизни легко и свободно.

ТЕПЕРЬ Я ВОЗВЫШАЮСЬ НАД СТРАХАМИ И ОГРАНИЧЕНИЯМИ ДРУГИХ ЛЮДЕЙ

Мое решение создает мой опыт. Я не ограничена (не ограничен) в моей способности создавать добро в моей жизни.

Я ДОСТОЙНА (ДОСТОИН) ЛЮБВИ

Мне не надо стараться заслужить любовь. Я достойна (достоин) любви потому, что существую. Окружающие отражают мою собственную любовь к себе.

МОИ МЫСЛИ СОЗИДАТЕЛЬНЫ

Я говорю «Вон!» любой негативной мысли, которая приходит в мой мозг. Ни один человек, ни одно место, ни одна вещь не имеют власти надо мной, так как я — единственный творец моих мыслей. Я создаю свою реальность и все, что есть в ней.

Я ЖИВУ В МИРЕ С МОЕЙ СЕКСУАЛЬНОСТЬЮ

Я наслаждаюсь своей сексуальностью и своим телом. Мое тело совершенно для меня в этой жизни. Я обнимаю себя с любовью и сочувствием.

Я ЖИВУ В МИРЕ С МОИМ ВОЗРАСТОМ

Каждый возраст обладает собственными особыми радостями и переживаниями. Мой возраст всегда совершенен для данного места в моей жизни.

ПРОШЛОЕ УШЛО НАВСЕГДА

Это новый день. День, в котором я никогда не жила (жил) раньше.
Я остаюсь в настоящем и наслаждаюсь каждым его мгновением.

Я ОСВОБОЖДАЮСЬ ОТ ВСЯКОЙ КРИТИКИ

Я отдаю только то, что желаю получить взамен. Моя любовь и одобрение
возвращаются ко мне в каждое мгновение жизни.

Я НИКОГО НЕ УДЕРЖИВАЮ ВОЗЛЕ СЕБЯ

Я позволяю другим испытывать то, что имеет значение для них,
и я свободна (свободен) создавать то, что имеет значение для меня.

Я ВИЖУ СВОИХ РОДИТЕЛЕЙ МАЛЕНЬКИМИ ДЕТЬМИ, НУЖДАЮЩИМИСЯ В ЛЮБВИ

Я сочувствую детству моих родителей. Теперь я знаю:
я выбрала (выбрал) их, так как они были совершенны
для того, чему я должна (должен) была (был) научиться.
Я прощаю и освобождаю их, и освобождаюсь сама (сам).

МОЙ ДОМ — СПОКОЙНОЕ УБЕЖИЩЕ

Я с любовью благословляю свой дом. Я вношу любовь в каждый уголок,
и мой дом любовно отзывается теплом и удобством. Мне хорошо
и спокойно здесь жить.

КОГДА Я ГОВОРЮ ЖИЗНИ «ДА», ЖИЗНЬ ТОЖЕ ГОВОРИТ МНЕ «ДА»

Жизнь отражает каждую мою мысль. Пока я сохраняю позитивное
мышление, Жизнь дарит мне только хороший опыт.

ВСЕГО ХВАТИТ ВСЕМ, ВКЛЮЧАЯ МЕНЯ

Океан Жизни изобилен и щедр. Все мои потребности и желания
удовлетворяются прежде, чем я успеваю попросить. Добро приходит ко
мне отовсюду, и ото всех, и от всего.

ВСЕ ХОРОШО В МОЕМ МИРЕ

Все в моей жизни идет правильно, сейчас и всегда.

МОЯ РАБОТА ПОЛНОСТЬЮ УДОВЛЕТВОРЯЕТ МЕНЯ

Сегодня я отдаю все свои способности тому, что делаю, так как понимаю:
когда один опыт завершен, меня ведут к еще большей реализации своих
возможностей и новому полезному опыту.

ЖИЗНЬ ПОДДЕРЖИВАЕТ МЕНЯ

Жизнь создала меня для реализации моих возможностей. Я доверяю Жизни, и Жизнь всегда оберегает меня. Я в безопасности.

МОЕ БУДУЩЕЕ ПРЕКРАСНО

Теперь я живу в безграничной любви, свете и радости.
Все хорошо в моем мире.

Я ОТКРЫВАЮ НОВЫЕ ДВЕРИ В ЖИЗНЬ

Я радуюсь тому, что имею, и знаю, что меня всегда ждет впереди новый опыт. Я встречаю новое с распростертыми объятиями. Я верю, что жизнь замечательна.

Я ЗАЯВЛЯЮ О СВОЕЙ СИЛЕ И С ЛЮБОВЬЮ СОЗДАЮ СВОЮ СОБСТВЕННУЮ РЕАЛЬНОСТЬ

Я прошу дать мне больше понимания, чтобы осознанно и с любовью строить мой мир и мой опыт.

ТЕПЕРЬ Я СОЗДАЮ СЕБЕ НОВУЮ ЗАМЕЧАТЕЛЬНУЮ РАБОТУ

Я полностью открыта (открыт) и восприимчива (восприимчив) к замечательной новой должности. Я смогу использовать свои таланты и творческие способности, работая в чудесном месте, с людьми и для людей, которых люблю. Я буду зарабатывать хорошие деньги.

ВСЕ, ЧЕГО Я КАСАЮСЬ, ИМЕЕТ УСПЕХ

Теперь я устанавливаю для себя новое понимание успеха. Я знаю, что могу достичь успеха, и мой успех будет таким, каким я его себе представляю. Я вхожу в Круг Победителей. Блестящие возможности открываются мне повсюду. Я притягиваю к себе процветание во всех сферах жизни.

Я ОТКРЫТА (ОТКРЫТ) И ВОСПРИИМЧИВА (ВОСПРИИМЧИВ) К НОВЫМ ПУТЯМ ДОХОДОВ

Теперь я получаю мои блага из ожидаемых и неожиданных источников. Я безграничное существо, принимающее из безграничного источника неограниченными путями. Я счастлива (счастлив) сверх своих самых смелых мечтаний.

Я ЗАСЛУЖИВАЮ САМОГО ЛУЧШЕГО И ПРИНИМАЮ ЭТО ЛУЧШЕЕ СЕЙЧАС

Мои мысли и чувства дают мне все необходимое для наслаждения жизнью, полной любви и успеха. Я заслуживаю всех благ потому, что родилась (родился) на свет. Я предъявляю права на мои блага.

ЖИЗНЬ ПРОСТА И ЛЕГКА

Все, что мне необходимо знать в любой данный момент, открыто мне. Я верю себе и верю Жизни. Все уже хорошо.

Я ПОЛНОСТЬЮ СООТВЕТСТВУЮ ЛЮБОЙ СИТУАЦИИ

Я составляю единое целое с энергией и мудростью Вселенной. Я черпаю эту энергию, и мне легко защищать себя.

Я С ЛЮБОВЬЮ СЛУШАЮ ПОСЛАНИЯ МОЕГО ТЕЛА

Мое тело всегда работает на достижение оптимального здоровья. Мое тело хочет быть невредимым и здоровым. Я сотрудничаю с ним и становлюсь здоровой (здоровым), сильной (сильным) и совершенной (совершенным).

Я ВЫРАЖАЮ СВОИ ТВОРЧЕСКИЕ СПОСОБНОСТИ

Мои уникальные таланты и творческие способности пронизывают меня и выражаются самым удовлетворительным образом. Мои творческие способности всегда находят применение.

Я НАХОЖУСЬ В ПРОЦЕССЕ ПОЗИТИВНЫХ ПЕРЕМЕН

Я раскрываюсь самыми удивительными способами. Только хорошее может прийти ко мне. Теперь я излучаю здоровье, счастье, процветание и душевный покой.

Я ПРИНИМАЮ МОЮ УНИКАЛЬНОСТЬ

Нет соревнования и нет сравнения, ибо все мы разные и созданы, чтобы быть разными. Я особенная (особенный) и изумительная (изумительный). Я люблю себя.

ВСЕ МОИ ВЗАИМООТНОШЕНИЯ С ДРУГИМИ ЛЮДЬМИ ГАРМОНИЧНЫ

Всегда вокруг себя я вижу только гармонию. Я с готовностью вношу вклад в желаемую мной гармонию. Моя жизнь — радость.

Я НЕ БОЮСЬ ЗАГЛЯНУТЬ В СЕБЯ

Пробираясь сквозь пелену мнений и убеждений других людей, я вижу внутри себя великолепное существо — мудрое и прекрасное. Я люблю то, что вижу в себе.

Я ЧУВСТВУЮ ЛЮБОВЬ ПОВСЮДУ

Любовь повсюду, и я люблю и любима (любим). Любящие люди наполняют мою жизнь, и я обнаруживаю, как легко выражать свою любовь к другим.

ЛЮБИТЬ ДРУГИХ ЛЮДЕЙ ЛЕГКО, КОГДА Я ЛЮБЛЮ И ПРИНИМАЮ СЕБЯ

Мое сердце открыто. Я позволяю своей любви течь свободно. Я люблю себя. Я люблю других людей, и другие люди любят меня.

Я ПРЕКРАСНА (ПРЕКРАСЕН), И ВСЕ ЛЮБЯТ МЕНЯ

Я излучаю одобрение, и я любима (любим) другими людьми. Любовь окружает и защищает меня.

Я ЛЮБЛЮ И ОДОБРЯЮ СЕБЯ

Я одобряю все, что делаю. Я достаточно хороша (хорош) такой (таким), какая (какой) я есть. Я высказываю свое мнение. Я прошу для себя то, что хочу. Я заявляю о своей силе.

Я УМЕЮ ПРИНИМАТЬ РЕШЕНИЯ

Я доверяю своей внутренней мудрости и легко принимаю решения.

Я ВСЕГДА В БЕЗОПАСНОСТИ ВО ВРЕМЯ ПУТЕШЕСТВИЙ

Какой бы вид транспорта я ни выбрала (выбрал), я в полной безопасности.

УРОВЕНЬ МОЕГО ПОНИМАНИЯ ПОСТОЯННО ПОВЫШАЕТСЯ

Каждый день я прошу свое Высшее «я» подарить мне способность более глубоко понимать жизнь и подниматься над мнениями и предрассудками.

ТЕПЕРЬ Я ПРИНИМАЮ СОВЕРШЕННОГО СУПРУГА (СУПРУГУ)

Божественная Любовь теперь ведет меня к полным любви взаимоотношениям с моим (моей) совершенным (совершенным) супругом (супругой) и помогает сохранить их.

БЕЗОПАСНОСТЬ ПРИНАДЛЕЖИТ МНЕ ТЕПЕРЬ И НАВСЕГДА

Все, что я имею, и все, кем я являюсь, защищено и находится в полной безопасности. Я живу в безопасном мире.

СЕЙЧАС ИДЕТ ПРОЦЕСС ИСЦЕЛЕНИЯ МИРА

Каждый день я представляю себе наш мир как спокойный, целостный и исцеленный. Я вижу каждого человека хорошо накормленным, одетым и обеспеченным жильем.

С ЛЮБОВЬЮ БЛАГОСЛОВЛЯЮ НАШЕ ПРАВИТЕЛЬСТВО

Я утверждаю, что каждый человек в нашем правительстве — любящий, честный, благородный и преданно работает на благо всех людей.

Я ЛЮБЛЮ СВОЮ СЕМЬЮ

У меня любящая, гармоничная, счастливая, здоровая семья, и мы все прекрасно понимаем друг друга.

МОИ ДЕТИ НАХОДЯТСЯ ПОД БОЖЕСТВЕННОЙ ЗАЩИТОЙ

Божественная Мудрость пребывает в каждом из моих детей, и они счастливы и защищены везде, куда бы они ни шли.

Я ЛЮБЛЮ ВСЕ БОЖЬИ ТВОРЕНИЯ — ЖИВОТНЫХ, БОЛЬШИХ И МАЛЕНЬКИХ

Я легко и с любовью общаюсь со всеми живыми существами, и я знаю, что они достойны нашей любви и защиты.

Я С ЛЮБОВЬЮ ИСПЫТЫВАЮ РОЖДЕНИЕ МОЕГО РЕБЕНКА

Чудо деторождения — нормальный, естественный процесс, и я прохожу его легко, без напряжения и с любовью.

Я ЛЮБЛЮ СВОЕ ДИТЯ

Мое дитя и я связаны друг с другом узами любви, счастья и покоя. Мы — счастливая семья.

МОЕ ТЕЛО ГИБКО

Целительная энергия постоянно течет через каждый орган, сустав и клетку моего тела. Я двигаюсь свободно и без усилий.

Я ЗНАЮ

Я постоянно увеличиваю свои знания о себе, своем теле и своей жизни. Осведомленность дает мне силу брать ответственность на себя.

Я ЛЮБЛЮ ФИЗИЧЕСКИЕ УПРАЖНЕНИЯ

Физические упражнения помогают мне сохранять молодость и здоровье. Мои мускулы любят двигаться. Я живой человек.

ПРОЦВЕТАНИЕ — МОЕ БОЖЕСТВЕННОЕ ПРАВО

Я достойна (достоин) успеха и с готовностью принимаю процветание, изобильно текущее сквозь мою жизнь. Я отдаю и принимаю с радостью и любовью.

Я СВЯЗАНА (СВЯЗАН) С БОЖЕСТВЕННЫМ РАЗУМОМ

Ежедневно я обращаюсь внутрь себя, соединяясь со всем разумом Вселенной. Меня постоянно ведут и направляют, всесторонне заботясь о моем высшем благе и счастье.

СЕГОДНЯ Я СМОТРЮ НА ЖИЗНЬ СВЕЖИМ ВЗГЛЯДОМ

Я готова (готов) видеть жизнь в новом, ином свете, замечать то, что не видела (не видел) раньше. Новый мир ждет моего нового взгляда.

Я ШАГАЮ В НОГУ С СЕГОДНЯШНИМ ДНЕМ

Я открыта (открыт) и восприимчива (восприимчив) к новому в жизни. Я готова (готов) понять видеомагнитофоны, компьютеры и другие чудесные электронные устройства.

Я СОХРАНЯЮ ИДЕАЛЬНЫЙ ДЛЯ МЕНЯ ВЕС

Мой разум и тело находятся в равновесии и гармонии друг с другом. Я достигаю и сохраняю идеальный для себя вес легко, без усилий.

Я В ОТЛИЧНОЙ ФОРМЕ

Я с любовью забочусь о своем теле. Я ем здоровую пищу. Я пью целебные напитки. Мое тело отвечает на заботу, постоянно сохраняя отличную форму.

МОИ ЖИВОТНЫЕ ЗДОРОВЫ И СЧАСТЛИВЫ

Я с любовью общаюсь с моими животными, и они дают мне понять, как я могу обеспечить их духовное и физическое здоровье. Мы живем счастливо вместе. Я нахожусь в гармонии со всей Жизнью.

ЧТО Я НИ ПОСАЖУ, У МЕНЯ ВСЕ РАСТЕТ

Каждое растение, которого я с любовью касаюсь, расцветает во всем своем великолепии. Домашние растения счастливы. Цветы трепетно прекрасны. Вкусные фрукты и овощи созревают в изобилии. Я нахожусь в гармонии с природой.

СЕГОДНЯ ДЕНЬ ВЕЛИКОГО ИСЦЕЛЕНИЯ

Я устанавливаю связь с целительной энергией Вселенной, чтобы исцелить себя и всех вокруг меня, кто готов к исцелению. Я знаю, что мой разум — мощное целительное средство.

Я ЛЮБЛЮ И УВАЖАЮ ПОЖИЛЫХ ЛЮДЕЙ В МОЕЙ ЖИЗНИ

Я отношусь к пожилым людям в моей жизни с большой любовью и уважением, так как я знаю, что они мудрый и чудесный источник знания, опыта и правды.

МОЙ АВТОМОБИЛЬ — БЕЗОПАСНОЕ УБЕЖИЩЕ ДЛЯ МЕНЯ

Когда я веду свой автомобиль, я полностью защищена (защищен), расслаблена (расслаблен), и мне удобно. Я с любовью благословляю всех других водителей на дороге.

МУЗЫКА ОБОГАЩАЕТ МОЮ ЖИЗНЬ

Я наполняю свою жизнь гармоничной и поднимающей настроение музыкой, которая обогащает мое тело и душу. Творческие влияния окружают и вдохновляют меня.

Я ЗНАЮ, КАК УСПОКОИТЬ СВОИ МЫСЛИ

Я достойна (достоин) отдыха и тишины, когда они мне необходимы, и я создаю пространство в своей жизни, где могу получить то, что мне нужно. Я нахожусь в мире со своим одиночеством.

МОЯ ВНЕШНОСТЬ ОТРАЖАЕТ МОЮ ЛЮБОВЬ К СЕБЕ

Я хорошо ухаживаю за собой каждое утро и ношу одежду, отражающую то, как я люблю и ценю жизнь. Я прекрасна (прекрасен) внутри и снаружи.

МНЕ ПРИНАДЛЕЖИТ ВСЕ ВРЕМЯ В МИРЕ

У меня очень много времени для каждого дела, которое необходимо сделать сегодня. Я сильная личность, потому что я выбираю жизнь в Настоящем Моменте. Здесь и сейчас все хорошо.

Я ПРЕДОСТАВЛЯЮ СЕБЕ ОТДЫХ ОТ РАБОТЫ

Я планирую отпуск, чтобы дать возможность отдохнуть моей душе и телу. Я не выхожу за рамки своего бюджета и всегда чудесно провожу время. Я возвращаюсь на работу освеженной (освеженным) и спокойной (спокойным).

ДЕТИ ЛЮБЯТ МЕНЯ

Дети любят меня и чувствуют себя в безопасности рядом
со мной. Я позволяю им свободно приходить и уходить.
Дети ценят мое взрослое «я». Мое взрослое «я» вдохновляется детьми.

МОИ СНЫ — ИСТОЧНИК МУДРОСТИ

Я знаю, что на многие свои вопросы о Жизни я могу получить ответы во
сне. Я отчетливо помню свои сны, когда просыпаюсь каждое утро.

Я ОКРУЖАЮ СЕБЯ ПОЛОЖИТЕЛЬНЫМИ ЛЮДЬМИ

Мои друзья и родные излучают любовь и положительную энергию,
и я возвращаю эти чувства. Я знаю, что мне, возможно, придется
освободиться от тех людей в моей жизни, которые не поддерживают меня.

Я ЗАНИМАЮСЬ СВОИМИ ФИНАНСОВЫМИ ПРОБЛЕМАМИ
С ЛЮБОВЬЮ

Я выписываю чеки и плачу по счетам с благодарностью и любовью. У меня
всегда достаточно денег на банковском счету для обеспечения всего
необходимого и даже роскоши в моей жизни.

Я ЛЮБЛЮ
МОЕГО ВНУТРЕННЕГО РЕБЕНКА

Ребенок во мне умеет играть, любить и удивляться. Когда я поддерживаю
эту часть моего существа, она открывает мне дверь к моему сердцу, и моя
жизнь обогащается.

Я ПРОШУ ПОМОЩИ, КОГДА НУЖДАЮСЬ В НЕЙ

Мне легко просить помощи, когда я в ней нуждаюсь. Я чувствую себя
защищенной (защищенным) в центре перемен, поскольку знаю, что
перемены — естественный закон Жизни. Я открыта (открыт) для любви
и поддержки других людей.

ПРАЗДНИКИ — ВРЕМЯ ЛЮБВИ И РАДОСТИ ДЛЯ МЕНЯ

Всегда удовольствие отмечать праздники с моей семьей и друзьями. Мы
всегда находим время для смеха и выражаем благодарность за
множество благ, которые дает нам жизнь.

Я ТЕРПЕЛИВА (ТЕРПЕЛИВ) И ДОБРА (ДОБР) СО ВСЕМИ, КОГО ВСТРЕЧАЮ КАЖДЫЙ ДЕНЬ

Я излучаю добрые и нежные мысли продавцам, официантам, полицейским и всем другим людям, которых встречаю каждый день. Все хорошо в моем мире.

Я ЧУТКИЙ ДРУГ

Я настроена (настроен) на мысли и чувства других людей. Я даю совет и поддержку моим друзьям, когда они в этом нуждаются, и просто слушаю с любовью, когда это уместно.

МОЯ ПЛАНЕТА ВАЖНА ДЛЯ МЕНЯ

Здоровье Земли крайне важно для меня. Каждый день, так же, как мы перерабатываем консервные банки, бутылки и бумагу для вторичного использования, я перерабатываю негативные, нечистые мысли в правильные, позитивные. Мир и покой начинаются с меня!

ХОРОШИЕ МЫСЛИ
ДЛЯ ДОСТИЖЕНИЯ
УСПЕХА СЕГОДНЯ...

LOVING THOUGHTS FOR INCREASING PROPERTY

Я привлекаю к себе удачу.

Я начинаю жизнь, полную наград и свершений.

Все, за что я берусь, приносит мне успех.

Я спокойно принимаю подарки и благодарю за них простым «спасибо».

Я создаю для себя хорошую жизнь, потому что достоин этого.

Я разрешаю благосостоянию войти в мою жизнь.

Я наслаждаюсь изобилием жизни и ценю то, что имею.

Я верю, что судьба обеспечит меня всем необходимым.

Неожиданное благополучие приходит ко мне из неожиданных источников.

Все мои потребности и желания исполняются еще до того, как я подумаю о них.

Я разрешаю моему доходу постоянно увеличиваться.

Я разрешаю себе черпать богатство из Океана Жизни.

Жизнь знает мои потребности и щедро их удовлетворяет.

Это мое право — разделить с другими богатство нашего мира.

Ничто не мешает моему благосостоянию.

Я открыт и восприимчив к новым возможностям получения денег.

Все и вся приносят мне пользу.

Я разрешаю себе быть тем, кем я могу быть, и я заслуживаю самого лучшего в жизни.

Меня полностью поддерживает Вселенная.

Я принимаю с радостью и удовольствием все благо, которое мне предлагает жизнь.

Мысли о процветании приносят мне благополучие.

Я отказываюсь верить в нужду и ограничения.

Начинается новая эра преуспевания и благополучия.

Я разрешаю себе преуспевать.

Я принимаю долги с любовью и оплачиваю их с радостью.

У меня все благополучно, и я могу оплатить все свои долги.

Я благодарен за все добро.

Открываются новые возможности.

Моя жизнь наполнена благами.

Все хорошо в моем процветающем мире.

ХОРОШИЕ МЫСЛИ ДЛЯ ТОГО, ЧТОБЫ ПОЛЮБИТЬ СЕБЯ СЕГОДНЯ

LOVING THOUGHTS FOR LOVING YOURSELF

Любовь к окружающему миру — отражение любви внутри меня.

Любовь начинается с меня.

Я люблю и забочусь о себе.

Я открываю себе свое сердце.

Я люблю себя хоть бы немного больше.

Любовь творит чудеса в моей жизни.

Любовь — самая мощная целительная сила, которую я знаю.

Прощение открывает дверь моей любви.

Я помогаю создать мир, где безопасно любить друг друга.

Чем больше любви я даю, тем больше получаю.

С каждым днем мне легче любить.

Что-то может прийти или уйти, но любовь к себе постоянна и истинна.

Я посвящаю этот день тому, чтобы больше любить себя.

Где бы я ни был и кого бы ни встречал, я всегда вижу, что любовь ждет меня.

Где-то есть человек, который ждет именно то, что я могу предложить ему.

В моей жизни появляется больше любовных взаимоотношений, когда я расслабляюсь и принимаю себя таким, какой я есть.

Нет ничего опасного в том, чтобы впустить любовь.

Любовь — это право, данное мне Богом.

У меня много друзей, которые любят меня.

Все получается в моей жизни, когда я действительно люблю себя.

Я дарю себе безусловную любовь.

Чем больше любви я дарю, тем больше мне хочется дарить.

Я смотрю в зеркало, и мне легко сказать: «Я люблю тебя. Я действительно люблю тебя».

Во мне бесконечно много любви, и я делюсь ею с другими.

Я достоин любви.

Становится легче любить себя и других.

Я благословляю моих родителей любовью и отпускаю их к счастью.

Мои отношения со всеми в семье полны любви, красоты и гармонии.

Делясь любовью, мы все можем жить в мире и спокойствии.

Все хорошо в моем мире любви.

ЛЮБИ
СВОЕ ТЕЛО

LOVE
YOUR BODY

АФФИРМАЦИИ ДЛЯ ЗДОРОВОГО ТЕЛА

Маленькие дети любят каждый дюйм своего тела. Они не комплексуют, не стыдятся его, постоянно не сравнивают себя с другими. Вы тоже были такими, но затем, шагая по дороге жизни, стали прислушиваться к голосам тех, кто утверждал, что вы «недостаточно хороши». Вы стали критически относиться к своему телу, решив, что именно оно портит вас. Давайте покончим с этими глупостями и начнем любить наше тело таким, какое оно есть. Конечно же я понимаю, что годы тело не красят, но, если мы будем относиться к нему с любовью, оно изменится к лучшему.

Подсознание не обладает чувством юмора и не может отличить правду от лжи. А все наши слова и мысли превращает в строительный материал. Повторяя снова и снова: «Я люблю свое тело», — вы посеете новые зерна в плодородную почву вашего подсознания, которые со временем превратятся для вас в непреложную истину.

Станьте перед зеркалом и повторите каждую аффирмацию (новый стереотип мышления) десять раз. Повторяйте это упражнение два раза в день. Кроме того, постарайтесь в течение дня записать десять новых аффирмаций. Один день — к одной из предложенных аффирмаций, и так последовательно к каждой из предложенных аффирмаций. Заведите специальную тетрадь и записывайте в нее ваши собственные позитивные установки. Если после того, как вы проделаете все упражнения, останется хоть одна часть тела, которой вы не подарили свою любовь, примените ваш метод по отношению к ней на протяжении хотя бы месяца, пока не произойдут положительные сдвиги.

Если вас терзают сомнения или страхи, постарайтесь понять причину их возникновения: вероятнее всего — это старое мышление, которое не желает расставаться с вами. Но оно бессильно. Скажите ему мягко: «Мне с тобой не по пути». После чего повторите аффирмацию. Если вы перестали работать, значит, вы сопротивляетесь. Проанализируйте, какую часть тела вы не хотите любить. Посвятите ей больше времени, чтобы преодолеть возникшую преграду. Переборите себя.

Итак, очень скоро вы полюбите свое тело. И ваше тело ответит вам отменным здоровьем. Вы с удивлением обнаружите, что исчезли морщины, нормализовался вес и улучшилась осанка.

И то, что вы постоянно внушали себе, станет для вас непреложной истиной.

Я ЛЮБЛЮ МОЙ МОЗГ

Мой мозг позволяет мне понять, какое прекрасное чудо — мое тело. Я радуюсь тому, что живу. Я даю установку своему мозгу, что в состоянии исцелить себя. Именно в мозгу рождается картина моего будущего. Моя сила — в использовании моего мозга. Я концентрируюсь на мыслях, которые улучшают мое самочувствие. Я люблю и ценю мой прекрасный мозг!

Ваши личные заметки / аффирмации

Я ЛЮБЛЮ МОЮ ГОЛОВУ

Моя голова не напряжена и спокойна. Я несу ее свободно и легко. Моим волосам на ней удобно. Они могут расти свободно и выглядеть роскошно. Я концентрируюсь на мыслях, которые с любовью массируют мои волосы. Я люблю и ценю мою прекрасную голову!

Ваши личные заметки / аффирмации

Я ЛЮБЛЮ МОИ ВОЛОСЫ

Я верю, что жизнь удовлетворит мои потребности, а посему расту сильной и спокойной. Я расслабляю мышцы головы и позволяю моим прекрасным волосам бурно расти. Я с любовью ухаживаю за волосами и думаю о том, как поддерживать их рост и силу. Я люблю и ценю мои прекрасные волосы!

Ваши личные заметки / аффирмации

Я ЛЮБЛЮ МОИ ГЛАЗА

У меня великолепное зрение. Я хорошо вижу в любом направлении. Я с любовью оглядываюсь на свое прошлое, гляжу в настоящее и будущее. Мой мозг решает, как мне смотреть на жизнь. Я теперь гляжу на все по-новому. Во всех и во всем я вижу только хорошее. Я строю жизнь, на которую любо смотреть. Я люблю и ценю мои прекрасные глаза!

Ваши личные заметки / аффирмации

Я ЛЮБЛЮ МОИ УШИ

Я уравновешена, владею собой и в жизни имею все. Я концентрируюсь на мыслях, которые создают вокруг меня гармонию. С любовью прислушиваюсь ко всему доброму и приятному. Я слышу мольбу о любви, сокрытую в словах каждого. Я хочу понимать других и сочувствую людям. Я наслаждаюсь своей способностью слышать жизнь. Я в состоянии воспринимать команды моего мозга. Я хочу слышать. Я люблю и ценю мои прекрасные уши!

Ваши личные заметки / аффирмации

Я ЛЮБЛЮ МОЙ НОС

Я живу в мире с окружающими. Никто и ничто не имеет власти надо мной. В своей среде я обладаю властью и авторитетом. И мысли, которые важны для меня, выявляют мою самоценность. Я доверяю моей интуиции. Я доверяю ей, поскольку нахожусь в постоянном контакте с Мировым Разумом и Правдой. Я всегда двигаюсь в правильном направлении. Я люблю и ценю мой прекрасный нос!

Ваши личные заметки / аффирмации

Я ЛЮБЛЮ МОЙ РОТ

Моя пища — новые идеи, моя задача — усвоить и переварить новые концепции. Как легко мне даются решения, если в их основе лежит Правда. У меня есть вкус к жизни. Мысли, на которых я концентрируюсь, позволяют мне произносить их с любовью. Я не боюсь рассказать окружающим о том, какова я на самом деле. Я люблю и ценю мой прекрасный рот!

Ваши личные заметки / аффирмации

Я ЛЮБЛЮ МОИ ЗУБЫ

У меня крепкие и здоровые зубы. Я с радостью вгрызаюсь в жизнь. Я тщательно пережевываю все свои переживания. Я человек решительный. Я легко принимаю решения и не отступаю от него. Я концентрируюсь на мыслях, которые являются цементирующей основой моего бытия. Я доверяю своей мудрости, т. к. уверена, что всегда выберу оптимальные на данный момент решения. Я люблю и ценю мои прекрасные зубы!

Ваши личные заметки / аффирмации

Я ЛЮБЛЮ МОИ ДЕСНЫ

Мои десны — просто заглядение, они заботливо поддерживают и оберегают мои зубы. Мне легко выполнять мои решения. Мои решения совпадают с моими убеждениями. Мудрость и Правда направляют меня. Я концентрируюсь на мыслях, которые толкают меня лишь на правильные поступки в жизни. Я люблю и ценю мои прекрасные десны!

Ваши личные заметки / аффирмации

Я ЛЮБЛЮ МОЙ ГОЛОС

Я высказываю свое мнение. Я произношу слова громко и отчетливо. Мои слова выражают счастье и любовь. Они — музыка жизни. Я концентрируюсь на мыслях, которые выражают красоту и благодарность. Я подтверждаю свою неповторимость всей своей жизнью. Я люблю и ценю мой прекрасный голос!

Ваши личные заметки / аффирмации

Я ЛЮБЛЮ МОЮ ШЕЮ

Я терпимо отношусь к поступкам и взглядам других людей. Я свободна, а посему могу принять их. Я хочу постоянно совершенствоваться. Я концентрируюсь на мыслях, которые позволяют мне широко мыслить и свободно выражать себя как творческую личность. Я свободна и радостна в своих проявлениях. Я чувствую себя в безопасности. Я люблю и ценю мою прекрасную шею!

Ваши личные заметки / аффирмации

Я ЛЮБЛЮ МОИ ПЛЕЧИ

Я легко несу груз ответственности. Мой груз легок, словно перышко на ветру. Вот я стою — высокая, свободная, радостно взвалив на плечи все свои переживания. У меня прекрасные, прямые и сильные плечи. Я концентрируюсь на мыслях, которые делают мой путь легким и свободным. Любовь раскрепощает. Я люблю мою жизнь. Я люблю и ценю мои прекрасные плечи!

Ваши личные заметки / аффирмации

Я ЛЮБЛЮ МОИ РУКИ

Я защищаю себя и тех, кого люблю. Я протягиваю руки навстречу жизни. Я черпаю ее с радостью. Моя способность радоваться жизни очень велика. Я концентрируюсь на мыслях, которые позволяют мне с легкостью воспринимать любые перемены и двигаться в любом направлении. В любой ситуации я остаюсь сильной, спокойной и непоколебимой. Я люблю и ценю мои прекрасные руки!

Ваши личные заметки / аффирмации

Я ЛЮБЛЮ МОИ ЗАПЯСТЬЯ

Какие у меня гибкие запястья, как свободно они двигаются! Это благодаря им я с такой легкостью впускаю радость в свою жизнь. Эту радость я заслужила. Я концентрируюсь на мыслях, которые помогают мне наслаждаться тем, что я имею. Я люблю и ценю мои прекрасные запястья!

Ваши личные заметки / аффирмации

Я ЛЮБЛЮ МОИ ЛАДОНИ

Я на все сто доверяю жизнь своим ладоням. Мои ладони знают тысячи способов, как управляться с событиями и людьми. Я концентрируюсь на мыслях, которые с легкостью справляются с моими переживаниями. Божественный Порядок Вещей организует все детали моей жизни. Все, что я делаю в жизни, я делаю с любовью, а посему я чувствую себя в безопасности. Я — сама естественность. Я живу в мире и согласии с самой собой. Я люблю и ценю мои прекрасные ладони!

Ваши личные заметки / аффирмации

Я ЛЮБЛЮ МОИ ПАЛЬЦЫ

Мои пальцы доставляют мне массу удовольствия. Как хорошо, что я могу трогать и чувствовать, проверять и контролировать, заделывать и ремонтировать, с любовью что-то создавать и конструировать. Я держу мои пальцы на пульсе жизни, я настроена на волну любого человека, места или вещи. Я концентрируюсь на мыслях, которые позволяют мне с любовью дотрагиваться до всего. Я люблю и ценю мои прекрасные пальцы!

Ваши личные заметки / аффирмации

Я ЛЮБЛЮ НОГТИ НА МОИХ РУКАХ

На мои ногти приятно смотреть. Я чувствую себя защищенной, в полной безопасности. Поскольку я расслаблена и с доверием отношусь к жизни, которая бурлит вокруг меня, у меня растут крепкие и твердые ногти. Я люблю и ценю все прелестные мелочи моей жизни. Я концентрируюсь на мыслях, которые позволяют мне легко и без усилий справляться с мелочами. Я люблю и ценю мои прекрасные ногти!

Ваши личные заметки / аффирмации

Я ЛЮБЛЮ МОЙ ПОЗВОНОЧНИК

Мой позвоночник — это сама гармония и любовь. Каждый позвонок с любовью соединяется со своим соседом. Между ними существует совершенная гибкая связь, которая делает меня одновременно сильной и пластичной. Я могу дотянуться до звезд и дотронуться до земли. Я думаю о том, что позволяет мне чувствовать себя уверенно и свободно. Я люблю и ценю мой прекрасный позвоночник!

Ваши личные заметки / аффирмации

Я ЛЮБЛЮ МОЮ СПИНУ

Меня поддерживает сама жизнь. Я ощущаю эмоциональную поддержку. Я освободилась от всех страхов. Я чувствую себя любимой. Я освободилась от прошлого и всех переживаний, что были в нем. Я отделалась от всего, что довлело надо мной. Теперь я отношусь к жизни с доверием. Я концентрируюсь на мыслях, которые мне необходимы. В жизни надо уметь ждать, ведь она полна неожиданностей. Я знаю, что в ней есть место для меня. Я держусь прямо, поддерживаемая любовью к жизни. Я люблю и ценю мою прекрасную спину!

Ваши личные заметки/аффирмации

Я ЛЮБЛЮ МОЮ ГИБКОСТЬ

Господь наделил меня гибкостью и умением быть в жизни гибкой, как лоза. Я могу сгибаться и разгибаться, но всегда возвращаюсь в исходное положение. Я концентрируюсь на мыслях, которые должны усилить мою гибкость и пластичность. Я люблю и ценю мою гибкость!

Ваши личные заметки/аффирмации

Я ЛЮБЛЮ МОЮ ГРУДНУЮ КЛЕТКУ

Все, что необходимо для роста, все, что я беру и отдаю, у меня прекрасно сбалансировано. Жизнь дает мне все, что нужно. Мое «я» свободно, и мне хорошо, когда люди вокруг меня такие, какие они есть на самом деле. Жизнь защищает всех нас. Мы все растем в атмосфере безопасности. Меня питает только любовь. Я концентрируюсь на мыслях, которые делают свободными всех нас. Я люблю и ценю мою прекрасную грудную клетку!

Ваши личные заметки/аффирмации

Я ЛЮБЛЮ МОИ ЛЕГКИЕ

Я по праву занимаю свое место. Я имею право на существование. Я полной грудью, свободно вдыхаю и выдыхаю жизнь. Вдыхать окружающий мир совсем не опасно. Я доверяю Силе, которая так щедро одарила мое дыхание. Воздуха хватит до тех пор, пока у меня не пропадет желание жить. Да и жизни и жизненного материала тоже достаточно; они не иссякнут, пока во мне не иссякнет жажда жизни. Я теперь отдаю предпочтение мыслям, которые создают для меня безопасную атмосферу. Я люблю и ценю мои прекрасные легкие!

Ваши личные заметки / аффирмации

Я ЛЮБЛЮ МОЕ ДЫХАНИЕ

Мое дыхание для меня драгоценно. Это сокровище, которое дает мне жизнь. Я знаю, что жить безопасно. Я люблю жизнь. Я вдыхаю жизнь глубоко, полной грудью. Мой вдох и выдох полностью гармонизированы. Мои мысли делают мое дыхание легким и очаровательным. Находиться рядом со мной доставляет радость окружающим. Дыхание жизни помогает мне парить. Я люблю и ценю мое прекрасное дыхание!

Ваши личные заметки / аффирмации

Я ЛЮБЛЮ МОИ МИНДАЛИНЫ

Мои миндалины — исходная точка моего самовыражения. Мое самовыражение — это уникальный подход к жизни. Я — уникальное создание. Я уважаю свою индивидуальность. Я репродуцирую в себе все хорошее, что встречается на моем жизненном пути. Моя оригинальность начинается с мыслей, которые я выбираю. Мои душа и тело сильны и гармоничны. Я не боюсь жизни и беру от нее все, что встречается на моем пути. Я люблю и ценю мои прекрасные миндалины!

Ваши личные заметки / аффирмации

Я ЛЮБЛЮ МОЕ СЕРДЦЕ

Мое сердце с любовью разносит радость по моему телу, подпитывая клетки. Радостные новые идеи свободно циркулируют во мне. Я излучаю и воспринимаю радость жизни. Я концентрируюсь на мыслях, которые создают радостное настоящее. Жить в любом возрасте не страшно. Мое сердце умеет любить. Я люблю и ценю мое прекрасное сердце!

Ваши личные заметки / аффирмации

Я ЛЮБЛЮ МОЮ КРОВЬ

Кровь, что течет в моих жилах, — сама радость. Радость жизни свободно растекается по моему телу. Я живу радостно и счастливо. Я концентрируюсь на мыслях, которые помогают жить. Моя жизнь насыщена, полна и радостна. Я люблю и ценю мою прекрасную кровь!

Ваши личные заметки / аффирмации

Я ЛЮБЛЮ МОИ НЕРВЫ

У меня чудесная нервная система. Мои нервы даруют мне общение. Я ощущаю, чувствую и понимаю все очень глубоко. Я чувствую себя уверенно и в безопасности. Моя нервная система устроена так, что я умею расслабляться. Я концентрируюсь на мыслях, которые несут мне покой. Я люблю и ценю мои прекрасные нервы!

Ваши личные заметки / аффирмации

Я ЛЮБЛЮ МОЙ ЖЕЛУДОК

Я с радостью перевариваю жизненные впечатления.
Я с жизнью в ладу. Я легко усваиваю все, что несет новый
день. У меня все хорошо. Я концентрируюсь на мыслях,
которые прославляют меня. Я верю, что жизнь питает меня
тем, в чем я нуждаюсь. Я знаю себе цену. Я хороша такая,
как я есть. Я — Божественное, Великолепное Проявление
Жизни. Я усвоила эту мысль, и она стала для меня истиной.
Я люблю и ценю мой прекрасный желудок!

Ваши личные заметки / аффирмации

Я ЛЮБЛЮ МОЮ ПЕЧЕНЬ

Я позволяю покинуть меня всему, в чем больше не
нуждаюсь. Я с радостью освобождаюсь от раздражения,
критицизма и осуждения. Мое сознание теперь очищено
и исцелено. Все в моей жизни в Божественном Истинном
Порядке. Все, что делается, делается для моей величайшей
радости. В моей жизни я повсюду нахожу любовь.
Я концентрируюсь на мыслях, которые исцеляют, очищают
и возвышают меня. Я люблю и ценю мою прекрасную печень!

Ваши личные заметки / аффирмации

Я ЛЮБЛЮ МОИ ПОЧКИ

Я не боюсь расти и жить жизнью, которую создала сама.
Я освобождаюсь от старого и приветствую новое. Мои почки
хорошо уничтожают старый яд в моем мозгу. Теперь
я концентрируюсь на мыслях, которые помогают создать
мой мир. И, как следствие, я считаю его совершенным. Мои
эмоции стабилизирует любовь. Я люблю и ценю мои
прекрасные почки!

Ваши личные заметки / аффирмации

Я ЛЮБЛЮ МОЮ СЕЛЕЗЕНКУ

Мое единственное стремление — получать удовольствие от жизни. Моя истинная сущность — мир, радость и любовь. Я концентрируюсь на мыслях, которые делают радостной любую область моей жизни. У меня здоровая, счастливая и нормальная селезенка. Я чувствую себя в безопасности. Я стремлюсь ощутить прелесть жизни. Я люблю и ценю мою прекрасную селезенку!

Ваши личные заметки / аффирмации

Я ЛЮБЛЮ МОЮ ТАЛИЮ

У меня прекрасная талия. Она очень гибкая. Я могу изгибаться, как мне заблагорассудится. Я концентрируюсь на мыслях, которые позволяют мне получать радость от упражнений, поскольку их выполнение доставляет мне удовольствие. Объем моей талии как раз для меня. Я люблю и ценю мою прекрасную талию!

Ваши личные заметки / аффирмации

Я ЛЮБЛЮ МОИ БЕДРА

Я иду по жизни, сохраняя равновесие. Жизнь всегда мне обещает что-то новое впереди. У каждого возраста свои интересы и цели. Я концентрируюсь на мыслях, которые сохраняют мои бедра крепкими и сильными. Я сильная во всех своих проявлениях. Я люблю и ценю мои прекрасные бедра!

Ваши личные заметки / аффирмации

Я ЛЮБЛЮ МОИ ЯГОДИЦЫ

С каждым днем мои ягодицы становятся все прекраснее. Они фундамент моей силы. Мне известно, что я сильная личность, я осознаю это. Я концентрируюсь на мыслях, которые позволяют мне использовать мою силу с умом и любовью. Как чудесно чувствовать себя сильной. Я люблю и ценю мои прекрасные ягодицы!

Ваши личные заметки / аффирмации

Я ЛЮБЛЮ МОЮ ТОЛСТУЮ КИШКУ

Я — канал, открытый для добра, что проникает в меня и циркулирует свободно, щедро и радостно. Я охотно освобождаюсь от мыслей и вещей, которые делают дискомфортным мое существование. В моей жизни все как надо: гармонично и совершенно. Я живу только настоящим. Я концентрируюсь на мыслях, которые помогают мне стать открытой и восприимчивой к жизни. Процесс приема, усвоения и выведения налажен у меня прекрасно. Я люблю и ценю мою прекрасную толстую кишку!

Ваши личные заметки / аффирмации

Я ЛЮБЛЮ МОЙ МОЧЕВОЙ ПУЗЫРЬ

Я живу в мире с моими мыслями и эмоциями. Я живу в мире с окружающими. Никто и ничто не имеет власти надо мной, поскольку я мыслю самостоятельно. Я концентрируюсь на мыслях, которые позволяют мне сохранять спокойствие. С какой охотой и наслаждением я освобождаюсь от старых концепций и идей. Они покидают мое тело легко и радостно. Я люблю и ценю мой прекрасный мочевой пузырь!

Ваши личные заметки / аффирмации

Я ЛЮБЛЮ МОИ ГЕНИТАЛИИ

Я получаю наслаждение от своей сексуальности. Для меня это так естественно и прекрасно. Мои гениталии изумительны. Они само совершенство и в то же время абсолютно нормальные. Я достаточно хороша собой и красива. Я ценю удовольствие, которое мое тело приносит мне. Я не боюсь наслаждаться своим телом. Я концентрируюсь на мыслях, которые позволяют мне любить и ценить мои прекрасные гениталии!

Ваши личные заметки / аффирмации

Я ЛЮБЛЮ МОЮ ПРЯМУЮ КИШКУ

Я вижу, как красивы каждая клетка, каждый орган моего тела. Моя прямая кишка такая же нормальная и прекрасная, как любая другая часть моего тела. Я полностью одобряю каждую функцию своего тела и наслаждаюсь ее эффективностью и совершенством. Мое сердце, прямая кишка, пальцы ног — все они одинаково важны и прекрасны. Я концентрируюсь на мыслях, которые позволяют мне относиться с любовью ко всем частям своего тела. Я люблю и ценю мою прекрасную прямую кишку!

Ваши личные заметки / аффирмации

Я ЛЮБЛЮ МОИ НОГИ

Я приняла решение: пора освободиться от старых детских ран и боли. Я отказываюсь жить прошлым. Теперь я начинаю жить настоящим. Как только я освободилась от прошлого, простилась с ним, мои ноги стали сильными и прекрасными. Я с легкостью передвигаюсь в любом направлении. Я иду по жизни вперед, не обремененная прошлым. Я не напрягаю крепкие мускулы на своих ногах. Я концентрируюсь на мыслях, которые позволяют мне с радостью двигаться вперед. Я люблю и ценю мои прекрасные ноги!

Ваши личные заметки / аффирмации

Я ЛЮБЛЮ МОИ КОЛЕНИ

Я гибкая и пластичная. Я отдаю и прощаю. Я с легкостью склоняюсь и плавно двигаюсь. Я понимаю и сочувствую и легко прощаю всех и все, что было в прошлом. Я признаю достоинства других и хвалю их при каждом удобном случае. Я концентрируюсь на мыслях, которые позволяют мне воспринимать любовь и радость, встречающиеся на каждом шагу. Я поклоняюсь самой себе. Я люблю и ценю мои прекрасные колени!

Ваши личные заметки / аффирмации

Я ЛЮБЛЮ МОИ ЛОДЫЖКИ

Мои лодыжки придают мне мобильность и выбирают направление. Я освободилась от всех страхов и чувства вины. Мне легко доставить удовольствие. Я двигаюсь в направлении высшего блага для меня. Я концентрируюсь на мыслях, которые привносят в мою жизнь радость и удовольствие. Я гибкая, у меня плавные движения. Я люблю и ценю мои прекрасные лодыжки!

Ваши личные заметки / аффирмации

Я ЛЮБЛЮ МОИ СТУПНИ

Я все прекрасно понимаю. Я стою, уверенно опираясь на Правду. Я все лучше начинаю понимать себя, других и жизнь. Меня питает Мать-Земля, а Мировой Разум учит всему, что я должна знать. Я шагаю по планете в полной безопасности в направлении моего величайшего блага. Я с легкостью перемещаюсь во времени и пространстве. Я концентрируюсь на мыслях, которые помогают создать чудесное будущее, и двигаюсь в этом направлении. Я люблю и ценю мои прекрасные ступни!

Ваши личные заметки / аффирмации

Я ЛЮБЛЮ ПАЛЬЦЫ НА МОИХ НОГАХ

Мои пальцы — разведчики будущего, которые идут впереди меня, расчищая путь. Они прямые, гибкие и сильные. Они находятся на переднем крае, они чувствуют и находят правильный путь в жизни. Я концентрируюсь на мыслях, которые оберегают мой путь. Стоит мне начать двигаться, как все приходит в полный порядок. Я люблю и ценю мои прекрасные пальцы ног!

Ваши личные заметки / аффирмации

Я ЛЮБЛЮ МОИ КОСТИ

Я сильная и здоровая. Я хорошо сложена и все во мне пропорционально. Мои кости поддерживают, любят меня. Для меня важна каждая косточка. Я концентрируюсь на мыслях, которые укрепляют мою жизнь. Я соткана из материи Вселенной. Я — часть мироздания. Я люблю и ценю мои прекрасные кости!

Ваши личные заметки / аффирмации

Я ЛЮБЛЮ МОИ МЫШЦЫ

Мои мышцы позволяют мне двигаться в моем мире. Они сильные и всегда будут таковыми. Они эластичные и легко растягиваются. Я концентрируюсь на мыслях, которые позволяют мне воспринимать новые впечатления. Моя жизнь — это танец радости. Я люблю и ценю мои прекрасные мышцы!

Ваши личные заметки / аффирмации

Я ЛЮБЛЮ МОЮ КОЖУ

Моему «я» ничего не угрожает. Прошлое прощено и забыто.
Теперь я свободна и чувствую себя в безопасности.
Я концентрируюсь на мыслях, которые создают для меня
радостную и спокойную атмосферу. У меня молодая
и гладкая кожа на всем теле. Я люблю гладить свою кожу.
Мои клетки будут вечно молодыми. Моя кожа — это броня,
которая защищает башню, в которой я живу. Я люблю
и ценю мою прекрасную кожу!

Ваши личные заметки/аффирмации

Я ЛЮБЛЮ МОЙ РОСТ

У меня оптимальный рост. Я не слишком высокая и не
слишком низкая. Я могу смотреть вверх и вниз. Я могу
дотянуться до звезды и коснуться земли. Я концентрируюсь
на мыслях, которые позволяют мне чувствовать себя
надежно, в безопасности и любимой. Я люблю и ценю мой
прекрасный рост!

Ваши личные заметки/аффирмации

Я ЛЮБЛЮ МОЙ ВЕС

У меня оптимальный вес для меня на данный момент. Это
именно тот вес, который я выбрала для себя. Я могу
изменять свой вес по желанию. Я концентрируюсь на
мыслях, которые позволяют мне испытывать
удовлетворение от своего тела и его размеров и чувствовать
себя комфортно. Я люблю и ценю мой прекрасный вес!

Ваши личные заметки/аффирмации

763

Я ЛЮБЛЮ МОЮ ВНЕШНОСТЬ

Я люблю свою внешность. Она соответствует данному периоду моей жизни. Я выбрала свою внешность еще до рождения и полностью удовлетворена своим выбором. Я неповторимая и особенная. Никто не выглядит точно так же, как я. Я красива и с каждым днем становлюсь все более привлекательной. Я концентрируюсь на мыслях, которые делают меня красивой. Мне нравится, как я выгляжу. Я люблю и ценю мою прекрасную внешность!

Ваши личные заметки / аффирмации

Я ЛЮБЛЮ МОЙ ВОЗРАСТ

У меня превосходный возраст. Каждый год для меня особенный и неповторимый, потому что я проживаю его только раз. Каждый год от младенчества до старости по-своему прекрасен. Как и детство, старость — это особый период. Я хочу испытать все. Я концентрируюсь на мыслях, которые позволяют мне спокойно становиться старше. Я с надеждой встречаю каждый новый год. Я люблю и ценю мой прекрасный возраст!

Ваши личные заметки / аффирмации

Я ЛЮБЛЮ МОЕ ТЕЛО

Мое тело создано для жизни. Я рада тому, что выбрала именно это тело, так как оно само совершенство для данного момента моей жизни. У меня совершенные размеры, очертания и цвет. Оно так хорошо мне служит. Я в восхищении от того, что это мое тело. Я концентрируюсь на исцеляющих мыслях, которые создают и поддерживают здоровым мое тело и позволяют мне сохранять хорошее самочувствие. Я люблю и ценю мое прекрасное тело!

Ваши личные заметки / аффирмации

ДНЕВНИК
АФФИРМАЦИЙ

A GARDEN
OF THOUGHTS

Посвящаю его всем Вам.
Присоединяйтесь ко мне, и мы заполним этот дневник прекрасными мыслями и идеями. Вместе мы внесем свою лепту в создание мира, где царствует любовь.

ПРЕДИСЛОВИЕ К АНГЛИЙСКОМУ ИЗДАНИЮ

Ваш внутренний потенциал

Мы издали этот дневник, чтобы увлечь вас, чтобы вы поняли, каким внутренним потенциалом обладаете, как богаты и разнообразны ваши мысли. Аффирмации Луизы Хей можно использовать в качестве раздражителя для собственных мыслей и установок.

Как и любой инструмент, используемый для самопознания, развития и оздоровления, ведение дневника потребует от вас определенных навыков. Придется запастись терпением и научиться быть последовательным. Без этого вам не видать перемен. Заведите тетрадь и на отдельной странице запишите аффирмацию Луизы Хей, а затем собственные позитивные установки и аффирмации.

«Заполняя дневник, вы тем самым фиксируете стихийный поток жизни и развития. С его помощью настоящее переживается более полно. Дневник — это свидетельство прошлых стереотипов и определение целей на будущее», — пишет доктор Луиза Каппачионе в своей классической работе «Творческий дневник».

Ведение дневника — это работа, которая может стать неотъемлемой частью вашей жизни, если вы продвигаетесь вперед по тропинке самопознания. Выберите укромное место и время для ведения записей. Однако не будьте слишком требовательны к себе, иначе вскоре вы будете думать о заполнении дневника с отвращением, как об уборке квартиры или другой обязаловке. Постарайтесь, чтобы время, которое вы выделили для себя, было использовано для медитации и самоанализа.

Вы можете писать о своих переживаниях и чувствах, о том, что вам приходится преодолевать и что вы испытываете при этом. Для самовыражения рекомендуется использовать рисунки, символы и записи. Дайте волю ребенку, который живет в каждом взрослом, и используйте цветные карандаши, мелки и чернила. Будьте спонтанны, не думайте об ошибках, правописании, грамматике или аккуратности. Это ваш личный дневник — ваше путешествие, поэтому выражайте себя наиболее удобным для вас способом. Результаты явятся для вас полной неожиданностью.

С помощью дневника вам может открыться ваше внутреннее «я». Ведение дневника поможет вам понять, в чем его своеобразие.

Если вы решите показать свои записи другим людям, выберите тех, кто думает так же, как вы. Заставьте замолчать вашего внутреннего критика. Если вы обнаружите у себя недостатки, не пугайтесь. Признайте факт их существования — ведь никто не без изъяна, — а затем используйте ситуацию для создания новых позитивных мыслей и образов, которые должны прийти на смену старым.

Мы верим, что дневник вдохновит вас на фиксацию ваших мыслей, чувств и аффирмаций, поможет облечь в слова ваши надежды и мечты, он может стать письменным свидетельством нового положительного периода в вашей жизни.

СИЛА АФФИРМАЦИЙ
ЛУИЗЫ ХЕЙ

Аффирмации — это то, что мы говорим или думаем. Очень часто они бывают отрицательными. Мы говорим: «Я не хочу повторения этого в моей жизни» или «Я не хочу больше болеть», «Я ненавижу эту работу». Если мы хотим что-то изменить в нашей жизни, надо обязательно произнести вслух, что именно. Мы должны превратить в установку наше желание изменить себя и нашу жизнь. Итак, чтобы изменить нашу жизнь, сначала следует изменить наши мысли.

При первом произнесении аффирмаций вам может показаться, что этот способ безнадежен. Если бы это было правдой, вы бы не нуждались в аффирмациях.

Представьте, что вы посадили семя. Оно сперва прорастает, затем пускает корни, и только после этого первый росток пробивается наружу. Должно пройти время, чтобы чахлый росток превратился во взрослое растение. Точно так же и с аффирмацией. Будьте терпеливы. У вас могут возникнуть сомнения относительно того, правильна ли ваша аффирмация и вообще приносит ли она какую-либо пользу. Что ж, ваши сомнения вполне обоснованны.

Как известно, подсознание подобно канцелярскому шкафу, в котором хранятся все ваши мысли, слова и переживания со дня рождения. У вашего разума есть курьеры, которые получают эти сообщения, просматривают их и кладут в соответствующую папку. Есть папки, которые создаются на протяжении многих лет. Они заполняются сообщениями типа: «Я недостаточно хороша», или «Я недостаточна умна, чтобы сделать это», или «Все бесполезно». Подсознание погребено под этими папками.

Но вот курьеры встречают сообщение, в котором говорится: «Я прекрасна, и я люблю себя». Они откликаются: «Что такое? Куда вложить данную информацию? Мы не встречали подобного сообщения раньше». И тогда они обращаются к Сомнению. Сомнение подхватывает это сообщение и говорит вам: «Эй, смотри, нам некуда поместить твое сообщение. Должно быть, это ошибка». Вы можете ответить Сомнению: «О, Вы правы! Я ужасна. Я не хороша собой. Сожалею, я ошиблась» — и вернуться к старому образу мыслей. Или вы говорите Сомнению: «Благодарю за беспокойство, но это новое сообщение. Заведите новую папку, так как подобных сообщений будет много». Со временем вы измените ваше мышление и создадите для себя новую реальность. Помните, все зависит от вас!

Усильте ваши новые позитивные аффирмации любым доступным для вас способом: в ваших мыслях, в ваших беседах с самой собой и другими, с помощью записи в дневнике.

Мы создали этот дневник, чтобы вдохновить вас на путь вашего духовного роста и исцеления. Вы можете использовать аффирмации на каждой странице как трамплин для создания собственных установок. Как только вы найдете верную для себя аффирмацию, вам захочется водрузить ее на зеркало, стол или приборную доску вашего автомобиля. Помните, одна аффирмация не много значит. Но мысли, которые мы постоянно прокручиваем в голове, как капли воды: сначала их почти не видно, но проходит время, и образовывается пруд, затем озеро и наконец — океан. Если у вас негативное мышление, вам грозит гибель в море отрицательных эмоций, если оно позитивное — можно спокойно плыть по океану жизни.

Я готова воспринимать новые идеи и расширить свои горизонты.

Я доверяю своему «я». Я с любовью прислушиваюсь к своему внутреннему голосу. Я отказываюсь от действий и поступков, которые не направляет любовь.

Только я обладаю Силой, создавшей меня, ведь благодаря ей я могу строить свою жизнь. Я радуюсь тому, что могу использовать силу своего разума по собственному усмотрению.

Я знаю, как избавиться от старых негативных установок. Эти мысли тормозят мое развитие. У меня теперь новые позитивные творческие мысли.

Я делаю все, чтобы любовь, заполнившая мое сердце, проникла в каждую клеточку моего организма и исцелила его и мои эмоции.

Теперь для хорошего не осталось преград. Я — проводник Божественных Идей. Я живу в мире с собой.

Я излучаю радость и спешу поделиться ею с другими. Мне хочется смеяться, петь и танцевать. Я благословляю всех и вся.

Это всего лишь мысль, а ее, как известно, можно изменить.

Мое предназначение — жить полной жизнью. Я доверяю жизни. Я в потоке жизни. Я не боюсь жизни.

В моей жизни нет конкуренции и соперничества, мы все разные и всегда будем таковыми. Я особенная и неповторимая. Я люблю себя.

Я рождаюсь заново, чтобы чувствовать себя в любви свободной и научиться любить без остатка. Я даю жизни то, что жизнь хочет дать мне. Я счастлива, что появилась на свет. Я люблю жизнь.

На протяжении всего дня меня направляет Божественный Разум, дабы я приняла правильное решение. Он постоянно руководит мною в выборе целей. Я в полной безопасности.

В каждой жизненной возможности я вижу шанс для себя.

Любое мое начинание обречено на успех, так как меня направляет Создатель. Жизнь — мой постоянный учитель. Мой путь — это каменные ступени, ведущие к большому успеху. Сегодня я преодолеваю ступени, ведущие к новому понимаю и славе.

Я плыву по жизни свободно, источая любовь. Я люблю себя. Я уверена, что за любым поворотом меня ожидает только хорошее.

Я постоянно радуюсь успеху других, будучи уверена, что места под солнцем хватит всем. Чем больше я осознаю, что мне не нужно столько благ, тем богаче я становлюсь.

Хорошее приходит ко мне отовсюду и ото всех.

Мой мир совершенен. Мне ничто никогда не угрожает и не будет угрожать.

Океан Жизни дарит мне изобилие. Все мои потребности и желания удовлетворяются, прежде чем я даже попрошу. Со всех сторон и от всех людей я вижу только хорошее.

Благодаря своей силе я любовно создаю собственную реальность.

Любовью наполнено все вокруг, и я тоже достойна любви. Любящие люди заполняют мою жизнь, и я считаю, что умею проявлять свою любовь к окружающим.

Я сильная и способная. Я люблю и ценю все свои качества.

Я открыта и тянусь к силе, счастью и покою.

Я выбираю в качестве путеводной звезды своей жизни надежду, отвагу и любовь.

Теперь все хорошее стало для меня нормальным и естественным явлением. Любовь — чудотворная сила для меня. С помощью любви я преобразую всю свою жизнь.

Я доверяю своему внутреннему голосу. Я сильная, мудрая и могущественная.

Огромная мудрость сокрыта в каждом из нас. Ведь на все вопросы, которые мы задаем, в нас уже есть ответы.

Прощение — это ответ почти на любой вопрос. Прощение — это дар, который нам преподносит Судьба. Я прощаю и становлюсь свободной.

Где-то в глубинах моего «я» существует источник бесконечной любви. Теперь я позволяю любви выйти из укрытия. Она наполняет мое сердце, мое тело и мой мозг, мое сознание, все мое существо; я излучаю любовь, которая возвращается ко мне, многократно усилившись.

Я позволила жизни ворваться в мое сознание.

Я мыслю легко и гармонично. Я люблю себя и одобряю свое поведение. Мне ничего не мешает быть самой собой.

С радостью и благодарностью я принимаю все щедроты жизни. Я заслужила их.

Я даю только то, что желаю получить обратно. Я дарю свою любовь окружающим, и она возвращается ко мне ежеминутно.

Я в мире со своими мыслями.

Я с любовью забочусь о себе. Я легко иду по жизни.

Божественный мир и гармония вокруг меня и во мне. Я отношусь ко всем людям терпимо, с сочувствием и с любовью.

Я частица потока жизни, я живу в общем ритме. Жизнь поддерживает меня и приносит только положительные, добрые переживания. Я верю, что жизнь принесет мне счастье.

Я радуюсь своей силе. Теперь я делаю все, чтобы в соответствующей форме выразить свою неповторимость.

Моя уникальная творческая личность находит лучшие способы своего самовыражения. Мои творческие способности всегда будут нужны.

Я в гармонии со всей Вселенной. Я уверена, что жизнь повернулась ко мне лицом. Наконец мне открылось, как я прекрасна. Я хочу любить и наслаждаться собой.

Я люблю и любима. Меня стоит любить.

Мне ничего не мешает иметь прекрасные мысли. Я покинула прежние пределы и обрела свободу. Я становлюсь такой, какой меня создали.

Настал новый день. Такого еще не было в моей жизни. Я наслаждаюсь каждым его мгновением.

Сегодня мой день; еще один неповторимый день. Я проживу его в радости. С сегодняшнего дня я новый человек.

Я свободна, как ветер. Я живу в мире, который создала своими любовью и пониманием.

Я восторгаюсь своим телом. Я концентрируюсь на исцеляющих мыслях, которые делают здоровым и укрепляют мое тело, а также позволяют хорошо себя чувствовать.

Настало время исцеления и гармонии. Мы должны подняться над прошлым. Мы все — Божественное, Великолепное Проявление Жизни.

Я знаю, что бесценна. Я не боюсь преуспеть. Жизнь благосклонна ко мне.

Я — часть симфонии жизни. Я вписалась в гармонию; мои мысли обрели покой. Я пребываю в гармонии с жизнью.

Я смотрюсь в зеркало и говорю:
«Я люблю тебя, я на самом деле люблю тебя». Я продолжаю произносить эту незатейливую аффирмацию, и моя внутренняя энергия начинает изменяться. Передо мной открываются моя собственная красота и мое великолепие.

Я спокойно сплю. Я полностью полагаюсь на жизнь, которая заботится о моем высшем благе и величайшей радости.

Мой разум создает мою жизнь. Мне никто не мешает творить добро в своей жизни.

Прошлое не властно надо мной, поскольку у меня есть желание узнавать новое и меняться. Я считаю свое прошлое данностью, которая определила мое место в настоящий момент. Я решаю начать именно отсюда.

Любая моя мысль закладывает кирпичик будущего.

Любую проблему я рассматриваю с разных точек зрения. Точек зрения существует несметное количество, так же как и путей решения проблем. Я не боюсь.

В вечном течении жизни, в которой существую и я, все совершенно, целостно и законченно, и тем не менее жизнь не стоит на месте, она всегда меняется.

Нет ни начала, ни конца, лишь один круговорот вещей и чувств. Жизнь не останавливается ни на минуту, поэтому каждое ее мгновение всегда ново и свежо.

Все, что мне нужно знать в любой момент, доступно мне. Я верю в себя и в жизнь. Все будет хорошо.

Я открыла свое сердце и готова поделиться самым исцеляющим даром — бесценным даром безоговорочной любви.

Я разрушила старые преграды и теперь выражаю себя свободно и творчески.

Я чувствую себя защищенной и воспринимаю совершенство своей жизни. Все будет хорошо.

Каждое переживание делает меня более опытной. Я живу в мире с теми, кто меня окружает.

Передо мной открывается множество возможностей. Я заслуживаю хорошей жизни. Я заслуживаю хорошего здоровья. Я заслуживаю радости и счастья. Я заслуживаю свободы; свобода в том, что я могу выбрать любой путь.

Я абсолютно свободна в моих мыслях. Я теперь осваиваю новое пространство, я теперь осознаю себя по-новому. Я хочу по-новому думать о себе и своей жизни.

Я провозглашаю мир и гармонию в себе и окружающем мире.

Я хочу познать все, что необходимо. Я хочу меняться и расти. Сейчас я впитываю все необходимое, чтобы стать привлекательной.

Я говорю: будь той, кем быть можешь. Я заслуживаю в жизни самого лучшего. Я люблю и ценю себя и других людей.

Мы делаем все, что можем, всегда и везде. Положительные сдвиги происходят гораздо быстрее и легче, если мы безоговорочно любим друг друга.

Глядя себе в глаза, я говорю: «Я прощаю тебя, и я люблю тебя». После этого мне легче простить других.

Я заслуживаю всех благ.

Меня несет поток жизни, я расслабилась и позволяю жизни обеспечить меня всем необходимым. Жизнь принадлежит мне.

Я открыта для восприятия мудрости. Я знаю, что существует Мировой Разум. Именно от него все ответы, все решения, исцеления, все сущее на земле.

Я доверяю этой Силе и Разуму, будучи уверена, что все, что мне нужно знать, будет открыто мне в нужное время, в нужном месте и определенной последовательности. В моем мире все хорошо.

Я полностью открыта для жизни и радости. Я выбрала любовь.

Я преодолела страхи и барьеры, присущие другим людям. Я создаю свою жизнь.

Духовная пища, в которой нуждаются мое тело и мозг, — это постоянный поток любви. Проявления моей любви к себе многогранны.

Эта любовь проявляется в выборе, который я сделала. Ведь меня окружает любовь.

Я добиваюсь гармонии между моим телом и моими мыслями. Я концентрируюсь на мыслях, которые позволяют мне чувствовать себя хорошо.

Каждое мгновение моей жизни — свежее, новое, до краев наполненное жизнью. Я использую аффирмации, чтобы создать то, что хочу.

Вокруг меня сплошная гармония. Я с любовью внемлю приятному и благому. Я — сосредоточение любви.

Я сильная. Я — хозяйка своих мыслей. Все, что говорят другие, не имеет значения. От меня зависит принять или отвергнуть. Моя сила — в моих мыслях.

Я открыта для всего нового. Каждое следующее мгновение предоставляет чудесную возможность стать совершеннее, приблизиться к идеалу.

Я легко и без усилий плыву по жизни.

Я полна жизни, энергии и радости.

Я преклоняюсь перед своим телом. Я благодарна за то, что оно такое. Я люблю его.

С каждым днем мое тело обретает для меня все большую ценность. Я люблю прекрасный замок, в котором обитает моя душа.

Я создаю мир в моих мыслях, а в моем теле этот мир находит выражение в отменном здоровье.

У меня достаточно сил и знаний, чтобы справиться со всем в жизни.

Мне нет надобности бороться за то, чтобы со мной произошли перемены. Все хорошее происходит само по себе, как только я даю разрешение. Я с легкостью отбрасываю все ненужное.

Я — само понимание, и меня очень любят окружающие. Я окружена любовью, которая защищает меня.

Отныне я черпаю благо для себя из любых источников — известных и неожиданных. Для меня нет ограничений и запретов — ни в источниках, ни в путях. Новая жизнь превосходит самые смелые мечты.

Я полна энтузиазма и энергии.

Я иду по жизни легко и радостно.

Я думаю и произношу только слова любви. Я пребываю в согласии с жизнью. Я говорю с нежностью и любовью.

Жизнь возвращает каждую мою мысль. Когда я думаю позитивно, жизнь приносит мне только хорошее.

Я люблю себя, я устроила себе комфортабельное жилище. Мне в нем уютно и хорошо, одно удовольствие. Я заполнила его любовью, поэтому каждый, кто приходит ко мне, чувствует эту любовь и питается ею.

Атмосфера любви, царящая в моих мыслях, способствует совершению маленьких чудес ежеминутно. Вокруг меня всегда исцеляющая атмосфера, воздействие которой благословенно. Она несет людям покой.

Я люблю себя. Мое поведение и мысли пропитаны любовью к людям. И то, что я даю другим, возвращается ко мне сторицей.

Я человек решительный. Я иду по жизни и поддерживаю себя с любовью.

Всегда найдется время и место для того, что я задумала.

Я в любом человеке вижу только хорошее и помогаю ему проявить его самые приятные стороны.

Я радостно прощаюсь с прожитым днем и погружаюсь в мирный сон, уверенная, что завтра само позаботится о себе.

Каждое мгновение жизни — это возможность для меня начать новую жизнь прямо здесь и прямо сейчас.

Мне покойно именно там, где я нахожусь. Я принимаю отпущенные мне блага, зная, что все мои желания и потребности будут удовлетворены.

Я легко воспринимаю перемены. Меня ведет по жизни Бог, вот почему я всегда двигаюсь в верном направлении.

Каждая моя мысль создает мое будущее. С каждым выдохом я избавляюсь от всех ложных идей и мнимых болезней. С каждым новым вдохом я утверждаю для себя и жизни Любовь.

Каждый из нас внутренне связан со Вселенной. Осознав это, мы обеспечиваем гармонию тела, мыслей и эмоций.

Я полагаюсь на собственную силу.

Думая о любви и радости, я создаю любящий и радостный мир. Я ничего не боюсь, я свободна.

Я радуюсь своему росту. Изменения очевидны. Красота окружает меня. Я восхищаюсь тем, что вижу.

Я совершаю бесконечное путешествие в Вечности и у меня в запасе много времени. Я общаюсь с любовью.

У меня хорошо развита интуиция.

Я хорошо отношусь к себе, и мои решения всегда для меня самые лучшие.

Я доверяю своему внутреннему голосу. Я сильная, мудрая и могучая.

Я благодарна жизни за то, что она так щедра ко мне. Я благословенна.

С помощью любви я помогаю создавать мир, в котором не опасно любить друг друга.

Я отказываюсь от всех мыслей, которые не несут любовь и радость.

Я двигаюсь из прошлого в новое и полное жизни настоящее.

Моему совершенству нет предела, меня ничто не ограничивает.

Я мудро распоряжаюсь своей жизнью. С любовью и легкостью.

Я верю, что будут царить мир и изобилие. Я верю в гармонию и союз между народами и вношу свой вклад в их развитие.

Любой конец — это одновременно начало. Жизнь бесконечна.

ПОЛНАЯ ЭНЦИКЛОПЕДИЯ ЗДОРОВЬЯ Луизы Хей

Ответственный за выпуск
Н. Ораф

Младший редактор
И. Воробьева

Художественный редактор
Т. Дмитракова

Технический редактор
Л. Бирюкова

Корректор
Н. Беляева

Подписано в печать 05.11.04.
Формат 70×108^1/$_{16}$. Бумага газетная.
Гарнитура «Таймс». Печать офсетная.
Усл. печ. л. 68,60. Доп. тираж 20 000 экз.
Изд. № 99-338-Э. Заказ № 3579.

Издательство «ОЛМА-ПРЕСС Образование»
129075, Москва, Звездный бульвар, 23А, стр. 10
«ОЛМА-ПРЕСС Образование» входит в группу компаний
ЗАО «ОЛМА МЕДИА ГРУПП»

Отпечатано с готовых диапозитивов
в полиграфической фирме «КРАСНЫЙ ПРОЛЕТАРИЙ»
127473, Москва, Краснопролетарская, 16